Chmel, Joseph, Anonymus

Hansa wöchentlich erscheinendes Zentralorgan für Schiffart, Schiffbau, Hafen

Chmel, Joseph, Anonymus

Hansa wöchentlich erscheinendes Zentralorgan für Schiffart, Schiffbau, Hafen

Inktank publishing, 2018

www.inktank-publishing.com

ISBN/EAN: 9783750102910

Hansa

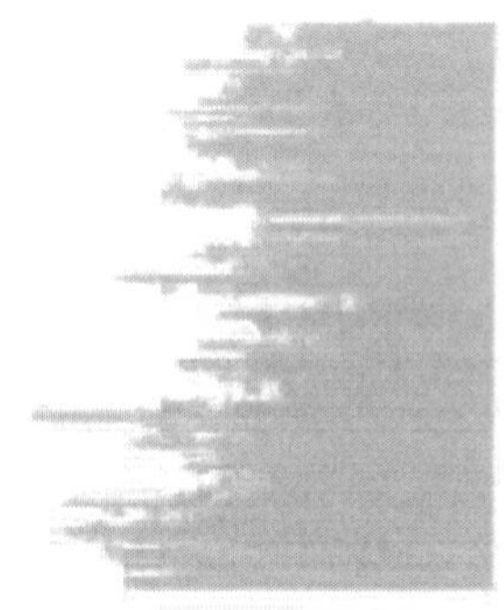

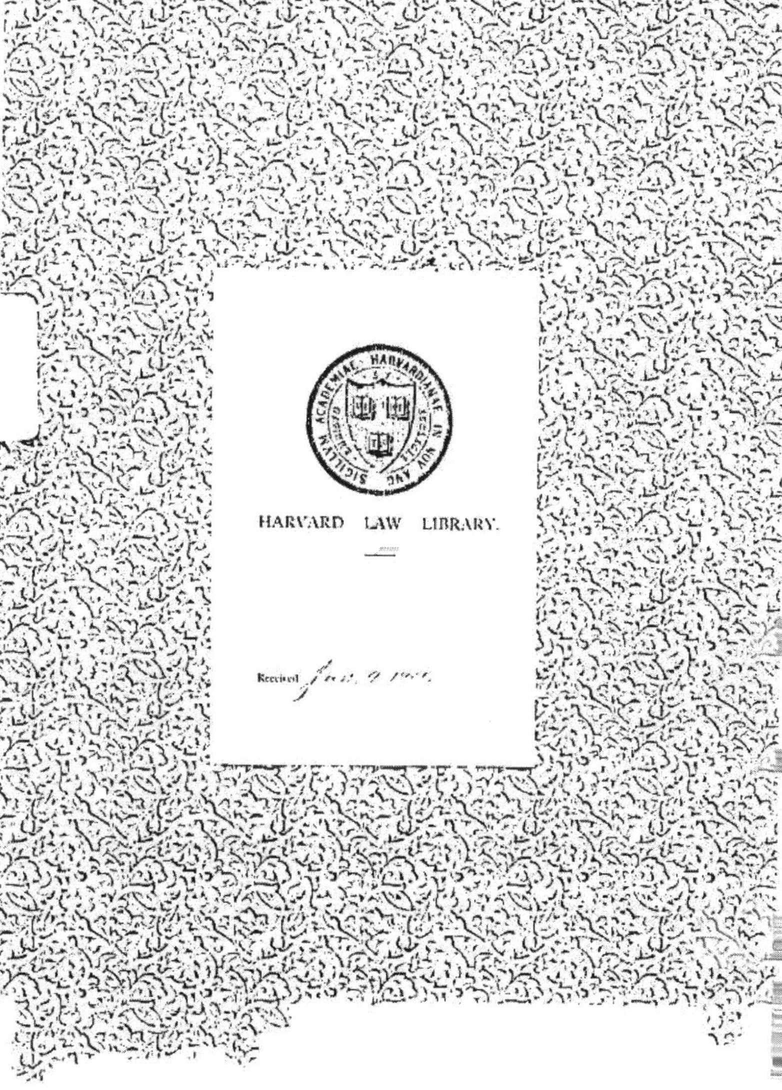
SIGILLUM ACADEMIAE HARVARDIANAE IN NOV ANG
HARVARD LAW LIBRARY.
Received

HANSA

ZEITSCHRIFT FÜR SEEWESEN.

XXI. JAHRGANG.

1884.

VERLAG VON H. W. SILOMON IN BREMEN.

HAMBURG.

DRUCK VON AUG. MEYER & DIECKMANN.

Rec. Jan. 7, 1701.

Inhalts-Verzeichnis.

Redigirt und herausgegeben
von
W. von Freeden, BONN, Thomasstrasse 1.

Telegramm-Adresse:
Freeden Bonn.
oder
Hansa Alterwall 28 Hamburg.

Verlag von *H. W. Silomon* in Bremen.

Die „*Hansa*" erscheint jeden 2ten Sonntag. **Bestellungen** auf die „*Hansa*" nehmen alle Buchhandlungen, sowie alle Postämter und Zeitungsexpeditionen entgegen, desgl. die Redaktion in Bonn, Thomasstrasse 1, die Verlagshandlung in Bremen, Obernstrasse 11 und die Druckerei in Hamburg, Alterwall 28. Sendungen für die Redaktion oder Expedition werden an den letztgenannten drei Stellen angenommen. **Abonnement** jederzeit, frühere Nummern werden nachgeliefert.

Abonnementspreis:
vierteljährlich für Hamburg 2½ ℳ,
für auswärts 3 ℳ = 3 sh. Sterl.
Einzelne Nummern 60 ₰ = 6 d.

Wegen **Inserate**, welche mit [illegible] ₰ die Petitzeile oder deren Raum berechnet werden, beliebe man sich an die Verlagshandlung in Bremen oder die Expedition in Hamburg oder die Redaktion in Bonn zu wenden.

Frühere, komplete, gebundene Jahrgänge von 1872 1874, 1876, 1877, 1878, 1879, 1880, 1881, 1882 sind durch alle Buchhandlungen, sowie durch die Redaktion, die Druckerei und die Verlagshandlung zu beziehen.

Preis ℳ [illegible]: für letzten und vorletzten Jahrgang ℳ [illegible].

Zeitschrift für Seewesen.

No. **1.** **HAMBURG, Sonntag, den 13. Januar 1884.** **21.** Jahrgang.

Inhalt:

Rückblicke.

Ein Jahr *friedlicher Entwickelung* für unser Vaterland liegt wieder hinter uns, ausgezeichnet durch einen reichen Erndtesegen, blühenden Handel und den allmälig sich beruhigenden Streit der religiösen Genossenschaften, deren eine ihrem Reformator und Stifter an seinem vierhundertjährigen Geburtstage lauten tiefgefühlten Dank dafür darbrachte, dass er sie zur vornehmsten Trägerin der Fortschritte in Religion, Kultur und Wissenschaft gemacht hat. Mehr und mehr erwacht bei uns der Trieb, den alten Mittelmeerstaaten nachzuahmen, wenn sie der heimischen Uebervölkerung durch Aussendung oder Gründung von *Kolonien* abzuhelfen strebten. Nachdem verschiedene regierungsseitig eingeleitete Versuche an der Kurzsichtigkeit der Freihändler und Manchesterleute des Reichstags gescheitert waren, hat sich jetzt ein privater Verein, in welchen viele Gegner der Regierungsvorschläge sich haben aufnehmen lassen, derselben Aufgabe zugewandt. Wir wünschen ihm alles mögliche Gedeihen, können aber die Vermutung, um nicht mehr zu sagen, nicht unterdrücken, dass manche seiner Mitglieder auch zu dem Zweck eingetreten sein dürften, um gelegentlich einen Tropfen Dinte dem Glase Wasser beizumischen. In unsern *Nachbarländern* wird freilich die Kolonisation mit allen Staatsmitteln betrieben, je nach der Race mit Pulver, Granaten und Blei, oder mit Missionaren und Kaufleuten als Pionieren. Am Congo dürften die beiden Systeme noch am ehesten auf einander platzen; da aber weder England nach einem Kriege mit Frankreich, noch Frankreich nach einem Kriege mit England gelüstet, so werden die unausbleiblichen Kollisionen wohl ebenso unblutig verlaufen, als am Nil, auf Madagaskar und am roten Flusse. Bedenklich für beide Teile dürfte die Gährung werden, welche als Folge der Besetzung von Tunis und Aegypten immer deutlicher unter den Anhängern des Islam hervortritt und vielleicht schon in diesem Jahr zu neuem gewaltigen und umfassenden Ansturm gegen die Eindringlinge führt. Währenddem hat die *deutsche Politik* die Friedensstellung Deutschlands durch direkte Bündnisse oder Austausch freundlicher Gesinnungen in erfolgreichster Weise zu stärken verstanden, und ist Deutschland unbestreitbar zur Vormacht Europas und zum Hüter des Friedens in diesem Weltteil geworden. Als eine natürliche Folge dieser Politik hat dieser Standpunkt nach auswärts zur Stärkung unsers Ansehens und unserer Verbindungen geführt.

Dass *Handel* und *Verkehr* nicht so *lohnend* als 1882 geblieben sind, daran hat wohl zum Teil die durchweg gute europäische Erndte Schuld. Die Schiffahrt empfindet es tief, wenn ein Haupttransport, der grosse Schiffsräume verlangt, in Wegfall gerät, und die stark abnehmende Auswanderung mag auf dieselbe *Ausgleichung* der europäischen und amerikanischen Produktion zurückgeführt werden. Auch die grosse Industrie hat nicht mehr mit dem seit einigen Jahren hergebrachten Vorteil arbeiten können; manche Zweige der Eisenindustrie haben sogar, um sich den mühsam errungenen ausländischen Markt sowie ihren heimischen Stamm von geschickten Arbeitern zu erhalten, zu dem immerhin bedenklichen Mittel greifen müssen, nach dem Auslande billiger als nach dem Inlande zu verkaufen. In hohem Grade erfreulich ist die stete Ausbreitung des Eisenschiffbaus in unsern Küstenstädten und die Anerkennung, welche sich das *deutsche Eisenmaterial* nach jeder Beziehung ausser in der Preisstellung gegenüber der englischen Konkurrenz errungen hat. Dass die entschiedene

Bevorzugung deutscher Arbeit und deutschen Materials Seitens der Kaiserlichen Marine sehr viel zu diesem Umschwunge beigetragen hat, muss gern und rückhaltslos anerkannt werden. Dennoch bleibt noch viel zu thun übrig, um auch die letzten Hochburgen der Vorliebe für ausländische Arbeit dahin zu belehren, dass sie sich nur an die *richtigen* deutschen Addressen zu wenden haben, um auch ihre weitestgehenden Ansprüche befriedigt zu sehen.

In einer besondern Beziehung war das verflossene Jahr für die Schiffahrt in hohem Grade verhängnisvoll: die *Schiffsverluste* von 1883 haben noch das so schlimme Vorjahr weit hinter sich gelassen. Im Ganzen zählt man rund 2000 Schiffbrüche, darunter etwa zwei Drittel an und in der Nähe der britischen Küsten; 522 Schiffe gingen dort unter, von ihnen mehr als 150 infolge von Zusammenstössen. Ueber 4000 brave Seeleute fielen ihrem Berufe zum Opfer, doch wurden auch 956 allein an den britischen Küsten durch die nationalen Rettungsboote vor sicherm Untergange bewahrt, die seit ihrer Stiftung 29628 Personen aus Seegefahr gerettet haben.

Leider hat unsere deutsche Rhederei dazu einen erheblich grössern Beitrag gestellt, als der Durchschnitt des Verkehrs erwarten liess. Die Niederrennung der ‹Cimbria› in den ersten Tagen des Jahres bleibt ein düsterer Fleck auf der deutschen Schiffahrt des Jahres 1883, und die Sühne, welche der seeamtliche Spruch endlich am Ende des Jahres brachte, hat nichts weniger als versöhnend gewirkt. Man darf dies schliessen aus den persönlichen Bemühungen einzelner Hamburger Rheder, welche auf diese altgewohnte Art einem weitern Vorgehen der regierenden Kreise in einem ihnen bedenklich erscheinenden Sinne vorbeugen wollten, ohne dort das willige Ohr wie zur Zeit Delbrücks vorzufinden. Der von ihnen darauf unternommene Schritt zur Bildung eines Hamburger *Rhedervereins* verräth nach unserer Ansicht, dass er nicht in gewohnter Anlehnung an Bestehendes, dagegen eher ab irato unternommen ist. Wir sehen wenigstens nicht ein, warum man nicht vorgezogen hat, in den Hamburger Nautischen Verein einzutreten, und denselben durch Masseneintritt zur Beseitigung der vermeintlichen Bedrängnisse zu veranlassen und zu kräftigen. Die Berufung auf die englische Shipowners Association passt in sofern nicht, als in England ein Analogon zu unserm allgemeinen deutschen nautischen Verein nicht existirt. Dieser deutsche nautische Verein aber umfasst alle bei der Schiffahrt und Rhederei betheiligten Kreise, hat seit fünfzehn Jahren unter wachsender *allseitiger* Anerkennung gearbeitet, und wäre demnach so recht eigentlich das Feld gewesen, wo Jedermann seine vermeinten oder wirklichen Beschwerden verlautbaren und zum gemeinsamen Ausdrucke bringen konnte. Die Einrede, dass einzelne nautische Vereine statutarisch Rheder von der Teilhaberschaft ausschliessen, erscheint uns um so weniger stichhaltig, als der Hamburger nautische Verein von einem der ersten damaligen Rheder Hamburgs mitbegründet ist, ein anderer Rheder Jahre lang dem Verein präsidirt hat, und der Verein von jeher eine gute Anzahl Rheder zu seinen Mitgliedern zählte. Kein Wunder das infolge dieser notorischen Umstände der Aufruf der Hamburger Herren zur Bildung eines *deutschen* Rhedervereins nur sehr lauen Wiederhall an auswärtigen Plätzen gefunden hat und man deshalb jetzt schon nur noch von einem Lokalverein Hamburg spricht resp. schreibt. Hoffentlich bricht vor der harten Wirklichkeit die Ansicht sich Bahn, dass man mit viel mehr Aussicht auf Erfolg eine altbewährte Organisation benutzen kann, statt sie zum eigenen Schaden zu ignoriren. Nicht ein einziges der in dem Programm genannten Ziele des Rhedervereins ist dem nautischen Verein als solchem fremd, es wird nur darauf ankommen, ob man seine Kräfte zur Erreichung derselben in Bewegung zu setzen vermag. Die Behandlung gewisser Fragen in dem bisher von Hamburger Rhedern beliebten Geiste würde sogar im nautischen Verein, wenigstens in einigen Kreisen desselben, auf sympathischen Zuruf haben rechnen können, den man jetzt durch diese Beiseitestellung zum mindesten dämpft. Wir dürfen das um so freier andeuten, als vielen andern mit diesem fehlsamen Vorgehen ein nicht unwichtiger Dienst erzeigt wird.

Wir schliessen diese Betrachtungen mit einem aufrichtigen Dankeswort an unsern sich stets vergrössernden Kreis von Mitarbeitern, deren freundliche Beihülfe die ‹Hansa› auch für den hiemit beginnenden einundzwanzigsten Jahrgang sich erbittet. Unentwegt und fest wollen wir nach wie vor nur *das Ganze der deutschen Schiffahrt* im Auge behalten.

Die Wirkungen des französischen Gesetzes über die Unterstützung der Handelsmarine durch Schiffsbau- und Schiffahrtsprämien.

Unser Organ hat der Streitfrage der Schiffahrtsprämien etc. gegenüber sich stets unabhängig von neueren Theorien gestellt. Wenn wir auf die Sache heut zurückkommen, so geschieht es zum Zweck eines objektiven Referats über französische Schiffsbau- und Schiffahrts-Verhältnisse. Wir bemerken gleich hier, dass, wie man im Privatleben das Wort „Eines schickt sich nicht für Alle" oft als Erfahrungs-Wahrheit anzuwenden pflegt, so auch bei der grossen Verschiedenheit der Völker-Individualitäten für die eine Nation Das notwendig erscheinen und nützlich wirksam werden kann, was für eine andere nicht nur nicht erforderlich ist, sondern sogar für die frische nachhaltige Energie erschlaffend wirken kann. Denn zwischen germanischen und romanischen Völkern liegt der tiefgehende Unterschied gerade darin, dass bei ersteren die eigene Initiative sich um so freier, die nachhaltige Kraft um so zäher entwickelt, je mehr sie ganz und allein auf die eigene Kraft und Mittel angewiesen sind, während bei den romanischen Völkern der Staat allüberall vorangeht, antreibend und mit seinen reichen Mitteln ins Leben rufend, was die Privatinitiative anzupacken nicht recht Lust und Vertrauen zeigt. Es kann nichts so sehr für das thatsächliche Vorhandensein jenes Unterschiedes sprechen und ihn illustriren, als die Erscheinung, die uns von einer Autorität schiffahrtspolitischer Verhältnisse geschildert wird, dass „selbst an den augenblicklich bedrängtesten Punkten Deutschlands kein Rheder eine solche Staatsunterstützung wie ein dargereichtes Almosen annehmen werde. An der Weser geht man mit der Selbsthilfe allmälich immer kräftiger vor. Das Bauen kleinerer Schiffe unter 700 Tons hört auf, man baut entweder hölzerne Schiffe über 800 Tons oder kauft 6—10 Jahr alte, grosse eiserne Schiffe von 2000 Tons in England, oder baut und kauft Frachtdampfer. Letztere sind für uns das Schiff der Zukunft, in England das der Gegenwart. Soviel ist man dort uns voraus!"

Wir geben also in Folgendem das rein Thatsächliche; unser Referat kennzeichnet zugleich die entsprechenden gegensätzlichen Verhältnisse in Frankreich.

Seit das französische Gesetz über die Unterstützung des Schiffsbaues und die Schiffahrtsprämien in Wirksamkeit getreten ist, also seit 1½ Jahren, sind nachfolgende Schiffahrtsunternehmungen zu registriren:

I. Zwei von der neu gegründeten „Compagnie Commerciale de transport à vapeur" beabsichtigte regelmässige Dampferlinien zwischen Havre, New-Orleans und benachbarten Baumwollenhäfen und zwischen Havre, Côte ferme und den Antillen. Die Gesellschaft hat ein Gesellschaftskapital von 12 Millionen Franken und hat auf französischen Werften 7 Dampfer von je etwa 3000 Tonnengehalt in Auftrag gegeben, welche jetzt sämtlich in Bau sind. Der erste Dampfer sollte zu Anfang des verflossenen Jahres vom Stapel laufen und zunächst die Linie nach New-Orleans Mitte März v. J. in Betrieb gesetzt werden. Die Dampfer sind hauptsächlich für den Gütertransport eingerichtet und dürften geeignet sein, den Dampfern der Hamburg-Amerikanischen Packetfahrt-Aktien-Gesellschaft, welche eine Linie über Havre nach den Antillen, bezw. Mexiko und zurück über Havre unterhält, sowie den Dampfern des Bremer Norddeutschen Lloyd, welcher eine allerdings nicht regelmässige Linie über Havre nach New-Orleans und Havanna unterhält, Konkurrenz zu machen.

II. Eine von der neu gegründeten „Compagnie Maritime du Pacifique" (oder Compagnie des steamers français du Pacifique) eingerichtete regelmässige Dampferlinie zwischen Havre und den Pacific-Häfen mit monatlichen Fahrten. Das Gesellschaftskapital beträgt 11 Millionen Franken. Die Gesellschaft hat eine Flotte von 6 neuen Dampfern von je etwa 2500 Tonnengehalt bereits erworben und im Juni v. J. ihre Linie in Betrieb gesetzt. Die Dampfer fahren hauptsächlich zwischen Havre, Montevideo, Valparaiso und Lima und sind ebenfalls hauptsächlich für den Frachttransport eingerichtet. Diese Linie ist bereits in fühlbare Konkurrenz mit den Dampfern der Hamburger „Kosmos"-Gesellschaft getreten, welche mehr oder weniger regelmässige Fahrten über Antwerpen bezw. Havre nach den Häfen des Stillen Oceans unterhält. Die letztere Gesellschaft hat sich infolge dieser Konkurrenz, wie kürzlich verlautete, bereits genötigt gesehen, auch die Häfen Central-Amerikas in den Bereich ihrer Fahrten zu ziehen, da die Frachten in den Südsee-Häfen durch die Dampfer der französischen Konkurrenzlinie ganz unverhältnismässig herabgedrückt sind.

Auch den Dampfern der Hamburg-Amerikanischen Packetfahrt-Aktien-Gesellschaft, welche im Anschluss an ihre Linie nach den Antillen eine Linie nach den Häfen des Stillen Oceans via Panama unterhält, könnte die Konkurrenz der gedachten französischen Linie fühlbar werden.

III. Eine von der neu gegründeten „Société Postale française Atlantique" beabsichtigte regelmässige Dampferlinie zwischen Havre, Canada und Brasilien mit monatlichen Fahrten. Das Gesellschaftskapital soll 5 Millionen Franken betragen und die Flotte aus 7 Dampfern bestehen, wovon 2 in England bereits gekauft sind und die übrigen in Frankreich gebaut werden sollen. Die Fahrten sollen stattfinden zwischen Havre, Quebeck, Montreal, Halifax, St. Thomas, Para, Maranhao, Pernambuco, Bahia, Rio de Janeiro. Im Winter fallen Quebeck und Montreal aus. Die Linie ist im Octbr. 1883 eröffnet worden. Die kanadische und die brasilianische Regierung sollen Subventionen gewähren, was den Anspruch der Linie auf die französische Schiffahrtsprämie nicht ausschliesst. Die Linie dürfte mit den Dampfern des Bremer Norddeutschen Lloyd, welcher seit Kurzem eine noch unregelmässige Linie über Havre nach Brasilien eingerichtet hat, in Konkurrenz treten.

IV. Eine von der schon länger bestehenden Compagnie „Chargeurs réunis" geschaffene neue regelmässige Dampferlinie zwischen Havre und den Häfen des Parana mit monatlichen Fahrten. Die Linie soll von Havre über Montevideo und Buenos-Aires nach Rosario und andern Häfen des Parana gehen. Die Compagnie hat für diese Linie 7 neue Dampfer von je 2000 bis 3000 Tonnen Gehalt auf französischen Werften bauen lassen. Der Bau eines achten Dampfers ist beschlossen. Die neue Linie ist vor Kurzem ins Leben getreten und soll mit gutem Erfolg arbeiten. Die Compagnie „Chargeurs réunis" hat ein Gesellschaftskapital von 8 Millionen Franken und hat bisher eine Dampferlinie zwischen Havre und Brasilien und eine solche zwischen Havre und La Plata unterhalten. In dem Rechnungsabschluss der Gesellschaft vom 30. Juni v. J. ist dem „Economiste français" zufolge als verdiente Schiffahrtsprämie für die Zeit vom letzten Januar (dem Zeitpunkt des Inkrafttretens des Gesetzes) bis Ende Juni, also für 5 Monate, ein Betrag von 320 000 Francs in Einnahme gestellt, d. i. 64 000 Francs pr. Monat oder 768 000 Francs pr. Jahr, was allein einer Verzinsung des Gesellschaftskapitals von 8 Millionen Francs zu 9½ % gleichkommt.

Die vorgedachten vier neuen Schiffahrts-Unternehmungen, welche die direkten Handelsbeziehungen zwischen Frankreich und den betreffenden Ländern hauptsächlich unter Ausschluss des bisher zumeist durch die englische Flagge vermittelten, sehr erheblichen englischen Zwischenhandels zu pflegen und zu fördern bezwecken, repräsentiren allein einen Zuwachs der französischen Handelsmarine von etwa 70 000 Tonnen Dampfschiffen.

Daneben werden zahlreiche Bestellungen einzelner Dampfer auf französischen und auswärtigen Werften gemeldet. In Marseille und andern Häfen scheint eine gleiche Rührigkeit auf dem Gebiete der Schiffahrtsunternehmungen sich zu zeigen, so dass die mit Rücksicht auf die Begünstigungen des Gesetzes vom 29. Januar v. J. von französischen Interessenten bisher in Auftrag gegebenen Dampferbauten zur Zeit auf mindestens 150 000 Tonnen geschätzt werden.

Die neuen Unternehmungen haben im Wesentlichen nur den Frachttransport im Auge und wird die Schiffahrtsprämie für die Einrichtung schneller Dampferlinien, wie sie die Beförderung von Passagieren und Posten erfordert, nicht für hinreichend, dafür vielmehr die eigentliche staatliche Subvention für erforderlich erachtet.

Von neuen staatlich subventionirten Linien ist im Wesentlichen nur die von der „Compagnie des Messageries maritimes" in Marseille übernommene Dampferlinie von Marseille durch den Suezkanal nach Australien und Neu-Caledonien hervorzuheben. Die Linie soll eine rasche und regelmässige direkte Verbindung mit Neu-Caledonien und regelmässige direkte Handelsbeziehungen mit Australien schaffen. Die Fahrten, welche auf jährlich 13 Hin- und Rückfahrten festgesetzt sind, sollen zwischen Marseille, Port Said, Suez, Aden, Mahé, La Réunion, Port Louis, King Georges Sund, Adelaide, Melbourne, Sidney, Noumea und über die genannten Häfen zurück stattfinden.

Die staatliche Subvention wird bei vollem Betrieb jährlich 3 297 216 Franken oder 32 Franken pr. Seemeile betragen und dauert 15 Jahre. Die Compagnie hat bereits mehrere Dampfer für diese Linie, welche spätestens in 2 Jahren in ihrem ganzen Umfange in Betrieb gesetzt sein muss, in Auftrag gegeben. Dieselbe hat namentlich den Zweck, den Import australischer Wolle und anderer australischer Produkte nach Frankreich, sowie den Export französischer Weine und Cognac und französischer Manufakturwaaren nach Australien, welche bisher hauptsächlich durch die englisch-australischen Linien über England vermittelt wurden, an sich zu ziehen.

Was schliesslich den Schiffbau betrifft, so sind die französischen Werften mit Aufträgen für lange Zeit versorgt. Einzelne grössere Schiffahrts-Companien haben ihre eigenen Schiffswerften wieder in Betrieb gesetzt. Eine hier mit einem Kapital von 3½ Millionen Franken neugegründete Schiffswerft soll im März d. J. ihren Betrieb eröffnen.

Fr.

Aichung der Belgischen Seehandelsschiffe.

Ein Gesetz vom 20. Juni 1883 lautet wie folgt:

1. Die Schiffseigner, Rheder, Kapitäne oder Schiffsführer von Seeschiffen sind gehalten, die Tragfähigkeit derselben durch die hierzu bestellten Beamten in den Belgischen Häfen, wo sich die Schiffe befinden, feststellen zu lassen
2. Die Tragfähigkeit jedes Schiffes wird nach Kubikmetern und Registertonnen festgestellt. Die Registertonne ist gleich 2,83 Kubikmeter. Die Gesamttragfähigkeit eines Schiffes in Re-

gistertonnen ausgedrückt, bildet den Bruttotonnengehalt desselben. Der Nettotonnengehalt oder gesetzliche Tonnengehalt wird durch den Bruttotonnengehalt, nach Abzug des für den Transport von Waaren und Passagieren nicht verwendbaren Raumes, ausgedrückt.

3. Ein von der Regierung erlassenes allgemeines Reglement wird die Art der Aichung und den Vorgang bei der Messung bestimmen: es wird den Raum angeben, welchen der Bruttotonnengehalt in sich zu begreifen hat, und den zur Berechnung des Nettotonnengehalts vorzunehmenden Abzug; es wird die Ausfolgung der Aichungscertifikate sowie die Dauer der Gültigkeit und die Fälle der Ungültigkeitserklärung dieser Dokumente regeln.

4. Die fremden Schiffe, welche mit einem von den fremden kompetenten Behörden ausgefertigten Aichungscertifikate versehen sind, können von einer erneuerten Aichung in Belgien insofern befreit werden, als das fremde Certifikat Angaben enthält, welche, ohne erneuerte Messung, die Feststellung oder Berechnung des gesetzlichen Belgischen Tonnengehalts gestatten.

5. Der Zeitpunkt der Durchführung des gegenwärtigen Gesetzes wird durch königl. Dekret bestimmt werden.

Die Regierung wird die Uebergangsbestimmungen vorschreiben, welche für dienlich erachtet werden, damit die Belgischen Schiffe sich mit neuen Aichungscertifikaten versehen können. Dieselbe ist ermächtigt, die Leuchtturm-Gebühren auf Grund der neuen Aichungsweise zu ändern.

Ein gleichzeitig erlassenes königl. Dekret setzt das Inslebentreten des vorstehenden Gesetzes auf den 1. Januar 1884 fest. — n —

Uebersicht der Erträge des Scheveninger Häringsfanges in 1883.

Bekanntlich wird der holländische Häringsfang von zwei Distrikten aus betrieben, von den Maashäfen Vlaardingen und Maassluis, und von den Küstenplätzen Scheveningen, Katwyk, Zandvoort, Harlingen etc. aus. Dem Vlaarding'schen Courant als dem Hauptberichterstatter über die holländische Seefischerei entnehmen wir, dass von Scheveningen allein im Jahre 1883 über 100 Millionen Häringe durch 186 Bomschuiten gefangen sind; davon wurden «gestourd» (gestört) und lose oder in Fässern angebracht 46 Millionen; der Rest wurde «gekaakt» (ausgeweidet und eingesalzen) und verpackt in 90227 Tonnen oder sog. Kantjes. Dank den hohen Preisen, welche dauernd sowohl für Salz- wie Störhäringe erzielt wurden, erzielte die Scheveninger Flotte eine Gesamteinnahme von fl. 1 723 443 (ℳ 2 720 000), d. i. per Bomschuite fl. 9 266 (ℳ 15 750). Eine Vergleichung mit den vorjährigen Erfolgen beweist deutlich, wie man jetzt von einem gesegneten Jahr, von einer glücklichen That sprechen darf. Damals wurden angebracht durch 196 Schiffe über 107 Mill. Häringe, wofür erlöst wurden fl. 1 371 900 (ℳ 2 332 200), oder 3½ Tonnen Gold. (1 Tonne Gold = fl. 100 000 = ℳ 170 000) weniger als jetzt, so dass damals der Durchschnitts-Erlös per Bomschuite fl. 7 000.— = (ℳ 11 900) war.

Auffallend ist es, wie Scheveningen sich mehr und mehr auf die Erzielung von Salzhäring legt; denn in der letzten Fünfzahl Jahren stieg die Anzahl angebrachter Tonnen Salzhäringe von 51 000 auf 64 133, 66 701, 78 777 und auf 90 227 in 1883. Einen noch grössern Unterschied findet man, wenn man eine Zehnzahl von Jahren zurückgeht. In 1873 z. B. betrug die Zahl Kantjes Salzhäring 31 600. Für den Salzhäring fanden die Scheveninger Rheder wieder leicht Käufer in Vlaardingen; der direkte Handel in diesem Erzeugnis durch Scheveninger Händler nach Deutschland und auch nach Amerika wurde ebenso mit gutem Erfolg betrieben. Was den Störhäring angeht, so kostet es Scheveningen Mühe, um sich auf dem Platz, den es mit seinem Bückling lange Zeit in Belgien einnahm, zu behaupten. Die englischen Händler sandten auch dieses Jahr Tausende von Körben Räucherhäringe nach Antwerpen, so dass dort manchmal der Markt überführt wurde, und zwar besonders zum Nachteil der Scheveningschen Händler, die für den Störhäring hohe Preise erzielt hatten. Die Anzahl Fahrzeuge, welche Scheveningen dieses Jahr für die Häringsfischerei bestimmte, war bedeutend geringer als in vorigen Jahren, aber es war ein Rückgang der vorherzusehen und — — — nötig war, um wieder in das rechte Geleise zu kommen, welches man, verlockt durch etliche glückliche Häringsjahre, verlassen hatte. Der zu grosse Anbau von Schiffen hatte einen Zustand entstehen lassen, der verderblich auf den Wert der Fischer wirkte. Die Krisis, welche Scheveningen in dieser Beziehung durchgemacht hat, spiegelt sich am Besten ab, in den Zahlen, welche die Anzahl Fahrzeuge anzeigen, die in den letzten Jahren für die Häringsfischerei ausgerüstet wurden: die Zahlen sind 180, 195, 207, 200, 196 und 186 in 1883.

Die täglichen Wetterberichte des Meteorological Office zu London

haben seit dem 1. Januar eine leichte äussere Veränderung erfahren. Das freie Titelblatt ist in Wegfall geraten und sind dafür auf der ersten Blattseite die Stationsberichte in gewohnter Ausführlichkeit (von gestern Abend und heute früh 8 Uhr, nebst den Extremen der Temperatur und der Regenmenge in den letzten 24 Stunden) und gegenüber auf der vierten Seite die Berichte von gestern 2 Uhr eingetragen, wodurch jetzt ein grosser Platz zu allgemeinen „Bemerkungen" über den Charakter der Witterung im grossen Ganzen gewonnen ist. Auf der zweiten und dritten Seite folgen dann die bislang üblichen Wetterkarten nebst Beschreibungen und Prophezeiungen des Wetters resp. die Warnungen. Da das Format der Blätter in Breite zugenommen hat, so ist mehr Platz für die mittlern Stände des Barometers und Thermometers gewonnen, und bei letzerem nicht bloss die Stände des trockenen, sondern jetzt auch des feuchten Thermometers angegeben. Die Direction hat sich offenbar die politische Mahnung „to rest and to be thankful" nicht angeeignet.

Erinnerungen aus dem Seeleben.

I.

Im englischen Kanal.

Von *Ferd. Raspe.*

Der Herbst 1860 war eine stürmische Jahreszeit. Sturm auf Sturm durchwühlte die Nordsee und die benachbarten Gewässer. Das Meer hielt damals eine reiche Ernte. Die Küstenwachen und die Rettungsmannschaften auf ihren Stationen hatten sauren Dienst. Auf der hohen See sah man die wetterharten Nordseefischer mit ihren leichten, seegewohnten Fahrzeugen das Meer nach allen Richtungen hin durchkreuzen, auslugend, ob sich ihnen hie oder da Gelegenheit zur Bergung von Gut und Menschenleben bieten möchte. Ihre Hülfe musste leider nur zu oft in Anspruch genommen werden; denn die Küstenwasser trieben voller Schiffstrümmer, auf hoher See kämpfte mancher brave Seemann den Verzweiflungskampf mit den Elementen. Ich selbst war zu jener Zeit mit der Bark „Aphrodite" auf einer Reise aus der Ostsee nach dem Kanal von Bristol begriffen. Darum sind die wilden, sturmdurchwachten Sturmnächte jenes Herbstes meinem

Gedächtnis unvergesslich eingeprägt geblieben. Mein Schiff, erst im Jahre vorher vom Stapel gelassen, befand sich in vollkommenster Ausrüstung und bestem Segeltrim; es lag wie eine Möve auf dem Wasser, und da es fast alle guten Eigenschaften eines Seeschiffes in sich vereinigte, so war mein Vertrauen in seine Seetüchtigkeit und Manövrirfähigkeit eine unbegrenzte. Ich liebte es daher auch wie meinen Augapfel.

Als ich den englischen Kanal erreicht hatte, wehte eine leichte Brise aus SO. Mit anbrechender Dunkelheit passirte ich die Feuer von Süd-Foreland, Dungeness kam in Sicht. Jetzt tauchten an Steuerbord Hunderte von Flämmchen empor. Sie bezeichneten Dover und weiterhin deutete eine ähnliche Gruppe von Lichtern die Lage der Stadt Hastings an. Als der Morgen graute, lag Beachyhead weit hinter uns. Der Wind war inzwischen bedeutend aufgefrischt. Er hatte sich mehr nach SW gewandt. Wir konnten indess noch Kurs anliegen. Im Laufe des Vormittags wurde das Wetter rauher, die See immer gröber; das Barometer fiel schnell und sehr bedeutend, die Anzeichen nahenden Unwetters waren unverkennbar und — sie trogen nicht. Noch ehe es Abend ward, lagen wir unter dicht gerefften Marssegeln am Winde. Ein schwerer Südweststurm trieb dichte Regenschauer vor sich her und verdeckte jegliche Fernsicht. Da galt es auf dem Posten zu sein, um zu den kalten so oft durchwachten Winternächten neue hinzuzufügen. Das Schiff befand sich in einem der belebtesten Meeresteile der Erde. Aufmerksam wurde nach Schiffslichtern ausgespäht, begierig nach Leuchtfeuern am Lande, um die Annäherung an die Küste zu kontrolliren. Träge verrannen die Stunden der bangen Nacht. „Acht Glasen!“ rief der Mann am Ruder. Es war Mitternacht. Die Glocke vorn wurde achtmal angeschlagen, zum Zeichen, dass die erste Wache abgelaufen sei. Gleich darauf kam die Backbordswache an Deck, die Leute waren sämtlich in Oelzeug und Südwester gehüllt, um gegen die nasskalte Witterung geschützt zu sein. „Klar zum Wenden!“ erscholl mein Kommando. Jeder Mann eilte auf seinen Posten. Das Schiff wurde über den andern Bug gebracht und wieder lag es in die finstere Nacht hinaus. Der Sturm pfiff und heulte durch die Takelung, die See schlug dumpf gegen den Bug des Schiffes, das schwerfällig von der See umhergeworfen, sicher seinen Weg durch die Fluten nahm. Der Morgen graute. Er brachte zwar klareres und trockneres Wetter, aber keine günstigere Gelegenheit. Mit ungeschwächter, ja vermehrter Kraft dauerte der jetzt mehr aus westlicher Richtung wehende Sturm an. Wir waren während der Nacht durch Wind und See bereits bedeutend wieder zurückgetrieben worden. Als der Abend jetzt abermals hereinbrach, befanden wir uns nahezu in derselben Position als 48 Stunden früher. Dasselbe Spiel wiederholte sich noch mehrere Male. Dreimal segelten wir in den Kanal hinein, ebenso oft wurden wir durch den Ungestüm des Meeres und des Windes wieder zurückgeworfen. Endlich waren wir in unserem Bemühen erfolgreich. Am zwölften Tage von da ab gerechnet, als wir zuerst Dover passirt waren, befanden wir uns unweit Kap Lizard. Es war Mitte November, eine Jahreszeit, in welcher die Dunkelheit schon früh anbricht. Die beiden Feuertürme, welche das steile Vorgebirge an der Südspitze Englands krönen, sandten ihre glänzenden Blicke zu uns herüber. Ich war meiner Position ganz sicher und hoffte bei der frischen, aus NO wehenden Brise während der Nacht die gefährliche Enge zwischen Kap Landsend einerseits sowie dem Wolf Rock und Sevenstones andererseits glücklich zu durchsegeln, um dann am nächsten Morgen in freiem Wasser meinen Kurs ungehindert verfolgen zu können. Als ich jedoch gegen acht Uhr die Feuer von Lizard dwars ab, nordwärts von mir peilte, waren alle meine Hoffnungen wieder zu Schanden geworden. Ich stand offenbar viel zu weit vom Lande ab, um bei dem jetzt aus Nord bis NNO wehenden Winde Sevenstones-Feuerschiff noch anliegen zu können. Mir blieb unter diesen Umständen nur übrig unter der Küste zu kreuzen, um günstigere Gelegenheit abzuwarten. Um Mitternacht hatten wir das Schiff gewendet. Wir lagen jetzt — der Wind war wieder nach West zurück gegangen — über Steuerbordhalsen vom Lande ab. Die Nacht war schwarz und dunkel; zwei Mann standen vorn auf dem Ausguck, während ich selbst vom Quarterdeck aus den Horizont mit dem Nachtglase abspähte. Der Wind wehte sehr frisch, die leichten Segel waren fest, das Schiff lag unter doppelt gerefften Marssegeln und vollen Untersegeln. Dann und wann prallte eine schwere See gegen den Luvbug und machte den Rumpf in seinem Innern erbeben. „Licht an Backbord!“ meldete der Ausguck von vorn. „Licht an Backbord!“ rief ich bestätigend und, zum Steuermann gewandt, der mit seiner Wache den Dienst an Deck hatte, setzte ich hinzu: „Habe das Feuer eben auch schon bemerkt, es ist ein grünes Licht, ein Gegensegler über Backbordhalsen, der uns auszuweichen hat. Brennen unsere Laternen hell, Steuermann?“ „Ja wohl, Kapitän, ich habe mich vor kaum 10 Minuten persönlich davon überzeugt.“ Das Licht war ungefähr 4 Strich an Backbord in Sicht gekommen; es wanderte ziemlich schnell aus; jetzt hatten wir es 1½ bis 1 Strich an Backbord. Es zeigte noch immer unverändert seine grüne Farbe, meine Augen waren unverwandt auf dasselbe gerichtet. „Steuermann, der Segler weicht uns nicht aus,“ rufe ich in grösster Erregung, „zeigen Sie ein Flackerfeuer!“ und gleich darauf flammt an Backbord die gelbrote, rauchende Lohe der in Terpentin getränkten Fackel empor, einen Teil des Schiffes und die nächste Umgebung so grell beleuchtend, dass das geblendete Auge sich unwillkürlich zur Seite dem Dunkel zuwendet. Als die Flamme ausgelöscht war, blieb immer noch das grüne Licht sichtbar. Das fremde Schiff ist uns jetzt offenbar sehr nahe. „Hart auf das Ruder!“ rufe ich dem Manne am Ruder zu, „Hart auf! Los die Besahnsschoot, Steuermann!“ Kein Augenblick ist zu verlieren, es ist die höchste Zeit zum Handeln; denn in diesem Augenblick werden wenige Schiffslängen vor unserem Buge die Umrisse und die weissen Segel eines grossen Vollschiffes sichtbar. Ein Blick genügt, um den vollen Umfang der Gefahr zu begreifen. Nur ein Moment, ich stehe in Lee beim Grossmast und hin fliegt die Grossschoote. Die Blöcke klappern und schlagen, das Segel peitscht im Winde und schon auch gleitet der Segler an unserer Steuerbordseite vorüber, mit seinem Heck fast unsern Bug berührend. Die „Aphrodite“ ist eben noch genug abgefallen, um eine schreckliche Katastrophe zu verhüten. Hinter uns fliegt das fremde Fahrzeug — es ist ein Holländer — von dannen. Wir hören noch das Drehen des Ruderrades, vernehmen noch das Rufen auf dem Verdeck, aber schon in wenigen Sekunden sind die Stimmen im Getöse des Windes und der See verhallt, einem Gespenste gleich ist das fremde Fahrzeug unseren Blicken entschwunden. Auf unserem Schiffe werden die Schooten der Segel angeholt, der alte Kurs wieder aufgenommen und wieder zerteilt die „Aphrodite“ die vor dem Buge aufbrandenden Fluten, hinter sich die durchlaufene Bahn durch einen breiten phosphorartig schimmernden Streifen bezeichnend. Man hört nur noch das Brausen des Meeres und das Pfeifen des Windes, sonst ist alles ruhig geworden, als wäre nichts vorgefallen.

In den letzten Tagen hatte ich die Bemerkung gemacht, dass der Wind, welcher im Allgemeinen unausgesetzt aus westlicher Richtung wehte, mit Einbruch des Abends nach nordwärts drängte und erst später in der Nacht wieder nach West zurück ging. Diese Erfahrung durfte ich nicht ungenutzt lassen. Während des folgenden Nachmittags lag ich deshalb nach Land zu. Als es dunkelte, befand ich mich wieder bei Kap Lizard, diesmal aber dicht unter der Küste, um, wenn irgend möglich, oberhalb des Wolf Rock und Sevenstones anliegen zu können. Mit Sonnenuntergang frischte der Wind bedeutend auf. Es wehte eine steife Briese aus NNW, die sichtlich an Stärke gewann und allmälig bis NNO und NO aufraumte.

Der Himmel war dicht bewölkt, die Luft düster und drohend, aber trotz des fein niederrieselnden Regens einigermassen feuersichtig. Ich hatte schon im Laufe des Nachmittags die Bramsegel festmachen lassen; als es später immer stürmischer wurde, gab ich Befehl, sämtliche Segel zu reffen. Der Klüver wurde mit beigesetzt, alle Rahen scharf angebrasst, und nun stellte ich mich selbst an's Ruder, um auch nicht die geringste Luvsegelung zu vergeben. Nicht weit von uns entfernt, ein wenig luvwärts, befand sich ein Mitsegler. Wir hatten am Nachmittage Signale mit einander gewechselt; es war eine deutsche Bark, die ebenfalls nach dem Kanal von Bristol bestimmt war. Anfangs lag das Schiff mit uns ein, als aber die Luft immer drohender, das Wetter immer stürmischer wurde, sahen wir es über Stag gehen; der Kapitän musste also den Versuch, Kap Landsend zu umsegeln, aufgegeben haben. Ich blieb trotzdem entschlossen, die Durchfahrt durch die vor mir liegende Meerenge zu erzwingen, obschon ich mir des Wagnisses, in dunkler stürmischer Nacht bei unbeständigem, schralem Winde eine äusserst gefährliche Passage zu durchsegeln, vollkommen bewusst war; andererseits aber sagte ich mir, dass wenn jetzt nicht, wahrscheinlich in langer Zeit sich keine Gelegenheit wieder bieten würde, das vor mir liegende Hindernis zu überwinden. Dicht am Winde segelnd, wurde Lizard passirt, das Feuer von Longships kam in Sicht. Die grosse Frage war jetzt: „Wo liegt Wolf Rock?" Dieser für die Schiffahrt so überaus gefährliche Fels war zu jener Zeit noch nicht durch einen Feuerturm bezeichnet und die Unmöglichkeit, durch Kreuzpeilungen anderer Landobjekte mich fortdauernd über die genaue Position meines Schiffes in Gewissheit zu erhalten, machte mich natürlich unruhig. Meine ganze Aufmerksamkeit konzentrirte sich auf den Kompass und all' die schwierigen Verhältnisse, mit denen ich in diesem Augenblick zu rechnen hatte. Noch lag das Schiff NW und selbst etwas höher an. Mit diesem Kurse hoffte ich trotz der schweren See, welche der Ocean gegen uns heranrollte, oberhalb Wolf Rock und Sevenstones zu kommen; denn das Schiff befand sich unter einem enormen Segeldruck und machte daher wenig Abtrift. Ich hatte das Wagnis, in finsterer Winternacht die Enge zu passiren einmal unternommen, zurück wollte und konnte ich jetzt nicht mehr. Inzwischen war das Wetter immer stürmischer geworden. Der Regen goss zeitweilig in Strömen herab; mit furchtbarer Wucht stampfte das Schiff in die See hinein; Woge auf Woge brach über den Bug hin, das ganze Deck überflutend. So oft das Vorderteil aus dem vor dem Bug sich auftürmenden Wogenschwall emportauchte, wurde die Decklast — das Schiff war mit Holz beladen — emporgehoben, um im nächsten Augenblick, wenn der Bug wieder blind zu liegen kam, auf's Verdeck zurückgeworfen zu werden. Das Schiff lag mit der Leeschanzkleidung beständig unter Wasser. Wie die Pflugschar des Pflügers das Erdreich zur Seite wirft, so bahnte sich die „Aphrodite" ächzend unter der Last der Segel ihren Weg durch die über und neben sie hinströmenden Wassermassen. Die Decklast lag nicht, sie schwamm auf dem Verdeck und wurde nur von den Surrungen gehalten. Jetzt peilte ich Longships in NOzO.; Wolf Rock musste passirt sein; ich athmete freier auf. „Kapitän, das Stagsegel ist eben von der See aus den Lieken geschlagen worden" meldete in diesem Augenblicke der Steuermann, „ich denke wir müssen das Grossegel einnehmen, das Schiff liegt vorn mehr unter als über Wasser; in dieser Weise kann es nicht lange mehr fortgehen." „Noch dürfen wir nicht daran denken, Segel zu bergen" erwiderte ich „erst muss Sevenstones passirt sein. Mag das Stagsegel fort sein, wenn der Klüver nur aushält!" Haben Sie einen Mann nach oben geschickt, um für Sevenstones auszusehen?" „Georg kommt eben von oben herunter, es ist noch nichts zu sehen." „„Nun so fassen Sie das Ruder an; es ist gerade ein klarer Moment, ich muss selbst einmal Ausguck halten."" Damit überliess ich dem Steuermann das Ruderrad und eilte das Besahnswant hinauf. Ich erblickte zwei weisse Feuer zwei Striche in Lee. Das war Sevenstones, es unterlag keinem Zweifel. Freilich waren die Feuer reichlich weit voraus sichtbar, doch hoffte ich, im Vertrauen auf die Leistungsfähigkeit meines Schiffes genügend Luv machen zu können, um im Osten des Feuerschiffes zu passiren. Ich eilte wieder ans Ruder, jede Gelegenheit ausnutzend, um keine Handbreit von meinem Kurse zu verlieren. Jetzt konnte ich das Feuer vom Deck aus erblicken; es war noch gut anderthalb Strich in Lee. Mit überwältigender Kraft durchschnitt die „Aphrodite" die brandenden Fluten, oft mehr unter als über dem Wasser sich ihren Weg bahnend. Mehr und mehr näherten wir uns dem Feuerschiffe; jetzt sah man die Feuer auf dem Wasser sich schaukeln und tanzen; nun hatten wir sie dwars in unmittelbarer Nähe vor uns. Deutlich bemerkten wir, wie das Schiff, vor seinen Ankertauen liegend, von der See wild auf und nieder geworfen wurde. Der Weg lag jetzt frei vor uns. „Klüver nieder! Geiet auf das Grossegel!" erscholl mein Kommando, und zu mir selbst sprechend, fügte ich hinzu: „Die beiden Segel haben heute Nacht ihre Schuldigkeit gethan, Gott sei gelobt, dass sie bis hierher ausgehalten haben!" „Schicken Sie jetzt einen Mann ans Ruder, befahl ich dem Steuermann, als er mir meldete, dass die Segel festgemacht seien, „und lassen Sie den Koch Feuer anmachen und Kaffee kochen, damit die Mannschaft etwas Warmes bekomme. Die Backbordswache kann hernach zu Koje gehen." Das Schiff lag, nachdem es durch die eingenommenen Segel erleichtert war, verhältnismässig ruhig. Wir hatten jetzt hinreichend Seeraum vor uns und brauchten ferner keine forcirten Segel mehr zu führen. Gegen Morgen sprang der Wind in seine alte Richtung, auf West zurück, der Kanal von Bristol stand uns nun offen. Das Schiff wurde über Steuerbordbug gelegt, wir liefen hinter Lundy Island, warteten dort besseres Wetter ab und erhielten dann einen Lotsen, der uns am folgenden Tage in den Hafen von Swansea an der Südküste von Wales brachte.

Ich hatte bereits 14 Tage im Dock gelegen, und war eben beschäftigt, eine Ladung Kohlen für das Mittelmeer wieder einzunehmen, da traf eines Tages jene Bark ein, mit der ich unter Lizard Signale gewechselt hatte. Der Kapitain derselben teilte mir mit, dass er draussen im Kanal unausgesetzt westliche und nordwestliche Winde angetroffen habe, die Tagelang alle seine Bemühungen, die Südwestspitze Englands zu umsegeln, vereitelt hätten. Schliesslich habe er Falmouth als Nothafen nehmen müssen, um günstige Gelegenheit abzuwarten. Meine kühne Fahrt um Kap Landsend hatte mir diesmal einen Reisegewinn von circa vierzehn Tagen eingebracht.

Aus Briefen deutscher Kapitäne.

1.

Aussegelung von St. Thomas.

Die Aussegelung von St. Thomas ist so leicht, dass füglich dem praktischen Kapitän kaum etwas darüber zu sagen ist.

Man segelt, von Süden kommend, am besten südlich von Antigua in das karaibische Meer hinein, passirt Redonda an B.-B., eine hohe Insel, wo früher Guano gewonnen zu sein scheint, da jetzt noch Häuser und Schuten zu sehen sind; geht dicht unter St. Christophe, Saba u. s. w. hin und macht die Inseln St. Croix, dann St. John und St. Thomas, aber ja nicht westlich von St. Thomas, da schwer gegen den Strom und Wind aufzukommen ist. Dann läuft man d. h. von St. John dicht unter Land hin, rein ist alles bis auf 1—2 engl. Meilen Abstand und bald wird man Frenchmans Kap, eine ziemlich hohe kleine steile Insel voraus haben. Diese lässt man an B.-B. liegen und steuert direkt auf Buck Island zu. Dies lassen grössere Schiffe an St.-B. liegen, da einige Klippen unter Wasser zwischen dieser Insel und der Insel St. Thomas sich befinden; man holt dicht um Buck Island, sage 2—3 Kabellängen, herum und hat dann die Einsegelung von Charlotte Amalia

Hafen vor sich, wo bald der Lotse und die Maklerboote erscheinen werden. Ein schönes Feuer, siehe Feuerbuch, steht an St.-B.-Seite der Einsegelung auf einem steil abfallenden Felsenvorsprung.

Kommt man aber von Europa, so gehen die meisten Schiffe zwischen Anegada und der kleinen Insel Sombrero hinein, worauf jetzt ein schönes Feuer steht, und segelt dann wie vorher längs Tortola, St John u. s. w, bis man den Felsen Frenchmans Kap sieht und von da in den Hafen, wie vorher gesagt, fährt. Ist man einmal dort gewesen, so kann man immer allein hinein segeln, obgleich man einkommend lotspflichtig ist, ausgehend nicht. Es ist rein garnichts im Wege, was nicht zu sehen ist. In der Mündung des Hafens, wie man wohl sagen kann, da die Einfahrt nicht sehr breit, liegt an St.-B.-Seite der sog. Prince Ruprecht's Rock, ist aber über Wasser, auch steht eine eiserne Stange mit Kugel darauf, die Bucht selbst ist ganz rein, allenthalben kann man ankern. Frachtsuchende ankern in der NOlichen Ecke der Bai, da man von dort mit dem fast immer wehenden N und NO-Wind am besten unter Segel gehen kann.

Einige ziehen die Einsegelung bei Antigua, Desenda und Guadeloupe immer vor, weil diese Inseln sehr hoch und weit zu sehen sind, jedoch ist bei der Einsegelung, da jetzt ein Feuer auf Sombrero brennt, hier nichts im Wege; Anegada, Tortola u. s. w. sind durchaus nicht niedrig, der Umweg ist aber bedeutend.

Eine sehr segensreiche Wirkung hat der Telegraph in St. Thomas und allen westlichen Inseln gehabt. Es wird nämlich in der Orkanzeit von den SOlich gelegenen Inseln St. Christophe, Barbados u. s. w. sofort beim *Einsetzen* dieses Feindes von dort nach St. Thomas und weiter telegraphirt, damit diese Inseln sich vorbereiten, da die Orkane bekanntlich gewöhnlich in NWlicher Richtung fortschreiten. Hauptsächlich ist es für die im Hafen liegenden Schiffe von grossem Vorteil, da nämlich durch das Telegraphiren 2—3, ja 4 Stunden gewonnen werden, ehe er in St. Thomas ankommt. Die Schiffe können dann mehr Anker ausbringen, Stängen streichen u. s. w. u. s. w. Die grösste Zerstörung im Hafen soll zum Oeftern von solchen Schiffen hergekommen sein, die schlechtes Ankergeschirr haben; diese treiben auf die festliegenden und brechen entweder diese mit los und treiben zusammen an's Land, wo sie dann gewöhnlich kentern und total mit Mann und Maus verloren gehen, oder sie bleiben in einem Knäuel liegen und wracken sich gegenseitig so in Grund, dass auch gewöhnlich kein Mensch sich bergen kann; an Hülfe durch Boote ist dabei gar nicht zu denken, die Leute an Land verkriechen sich selbst vor dem Sturm und lassen sich dann am Hafen gar nicht sehen. Ich hörte alte Leute davon erzählen, es muss dann ein grausiges Wetter sein. Leicht gebaute Häuser hebt der Wirbelwind auf und wirft sie in lauter Trümmern oft eine ganze Strecke fort, Dächer fliegen umher wie Spreu, und auf den Strassen ist kein Mensch des Lebens sicher.

Noch wollte ich bemerken, dass die Stadt ungemein rein gehalten wird, und eine gute Polizei Tag und Nacht den Wachtdienst versieht. Die Einwohner gehen sehr viel in die Kirche und haben allerlei kirchliche Feste; die meisten sind wohl Reformirte; auch Methodisten, Katholiken u. s. w. sind vertreten. Bei Begräbnissen folgen auch Frauen, alle in schneeweiss, viele tragen grosse Kränze. Weiss lieben die Neger überhaupt sehr, selbst der geringste Arbeiter spaziert des Sonntags oder wenn er keine Arbeit hat, in fast ganz weissem, gestricktem Anzug mit grossen Vatermördern und langen Manschetten; wahrscheinlich um das *Schwarze* so viel als möglich zu verdecken! Unsere Arbeiter können nicht so leben und sich nicht so kostspielig kleiden wie diese Afrikaner. Das Zusammenstehen, um den Preis der Arbeit aufrecht zu erhalten, haben sie von den Yankees gut gelernt; zu Societies gehören fast alle; wird einer, wenn auch ein schlechter Arbeiter fortgeschickt, so lassen alle die Arbeit liegen und hungern lieber, als dass sie sich den Lohn heruntersetzen lassen oder sonst nicht ihren Willen bekommen. Es ist so schlimm gewesen, dass die Regierung schliesslich den Arbeitslohn für gewöhnliche Arbeiter auf $ 1.25 (5 ℳ 25 ₰) hat festsetzen müssen, sonst wären sie wohl beim Steigern geblieben.

Nautische Literatur.

Marineordnung. Berlin. 1883. Verlag von E. S. Mittler & Sohn, königl. Hofbuchhandlung. Gr. Oct. VIII und 212 Seiten. Preis ℳ 1.60.

Der *erste Teil* enthält den Eintritt und das Ausscheiden von Mannschaften der aktiven Marine, und zwar die Rekrutirung, das Ausscheiden, dann den freiwilligen Dienst.

Der *zweite Teil* handelt vom Beurlaubtenstand und bringt in vier Abschnitten die Listenführung, die allgemeinen Dienstverhältnisse der Personen des Beurlaubtenstandes, die Ergänzung der Offiziere des Beurlaubtenstandes, endlich die besonderen Dienstverhältnisse der Offiziere des Beurlaubtenstandes.

Dreiundzwanzig Schemata und zehn Anlagen sind dem Buche beigegeben und ein 18 Seiten starkes Sachregister schliesst dasselbe. F. K.

Das Buch von der deutschen Flotte von Reinhold Werner. Vierte vermehrte und fortgeführte Auflage des Buches von der Norddeutschen Flotte. Illustrirt von W. Diez, Johannes Gehrts u. A. Mit technischen Abbildungen und Schiffsporträts. Bielefeld und Leipzig, Verlag von Velhagen & Klasing, 1884. Ein Band von 509 Seiten gr. Oct. Preis geh. ℳ 7.

Das Werner'sche „Buch von der Deutschen Flotte" ist so bekannt und weit verbreitet, dass der einfache Hinweis auf eine neue vermehrte und fortgeführte Auflage hinreichen würde, um unserer Berichterstatterpflicht Genüge zu thun.

Die vorliegende vierte Auflage wurde Mitte 1883 abgeschlossen. Vermehrt ist dieselbe durch das Kapitel „Geschichtlicher Rückblick", welcher 27 Seiten stark ist und mit 19 Illustrationen geschmückt ist.

Uns interessirt vor Allem das Kapitel „Die Schiffe der deutschen Reichsmarine", welches nicht weniger als 119 Seiten einnimmt und auf welches das auf dem Titel des Buches vermerkte „Fortführen" in erster Linie Anwendung hat. Unter diesem Worte wird nämlich verstanden, dass alle von Auflage zu Auflage des im Jahre 1869 zuerst erschienenen Buches neu hinzugekommenen Schiffe und Fahrzeuge in das oben erwähnte Kapitel Aufnahme finden. Leider geschah diese „Fortführung" nicht mit der gleichen Liebe und Ausführlichkeit, wie sie ursprünglich, d. h. in der ersten Auflage vom Jahre 1869, Anwendung fand. Die Folge davon ist eine jetzt *sehr ungleichmässige* Behandlung. Während bei den älteren Schiffen und Fahrzeugen, d. h. bei den bis zum Jahre 1869 gebauten, nicht nur eine ausführliche Beschreibung, sondern auch eine *Geschichte* (Reisen, Gefechte u. s. w.) — und sie ist für den Laien wohl das Interessanteste — jedes einzelnen Schiffes und Fahrzeuges gegeben wird, werden die neueren Schiffe, d. h. alle nach dem Jahre 1869 gebauten, mehr oder weniger *summarisch* abgefertigt (z. B. die gedeckten Korvetten der Bismarck-Klasse, die Glattdeckskorvetten der Carola-Klasse). Auch mehrere Unrichtigkeiten fielen uns auf, was uns um so mehr verwunderte, als das Buch einen *deutschen* Seeoffizier zum Verfasser hat. So heisst es — um nur ein Beispiel aufzuführen — auf Seite 242: „Von den alten Kanonenbooten sind nur noch fünf erster Klasse dienstauglich, „Cyklop", „Drache", „Wolf", „Hyäne", „Iltis" — während in der Wirklichkeit nur „Drache" ein *altes* (hölzernes) Kanonenboot erster Klasse ist; die übrigen sind eiserne Boote *neueren* Datums.

Bezüglich der Illustrationen wäre dringend zu wünschen, dass auch hierin ein „Fortführen" stattfinden möchte. Das Buch enthält nämlich heute nicht mehr Schiffsporträts als die erste Auflage vom Jahre 1869 gebracht hat; *alle seit dem Jahre 1869 gebauten Schiffe und Fahrzeuge glänzen durch ihre Abwesenheit!* Auch eine Verschlechterung in der Ausstattung hat stattgefunden. Während früher z. B. die Schiffsporträts auf eigenen Kartons gedruckt waren, sind sie jetzt in den Text eingedruckt und haben dadurch sehr verloren. Es ist eigentümlich, dass Bücher, welche mehrere Auflagen erleben, sich so häufig in *absteigender* Kurve bewegen.

Das dem Buche angehängte Kapitel *„Leben an Bord"*, von welchem seinerzeit unter dem Titel *„Seebilder"* eine Separatausgabe veranstaltet wurde, gereicht dem Buche nach wie vor zur Zierde. In derartigen Seebildern wurzelt des Autors literarische Kraft. Nachgeahmt wurden diese „Seebilder" oft, *erreicht noch nicht!*

Das Werner'sche „Buch von der Deutschen Flotte" hat insofern *kulturellen* Wert, weil es die Popularisirung des Seewesens im deutschen Binnenlande auf seine Fahne schrieb und seinen Zweck auch erreichte. Ein derartiges Buch — dünkt uns — sollte der *liebevollsten Pflege* sowohl des Autors als des Verlegers wert sein.

Möge es Beiden gelingen, das Buch gelegentlich der nächsten Auflage wieder auf seine *alte Höhe* zu bringen! F. K.

Leuchtfeuer und Schallsignale der Erde, 1884 nach den neuesten Quellen bearbeitet. Herausgegeben von W. Ludolph. Dreizehnter Jahrgang. Vierte wesentlich verbesserte und vermehrte Auflage. Bremerhaven 1884. Verlag von L. v. Vangerow.

Im Jahre 1881 erschien die dritte 243 Seiten umfassende Ausgabe dieses mit Recht in der Schifferwelt so sehr angesehenen und beliebten Werkes und jetzt ist schon eine vierte Auflage notwendig geworden, welche nunmehr bereits 279 Seiten zählt, welche sich durch kräftigen deutlichen Druck auf starkem weissem Papier sofort empfehlen. Die ersten 4 Seiten sind den während des Drucks eingetretenen Veränderungen gewidmet, wodurch dem Käufer die Gewähr gegeben wird, dass das Werk so vollständig und mit der Wirklichkeit übereinstimmend abgegeben wird, als es bei Arbeiten dieser Art überhaupt zu erreichen ist. Ein Vorwort erörtert sodann auf 2 Seiten die Einrichtung des Werkes und namentlich die Bedeutung der einzelnen Feuer und Signale, deren Wiedergabe in 4 Sprachen, deutsch, englisch, französisch und italienisch von Jedermann willkommen geheissen werden wird. Auf 14 Seiten folgt darauf das 3671 Namen umfassende alphabetische Register der einzelnen auf den dann folgenden 279 Seiten beschriebenen Punkte, von welchen Leuchtfeuer oder Signale der verschiedensten Art im Dienste der Schiffahrt gezeigt werden, in den einzelnen 7 Spalten den Namen, die geographische Lage, die Art und Ordnung, die Höhe der Flammen in engl. Fussen und Metern, die Sichtbarkeit in Seemeilen Distanz und in „Bemerkungen" die nähere Beschreibung der Feuer etc. bringend. Das Ganze in elegantem schwarzem Bande mit einer Abbildung des Bremer Hoheweg-Feuerturms in Golddruck.

Verschiedenes.

Schwedens Schiffsbestand, welcher Ende 1880 aus
3 581 Segelschiffen mit 461 593 Reg.-Tonnen und
752 Dampfschiffen „ 81 049 „
zusammen 4 333 Fahrzeugen mit 542 642 Reg.-Tonnen bestand, verminderte sich während des Jahres 1881 um 182 Schiffe mit zusammen 13 029 Reg.-Tonnen.

Ende 1881 waren vorhanden:
3 397 Segelschiffe mit 450 368 Reg.-Tonnen
754 Dampfschiffe „ 79 245 „
zusammen 4 151 Fahrzeuge mit 529 613 Reg.-Tonnen.

Die Zahl aller 1881 in Schweden *angekommenen* Schiffe betrug:
15 916 Segelschiffe mit 1 827 201 Reg.-Tonnen
8 451 Dampfschiffe „ 1 650 265 „
zusammen 24 367 Fahrzeuge mit 3 477 466 Reg.-Tonnen.

Die Summe sämtlicher in 1881 von Schweden *abgegang.* Schiffe betrug: 15 303 Segelschiffe mit 1 881 182 Reg.-Tonnen
8 459 Dampfschiffe „ 1 647 386 „
zusammen 23 762 Fahrzeuge mit 3 528 768 Reg.-To. — s —

Kanal und Eisenbahn. Die grossen Vorzüge der Kanäle und überhaupt der Wasserstrassen sind selbst von den Verehrern der Eisenbahnen nicht wegzuleugnen. In den Anstrengungen, welche gemacht werden, um die Möglichkeit nachzuweisen, dass auch Eisenbahnen mit ähnlichen Vorzügen und Erleichterungen für den Verkehr ausgestattet werden können, liegt der Beweis dafür. Es ist natürlich, dass die Anhänger der Eisenbahnen zur Lösung der Frage nicht nur zu eigentümlichen Projekten, sondern auch zu Berechnungen der Transportkosten gelangen, deren Resultate überraschen müssen, deren Voraussetzungen jedoch nicht zutreffend sind.

Es ist der Vorschlag gemacht worden, die jetzt mit 200 Ctr. zu beladenden Güterwagen der Vollbahnen auf einer Schleppbahn mit 300 Ctr. zu belasten, diese Wagen würden also dadurch von den Vollbahnen ausgeschlossen sein.

Ferner werden von gegnerischer Seite für eine Schleppbahn Frachtsätze aus den Durchschnittssätzen der Vollbahnen ermittelt, während man grade möglichst hohe Sätze annehmen sollte.

Auch sind die Kosten der Erweiterungsanlagen nicht genügend in Rechnung gestellt. Namentlich bedingen die mit zunehmenden Transportmengen notwendig werdenden Bahnhofs-Vergrösserungen die Transportkosten in weit höherem Masse als die des zweiten Gleises. Schon jetzt ist die Länge der Gleise auf den Bahnhöfen des diesseitigen Industriebezirkes nahezu so gross als die der freien Strecke.

Dass die Schleppbahn bei zunehmenden Transportmengen zweigleisig werden *muss*, wird von gegnerischer Seite zugestanden, und ferner, dass die Kosten der Schleppbahn nicht nur 30 Millionen, sondern 45 Millionen betragen. Berücksichtigt man die Bahnhofserweiterungen genügend, so wird die Güterschleppbahn statt 30 Millonen 60 Millionen Mark kosten.

Wenn nun auch zugegeben werden muss, dass der Kanal bei einer Vertiefung um 0,50 m mehr als 50 Millionen kosten wird, obschon die im Kostenanschlage angenommenen Einheitspreise zum grössten Teile aus 1873 stammen und daher hoch gegriffen sind, so kostet derselbe doch *keinenfalls mehr* als eine Güterschleppbahn.

Damit ist die Wahl zwischen beiden Verkehrswegen entschieden. Bei gleichen Kosten beider muss dieselbe immer zu gunsten des Kanals ausfallen, denn auf dem Wasserwege sind die eigentlichen Fortbewegungs-Kosten unbestritten niedriger, ist der Betrieb ein weitaus einfacherer und wird das Transportgeschäft durch die Besitzer der Schiffe in freier Konkurrenz betrieben. Ein Kanal bietet ausserdem den ganz besondern Vorteil, dass an jeder Stelle desselben geladen und gelöscht werden kann. Die grossen Vorteile, welche dem Lande und der Landwirthschaft durch Ent- und Bewässerung erwachsen, sind gar nicht zu unterschätzen und können von einer Eisenbahn niemals geboten werden.

Wenn zugestanden werden muss, dass die Schleppbahn so viel kosten wird als der Kanal, so können Zahlen nicht mehr beweisen, der letzere wird dann unbedingt billiger transportiren.

Was die Anzahl der täglichen Durchschleusungen anbetrifft, so kann ich mitteilen, dass auf dem Erie-Kanal eine Durchschleusung in 6—8 Min. vorgenommen wird; man kann also in 28 Min. statt 2 sogar 3—4 Schiffe durch die Schleusen bringen.

Münster i. W., 1. December 1883. *Fritz Geck*, Ingenieur.

Aenderung der Leuchtturmgebühren in Ostende, Nieuport und auf der Schelde. Durch königl. Dekret vom 10. September 1883 ist vom 1. Januar 1884 die Leuchtturmgebühr in Ostende und Nieuport auf 17 Cent. pro Tonne, auf der Schelde in der Berg- und in der Thalfahrt auf 11 Cent pro Tonne festgesetzt. — s —

Hafengebühren-Reglement von Antwerpen. Durch königl. Dekret vom 10. September 1883 sind die Beschlüsse des Gemeinderates von Antwerpen, womit das am 1. Januar 1884 in Wirksamkeit tretende neue Hafengebühren-Reglement von Antwerpen entsprechend der neuen Aichung modifizirt wurde, genehmigt worden.

Nach Art. I haben Segelschiffe und Dampfer, welche in die Bassins oder die Kanäle des Hafens von Antwerpen einlaufen, an die Stadt, exklusive der Zuschläge, eine einzige Gebühr nach folgendem Tarif per Tonne zu zahlen:

Schiffe bis 85 neue Tonnen ......47 Cent.
von 86 — 128 „ „ ......53 „
„ 129 — 171 „ „ ......58 „
„ 172 — 214 „ „ ......64 „
„ 215 — 257 „ „ ......76 „
„ 258 neuen Tonnen und darüber. 82 „

Nach Art. IV zahlen Dampfer, welche auf der Rhede von Antwerpen laden oder löschen, pro Tonne bei jeder der ersten zehn Reisen 26 Cent., bei den folgenden zehn Reisen 18 Cent. pro Tonne, bei jeder weiteren Reise 12 Cent. pro Tonne. Hierbei müssen die Reisen innerhalb eines Jahres vom Tage der ersten Ankunft an, vollführt werden, um Anspruch auf die Ermässigung zu begründen. Nach Ablauf von zwei Jahren behält sich die Gemeinde von Antwerpen eine Revision des Tarifes vor. — s —

Neue Siege deutschen Materials und deutscher Arbeit im Schiffbau. Der Lange'schen Schiffbauwerfte und Maschinenbauanstalt in Vegesack ist dieser Tage von Elsfleth her ein eisernes Segelschiff von 1 200 T. d. w. in Bestellung gegeben, zu dessen Bau *nur deutsches Eisen* verwandt werden soll; ferner ein neuer ebenso grosser Dampfer für Vegesacker Rechnung. Es wird jetzt also an den Lieferanten deutscher Bleche etc. liegen, dass auch von ihrer Seite durch rechtzeitige Lieferung und mässige Preisstellung das Unternehmen möglichst gefördert werde, unserm unleugbar bessern Material immer allgemeinern Eingang auf unsern Werften zu verschaffen.

Ebenso erfreulich ist der stets wachsende Import und Verbrauch deutscher — westfälischer — Kohle in Hamburg. Dort gingen ein:

1876: 144240 To.	1878: 294140 To.	1880: 351390 To.	1882: 475890 T.
1877: 238440 „	1879: 296060 „	1881: 452650 „	1883: 513420 „

Verlag von H. W. Silomon in Bremen. Druck von Aug. Meyer & Dieckmann. Hamburg. Alterwall 52.

HANSA

Redigirt und herausgegeben
von
W. von Freeden, BONN, Thomasstrasse 9.
Telegramm-Adresse:
Freeden Bonn,
oder
Hansa Alterwall 28 Hamburg.

Verlag von H. W. Silomon in Bremen.
Die „Hansa“ erscheint jeden 2ten Sonntag.
Bestellungen auf die „Hansa“ nehmen alle Buchhandlungen, sowie alle Postämter und Zeitungsexpeditionen entgegen, desgl. die Redaktion in Bonn, Thomasstrasse 9, die Verlagshandlung in Bremen, Obernstrasse 41 und die Druckerei in Hamburg, Alterwall 28. Sendungen für die Redaktion oder Expedition werden an den letztgenannten drei Stellen angenommen. **Abonnement** jederzeit, frühere Nummern werden nachgeliefert.

Abonnementspreis:
vierteljährlich für Hamburg $2\frac{1}{2}$ ℳ,
für auswärts 3 ℳ = 3 sh. Sterl.
Einzelne Nummern 50 ₰ = 6 d.

Wegen Inserate, welche mit 25 ₰ die Petitzeile oder deren Raum berechnet werden, beliebe man sich an die Verlagshandlung in Bremen oder die Expedition in Hamburg oder die Redaktion in Bonn zu wenden.

Frühere, komplete, gebundene Jahrgänge von 1873, 1874, 1876, 1877, 1878, 1879, 1880, 1881, 1882 sind durch alle Buchhandlungen, sowie durch die Redaktion, die Druckerei und die Verlagshandlung zu beziehen.
Preis ℳ 8; für letzten und vorletzten Jahrgang ℳ 8.

Zeitschrift für Seewesen.

No. **2.** HAMBURG, Sonntag, den 27. Januar 1884. **21.** Jahrgang.

Inhalt:

Der vulkanische Ausbruch auf Krakotoa bei Java am 27. August v. J. und die Dämmerungserscheinungen der letzten Monate.

Seit dem 24. November v. J. hat eine ganz ungewöhnlich helle, im Uebrigen an die übliche Abend- und Morgenröte des Himmels erinnernde Färbung des westlichen und östlichen Himmels die allgemeine Aufmerksamkeit auf sich gezogen, und die verschiedensten Erklärungen der ausserordentlichen Erscheinung hervorgerufen. Man konnte sich nicht damit begnügen, dieselbe als eine ungewöhnlich starke Morgen- und Abendröte ausser Diskussion zu stellen, denn gerade das Ungewöhnliche des Anblicks forderte zur Erklärung heraus, und doch genügten die ersten Erklärungen nicht, weil zu naheliegenden ungewöhnlichen Voraussetzungen keinerlei Grund vorlag. Weder konnte man auffälligen Feuchtigkeitsbeobachtungen die helle gelbe und rote Färbung beilegen, noch zu den schon schwieriger damit in Verbindung zu setzenden barometrischen Schwankungen greifen, da die Erscheinung unterschiedslos bei hohen wie bei niedrigen Barometerständen, bei stürmischem wie bei ruhigem, bei trockenem wie bei nassem Wetter sich zeigte, noch endlich auf noch gewaltsamere Weise sie aus magnetischen Störungen erklären, da der Ort der Erscheinungen keineswegs der Nord- oder Südhimmel, sondern stets und überall der West- und Osthorizont, die Zeit immer die Zeit nach dem Sonnen-Untergang oder vor dem Sonnen-Aufgang war, keine Strahlung, keine feurigen Garben, kein dunkles Segment unter ihnen, sondern nur eine mehr gleichförmige nach Süd und Nord und nach dem Zenit sich langsam abtönende überaus helle Färbung des Himmels über dem Sonnenorte stattfand, und keinerlei Bewegung der Magnetnadel bemerkbar war.

Unter diesen Umständen gewann die Erklärung an Wahrscheinlichkeit, welche den Grund nicht in terrestrischen sondern kosmischen Ursachen suchte. Der Göttinger Astronom Klinkerfues stellte die Vermutung auf, die Erde sei in ihrer Bahnbewegung in eine Wolke kosmischen Staubes geraten, oder in den Schweif eines unbekannten Kometen, und hatte damit allerdings eine Erklärung gegeben, welche dem Thatbestande ausreichend insoweit Rechnung trug, als man die Erscheinungen daraus erklären konnte; es fehlte nur noch der Nachweis des Staubes oder des Kometen selber. Ein dunkler Schneefall, welcher am 18./19. December im Sauerlande sich zutrug, bei welchem äusserst fein zerteilter Staub sich dem Schnee beigemengt zeigte, wurde leider keiner mikroskopischen Untersuchung unterworfen. Auch die Spektral-Analyse gab keinerlei Aufschluss, höchstens negativer Natur.

Inzwischen war von ganz anderer Seite Licht über das Dunkel des Ursprungs dieser Dämmerungserscheinungen verbreitet worden. Die Nachrichten, dass in Europa seit der 2. Hälfte des November diese auffällige Rötung des Abend- und Morgenhimmels beobachtet sei, riefen eine Menge Zeugen auf, welche in andern Erdteilen schon viel früher dasselbe wahrgenommen hatten, und zu den Beobachtungen auf festem Lande kamen auch noch die Wahrnehmungen von Schiffen, welche alle convergirend nach Zeit und Ort dahin zusammentrafen, dass zuerst Ende August um Java herum und später besonders westlich davon, dann aber auch ostwärts im Pacific dieselben Erscheinungen wie bei

Java, nur noch in verstärkter Form, wahrgenommen seien. Da nun frühere Erinnerungen wachgerufen wurden, dass im August und September des Jahres 1831 nach den gewaltigen, lange andauernden Dampf- und Rauchausbrüchen, welche das Emporsteigen der Insel Ferdinandea im Mittelmeer südlich von Sicilien begleitet hatten, ganz ähnliche wo möglich noch hellere Färbungen des Himmels beobachtet seien, so vereinigte die Erklärung des Astronomen Pogson von Madras, des Meteorologen Mehlrum von Mauritius, denen sich der Astronom Lockyer von London anschloss, bald die meisten Stimmen für sich, dass der gewaltige, beispiellos grossartige Ausbruch des Vulkans Krakatoa in der Sundastrasse bei Java durch seinen Rauch- und Aschenauswurf die Atmosphäre mit ähnlich feinen Partikelchen erfüllt und, gleich dem ostfriesischen und oldenburgischen Moorrauch im Frühsommer, die Färbung des Himmels veranlasst habe.

Diese Erklärung, zu deren Begründung bereits eine Menge Beobachtungen zusammengestellt sind*),

Anm. 1. Die „Kölnische Zeitung“ brachte eine sehr vollständige Zusammenstellung von Schiffs- und Festlandsbeobachtungen in ihrer Ausgabe vom 27. Dec. vor. J., welcher wir hier um so lieber einen Platz einräumen, als uns vielleicht von diesem oder jenem unserer deutschen Seefahrer Gelegenheit geboten wird, sie noch weiter zu vervollständigen, da sie nur von Ende August bis nach Mitte Oktober reicht.

August 26. befand sich der Charles Bell, Kapitän Watson, nahe der Sundastrasse, der Himmel war von Rauch, vulkanischen Aschen- und Bimssteinmassen völlig verdunkelt, es regnete Staub und Sand.

August 27. Schiff Charlotte in 8½° S. und 107° O., also südl. von Java, fand die Luft voll Asche, die sich auf Segel und Deck senkte, Nachmittags 2 U. musste Licht angezündet werden.

August 30. Die Bark Emma Römer in 26½° S. und 56° O. von Greenwich sah bei Sonnenuntergang den Himmel in den prachtvollsten Farben, zuletzt purpurfarbig.

Ende August erschien die merkwürdige Färbung des Himmels bei Sonnenauf- und Untergang auf den Seychellen und Maskarenen im westlichen Teile des Indischen Oceans und Meldrum schrieb die Erscheinung sogleich dem Durchgange des Sonnenlichtes durch fein verteilte Materie in den höchsten Luftschichten zu. Am 29. August erschien die Sonne auf den Seychellen so bleich wie der Vollmond.

September 1 und 2. Frieda Grampy in 11° S. und 27° W. sieht die Sonne im Untergang ähnlich einer glanzlosen „Bleiplatte“ und den Himmel grau überzogen.

Septembe. 1 und 2. In Cape Coast Castle auf der Goldküste am Meerbusen von Guinea sah man die Sonne hinter grünen Wolken untergehen (Kontrastfarbe).

September 2. In Venezuela merkwürdige Rötung des Abendhimmels, ebenso auf Trinidad.

September 2. erschien zu Bogota in Colombien (Südamerika) die Sonne grünlich und man brachte die Erscheinung mit Ausbrüchen eines Vulkans am Golf von Uraba in Beziehung.

Am gleichen Tage befand sich der Dampfer Argentina in 12° S. und 36° W. und sah die Luft grau, am folgenden Tage aschgrau.

In Iquique wurde die Erscheinung in einem Glanze gesehen, welcher die Pracht der schönsten Nordlichte übertraf. Der Berichterstatter in dem Blatte „El Veintimo de Mayo“ meint, das Phänomen beruhe auf dem Feuchtigkeitsgehalt der Luft und — dem magnetischen Fluidum!

Sept. 2. „Emma Römer“ auf 36° S. und 21½° O. sieht nach Sonnenuntergang ungewöhnlich prachtvolles Rot.

In den ersten Tagen des September erschien die Sonne zu Maranham und überhaupt im nördlichen Brasilien auffallend bleich beim Durchgange, sodass ihr Schein mit dem Mondlichte verglichen wird. In Venezuela wird die Farbe der Sonne als bläulichgrün bezeichnet.

Septb. 5. In Honolulu sah S. E. Bishop die Erscheinung zuerst an diesem Tage; sie erhielt sich den ganzen September hindurch. Am 30. war sie ausserordentlich glänzend. Dr. Stangenwald untersuchte mit dem Spektroskop, aber ohne Ergebnis, und kam zu dem Schlusse, es handle sich um reflektirtes Licht, aber nicht um solches, das von leuchtendem Dampf ausgestrahlt werde. An einigen Tagen zeigte sich die Erscheinung als Kreisabschnitt von 15 od. 20 Grad Radius, dessen Centrum die Sonne bildete.

Sept. 8. In Madras sah Prof. Michia Smith acht Tage lang die Sonne bei Auf- und Untergang als grüngefärbte, strahlenlose Scheibe, die man ohne Gefahr für das Auge betrachten konnte.

Sept. 8. Auf Ceylon und bis nach Aden hin erschien die Sonne beim Auf- und Untergang grüngefärbt und der Himmel glühend rot. Die grüne Färbung wurde um so lebhafter, je tiefer die Sonnenscheibe zum Horizont hinabsank. Ganz die gleiche Erscheinung zeigte sich auf den höchsten Bergen der Nila-Giri im südlichen Dekan.

Sept. 10. In Ongole im südlichen Indien erschien Nchm. 4 Uhr die Sonne seltsam blassblau und diese Farbe ging nach und nach in Grün und Gelb über. Der Himmel glühte später bis eine Stunde nach Sonnenuntergang in wundervollem tiefen Rot. Die höchste Luftschicht schien mit feinem Dunst angefüllt.

Sept. 18. Kapitän Penhallow sah die Erscheinung in 21° N. und 140¼° W. mitten auf dem Grossen Ocean.

Sept. 22. Auf den Hawaii-Inseln wurde abermals ein äusserst lebhaftes Abendrot gesehen und für ein Nordlicht gehalten.

In der zweiten Hälfte des September wurde tiefe Rötung des Abendhimmels in Adelaide (Süd-Australien) beobachtet und Todd, Direktor des dortigen Observatoriums, bemerkt, die gleiche Erscheinung sei an der ganzen südöstlichen Küste Australiens gesehen worden von Port Augusta (32° S.) bis Melbourne. Die Rötung zeigte sich zunächst schwach in 50° Höhe dehnte sich dann mit sinkender Sonne mehr gegen den westlichen Horizont hin aus und wurde glänzender, bis schliesslich der ganze Himmel in scharlachähnlicher Farbe strahlte. Dann nahm der Glanz in den höchsten Teilen nahe dem Scheitelpunkt ab und die Erscheinung wurde schwächer, flammte aber später nochmals auf zu 30° Höhe, bis gegen 8 Uhr Abends das Ganze verblich.

Oktober 21. Seit diesem Tage zeigte sich am Kap der guten Hoffnung der Himmel beim Auf- und Untergange der Sonne stark rot und rötlich-gelb und die Erscheinung wiederholte sich regelmässig bis zum 2. November. Ganz das Gleiche sah man in der Karoo-Wüste, wo der Himmel vollkommen klar ist und Nebel so gut wie niemals vorkommen.

In Europa soll das Phänomen zuerst am 9. November gesehen worden sein, allein in seinem auffallenden Glanze zeigte es sich so viel bis jetzt bekannt, nicht vor dem 24. Nov. und zwar zuerst im nördlichen Frankreich sowie in den Niederlanden. Am 26. November zeigte sich in Pisa die Erscheinung sehr lebhaft. Ein genauer Beobachter, E. Neu, berichtet, dass dort an jedem Abend bis zum Schlusse des Monats der ganze westliche Himmel feuerrot erschien bis zu einer Höhe von 15°. Dauer von Sonnenuntergang bis gegen 6 Uhr. Am 28. war bei völlig heiterem Himmel die Erscheinung am intensivsten. Berge und Gebäude erschienen kupferfarbig und die Mitte der leuchtenden Fläche lag in WSW. Im östlichen Spanien trat die Rötung wie es scheint zuerst am 29. November auf und man hielt sie in Barcelona für ein Nordlicht. An demselben Tage wurde sie trotz dichten Nebels auch in London Morgens wahrgenommen, indem ein dunkles Rot, wie von einer entfernten Feuersbrunst herrührend, den Osthimmel bedeckte.

wird noch erheblich unterstützt durch eine völlig abweichende Reihe von Beobachtungen an der Berliner Sternwarte, an welcher zu andern Zwecken regelmässige barometrische Beobachtungen an selbstregistrirenden Instrumenten angestellt worden. Der Direktor derselben macht dazu im »Reichsanzeiger« eine Menge interessanter Mitteilungen, indem er obige Erklärung ohne weiteres als die richtige annimmt und nur weiter ausführt, was sich daran knüpft und daraus folgt. Die grosse vulkanische Katastrophe in der Sundastrasse hat nach Foerster »nicht nur durch die Emporschleuderung feinstverteilter mineralischer Staubmassen in die höchsten Luftschichten die ungewöhnlichen *Dämmerungs-Erscheinungen* der letzten Monate hervorgebracht, wie sich immer unwiderleglicher, auch durch Analogie mit zahlreichen früheren Erscheinungen ähnlicher Art herausstellt, sondern auch die *Wasser der Oceane in gewaltige Schwingungen* versetzt, welche noch zwei Tage nach dem Schlussakt jener Katastrophe auch an den europäischen Küsten merklich geworden sind.

Neuerdings ist aber die ausserordentliche Gewalt jener vulkanischen Explosionen auch noch in anderen **atmosphärischen** Erscheinungen in einem Grade ersichtlich geworden, welcher auch die weite Verbreitung der vorerwähnten Staubmassen über die ganze Erde noch erklärlicher machen hilft.

Die grösste der Explosionen in der Sundastrasse, welche am Morgen des 27. August stattfand, hat nämlich eine Wellenbewegung in der Atmosphäre hervorgerufen, welche sich 5—6 Tage lang in allen genaueren und stetigeren Barometeraufzeichnungen auf der ganzen Erdoberfläche in Gestalt von *Barometerschwankungen* sehr auffallenden Verlaufes zu erkennen gegeben hat*).

*) *Anm. 2.* Es liegt in dieser Wahrnehmung eine Aufforderung an alle Beobachter, welche mit der Wartung und

Berechnung selbstregistrirender Barometer sich beschäftigen, in Zukunft auf die erste telegraphische Nachricht starker vulkanischer Ausbrüche den Schwankungen ihrer Barometerstände verdoppelte Aufmerksamkeit auch nach dieser Richtung hin zuzuwenden. Auch das Fortschreiten dieser Luftwelle von Java nach Westen und Osten liesse sich wohl noch aus den Aufzeichnungen anderer zwischenliegender selbstregistrirender Barometer nachweisen.

Auch in den barometrischen Aufzeichnungen, welche von der Kaiserlichen Normal-Aichungs-Kommission zu Berlin zum Zwecke der genauen Berechnung von feineren Messungen und Wägungen stetig registrirt werden, sind diese Wirkungen des vulkanischen Phänomens mit überraschender Deutlichkeit aufgetreten.

Die erste atmosphärische Welle jenes Ursprungs ist in Berlin etwa 10 Stunden nach der Katastrophe erschienen, woraus unter Zugrundelegung der kürzesten Entfernung Berlins von dem Ursprunge eine Geschwindigkeit der Fortpflanzung dieser Wellenbewegung im Betrage von etwas mehr als 1000 km in der Stunde sich ergiebt, nahezu übereinstimmend mit der Fortpflanzungs-Geschwindigkeit des Schalles, wie auch aus den barometrischen Aufzeichnungen an andern Orten der Erde gleichmässig ermittelt worden ist.

Etwa 16 Stunden nachher ist sodann eine zweite ganz ähnliche Barometerschwankung eingetreten, welche aber nichts anderes darstellt als das Erscheinen derselben Luftwellen auf dem zweiten erheblich längeren Wege, den dieselbe über Amerika nach Europa zurückgelegt hat.

Berücksichtigt man nämlich den Unterschied der beiden Wegelängen einmal von der Sundastrasse nach Berlin über Ostindien, das andere Mal über Amerika, so ergiebt sich unter Annahme der vorerwähnten Geschwindigkeit der Fortpflanzung in der That eine Verspätung der über Amerika ankommenden Luftwelle von nahezu 16 Stunden.

Im weiteren Fortgang hat alsdann die ganze Welle eine Umkreisung der Erde vollführt, deren Dauer unter der Annahme jener Geschwindigkeit, etwa 36 Stunden betragen musste. In der That erscheint denn auch fast genau nach 36 Stunden in Berlin auf dem Wege über Ostindien wieder eine der ersten Schwankung ganz entsprechende barometrisch erkennbare Welle, nur mit etwas verminderter Stärke.

Die entsprechende Wiederkehr der über Amerika hierhergelangten Wirkung findet dagegen schon nach ungefähr 34—35 Stunden statt, was sich in Uebereinstimmung mit der an andern Orten beobachteten Folge der Erscheinungen daraus erklärt, dass auf dem Wege von Westen nach Osten hin die Geschwindigkeit der Fortpflanzung deshalb etwas grösser ist, weil in der Atmosphäre im Ganzen und Grossen eine Strömung von Westen nach Osten vorwiegt.

Zum dritten Male erfolgte sodann die Ankunft der Wellenbewegung über Ostindien in Berlin etwa 37 Stunden nach der zweiten Ankunft.

Von da ab ist bei abnehmender Stärke der Schwankungen die Wiederkehr der einzelnen Wellen nicht mehr mit Sicherheit zu verfolgen, doch bleiben bis zum 4. September immer noch sehr kleine Schwankungen ungewöhnlichen Verlaufes in den Aufzeichnungen sichtbar.

Man kann aber konstatiren, dass die von der vulkanischen Katastrophe verursachte Wellenbewegung in der Atmosphäre mächtig genug gewesen ist, um drei- bis viermal die ganze Erde zu umkreisen, und um wenigstens im Anfange Druckschwankungen bis zu $^1/_{500}$ des ganzen Atmosphärendrucks hervorzurufen, was sicherlich auch auf Kraftleistungen schliessen lässt, durch welche erhitzte Gase und vulkanische Staubmassen bis in sehr hohe Schichten der Atmosphäre emporgetragen werden können.»

Statut des Vereins Hamburger Rheder.

In einer am 9. Januar in den Räumen der Handelskammer abgehaltenen Versammlung Hamburger Rheder konstituirte dieselbe sich als „Verein Hamburger Rheder" auf Grund des nachstehenden, nach kurzer Debatte einstimmig angenommenen Statuts:

„§ 1. Der Verein Hamburger Rheder hat den Zweck, die Interessen der deutschen Rhederei zu fördern und zu vertreten. Er wird die Bildung eines allgemeinen deutschen Rhederei-Vereins anstreben.

§ 2. Mitglied des Vereins kann jeder Eigentümer oder Korrespondentrheder eines in Hamburg oder Altona registrirten Seeschiffes werden.

§ 3. Die Leitung der Angelegenheiten überträgt der Verein einem aus 5 Mitgliedern bestehenden Vorstande, welchem das Recht der Kooptation zusteht.

In den Vorstand wählbar sind Teilnehmer von Firmen und Vorstandsmitglieder von Gesellschaften, welche Seeschiffe besitzen.

Jedes Jahr scheidet ein Mitglied, welches bis zur Herstellung eines Turnus durch das Loos bestimmt wird, aus; der Ausscheidende ist wieder wählbar.

Der Vorstand wählt aus seiner Mitte einen Vorsitzenden, einen stellvertretenden Vorsitzenden und einen Schatzmeister. Er wählt ferner einen Sekretär, welcher den Versammlungen mit beratender Stimme beiwohnt.

Zur Beschlussfähigkeit des Vorstandes ist die Anwesenheit von mindestens 3 Mitgliedern erforderlich. Die Beschlüsse werden mit einfacher Stimmenmehrheit gefasst; bei Stimmengleichheit gilt der Antrag als abgelehnt.

§ 4. Innerhalb des ersten Quartals jeden Jahres findet eine Generalversammlung statt, in welcher der Vorstand einen Bericht über die Geschäftsthätigkeit, sowie die Abrechnung für das vergangene Jahr vorlegt, und in welcher die Neuwahlen für das ordnungsmässig ausscheidende Mitglied des Vorstandes, so wie für etwaige andere während des Jahres in demselben eingetretene Vakanzen vorgenommen werden.

Ausserdem kann der Vorstand eine Generalversammlung berufen, so oft es ihm erforderlich scheint; er ist verpflichtet, es innerhalb 14 Tagen zu thun, wenn 10 Vereinsmitglieder unter Angabe der zur Erörterung zu bringenden Angelegenheit und der zu stellenden Anträge schriftlich darum einkommen.

Die Berufung der Generalversammlungen erfolgt durch den Vorstand mindestens 8 Tage vor dem Termine durch Rundschreiben an die Mitglieder unter Angabe der Tagesordnung.

Den Vorsitz in den Generalversammlungen führt der Vorsitzende des Vorstandes.

Die Generalversammlung, in welcher jedes Mitglied eine Stimme hat, beschliesst mit einfacher Stimmenmehrheit; Beschlüsse betreffs Abänderung der Statuten oder Auflösung des Vereins bedürfen jedoch zu ihrer Gültigkeit der Zustimmung von zwei Dritteilen der Anwesenden.

§ 5. Die Ausgaben des Vereins werden durch Jahresbeiträge der Mitglieder gedeckt, welche nach dem Brutto-Raumgehalte der jedem Mitgliede gehörenden Schiffe und zwar nach Einheiten von je 100 Register Tonnen bemessen werden, wobei angefangene 100 Tonnen für voll gerechnet werden. —

Der Betrag für jede Einheit wird jährlich vom Vorstande festgestellt, darf aber ohne Genehmigung der Generalversammlung 3 ℳ für 100 Register-Tonnen nicht übersteigen.

Jedes Mitglied hat indessen mindestens einen Jahresbeitrag von 20 ℳ zu leisten.

Die Verpflichtung zur Zahlung des Beitrages dauert auch für das nächste Jahr fort, wenn nicht bis zum 1. October der Austritt aus dem Verein angemeldet ist."

Es wurde sodann das bisherige provisorische Komité, bestehend aus den Herren Ad. Woermann, Alb. O'Swald, Karl Laeisz, Fr. Wencke und Direktor J. Meyer, zum definitiven Vorstande erwählt. Dem Vereine sind bis hiezu 46 Hamburger Rheder, deren Schiffe 227 669 Reg.-Tons messen, beigetreten und stellt die oligarchische Verwaltungsform eine rasche Thätigkeit des Vorstandes sicher. Von auswärtiger Beteiligung verlautet noch nichts: die Rheder wirken in den nautischen Vereinen mit.

Ebbe und Flut im mittelländischen Meer.

Mit Hülfe der selbstregistrirenden Pegel ist diese lange Zeit streitige Frage jetzt dahin entschieden, dass für bestimmte Plätze die Höhen der täglichen Niveauschwankungen genau beobachtet sind. In Nizza, wo die grössten Unterschiede der Pegelstände etwa 1 m betragen, hat sich die Grösse der Ebbe- und Flutschwankungen bei Springtiden zu 0,25 m, bei Taubtiden zu 0,10 m, im Mittel also zu 0,175 m ergeben. Im Adriatischen Meere und im Golf von Gabes wachsen die Unterschiede, je weiter man in diese Meerbusen eindringt. In Brindisi beträgt der Flutwechsel durchschnittlich 0,19 m, in Ankona 0,40 m, in Venedig 0,50—0,60 m, in Triest 0,70 m. Bei Sfax im Golf von Gabes ist der gewöhnliche Flutwechsel auf 1—1,25 m, ausnahmsweise sogar auf 2 m beobachtet worden. In Port Said beträgt er 0,44 m bei Aequinoctialfluten, 0,40 m bei gewöhnlichen Springtiden, 0,18 m bei Taubtiden, also 0,30 m im Mittel.

Die *Hafenzeiten* nehmen von Gibraltar bis Sicilien rasch zu, wachsen jenseits dieser Insel aber unregelmässig und nur langsam. Ceuta hat 1 st. 25 m., Algier 7 st. 23 m., Port Vendres, Cette, Toulon, Nizza 7 st. 8 m. bis 7 st. 40 m. Hafenzeit, dagegen Sfax nur 2 st. 55 m., Catania 2 st. 23 m., Port Said 8 st 10 m. In der Adria scheint eine Zunahme der Hafenzeiten von einem zwischen Lesina und Korfu gelegenen Punkte nach NW und SO stattzufinden. Das Hochwasser tritt in Lesina nur 10 m. später als in Korfu ein, obgleich beide Häfen um 250 Meilen von einander entfernt sind, während der Eintritt in das nur 77 Meilen von Lesina entfernte Zara 3 st. 10 m. später als dort erfolgt.

Noch auffallender verhalten sich die «Verspätungen.» An der Meerenge von Gibraltar beträgt die Verspätung über einen Tag. Dagegen wird von Port Said berichtet: «Gewöhnlich kommen die stärksten Fluten in den Syzygien, die schwächsten in den Quadraturen vor.» Auch in Korfu, Lesina, Fiume und Triest findet eine Verspätung nicht statt; vielmehr trifft das Sonnenhochwasser vollkommen gleichzeitig mit dem Mondhochwasser ein. Für Toulon hat der bekannte schottische Physiker Thompson aus einer langjährigen Beobachtungsreihe den Nachweis erbracht, dass die «Verspätung» der Springtiden sogar negativ ist, d. h. dass das höchste Hochwasser (etwa 4¾ Stunden) *vor* den Syzygien eintritt.

Vorstehende Daten sind aus Vigan's «Etudes sur la Mediterranée» im Augustheft des «Humboldt» entnommen; es scheint aber dass Vigan zu einseitig aus der Betrachtung der Hafenzeiten im westlichen Becken gefolgert hat, dass eine durch die Strasse von Gibraltar eintretende Abzweigung der oceanischen Flutwelle in erster Linie die Tideerscheinungen im Mittelmeere bestimme, dass vielmehr in den einzelnen Teilen des Mittelmeeres durch die unmittelbare Einwirkung von Mond und Sonne besondere Flutwellen hervorgerufen werden, welche sich gegenseitig wie auch die von Westen her eintretende Abzweigung der oceanischen Flutwelle durchkreuzen, teilweise in ihren Wirkungen steigern und teilweise abschwächen. Durch die Form der Küsten, durch die Einwirkung von Inseln und durch die Gestaltung des Meeresbodens wird jedoch die Ausbildung der Wellen in geradezu verwirrender Weise beeinträchtigt.

Manganbronze

wird ein immer beliebteres Metall zur Herstellung von Schiffsschrauben, wegen ihrer grossen Biegsamkeit, Zähigkeit, Stärke und Dauerhaftigkeit. Es ist fast unglaublich, was diese Schraubenblätter aushalten, bevor sie brechen; sie schlagen krumm in Berührung mit steinernen Hafendämmen, ohne zu brechen, und vertragen in gleicher Weise die stärksten Angriffe. Die Manganbronze wird hergestellt, indem man dem geschmolzenen Kupfer eine geringe Menge Manganeisen zusetzt, welches in einem besondern Schmelztiegel vorher geschmolzen wurde. Die Wirkung dieser Mischung gleicht der Beimischung von Manganeisen zu entkohltem Eisen, nachdem die Kieselsäure und der Kohlenstoff in einem Bessemer Converter fortgeblasen sind; da das Mangan sich gern mit Sauerstoff verbindet, so reinigt es das Kupfer von jedem Oxyd, indem es sich mit ihm verbindet und oben als Schlacke ausgeschieden wird, und dadurch das Metall dichter und gleichartiger macht. Ein Teil des Mangans wird in dieser Art verbraucht, der Rest sowie das Eisen verbinden sich dauernd mit dem Kupfer und tragen dazu bei, die Qualität der Bronze und ihrer nachherigen Legirungen zu verbessern und ihre Stärke, Härte und Zähigkeit je nach der Menge der Beimischung zu vermehren. Man stellt fünf verschiedene Nummern her, von denen No. 3 die für Schiffsschrauben geeignetste ist. Dieselben können dünner sein als Stahlschrauben, weil das Metall nicht von Rost leidet und deshalb keine Extradicke für Abrosten verlangt. Obgleich die anfänglichen Kosten höher sind, so stellen sie sich doch billiger, da Stahlschrauben alle drei Jahr zu erneuern sind, Manganbronzeschrauben aber nur alle zehn Jahr, und dann das abgenutzte Material noch einen hohen Wert besitzt. Mr. Parsons hielt kürzlich einen interessanten Vortrag darüber vor der Britisch Association, in welchem das Material sehr warm empfohlen wurde.

Der Stand der Panama-Kanalarbeiten.

Die Vorarbeiten sind beendet, die Arbeiterwohnungen und Werkstätten errichtet, der Ingenieurstab bereit das eigentliche Werk in Angriff zu nehmen, aber gerade jetzt zeigt sich von Tag zu Tage deutlicher, welche ungeheure Arbeit man unternommen hat. Jede Abteilung des Kanalbaus bietet ihre eigentümlichen Schwierigkeiten: im niedrigen Lande kreuzt die Kanallinie bald hier bald dort reissende Bergströme, welche alle abgeleitet, und nach einem kolossalen Sammelbecken vereinigt werden müssen, damit sie ihre trüben Gewässer während der Regenzeit nicht ferner über das ganze Flachland ergiessen. Im Hochland bereitet die Kanallinie selber und ihre Tiefe ihre eigenen Schwierigkeiten. Doch ist bislang keine Aufgabe an die Leiter herangetreten, welche die praktische Ingenieurwissenschaft nicht bereits bald hier bald dort gelöst hätte, und so bleibt nur die ungeheure Anhäufung aller dieser Probleme, die alle ihre besondere Lösung verlangen, als das charakteristisch Schwierige übrig, nicht aber irgend ein unüberwindliches Hindernis, das sich zwischen die Unternehmer und den Erfolg stellte. Ein solches Unternehmen setzt Beharrlichkeit voraus und ein unbegrenztes Kapital, so dass jedem Unglück, sobald es eingetreten ist, abgeholfen werden, und niemals das Gefühl der Not, welches der Dürftigkeit der Mittel entspringt, aufkommen kann.

Eine nicht erwartete Frage verlangt schon jetzt ihre Lösung. Man hat bisher stets angenommen, dass der neue Wasserweg gleich dem Suez-Kanal ohne Schleussen und Abschlüsse hergestellt werden solle. Das ging dort um so eher an, als Port Said und Suez beide an den äussersten Enden zweier, von ihren zugehörigen Oceanen um Tausende von Meilen entfernter, binnenländischer Meerbusen gelegen sind, bis wohin die Gezeiten der Oceane nur in sehr abgeschwächtem Grade dringen. Dennoch ist bekannt, dass die Flutwelle des arabischen Golfs eine Flutströmung bis zu den Bittern Seen veranlasst, und erst durch deren weite Becken vom weitern Vordringen in die Kanalengen abgehalten wird. Beim Panama-Kanal liegen die Dinge viel gefährlicher. Erstlich liegen Colon und Panama unmittelbar am Ocean selber, und zweitens fehlen die seeartigen Erweiterungen, welche beim Suez-Kanal das weite Eindringen der Flutströmung verhindern. Endlich sind die Niveauunterschiede zwischen Ebbe und Flut an beiden Orten sehr bedeutend und fallen um 9 Stunden in Zeit aus einander. Steigt auch das Hochwasser zu Colon in der Regel nur um 58 cm, so wird doch die Limonbai oft von so schwerer Dünung heimgesucht, dass zum Schutz der Schiffe im Hafen die Anlage eines Brechwassers vor demselben zur Notwendigkeit wird. Ernstere Schwierigkeiten aber bieten nach den genauen Untersuchungen des Oberingenieurs Dingler die Flutverhältnisse in Panama. Dort steigt die Flut in gewöhnlichen Zeiten auf 4 m Höhe, die Spring- oder Sturmfluten dagegen veranlassen ein Steigen des Küstenwassers um 6 m. Da nun obendrein das Hochwasser zu Panama um 9 Stunden früher eintritt als zu Colon, so würden der vereinigte Niveau- und Zeitunterschied eine solche Strömung im Kanal veranlassen, dass zeitweise derselbe gänzlich unfahrbar werden müsste, ganz abgesehen von den Gefahren, welchen solche Strömung die Böschungen aussetzt und von den infolge davon drohenden Versandungen. Da die halbe Tide an dem einen Ende mit der Ebbe oder Flut am andern Ende zusammenfallen würden, so schätzt Dingler nach Analogie anderer Flüsse und Kanäle, die in die Bai von Biscaya münden, die Geschwindigkeit der Kanalgewässer auf mindestens 5—6 Meilen in der Stunde in den freien Kanalstrecken, die sich dort wo Schiffe liegen noch erheblich erhöhen würde. Damit deshalb Schiffe frei und ungehindert den Kanal zu jeder Zeit der Flut oder Ebbe passiren und verlassen können, wird die Anlage einer oder besser zwei bis drei Endschleusen in Panama notwendig, einer für den Eingang, einer zweiten für den Ausgang der Schiffe und einer dritten, die als Reserveschleuse dienen würde. Sonst müsste das ganze Kanalbett von Colon bis Panama die Form einer geneigten Ebene erhalten, deren unteres westliches Ende 2 Meter tiefer läge als das obere östliche Ende. Die Extramasse zu bewegenden Erdreichs schätzt Dingler auf 10 Millionen Kubikmeter, und die Kosten dieser Arbeit auf 45 Millionen Francs, während die genannten drei Schleusen zu 11½ Mill. Francs veranschlagt werden. An die Schleusen würde sich ein Hafen schliessen müssen, welchen Dingler dadurch herzustellen vorschlägt, dass man die ersten 5½ Kilometer Kanalstrecke von Panama ab auf 160 Meter erweitert. Der Bauausschuss muss sich nun entscheiden.

Das ist ein kurzer Ueberblick über die allgemeinen Pläne und Bauten, zu denen eine nähere Prüfung der Ausführung des Kanalprojekts geführt hat. Das „Génie civil“ verbreitet sich auch über Einzelheiten der Fortschritte, welche in den verschiedenen Abschnitten der Kanalstrecke gemacht sind. Wir mögen ihm nicht ins Einzelne folgen, und bemerken daher nur, dass der Kanal, von Colon ab durch das niedrige Küstenland bis Gatun gehend, dort den Chagresfluss erreicht, und nun seinem Thale folgt, indem er die zahlreichen Krümmungen des Flusslaufs bald nach rechts bald nach links abschneidet in der Art, dass an beiden Seiten des Kanals neue Flussbetten angelegt werden, in welchen die Gewässer des Hauptflusses und die zahlreichen Nebenflüsse und Bäche ihren neuen Weg zum atlantischen Meere nehmen sollen, nachdem sie das oben genannte Sammelbecken der Regenzeit passirt sind. Die Art wie das gemacht wird erkennt man am deutlichsten bei der nächst obern Hauptstation S. Pablo, wo der Kanal die Sehne eines grössern vom Flusse beschriebenen Bogens bildet, den er also oben und unten berührt. Die erste Arbeit besteht nun in der Nivellirung der Kanalstrecke bis zur Höhe des Wasserstandes im Flusse. Dann werden schwimmende Bagger in Thätigkeit gesetzt, welche von unten herauf einen Einschnitt von 15 bis 20 Fuss Breite bis zur Tiefe des Flusses selber auswerfen. Hat man so einen fahrbaren Kanal für die Baggerfahrzeuge hergestellt, so geht man daran denselben soweit zu vertiefen und zu verbreitern, als das Kanalprofil verlangt. Doch ist man bislang bei keinem der vielen gesonderten Abschnitte über das erste Stadium der Aplanirung der Kanalstrecke hinausgekommen. Dieses erste Stadium ist aber nur eine vorbereitende Arbeit für die Aushebung des Kanals selber, mit welcher man noch nirgends begonnen hat. Die ab- und auszuhebende Erde wird verwandt zum Deich um das grosse Sammelbecken für die Hochwasser der Regenzeit, durch welches deren Abfluss gleichmässig regulirt werden soll. In S. Pablo hat man noch besondere Schwierigkeiten zu überwinden, weil dort die Colon-Panama Eisenbahn den Chagresfluss auf einer schwimmenden Pontonbrücke kreuzt, deren Betrieb unter allen Umständen aufrecht zu erhalten ist; der Bau einer festen Brücke für die Eisenbahn war wegen der reissenden Hochwasser des Chagresflusses nicht möglich gewesen.

Berichtigung.

Wir erhalten folgende Zuschrift:

An die verehrl. Redaction der „Hansa“.

In Ihrem geschätzten Journal No. 1 vom 13. d. Mts. wird bei Besprechung der französischen Dampfer-Kompagnie „Compagnie Maritime du Pacifique“ erwähnt, dass die Hamburger Kosmos-Gesellschaft „*mehr oder weniger* regelmässige Fahrten über Antwerpen bezw. Havre nach den Häfen des Stillen Oceans unterhalte.“

Als hiesige Agenten der Kosmos-Gesellschaft erlauben wir uns hierauf berichtigend zu bemerken, dass die Dampfer der Kosmos-Gesellschaft seit Bestehen der Linie stets mit grösster Regelmässigkeit ihre Fahrten eingehalten haben und dass dieselben auf der Ausreise *nach* den Häfen der Westküste Amerika's schon seit Jahren nicht mehr Havre anlaufen.

Hochachtungsvoll

Knöhr & Burchard.

Ludwig Geerken †.

Unter den Verstorbenen des vorigen Jahres aus dem Seemannskreise ist vor Allen der Bremer Kapitän *Ludwig Geerken* zu nennen, den wohl noch Mancher bei einem Besuche in Bremen schmerzlich vermissen wird, wenn er nicht schon seine langjährige Thätigkeit im Seeschiffer-Verein „Columbus“, dessen Gründer und Vorsitzer er lange Zeit war, entbehrt hat. Eine richtige Seemannsgestalt, nicht zu gross aber breit angelegt, von dem festen Bau und Gefüge der Eichen aus dem benachbarten „Urwalde“, knorrig nach aussen wie nach innen, weniger liebenswürdig als fest und treu, wenn auch zuweilen wohl etwas diesig, aber gerade darum bei Allen die ihn kannten und erprobt hatten, um so mehr angesehen und geachtet; der kundigste Mann in seinem Berufe, aber auch darüber hinaus offenen Herzens und klaren Blickes für Bremer und vaterländische Angelegenheiten; den Fremden mit seinen durchdringenden grauen Augen prüfend und wägend, bevor der wortkarge Mund sich öffnete, gegen Freunde entgegenkommend und Helfer mit Rat und That, so hat „der alte Kapitän Geerken“ oder „der alte Ludwig Geerken“ jahrelang vor uns gestanden und unter uns gelebt, bis er seinem acht Tage vor ihm gestorbenen langjährigen Rheder Herrn R. Fritze ins Grab nachfolgte.

Sein Civilstandsregister hat der „alte Geerken“ einmal selber vor dem Seeamt zu Bremerhaven, welchem er als Beisitzer angehörte, in folgenden lakonischen Worten bekundet:

„Am 29. December 1800 zu Bremen geboren und seitdem in Bremen gewohnt. 44 Jahre zur See gefahren, nämlich: als Matrose 5, als Steuermann 8, als Kapitän 31 Jahre (darunter 5 Jahre als Dampferkapitän). Nun folgen die Namen der beiden Rhederhäuser in Bremen, C. L. Brauer und W. A. Fritze, für die er fuhr und die lange Reihe der Häfen diesseits und jenseits des Oceans, die er mit seinen guten Schiffen „Arion“ und „Lesmona“, und später mit der „Hansa“ angelaufen hat. Zum Schluss heisst es einfach: Nennenswerte Schiffsunfälle habe ich nie gehabt, auch niemals Havarie gemacht.“

Das ist allerdings eine kurze Schilderung eines langen Lebens von 83 Jahren und nimmer rastender Thätigkeit, aber der alte Geerken hat niemals viel Aufhebens von seiner Persönlichkeit gemacht und glaubte deshalb auch vor dem Seeamt mit diesem Bericht auszukommen. Leute wie er schrieben auch früher an ihre Rheder vom fremden Platze aus selten ein Wort zu viel, gewiss nie ein Wort zu wenig, sodass der Rheder genau wissen konnte, wie er daran war und wie er zu verfügen hatte. Uns mag es aber vergönnt sein, ein wenig ausführlicher aus seinem Leben zu berichten.

Als Sohn einer Bremer Seefahrerfamilie ging Ludwig mit 13 Jahren nach See, als der Sturz Napoleons die Seefahrt von langjähriger Fessel befreit hatte, zuerst nach damaliger Bremer Weise nach Westindien, besonders Cuba, um Taback für den Bedarf des sich ausbreitenden Weltmarkts zu holen. Wenigstens 30 Reisen hat er in seinen verschiedenen Stellungen nach Habana, Matanzas, Santiago, Cienfuegos, Trinidad, zwischendurch auch nach den Unionshäfen Boston, Newyork, und später weitere nach den la Platahäfen gemacht. Mitte der zwanziger Jahre finden wir ihn als Matrosen auch im Mittelmeer, wo er aber das Unglück hatte, von Korsaren genommen und nach Algier gebracht zu werden. Doch gelang es ihm, die Papiere eines dort verstorbenen hannoverschen Matrosen zu seiner Freilassung zu benutzen und, nachdem er seinen Aeltern schon früher vermittelst eines Briefes, den er an ein Brettchen gebunden einem ausfahrenden deutschen Schiffe zuwarf, Nachricht von seinem gezwungenen Aufenthalt gesandt hatte, als angeblicher englischer Unterthan nach Marseille zu entkommen, Unterstützung vom Bremer Konsul zu erhalten und am Heil. Dreikönigsabend d. 6. Jan. 1826 das väterliche Haus wieder zu betreten. Dann wurde er Steuermann bei einem Vegesacker Kapitän, welcher für das Bremer Haus W. A. Fritze & Co. (mutmasslich den „Arion“) fuhr. Der Kapitän starb unterwegs, Geerken brachte das Schiff glücklich zurück, und obgleich dies seine erste Reise für diese Firma war, so machten W. A. Fritze & Co. ihn zum Kapitän des „Arion“, mit dem er seine ersten Fahrten nach Buenos-Aires machte, um dort Fleisch in Tafeln nach Trinidad und von Trinidad Zucker nach der Weser zu bringen.

Als im Jahre 1853 die aus freiwilligen Beiträgen des Volkes entstandene deutsche Flotte von dem Kommissar des Bundestags, Hannibal Fischer, für die Bundeskasse versteigert wurde, erwarben Geerken's Rheder zwei dieser Schiffe, und liessen Geerken als Kapitän des Raddampfers „Hansa“ zuerst von deutscher Seite an dem seit 1840 geschäftsmässig begonnenen atlantischen Dampferverkehr teilnehmen; die „Germania“ erhielt der jetzt noch aktive Senior der Lloydflotte, H. A. F. Neynaber. Aber bald nach Beginn der glücklich verlaufenen Reihenfahrten dieser beiden Pioniere begann der Krimkrieg, und nun wurden die Schiffe an die englische Regierung zum Transport von Mannschaften und Kriegsmaterial aller Art nach dem Bosporus und Balaklava gemietet, bis sie 1857 durch Kauf in den Besitz der englischen Marineverwaltung übergingen.

Damit trat auch unser Geerken von der praktischen Seefahrt zurück, blieb dafür aber als Eigner eines Geschäfts für Schiffsverkäufe und Neubauten und als eifriger Teilnehmer an allen nautischen, besonders Vereinsangelegenheiten in vorderster Reihe thätig. So förderte er mit kundigem Rat die von Bremen geleiteten deutschen Nordpolarfahrten am Ende der sechziger und zu Beginn der siebenziger Jahre, nahm regen Anteil an der Gründung des deutschen nautischen Vereins und des Seeschiffer-Vereins „Columbus“, in deren Vorsitz der rührige geistesgewandte Kollege H. Tecklenborg und Geerken sich teilten und Bremen für längere Jahre die Führung auf diesem Gebiete freiwilliger Thätigkeit sicherten. Bei der Reichstagsfahrt im Jahre 1875 nach Wilhelmshaven war unser alter Geerken im Empfangsausschuss thätig, und warf Paul Lindau sein besonderes Augenmerk auf sein freilich nicht sehr redseliges aber mit freundlichem Interesse Alles in bestimmter und weiterführender Art erläuterndes Gegenüber bei der Rundfahrt durch den Bürgerpark, wo der alte Herr, der von Krankheit oder Nervenleiden nie geplagt war, trotz der rauhen Abendluft seinen Pflichten als Gastgeber in stiller aber aufmerksamster Weise nachkam. Geräuschlos war seine Art überhaupt aber thätig dabei, wie seine rege Teilnahme an den Arbeiten der geographischen und naturwissenschaftlichen Vereine seiner Vaterstadt beweist. Eine schwere Erkältung beim Leichenbegängnisse seines alten Rheders R. Fritze warf den 83-jährigen sonst noch kernfesten Greis im vorigen Jahre auf's Krankenlager, von welchem nach wenigen Tagen ein ruhiger Tod ihn erlöste. Sein Andenken wird unter den Seefahrern des Nordseestrandes und den Freunden des vaterländischen Seewesens stets in Ehren gehalten werden.

Uebersicht

sämtlicher auf das Seerecht bezüglichen Entscheidungen der deutschen und fremden Gerichtshöfe, Reskripte etc. der betreffenden Behörden etc., einschliesslich der Literatur der dahin bezüglichen Schriften, Abhandlungen, Aufsätze etc.

Strafrecht.

Die Beihülfe eines Deutschen zu einer im Auslande begangenen dort strafbaren Handlung wird nach dem deutschen Strafgesetzbuch beurteilt.

Die Bestimmung des § 3 des Strafgesetzbuches, wonach die Strafgesetze des deutschen Reichs Anwendung finden auf alle im Gebiete desselben begangenen strafbaren Handlungen, erstreckt sich nach einem Urteil des Reichsgerichts, III. Strafsenats vom 14. Juni 1883 auch auf die im Inlande begangene Beihilfe zu einer im Auslande begangenen Strafthat, die auch im Auslande strafbar ist. Eine derartige Beihilfe ist demnach ausschliesslich nach inländischem Strafgesetz zu beurteilen. Ist beispielsweise die im Auslande begangene Hauptthat nach ausländischem Strafrecht verjährt, so hat dieser Umstand auf die Strafverfolgung des Teilnehmers im Inlande gar keinen Einfluss. — Dem schwedischen Schiff „Orion“, welches den Gebrüdern B. in Schweden gehört, stiess im Jahre 1876 in der Nähe des Kieler Hafens Havarie zu. Die Gebrüder B. beauftragten den Schiffbauer O. zu Kiel, den Schaden zu repariren, und sie veranlassten den O., eine unwahre Reparaturkosten-Rechnung über 34 005 ℳ aufzustellen und zu quittiren, während diese Kosten in Wahrheit weit geringer waren, um dadurch zwei schwedische Seeassekuranz-Gesellschaften, bei denen das Schiff versichert war, betrügerisch zu schädigen. Dieser Betrug gelang auch, und die Gebrüder B. erhielten eine höhere Entschädigungssumme, als ihnen zukam. Erst im Jahre 1881 wurde dieser Betrug offenbar. Gegen die Gebrüder B. konnte in Schweden strafrechtlich nicht eingeschritten werden, weil nach schwedischem Strafrecht der Betrug bereits verjährt war, wohl aber wurde in Kiel gegen O. wegen Beihilfe zum Betruge eingeschritten, weil nach deutschem Strafrecht die Strafthat noch nicht verjährt war. Die Strafkammer verurteilte ihn wegen Beihilfe aus §§ 263 und 49 des deutschen Strafgesetzbuches, und die von ihm dagegen eingelegte Revision wurde vom Reichsgericht verworfen, indem es begründend ausführte: „Ist füglich nicht daran zu zweifeln, dass die Gebrüder B. die Thäter einer strafbaren Handlung sind, so ist damit unter allen Umständen der Kreis des überhaupt in Betracht kommenden ausländischen Strafrechts abgeschlossen, und die strafbare Handlung des Beschwerdeführers einschliesslich der zu ihrem Thatbestande begrifflich gehörigen Hauptthat in allen Beziehungen lediglich nach den deutschen Strafgesetzen gerade so zu beurteilen, als fiele auch die Hauptthat unter die deutschen Strafgesetze. Mit anderen Worten, es handelt sich nur noch um eine durch §§ 263, 49 des Str.-G.-B. strafbare im Inlande verübte Beihilfe zum Betruge und die Frage, ob die Hauptthat im Auslande oder im Inlande verübt worden ist, verliert jegliche Bedeutung. Deshalb ist es rechtlich zunächst unerheblich, ob die Hauptthat verjährt ist, ob die Verjährung nach schwedischem Recht einen persönlichen Strafausschliessungsgrund oder einen sachlichen Strafaufhebungsgrund darstellt. Die im Inlande verübte Strafthat des Beschwerdeführers unterliegt bezüglich der Verjährung einzig und allein den Normen des deutschen Strafgesetzbuches, insbesondere also den §§ 66 und ff. Und da nach diesen gesetzlichen Vorschriften die Verjährung nur die persönliche Strafverfolgbarkeit des einzelnen Delinquenten berührt, die Verfolgbarkeit oder Nichtverfolgbarkeit des Hauptthäters aber ohne jeden Einfluss ist auf die Strafverfolgung der Mitthäter, Teilnehmer oder Gehülfen, so folgt daraus, dass der Beschwerdeführer überall nicht befugt ist, aus der Person der Gebrüder B. eine Verjährungseinrede für sich geltend zu machen."

Nautische Litteratur.

***Deutsche Kolonialzeitung.** Organ des deutschen Kolonialvereins. Illustr. halbmonatlich erscheinende Zeitschrift. Red. Richard Lesser. Abonnement $1\frac{1}{2}$ ℳ für das Quartal; jedes Heft einzeln franko 30 Pf. Verlag des deutschen Kolonialvereins in Frankf. a./M.*

Der Inhalt des ersten Januarheftes ist folgender: 1. Unser Programm. 2. Das Reich und die Kolonisation von Freiherr v. d. Brüggen. 3. Das Klima von Paraguay I. von H. Schneider. 4. Land und Leute in Argentinien I. von E. Bachmann. 5. Die Lage der Lohnarbeiter in Amerika I. von K. H. Donai. 6. Ein deutscher Staatsmann im fernen Osten (Paul v. Möllendorff) mit Portrait. 7. Ein Kirchgang im Innern Brasiliens. Von Niels Heyde. Litteratur. Echo aus allen Weltteilen. Sprechsaal. Büchertisch. Illustrationen: Paul v. Möllendorff. Am Strande von Monica, Kalifornien.

Auf den Inhalt des hübsch ausgestatteten Heftes kommen wir nächstens zurück.

„Jan Mayen und die österreichische arktische Beobachtungsstation. Geschichte und vorläufige Ergebnisse. Nach den Aufzeichnungen des Leiters von Wohlgemuth, bearbeitet von Dr. Charanne. 5 Bogen gross 8 vo. Mit 6 Illustrationen und 1 Karte. Preis ℳ 1.50.

Der glänzende Erfolg der Beobachtungen und Forschungen, welchen die österreichische Jan Mayen-Expedition errungen, hat in allen Kreisen eine so lebhafte Teilnahme für diese wissenschaftliche That hervorgerufen, dass eine kurzgefasste Wiedergabe ihrer Geschichte und bedeutendsten Ergebnisse dem Interesse Vieler begegnet. Der Feder des Leiters derselben, sowie jener des bekannten Geographen Chavanne war es vorbehalten, die erste Schrift hierüber zu veröffentlichen und liegt diese in einem elegant ausgestatteten Hefte vor. Das Werkchen bringt nach einer allgemeinen Einleitung das Programm der wissenschaftlichen Beobachtungen und entwickelt die einzelnen behandelten Wissenschaften, unter denen namentlich die Hydrographie, der Erdmagnetismus und die Polarlicht-Studien durch ihre Neuheiten wichtig sind. Die Geschichte der Expedition wird durch das Tagebuch vorgeführt, in welchem in historischer Reihenfolge die angestellten Versuche und Beobachtungen aufgezeichnet sind. Die ganze Schrift ist in angenehm lesbarem Stile geschrieben und somit für jeden Freund der Erdkunde, nicht nur für Geographen vom Fach, eine empfehlenswerte Lektüre. Geziert ist das Heft mit den Portraits des Protektors der Expedition Graf Hanns Wilczek und der Offiziere, der Ansicht des Stationshauses auf Jan Mayen, des Beerenberges, Wilczekthales und der Ostküste der Insel, und bildet somit ein auch äusserlich anziehendes Bild der neuesten Errungenschaft arktischer Forschung. Eine gute Orientirungskarte ist beigegeben.

Verschiedenes.

Den Orkan vom 11./12. Decbr. v. J. angehend, über welchen wir in der letzten Nummer v. J. berichteten, so lauten die fernern Mitteilungen dahin, dass auch die *holländische* und *englische* Seewarte von demselben überrascht worden sind. Wenn als Grund angegeben wird, dass der Orkan so überaus rasch herangerückt sei, so möchten wir eher glauben, dass derselbe in unmittelbarer Nähe der europäischen Küsten entstanden sei und *darum* mit so grosser Geschwindigkeit unsere Meere und Küsten in Mitleidenschaft gezogen habe. Eine Möglichkeit der Beweisführung für diese Nähe des Entstehungsorts wäre nicht ausgeschlossen, wenn es gelänge eine hinreichende Anzahl von Logbüchern ausgehender oder fast heimgekehrter Schiffe daraufhin zu durchmustern. Eine solche Durchforschung der Schiffstagebücher läge ausser im Interesse der Wissenschaft zugleich im eigensten Interesse der Seewarten selber, welche bereits mehrfach in diesem Herbst von so schnell überkommenden Stürmen gewissermassen überrumpelt wurden, und dringend wünschen müssen, dass das Publikum nicht Mängel des Systems oder gar Unaufmerksamkeit vermute. Thatsächlich lagen um 11 Uhr Vormittags des 11. December in London noch keine Anzeichen vor, dass ein Unwetter nahe bevorstehe. Um 2 Uhr wurden von dort die Kanalküsten bis zur Themse gewarnt, bloss weil verdächtige Bewegungen von Cirrus-Wolken gemeldet wurden, und erst um 7 Uhr Abends kamen dort Meldungen vom Fallen des Barometers an, infolge welcher die Ostküsten Englands und Hamburg gewarnt wurden. So konnte auch die *holländische* Seewarte kaum eher warnen, als der Orkan thatsächlich da war.

Oelen der See. Eine „befahrne Landratte" augenscheinlich von hier macht uns seit einiger Zeit anonyme Mitteilungen über das Oelen der See, und verweist auch ausser auf dichterische Anklänge auf die neuerlichen günstigen Versuche damit zu Folkestone. Wir sind dem geehrten Einsender herzlich dankbar für diese Teilnahme, welche wir durch eine langjährige praktische Beachtung des Gegenstandes durch viele Jahrgänge der „Hansa" hindurch bethätigt haben, glauben indessen die Theorie allmälig als hinlänglich beleuchtet lediglich zur praktischen Verwendung empfehlen zu dürfen.

Die „unbefahrne Seeratte."

Schnelligkeit der Mitteilung über atlantische Kabel. Auf die oft gehörte Frage, wie lange eine Depesche von Europa nach Neuschottland unterwegs ist, geben wiederholte praktische Versuche und Rechnungen jetzt genauen Aufschluss. Von Penzance im äussersten Südwesten von Cornwallis in England nach Canso in Neuschottland wurden 1000 Worte des Telegraphen-Codex in 81 Minuten übersandt, einschliesslich aller Wiederholungen und Verbesserungen. Diese 1000 Worte bestanden aus 7 288 Buchstaben. Die Geschwindigkeit der Uebermittelung ist mithin gleich der von 18 Worten von fünf Buchstaben in der Minute, oder $1\frac{1}{2}$ Buchstaben in der Sekunde.

Ungenügender Frachtenstand von Newyork veranlasste die Anchor-Linie, ihr prächtiges Schiff „City of Rome" sowie ihre übrigen Schiffe für diesen Winter — aufzulegen. Das ist ein Ereignis, welches natürlich sensationell wirken muss.

Nasse oder trockene Kohlen, welche Art giebt den meisten Dampf? Darüber sind kürzlich in Bochum genaue Versuche angestellt welche ergaben, dass jedes Pfund gewaschener Kohle mit 18 % Wassergehalt und 9,9 % Asche 5.7 ℔ Wasser in Dampf verwandelte, während trockene Kohle derselben Art mit nur 3 % Wassergehalt, 8 bis 8.5 ℔ Wasser zu Dampf verwandelte. Nach den gehörigen Abzügen ergab sich, dass man sich einem direkten Verlust von 1 % aussetzt, wenn man nasse Kohle verwendet.

Guano wird immer seltener gefunden, und da die amerikanischen Lager bald erschöpft sind, so hat man jetzt sein Augenmerk auf die Cap Verde Inseln gerichtet, auf denen noch unberührte Lager sich vorfinden sollen. Nebenbei nimmt natürlich auch die Qualität des Stoffes ab.

Die Compound-Lokomotiven, welche F. Schiechau in Elbing als Spezialität baut, ersparen nach auf der Hannoverschen und der Ostbahn gemachten praktischen Erfahrungen von 18.9 bis 13.4 % Kohle, bei sonst gleicher Leistung. Dieselben sind bisher erst in kleinern Dimensionen, für Lokalgebrauch, gebaut, wie aus folgenden Dimensionen hervorgeht: Durchmesser des Hochdruck-Cylinders $10\frac{5}{8}$ Zoll, des Niederdruck-Cylinders 17 Zoll, Kolbenhub $21\frac{3}{4}$ Zoll, mittlerer Kesseldurchmesser 3 Fuss $2\frac{5}{8}$ Zoll, Zahl der Röhren 92, deren äusserer Durchmesser 2 Zoll und Länge zwischen den Endplatten 9 Fuss 3 Zoll, Dampfdruck 160 ℔, Heizoberfläche 406 Q.-F., Feuerraum 35 Q.-F., Rostfläche 8 Q.-F., Zahl der Räder 4, ihr Durchmesser 2 F. $6\frac{1}{2}$ Z., Umfang 8 F. $2\frac{5}{8}$ Z., Inhalt des Wasserbehälters 2475 Liter, des Kohlenbehälters 1 Ton, Gewicht der Maschine leer $15\frac{1}{2}$ Tons, im Arbeitszustande $20\frac{3}{4}$ Tons.

Die **„Alcester"** ist ein grosses eisernes Segelschiff von 258', 38', $23\frac{1}{2}$', welches von Russell & Co. in Greenock im Laufe des Jahres 1883 gebaut wurde, und 2500 Tons bequem laden kann.

Nutzbarmachung der Wasserkraft der Rhone. Bekannt sind die vielfältigen Spekulationen auf die Kraft des Gefälles des Niagarastromes, eine Kraft, welche ungefähr der Kraft sämtlicher Maschinen der Erde gleichkommt, bis jetzt aber erst in sehr geringem Grade nutzbar gemacht ist. Einen kleinern Versuch will jetzt der Stadtrat von Genf mit der Rhone machen, indem er etwa 1000 Meter oberhalb des Einflusses der Arve in die Rhone ein Wehr durch die Rhone (mit Schleusenöffnungen für Hochwasser) und einen Leitkanal anlegt mit 13 Fuss Gefälle, aus welchem 4200 Kubikfuss Wasser in mächtige Turbinen geleitet werden sollen, um für eine grosse kräftige Fabrik die Centralkraft zu liefern. Wenn der Bundesrat zu Bern der Stadt Genf die alleinige Benutzung dieser Wasserkraft auf 99 Jahre garantirt, soll das Werk gleich in Angriff genommen werden. Wahrscheinlich liefert die Braunschweiger Erbschaft das nötige Geld dazu.

Papenburgs Winterlager umfasst diesen Winter im Ganzen 46 Schiffe; in Leer lagen 1. Jan. 36 Schiffe, die aber teilweise im Löschen oder Laden begriffen waren.

Antwerpen Schiffsverkehr. Angekommen sind im vorigen Jahre im Ganzen 4319 Schiffe von 3 788 096 Tons, gegen 4242 Schiffe von 3 401 544 Tons in 1882, 3936 in 1881, 4483 Schiffe von 3 063 825 Tons in 1880. In diesen Zahlen sind mit enthalten die Schiffe, welche die Schelde hinauf nach Brüssel, Löwen und Termonde weitergegangen sind. Die Zahl der hier eingekommenen Seedampfer betrug 3045 in 1878, 2829 in 1879, 3158 in 1880, 2963 in 1881, 3292 in 1882 und 3700 Dampfer im verflossenen Jahre.

Besuch der Navigationsschule zu Geestemünde. Die Frequenz der hiesigen Königlichen Navigationsschule im Jahre 1883 stellt sich wie folgt: Die Schifferklasse wurde im Ganzen von 46 Schülern besucht, worunter ein Steuermannsschüler. 3 Schifferschüler traten in den am 3. Januar 1884 beginnenden Kursus über. Ausser 42 Schülern der hiesigen Schifferklasse meldeten sich 3 Auswärtige zur Schifferprüfung, zusammen also 45 Schifferprüflinge, und 2 Steuermannsprüflinge. Die Prüfung bestanden 40 Zöglinge der hiesigen Klasse, darunter 1 mit Auszeichnung und 1 mit der Reichsprämie, 2 Auswärtige und 2 Steuermannsprüflinge; zwei hiesige und ein Auswärtiger bestanden nicht. Der Steuermannskursus vom 1. October 1882 bis ult. Juni 1883 zählte 15 Schüler, von welchen 1 austrat und 1 in den nächsten Kursus übertrat. Zur Prüfung meldeten sich 13; es bestanden davon 11, worunter 1 mit Auszeichnung und 2 mit der Reichsprämie; 2 bestanden nicht. Der Steuermannskursus vom 1. April bis ult. December 1883 zählte 10 Schüler, die sich sämtlich zur Prüfung stellten; es bestanden dieselbe 7 Prüflinge, darunter 2 mit der Reichsprämie; 3 bestanden nicht (1 bestand die Steuermannsprüfung mit den Schifferprüflingen im October). Der Steuermannskursus vom 1. Octbr. v. J. bis dato zählt 16 Schüler. Die Vorschule wurde von 18 Schülern besucht, die zum Teil in die Steuermannsklassen übertraten, zum Teil behufs Komplettirung ihrer Fahrzeit wieder zur See gingen. Unter den Schülern befanden sich 2 Schiffer für kleine Fahrt, von welchen 1 die Prüfung bereits bestand, der andere besucht die Schule noch jetzt.

Krupps Etablissement in Essen. In demselben wurden im Sommer 83 nach vorgenommener Zählung nicht weniger als 19 605 Arbeiter beschäftigt, welche Ziffer sich unter Hinzurechnung der Familienglieder derselben auf 65 381 Köpfe erhöht, wovon 13 087 noch im schulpflichtigen Alter befindliche Kinder sind. Ziemlich ein Drittel der 65 381 Personen bewohnt die von Krupp gegründete Arbeiterstadt; die andern zwei Dritteile wohnen in Essen, und in oder ausser den in der Umgegend von Krupp angelegten Kolonien oder Niederlassungen. — Vor 60 Jahren befanden sich unter den (damals 40) souveränen Staaten des „durchlauchtigsten deutschen Bundes“ nicht weniger als 18, welche *weniger* Einwohner hatten, als heutzutage die Gesamtziffer der in den Krupp'schen Fabriken Beschäftigten und ihrer Familienangehörigen beträgt; nämlich 4 Herzogtümer, 2 freie Städte, 1 Landgrafschaft und 11 Fürstentümer; ja 10 der 18 „Staaten“ hatten noch nicht einmal halb so viel Bewohner!

Natürlich hat die Fabrik ihre eigenen Gas- und Wasserwerke; erstere speisen 25 000 Gasbrenner, neben welchen zahlreiche elektrische Flammen angebracht sind. Ferner hat die Fabrik ihr eigenes chemisches Laboratorium, Photographie- und Lithographie-Anstalten und Druck- und Buchbinderei-Werkstätten. 15 deutsche Meilen Drahtleitung und 35 Telegraphenstationen sorgen für den innern Dienst. Zu einem Besuch der Kolonien, der Arbeiterstadt und der Fabrik gebrauchten wir unter Benutzung eines Zweispänners 2½ Stunden und hatten damit einen flüchtigen Ueberblick über die *halbe* Fabrik gewonnen!

Peterhead ist bekanntlich einer der bedeutendsten Fischerplätze für Häringsfang im östlichen Schottland, welcher 8 — 900 Häringsschaluppen besitzt. Sein Hafen wird gebildet durch eine vorliegende felsige Insel, welche durch einen breiten Damm in der Mitte mit dem Festland verbunden ist; der Damm ist selber wieder durch einen überbrückten Fahrkanal durchschnitten. Da die Küste Nord-Süd streicht, so werden auf diese Weise zwei natürliche Häfen durch den Damm und die Insel gebildet, die durch den Fahrkanal mit einander verbunden sind, damit Schiffe binnendurch von einem Hafen in den andern gelangen und je nach dem Winde den einen oder den andern Hafen zur Ausfahrt oder Einfahrt benutzen können. Die Häfen heissen der nördliche und der südliche Hafen; der erstere ist der bedeutendere und befinden sich dort auch fast alle Schuppen und Vorrichtungen zum Ausweiden der Häringe (und zwar auf der Insel, nicht auf dem Festlande); das Einsalzen der Häringe geschieht entweder auch dort oder in den grossen Factoreien in der Stadt Peterhead selber, wo Tausende und aber Tausende von Fässern im Freien und unter offenen Schuppen bis zur Verschiffung lagern. Der nördliche Hafen ist wie gesagt der grössere, breitere. Vom Stadtende des genannten breiten Dammes streckt sich nordwärts durch die Mitte des nördlichen Hafens ein breiter Pier, wodurch derselbe in zwei Hälften geteilt wird, deren östliche zwischen Insel und Pier der Schaluppenhafen ist, während der westliche oder Georgshafen zur Aufnahme der löschenden und ladenden Seeschiffe dient, welche den Häring ins Ausland u. s. w. verfahren. Der projektirte Fangdamm des Zufluchtshafens (vergl. Hansa 1883, No. 22) soll sich vom Südkap der Insel vor Peterhead-Bai (im Süden der Stadt) vorüber nach Salthouse-Point erstrecken, damit Schiffe bei jedem Wetter wenigstens in den Südhafen oder die Peterhead-Bai, in welche er mündet, einlaufen können.

Verlag von H. W. Silomon in Bremen. Druck von Aug. Meyer & Dieckmann. Hamburg, Alterwall 22.

Redigirt und herausgegeben von
W. von Freeden, BONN, Thomasstrasse 8.
Telegramm-Adresse:
Freeden Bonn,
oder
Hansa Alterwall 28 Hamburg.

Verlag von *H. W. Silomon* in Bremen.
Die „*Hansa*" erscheint jeden 2ten Sonntag. Bestellungen auf die „*Hansa*" nehmen alle Buchhandlungen, sowie alle Postämter und Zeitungsexpeditionen entgegen, desgl. die Redaktion in Bonn, Thomasstrasse 8, die Verlagshandlung in Bremen, Obernstrasse 44 und die Druckerei in Hamburg, Alterwall 28. Sendungen für die Redaktion oder Expedition werden an den letztgenannten drei Stellen angenommen. **Abonnement** jederzeit, frühere Nummern werden nachgeliefert.

Abonnementspreis:
vierteljährlich für Hamburg 2½ ℳ,
für auswärts 3 ℳ = 3 sh. Sterl.
Einzelne Nummern 60 ₰ = 6 d.

Wegen Inseraten, welche mit 25 ₰ die Petitzeile oder deren Raum berechnet werden, beliebe man sich an die Verlagshandlung in Bremen oder die Expedition in Hamburg oder die Redaktion in Bonn zu wenden.

Frühere, komplete, gebundene Jahrgänge von 1873 1874, 1876, 1877, 1878, 1879, 1880, 1881, 1882 sind durch alle Buchhandlungen, sowie durch die Redaktion, die Druckerei und die Verlagshandlung zu beziehen.
Preis ℳ 8; für letzten und vorletzten Jahrgang ℳ [illegible].

Zeitschrift für Seewesen.

No. 3. HAMBURG, Sonntag, den 10. Februar 1884. 21. Jahrgang.

Inhalt:

Ueber Fautfracht.

Fautfracht, ein aus französischem und deutschem Stamm gemischtes Wort, (franz. faute de fret, mangelnde Fracht, Mangelsfracht, engl. dead freight, tote Fracht) bedeutet eine Vergütung oder ein *Reugeld*, welches der Schiffer oder sein Rheder von dem Befrachter dann zu fordern berechtigt ist, wenn derselbe die bedungene Ladung nicht oder nicht vollständig liefert. Die allgemeinen Rechtsgrundsätze gestatten jedem Vermieter, die *volle* Miete einzufordern, wenn der Mieter aus irgend einem Grunde von dem gemieteten Gegenstand keinen Gebrauch macht, und so muss nach englischem, französischem und nordamerikanischem Seerecht der Befrachter die volle Fracht zahlen als Fautfracht, falls er die Beladung nicht ausführt; doch kommt er mit der *halben* Fracht-Zahlung als Fautfracht davon, falls er *vor Beginn der Beladung* des Schiffes ohne einen gesetzlich gebilligten Grund von der Charter zurücktritt. Nach holländischem, spanischem und deutschem Seerecht wird die Fautfracht nach dem Grundsatz des beiderseitigen Rücktrittsrechts beurteilt. Das *deutsche Handelsgesetzbuch* ordnet diese Materie in den Artikeln 581—591. Nach Art. 581 kann der Befrachter *vor Antritt der Reise* (d. h. wenn das Schiff vom Befrachter noch nicht abgefertigt, oder die Ladung weder ganz noch zum Teil geliefert und die Wartezeit noch nicht verstrichen ist) von dem Frachtvertrage unter Zahlung der *halben Fracht als Fautfracht* zurücktreten. Das stimmt im Wesentlichen mit englischem etc. Recht also überein. Ist aber das Schiff zugleich auf Rückladung verfrachtet, oder muss es in Ausführung des Vertrages zur Einnahme der Ladung eine Fahrt aus einem andern Hafen machen, so hat der Befrachter laut Art. 589 *Zweidrittel der Fracht als Fautfracht* zu zahlen, falls er seinen Rücktritt vom Frachtvertrage vor Antritt der Rückreise oder der Reise aus dem Abladungshafen (nach den Bestimmungen des Art. 581) erklärt. In allen übrigen Fällen, also wenn es sich bloss um die Charter eines Teils des Schiffes handelt, und nicht etwa alle Befrachter vom Vertrage zurücktreten (Art. 588), oder wenn der Frachtvertrag Stückgüter zum Gegenstande hat (Art. 589) oder bei zusammengesetzten Reisen (Art. 585) muss nach deutschem Recht der zurücktretende Befrachter regelmässig die *volle* Fracht vergüten; doch muss sich der Schiffer, falls er statt der bedungenen Ladung eine anderweite erhielt, die Fracht für letztere vom Befrachter kürzen lassen, eventuell im Streitfall nach billigem Ermessen des Richters; dieser Abzug darf aber in keinem Falle die Hälfte der Fracht übersteigen.

Bei dieser knappen Uebersicht der gesetzlichen Bestimmungen über die Fautfracht haben wir alle andern Festsetzungen, welche die ebengenannten Artikel nebenher über Liegegelder, Wartezeit etc. enthalten, ausdrücklich übergangen, um die Frage dadurch nicht zu verdunkeln, und die Principien des deutschen Handelsgesetzbuches klar und fasslich zusammen zu stellen.

Es scheint nun, dass die englische Gerichtspraxis auch in diesem Falle Mangels allgemeiner Rechtsgrundsätze Schwierigkeiten in der Rechtsprechung findet, welche vor dem deutschen Handelsgesetzbuch und seinen klaren Bestimmungen nicht aufkommen könnten. Wir halten uns zu diesem Urteil berechtigt angesichts eines Artikels in »Mitchell's Maritime Register« Seite 8 d. Jahrganges, welche aus der »Shipping and Mercantile Gazette« dahin übernommen ist, und einige Prozesse über Fautfracht-Forderungen in den höhern Gerichtsinstanzen Englands behandelt. In einem Falle M'Lean and Hope versus Fleming, der 1871 im Hause der Lords zur definitiven Entscheidung kam, handelte es sich um folgenden Thatbestand. M'Lean and Hope, Kaufleute aus Edinburg, hatten in Konstantinopel 701 Tons Knochen gekauft, und ein Schiff Fleming's durch einen Agenten chartern lassen, um gegen eine Fracht von 35 sh. p. To. die Knochen nach England zu schaffen. Ein absolutes Anrecht auf die Ladung war bewilligt, nicht allein für die Höhe der bedungenen Fracht, sondern auch für Fautfracht. Der Frachtbrief oder das Konnossement für die ganzen 701 Tonnen wurde gezeichnet, aber nur 386 Tonnen wirklich verladen, obgleich das Schiff noch 210 Tonnen ausserdem hätte einnehmen können. Bei Ankunft des Schiffes im Bestimmungshafen (Aberdeen) weigerte sich der Kapitän, an M'Lean and Hope die Ladung auszuliefern, bis ihm die Fracht für die angebrachten 386 Tonnen und Fautfracht d. h. proportionale Teilfracht für die 210 Tonnen ausbezahlt sei, welche er nicht empfangen habe, obgleich das Schiff sie noch hätte einladen können. Das Haus der Lords gab einstimmig dem verklagten Kapitän recht, wobei sein Rheder Fleming, Lord Hatherley und Lord Chelmsford sich auf eine ältere Definition von Lord Ellenborough bezogen, nach welcher »Fautfracht die nicht erhobene Vergütung für Verlust an Fracht im allgemeinen« sei, während Lord Colonsay dafür hielt, dass »Fautfracht der Ausdruck für den Anspruch sei, welcher erhoben werde infolge des Unvermögens, eine volle Ladung zu liefern,« und Lord Westbury hervorhob, dass »der Frachtvertrag oder die sog. Charterpartie dem Rheder ein Anrecht auf einen vernünftigen Betrag unbezahlten Schadens als Vergütung für Fautfracht gebe.«

Jeder Laie erkennt hier gleich, wie grundverschieden die englische Rechtsprechung von der deutschen ist. Während dem deutschen Richter die Definition der Fautfracht durch sein Handelsgesetzbuch fertig gegeben ist, und er sich nur zu bemühen hat, den konkreten Fall unter den richtigen Artikel zu bringen, bemühen sich die englischen Richter noch um eine allgemeine Erklärung des Gegenstandes selber, wobei sie dann fast regelmässig Gefahr laufen, diese oder jene Seite des gerade vorliegenden Falles in ihrer Definition besonders zu berücksichtigen und gerade dadurch die Allgemeinheit der Begriffsbestimmung so zu schädigen, dass sie wiederum auf andere Fälle nicht oder nur schwer anwendbar ist.

Dass dieser Vorwurf kein unberechtigter ist, erhellt aus der Behandlung eines ganz ähnlichen Falles. Der Klagesache Gray v. Carr lag folgender Thatbestand zu Grunde. Ein dem Kläger gehörendes Schiff war gechartert um nach Sulina zu fahren, dort eine volle Ladung Fassdauben einzunehmen und dieselben gegen eine Fracht von 8 sh. für das Hundert nach London zu bringen. »Rheder sollen ein absolutes Pfandrecht auf die Ladung für die ganze Fracht, *Fautfracht* etc. haben,« so besagten Charterpartie und Konnossement gleichmässig. Es wurde nun eine grosse Menge eichener Stäbe verladen, aber keine volle Ladung. Bei Ankunft des Schiffes in London forderten Kläger zwischen 200 und 300 £ St. als Fautfracht für zu wenig gelieferte Ladung, und zwar von den im Frachtbrief genannten Konsignatären und Eignern der Ladung, obigem Carr. Obgleich nun dieser Fall dem von M'Lean and Hope v. Fleming äusserst ähnlich sieht und kaum von ihm zu unterscheiden ist, so erklärten doch vier von sechs Mitgliedern des Obergerichts, wenn sie auch das Urteil in Sachen M'Lean v. Fleming als bindend für sich ansähen, dass dem klagenden Rheder kein Pfandrecht wegen zu geringer Beladung aus dem Rechtstitel der Fautfracht gegen den verklagten Konsignatär zustehe, während die anderen beiden Richter ihm dasselbe nach Analogie von M'Lean v. Fleming zuerkannten. Jene vier heben als Unterschied zwischen den beiden Streitfällen hervor, dass in Sachen M'Lean v. Fleming der aus der ungenügenden Beladung erwachsene Schaden durch Angabe der Anzahl der fehlenden Tonnen, für welche Fautfracht gefordert wurde, thatsächlich klar gestellt sei, mithin in diesem Falle Fautfracht in dem üblichen Sinne des Wortes in Frage komme, dagegen in dem Falle Gray v. Carr die Höhe der Schadenssumme als solche, da ungenau angegeben, nicht unstreitig sei, eine Unterscheidung, welche sich an der Hand der Entscheidungsgründe in Sachen M'Lean v. Fleming u. E. nicht rechtfertigen lässt. Sie führten als ferneren Unterschied an, dass im Falle M'Lean v. Fleming der Anspruch gegen den Befrachter, im Falle Gray v. Carr aber gegen den Konsignatär erhoben werde. Auch diese Unterscheidung ist nach Lage der Sache nicht haltbar; in jedem Fall war zu wenig Ladung verfrachtet und die auf Grund des Frachtbriefs und des darin stipulirten Pfandrechts klagenden Personen sollten sowohl den Befrachter, als den Konsignatär gleichmässig zur Zahlung der Fautfracht anhalten können.

»M M R« freilich giebt den bezeichnenden Rat, beide Entscheidungen sich zur Richtschnur dienen zu lassen, und fasst seine Lehren in folgende Worte zusammen: »Kein Pfandrecht auf Schadenersatz für zu geringe Beladung ist gegen den Konsignatär zu verfolgen, so lange der Betrag des Schadens irgendwie zweifelhaft ist. Kann der Betrag unterwegs oder bei Ankunft im Bestimmungshafen festgestellt werden, so kann man gegen den Konsignatär vorgehen. Gegen den Befrachter kann jedoch Fautfracht eingeklagt werden, wenn die Bemessung des Schadens aus zu geringer Beladung noch so zweifelhaft oder unbestimmt ist.« Denn wenn auch das Urteil der vier Oberrichter im zweiten Fall von dem der Lords im ersten Fall abweicht, so müsse man doch annehmen, dass jene vier Richter sich das Urteil der Lords zur Richtschnur genommen haben.

Ein glückliches Land für die Advokatur, dieses England! Wohl dem, welchem die nähere Bekanntschaft erspart bleibt!

Erinnerungen aus dem Seeleben.

II.

Durch die Strasse von Gibraltar.

Von *Ferd. Raspe.*

Es ist eine stockfinstere Decembernacht im Golf von Biskaya, dem mit Recht wegen seiner Stürme, noch mehr aber wegen seiner furchtbar hoch rollenden Wogen verrufenen Meeresteile. Ein stürmischer Wind weht aus WSW; der Regen giesst in Strömen vom Himmel herab. Er hat mich, wie die ganze Mannschaft meines Schiffes, der Bark „Marie", längst bis auf die Haut durchnässt. Die Leute liegen seit einer halben Stunde auf der Vormarsraa und bemühen sich fruchtlos, das zweite Reff in das Segel zu binden. Die vom Wasser getränkte, steif und unbiegsam gewordene Leinewand bäumt sich wild über die Raa zurück; es ist ganz unmöglich ihrer Herr zu werden. Die Männer am Steckbolzen halten krampfhaft die Raanock umschlungen, die übrigen Leute drängen sich um die Stänge zusammen, um nicht durch das vom Winde zu einem Ballon aufgeblähte Segel über Bord geschlagen zu werden. „Haltet die Segel lebendig, passt aber gut auf, dass sie nicht back fallen!" rufe ich dem Mann am Ruder zu, indem ich mich vom Quarterdeck nach vorn verfüge, um den Leuten auf der Raa Anweisung zu geben und nötigen Falls mich selbst mit nach oben zu begeben. Meine letzte Ermahnung ist wohl berechtigt gewesen; leider aber nicht gehörig beachtet worden; denn noch habe ich den Fockmast nicht erreicht, so schlagen die eben noch vom Winde gefüllten Segel mit grosser Gewalt, laut klatschend nach rückwärts gegen Mast und Stänge. Ich bemerke kaum was vorgeht, so stehe ich wieder hinten am Ruder. „Auf das Ruder! Hart auf!“ rufe ich dem Rudersmann zu, indem ich selbst ins Rad greife, um das Schiff wieder zum Abfallen zu bringen. Mit furchtbarer Wucht schlagen die Segel wieder voll. Die Brassen vermögen dem plötzlichen Stosse nicht zu widerstehen. Der Bolzen, an dem die grosse Brasse achter am Schiff befestigt ist, giebt nach, und die Marsbrasse, auf welche nun die ganze Kraft der Segel fällt, weicht ebenfalls dem übermässigen Drucke und reisst den Nagel fort, auf dem sie belegt ist. In dem Augenblick, in welchem beide Raaen mit Ungestüm unter das grosse Stag fliegen, stürzt die eine Hälfte der grossen Raa nach unten, das daran befestigte Grossegel teilweise zerreissend und dann an demselben hängen bleibend. Das dicke Holz ist nahezu in der Mitte durchgebrochen. „Alle Mann an Deck!“ rufe ich nach oben „Steuermann, schicken Sie die Leute an die Brassen!“ Jeder eilt auf seinen Posten. „Auf das Ruder! Fier weg die Besahnsschoot! Brasst auf vorn!“ Langsam fällt das Schiff ab. Jetzt kommt es vor den Wind. „Fest Brassen!“ und nun an die Arbeit. Das Schiff rollt und schlingert furchtbar in der hohen See. So oft es überholt, schöpft es grosse Wassermassen über die Leereeling. Kaum vermag man sich auf Deck zu halten. Die Leute stehen bis an die Kniee, oft bis über die Hüften im Wasser. Die Raa ist fast in der Mitte, eben seitwärts vom Nock gebrochen. Die eine Hälfte hängt noch im Nock und in dem Topnant, während die andere mit dem daran hängenden Segel wild umhergeschleudert wird. Von einigen Matrosen werden die Trümmer vorläufig befestigt. Dann gilt es Kontrabrassen zu setzen, um den Raaen des Grosstops wieder den nötigen Halt zu geben, eine saure Arbeit, die unter unsäglichen Mühseligkeiten vollbracht und durch die Dunkelheit und das Toben des Sturmes erschwert wird. Nun wird das Grossmarssegel fest gemacht und dann, da das Wetter immer stürmischer und drohender geworden ist, vorn dicht gerefft und das Schiff wieder an den Wind gebracht. Der grauende Morgen trifft uns noch über der Arbeit, aber die „Marie“ ist wieder in hinreichend seetüchtigen Zustand gesetzt, um dem wilden Drängen der Elemente zu trotzen. Die Seetüchtigkeit des Schiffes bewährt sich aufs Trefflichste. Es liegt vorzüglich unter gerefften Vorsegeln und Besahn am Winde.

Die „Marie“ hatte, seit wir England verliessen, fast beständig unter Sturmsegel gelegen. Nicht ein einziges Mal gestattete es die Witterung, die leichten Segel zu führen; selten nur konnten sie auf kurze Zeit gelöst werden, um sie vor dem Verfaulen zu schützen. Das Verdeck war beständig von Seewasser überflutet, so dass sich infolge der andauernden Nässe grüne Fasern und Gräser auf demselben zu bilden anfingen. Trübe und stürmisch war bisher die ganze Reise verlaufen; kein freundlicher Sonnenblick hatte uns geleuchtet. Der Himmel, Tag und Nacht in undurchdringliches Grau gehüllt, liess weder die Sonne, noch andere Gestirne zum Vorschein kommen. Es war unmöglich gewesen, irgend welche astronomischen Ortsbestimmungen zu machen. Dieser Mangel war, so lange wir uns im freien Ocean befanden, bisher nicht sonderlich empfunden worden; jetzt aber, als es nötig wurde, einen veränderten Kurs einzuschlagen, machte das Bedürfnis nach Orientirung über den Schiffsort sich dringend geltend. Die „Marie“ war nach Tarragona, einem spanischen Hafen des Mittelmeers bestimmt; ich hatte aber beschlossen, zunächst Gibraltar als einen geeigneten Nothafen aufzusuchen, um dort den Schaden, welcher meinem Schiffe in der eben erwähnten Unglücksnacht zugestossen war, repariren zu lassen. In Rücksicht hierauf war es mir besonders darum zu thun, die Reise zu beschleunigen und eine Gegend zu verlassen, in welcher meinem invaliden Schiffe täglich neue Gefahren bevorstanden. Der Loggerechnung zufolge befanden wir uns jetzt ungefähr auf der Breite von Kap St. Vincent. Die Strasse von Gibraltar musste also nachgerade offen vor uns liegen. Seit gestern hatte sich das Wetter merklich gebessert. Der Wind war mehr nach Nord gegangen. Er wehte zwar noch in heftigen Böen, welche dunkle Ballenwolken aus dem Horizonte emportrieben; aber dann und wann brach der blaue Himmel durch. Ich hatte in der verflossenen Nacht eine Sternhöhe gemessen; die Beobachtung war der bedeckten Kimm wegen indessen wenig brauchbar und zuverlässig ausgefallen. Heute war ich wieder frühzeitig auf Deck. Bald nach Sonnenaufgang gelang es mir, ein paar zur Zeit- und Längenbestimmung geeignete Sonnenhöhen zu erhalten, und gegen Mittag bot sich mir Gelegenheit zur zuverlässigen Breitenbestimmung. Die aufgemachte Rechnung zeigte, dass ich wider Erwarten westlicher stand, auch südlicher, als ich vermutet hatte. Da der Wind günstig war, und das Wetter beständiger zu werden schien, so trug ich kein Bedenken mehr, meinen Kurs auf St. Vincent abzusetzen, um von dort aus meine Abfahrt in die Strasse zu nehmen. Der folgende Tag brachte wieder Sturm und Regen. Aufs Neue waren alle wilden Elemente entfesselt. Mittags entlud sich ein heftiges Gewitter über uns; dann setzte der Sturm mit erneuter Kraft ein. Die See rollte unglaubliche Wellenberge heran; düsteres, schwarzes Gewölk hing wieder über unseren Häuptern. Am Abend des zweiten Tages, von da ab gerechnet, als wir unseren Schiffsort bestimmt hatten, sollten wir Kap St. Vincent erreicht haben, aber kein Turm, kein Feuer wurde sichtbar; nur Regen und wieder Regen, nichts als graue Wolkenmassen rings um uns her. Wir waren bislang vor gereffter Fock und dichtgerefftem Vormarssegel gelaufen. Jetzt liess ich, um die Fahrt zu mindern, auch das Marssegel noch aufgeien und festmachen. Ich setzte meinen Kurs auf die Strasse ab, in der Hoffnung, dass sich, bis sie erreicht sein würde, Gelegenheit zu irgend einer Ortsbestimmung bieten werde. Meine Hoffnungen erwiesen sich als trügerisch. Die Witterung wurde immer stürmischer, die See immer schwerer. Der Wind war beinahe recht von hinten. Ich lenzte und machte trotz des einen Segels, das ich nur führte, sehr bedeutende Fahrt. Zu beiden Seiten des Schiffes rollten die von achter anlaufenden Wogen in gewaltiger Höhe daher, oftmals über die Reeling hinbrechend und das Verdeck fusshoch mit Wasser füllend. Meine Lage war eine unangenehm bedenkliche geworden. Es war Vormittag. Ich ging in die Kajüte und breitete die schon oft zu Rate gezogene Karte abermals vor mir aus. „Hier“, auf die Karte zeigend, „müssen wir jetzt stehen,“ sagte ich zum Steuermann, der eben damit beschäftigt war, die rückständigen Eintragungen ins Schiffsjournal zu machen, „Hier oder weiter südlich, näher der afrikanischen Küste, möglicherweise auch nördlicher. Unser Kurs setzt uns auf diesen Punkt, aber freilich kann die Einwirkung von Strom und Wind seit der letzten Ortsbestimmung vor drei Tagen eine merkliche Verschiebung des Schiffsortes herbeigeführt haben. Unzweifelhaft sind wir nicht allzu weit mehr von Kap Trafalgar oder Kap Spartel entfernt. Was meinen Sie, sollen wir beidrehen?“ Der Steuermann zuckte die Achseln, dann fragte er zögernd: „Ueber welchen Bug wollen wir das Schiff legen?“ „Ja, wenn ich das wüsste, Steuermann,“ rief ich erregt, „das ist es ja eben, was mir schon seit Stunden Kopfschmerzen verursacht hat. Gehen wir über Steuerbord, so können wir, wenn wir hier oben mit dem Schiffe stehen, in einer halben Stunde an den Felsen der spanischen Küste zerschellt sein; andernfalls, wenn wir südlicher stehen, wird uns über Backbord dasselbe Schicksal an der afrikanischen Küste ereilen.“ Ich rollte die Karte wieder zusammen. „Es geht nicht anders!“ sprach ich zu mir selbst, indem ich die Kajüte verliess und mich wieder aufs Quarterdeck begab, „Beidrehen ist unmöglich, wir müssen unseren östlichen Kurs beibehalten. Steuert OzN!“ rief ich dem Rudersmann zu. „Gebt genau Acht auf das Ruder.“ Der aufgegebene Kurs führte von dem augenblicklichen, mutmasslichen Schiffsorte genau in die Mitte der Strasse hinein. Der Regen goss noch in Strömen herab; man konnte keine Schiffslänge voraus sehen. Abends gegen 8 Uhr mussten wir bei gleich bleibender Fahrt das Feuer von Tarifa, die engste Stelle der Strasse passiren. Inzwischen war der Abend hereingebrochen. Es war so dunkel geworden, dass ich den neben mir vorüberschreitenden Mann, welcher das Ruder verfangen wollte, nicht erkennen konnte. Ich rief ihn an und fragte nach seinem Namen. Die See rollte immer wilder. Eine rasende Strömung schien in die Strasse hineinzusetzen und das Wasser noch mehr in Wallung zu bringen. Das Schiff war kaum zu steuern. Der Kompass flog wild von der einen Seite zur andern; es war unmöglich auf einen halben Strich genau Kurs zu halten. Ich stand neben dem Kompasshause, die Blicke unverwandt, bald auf den Kompass, bald in die dunkle Nacht hinaus gerichtet. Seit dem Vormittage hatte ich keinen trockenen Faden an meinem Leibe. Ich fühlte nichts davon: nur einer Thatsache war ich mir bewusst: Die heutige Fahrt war eine Fahrt auf Leben und Tod. In einer ähnlichen Lage hatte ich mich niemals zuvor befunden, obgleich manche Gefahr, manche stürmische Nacht über meinem Haupte dahin gezogen war. Ich rufe den Steuermann: „Was meinen Sie, Steuermann, halten Sie es für möglich, dass wir die Strasse durchsegeln, ohne irgend etwas von der Küste gewahr zu werden? Seit wir England aus Sicht verloren, haben wir kein Land mehr gesehen und während der ganzen Reise nur eine einzige Ortsbestimmung erhalten. Ist es denkbar, dass wir jetzt in dieser finstern Nacht die enge Strasse ins Mittelmeer finden, während jeder andere Weg ins Verderben führt?“ Der Steuermann antwortete nicht viel. Er schien die Schwere der Situation nicht ganz zu begreifen oder in meine Navigirung ein ebenso unbegrenztes Vertrauen zu setzen, als in Gottes Fügung. „Kapitän, Ihr Besteck ist noch immer gut ausgekommen,“ erwiderte er, „warum sollte es uns heute in Stich lassen?“ Damit ging er voraus, zündete sich eine Pfeife an und erzählte dem Schiffsjungen, indem er sich in eine geschützte Ecke drückte, wie ein trefflicher Eiergrog bereitet werde, ein solcher, wie seine Mutter selig ihn an Geburtstagen und bei andern festlichen Gelegenheiten zum Besten gegeben habe. Bei nächster Gelegenheit wollte er den Koch mit seinem Rezepte bekannt machen. Dann würde er seine Behauptung bezüglich der Güte des Getränkes als wahr beweisen. Ich musste unwillkürlich lächeln über die Seelenruhe und die kindliche Unschuld meines Steuermanns. Fast konnte ich ihn beneiden; denn ich gedachte der Zeit, da ich selbst als junger Mensch, sorglos wie der Vogel, in die Welt hineingefahren war, ohne mich um das Morgen und die Sorgen, welche das Alter mit sich bringt, zu kümmern. Wie war es damals so schön gewesen! Hundert neue Eindrücke, welche das bewegte Leben bot, erfüllten täglich aufs Neue das empfängliche Gemüt des Jünglings; nur Sonnenschein bot ihm das Leben. Alte Erinnerungen tauchten in mir auf. Ich dachte an das Aelternhaus, von dem ich als Knabe so oft in dunklen Nächten auf der Wache geträumt hatte. Meine alten greisen Aeltern — sie ruhten nun schon seit Jahren unter dem grünen Rasen neben der Dorfkirche am Meeresstrande — traten vor meine Erinnerungen. „Heinrich!“ rief mich die Mutter mit ihrer weichen Stimme, „Heinrich!“ „Ja, ja — — Ein plötzlicher, heftiger Stoss rief mich zur Wirklichkeit zurück. Ich sah das Steuerrad mit furchtbarer Geschwindigkeit nach Steuerbord wirbeln, der Rudermann war von meiner Seite verschwunden; neben der Schanzkleidung, an Steuerbord lag eine dunkle Masse. Das Rad hatte, als eine schwere See mit unwiderstehlicher Gewalt von hinten gegen das Ruder schlug, den Rudersmann mit sich herum gerissen und ihn über das Rad geschleudert oder, wie der Seemann sagt, das Ruder hatte ihn übergeworfen. Ich griff schnell in die Speichen des Rades und rief: „Seid Ihr verletzt, Jakob?“ „Ich? Ich, nein, Kapitän,“ erwiderte der Gefragte, indem er sich schnell vom Verdeck erhob und wieder ans Ruder eilte, „ich ärgere mich nur, dass mir in meinen alten Tagen noch so etwas passiren muss. Ich glaubte für immer damit abgethan zu haben, aber es ist heute ein ordinäres Wetter, und was für eine See, Kapitän? Die läuft sicher keinen guten Kurs!“ Ich liess den Steuermann herbeikommen und befahl ihm, den Jungmann zu schicken, damit er das Steuerrad mit anfasse, ihm gleichzeitig einschärfend, guten Ausguck zu halten. „Wie viel Fahrt macht das Schiff jetzt? Werfen Sie das Log noch einmal,“ fügte ich hinzu. Es war ungefähr 8 Uhr; wir mussten der Rechnung zufolge, Tarifa erreicht haben. Ich lugte scharf aus; es war nichts zu entdecken. Der Regen goss noch immer in Strömen vom Himmel herab, das Schiff, wie von Geisterhand getrieben, fuhr weiter und weiter, immer tiefer in die dunkle Nacht hinein. „Acht Knoten macht das Schiff!“ meldete der Steuermann. „Ist gut, gehen Sie nun voraus und lugen Sie gut aus.“ Wieder verrann eine ängstliche halbe Stunde. Da — plötzlich Stille. Was bedeutet das? Ich fahre erschreckt zusammen und blicke begierig voraus. Dort vorn, ein wenig an Steuerbord scheint eben ein matter Schimmer aufzutauchen. Jetzt wieder — „Feuer voraus!“ schallt es von vorn. Ja, dort taucht es abermals auf, kein Zweifel, es ist ein Feuer, ein Leuchtfeuer vom Lande. Sollte das schon Ceuta sein? — ist mein erster Gedanke, weil ich das Feuer an Steuerbord, rechts von mir sehe. Doch nein, dass ist unmöglich. Der Turm von Ceuta steht hoch oben auf einer Anhöhe der afrikanischen Küste, dies Feuer hier erscheint nur wenig über dem Horizont: es kann nur das von Tarifa sein. Dann halten wir ja aber gerade auf die spanische Küste zu. „Backbord das Ruder! Holt ein die Brassen an Backbord!“ rufe ich mit Donnerstimme. „Fieren Sie die Marsbrasse, Steuermann, geht Ihr an die Fockbrasse, Bootsmann!“ Stützt das Ruder jetzt! Fest Brassen! Holen Sie das Borksegel mit aus, Steuermann!“ Das Feuer tritt jetzt ganz deutlich aus dem Regen hervor, wir haben es ungefähr 4—5 Strich an Backbord. 2 Minuten später erscheint es dwars ab von uns in so unmittelbarer Nähe, dass man glaubt, es mit einem Steinwurf erreichen zu können. Ich spreche ein stilles Dankgebet, denn ich bin überwältigt von der wunderbaren Fügung, die mich gerade auf den Feuerturm zugeführt hat. Hätte das Schiff nur einige Kabellängen weiter ostwärts oder westwärts gestanden, als es sich der Küste näherte, es wäre ohne Warnung, unfehlbar an den steilen Uferfelsen zerschellt: nach all den Sorgen vorangegangener Stunden war mir recht leicht um's Herz geworden. Ich wusste jetzt ja ganz genau, wo ich mit dem Schiffe stand und konnte demgemäss meine Kurse mit unbedingter Sicherheit bestimmen. Die Mannschaft, welche seit Morgens früh das Deck nicht mehr verlassen hatte, wurde mit warmem Kaffee erquickt, ich selbst zündete mir meine gewohnte Pfeife an, mit Behagen den blauen Rauch in die Luft blasend. Der Kurs des Schiffes führte mich zwischen Gibraltar und Ceuta hindurch, ohne dass ich die an jenen Punkten brennenden Feuer gewahr geworden wäre. Erst der Morgen brachte klares Wetter. Als ich nach einer kurzen Ruhe während der Frühstunden wieder aufs Verdeck trat, war die Sonne eben über die schneebedeckten Gebirgszüge Granadas emporgestiegen. Der Regen hatte ganz nachgelassen, die Luft war ganz klar und ungemein durchsichtig. Das Meer stürmte nicht mehr, es bildete nur noch eine gleichmässig bewegte Fläche, auf welcher die weissschimmernden Köpfe der Wellen, vom goldenen Strahl der Sonne angehaucht, rastlos dahinrollten. Zu meiner Linken lag die spanische Küste. Malerisch stieg aus dem Meere die grossartige Gebirgslandschaft empor, ein herrliches Bild, an dem man sich nicht satt zu sehen vermochte. Es war plötzlich Frühling geworden. Das nasskalte, düstere Wetter des atlantischen Oceans war einem milderen Klima gewichen. Zum ersten Male, seit wir England verlassen hatten, schien die Sonne wieder freundlich mit ihren erwärmenden Strahlen auf uns herab. Die „Maria“ aber, welche sich, trotz der ihr fehlenden Hauptsegel, so trefflich unter all den widrigen Verhältnissen der Reise bewährt hatte, strebte unaufhaltsam ihrem Bestimmungsorte entgegen. Ich hatte längst die Absicht, Gibraltar als Nothafen anzulaufen, aufgegeben.

Karnevallistische Beiträge zur Schiffsbaukunst.

I.

Das Schaukeln der Schiffe, bezw. die Seekrankheit zu verhindern.

Vor einiger Zeit wurde der Vorschlag gemacht „das Dampfschiff in kleiner Fahrt als Luftkurort zu benutzen." Dieser Vorschlag hätte volle Berechtigung, wenn das leidige Schaukeln des Dampfschiffes mit seiner unangenehmen Folge — der Seekrankheit — den Patienten die Benutzung solcher Luftkurorte gestatten würde; in den meisten Fällen würde vielmehr die Seekrankheit verderben, was die sonst stärkende frische Seeluft gut gemacht hätte.

So viele Projekte und Vorschläge zur Lösung dieses Problems bereits gemacht wurden, alle liessen sich aus verschiedenen Gründen nicht verwenden, oder sie waren nutzlos. Wenn nun auch die Lösung wohl noch recht lange auf sich warten lässt, so ist es doch nötig, dass neue Vorschläge immer wieder zur Besprechung gestellt, die Frage immer wieder angeregt wird, selbst auf die Gefahr der Unausführbarkeit hin, d. h. nur, damit man sieht, wie es *nicht* gemacht werden soll.

Hier ein neuer Vorschlag:

„Das Schaukeln des Schiffes ist eine natürliche Folge des durch die Wellenformen der Wasseroberfläche veränderten Eigengewichts. Je kürzer ein Fahrzeug, um so mehr ist es ein Spiel der Wellen; hieraus folgt, dass mit der Länge eines Fahrzeuges sein Widerstand gegen die Lange der Wellen wächst. Diese Thatsache hat man erkannt und trägt ihr durch grösstmöglichste Ausnützung der Schiffslängen Rechnung, innerhalb der praktischen Grenzen.

Eine fernere Ursache des Schaukelns liegt aber noch in der Ebenheit der Schiffswände. Zufolge dieser Ebenheit wird die ganze Schiffswand von der unruhigen Wasseroberfläche einflussreich bespült. Da mit der Tiefe die Unruhe des Wassers abnimmt, das Wasser mithin an seiner Oberfläche am unruhigsten ist, so muss eine Einrichtung getroffen werden, die den unruhig schwankenden Einfluss der Wasseroberfläche auf die Schiffswand vermindert. Solch eine Einrichtung soll in der Form von Führungs- oder Gleitrippen geschaffen werden. Dieselben bestehen aus 36 bis 40 Centimeter breiten und etwa 3 Centimeter starken Brettern aus Eichenholz in der Form von Trittbrettern an den Eisenbahn-Personen-Wagen, welche hinreichend stark mit den Spanten in Verbindung, mittelst eingelassener eiserner Stützen an der Schiffswand befestigt werden und zwar möglichst tief da, wo die Vertikalbiegung des Schiffskörperprofils es eben zulässt. Die Vorderkanten dieser Führungsrippen müssen stark abgeschrägt sein, behufs möglichster Verringerung des Schwimmwiderstandes. Je tiefer die Führungsrippen — zwei mit einem mittlern Abstand von 50 Centimeter übereinander liegend — angebracht werden, je ruhiger ist die Wasserschicht die zwischen ihnen hindurch gleitet. Diese ruhigere Wasserschicht ist von drei Seiten eingeschlossen — durch die Unter- und Oberfläche der Rippen horizontal und durch die Schiffswand geneigt vertikal — folglich dem Einfluss der unruhigen Wasseroberfläche entzogen, sowie auch diese Wasserschicht durch ihr konstantes Gewicht befähigt ist, dem Fahrzeuge eine ruhigere Führung zu geben.

Der Gleitwiderstand des Schiffes wird durch die Führungsrippen allerdings erheblich vergrössert und zwar proportional dem Flächeninhalt der Rippen; indessen nur bei ruhigem Wasser. Angenommen, das Schiff in einer Länge von 60 Metern, schwimmt mit einem Flächeninhalt von p. p. 500 □-m im Wasser, dann bilden diese 500 m den Gleitwiderstand. Bei der Schiffslänge von 60 m würden die Führungsrippen 50 m lang genügen, alsdann ergiebt sich, bei einer Breite derselben von 0,40 m. incl. Kante: $50 \times 4 \times 0{,}40 \times 2 = 160$ □-m oder nahezu $^1/_3$ Widerstandsvergrösserung der gesamten Schiffsgleitfläche; also ziemlich gross, aber nicht für den in's Auge gefassten Zweck und tritt dies Verhältnis auch nur bei ruhiger See ein, während bei bewegter, durch den schnelleren Gang, dasselbe kompensirt wird.

Die Befestigung der Führungsrippen muss in sorgsamster Weise so geschehen, dass bei einer etwaigen Beschädigung derselben, die Schiffswand nicht in Mitleidenschaft gezogen wird.

Bitte zu probiren, denn „probiren geht über studiren."

II.

Neue Schiffshaut.

Unter dieser Bezeichnung ist in den Kreis bautechnischer Materialien eine Spezialität eingetreten, die in technischen Kreisen gegenwärtig lebhaft besprochen wird. Diese sogenannte Schiffshaut besteht aus zwei Metallplatten, die mit einer klebenden Füllmasse verbunden und mit einer Einrichtung versehen ist, die beide Platten so von einander hält, dass das Füllmittel überall von gleicher Stärke ist. Als Schiffswand angewendet, soll dieselbe bei grosser Widerstandsfähigkeit elastisch sein und bei Kollisionen wasserdicht bleiben, weil sie nicht brechen, sondern nur eine Beule davon tragen kann und deshalb Katastrophen, wie noch von der „Cimbria" her bekannt, ausgeschlossen sind. Die Schiffshaut soll ferner für Docks, Wohnhäuser und andere Bauten brauchbar sein, sowie als eiserne Türen, als Innenplatten für Geldschränke (diebes- und feuersicher), für Badewannen und andere Gegenstände gute Dienste leisten. In Dimensionen von ca. 200 Millimeter Stärke und mehrfach hintereinander liegend, soll durch die Anwendung dieser Schiffshäute eine vorteilhaftere Panzerung der Kriegsschiffe stattfinden, als dies jetzt mittelst der riesigen, massiven Eisen- und Stahlpanzer möglich ist. —

Wenn man sich ein Wellblech soweit ausgezogen denkt, dass die Wellen Winkel von 90 Grad bilden und bringt dieses Wellblech dann zwischen zwei Platten, deren dadurch entstehende röhrenförmige Zwischenräume gefüllt werden, dann erhält man einen Begriff von der Beschaffenheit der Schiffshaut, aber auch unwillkürlich den Gedanken „weshalb man erst jetzt auf diese einfache Einrichtung gekommen ist."

Auslegung der Art. 18 und 23 des jetzigen Strassenrechtsgesetzes.

Der Art. 18 des neuen Strassenrechts auf See vom 7 Janr. 1880, welcher übereinstimmt mit dem Art. 16 des alten Gesetzes vom 23. Dec. 1871 lautet also: Jedes Dampfschiff, welches sich einem andern Schiffe in solcher Weise nähert, dass dadurch Gefahr des Zusammenstossens entsteht, muss seine Fahrt mindern, oder wenn nötig stoppen und rückwärts gehen.

Die Vorschrift ist so unzweideutig klar, dass keinerlei Zweifel in einem Dampferführer aufkommen könnten, was im Falle der Gefahr des Zusammenstossens zu thun ist, wenn nicht der Art. 23 dieselben hervorzurufen geeignet wäre: bei Befolgung und Auslegung dieser Vorschriften muss stets gehörige Rücksicht auf alle Gefahren der Schiffahrt, sowie nicht minder auf solche besondere Umstände genommen werden, welche zur Abwendung unmittelbarer Gefahr ein Abweichen von obigen Vorschriften notwendig machen.

Aus verschiedenen Entscheidungen, welche von Seiten der obersten Gerichtshöfe Englands in den letzten Wochen gefällt sind, glaubt Mittchells Mar. Reg. folgenden Rat für Dampferkapitäne entnehmen zu sollen »In allen Fällen, ohne jede Ausnahme, in denen unmittelbare Gefahr des Zusammenstossens zu erblicken ist, müssen die Maschinen auf volle Kraft rückwärts gestellt werden, ausser in dem einen Falle, wo dies Manöver absolute Gefahr herbeiführt.« Es kommt also für den Dampferführer darauf an, nachweisen zu können, dass z. B »volle Kraft voraus«, oder »hart Steuerbordruder« oder »hart Backbordruder« ein besseres Manöver im gegebenen Fall gewesen sei als die absolut gefährliche Befolgung des Art 18, dann wird er unter Berufung auf Art. 23 mit seinem ungesetzlichen Manöver durchkommen.

Nautische Literatur.

Annual Report of the Chief Signal Officer to the Secretary of the War for the year ending June 30. 1880. Part I, II. Washington, Government Printing Office. 1120 Pages.

A new method of measuring heights by means of the barometer by G. K. Gilbert, Department of the Interior. Geological Survey of the United States. Washington 1872. 161 Pages.

Die beiden Werke sind sprechende Proben des Fleisses, mit welchem die Amerikaner sich die Erforschung ihres Landes und dessen Klima angelegen sein lassen. Der höchst umfangreiche zweibändige meteorologische Bericht giebt ein Bild der Thätigkeit auf den eigenen und benachbarten Stationen, deren die Vereinigten Staaten nicht weniger als 343 gestiftet haben, wozu noch 5 westindische und 20 Stationen in Kanada und Britisch Nordamerika hinzukommen. Diese Stationen sind natürlich nicht alle gleich opulent ausgerüstet und zu gleichmässig vielen Beobachtungen und telegraphischen Berichten verpflichtet: sie rangiren von vollständigen Observatorien, die sieben Mal täglich beobachten und drei Mal täglich volle Berichte nach Washington senden — solcher Stationen giebt es 10 — durch allerhand Variationen in der Zahl und Art der Beobachtungen sowie ihrer Uebermitteluug (durch den Telegraph oder die Post täglich, wöchentlich oder monatlich) bis herunter zu solchen Stationen, welche bloss eine Beobachtung und zwar zur Zeit des Sonnenuntergangs!, oder zu den „fliegenden" Stationen an den Seeküsten, welchen hauptsächlich die Aufsicht und Hütung der Telegraphenlinien, Rettung bei Schiffbrüchen und schleunigste Berichterstattung darüber obliegt. Der Bericht verbreitet sich über die *Anleitung der Beobachter zum meteorologischen Dienst*, die verschiedenen Beobachtungen selber, welche nach den verschiedensten Richtungen durchzuarbeiten sind und behandelt natürlich höchst eingehend und besonders für den Seemann interessant die Verbreitung der Stürme über das nordamerikanische Festland bis hinüber nach Europa, wozu die Logbücher vieler zum Dienst gewonnener Schiffe, sowie die gleichzeitigen Beobachtungen der Cartellstationen aller Länder der alten und neuen Welt das Material boten. Eine Menge Monatskarten in Polarprojektion zeigen die Bahnen jener Stürme; während eine andere Folge von Karten des nordamerikanischen Festlandes speziell für die Interessen des Handels und der Landwirtschaft sich mit der Kartirung der Sturmbahnen, den Niederschlägen, Gewitterstürmen, Isobaren und Isothermen jedes Monats befasst. Eine ganze Anzahl Tornados ist in spezieller Schilderung behandelt und mit sehr instruktiven Bildern über die Richtungen, in welchen die Trümmer von Häusern, oder umgewehte Bäume zu der allgemeinen Richtung des Centrums der Cyclonen gefunden sind, versehen.

Eine umfangreiche Beigabe bildet der Bericht über die totale Sonnenfinsternis vom 29. Juli 1878, und sind eine Menge Sonnenbilder mit Protuberanzen etc. beigegeben mit ihren 4, 3, 2, 1fachen Flügeln oder mehr kreisförmigen oder elliptischen Verwaschungen.

Kurz, nach welcher Richtung man auch das umfangreiche Werk durchstöbert, man wird überall eine Fülle des interessantesten lehrreichsten Materials finden und dankbar anerkennen, dass die grosse Republik drüben dazu die Mittel bereitstellt, dass solche Ermittelungen zum Gemeingut der Menschheit werden. Wir wissen nicht, ob die alte Maury'sche Regel noch in Kraft ist, dass jeder Kapitän, welcher sich zur Mitarbeiterschaft meldet, dafür ein Exemplar der Karten und Arbeiten des Instituts bekommt, zweifeln aber nicht, dass die alte Generösität noch jetzt jedem begründeten Gesuch um Mitteilung derselben bereitwilligst Gewährung im Voraus sichert.

Die *Gilbert'sche Arbeit* will die bisher übliche Höhenmessung durch Barometer und Thermometer zurückführen auf eine allein mittelst Barometer begründete Messung. Nach einer ausführlichen Schilderung der bislang gebräuchlichen Metoden wendet sich der Verfasser zur Darstellung seiner einfachern Metode. Er geht dabei aus von zwei zur Basis gewählten Stationen, deren Höhenunterschied, durch Nivellirung genau festgestellt, so gross als möglich, und deren horizontale Entfernung so gering als möglich ist. An diesen beiden wie auch an der dritten Station, deren Höhe nun barometrisch bestimmt werden soll, werden tagsüber zahlreiche Barometerstände beobachtet und von den drei Beobachtern an den drei Stationen notirt; die Ablesungen werden für Indexfehler und Temperatur des Quecksilbers korrigirt und zuvörderst daraus eine angenäherte Höhe A_1 der neuen Station auf gewöhnlichem Wege berechnet, unter Weglassung jedoch der sonst üblichen Korrektionen für Temperatur und Feuchtigkeit der Luft, welche als trocken und von 0° Temperatur angesehen wird, und gleichfalls eine angenäherte Höhe B_1 der obern der zwei Basisstationen über der bekannten Höhe B der untersten Station bestimmt. Dann, sagt Gilbert, findet die Gleichung statt

$$\frac{B_1}{B} = \frac{A_1}{A}$$

dh. es verhält sich die genäherte Höhe der Basisstation B_1 zu der wahren Höhe der Basisstation B wie die genäherte Höhe der neuen Station A_1 zu der wahren Höhe der neuen Station A, woraus folgt dass

$$A = \frac{B\,A_1}{B_1} \text{ wird.}$$

Nach Gilbert ist nämlich das Gewicht W der Luftsäule zwischen den beiden Stationen der Basis gleich dem Produkt der mittlern Dichtigkeit der Säule in die Höhe B und einen konstanten Faktor E oder $W = d\,B\,E$. Und da B_1 die angenäherte Höhe derselben Luftsäule unter der Voraussetzung ist, dass die mittlere Dichtigkeit d_1 derjenigen entspricht, welche bei 0° Temp. und bei trockener Luft stattfindet, so hat man auch $W = d_1\,B_1\,E$, woraus folgt dass

$$\frac{B_1}{B} = \frac{d}{d_1}$$

Das Verhältnis der angenäherten Höhe B_1 zur wahren Höhe B der Grundlinie ergiebt deshalb ein Maass für den zeitweiligen Zustand der Luftsäule der Grundlinie mit Bezug auf ihre Dichtigkeit. In ähnlicher Weise wird der Dichtigkeitszustand der Luftsäule zwischen der neuen Station und der untersten Basisstation durch das entsprechende Verhältnis der angenäherten Höhe A_1 zur wahren Höhe A der neuen Station gemessen, und daraus folgt dann die Richtigkeit der obigen Gleichung

$$A = \frac{A_1\,B}{B_1}$$

In dieser Gleichung gilt als Voraussetzung, dass der jeweilige Zustand der beiden Luftsäulen ein identischer sei, also keine Unterschiede in Temperatur und Feuchtigkeit vorhanden sind. In der Wirklichkeit ergiebt nun die Vergleichung der angenäherten und wahren Höhen der Grundlinie einen Koeffizienten, welcher von den Unterschieden in Wärme und Feuchtigkeit abhängig ist, und diesen benutzt man zur gleichzeitigen Bestimmung der Höhe der andern zum Teil mit der erstern zusammenfallenden Luftsäule. Auf diesem Wege, welchen der Verfasser nun noch ausführlich im Detail begründet und weiter ausführt, behauptet er Resultate zu erhalten, welche die aus den frühern Metoden hervorgegangenen an Genauigkeit übertreffen.

„Aus allen Weltteilen." Illustrirte Monatshefte für Länder- und Völkerkunde und verwandte Fächer. Gegründet 1869 von dem † Prof. Dr. Otto Delitsch. Jetzt redigirt von dem bekannten Afrikareisenden Dr. Oskar Lenz.

Von dieser vorzüglich redigirten Zeitschrift, die sich gleich weit von trockener Gelehrsamkeit, wie von seichter Oberflächlichkeit hält, liegt uns das erste Quartal des eben begonnenen

15. Jahrganges vor. Die Zeitschrift empfiehlt sich durch ihren wahrhaft anziehenden Inhalt und gediegenen Bilderschmuck den weitesten Kreisen eines gebildeten Publikums als eine sehr empfehlenswerte Lektüre. In leicht fasslicher Darstellung bringt das erste Quartal interessante Artikel wie: Drei Tage auf Bornholm — Die Zuckerplantagen in Queensland. — Ueber die Verbreitung alkoholischer Genussmittel bei Naturvölkern. — Die Franzosen in der Südsee. — Meine Reise nach der Residenz des Sultans von Marokko. Von Dr. Oskar Lenz. — Korea, Land und Leute. — Der Wald in Serbien. — Sitzungsberichte geographischer und handelsgeographischer Gesellschaften. — Miszellen u. s. w. Man abonnirt für 2 ℳ 40 Pf. pro Quartal in jeder Buchhandlung und Postanstalt. Probehefte und Prospekte liegen in jeder Buchhandlung und können auch direkt von der Verlagsbuchhandlung *Oswald Mutze* in Leipzig bezogen werden. Wir können die treffliche Zeitschrift auf das Wärmste empfehlen.

Verschiedenes.

Probefahrt eines neuen Dampfers von Lange's Werft in Vegesack. Mittwoch, den 18. Janr. Mgs. 7 Uhr dampfte der auf der Schiffswerfte und Maschinenbau-Anstalt von Joh. Lange in Vegesack erbaute neue Dampfer „August" von dort nach Bremerhaven ab. Zur Mitfahrt hatten sich mehrere Rheder und Sachverständige eingefunden, welche einstimmig das Schiff, welches 148' lang, 25' breit und 13' 6" tief (bis zum Hauptdeck) ist und eine Ladefähigkeit von 650 Tons hat, in allen seinen Teilen als musterhaft und praktisch eingerichtet erkannten. Es hat sich in diesem Schiffe wieder die Solidität der Arbeit der alten bewährten Firma und ihres Direktors gezeigt und es errang das durchaus exacte Manövriren der auf besagter Werft erbauten Maschine vermittelst Dampfumsteuerung, sowie der tadellose, äusserst ruhige Gang der Maschine in allen ihren Teilen die verdiente Anerkennung sämtlicher Anwesenden. Der ebenfalls dort gefertigte Kessel zeigte eine hohe Verdampfungsfähigkeit und seine Bedienung und Beschickung erwies sich als sehr leicht und zweckentsprechend. Nachdem das Schiff um 10 Uhr unter Bremerhaven angelangt, wurden noch einige Herren übergenommen, darauf eine Fahrt nach der Wesermündung gemacht, dort manövrirt und dann die Rückfahrt nach Bremerhaven angetreten, woselbst das Schiff in den Kaiserhafen legte. Sämtliche Teilnehmer verliessen das Schiff mit dem Bewusstsein, dass der „August" seinem Erbauer zur höchsten Ehre gereiche und dass die Rhederei des Herrn J. D. Bischoff eine wertvolle Bereicherung durch das Schiff erfahren hat.

Die von uns schon mehrfach in Aussicht gestellte **Krisis im Schiffbau**, speciell im Frachtdampferbau ist in England jetzt eingetreten: seit Monaten sind am Clyde und an der Ostküste Englands keine neuen nennenswerten Aufträge eingelaufen. 10 000 Arbeiter sind am Clyde bereits entlassen, in gleicher Weise haben die Tyne, Wear und Tees-Werften ihre Arbeiter reducirt und der Rest hat in richtiger Erwägung der Umstände in eine Herabsetzung der Löhne um 20 % eingewilligt. Die Krisis betrifft lediglich die Erbauer von Frachtdampfern, da die Passagierfahrt-Gesellschaften notwendig zu Neubauten sich verstehen müssen, um ihre Flotten im leistungsfähigsten Zustande zu erhalten. Die Krisis ist hervorgerufen durch die tollköpfige Ueberstürzung der Engländer bei dem Uebergange vom Segel- zum Dampfschiff und befördert durch die immer selbstständiger werdende Haltung der kontinentalen Seevölker gegenüber dem englischen Schiffbau. Da auf dem Kontinent sich der Uebergang viel langsamer vollzieht, so ist hier die Gefahr der Ueberproduktion eine weit geringere, zumal der festländische Rheder unter der gleichzeitigen Flaue des Frachtenmarkts mitleidet und seine geringere Kapitalkraft erst recht die kostspieligen Neubauten von Dampfern erschwert.

Einige *Gesellschaften für Passagierbeförderung* befinden sich auch in einer *ziemlich ungemütlichen Lage*. Wir haben schon gemeldet, dass die Anchor-Linie ihre Dampfer aufgelegt hat, um sie nicht zu Schleuderpreisen fahren zu lassen; von anderer Seite verlautet eine Aufhebung bestehender Cartellverträge über die Auswanderer- etc. Tarife, welche erfahrungsmässig dem sauve-qui-peut-Geschrei voranzugehen pflegt. Jetzt hört man, dass die Hamburg-Amerikanische Packetfahrt-Actien-Gesellschaft ihren erst neuerdings angeschafften sog. Schnelldampfer „Hammonia" verkauft habe. Dann hätten also die Stimmen Recht gehabt, welche von einer Nebeneinanderstellung der neuen Schnelldampfer des Nordd. Lloyd und dieser Gesellschaft nichts wissen wollten, und im Gegenteil darauf hinwiesen, dass beim Ablaufen vom Helgen die „Hammonia" nur so eben vor dem Schicksal der „Daphne" bewahrt geblieben sei. Dass nicht Alles Gold ist was glänzt, das zeigt allerdings auch der Actienstand der Hamburger Gesellschaft, welcher merkwürdig von dem Stande der übrigen dort domicilirten Gesellschaften absticht.

Krupp c. Armstrong. In einer von einem Agenten der letztern Firma angezettelten literarischen Fehde, um mittelst Circulare die gegnerische Firma und die artilleristischen Leistungen ihrer Geschütze herabzusetzen, weist die Firma Krupp jetzt in einer genauen Vergleichung der gegenseitigen Leistungen ihrer 30.5 cm Kanonen von 35 Kaliber Länge nach, dass die lebendige Kraft der Armstrong'schen Geschütze sich zu der der Krupp'schen Geschütze verhält wie

0.918 : 1	bei	0	Meter	Entfernung	des Ziels
0.903 : 1	„	500	„	„	„
0.890 : 1	„	1000	„	„	„
0.877 : 1	„	1500	„	„	„
0.862 : 1	„	2000	„	„	„
0.848 : 1	„	2500	„	„	„

Widerstand des Schnees gegen Geschützwirkungen. Im Anschluss an vorstehende Vergleiche zwischen Amstrongschen und Krupp'schen Kanonen werden Versuche von Interesse erscheinen, welche neulich in der Schweiz angestellt sind, um die Widerstandsfähigkeit von Schneewällen gegen Kanonenkugeln zu erproben. Man hatte eine Wand von 16½ Fuss Länge und 5 Fuss Höhe errichtet, deren Hinterseite von einer halbzölligen Holzplanke gebildet wurde, während 3 Schneelagen von verschiedener Dicke die Vorderseite bildeten: die Dicken nahmen ab von 4½' zu 3' 3" und 20". Zwölf Schüsse wurden gegen die erste Lage abgefeuert aus 220, 300 und 400 Meter Entfernung, ohne dass ein Schuss sie durchdrang. Schüsse gegen die zweitdicke Schneelage aus 220 und 300 m Entfernung durchbohrten den Schnee allerdings, blieben aber vor dem Holz stecken; die Schüsse aus 400 m Entfernung blieben alle schon im Schnee stecken; dagegen durchbohrten alle Schüsse die dritte und dünnste Lage. Aus 1100 und 1200 m Distanz abgegebene Schüsse drangen nur 45 bis 47 cm tief in den Schnee ein. Diese Versuche beweisen, dass unter Umständen Schnee sehr passend zur Feldbefestigung verwandt werden kann.

Eine **Professur für Schiffbau an der Universität Glasgow** ist im November vor. Jahres von der Wittwe des verstorbenen Schiffbauers John Elder mit 12 500 £ dotirt worden und ist bereits jetzt zum ersten Professor der Marine-Ingenieur und Schiffbaurat Francis Elgar aus London von den Verwaltern obigen Kapitals ernannt. Die Gründung trägt den Namen des Stifters als „John Elder's Professur", zum würdigen Gedächtnis an diesen hervorragenden Meister in der Schiffbaukunst.

Der **Schiffbau am Tees** ergab an neuen Schiffen in 1883 nicht weniger als 45 Schiffe von 81 541 Tons gegen 65 048 in 1882. Damit sind aber auch alle Bestellungen erledigt, mit einziger Ausnahme einer Firma am Tees. Alle andern feiern oder bauen auf Avanture. Die Maschinenbauer würden ebenfalls feiern, wenn nicht viele Aufträge für Brücken am Markt wären, so dass z. B. eine Firma, Blaird & Co. zu Stockton noch soviel Leute beschäftigt, dass sie täglich 600 £ = 12 000 ℳ Löhne zu bezahlen hat. Im Schiffbau sind dagegen die Aussichten so trübe wie seit Jahren nicht.

Der **Wetterbericht des Met. Office zu London** vom 26. Jan. ist ein beredtes Zeugnis für die verheerende Gewalt der Stürme der vorangehenden Woche: er enthält keinen telegraphischen Bericht aus Skandinavien, Dänemark, Schottland — alle Verbindungen müssen unterbrochen sein — giebt also auch keine Warnung, da die Oerter der Depressionen unbekannt sind, welche seit Sonnabend, den 26. Janr. passirten. Aus einem kurzen Seebericht eines von Gibraltar nach Hamburg bestimmten Dampfers entnehmen wir, dass derselbe bis Dienstag, Janr. 22. vor Ushant die Luken offen gehabt, und die spanische See sammt den Gründen so schlicht wie nie zuvor gefunden hat. Damit stimmt die Wetterübersicht des Met. Office, dass *vor* der dann folgenden Sturmperiode eine weite Anticyclone über Frankreich gelegen habe, während zwei tiefe Depressionen den äussersten NW.- und Nordrand säumten und am 20. und 21. Janr. schwere SW.- und Weststürme über Nordschottland daherzogen. Obiger Dampfer hielt dann bei zunehmendem Winde nach der englischen Küste hinüber, an den vorspringenden bekannten Kaps vorbei, bis er bei Beachyhead wegen Sturm und dicker Luft zwei Stunden beidrehte. Darüber verging der Mittwochen, an welchem laut Wetterbericht die Anticyclone südwärts zurückwich, und eine sehr tiefe Depression das südliche Schottland durchzog. Mittwochen 4 U. Nm. stand der Dampfer unter Dungeness bei kolossalem Wind und Seegang. Dann klarte es ab bis Dover, doch prophezeite das Barometer neuen Sturm, so dass er mit Mühe und Not Galloper noch so eben in Sicht lief und dann nördlich vom Gabbard unter die englische Küste lief, trotz der unzähligen Fischerleute ringsum und dem schwierigen Steuer im Schiff, welches unter Sturmsegel und Volldampf nicht mehr gehorchen wollte und erst durch Becken an den Wind zu bringen war. Der Wetterbericht spricht von schwerem SW.-, bis West-Sturm in Irland und England, und NW.-Sturm in Schottland. Dann kam eine kurze Pause, wie der Wetterbericht besagt, und diese benutzte auch obiger Dampfer, um von der englischen Küste weg auf die Elbe zuzusetzen, wo er Freitag Abend Cuxhaven passirte; nur wenig versprengte und sonstige unter dem Zwange der Umstände handelnde Schiffe kamen gleichzeitig dort an, die regulären Trader blieben alle aus. Am Freitag Abend war mässiger Sturm in England, schweres Wetter im Kanal laut Wetterbericht, aber am Samstag kam dann der auch hier als der schwerste empfundene Orkan nach. Das Centrum *scheint* über das mittlere Schottland hinweggegangen zu sein; in Aberdeen fiel das Barometer bis auf 27.40 Zoll, in England wehte West- und SW.-Sturm, im nördlichen Schottland SO.- bis Ost-Sturm. Auch hier in Bonn stand am 26. Janr. das Barometer unter 29 Zoll englisch und am 28. Jan. hatten wir in einer Schnee- und Graupel-Böe aus Nord einen starken Blitz mit Donner.

Das grösste Fährschiff der Welt wird wohl der „Solano" werden, der den Dienst zwischen Francisco und der Central Pacific Eisenbahn versehen soll. Das Schiff ist 494' 8" über dem Hauptdeck lang, 106' im Raum, im Ganzen breit 116', und soll wenn beladen nur 6' 6" tief stechen. Auf dem Deck liegen 4 Schienenwege von einem Ende zum andern, so dass es 24 Personenwagen nebst Tender und Lokomotive aufnehmen kann.

Die **Panama-Eisenbahn** wird täglich von zwei Zügen in jeder Richtung zwischen Panama und Colon resp. Aspinwall befahren, welche den 75 Kilometer langen Weg in 4 Stunden! zurücklegen.

Der **erste Zeichner einer Brooklyn Brücke** war laut „Eng." ein Baumeister Thomas Pope von Newyork, welcher im Jahre 1811 Zeichnung und Beschreibung einer Brücke veröffentlichte, welche in einem Bogen über den East River die Fulton Strassen in Newyork und Brooklyn verbinden und in solcher Höhe über den Fluss wegführen sollte, dass die grössten Schiffe ungehindert unter ihr durchfahren könnten. Trotzdem er sogar ein Modell des Baus ausstellte, so konnte er keine Unterstützung für seine Idee bekommen; sie wurde lächerlich gemacht, bis der Erfinder zuletzt selbst sein Modell zerschlug.

Verlag von H. W. Silomon in Bremen. Druck von Aug. Meyer & Dieckmann, Hamburg. Alterwall 38.

HANSA

Redigirt und herausgegeben
von
W. von Freeden, BONN, Thomasstrasse 9.
Telegramm-Adresse:
Freeden Bonn.
oder
Haus Alterwall 28 Hamburg.

Verlag von *M. W. [illegible]* in Bremen.
Die „*Hansa*" erscheint jeden [illegible] Sonntag.
Bestellungen auf die „*Hansa*" nehmen alle Buchhandlungen, sowie alle Postämter und Zeitungsexpeditionen entgegen, desgl. die Redaktion in Bonn, Thomasstrasse 9, die Verlagshandlung in Bremen, Obernstrasse 14 und die Druckerei in Hamburg, Alterwall 28. Sendungen für die Redaktion oder Expedition werden an den letztgenannten drei Stellen angenommen. **Abonnement** jederzeit, frühere Nummern werden nachgeliefert.

Abonnementspreis:
vierteljährlich für Hamburg 2½ M.,
für auswärts 3 M = 3 sh. Sterl.
Einzelne Nummern 60 ₰ = 6 d.

Wegen **Inserate**, welche mit 25 ₰ die Petitzeile oder deren Raum berechnet werden, beliebe man sich an die Verlagshandlung in Bremen oder die Expedition in Hamburg oder die Redaktion in Bonn zu wenden.

Frühere, komplete, gebundene Jahrgänge von 1872 1874, 1876, 1877, 1878, 1879, 1880, 1881, 1882 sind durch alle Buchhandlungen, sowie durch die Redaktion, die Druckerei und die Verlagshandlung zu beziehen.
Preis M 6; für letzten und vorletzten Jahrgang M 8.

Zeitschrift für Seewesen.

No. **4.** **HAMBURG, Sonntag, den 24. Februar 1884.** **21.** Jahrgang.

Inhalt:

Der vulkanische Ausbruch auf Krakatoa bei Java am 25./27. August v. J. und die Dämmerungserscheinungen der letzten Monate, nebst den oceanischen und atmosphärischen Flutwellen.

II.

In unserm ersten Artikel in No. 2 d. Bl. haben wir hauptsächlich den Ursprung der auffälligen Dämmerungserscheinungen, deren jetzt schon Berichte von fast allen Teilen der Erde gedenken, untersucht und ihn in dem fein zerteilten Aschenauswurf des Vulkans gefunden. Allerdings war es etwas kühn anzunehmen, dass die Gewalt der Gase direkt die Asche bis in die Höhe von etwa 15 geographischen Meilen, weit jenseits der bisher angenommenen Grenzen der Atmosphäre gehoben habe. Bedenkt man aber, dass notwendig die Aschenmassen im Moment des Auswurfs elektrisch wurden, und nun die gleichartig elektrisirten Teilchen sich gegenseitig abstossen mussten, so kommt man leicht zu der Vorstellung, dass sie bald wie eine dünne Hülle die Atmosphäre der Erde umgaben und Mangels Ableitung der einmal vorhandenen elektrischen Kräfte noch recht lange in dieser Lage verharren werden. Die in den meteorologischen Lehrbüchern erwähnten Ausbrüche von Vulkanen, wie des Coseguina, dessen Asche in kürzester Frist bis 700 Meilen nordöstlich und 1200 Meilen westlich vom Vulkan weggeführt wurden, verschwinden gegen die Gewalt dieses von uns jetzt erlebten fürchterlichsten aller Ausbrüche, deren die Geschichte erwähnt, und muss letzterer mit anderm Maassstabe gemessen werden. Wenn der Donner der Explosionen auf den Philippinen und in Australien gehört wurde, wenn die See in der Sundastrasse sich mit den schweren Bimssteinstücken bis zu einer Höhe von 2 m bedeckte, so dass selbst Dampfer kaum sich von der Stelle bewegen konnten, wenn die Luft so verfinstert wurde, dass man in Batavia um 4 Uhr die Lampen anzünden musste, und der etwa 3000 Fuss hohe Berg selber fast ganz in sich zusammenstürzte und mit dem grössten Teil der Insel, auf welcher er stand, unter der Meeresoberfläche verschwand, so sind das ja Ereignisse, wie sie allerdings in ihrer Totalität von der Geschichte sonst nirgends erzählt werden.

Das Ende der Explosion von Krakatoa fand statt um 12 U. 12 M. Mittags. Die nächste Folge war die gigantische Welle in der Sundastrasse, welche bekanntlich eine grossartige Verwüstung auf Java und Sumatra anrichtete. Verfolgen wir nun die Welle in den Ocean hinaus, so liegen zunächst zwei ganz glaubwürdige Beobachtungen aus Point de Galle auf Ceylon und aus Mauritius vor, nach welchen eine aussergewöhnliche Flutwelle dort um 1 U. 30 M. und 2 U. 15 M. Nm. wahrgenommen wurde. Da die beiden Plätze 3000 resp. 5500 Km von der Sundastrasse entfernt liegen, so ergiebt sich aus beiden Beobachtungen dieselbe Geschwindigkeit von 2000 Km per Stunde oder 550 m per Sekunde (210 m mehr als die Schallgeschwindigkeit) für die Fortbewegung der Meereswelle. Wir haben schon in unserm vorigen Artikel angedeutet, dass diese Wogen sich auch weiterhin fühlbar gemacht haben. Interessante Details teilte kürzlich Herr von Lesseps darüber mit in einem Vortrage vor der Pariser Akademie der Wissenschaften. Herr v. Lesseps hat wegen der Panama-kanal-Arbeiten genaue selbstregistrirende Flutmesser bei Colon wie bei Panama aufgestellt. Am 27. August um 4 Uhr Nm. begannen am Flutmesser zu Colon eigentümliche Schwankungen des Niveaus sich zu zeigen, welche an Höhe freilich nicht die gewöhnlichen Niveauunterschiede zwischen Ebbe und Flut erreichten, aber sich in Pausen von je 1¼ Stunden wiederholten, anstatt wie gewöhnlich in 12 Stunden. Zwischen 3 Uhr 30 Min. Nm. bis 1 Uhr 30 Min. Vm. schwankte das Niveau des Meeres 8 Mal um 0.30 bis 0.40 Meter auf und nieder. Das erste Anzeichen war eine ungewöhnliche Ebbe. Bis zum 28. August 11 Uhr Nm. wiederholten sich diese Schwankungen in stets abmindernder Höhe. Da dieselben um 3 Uhr 30 Min. Nm. des 27. Aug. zu Colon begannen, welcher Moment zusammenfällt mit 4 Uhr Vm. des 28. Aug. Sundazeit, und das Erdbeben seine grösste Gewalt in der Nacht vom 26./27. Aug. in der Sundastrasse erreichte, so hat die Meereswelle 30 Stunden Zeit gebraucht, um sich von der Ursprungsstätte um das Kap der guten Hoffnung herum bis zum Hintergrunde des karaibischen Meeres fortzupflanzen. Auch von den Flutmessern zu Rochefort, Cherbourg und Havre ist die Erdbebenwelle laut Lesseps beobachtet. Sie hat sich mit einer durchschnittlichen Geschwindigkeit von 490 Kilometer per Stunde verbreitet, während sie nach Mauritius mit 2000 Km Geschwindigkeit vorrückte. Die Wellenlänge wird von Herrn v. Lesseps zu 690 Km berechnet.

Es könnte auffallend erscheinen, dass an dem Flutmesser von Panama nicht ähnliche Hebungen und Senkungen wahrgenommen wurden. Aber die vielen kleinen Inseln der Java-See und die Untiefen der Torres-Strasse im Norden des australischen Festlandes werden wohl den Andrang der Erdbebenwelle derartig abgeschwächt haben, dass nur geringe Eindrücke von ihr die weite Fläche des stillen Oceans erreichen konnten. Dass sonst dessen freie Erstreckung der Verbreitung von Erdbebenwellen günstig ist, haben wir vor mehreren Jahren an der Verwüstung peruanischer Küstenplätze durch solche Erscheinungen erlebt.

Dass die *atmosphärische* Welle ferner an verschiedenen Stellen Europas, z. B. auch auf den Observatorien von Paris und Kew an den dort aufgestellten selbstregistrirenden Barometern beobachtet wurde, ist jetzt zweifellos dargethan; nur hat man in näheren Kreisen nicht recht an die gleich bekannt gegebene Ursache glauben wollen.

Was die Dämmerungserscheinungen und das Aussehen der Sonne besonders angeht, so wurde laut Berichten aus Tokio in Japan, 3000 Sm. von der Strasse von Java, vielfach dort schon in den letzten Augusttagen selber ein kupferfarbiges Aussehen der Sonne wahrgenommen, welches die Eingeborenen für das Anzeichen bevorstehenden Unglücks hielten. Der SW-Monsun hatte, es bleibt keine andere Erklärung, ausser der elektrischen Abstossung, die mit ihm vereint wirkte, die Staub- und Aschenmassen binnen 24—30 Stunden so weit weggeführt, mit einer Geschwindigkeit von 100 Sm. per Stunde, was allerdings der Geschwindigkeit eines vollen Orkans in den oberen Lüften gleichkommt.

Ueber die zuerst Ende November in Europa auffällig gewordenen Dämmerungserscheinungen hatte sich bekanntlich der englische Astronom Lockyer in einem Briefe an die «Times» vom 8. Decbr. zuerst dahin geäussert, dass sie wohl von dem Ausbruch des Krakatoa herrühren müssten. Dieser Brief veranlasste den bekannten Bergsteiger Eduard Whymper, aus seinen Reiseerinnerungen seinem Landsmann eine bestätigende Mitteilung zu machen, welche sich in der Zeitschrift «Nature» vom 27. Decbr. v. J. findet, und welche wir wegen der sehr zutreffenden äussern Umstände hier im Auszuge folgen lassen.

Whymper war am 3. Juli 1880 mit einer Besteigung des Chimborazo beschäftigt und hatte in 15 800′ Höhe übernachtet. Der Morgen war klar, nebelfrei und sah man im Norden die hohe Bergspitze des Illiniza, sowie 20 Meilen östlich davon den grossen Kegel des Cotopaxi in 65 Meilen Entfernung völlig ohne Wolken und — eine seltene Erscheinung — auch ohne jede Rauchsäule deutlich vor sich liegen. Erst nachdem die Reisenden den Aufstieg wieder begonnen hatten und sich in reichlich 16 000′ Meereshöhe befanden, zeigte sich um 5 U. 45 Min. Morgens eine tiefdunkle Rauchsäule, welche vom Krater gerade in die Höhe stieg, rasch kreisend und in rasender Schnelle steigend, so dass sie binnen einer Minute sich schon in 20 000′ Höhe über dem Kraterrande befand. Der Cotopaxi selber ist nach Whympers eigenen Messungen 19 600′ hoch. Der Gipfel der Rauchsäule befand sich demnach in einer Höhe von 40 000′ über dem Meere. Dort packte ihn ein starker Wind von Osten her und führte ihn einige 20 Sm. weit dem Pacific zu, während sich die Säule zu einer dünnen Schicht von Dinten-Schwärze ausbreitete, in Form eines umgekehrten L, ┌, sich am klaren Himmel projicirend. Dann fasste diese Schicht in Nordwind und trieb sie nun auf Whymper zu, unter stetig grösserer Verbreiterung der Fläche. Wie die Wolke näher und näher kam, schien sie zu steigen, obgleich sie in Wirklichkeit sich herabsenkte. Nach einiger Zeit trat nun die Rauchschicht zwischen Whymper und die Sonne und dann zeigten sich alsbald die erstaunlichsten Wirkungen. Die Sonne sah grün aus, aber das Grün hatte keine Aehnlichkeit mit irgend einem bekannten Grün am Himmel. Es bildeten sich schmierige Streifen von einer Art von Grasgrün, die dann in Blutrot übergingen oder in schmutziges Ziegelrot, und plötzlich wieder wie polirtes Kupfer oder gefirnisstes Messing aussahen. Hätten Whymper und seine Begleiter nicht mit eigenen Augen gesehen, dass alles nur von der Asche herrührte, so hätten sie leicht von grosser Furcht und Bangigkeit erfüllt werden können. Denn keine Worte, sagt er, können nur eine schwache Idee geben von dieser seltsamen Färbung des Himmels, die binnen einer Minute Zeit auftauchte und wieder verschwand, und gegen welche die wunderbarsten uns bekannten Dämmerungsfarben der auf- oder untergehenden Sonne wie nichts verblassten und zurücktreten. Um Mittag zog die Asche über die Köpfe der Gesellschaft selber weg, nachdem sie 85 Meilen in 6 Stunden zurückgelegt hatte. Um 1 U. 30 M. fiel sie auf dem Gipfel des Chimborazo nieder, und bevor der Abstieg begann, sah das Schneetuch der Spitze wie ein gepflügtes Feld aus. Die Asche war äusserst fein, wie die an Lockyer gesandten Proben beweisen, drang in die Augen und Nasen der Reisenden, machte Essen und Trinken unmöglich, und zwang zum Atmen durch das Taschentuch. Sie bedeckte die Instrumente bis in die verschlossenen Kisten hinein. Whympers Barometer ist noch bis auf den heutigen Tag mit dieser feinen Decke überzogen. Und was davon über sie wegzog, muss noch feiner gewesen sein und ist vielfach auf Fahrzeuge im stillen Ocean niedergesunken. Die feinern Teile wiegen nicht $^{1}/_{25\,000}$ eines Grans und die feinsten sind noch unbedeutender. Die grössern Stücke fanden wir nachher in dem alten Lager, und tiefer unten in 7000′ Höhe waren einige Thäler wie von dichtem Rauch erfüllt. Die Luft blieb aber wie von einem leichten Nebel bis zum Abend hin verdunkelt.

Noch einmal verbreitet sich Wh. über die ungewöhnlichen Farben, welche sich durch die üblichen Wörter des Sprachschatzes nicht ausdrücken lassen, und alles übertreffen, was wir von den glänzendsten Morgen- und Abenddämmerungen wissen. Sie zeigten sich aber erst, als die Aschenwolke zwischen Wh. und die Sonne trat, nicht früher. Die Aenderungen der Farben schienen von der Dicke der vorübergeführten Schichten abzuhängen. Als die Aschenwolken die Reisenden von allen Seiten einhüllten, erlosch das Farbenspiel. Eine Photographie des Chimborazo nach Beginn des Aschenfalls bewahrt Wh. als interessante Erinnerung an den ganzen Vorgang auf.

Statistik über die Geschäftsthätigkeit des Seemanns-Amtes zu Bremen für das Jahr 1883.

Bemannung der Bremischen Seeschiffe am 1. Jan. 1883: 275 Schiffe mit 5443 Personen. Von 37 Schiffen ist die Bemannung nicht aufzugeben. 28 Schiffe lagen still ohne Bemannung. Zusammen 210 Segelschiffe mit 3034 Personen und 65 Dampfschiffe mit 2409 Personen.

Von den 5443 Personen sind 327 Bremer, 37 aus dem Bremer Gebiet, 132 Vegesacker, 332 Bremerhavener, 599 Oldenburger, 2924 Preussen, 363 Angehörige der übrigen deutschen Staaten und 739 Angehörige fremder Nationen.

Von den Seemanns-Aemtern *Bremen*, *Bremerhaven* und *Vegesack* wurden:

angemustert 8346 Pers. durch 367 Verhandlungen,
nachgemustert 4502 „ „ 499 „

demnach gemustert 12848 Pers. durch 866 Verhandlungen,

gegen 11536 Pers. durch 815 Verhandlungen im Vorjahre.

An- resp. Nachgemustert wurden:

12195 Personen durch 671 Verhandl. für Bremer Schiffe
und 653 „ „ 195 „ „ sonst. dtsch. „

Unter den 671 Verhandlungen für Bremer Schiffe befanden sich: 438 für Dampfschiffe mit 9601 Personen und 233 für Segelschiffe mit 2594 Personen.

Unter den 195 Verhandlungen für sonstige deutsche Schiffe befanden sich: 13 für Dampfschiffe mit 163 Personen und 182 für Segelschiffe mit 490 Personen.

Von den 12848 Personen wurden in den einzelnen dienstlichen Stellungen an- resp. nachgemustert: 710 Bremer, 85 aus dem Bremer Gebiet, 212 Vegesacker, 966 Bremerhavener, 1368 Oldenburger, 7654 Preussen, 1035 Angehörige der übrigen deutschen Staaten und 818 Angehörige fremder Nationen.

Nach den einzelnen Monaten aufgeführt stellte sich die *Anmusterung* folgendermassen: Es fanden statt im

Januar	65	Verhandlungen über	939	Personen,
Februar	39	„ „	528	„
März	37	„ „	657	„
April	23	„ „	551	„
Mai	49	„ „	820	„
Juni	23	„ „	570	„
Juli	34	„ „	867	„
August	27	„ „	611	„
September	29	„ „	809	„
October	21	„ „	652	„
November	26	„ „	700	„
December	24	„ „	633	„

Zusammen 367 Verhandlungen über 8346 Personen.

Nach den einzelnen Monaten aufgeführt stellte sich die *Nachmusterung* folgendermassen: Es fanden statt im

Januar	14	Verhandlungen über	171	Personen,
Februar	30	„ „	328	„
März	39	„ „	519	„
April	44	„ „	436	„
Mai	48	„ „	384	„
Juni	46	„ „	445	„
Juli	49	„ „	297	„
August	43	„ „	391	„
September	43	„ „	417	„
October	64	„ „	482	„
November	45	„ „	330	„
December	34	„ „	302	„

Zusammen 499 Verhandlungen über 4502 Personen.

Von den 3239 Personen, *die bisher noch nicht in Bremen, Bremerhaven oder Vegesack* angemustert wurden, waren 158 Bremer, 22 aus dem Bremer Gebiet, 38 Vegesacker, 92 Bremerhavener, 234 Oldenburger, 1853 Preussen, 395 Angehörige der übrigen deutschen Staaten und 447 Angehörige fremder Nationen.

Von den Seemanns-Aemtern *Bremen*, *Bremerhaven* und *Vegesack* wurden:

abgemustert 11806 Pers. durch 975 Verhandlg.

gegen 11067 Pers. durch 878 Verhandlg. im Vorjahre.

Abgemustert wurden:

11131 Personen durch 759 Verhandl. für Bremer Schiffe
und 675 „ „ 216 „ „ sonst. dtsch. „

Unter den 759 Verhandlungen für Bremer Schiffe befanden sich: 536 Dampfschiffe mit 8834 Personen und 223 Segelschiffe mit 2297 Personen.

Unter den 216 Verhandlungen für sonstige deutsche Schiffe befanden sich: 16 Dampfschiffe mit 137 Personen und 200 Segelschiffe mit 538 Personen.

Nach den einzelnen Monaten aufgeführt, stellte sich die *Abmusterung* folgendermassen: Es fanden statt im

Januar	79	Verhandlungen über	593	Personen,
Februar	49	„ „	667	„
März	55	„ „	846	„
April	78	„ „	1001	„
Mai	86	„ „	1216	„
Juni	92	„ „	1176	„
Juli	82	„ „	1253	„
August	77	„ „	770	„
September	74	„ „	949	„
October	95	„ „	1043	„
November	116	„ „	1266	„
December	98	„ „	1021	„

Zusammen 975 Verhandlungen über 11806 Personen.

Die Musterungen verteilen sich wie folgt:

Seemanns-Amt	Bremerhaven	1347	Verh. über	23270	Pers.
„	Bremen	455	„ „	1197	„
„	Vegesack	39	„ „	187	„

Zusammen 1841 Verh. über 24654 Pers.

Verhandlungen für Schiffe: Nach den Vereinigten Staaten von Nord-Amerika 283, nach Hamburg, auf der Weser und den angrenzenden Gewässern 152, nach England 106, nach Häfen der Nord- und Ostsee 100, nach Norwegen und Schweden 36, nach Süd-Amerika 33, für die Fahrzeit 1883 28, nach dem Mittelmeere 26, nach Ostindien 16, nach See 16, nach Russland 15, nach Portugal 11, nach den Niederlanden 7, nach europäischen Häfen 7, auf Aventure 6, nach Australien 5, nach der Westküste Amerika's 4, nach Spanien 3, nach Trinidad 3, nach Dänemark 2, nach Honolulu 2, nach der Westküste Afrika's 1, nach der Ostküste Afrika's 1, nach Italien 1, nach Kapstadt 1, auf Küstenfahrt 1 Verhandlung.

Von den im Laufe des Jahres angemusterten Seeleuten waren im Alter:

Vom 14.—20. Jahre		2571	Personen
„ 20.—30.	„	5552	„
„ 30.—40.	„	3066	„
„ 40.—50.	„	1255	„
Ueber 50 Jahre		404	„

Zusammen 12848 Personen.

Heimschaffung hülfsbedürftiger Seeleute. Es wurden von deutschen Konsulaten den Seemanns-Aemtern 46 hülfsbedürftige Seeleute überwiesen und betrugen die Auslagen für deren Heimschaffung vom Auslande bis Bremerhaven ℳ 1177.—, die Weiterbeförderung nach dem Inlande ℳ 200.05, zusammen ℳ 1377.05.

An *Sterbefällen* gelangten im Ganzen 55 zur Anzeige, nämlich durch Ertrinken 18, Herzschlag 2, Gehirnschlag 3, Gehirnblutung 1, Gehirnentzündung 1, Nierenentzündung 1, Lungenentzündung 1, Lungenschwindsucht 5, Herzlähmung 1, Rückgratsverletzung 1, Darmverschlingung 1, Auszehrung 1, Schädelbruch 1, Brechdurchfall 2, Fall aus den Masten 3, Gallenfieber 1, Brandwunden 1, Delirium tremens 1, Selbstmord durch Ertrinken 5, Selbstmord durch Erhängen 1, Kroup 4, zusammen 55.

Angezeigte *Geburten:* Männlichen Geschlechts 2, weiblichen Geschlechts 1.

Klagesachen wurden anhängig gemacht wider 280 Personen.

Geldbusse wurde von den Seemanns-Aemtern erkannt wider 168 Personen, im Unvermögensfalle wurde auf Haft erkannt wider 1 Person; Berufung gegen den Bescheid des Seemanns-Amtes legten ein 6 Personen, dem Gerichte direkt überwiesen (ohne Desertionsfälle) wurden 114, zusammen 289 Personen.

Aus Briefen deutscher Kapitäne.

II.

Ansegelung von Amoy.

Die Verwechselung der Hoo-E-Tow (Hui-tao) Bai mit der Amoy-Bucht war einer der hauptsächlichsten Gründe für die chinesische Regierung, in 1881 auf Dodd-Insel einen Feuerturm zu errichten; trotzdem sind, soviel ich weiss, während und nach der Erbauung des Turmes 5 solcher Verwechselungen vorgekommen. Dens Ende 1881 lief die deutsche Bark „Pallas" Abends in der Dämmerung beim schönsten sichtigsten Wetter in die Bai hinein, eine Stunde später lag das Schiff mit dem Kiel nach oben. — 1882 geriet eines unserer Kanonenboote hinein, desgleichen der englische Dampfer „Yorkshire". Von Shanghai über Amoy nach Newyork mit Thee bestimmt, lief der Dampfer Mittags beim schönsten Wetter auf den Klippen in der Bai auf, welches dem Rheder etwa 40 000 $ kostete. Im Frühjahr 1883 geriet eine englische Brigg hinein, von Shanghai nach Amoy bestimmt. Der Kapitän gab später in Amoy an, er hätte sein Kupfer in der Bai nachsehen wollen, worauf der Amoy Besichtiger sich aber nicht einlassen wollte, und letzten Sommer war zu guter Letzt eine englische Bark, von Takao nach Japan mit Zucker bestimmt, ebenfalls darin. Ob dieser Kapitän nun auch sein Kupfer hat überholen oder die Lage der Klippen genauer bestimmen wollen, ist mir nicht bekannt, aber soviel steht fest, dass das Schiff in Japan neu kupfern musste.

Der Grund, warum die Hoo-E-Tow-Bai für Amoy-Bucht genommen wird, ist, dass die Schiffe Dodd-Insel für Chapel-Insel nehmen.

Chapel-Insel (siehe Beilage zu No. 27, Jahrgang 1882 der „Hansa", Chinesische Küstenpunkte) ist 164 Fuss hoch, und sieht in einer nördlichen und westlichen Peilung wie ein aufrechtstehendes Ei aus, dessen Spitze eingedrückt ist. In dieser Einsattelung ist der Leuchtturm erbaut, so dass die Einsattelung nicht gut auszumachen ist. Die Insel fällt, in den obigen Peilungen, nach Norden zu steiler ab als nach Süden und fehlen blinde Klippen in der Umgegend. — Das hohe, kahle, Festland *ohne Dünen* ist in einer NWlichen Richtung 9 Sm. von der Insel entfernt; die Strasse zwischen dieser und dem festen Lande ist rein und ohne Gefahr zu passiren, abgesehen von den Merope-Bänken im SW von Chapel-Insel. — NNOlich von Chapel-Insel ist das Land (Quemoy) 16 Sm. entfernt und kann daher nur in den äusseren Umrissen ausgemacht werden.

Dodd-Inseln heissen zwei so dicht zusammen liegende Inseln, so dass sie in 6 Sm. Abstand wie eine Insel erscheinen. Auf der grössten, die etwa 80 Fuss hoch ist, steht auf der Westseite der Feuerturm und an der Ostseite ein weisser Flaggenstock. Die Insel ist nördlich und östlich von niedrigen und blinden Klippen umgeben und hat die Form eines liegenden Eies. In 3 Sm. Abstand sind die Klippen auszumachen und kann man nicht zwischen Dodd-Insel und Quemoy durchgehen. — Die Ostküste der Insel Quemoy liegt in NWlicher Richtung von Dodd-Insel in etwa 2 Sm. Entfernung, und besteht aus niedrigem hügeligem Land mit *roten Dünen*, hinter denen man in derselben Peilung das Leeo-Loo-Gebirge sieht. — NNOlich von Dodd-Insel tritt das feste Land mit der Hoo-E-Tow-Spitze (oder Huk) bis auf 6 Sm. Abstand an obige Insel heran. Der Strand von Hoo-E-Tow besteht hier ebenfalls aus niedrigem hügeligem Land mit *roten Dünen*. — Westwärts der Dodd-Insel, also an der Südküste der Insel Quemoy, sind die Dünen hellrot und hellgelb. Das Lot giebt bei beiden Inseln Dodd und Chapel keine Warnung, da man sowohl bei der einen wie der andern von 15 bis 20 Faden wirft, aber trotzdem sollte nach Obigem eine Verwechselung der beiden Inseln bei etwas sichtigem Wetter, d. h. wenn man bis auf 3 Sm. und mehr sehen kann, nicht stattfinden, um so mehr da der Eingang von Hoo-E-Tow-Bai von Klippe zu Klippe nur 4 Sm. breit, dagegen die Distanz von Chapel bis Quemoy 13 Sm. beträgt. — Ist der Besteckpunkt bei diesigem Wetter nicht genau bekannt, so gehe man bis auf eine Seemeile an beide Inseln heran und zwar so, dass die Inseln nördlich aber nicht *östlich oder westlich* peilen; man wird dann jedenfalls die Form sowie, ob niedrige und blinde Klippen in der Nähe der in Sicht befindlichen Insel liegen, ausmachen können; ist die Luft bis auf eine Seemeile nicht sichtig, so ist es überhaupt nicht ratsam hinnen zu laufen, wenn man sich seines Besteckpunktes nicht ganz sicher ist. — Hat man Dodd-Insel ausgemacht, so passire man die SO-Spitze von Quemoy-Insel in 1 Sm. Abstand und halte die weissen Dünen, welche am festen Lande eben nördlich der Chinha-Spitze liegen, recht voraus oder eben an Steuerbord, je nachdem Wind und Gezeit ist; mit diesem Kurse wird man 1 Sm. im Süden der Quemoybanktonne kommen. Diese ist eine rote Bakentonne mit einer schwarzen Kugel gekrönt, die zur Zeit in etwa 6 Faden Wasser an der S-Spitze der Quemoy-Bank liegt. Von der Tonne aus peilt die Pagode (Quemoy-Bank-Pagode) auf der N-Spitze der SW-Küste der Quemoy-Insel N¾W. — Der Strand der SW-Küste besteht aus niedrigem hügeligem Land mit „hellgelben Dünen." — Die Ebbe setzt in der Amoy-Bucht südlich, die Flut westlich der Quemoy-Bank-Tonne nach NW, östlich derselben nach ONO. — Von Quemoy-Bank-Tonne wähle man den Kanal zwischen Seaotan- und Hwangkwa-Insel oder zwischen dieser und Tsingsen-Insel, je nach Wind und Gezeit. Beide sind rein und leicht zu passiren.

Hat man dagegen Chapel-Insel ausgemacht, so halte man die Quemoy-Bank-Pagode recht voraus bis Chinha-Spitze W peilt; von hier aus steure man wie oben.

Bekanntlich ist Chapel-Feuer ein Blinkfeuer, Dodd-Feuer aber ein rot und weiss unterbrochenes Feuer von 26 Sek. Blink und 4 Sek. Verdunkelung, und zwar ist es rot zwischen N5¾O und N6¼O für die Quemoy-Bank, sowie S2¾W und S4¼W für die Hoo-E-Tow-Bai. Kommt man also des Nachts, so bringe man das Feuer bei der ersteren Peilung nicht östlicher als N6¼O; übrigens wird das Feuer in dieser Peilung aus Sicht gehen, indem es durch die Leeo-Loo-Spitze verdeckt wird. Man befindet sich dann in gefährlicher Nähe der Quemoy-Bank. Peilt man das Feuer dagegen in den letzteren Peilungen, so steht das Schiff bereits im Eingange der Hoo-E-Tow-Bai und mache man dann so rasch wie möglich, dass man wieder heraus kommt.

Da in der Amoy-Bucht vier Feuer brennen, so ist es nicht schwierig, das Schiff des Nachts bei gutem Winde binnen zu bringen, und laufe man zu diesem Behufe von der Quemoy-Bank-Tonne aus, nur recht auf Tsingseu-Feuer ab und passire es in 3—5 Kabellängen an Backbord, je nach Wind und Gezeit. Im innern Hafen ist bei Voll- und Neumond um 12 U. Hochwasser.

E. K.

Aus Briefen deutscher Kapitäne.

III.

Wasserhosen im Mittelmeer.

Von Kapt. *H. v. Freeden*, Hansa-Dampfer »Stahleck«.

Am 5. und 6. December vorigen Jahres wehte ein schwerer Nordsturm mit Schnee und Hagel im NWlichen Teile des Mittelmeeres, welcher gegen Mitternacht letzteren Tages NWlich lief und abflaute. Am 7. früh 6 U. fing in der Nähe der Porquerolles-Inseln*) der Sturm an mit erneuerter Wut, dazu mit Gewitter, Hagel und Schnee, von ONO zu wehen, eine furchtbare See aufwühlend. Es war vorher fast sternenklar gewesen, doch lag eine unheilverkündende Bank im NO., welche mit furchtbarer Geschwindigkeit plötzlich den ganzen nördl. Himmel überzog, während, scheinbar kaum 3—4 Sm. vom Schiff, der südl. Himmel klar blauschwarz blieb. Der Rand des Gewölks war wie abgeschnitten und boten die vom Orkane dahergepeitschten Wolkenfetzen in der klar aufgehenden Sonne ein wunderbares Bild. Eine sonderbar herabhängende Wolke erregte meine Aufmerksamkeit, und erkannte ich schliesslich eine mächtige Wasserhose, die mit rasender Geschwindigkeit vorrückte. Noch staunend, dass bei solchem Winde eine Wasserhose entstehen und sich halten konnte, kommt eine zweite, eine dritte, vierte, fünfte etc. etc., wie eine Reihe Soldaten, alle in Abständen von etwa ½ Sm. einander folgend, immer scheinbar am Rande des Gewölks hängend, daher. Wasserhose folgte auf Wasserhose, trotz Schnee- und Hagelböen, trotz furchtbarer Windstösse von den nahen Seealpen und trotz der aufgewühlten See, die nur noch eine kochende Schaummasse bildete. Immer mehr kamen herangerückt, ohne Zahl, bis der Wolkenrand sich mehr südlich verschob, die Wasserhosen dadurch zu weit entfernte, und klare, eisige Luft von NO die letzten Wolken vertrieb, den Sturm zu einem Orkan steigernd, welcher mehrere Tage hindurch wütete.

Im adriatischen Meere hatte ich bei ähnlicher Gelegenheit und Wolkenformation aber verhältnismässiger Stille einige Zeit, bevor eine sehr schwere Bora losbrach, dasselbe Schauspiel, doch kamen bei Weitem nicht alle sich senkenden Wolken zur vollen Ausbildung, so dass wirklich schwere Wasserhosen nur vereinzelt zustande kamen, die bei dem schlichten Wasser ruhig ihres Weges zogen.

*) Anm. Vor Toulon, bei den Hyerischen Inseln.

Aus Briefen deutscher Kapitäne.

IV.

Die Sturmwoche des Januar 1884, 20./27. Jan.

Bei verhältnismässig hohem Barometerstande, 30" 46"' engl., passirte ich am 17. Gibraltar, wo ein leichter, klarer Ost wehte, welcher nach dem Passiren von St. Vincent in leichten Nord überging, und, bei stetig steigendem Glase, etwas nördlich von Finisterre ganz einschlief. Am 21. Jan. auf 46° 30' N und 7° W erreichte das Barometer den ungewöhnlich hohen Stand von 30".80 engl. und sprang eine leichte SSOliche Brise auf. Der berüchtigte Golf von Biscaya oder die sog. spanische See war so schlicht, als sei er nie von einem Wintersturme aufgewühlt, und stellte sich erst im Laufe des Tages eine langsame, lange NW-Dünung ein. Während des folgenden Tages frischte der Wind bei bedecktem Himmel allmählich mehr auf, die Dünung wurde nachgerade krapper und das Glas fiel regelmässig aber langsam, so dass es bei stürmischem WSW mit Regen am Abend des 22. Jan., in Sicht von Start-Point, noch 30".20 stand. Während der Nacht auf den 23. war es zuweilen ziemlich handig, doch nahm am 23. früh der Wind mit Staubregen rasch zu, das Glas rasch fallend, bis zu 0.5 Zoll in der Wache. Ich war unter Beachy Head, fand Royal Sovereign-Feuerschiff und setzte meinen Kurs auf Dungeness und Dover, um den herannahenden SW nicht ausserhalb der Engen abzuwettern. Dungeness blickte lange genug aus dem Regen heraus, um erkannt zu werden; die See war gelblich und mit Sand gemengt, und lief in kolossalen Bergen welche, einmal hinter der Ecke, rasch abnahmen. Plötzlich klart die Luft vollständig ab, und der Wind wird schwächer, doch das von 29.46 innerhalb 4 Stunden bis auf 29.20 gefallene Glas lässt nichts Gutes erwarten. Doch bleibt es klar, also weiter, Nordsee ein! Um 10 Uhr Nm. geht der Wind allmählich nördlich, und nimmt an Gewalt so rasch zu und wühlt eine solche See auf, dass zeitweise kein Steuer im Schiff bleibt, und dasselbe schliesslich, inmitten einer zersprengten Fischerflotte, mit rückwärtsarbeitender Maschine erst vor den Wind und dann an den Wind gebracht werden kann. Mit voller Kraft arbeitend treibt es NNW anliegend, langsam NNO auf, so dass am 24. Mittags Smith's Knoll nur noch einige Meilen entfernt ist. Das Glas war sehr rasch bis 29.80 wieder gestiegen, doch war die Luft rein und der Wind bedeutend abgeflaut, so dass man einige Stunden besseres Wetter erwarten konnte, welche, gut benutzt, das Schiff mit wieder ausbrechendem SW am 25. Januar Mittags unter Helgoland brachten.

Die Benutzung der Quai-Anlagen in Hamburg im Jahre 1883.

Die Quai-Anlagen in Hamburg (Sandthor-, Kaiser-, Dalmann-, Hübener-, Strand-Quai sowie der Quai-Speicher) wurden im Jahre 1883 benutzt von

643	deutschen	Schiffen	von	637 626	R.-T.
1346	englischen	„	„	927 575	„
118	französischen	„	„	82 285	„
151	holländischen	„	„	56 614	„
48	spanischen	„	„	32 122	„
51	norwegischen	„	„	22 155	„
52	schwedischen	„	„	14 621	„
2	dänischen	„	„	1 284	„
zusammen von 2411		Schiffen	von	1 774 282	R.-T.

in deren Expedition etc. sich 33 Rhedereien resp. Agenten teilten. Unter den Schiffen befanden sich nur 7 Segler, alle übrigen dort anlegenden Schiffe waren Dampfer; die Segler ankern auf dem Strom längs der Stadt oder dem Strande oberhalb derselben. Von allen diesen 2411 Fahrzeugen kamen 2223 in Ladung an, 188 ohne dieselbe.

Obige Schiffsmengen stellen übrigens richtiger gesagt die Anzahl der Fahrten dar, welche die verschiedenen Schiffe nach Hamburg machten. Jene

643	Fahrten wurden	gemacht v.	96	versch.	deutschen Sch.
1346	„	„	167	„	englischen „
118	„	„	15	„	französ. „
151	„	„	20	„	holländ. „
48	„	„	13	„	spanischen „
51	„	„	22	„	norwegisch. „
52	„	„	2	„	schwedisch. „
2	„	„	2	„	dänischen „

Es machten also die

deutschen	Schiffe	durchschnittlich	je	6.7	Fahrten
englischen	„	„	„	8.1	„
französischen	„	„	„	7.9	„
holländischen	„	„	„	7.6	„
spanischen	„	„	„	3.7	„
norwegischen	„	„	„	2.3	„
schwedischen	„	„	„	26.0	„
dänischen	„	„	„	1.0	„

Nach den Abgangshäfen geordnet, so kamen von:

	Schiffe	von R.-T.	gegen Schiffe	von R.-T. in 1882
Aberdeen	4	1195	1	173
Amsterdam	97	98860	101	85380
Antwerpen	52	26231	53	26796
Bordeaux	8	5242	16	8387
„ und Havre	80	53831	45	76080
Bremen	4	813	1	722
Bristol	11	9018	—	—
Boulogne	1	205	—	—
Cowes	—	—	—	—
Dublin	—	—	1	461
Dundee	51	32465	50	38552
Dunkirchen	—	—	—	—
Fraserburgh	10	2060	6	917
Friedrichstadt	—	—	—	—
Goole	174	79276	70	36611
Grimsby	118	79600	109	73094
Gothenburg, Kopenhagen etc.	52	14021	62	17443
Hull	207	164984	214	161794
Hartlepool	106	56730	105	56619
Häfen d. Mittelländischen Meeres	62	53151	61	40388
„ an der Elbe	63	25629	75	45733
Havre	29	22074	16	7709
Kings Lynn	90	37780	92	35876
Leith	114	95012	116	71372
Liverpool	109	102900	77	72290
London	520	352241	502	334772
Maryport	—	—	—	—
Middlesborough	2	2456	—	—
Newcastle	—	—	—	—
Norwegen, div. Häfen	42	19984	34	15706
Oporto	21	10321	17	7806
Patras	—	—	3	1317
Peterhead	12	2511	4	611
Reval	—	—	—	—
Rouen	—	—	—	—
Rotterdam	67	24254	62	24483
Russische Ostseehäfen	—	—	1	431
Schottland, div. Häfen	13	2898	10	943
Spanien	51	38052	47	34535
Southampton	—	—	—	—
Stockholm	1	306	7	8049
Swansea	1	969	6	2966
Transatlantische Häfen	232	411617	221	382537
Wick	11	1655	—	—
	2411	1774282	2180	1559934
Von diesen Schiffen enthielten Ladung	2223	1661412	2021	1463897
Leer kamen an	188	112870	159	9 026
	2411	1774282	2180	1559934

Nautische Literatur.

***Elementare Meteorologie von Robert H. Scott**, übersetzt von W. v. Freeden. Mit 63 Abbildungen und 11 Tafeln. Autorisirte Ausgabe. Leipzig, 1884. F. A. Brockhaus. Preis 6 M., elegant gebunden 7 M. Zugleich als LXI. Band der internationalen wissenschaftlichen Bibliothek.*

Wir wünschen dem jetzt in deutscher Uebersetzung vorliegenden Werke, von welchem auch eine italienische Uebertragung in Arbeit ist, denselben Erfolg, den es in England sofort nach seinem Erscheinen sich errungen hat. Dass es auch in Deutschland bereits Aufsehen erregt, beweist uns der Ausspruch eines bekannten Mathematikers und Astronomen, welcher bisher gerade nicht zu den Freunden der Meteorologie zu rechnen war: „man könne nicht umhin, unter die Meteorologen zu gehen, wenn ihre Wissenschaft in so anziehendem Gewande vorgeführt werde.“ Obgleich das Werk nicht gerade direct sich an unsere Beobachter auf See wendet, so glauben wir ihnen doch dasselbe besonders empfehlen zu sollen, weil es auf jeder Seite denselben weltumspannenden Charakter zeigt, der ihrem seemännischen Beruf an sich eigen ist; sie werden eine Fülle von Anweisungen über den Gebrauch ihrer Instrumente und über die Theorie und Praxis des Verhaltens in jedem Wetter in ihm finden und zwar jedenfalls nicht in lehrmeisterlicher Sprache, sondern vielmehr in weltmännisch-angenehmem Vortrage.

Da wir über den Inhalt des Werkes bereits in No. 9 d. Bl. v. 1883 berichtet haben, so mag uns hier nur vergönnt sein, auf einige kleine nachträgliche Berichtigungen hinzuweisen, welche der englische Text nach näherer Durchsicht erfordert hat, und dem Uebersetzer erst nach vollendeter Arbeit aus englischen Quellen bekannt geworden sind. Auf Seite 38 Fig. 7 sollte der Punkt *R* mit der Vertikallinie für 9 Vm. zusammenfallen, und kommt demzufolge die Linie *RS* etwas höher zu liegen. Auf S. 100 Z. 8 lies Collin statt Cole; auf S. 104 Z. 6 v. u. lies Hutton statt John Leslie; S. 133 Z. 7 v. u. lies Camberwell statt St. Pauls Kirchhof. Endlich auf S. 209 Z. 18 v. u. ist „als Rennell's Strom“ wegzulassen. Die Mehrzahl anderweiter Aenderungen bezieht sich nur auf die englische Ausgabe und ist nicht in die Uebersetzung übergegangen.

Druck, Papier und äussere Ausstattung entsprechen dem hohen Rufe der Verlagsbuchhandlung.

Verschiedenes.

Das neue elektrische Licht von Calais, welches seit dem 1. October verg. Jahres gezeigt wird, soll bei klarem Wetter bis auf 34 Sm sichtbar sein.

Das sich stets vergrössernde **Eisenbahnnetz von Mexico** trägt derartig zur Ausbreitung des Verkehrs und namentlich der Einfuhr bei, dass die Zollrevenuen sich in den letzten fünf Jahren nahezu verdoppelt haben und der letztjährige Voranschlag um 36 Millionen Mark überschritten worden ist.

Der **Kupferverbrauch in den Vereinigten Staaten** ist seit 1872 von 31 Mill. Pfund auf 77 Mill. Pfund in 1882 gestiegen, hauptsächlich infolge der Verwendung von Kupferdraht zu elektrischen Anlagen.

Um den **italienischen Kohlenmarkt** bewerben sich die englischen, französischen und deutschen Kohlengrubenbesitzer. Der Hauptkampf findet laut „Eng.“ zwischen Engländern und Deutschen statt, da die Franzosen wenig oder gar nicht in Betracht kommen. Die deutschen Saarkohlen sollen nicht sehr beliebt sein, ausser auf den oberitalienischen Seen, wo sie per Bahn leichter und billiger angebracht werden. Die westfälische Kohle, welche seewärts nach Genua gebracht wird, macht der Cardiff Kohle schärfste Konkurrenz. Der Verein für Kohlenausfuhr in Westfalen hat ein Circular in 4 Sprachen, deutsch, französisch, englisch und italienisch verbreitet, worin die *Ueberlegenheit* der deutschen Kohle über die beste englische Kohle nach jeder Richtung bewiesen wird. Die Preise sind gedrückt infolge der scharfen Konkurrenz.

Der **Jahresbericht** des Vorsitzers des **Vereins englischer Civil-Ingenieure** preist den Uebergang von dem System der *Heranbildung der Civil-Ingenieure* lediglich durch die *Praxis* zu der mit der praktischen mindestens ebenbürtigen *theoretischen* und *wissenschaftlichen Ausbildung*, wie sie die unendlich gesteigerte Thätigkeit der Ingenieure und der jetzige hohe Stand der Ingenieurwissenschaft gegenüber den Anforderungen der Vergangenheit erfordern. Aus einer Fülle von Daten heben wir einige der bemerkenswertesten hervor. *Grossbritannien* besitzt jetzt 18 000 engl. Meilen *Eisenbahnen*, welche 800 Mill. £ St. gekostet haben, und brutto 67 Mill. £ St. jährlich einbringen, bei 35 Mill. £ St. jährlichen Betriebskosten. Dieselben beförderten im letzten Jahr 623 Mill. Passagiere ungerechnet ½ Mill. Inhaber von Jahreskarten und daneben 246 Mill. Tons Mineralien und Waaren aller Art. — Die Ansprüche, welche eine Stadt wie London an die Ingenieurkunst stellt, spotten aller Vergleiche mit kleinern Städten. London hat jetzt 4 Mill. *Einwohner*, d. h. soviel als ganz Holland, mehr als Schottland, und doppelt soviel als Dänemark; am Ende des Jahrhunderts wird seine Einwohnerzahl voraussichtlich die von Irland erreichen. Im Jahre 1801 betrug dieselbe kaum ein Viertel des jetzigen Bestandes; jetzt nimmt es jährlich um 70 000 Menschen zu, also soviel als das alte Bremen zählte; es bedeckt 117 engl. Quadratmeilen Landes mit seiner ½ Million Häuser, deren Ertragswert von 6 Mill. in 1841 auf 28 Mill. £ St. jetzt gestiegen ist. Der *Verkehr* in den Strassen war solchen Stockungen ausgesetzt, dass eine Anzahl neuer Wege zur Entlastung der alten durchgebrochen oder der Themse abgenommen werden mussten; demselben Zweck dient die *unterirdische Eisenbahn*, die jetzt täglich 373 000 Passagiere befördert. Die Abgänge der Riesenstadt werden durch 2 300 Meilen bedeckter *Abfuhrkanäle* weggeschafft, von denen mehr als die Hälfte in den letzten 27 Jahren angelegt wurden, und im Durchmesser von 9 Zoll bis 12½ Fuss wechseln. Jedes Haus ist ihnen angeschlossen und sie werden regelmässig von grossen Wasserwerken aus durchgespült. Acht Gesellschaften versehen London mit *Wasser*, und zwar täglich mit 630 Mill. Liter, die bis auf 70 Mill. in London selbst verbraucht werden. Auf den Kopf der Londoner Bevölkerung kommen 135 Liter täglich. Die Kosten werden dem Mietwert der Häuser entnommen, nicht nach dem Bedarf der Einwohner verrechnet; da der Mitwert der Häuser aber wie oben erwähnt auf das 4⅔fache gestiegen ist, so kostet das Wasser jetzt 75% mehr als es noch 1855 kostete. Das in den Wasserwerken angelegte Kapital beträgt 13⅓ Mill. £ St. oder 13.7 Mark pr. 1000 gelieferte Liter; das Wasser kostet netto ℳ 1.63 pr. 1000 Liter, woran ℳ 0.91 verdient werden. Als 1880 vorgeschlagen wurde, die Wasserwerke zu verstaatlichen, schätzte man die Ankaufssumme auf 33 Mill. £ St. Die *Beleuchtung* besorgen drei Gaskompagnien, welche ℳ 2.83 bis ℳ 3.15 für 1000 Kubikfuss berechnen, und aus 2 Mill. Tons Kohlen mehr als 20 000 Mill. Kubikfuss Gas herstellen. Zur Verteilung gelangt es durch 2 500 Meilen Röhren von einem Durchmesser von 3 Zoll bis 4 Fuss; die Kosten des Betriebs betragen 3 Mill. £ St., d. h. doppelt soviel als die der Wasserwerke. Das Gas muss eine Leuchtkraft von 16 Kerzen haben, wenn 5 Kubikfuss pr. Stunde verbraucht werden. Die *elektrische Beleuchtung* nimmt zu in dem Maasse, als die Kosten von 5 Pence per Stunde und Flamme auf 1½ Pence gesunken sind, und die leuchtende Kraft der Flammen auf das Doppelte und mehr steigt. U. s. w. U. s. w. Australien soll beiläufig jetzt das gelobte Land für Ingenieure sein.

Die **Seefischerflotte Frankreichs** bestand nach dem letzten amtlichen Bericht von 1881 aus 22 125 „Schiffen" und „Smacks", von im Ganzen 149 297 Tons, bemannt mit 80 875 Mann, neben denen 55 843 Uferfischer ihrem Handwerk oblagen. Die Ausbeute des Jahres belief sich auf 86 142 446 Mark, wovon ⅕ allein auf Boulogne mit seinen 384 Fahrzeugen entfällt; im Jahr 1880 war der Segen reichlich 1 Mill. Mark grösser gewesen, lediglich weil 1882 der Sardinenfang so gering ausgefallen war. An Austern wurden gefangen 680 372 750 Stück im Wert von 14 079 300 Mark; von ihnen wurde die Hälfte durch künstliche Austernzucht in den zahllosen Parks gewonnen.

Im Jahre 1881 beschäftigte			Ertrag
der Frischfischfang …	21786 Fahrz.	mit [illegible] Mann.	948 [illegible] Ctr.
„ Häringsfang ……			748 [illegible] „
die Neufundlandfischerei	137 „	„ 5165 „	335 [illegible] „
der Isländ. Kabljaufang	[illegible] „	„ 3436 „	184 [illegible] „

Zur Meerestemperatur. Im Allgemeinen gilt als Regel, dass die Temperatur des Meerwassers von oben nach unten zu stets abnimmt, und dass sie in der Nähe der Küsten höher ist, als in offener See. In den untern Schichten nimmt die Temperatur ziemlich rasch ab; beträgt sie an der Oberfläche 21° bis 23° C., so sinkt sie in 40 m Tiefe auf 15° bis 19°, und hält sich in 180 m Tiefe längere Zeit auf 14°. Im *Mittelmeer* haben fortgesetzte Messungen ergeben, dass in der grössten dort erreichbaren Tiefe von 3000 m die Temperatur noch 13° beträgt, so dass sie von 180 m bis 3000 m nur um 1° abnimmt. Das Mittelmeer ist deshalb im Vergleich mit dem atlantischen Ocean gewissermassen ein Ofen zu nennen. Im Atlantik erreicht man jene Temperatur von 13° nicht allein weit früher, sondern sie nimmt dann ferner auch stetig ab bis zu 0° und darunter. Denn da der Gefrierpunkt des Seewassers erst bei — 2,°4 liegt, so haben die grössten Tiefen des Oceans eine konstante Temperatur von nahezu — 2°, teils infolge Sinkens der abgekühlten Oberflächengewässer, teils infolge Zuströmens der kühlen Polargewässer zu den untern Schichten. Doch finden durch die Strömungen des Meerwassers am bestimmten Ort vielfache Abweichungen von der allgemeinen Regel ihre Erklärung. (J. d. l. Fl.)

Das mechanisch geblasene Nebelhorn, wie es das neue Strassengesetz auf See in Art. 12 vorschreibt, wird immer einhelliger in den Entscheidungen der englischen Gerichtshöfe über Kollisionsfälle verlangt und Segelschiffe werden, wenn sie auch im besten Rechte waren, getadelt, bloss weil das Nebelhorn mit dem Munde geblasen wurde, statt mit einem eine *gleichmässige* Stärke des Schalls garantirenden Blasebalg etc. Die Gesetzgeber haben mit dem Art. 12 den Ton von der wechselnden Kraft der menschlichen Lunge unabhängig machen und eine gleichmässig kräftige Schallwirkung erzielen wollen.

Schiffbrüche an den englischen Küsten. Der Board of Trade veröffentlicht jährlich ein Verzeichnis der Schiffbrüche an den britischen Inseln, welches alle Arten von Unglücksfällen zur See, Total- wie Partialverlüste, Kollisionen etc. umfasst. Das Jahr 1881/2 brachte nicht weniger als 3660 Unglücksfälle, welche 1097 Personen mit ihrem Leben büssten, während das Jahr vorher 984 Menschen umkamen. Alles in Allem haben seit 1855, also seit reichlich einem Vierteljahrhundert, 59076 Schiffbrüche stattgefunden, welche den Untergang von 20631 Menschen verursachten. Es fanden nämlich statt:

im Jahre	Schiffbrüche	im Jahre	Schiffbrüche
1855	1 141	1869	2 114
1856	1 153	1870	1 502
1857	1 143	1871	1 575
1858	1 170	1872	1 958
1859	1 416	1873 (1stes Semester)	967
1860	1 379	1873/4	1 803
1861	1 494	1874/5	3 590
1862	1 448	1875/6	3 757
1863	1 664	1876/7	4 164
1864	1 390	1877/8	3 641
1865	1 656	1878/9	3 002
1866	1 860	1879/80	3 510
1867	2 090	1880/1	3 575
1868	1 747	1881/2	3 660

Schiffshebung durch Pulsometer. Vor Kurzem wurde im Hafen von Barcelona ein Dampfer infolge einer auf demselben ausgebrochenen Feuersbrunst unter Wasser gesetzt. Herr Mackinnell übernahm die Hebung des Schiffes und bewerkstelligte dieselbe durch zwei direct wirkende Pulsometer, welche ihm von der Firma Körting Hermanos in Barcelona, einer Filiale der bekannten Firma Gebr. Körting in Hannover, geliefert wurden. Trotzdem an dem Tage, an welchem die Aufstellung der Pulsometer stattfand, eine sehr bewegte See herrschte, konnte die Einbauung der Apparate doch ohne Störung rasch und sicher vorgenommen werden. Dieselben bewirkten, während ihnen der Betriebsdampf von einem daneben liegenden kleinen Dampfboote zugeführt wurde, die Entleerung des Schiffes und seine Hebung in verhältnissmässig kurzer Zeit bei sehr geringem Dampfverbrauche. Die beiden Apparate förderten pro Minute reichlich 5 cbm Wasser.

(K. u. Ind.)

Zur Entwickelung des deutschen Schiffbaues. Bekanntlich erhielt die Schiffswerft des Herrn Georg Howaldt zu Dietrichsdorf bei Kiel im Sommer v. J. von der chinesischen Regierung den Auftrag, zwei Panzerkorvetten zu erbauen. Dabei wurde die Lieferzeit auf fünf Monate festgesetzt — eine so kurze Frist, dass schwerlich eine englische oder sonst eine fremde Schiffsbauanstalt imstande gewesen wäre, sie innezuhalten. Von jenen beiden Fahrzeugen lief am 12. December v. J. in der Mittagsstunde das eine in Gegenwart des chinesischen Oberst Cheng, sowie des chinesischen Beamten Fock glücklich vom Stapel und erhielt in der Taufe den Namen „Nin-Thin" (Kleinod des Südens). Zuerst sprach Herr Fock deutsch, darauf hielt Herr Cheng eine kurze chinesische Rede, entkorkte sodann die Champagnerflasche und goss den Inhalt über den Steven (bei uns wird, wie allgemein bekannt, die volle Champagnerflasche am Steven zerschellt). Die Flasche wird, so heisst es, nach China geschickt, um dort als Reliquie aufbewahrt zu werden.

Das Schiff ist unter der Aufsicht des H. Admiral a. D. Werner, mehrerer chinesischer Marine-Ingenieure und eines Vertreters des Germanischen Lloyd gebaut worden. Ausschliesslich bester deutscher Stahl, welcher in technischen Kreisen immer allgemeinere Anerkennung gerade für Schiffsbauzwecke gewinnt, hat als Material für die Korvette gedient. „Nin-Thin" hat in der Wasserlinie eine Länge von 77 m, eine grösste Breite auf den Spanten von 11,5 m, eine Raumtiefe von 7,125 m und ein Deplacement von 2200 Tons bei einem Tiefgang von 5,5 m. Die Einrichtungen stehen in allen Einzelheiten auf der Höhe der Schiffs- und speciell der Kriegsschiffs-Baukunst. Die Stärke der Aussenhautplatten beträgt bei den Kielplatten mittschiffs 16 mm, vom Kielgang bis Farbegang 14 mm und am Oberdecksfarbegang 17 mm. Das Schiff wird als Bark getakelt, ähnlich wie die deutsche „Carola"-Klasse und armirt mit zwei 21 cm- und acht 12 cm-Armstrong-Geschützen. Ausserdem erhält dasselbe mehrere Mitrailleusen zur Abwehr von Torpedobooten. Auf Deck stehen auf Galgen 8 Boote, darunter 1 Torpedoboot und 2 Dampfbarkassen. Es wird mit 2 horizontalen Compoundmaschinen, die ihren Dampf aus 4 cylindrischen Doppelenderkesseln erhalten, ausgerüstet, welche mit einer Spannung von 6 Atmosphären arbeiten. Die Maschinen werden reichlich 2400 Pferdekraft indiciren und dem Schiff eine Geschwindigkeit von 14½ — 15 Knoten erteilen, eine Schnelligkeit, welche nur von wenigen Kriegsfahrzeugen dieser Konstruktion erreicht wird. Die zweite Korvette soll Mitte Januar d. J. zum Stapellauf fertig gestellt sein.

So weit sich bis jetzt urteilen lässt, verspricht die „Nin-Thin" ein Meisterwerk deutschen Fleisses und deutscher Kunstfertigkeit zu werden, welches den Ruf unserer Leistungsfähigkeit auf diesem Gebiet weit hinaus in alle Meere tragen wird. Und kaum sind zehn Jahre verflossen, seit die deutsche Admiralität noch jedes ihrer grösseren Schiffe im Auslande herstellen lassen musste! (Export.)

Das **französische Unterrichtsbudget.** Nachdem das Centrum im preussischen Landtage das Budget des Kultus und des Unterrichts 3 Wochen hindurch durch die langweiligsten und häufig verlogensten Einreden bekrittelt hat, mag es nicht uninteressant erscheinen, einmal zu hören, was man in Frankreich für Zwecke des Unterrichts allein aufwendet. Das Budget des Ministers des öffentlichen Unterrichts erreicht dies Jahr die ungewöhnliche Höhe von 150 Mill. Franken oder 120 Mill. Mark. Die Hälfte dieser Summe entfällt auf Kleinkinder- und Volksschulen. Für Astronomie und Meteorologie sind 800 000 ℳ ausgeworfen, ungerechnet die Credite der Stadtverwaltungen zu Marseilles, Toulouse, Bordeaux, Lyon für ihre astronomischen Observatorien, und zu Besançon, Clermont, Paris und Toulouse für die meteorologischen Observatorien in Besançon, auf dem Puy de Dome, Montsouris und auf dem Pic du Midi. Die Nationalbibliothek zu Paris wird mit 600 000 ℳ, andere Pariser Bibliotheken mit 220 000 ℳ, das Nationalarchiv mit 160 000 ℳ bedacht. An Gelehrte kommen zur Verteilung 160 000 ℳ, für Reisen und Missionen 220 000 ℳ, das Collège de France 400 000 ℳ, die höhern Normalschulen 400 000 ℳ, das National-Institut 576 000 ℳ, die medizinische Fakultät 60 000 ℳ, Seminare 380 000 ℳ, die Universität 8 Mill. ℳ, die Gymnasien 6 380 000 ℳ, der botanische Garten 800 000 ℳ u. s. w. Ob sich die Kulturkämpfer des Centrums von solchen Summen träumen lassen!

Italienische Schnelldampfer nach Argentinien. „Export" erhielt von einem Geschäftsfreunde aus Buenos-Aires vom 7. December 1883 Nachrichten, welche bereits nach drei Wochen in seine Hände gelangten. Derselbe schreibt mit Bezug hierauf: „Haben Sie doch die Güte, die Poststempel und das Empfangsdatum dieses Briefes zu beachten. Ich sende denselben mit dem neuen italienischen Schnelldampfer „Nord-Amerika" und denke, Sie werden den Brief zu Weihnachten erhalten; die Herreise, trotzdem es die erste Fahrt nach hier war, legte der Dampfer in 16½ Tagen zurück, deutsche Dampfer brauchen 30 — 36 Tage!! —" Es scheint diese Linie den deutschen Linien erhebliche Konkurrenz machen zu wollen. Hoffentlich treffen die letzteren energische Gegenmassregeln.

Verlag von H. W. Silomon in Bremen. Druck von Aug. Meyer & Dieckmann, Hamburg. Altewall 1a.

Redigirt und herausgegeben
von
W. von Freeden, BONN, Thomastrasse 9.
Telegramm-Adresse:
Freeden Bonn,
oder
Hansa Alterwall 23 Hamburg.

Verlag von M. W. Nilsson in Bremen.
Die „Hansa“ erscheint jeden 2ten Sonntag.
Bestellungen auf die „Hansa“ nehmen alle Buchhandlungen, sowie alle Postämter und Zeitungsexpeditionen entgegen, desgl. die Redaktion in Bonn, Thomastrasse 9, die Verlagshandlung in Bremen, Obernstrasse 11 und die Druckerei in Hamburg, Alterwall 23. Sendungen für die Redaktion oder Expedition werden an den letztgenannten drei Stellen angenommen. Abonnement jederzeit, frühere Nummern werden nachgeliefert.

Abonnementspreis:
vierteljährlich für Hamburg 2½ M,
für auswärts 3 M = 3 sh. Sterl.
Einzelne Nummern 60 ₰ = 6 d.

Wegen Inserate, welche mit 25 ₰ die Petitzeile oder deren Raum berechnet werden, beliebe man sich an die Verlagshandlung in Bremen oder die Expedition in Hamburg oder die Redaktion in Bonn zu wenden.

Frühere, komplete, gebundene Jahrgänge von 1873 1874, 1875, 1877, 1878, 1879, 1880, 1881, 1882 sind durch alle Buchhandlungen, sowie durch die Redaktion, die Druckerei und die Verlagshandlung zu beziehen.
Preis M 4; für letzten und vorletzten Jahrgang M 8.

Zeitschrift für Seewesen.

No. 5. HAMBURG, Sonntag, den 9. März 1884. 21. Jahrgang.

Inhalt:

Zur Auslegung oder Verbesserung des Seeunfallgesetzes.

Am 27. Juli 1877 wurde vom Kaiser ein Gesetz, betreffend die Untersuchung von Seeunfällen, veröffentlicht, welches bestimmt war, am 1. Januar 1878 in Kraft zu treten. Der Anstoss zum Erlass dieses Gesetzes ging teils von den Kreisen der Seefahrer aus, welche es für ihre Interessen notwendig erachteten, dass eine Behörde ins Leben gerufen werde, wo sie vor sachverständigen Standesgenossen wegen ihrer Handlungsweise bei einem Unfall sich rechtfertigen könnten, teils hatte man in Regierungskreisen es als einen Uebelstand empfunden, dass vereinzelte Fälle eklatanter Pflichtvergessenheit von Schiffsführern innerhalb des Rahmens der vorhandenen Gesetze nicht recht zur Untersuchung und Ahndung hatten herangezogen werden können; endlich war die nationale Empfindlichkeit erregt worden darüber, dass und wie die Strandungen des „Schiller“ und der „Deutschland“ vor fremden, englischen, Gerichtshöfen untersucht und beurteilt waren.

Innerhalb der Reichstagskommission, welche die diesbezügliche Gesetzesvorlage durchzuberaten hatte, war von Anfang an darüber kein Zweifel, dass sie es nur mit einem Gesetz zu thun habe, welches eine *Untersuchung der Ursachen des Seeunfalls* in die Wege leiten solle. Sei auf eine im sonst üblichen richterlichen Verfahren nicht vorgesehene Weise der *Thatbestand* nach allen Richtungen hin festgestellt, so habe das Seeamt seine Schuldigkeit gethan, und habe sodann der Staatsanwalt im Zweifelfalle zu erwägen, *ob Grund zur strafrichterlichen Verfolgung* des Betreffenden vorliege, zu deren Erledigung die *vorhandenen Strafgesetze völlig ausreichten*. Das Seeamt aber solle sich *jeder strafrichterlichen Thätigkeit und Entscheidung enthalten*, da ihm alle Vorbedingungen zu dem dann notwendigen *contradictorischen* Verfahren fehlten, und sich lediglich auf die Klarstellung der „*Ursachen* des Seeunfalls sowie aller mit demselben zusammenhängenden Thatumstände“ (Art. 4 d. Ges.) beschränken.

Diesen klaren unzweideutigen Standpunkt nahm die Reichstagskommission in ihren ersten vorberatenden Sitzungen an, und verfolgte ihn unentwegt durch die grössere Hälfte des Gesetzes hindurch. Die Regierungskommissare teilten ihn nicht völlig, vielmehr trugen sie sich vielfach mit den *von England überkommenen* Ideen einer gewissen strafrichterlichen Gewalt, welche dem Seeamt dadurch eingeräumt werden solle, dass es im Schuldfall dem Schiffer oder Steuermann seinen *Fahrschein auf 3 bis 6 Monate, eventuell auf Lebenszeit* entziehen könne. Abgesehen davon, dass schon damals im Jahre 1877 in England eine starke Opposition sich gegen diese Entziehung des Fahrscheins auf Zeit durch die Seeämter entwickelt hatte, welche unaufhaltsam wachsend gerade in diesen Tagen die dortige Regierung dazu gedrängt hat, jene Bestimmungen *fallen zu lassen* und die Praxis des Verfahrens der Untersuchung von Seeunfällen im deutschen Sinne neu zu beordnen, wurde es den juristisch gebildeten Mitgliedern der Reichstagskommission nicht schwer, die Regierungskommissare davon zu überzeugen, dass in der Patententziehung *auf Zeit* und ihrer Bemessung *auf verschiedene Fristen* alle Kennzeichen einer *Strafe* und eines bestimmten *Strafmasses* sich ausprägten, dass dann der Schiffer vor ein Ausnahmegericht gestellt werde, welches ohne Gleichen in der deutschen Strafrechtspraxis dastehe, und dass dann der erwartete Segen des Gesetzes sich zu einem Fluche des Schifferstandes verwandeln und ihn in eine Lage bringen würde, dass er um die Rechtswohlthat der geregelten Verteidigung den gemeinsten Verbrecher beneiden müsse. Vor dem Gewicht dieser Gründe fiel also der Antrag auf *Patententziehung auf Zeit* völlig unter den Tisch.

Um so lebhafter wurde dagegen von der Regierung die Notwendigkeit *einer* Bestimmung betont, gemäss welcher einem notorisch nachlässigen, oder unfähigen oder dolosen Schiffsführer sein Fahrschein *auf immer* könne entzogen werden; das sei eventuell lediglich eine *Konsequenz* der Untersuchung der Thatumstände, welche recht wohl das teilweise aus Fachleuten bestehende Seeamt (und dieses leichter als einen Gerichtshof von lauter Juristen) davon überzeugen könnte, dass dem Betreffenden diejenigen Eigenschaften fehlten, welche zur Ausübung seines Gewerbes erforderlich sind, und dass er infolge davon als unwürdig aus seinem Stande auszuscheiden sei. Daher sei die Aberkennung des Fahrscheins für immer *keine Strafe*, sondern die Anerkennung einer offenbar gewordenen Unfähigkeit des Inhabers, sein Patent ferner zu behaupten, und solle dies zur kurzen Hand, ohne noch weiteres Verfahren und Unkosten zu erfordern, vom Seeamt selber ausgesprochen werden.

Aus diesen Erwägungen und gegenseitigen Konzessionen ist dann der Art. 26 des Gesetzes vom 27. Juli entstanden, welcher die Spuren seines Ursprungs in den ersten Worten deutlich genug verrät, als dass wir hier weiter darauf aufmerksam machen brauchen. Der ganze Artikel sollte nur eine Waffe in der Hand des Seeamts sein, um **notorisch** *unfähige* oder *unwürdige* Subjekte aus den Reihen der Offiziere der Handelsmarine zu entfernen; dass dazu nur in *Fällen der äussersten Not* gegriffen werden würde, stand von vorn herein fest.

Die *Praxis* hat es anders gefügt. Gerade dieser Art. 26 ist einer der meistbestrittenen des ganzen Gesetzes geworden, und ist darüber leider in manchen Kreisen das ganze Gesetz in üblen Kredit gekommen. Leidenschaften und verkehrte Instruktionen und Interpretationen haben zusammengewirkt um eine Gährung hervorzubringen, welche sich jetzt in wirklich beklagenswerten Anträgen beim Reichskanzler Luft zu machen sucht. Voraussichtlich wird dort schon eine gründliche Sichtung der Wünsche eintreten und jedenfalls der Reichstag sich nicht von dem einhellig angenommenen Standpunkt verdrängen lassen, dass *dem Seeamt nach seiner Zusammensetzung und seiner Geschäftsordnung* **unmöglich** *eine strafrichterliche Thätigkeit gestattet werden könne.*

Wird dieser Gesichtspunkt unbeirrt festgehalten, so wird eine die aufgeregten Gemüter beruhigende Auslegung resp. Änderung des betreffenden Artikels bald gefunden werden können. Die Stelle, wo dieselbe einzutreten hat, zeigt in charakteristischer fast komisch zu nennender Deutlichkeit, dass ein Seeamt, wie es ist, nichts weniger als einen Gerichtshof, wie er sein soll, bedeutet.

Der Art. 26, dessen Entstehungsgeschichte wir oben als Augen- und Ohrenzeuge geschildert haben, lautet wie folgt:

> »Auf Antrag des Reichskommissars kann, wenn sich ergiebt, dass ein deutscher Schiffer oder Steuermann den Unfall oder dessen Folgen in Folge des Mangels solcher Eigenschaften, welche zur Ausübung seines Gewerbes erforderlich sind, verschuldet hat, demselben durch den Spruch zugleich die Befugnis zur Ausübung seines Gewerbes entzogen werden.
>
> Einem Schiffer, dem die Befugnis entzogen wird, kann nach Ermessen des Seeamts auch die Ausübung des Steuermannsgewerbes untersagt werden.«

Das Wörtchen „zugleich“ am Ende des ersten Absatzes dieses Artikels ist nun, um es gleich kurz zu sagen, der Stein des Anstosses geworden. Eine kurzsichtige Auffassung der Einheitlichkeit der Verhandlung, zu welcher sich aber die Seeämter ebensowohl bekannt haben als die Reichskommissäre, ja zu welcher die letztern wohl meistenteils von den Seeämtern gedrängt worden sind, hat die Reichskommissäre veranlasst anzunehmen, dass *nach* gefälltem seeamtlichen Spruch der Antrag auf Patententziehung *nicht mehr statthaft sei*, und dass er demnach, um mit dem Spruch *zugleich* berücksichtigt zu werden, *vor* demselben gestellt werden müsse.

Nach dem Vorstehenden kann es nicht zweifelhaft sein, dass diese Auslegung *nicht dem Sinne der Gesetzgeber* entspricht. Sie waren gewiss zu sehr Juristen, um es für nötig zu halten, sich über die Kennzeichen und äussern Merkmale der Einheit einer Verhandlung dahin zu äussern, dass sie *recht wohl* dabei bestehen kann, wenn auch dieselbe durch eine Vertagung um einige Tage unterbrochen wird, und sie waren ferner durchaus gewärtig, dass der Reichskommissar es sich zu seiner objektiven wie subjektiven Belehrung würde dienen lassen, *durch den formellen Spruch des Seeamts zur völligen Uebersicht über die Sachlage geführt* und demnächst eventuell für einen weiter gehenden Antrag befähigt zu werden. Die jetzige seeamtliche Praxis *beraubt* ihn geradezu dieser *Hauptquelle* seiner Belehrung und führt diese unhaltbaren ärgerlichen Zustände herbei, welche die Leidenschaften wachrufen und sie Abhülfe bei Menschen und Institutionen suchen lassen, wo sie gar nicht gesucht, jedenfalls nicht gefunden werden sollten.

Es bleibt zu bedauern, dass sich kein Fall gefunden hat, der zu einer juristisch unanfechtbaren Interpretation des angezogenen Artikels durch das höchste Gericht des Landes, *das Reichsgericht zu Leipzig*, geführt hat. In der umfassenden Erörterung des obersten Gerichtshofes würde die *Entstehungsgeschichte* des Gesetzes eine ebenso vorurteilsfreie Erwägung gefunden haben, wie der *Wortlaut* des einzelnen Artikels und das Wörtchen „zugleich“ aus dem philisterhaft engen Raum in eine wissenschaftlich freiere Sphäre gehoben sein. Jetzt wird es wohl des grossen Apparats einer Vorlage an den Reichstag bedürfen, um Licht und Raum zu schaffen, sei es in Form einer authentischen Interpretation des Wortes „zugleich“, oder wenn sich der Reichstag dazu aus Gründen nicht entschliessen kann, in Form einer Abänderung des Wortlauts „demselben durch den Spruch zugleich die Befugnis“ etc. etwa in die Worte

„demselben auf Grund des Spruches die Befugnis“ etc.

oder wenn dadurch der Kommissar zu sehr gebunden erscheint,

„demselben nach gefälltem Spruche auch die Befugnis“ etc.

Die Logik des ganzen Verfahrens erfordert nach unserer Ansicht, dass der Antrag des Reichskommissars sich als eine **Folge** *der Ansicht des Seeamts* darstelle, und so wird auch unserer Einsicht in die Praxis der Seeämter auch fast überall dort verfahren, wo ein Kommissar aus dem Schiffer- oder Juristenstande fungirt. In diesem Falle würde die erstere Aenderung eine sachgemässe genannt werden dürfen. Eine separatere Stellung gewährt allerdings der zweite Vorschlag dem Reichskommissar, doch sprechen innere Gründe so wenig für ihn, als auch die jetzige Verstimmung nicht durch ihn dauernd aus dem Wege geschafft wird. Der künstlich erzeugten Lust, Appellationen an das Oberseeamt zu veranlassen, oder der strafrichterlichen Thätigkeit eine Hintertür zu öffnen, würde jedenfalls ein wirksamer Riegel vorzuschieben sein.

Ueber eine Aenderung des Art. 26 hinausgehende Anträge sind nach unserer besten Ueberzeugung vom Uebel und sollten sich höchstens gegen gewisse Instruktionen und Gewohnheiten richten, das Gesetz aber nicht berühren. Das Gesetz ist im Princip ein *gutes* und wohlthätiges, nur seine Handhabung hat durch Fehler hüben und drüben zu unleugbaren Misständen geführt, welche je eher je besser aus der Welt zu schaffen sind. Dahin gehört z. B. dass jetzt dem zur Verantwortung gezogenen, vulgo „angeklagten“ Schiffer erst im letzten Augenblick der Antrag des Kommissars auf Patententziehung bekannt gegeben und ihm keine Zeit gelassen wird, gegen solchen oft ganz unvorbereitet ihn treffenden Antrag sich gebührend zu verteidigen.

Torpedo-Boote neuester Bauart

Da es in der Absicht der Kaiserlichen Marine-Verwaltung liegen soll, mit dem Bau neuer Schlachtschiffe einstweilen nicht weiter, desto mehr dagegen mit dem Bau von Torpedo-Fahrzeugen vorzugehen, so mag ein Blick auf einige der neuesten in England gebauten Schiffe dieser Gattung willkommen geheissen werden. Dort sind es die Schiffbaumeister Thornycroft & Co., welche mit ihrem Chefingenieur Donaldson eines besonders grossen Rufes im Bau und der Ausrüstung dieser Boote geniessen. Ausgehend von einem ersten Typ, dem des «Lightning», der im Jahre 1877 als erstes *seefähiges* Torpedoboot erster Klasse von ihnen gebaut wurde, haben sie dem Drängen namentlich auswärtiger Besteller nachgeben und sich zum Bau immer grösserer und stärkerer Fahrzeuge verstehen müssen, bis sie bei Schiffen angelangt sind, welche auf eigenem Boden eine Fahrt zu den Antipoden antreten und einem Wetter trotzen können, vor welchem erstklassige Passagierdampfer schon auf der Rhede bleiben. Mit diesen seefähigen Fahrzeugen ist das System der Torpedoboote, welche an Bord eingeschifft wurden, um zum Ernstgebrauch ins Wasser gelassen und nun auf den Feind geschickt zu werden, und auch das System der Torpedoboote zweiter Klasse, welche nur zum Schutz der Häfen und Rheden gebaut sind, völlig verlassen: jene grossen über 30 m langen Torpedofahrzeuge sind selbstständige Schiffe geworden, welche ihre Mordmaschinen aus Lancirrohren oder von Deck absenden und sich dabei frei nach allen Richtungen und mit grosser Schnelligkeit wenden können; sie sind in ihren Dimensionen deshalb auch weniger von beschränkenden Umständen abhängig.

Der »Lightning«, welcher den Reigen der seefähigen Torpedoboote im Jahre 1877 eröffnete, war ein Schiff von rund 24 m Länge in der Wasserlinie und 29 Tons Deplacement. Mit einer Maschine von 400 I. P.-K. machte er 18½ Knoten per Stunde bei einem Dampfdruck von 120 ℔ auf den Quadratzoll und 350 Umdrehungen in der Minute. Ihm folgte im Jahre 1879 ein Boot von 25 m Länge, 32 Tons Deplacement, 425 I. P.-K. und 20 Knoten Fortgang bei einem Dampfdruck von 120 ℔ und 420 Umdrehungen der Schraube. Im Jahre 1880 bauten Thornycroft & Co. ein Boot von 26.5 m Länge in der Wasserlinie, 29.7 Tons Deplacement bei 3½ Tons Ladung, 460 I. P.-K., 22 Knoten Geschwindigkeit, bei einem Dampfdruck von 123 ℔ und 438 Umdrehungen. Mit 6.65 Tons Ladung entwickelten die Maschinen 469 I. P.-K., eine Geschwindigkeit von 21.75 Knoten, bei einem Dampfdruck von 134 ℔ und 443 Umdrehungen der Schraube.

In den letzten drei Jahren haben dieselben Baumeister für russische, dänische und australische Rechnung nun immer grössere Fahrzeuge gebaut, welche jedem Wetter zum Trotz See halten können, und in ihrem Innern bequeme Unterkunft für eine entsprechende Bemannung enthalten. Ein Boot für russische Rechnung ist in der Wasserlinie 34 m lang, 3.7 m breit, 1.9 m tief, sein Tiefgang beträgt vorn 0.75 m, hinten 1.8 m. Das Deplacement beträgt 60 Tons, die Maschinen haben 36 und 61 cm Durchmesser, 37 cm Hub und 750 I. P.-K.; durch ein Ventil kann man sie sofort in Hochdruckmaschinen umwandeln. Eine besondere Neuerung ist die Dampfsteuerung in dem vordern Teil des Ruderturms, welche durch die Kleinheit und Solidität ihrer Ausführung allgemeine Bewunderung erregt. Das Schiff führt 3 niedrige, leicht ganz zu beseitigende Masten mit Lateinsegeln und einen Klüver. Der Schiffskörper besteht aus galvanisirtem Bessemerstahl, und zerfällt in 11 wasserdichte Abteilungen, deren vereinzelte Auffüllung das Schiff nicht zum Sinken bringt. Zwei mächtige Bilgepumpen werfen 40 Tons Wasser in einer Stunde aus; neben ihnen finden sich vier weitere Pumpen für Maschinen- und noch weitere für Handbetrieb; ausserdem ist eine Centrifugalpumpe von 45 Tons Wasser per Stunde an Bord.

Da die Torpedos bekanntlich vermittelst zusammengedrückter Luft getrieben werden, so befindet sich Zwecks Ladung der nötigen Luftbehälter in der vordersten wasserdichten Abteilung eine Luftpumpe, welche mit Dampfbetrieb die Luft auf 1500 ℔ Druck per Quadratzoll zusammendrückt. Mit Luftkasten mit derartig komprimirter Luft versehen treten die Whitehead-Torpedos aus den Lancirrohren aus. Auch befindet sich daselbst vorn eine Gramme-Maschine, um mit elektrischem Licht Gegenstände bis in 2 bis 3 Kilometer Entfernung zu beleuchten.

Die Kessel haben 104 qm Fläche, von denen 96 qm auf die Feuerrohre entfallen. In diesem kleinen Fahrzeug von 60 Tons versehen sie sieben gesonderte Dampfmaschinen mit dem erforderlichen Dampf. Die Schraube ist dreiflügelig und von Schmiedestahl gebaut. Der Durchmesser beträgt 1.7 m, die Steigung ein unbedeutendes mehr. Liegt das Boot still, so ragt allerdings ein Blatt der Schraube etwas aus dem Wasser heraus; so wie es sich aber fortbewegt, bewirkt die Hebung des Vorderteils, dass die Schraube achter völlig eintaucht und zur Wirkung kommt. Bei Seegang wird sie allerdings gelegentlich freischlagen, indessen ist die Stärke der einzelnen Teile und ihrer Verbände eine derartige, dass keine üblen Folgen entstehen.

Das dänische Torpedofahrzeug unterscheidet sich nicht wesentlich von dem russischen, nur dass es seine 2 Lancirrohre aussen sichtbar zu beiden Seiten des Bugs führt und am Fockmast noch ein Raasegel extra fahren kann, während das russische nur ein Lancirrohr vorn im Buge selbst führt. Die Bewaffnung besteht gleichmässig bei beiden aus vier 19 füssigen Whitehead-Torpedos von 37.5 cm Dicke, die mit 80 ℔ Schiessbaumwolle jeder geladen sind, und sich auf 1000 m Distanz mit einer Geschwindigkeit von 18—19 Knoten pr. Std. fortbewegen können; dazu führt das russische Fahrzeug zwei 37 cm Hotchkiss-Kanonen frei an jeder Bordseite neben dem Ruderturm, das dänische ein gleiches Geschütz oben auf diesem Turm, der vor dem Schornstein zwischen Fock- und Grossmast sich erhebt.

Die Bemannung besteht aus 4 Offizieren, für welche hinten ein Logis angebracht ist nach Art derer auf Yachten von 20 bis 30 Tons, und aus 12 Mann, welche im Vorschiff wohnen.

Da alle diese Torpedoboote erster Klasse neben der Angriffswaffe von welcher sie ihren Namen führen als Defensivwaffe lediglich ihrer grossen Beweglichkeit und Geschwindigkeit vertrauen müssen, so wird natürlich diesbezüglichen Probefahrten grosses Gewicht sowohl seitens der Erbauer als seitens der Empfänger beigelegt. Sie bestehen bei den Schiffen der Baumeister Thornycroft & Co. zunächst in drei verschiedenen *Fahr*proben: einer Probefahrt von 3 Stunden zur Ermittelung der Geschwindigkeit, einer zweiten von 100 Sm. Länge zur Ermittelung des Kohlenverbrauchs, und einer 6 Meilen langen Probefahrt unter Volldampf.

Die Resultate der dreistündigen Probefahrt unter Volldampf bestanden kurz in folgenden Ergebnissen: mittlere Geschwindigkeit 18.97 Knoten, Kesseldruck 129.5 ℔, Vacuum 24.16 Zoll, Luftdruck für Zug im Schürloch 2.21 Zoll Wasser, Umdrehungen per Minute 404.

Bei der 6 Meilen langen Probefahrt unter Volldampf längs der gemessenen Meile in der langen Bucht der Themse (Long Reach) betrugen die mittlere Geschwindigkeit auf 6 Fahrten mit und gegen den Strom 19.506 Knoten per Stunde, der Kesseldruck 130 ℔, die Zahl der Umdrehungen 413 in der Minute, das Vacuum 27 Zoll; der Luftdruck im Schürloch 2.83 Zoll. Der Slip oder Rücklauf der Schraube betrug 17.13 % der Geschwindigkeit. Alle Probefahrten wurden offiziell von russischen Offizieren nach den Bestimmungen der englischen Admiralität geleitet.

Die 100 Meilen lange Probefahrt auf den Kohlenverbrauch fand zwischen dem Nore-Feuerschiff und Purfleet statt. Das Schiff legte dabei 103.8 Knoten in 9 Std. 20 Min. zurück, und ergab sich dass dabei knapp eine Tonne Kohlen verbraucht wurde. Das Schiff kann demnach 1000 Meilen mit 11 Knoten Fortgang machen, ohne neue Kohlen zu fassen. Die Belastung des Schiffes betrug bei allen diesen Fahrproben 16.7 To. an Kohlen, Ausrüstung, Munition, Trinkwasser in den Tanks, Mannschaft, aber ohne das Kesselwasser.

Daran schlossen sich die Steuerungs- oder Drehproben bei gleichem Tiefgange des Schiffes. Die Resultate ergeben sich aus nachstehender tabellarischer Uebersicht:

Geschwindigkeit in Knoten	Ein voller Kreis beschrieben in	Durchmesser des Kreises in Faden	Richtung dabei nach	
18	1 m 20 sec.	84	Backbord	beide Ruder
»	1 » 35 »	120	Steuerbord	
6	3 » 5 »	63	»	»
»	2 » 50 »	55	Backbord	»
Rückwärts:	2 » 54 »	89	d. Achterschiff nach Steuerbord	»
mit Geschw.	7 » 30 »	358	nach Backbord	»

Damit schliessen die Probefahrten ab, deren Resultate gewiss sehr befriedigende genannt werden dürfen.

«Engineering»*), dem wir diese Daten entnommen haben, fügt dann noch einen sensationellen Bericht an über eine Seefahrt des von Thornycroft & Co. für die Kolonie Victoria erbauten Torpedoschiffes «Childers», welches in Allem und Jedem ein Schwesterschiff obigen russischen Schiffes ist, nur dass es ein Raasegel am Grossmast und 18 Zoll höhere Masten überhaupt führt. Die «Childers» verliess am Freitag den 14. December, also kurz nach dem berüchtigten Orkan vom 11./12. Dec. die Themse, um zum Beginn ihrer selbstständigen Reise zu unsern Antipoden nach Portsmouth zu fahren.

Eine grosse Flotte von Schiffen wartete in den Downs auf besseres Wetter, darunter nicht weniger als sechs grosse kanalwärts bestimmte Dampfer; vor Eastbourne passirte man drei weitere vor Anker liegende Dampfer. Die «Childers» hielt sich auf dem üblichen Kanalwege; vor Beachy Head war das Wetter am schlechtesten. Da der Wind gegen den Strom lief, so stand dort eine hohle, gewaltige See, von der man hätte erwarten dürfen, dass sie das Deck von vorn bis achter rein fegen würde. Nichts von alledem: die Maschinen- und Kesselluken konnten während der ganzen Fahrt offen bleiben und der Rudersmann steuerte mit der Hand mittschiffs. Das Schildkrötendeck des Vorschiffs bis zum Ruderturm schützte das Hinterschiff vollständig vor dem Seegang, wenn das Schiff mit dem Kopf in die See lag, und brauchte man während des schlimmsten Teils der Fahrt nicht unter 150 Umdrehungen in der Minute herunterzugehen. Trotzdem die Schraube gelegentlich frei schlug, so verloren die Ingenieure keinen Augenblick ihr Vertrauen zu der Stärke und Leistigkeit ihrer Maschinen. Die ersten 48 Meilen wurden mit einem durchschnittlichen Fortgange von 12 Knoten zurückgelegt, welche Geschwindigkeit freilich in dem hohlen Wasser bedeutend verringert werden musste. Von Chiswick bis Portsmouth wurden 3½ Tons Kohlen verbraucht, das Wasser im Kessel fiel nur um 2½ Zoll. Obgleich das Boot vorn eine böse Stelle hat, da wo das Lancirrohr mit Metallbüchsen und Guttaperchäringen verschlossen gehalten wird, so wurde keine Pumpe während der Fahrt angerührt; bei Ankunft in Portsmouth zeigte sich, dass kein Wasser ins Schiff eingedrungen war.

Es bleibt auf alle Fälle interessant, dass ein kleines Fahrzeug von 34 m Länge und 3.75 m Breite, welches so wenig aus dem Wasser hervorragt, sich in die See hinauswagen darf, während grosse Seedampfer vorziehen, besseres Wetter abzuwarten.

*) 28. December 1883.

Die Löschung in den London Docks

ist in neuerer Zeit vielfach in der Hinsicht zum Gegenstande des Streits zwischen Empfänger und Ablader geworden, dass die in London Docks löschbereit sich erklärenden und mit ihren Schiffen längs den Quais liegenden Kapitäne nicht in Leichter sondern auf die Quais löschen wollten. In einem Fall bestimmte das Konnossement, dass die Ladung «von Bord des Schiffes (from the ship's tackles) im Hafen von London sollte gelöscht werden, sobald der Kapitän sich bereit erkläre zu löschen, und dass bei Zögerung des Empfängers ihm gestattet sein solle, auf Kosten desselben in Leichter oder Hulks zu löschen.» Nun bestand ein Empfänger darauf, seine Theekisten längsseit in Leichter überzunehmen, während der Kapitän sie auf den Quai löschen wollte, von wo Empfänger sie in Leichter oder Karren verladen möge ganz nach seinem Belieben, aber auch auf seine Kosten. Es kam zur Klage und wurde nun im Laufe der Verhandlungen, die sich nach der Reihe vor zwei Einzelrichtern der Queensbench, zwei Geschwornengerichten, zwei Abteilungen anderer Gerichte und drei verschiedenen Richtern und schliesslich vor dem Appellhofe (also im Ganzen vor 10 Instanzen) abspielten, auf den «Gebrauch» hingewiesen, dass Dampfer, welche mit gemischter Ladung in London ankommen, zum Zweck leichterer Sortirung der Stückgüter stets auf den Quai löschen dürfen, und schliesslich auch dem beklagten Kapitän das Recht zugesprochen, auf dem Quai statt in die Leichter abzuliefern.

Man sollte nun denken, dass damit die Frage endgültig erledigt gewesen sei, keineswegs; die englischen Advokaten sind gar zu findsam in der Entdeckung von Unterschieden. Denn bei einem sehr bald darauf erhobenen Streite über das Löschen einiger Juteballen, die ebenfalls unter gleichem Wortlaute des Konnossements auf den Quai statt in Leichter gelöscht wurden, wussten die Advokaten den Umstand, dass ein Teil der Ballen schon anderweitig gelöscht war, dazu zu benutzen, dass der Fall nicht nach dem obigen, sondern ab initio d. h. von Anfang an, ohne Rücksicht auf obige Entscheidung behandelt wurde. Gleicher Zeitverlust, gleiche Kosten und schliesslich — dieselbe Entscheidung war die Signatur auch dieses Prozesses.

Aber welcher Auswärtige kann solche Prozesse führen! Und wie oft mag gegenüber solcher Advokatur das Recht geknickt werden, um Zeitverlust und Unkosten zu entgehen!

Aus Briefen deutscher Kapitäne. V.

Von Amoy nach Newchwang im October.

Am 5. October früh morgens verliess ich Amoy nach Newchwang bestimmt. Der mässige NOliche Wind frischte mehr und mehr auf und wehte in der Mitte des Kanals mit Stärke 8, nahm aber, je mehr wir uns der Südspitze Formosas näherten, wieder ab und sank in der Nähe obiger Spitze am Mittag des 6. zum leisen, umlaufenden Zuge herab. Am Morgen des 7. Oct. setzte wieder mässige NOliche Brise ein und stand das Schiff am 7. Oct. Mittags östlich von Formosa im Kuro-Siwo-Strom. — Bis zum 13. Octb. hielt der mässige NOliche Wind sich hoch nördlich, lief dann aber östlich von NO bis zum 18. Octb., wo das Schiff auf etwa 29° N und 124° O. stand. Nach Mittag dieses Tages drehte sich der Wind innerhalb eines Etmals durch S und W bis NW, frischte zugleich auf und wehte aus SWlicher Richtung mit harten Böen und Stärke 8, nahm aber je weiter er westlich ging, wieder an Stärke ab, so dass von Mittag des 19. Octb. schwacher NWl. Zug mit leichtem Regen herrschte. Dieses Wetter hielt bis zum Mittag des 20. Oct. an, wo das Schiff auf etwa 33° N und 125° O stand. Nach Mittag drehte der Wind sich durch N nach NO und frischte bei abklarender Luft bis zu Stärke 4 auf; diese Richtung und Stärke behielt er auch am 21. und 22. Octb., nur war der Wind sehr unbeständig und umspringend, zwischen OzS bis NO, also mit 5 Str. Spielweite. Am Morgen des 22. Oct. setzte feiner Regen ein und stand das Schiff am Mittag auf etwa 36° N und 124° O. Zwischen 1 und 3 U. Nm. dieses Tages lief der leichte Wind von OzS durch S über W und N nach ONO zurück, frischte dann mit leichtem Regen auf, indem er krimpte und wehte um 9 U. Vm. von NzO Stärke 9 mit Böen und Regen, nahm am 23. Octb. bis Stärke 10 zu mit sehr schweren Böen und flaute erst gegen Mittag des 25. Oct. allmälig wieder ab. Dieser Sturm charakterisirt sich durch geringe Warnung des Barometers sowie sehr hohen Stand desselben. Die einzige Warnung war, dass das Barometer am Morgen des 22. Oct. anstatt um 10 U. schon um 9 U. zu fallen anfing, aber doch bis 5 U. Nm., also in 8 St., nur 0,09 Zoll gefallen war.

Im Nachstehenden folgt ein Auszug meines Journals. Das Barometer ist ein Aneroid, das Thermometer F. Der Stand des Barometers ist — 0,18 Zoll, der des Thermometers — ½° F. Meereshöhe des Barometers 15 Fuss.

Mittagsbesteck 22. Oct. 35° 28′ N und 123° 38′ O

22. Oct. Stunde	1	3	4	5	6	7	8	9	10	Mitternacht	6	7	8	9	10	11	23. Oct. Mittag
Windrichtg.	OzS	ONO	ONO	ONO	NOzO	NO	NzO	NzO	NzO	N	N	NzW	NzW	NzW	NzW	NzW	NNW
Windstärke	2	2	2	3	5	8	9	9	9	9	9	9	9	9	9	9	9
Wetter	ru	ru	r	r	rq	rq	rq	rq	rq	rq	bcq	bcq	bcq	bcq	bcq	bcq	bcq
Luftdruck	30,53	30,53	30,52	30,52	30,54	30,56	30,56	30,56	30,56	30,55	30,59	30,61	30,63	30,64	30,65	30,63	30,61
Temp. ° F.	70		69		68	67	66				65		64	65	62		

Nach Mitternacht krimpte der Wind bis NNW und war um 6 U. Vm. wieder N.

Mittagsbesteck 36° 15′ N und 124° 12′ O den 23. Oct.

23. Oct. Stunde	1	3	4	5	6	7	8	9	Mitternacht	6	7	8	9	10	11	24. Oct. Mittag
Windrichtg.	NNW	NNW	NNW	NNW	NzW	NzW	NzW	NzW	NzW	NzW	NzW	NzW	NzW	NzW	NzW	N
Windstärke	9	9	10	10	10	10	10	10	10	10	10	10	10	10	10	10
Wetter	bcq	bcq	oq	oq	oq	oq	oq	bcq	bcq	oq	oq	oq	oq	oq	oq	bcq
Luftdruck	30,60	30,60	30,60	30,61	30,64	30,64	30,65	30,65	30,66	30,72	30,76	30,80	30,84	30,84	30,84	30,84
Temp. ° F.	61	63	62	61			60			58						

Deckthermometer am 6 U. Vm. 53° F.

Mittagsbesteck 36° 10′ N und 124° 35′ O den 24. Oct.

24. Oct. Stunde	1	3	4	5	6	7	8	9	10	Mitternacht	6	7	8	9	10	11	25. Oct. Mittag
Windrichtg.	N	N	NzW	NzW	NzW	N	N	N	N	NzO	NOzO	NOzN	NOzN	NOzN	NOzN	NOzN	NOzN
Windstärke	10	10	9	9	9	9	9	9	9	8	7	7	7	7	6	5	4
Wetter	bcq	bcq	bcq	bcq	bcq	bcq	bq	bq	bq	bq	bq	bq	bq	bq	bq	bcq	bcq
Luftdruck	30,82	30,82	30,84	30,84	30,84	30,84	30,85	30,86	30,85	30,85	30,92	30,92	30,94	30,96	30,96	30,95	30,94
Temp. ° F.	68							57	58					57		58	

Deckthermometer 6 U. Nm. 53° F., 6 U. Vm. 54° F.

Nach diesem Sturme setzte schönes Wetter mit leichter, unbeständiger umlaufender Kühlte bis zum 29. Oct. auf etwa 38° N und 122° O ein. Nach dem Mittag dieses Tages drehte sich die flaue OSOliche Kühlte im Laufe des Etmals durch SW und war um 9 U. Vm. am 30. Oct. SWzS, Stärke 4—5, als der Wind in einer mässigen Böe nach WNW ausschoss und auffrischte, so dass er am Mittag aus WzN mit Stärke 7 wehte. Zu dieser Zeit stand das Schiff in der Pechili-Strasse (38° 28′ N 121° 5′ O). Das Barometer, welches noch am 29. Oct. 8 U. Nm. 30,63 Th. 62° stand, fing von dieser Zeit an fortwährend gleichmässig zu fallen und stand am Mittag des 30. Oct. 30,29 Th. 60°. Das Barometer hatte also 16 St. vor Einsetzen des Sturmes angefangen, Warnung zu geben.

Ein Auszug aus meinem Journal für das nächste Etmal ergiebt:

30. Oct. Stunde	1	4	5	6	7	8	9	10	11	Mitternacht	4	6	7	8	9	10	11	31. Oct. Mittag
Windr.	SWzW	NWzW	NWzW	NWzW	WNW	WNW	WNW	NNW	NW	NW	WzN	WNW	WNW	WNW	WNW	NWzW	NWzW	NWzW
Windst.	7	8	8	9	10	10	9—5	4	4—10	10	10	10	10	10	10	10	10	10
Wetter	dq	cq	cq	bq	bq	bq, SW	rlt	rlt	bq, rlt	rbq	obq	obq	obq	obq	obq	obq	obq	obq
Luftdr.	30,27	30,24	30,23	30,27	30,26	30,23	30,21	30,22	30,21	30,19	30,13	30,11	30,13	30,15	30,15	30,17	30,18	30,19
Tmp. ° F.	60		59		58	57	56				54				63			

Mittagsbesteck 38° 17′ N und 121° 40′ O. Deckthermometer 7 U. Vm. 50° F.

Um 9 Uhr Vm. am 31. Oct. ging eine Windhose in einer sehr schweren Hagelböe dicht am Schiffe vorüber.

Dieser Sturm hielt bis Mittag den 1. November bei rasch steigendem Barometer an; dann flaute der Wind nach Mittag rasch ab. — Leichte umlaufende Winde bei gutem Wetter folgten, welche das Schiff am 4. November nach der Barre von Newchwang brachten und wurde am Nachmittage dieses Tages in Newchwang geankert. — Obgleich die Reise 30 Tage in Anspruch genommen hatte, so war ich doch zufrieden, da die meisten der *mitsegelnden Schiffe, in Zahl von mehr als 20, noch länger* gebraucht hatten.

Da ich im letzten Jahre ungefähr zur selben Zeit die Reise nach dem Norden machte, so wird ein Vergleich der Versetzungen beider Reisen wohl nicht ohne Interesse sein. Diese Versetzungen sind der Unterschied zwischen Loggerechnung und Beobachtung ohne irgend welche Verbesserungen, sie sind also noch behaftet mit den Fehlern der Loggerechnung, Abtrift u. s. w.

Datum	Zeit von	Zeit bis	Breite N	Länge O	Versetzung Richtung	Versetzung Stärke
1883						
Octbr.						
5	8 U. Vm.	4 U. Nm.	24° 15'	118° 18'	SOzS	13
	4 U. Nm.		23° 13'	119° 13'		
6		Mittag	22° 3'	120° 13'	S3¼W	8
7*)		»	21° 48'	121° 0'	Scharfe SOl. Versetzung ab der Westküste Formosas	
8		»	22° 38'	121° 37'	N2½O	28
9		»	23° 32'	122° 7'	N1½O	22
10		»	24° 36'	122° 12'	N1½O	17
11		»	25° 11'	122° 22'	N2O	14
12		»	25° 32'	122° 43'	keine	—
13		»	25° 50'	123° 22'	keine	—
14		»	26° 43'	123° 21'	N	8
15		»	26° 48'	123° 43'	N	8
16		»	26° 47'	124° 49'	N6½O	6
17		»	28° 16'	124° 16'	N1½O	15
18		»	29° 58'	124° 32'	N1½O	21
19		»	32° 38'	124° 32'	N4½O	15
20		»	33° 21'	124° 60'	keine	—
21		»	33° 57'	123° 58'	keine	—
22		»	35° 28'	123° 38'	N2½W	27
23		»	36° 15'	124° 12'		
24		»	36° 19'	124° 35'	IO	26
25		»	36° 20'	124° 1'	N1W	12
26		»	36° 47'	123° 33'	keine	—
27		»	37° 23'	122° 56'	N3¼W	11
28		»	38° 15'	122° 27'		
29		»	38° 13'	122° 13'	keine	—
30		8 U. Vm.	38° 28'	121° 5'	N5O	18
31		Mittag	38° 17'	121° 48'	N5¾W	27
Novb. 1		»	38° 10'	121° 47'		

*) Passirten um 9 Uhr Vm. am 7. die Südspitze von Formosa.

Datum	Zeit von	Zeit bis	Breite N	Länge O	Versetzung Richtung	Versetzung Stärke
1882						
Octbr.						
9	9 U. Nm.		24° 10'	118° 23'		
10		Mittag	22° 17'	120° 5'	S2¾O	35
11		»	22° 4'	120° 19'	W	23
12*)		6 U. Vm.	22° 13'	120° 18'	N3W	39
13	4 U. Vm.	Mittag	22° 18'	121° 6'	N1½O	20
14		»	22° 41'	121° 37'	N	24
15		»	23° 56'	122° 7'	N2O	35
16		»	25° 44'	122° 54'	N1¾O	47
17		»	26° 5'	124° 9'	N7¾O	22
18		»	26° 20'	125° 30'	S6½O	32
19		»	27° 36'	126° 14'	N5½O	31
20		»	28° 47'	126° 55'	N3½W	11
21		»	29° 49'	126° 43'	keine	—
22		»	30° 8'	125° 41'	keine	—
23		»	30° 59'	125° 8'	N4O	13
24		»	31° 34'	126° 4'	keine	—
25		»	32° 2'	124° 47'	keine	—
26		»	33° 20'	124° 28'	N1½O	15
27		»	35° 46'	123° 50'	N3W	49
28		»	37° 38'	122° 28'		

*) Passirten um 3 Uhr Nm. am 12. die Südspitze von Formosa.

Wie im letzten Jahre beim Schlusse der Schiffahrt einige Schiffe gezwungen waren, ohne Frachtabschluss von Newchwang Fracht suchend nach Chefoo zu laufen, so war es auch dieses Jahr wieder, nur war der Grund ein anderer. Vorletztes Jahr war es der unverhältnismässig niedrige Wasserstand des Liao-Flusses, welcher den Transport der Bohnen nach Newchwang verhinderte, und letztes Jahr war es die chinesische Regierung.

Durch die Sommerüberschwemmungen des Peiho wurde die Erndte in der Provinz Pechili vernichtet und um einer Hungersnot vorzubeugen, zwang die chinesische Regierung die meisten Flussfahrzeuge auf dem Liao-Flusse, Hirse anstatt Bohnen nach Newchwang zu bringen, welche dann vermittelst Dschunken nach Tientsin geschafft wurde.

Eine unmittelbare Folge dieses Eingreifens der Regierung in die Transportverhältnisse des Liao-Flusses war, dass acht Schiffe, nachdem dieselben 3—4 Wochen in Newchwang gelegen hatten, Fracht suchend nach Chefoo liefen und weitere 13 Schiffe sowie mehrere Dampfer mehr oder weniger beladen Newchwang beim Schlusse der Schiffahrt, welcher am 22. November stattfand, verlassen mussten.

Während meiner Anwesenheit in Newchwang vom 1.—21. November herrschten an 9 Tagen südliche, an den übrigen 9 Tagen nördliche Winde vor.

Die Temperatur fiel am 10. November während eines Schneesturmes bis 21° F., hielt sich aber im allgemeinen zwischen 32° und 40° F. und war am Morgen des 21. Novembers, beim Verlassen des Reviers, noch 38° F. bei NO-Wind, wie mir soeben brieflich mitgeteilt worden ist, aber trotzdem war das Revier am 25. November voller Treibeis.

E. K.

Statistik des Seemanns-Amtes zu Hamburg für das Jahr 1883.

Der Bestand der *Hamburgischen Rhederei* war Ende 1883: 310 Segelschiffe mit 3753 Mann, 178 Seedampfschiffe mit 5535 Mann, zusammen 488 Schiffe mit 9288 Mann, gegen 503 Schiffe mit 8880 Mann im Vorjahre.

An- und abgemustert wurden im Ganzen 2023 Schiffe mit 43383 Mann, gegen 1868 Schiffe mit 41836 Mann im Vorjahre.

Angemustert wurden 22376 Mann für 1038 Schiffe, nämlich 2398 Hamburger, 18341 sonstige Deutsche und 1637 Ausländer.

Unter den *Angemusterten* befanden sich 20243 Mann für 768 Hamburger Schiffe und 2133 Mann für 270 sonstige deutsche Schiffe.

Unter den 768 Hamburger Schiffen befanden sich 613 Dampfschiffe mit 18379 Mann und 155 Segelschiffe mit 1864 Mann. — Unter den 270 sonstigen deutschen Schiffen befanden sich 8 Dampfschiffe mit 46 Mann und 262 Segelschiffe mit 2087 Mann.

Nach den einzelnen Monaten aufgeführt, stellt sich die *Anmusterung* folgendermassen:

im Januar	61	Schiffe	mit	1790	Mann,
„ Februar	67	„	„	1499	„
„ März	81	„	„	1594	„
„ April	86	„	„	1750	„
„ Mai	93	„	„	2117	„
„ Juni	91	„	„	1905	„
„ Juli	89	„	„	1844	„
„ August	101	„	„	2217	„
„ September	100	„	„	1914	„
„ October	94	„	„	1965	„
„ November	93	„	„	2061	„
„ December	82	„	„	1720	„
zusammen	1038	Schiffe	mit	22376	Mann.

Abgemustert wurden 21007 Mann von 985 Schiffen.

Unter den *Abgemusterten* befanden sich 18940 Mann von 729 Hamburger Schiffen und 2067 Mann von 256 sonstigen deutschen Schiffen.

Unter den 729 Hamburger Schiffen befanden sich 585 Dampfschiffe mit 17293 Mann und 144 Segelschiffe mit 1647 Mann. — Unter den 256 sonstigen deutschen Schiffen befanden sich 12 Dampfschiffe mit 53 Mann und 244 Segelschiffe mit 2014 Mann.

Nach den einzelnen Monaten aufgeführt, stellte sich die *Abmusterung* folgendermassen:

im	Januar	62	Schiffe mit	1638	Mann.
„	Februar	56	„ „	1167	„
„	März	68	„ „	1427	„
„	April	68	„ „	1784	„
„	Mai	100	„ „	2145	„
„	Juni	89	„ „	1872	„
„	Juli	79	„ „	1610	„
„	August	91	„ „	2103	„
„	September	96	„ „	1847	„
„	October	97	„ „	1869	„
„	November	85	„ „	1884	„
„	December	74	„ „	1661	„
	zusammen	985	Schiffe mit	21007	Mann.

Zur Kenntniss gelangte Sterbefälle. Es starben: 45 Hamburger, 233 sonstige Deutsche und 42 Ausländer, zusammen 320 Mann.

Von den zur Kenntniss gelangten Sterbefällen waren: a. durch Krankheit herbeigeführt 73, b. durch Unglücksfall 46, c. durch Selbstmord 6, zusammen 125; ausserdem sind verschollen 195 Personen; total 320 Personen.

Unter den *durch Krankheit* herbeigeführten Sterbefällen figuriren:

4 Fälle	von gelben Fieber	1 Fall	von Kräfteverfall
5 „	„ africanisch. „	1 „	„ Magenentzündg.
2 „	„ Typhus	1 „	„ Nervenfieber
2 „	„ Dysenterie	1 „	„ Starrkrampf
3 „	„ Schlaganfall	1 „	„ Zehrfieber
9 „	„ Schwindsucht	1 „	„ Gehirnentzündg.
7 „	„ Hitzschlag	1 „	„ Brustwassersucht
2 „	„ Syphilis	1 „	„ Apoplexie
4 „	„ Herzschlag	1 „	„ Gehirnschlag
1 Fall	„ Wassersucht	25 Fälle	„ unbek. Krankh.

Uebersicht der in den Jahren 1878 bis 1883 vorgekommenen Sterbefälle:

im Jahre	Angemustert	Davon gestorben	Procentsatz	
1878	14196 Mann	213 Mann	1.50	Ergiebt im Durchschnitt 1.09 Procent
1879	14941 „	179 „	1.20	
1880	17359 „	151 „	0.87	
1881	19359 „	124 „	0.64	
1882	21535 „	187 „	0.87	
1883	22376 „	320 „	1.43	

Zur Kenntniss gelangte *Desertionsfälle* betrafen: 27 Hamburger, 369 sonstige Deutsche, 136 Ausländer, zusammen 532 Mann. — Es stellten sich im Laufe des Jahres beim Seemanns-Amte 50 Deserteure; von diesen wurden 26 bestraft, 24 gingen straffrei aus.

Uebersicht der in den Jahren 1878 bis 1883 vorgekommenen Desertionsfälle.

Im Jahre	Angemustert	Davon desertirten	Procentsatz	
1878	14196 Mann	152 Mann	1.07	Ergiebt im Durchschnitt 2.63 Prozent
1879	14941 „	309 „	2.07	
1880	17359 „	569 „	3.22	
1881	19359 „	731 „	3.78	
1882	21535 „	702 „	3.26	
1883	22376 „	532 „	2.38	

In demselben Zeitraum vorgekommene Musterungen.

Im Jahre	Angemustert	Abgemustert	Summe der Mannschaft	Schiffe
1878	14196 Mann	14026 Mann	28222	1399
1879	14941 „	14108 „	29049	1474
1880	17359 „	16528 „	33887	1686
1881	19359 „	17875 „	37234	1706
1882	21535 „	20303 „	41838	1868
1883	22376 „	21007 „	43383	2023

Bestimmungshäfen und Zahl der angemusterten Schiffe.

In Nord-Amerika	a. Ost-Küste	206	Schiffe,
	b. West-Küste	1	„
„ Süd-Amerika	a. Ost-Küste	109	„
	b. West-Küste	68	„
„ West-Indien		46	„
„ Mexico	a. Ost-Küste	13	„
	b. West-Küste	6	„
„ Afrika	a. Ost-Küste	11	„
	b. West-Küste	30	„
„ Australien		35	„
„ der Südsee		3	„
„ Asien	a. Ost-Indien	22	„
	b. China	27	„
	c. Japan	1	„
	d. Russ. Asien	2	„
„ Europa	a. Mittelmeer	62	„
	b. sonstige Häfen	376	„
	Zusammen	1038	Schiffe.

Unbefahrene Schiffsjungen.

Von den im Jahre

1883	angemusterten	946	Schiffsjungen waren	476	unbefahren
1882	„	958	„ „	413	„
1881	„	896	„ „	303	„
1880	„	1001	„ „	410	„
1879	„	889	„ „	315	„
1878	„	876	„ „	300	„

Correspondenzen wurden erledigt: Militair-Kontroll-Correspondenzen 7608, allgemeine und Consulats-Correspondenzen 3534, Haftbefehle und Vorladungen wurden ausgefertigt 42, erledigte Musterrollen wurden an die respectiven Seemanns-Aemter gesandt 197, ausserdem wurden an Nachlass-Sachen erledigt 457, zusammen 11838; gegen 10751 im Vorjahre.

Privat-, Polizei- und Militair-Recherchen wurden erledigt ca. 1670.

An *Straf- und Streitsachen* kamen 111 Fälle gegen 207 Personen zur Verhandlung. Hiervon wurden 89 Fälle vom Seemanns-Amte erledigt; den Gerichten überwiesen wurden 3, der Staatsanwaltschaft 10, der Polizeibehörde 5, unerledigt blieben 4 Fälle. — Unter den 111 Verhandlungen waren 95 Strafsachen betr. 179 Mann und 16 Civilsachen betr. 28 Mann. — Von den Strafsachen kamen vor auf Hamburger Schiffen 81 Fälle betr. 118 Mann, auf sonstigen deutschen Schiffen 11 Fälle betr. 31 Mann. Ferner wurden 30 Termine abgehalten behufs Herbeiführung gütlichen Vergleichs. Von diesen Güteversuchen, Civilklagen betr., scheiterten 6, während 21 von Erfolg waren. — Bei dem Seemanns-Amte eingegangene Strafanträge wegen Desertion von Seeleuten im Auslande wurden der Staatsanwaltschaft resp. der Amtsanwaltschaft überwiesen: 374.

An *Strafgeldern und milden Gaben* wurden eingenommen: ℳ 5587.44, gegen ℳ 5528.74 im Vorjahre.

Heimschaffung hülfsbedürftiger Seeleute. Es wurden von deutschen Konsulaten dem Seemanns-Amte 186 hülfsbedürftige resp. schiffbrüchige Seeleute überwiesen und betrugen die Auslagen für deren Heimschaffung: vom Auslande bis Hamburg ℳ 5545.98, von Hamburg nach dem Inlande ℳ 2486.60. Gesammt-Auslagen ℳ 8032.58, gegen ℳ 11295.55 im Vorjahre.

Von Seeleuten ersparte Gage wurden auf Grund des Reichsgesetzes vom 15. Juni 1877 durch Vermittelung verschiedener Konsulate kostenfrei an das Seemanns-Amt zur Veranlassung des Weiteren eingesandt ℳ 2929.45.

An *Nachlass-Baarschaft* wurden an die resp. Erben und Behörden ausgekehrt ℳ 39,044.93.

Güter-Expedition. An Effecten verstorbener und schiffbrüchiger Seeleute und Passagiere wurden spedirt 834 Colli.

Beim Seemanns-Amt verrechnete und ausgezahlte Gagen. Handgelder wurden bei der Anmusterung ausgezahlt ℳ 1,392,520.—, verdiente Gage wurde bei der Abmusterung ausgezahlt resp. verrechnet ℳ 2,492,772.38, zus. ℳ 3,865,292.38, gegen ℳ 3,397,376.21 im Vorjahre.

Die *mittlere Matrosenheuer* betrug im Jahre 1883 ℳ 50.— pr. Monat.

Nautische Literatur.

Astronomischer Kalender für 1884. Nach dem Muster des von Littrow'schen Kalender herausgegeben von der k. k. Sternwarte. Neue Folge. Dritter Jahrgang. Wien, C. Gerold. 1 ℳ 20 ₰.

Die glückliche Vereinigung des wissenschaftlichen und popularen Charakters, welche für die grosse Verbreitung der von Littrow'schen Kalender massgebend war, ist in hervorragender Weise auch auf die neue Folge dieser Werke übergegangen. Nach einer kurzen Genealogie der regierenden Fürstenhäuser folgt eine sehr lesenswerte Einleitung, welche bestimmt ist, auch für den Nichtastronomen den astronomischen Theil dieses Kalenders allgemein verständlich zu machen, und sodann die allgemeine Zeitrechnung des Jahres 1884, nebst den Festrechnungen desselben nach verschiedenen Kulten, nebst den ausführlichen Schilderungen der Finsternisse dieses Jahres. Der eigentliche Kalender bringt für jeden Monat die Tagesnamen für Katholiken, Protestanten, Griechen, Juden und Türken, sodann die Sternzeit im mittlern und die mittlere Ortszeit im wahren Mittag, und eine ausführliche Ephemeride von Sonne, Mond und den sieben Planeten, nebst populären Daten über den Ort der letzteren, denen von Seite 70 an ausführliche Tagesnotizen über Auf- und Untergang, die Quadraturen, Konjunktionen, Erdferne, Erdnähe u. s. w. folgen, nebst einer Tafel der halben Tagbögen. Damit schliesst der eigentliche Kalender ab. Es folgen zunächst die Evangelien nach katholischem, protestantischem und griechischem Ritus und einige Trauertage, und dann beginnt eine lange Reihe höchst interessanter Beilagen: 1. die grossen Kometen der Jahre 1843, 1880 und 1882 (24 Seiten), 2. neue Planeten und Kometen (7 Seiten), 3. Uebersicht des Planetensystems (2 Seiten), 4. Alphabetisches und chronologisches Verzeichnis der Asteroiden (9 Seiten), die Bahnelemente der grossen Planeten (3 Seiten), der Satelliten (4 Seiten), der Asteroiden (13 Seiten). Man sieht, die 150 Seiten des Kalenders sind wohl benutzt.

Verlag von M. W. Silomon in Bremen. Druck von Aug. Meyer & Dieckmann. Hamburg. Alterwall 20.

HANSA

Redigirt und herausgegeben
von
W. von Freeden, BONN, Thomasstrasse 2.
Telegramm-Adresse:
Freeden Bonn,
oder
Hansa Alterwall 28 Hamburg.

Verlag von H. W. Silomon in Bremen.
Die „Hansa" erscheint jeden zten Sonntag. Bestellungen auf die „Hansa" nehmen alle Buchhandlungen, sowie alle Postämter und Zeitungsexpeditionen entgegen, desgl. die Redaktion in Bonn, Thomasstrasse 2, die Verlagshandlung in Bremen, Obernstrasse 11 und die Druckerei in Hamburg, Alterwall 22. Sendungen für die Redaktion oder Expedition werden an den letztgenannten drei Stellen angenommen. Abonnement jederzeit, frühere Nummern werden nachgeliefert.

Abonnementspreis:
vierteljährlich für Hamburg 2½ ℳ,
für auswärts 3 ℳ = 3 sh. Sterl.
Einzelne Nummern 60 ₰ = 6 d.

Wegen Inserate, welche mit 25 ₰ die Petitzeile oder deren Raum berechnet werden, beliebe man sich an die Verlagshandlung in Bremen oder die Expedition in Hamburg oder die Redaktion in Bonn zu wenden.

Frühere, komplete, gebundene Jahrgänge von 1872 1874, 1876, 1877, 1878, 1879, 1880, 1881, 1882 sind durch alle Buchhandlungen, sowie durch die Redaktion, die Druckerei und die Verlagshandlung zu beziehen.
Preis ℳ 6; für letzten und vorletzten Jahrgang ℳ 8.

Zeitschrift für Seewesen.

No. 6. HAMBURG, Sonntag, den 23. März 1884. 21. Jahrgang.

Das Abonnement
auf unsere Zeitschrift bitten wir baldigst zu bestellen. Die Post verlangt vor Anfang jedes Quartals neue Bestellung und Vorausbezahlung.

Inhalt:

Die Entwickelung und Lage der deutschen Schiffahrt seit Ende der 70er Jahre.

I.

Das Generalsekretariat des deutschen Handelstags (Herr Konsul Annecke) hat die an der Verkehrsentwicklung interessirten Kreise wiederum mit einem neuen Bande des vor zwei Jahren begonnenen, mit ausserordentlichem Fleiss gearbeiteten Werkes: „Das deutsche Wirtschaftsjahr" beschenkt, einer mit sehr wertvollem Material ausgestatteten, auf Grund der Handelskammerberichte angestellten Revue über die Lage der Hauptwirtschaftszweige der Nation. Von allen grösseren Industrie- und Verkehrsbranchen ist ein durch statistische Zahlen reich illustrirtes Bild der Entwickelung bis Anfang des vergangenen Jahres entworfen, so auch von der Schiffahrt, über deren Schicksal erfreulicherweise berichtet werden kann, dass dasselbe gegenüber den früheren Jahren vor 1882 im allgemeinen ein erfreulicheres geworden ist. Dieses Ergebnis dürfte nach unserer Meinung nicht lediglich nur in dem überaus milden Winter von 1882 liegen, wie das Werk motivirt, sondern, wie unsere in sehr vielen Branchen rasch wachsende Ausfuhr ziffernmässig darthut, in der gegenüber den 70er Jahren ganz bedeutend gebesserten Lage des Weltmarktes seine Ursache haben. Bis zum Beginn von 1883 hat sich der *Dampferverkehr* mit wenigen Ausnahmen an fast allen Plätzen gehoben, was besonders für die Häfen der Ostsee gilt, wo sich der Uebergang vom Segelschiff zum Dampfschiff beinahe schon vollständig vollzogen hat.

Frachten waren allerdings gering, auch in transatlantischer Fahrt, der Ertrag liess deshalb noch immer viel zu wünschen übrig. Der Schiffbau hat sich aber gegen früher etwas gehoben, einzelne Werften, die bisher ganz geruht hatten, konnten seit 1882 ihre Thätigkeit wieder aufnehmen.

Der Bestand der deutschen Kauffahrteiflotte, von Fahrzeugen von 50 cbm Brutto-Raumgehalt und darüber belief sich am 1. Januar 1883 auf 4370 Schiffe mit einer Gesamtladefähigkeit von 1 266 650 Reg.-To.; dieselben zerfielen in 3 855 Segel- und 515 Dampfschiffe.

Diese 515 Dampfschiffe zerfallen ihrer Gattung nach in 473 Schrauben-, 42 Räderdampfschiffe und einen Hydromotor, und zwar gehören 234 Schrauben-, 19 Räderdampfschiffe und der Hydromotor dem Ostseegebiet, 239 Schrauben- und 23 Raddampfer dem Nordseegebiet an.

Von den oben angeführten 3 855 Segelschiffen waren im

	Ostseegebiet:	Nordseegebiet:
4 mastige Schiffe . . .	—	1
3 „ „ . . .	570	599
2 „ „ . . .	702	1260
1 „ „ . . .	221	502

Der Gesamtraumgehalt aller am 1. Januar 1883 registrirten deutschen Kauffahrteischiffe betrug 32 243 Reg.-Tons *mehr als im Vorjahre* und zwar *vermehrte sich der Raumgehalt der Dampfer um 59 556 Reg.-To., während sich die gesamte Ladefähigkeit der Segelschiffe um 27 313 Reg.-To. verringerte!*

Die Besatzung der Seeschiffe betrug am 1. Januar 1883: 39 031 Mann.

Von den Segelschiffen waren 147 von Eisen, die übrigen von Holz erbaut; die Dampfschiffe bestanden fast sämtlich und zwar 504 aus Eisen. Chronometer führten am 1. Januar 1883 1 489 Segelschiffe und 269 Dampfschiffe.

Als Heimatshäfen für die deutsche Handelsflotte sind 268 Plätze anzuführen, von welchen 60 dem Ostseegebiet und 208 dem Nordseegebiet angehören.

Die Schiffsbewegung des deutschen Reiches stellt sich im Jahre 1881, verglichen mit 1877, folgendermassen:

Es sind mit Ladung angekommen:

1881: 42 130 Schiffe von 6 955 349 Reg.-To., darunter 13 013 Dampfer von 4 747 414 Reg.-To.

1877: 37 989 Schiffe von 6 151 917 Reg.-To., darunter 9 867 Dampfer von 3 725 445 Reg.-To.

Es sind mit Ladung abgegangen:

1881: 37 360 Schiffe von 5 510 229 Reg.-To., darunter 11 484 Dampfer von 3 821 965 Reg.-To.

1877: 31 142 Schiffe von 4 693 831 Reg.-To., darunter 8 771 Dampfer von 3 107 449 Reg.-To.

Von diesen in die deutschen Häfen ein- und ausgelaufenen Schiffen führten im Jahre 1881: 72,8 pCt. die deutsche Flagge.

Im Vergleich mit dem betr. Vorjahre vermehrte (+) oder verminderte (—) sich der Seeverkehr im Jahre:

	Segelschiffsverkehr Reg.-To.	Dampfschiffsverkehr Reg.-To.
1877....	— 285 425	+ 805 790
1878....	— 321 335	+ 132 968
1879....	— 12 240	+ 792 890
1880....	+ 314 060	+ 461 588
1881....	— 671 056	+ 542 479
zusammen 1877/81	— 975 996	+ 2 735 715

Der Anteil, welchen Dampfer und Segler am Gesamtseeverkehr des deutschen Reiches im Jahre 1881 hatten, betrug bei den Segelschiffen nach Zahl 72,3 pCt. und Ladefähigkeit 32,8 pCt., bei den Dampfschiffen 27,7 bezw. 67,2 pCt. *Fr.*

Die Schiffsunfälle an der deutschen Küste in den Jahren 1878 bis 1882.

Das Kaiserliche statistische Amt hat zufolge Bundesratsbeschlusses über die in den Jahren 1873 bis 1882 zur amtlichen Kenntnis gelangten Unfälle, von denen Schiffe an der deutschen Seeküste selbst, auf dem Meere in einer Entfernung von nicht mehr als 20 Seemeilen von der Küste und auf den mit dem Meere in Verbindung stehenden, von Seeschiffen befahrenen Binnengewässern betroffen worden sind, in der Statistik des deutschen Reichs jährliche Verzeichnisse, sowie erläuternde Bemerkungen und Zusammenstellungen veröffentlicht.

Weiter sind die bezüglichen Ergebnisse der 5jährigen Periode 1873 bis 1877 unter Beifügung einer Wrackkarte zusammengestellt und besprochen, und im Anschluss hieran sind jetzt die Ergebnisse der fünf Jahre 1878 bis 1882 in einer Wrackkarte und einer Uebersicht, welche alle bekannt gewordenen Details berücksichtigt, im Octoberheft der Monatshefte zur Statistik des deutschen Reichs nachgewiesen, der wir folgende Hauptmomente entnehmen.

Die Karte ist in Merkators Projektion entworfen und giebt eine genaue Verzeichnung der Küstenlinie und der der Schiffahrt gefährlichen Untiefen (Sandbänke, Riffe), sowie der bisher zur Sicherung der Schiffahrt in Anwendung gekommenen bedeutenderen Hülfsmittel (Leuchtfeuer, Leuchtschiffe etc.), und soll dadurch ein Urteil ermöglichen, auf welche Punkte der Küste zu grösserer Sicherung der Schiffahrt und Vermeidung der Verluste an Menschenleben die Aufmerksamkeit vorzugsweise zu richten ist.

Für die Sicherung der Schiffahrt ist im Laufe der letzten 5 Jahre durch Anzündung neuer Leuchtfeuer, Verbesserung der bestehenden bezw. Vergrösserung der Sichtweite derselben, Verbesserung der Betonnung, Aufstellung neuer Baken und dergl. weiter gesorgt worden. Die bedeutendsten Anstalten dieser Art, welche in dem gedachten Zeitraum getroffen wurden, sind im Ostseegebiet: die Anzündung eines neuen Leuchtfeuers zu Oxhöft in der Danziger Bucht, die Eröffnung der Kaiserfahrt und die Auslegung eines Feuerschiffes im Stettiner- (Grossen-) Haff vor dem Eingang in dieselbe, sowie die hieraus sich ergebende Einziehung des immermehr entbehrlich gewordenen Feuerschiffs „Krikser-Haken"; ferner die Errichtung von Leuchtfeuern auf Buck-Spitze (Mecklenburg-Schwerin), Dahmerhöft (Neustädter Bucht) und bei Wester-Markelsdorf auf der Insel Fehmarn. Im Nordseegebiet trat an die Stelle des ausgebrannten Feuerturms auf Borkum ein neuer, dessen Flamme eine erheblich vergrösserte Lichtstärke erhielt; sodann wurde der Ankerplatz des Feuerschiffs auf Borkum-Riff in derselben Breite um 11 Längenminuten (6,5 Sm.) nach Westen verlegt, ferner in Bremerhaven nördlich vom grossen Leuchtturme und unweit desselben eine Leuchtbake errichtet, wogegen die Feuer auf den Landungsbrücken der Forts Langlütjen II und Brinkamahof II ausgelöscht worden sind.

Die deutsche Gesellschaft zur Rettung Schiffbrüchiger fügte zu den bereits zahlreich vorhandenen Stationen 11 neue hinzu, von denen 4 an der Ostseeküste und zwar in Zinnowitz (Usedom), auf der Greifswalder Oie, in Binz auf Rügen und in Arendsee (Mecklenburg-Schwerin), 7 an der Nordseeküste, und zwar in Ellenbogen und List auf der Insel Sylt, auf der Nordspitze von Amrum, auf den Elbleuchtschiffen I, III und IV, sowie in Nesserland bei Emden errichtet worden sind.

Bei einer Vergleichung der beiden fünfjährigen Perioden zeigt es sich, dass die Gesamtzahl der durch die Unfälle betroffenen Schiffe sehr erheblich, und zwar von 684 in den Jahren 1873—77 auf 1104 in den Jahren 1878—82, also um 61,4 pCt. gestiegen ist. Zum Teil wird diese Zunahme darauf zurückgeführt werden können, dass die Anschreibungen in der letzten Periode vollständiger geworden sind. Während nämlich in der früheren Periode mancher der vorgekommenen Unfälle sich vermutlich der amtlichen Aufnahme entzogen hat, darf bezüglich der letzten 5 Jahre angenommen werden, dass infolge der Wirksamkeit des Gesetzes vom 27. Juli 1877 betr. die Untersuchung von Seeunfällen, und der grossen Sorgfalt, welche auf die Erhebung derselben verwendet wird, kein Unfall von einiger Bedeutung der Anschreibung entgangen ist. In der Hauptsache wird jedoch die Zunahme der Unfälle in dem lebhafteren Schiffsverkehr begründet und weiter dadurch verursacht sein, dass jedes der letzten 3 Jahre (1880 bis 1882) Stürme aufzuweisen hatte, welche für die Schiffahrt an der deutschen Küste aussergewöhnlich gefährlich waren.

Von der Gesamtzahl der durch die Unfälle betroffenen Schiffe sind in der 5jährigen Periode

	1878/82	1873/77
gestrandet..................	496 = 44,9 pCt.	452 = 66,1 pCt.
gekentert..................	33 = 2,9 »	16 = 2,3 »
gesunken..................	104 = 9,4 »	53 = 7,7 »
in Kollision geraten........	306 = 27,7 »	112 = 16,4 »
von sonst. Unfällen betroffen	166 = 15,1 »	51 = 7,5 »

Demnach haben während der letzten Periode in absoluter Zahl zwar mehr, verhältnismässig aber bedeutend weniger Strandungen stattgefunden, als in der vorhergegangenen; dies Resultat wird wohl zum Teil den bereits erwähnten Verbesserungen an den Sicherheitsvorrichtungen des deutschen Küstenstrandes zu verdanken sein, welche dazu beigetragen haben werden, dass die Zahl der Strandungen bei weitem nicht so bedeutend wie die der übrigen Unfälle gestiegen ist. Dagegen hat sich die Zahl der Kollisionen nicht nur absolut, sondern auch relativ erheblich vermehrt, was aus der starken Zunahme des Schiffs-, besonders des Dampferverkehrs in den deutschen Häfen erklärlich ist. Auch das Prozentverhältnis der durch Kentern, Sinken und sonstige nicht namentlich genau

Unfälle betroffenen Schiffe ist für die letzte Periode ein ungünstigeres, was im Wesentlichen auf die schwierigeren Witterungsverhältnisse, zum Teil jedoch auch darauf zurück zu führen sein wird, dass, wie bereits bemerkt, die Nachweisungen vollständiger geworden sind.

Inwiefern die Witterungsverhältnisse zur Zunahme der Unfälle in der letzten 5jährigen Periode beigetragen haben, lässt sich besonders daraus einigermassen beurteilen, dass 1878/82 319 Unfälle (33,5 % der Gesamtzahl) bei schwerem und orkanartigem Sturme stattgefunden haben, 1873 bis 1877 dagegen nur 123 (19,6 %). Der für die Seeschiffahrt an der deutschen Küste verlustreichste Sturm in den letzten 10 Jahren war der vom 14.—16. October 1881, bei welchem 39 Schiffe total verloren gingen und 21 beschädigt wurden, auch, soweit festgestellt, 52 der an Bord befindlichen Personen ums Leben kamen.

Unter der Gesamtzahl der Schiffe, welche Unfälle erlitten, befanden sich 1878/82 213 (19,3 %) und 1873/77 106 (15,5 %) *Dampfschiffe*; ferner befanden sich unter der gedachten Gesamtzahl 1878/82 747 (67,7 %) und 1873/77 422 (61,7 %) *deutsche Schiffe*.

Infolge der Unfälle gingen total verloren 1878/82 377 Schiffe (34,1 % der Gesamtzahl), 1873/77 299 (13,7 %) und zwar gingen von den ersteren 229 (60,7 % der Totalverluste), von den letzteren 230 (76,9 %) infolge von Strandungen zu Grunde.

Soweit festgestellt, sind bei den Unfällen an der deutschen Küste 1878/82 237 und 1873/77 195 der an Bord befindlichen Personen umgekommen. Gerettet wurden in dem späteren Zeitraum 1 912, in dem früheren 2 067 Personen.

Bezüglich der geographischen Lage der Unfallsorte fanden in den bedeutend umfangreicheren Gewässern der deutschen Ostseeküste bei weitem nicht so viel Unfälle statt, als in den Gewässern der Nordseeküste. Hiermit ist indess kein Anhalt über die grössere oder geringere Gefährlichkeit des Fahrwassers der Ost- oder Nordsee hinsichtlich der Schiffsunfälle überhaupt gegeben, da die Anzahl der Unfälle nicht allein von der Länge der Strecke, sondern wesentlich auch von der Anzahl der das Fahrwasser benutzenden Schiffe abhängt. Im Ostseegebiet wurden 1878/82 438 Schiffe (235 gestrandet, 17 gekentert, 42 gesunken, 100 in Kollision geraten, 44 andere Unfälle) betroffen, während in der gleichen Periode auf das Nordseegebiet 666 Unfälle kommen (261 gestrandet, 15 gekentert, 62 gesunken, 206 in Kollision geraten, 122 andere Unfälle).

Aus Briefen deutscher Kapitäne.

VI.

Bemerkungen über New-Castle N. S. W. Australien.

Der Kohlenhafen New-Castle nimmt von Jahr zu Jahr an Wichtigkeit zu d. h. die Ausfuhr von Kohlen vergrössert sich stetig, auch werden bereits direkt Ladungen von England eingeführt und Wolle nach dort verladen. Die meisten Schiffe kommen jedoch in Ballast, um Kohlen für Singapore, China, N.- u. S.-Amerika, New-Zealand oder Fiji zu laden. Die beste Segelanweisung, um den Hafen zu machen, ist eine gute Karte. Fast immer, es sei denn, dass ein heftiger Sturm aus SO bis SW weht, findet man 4—8 Sm. weit in See Bugsirdampfer, und da grössere Schiffe der engen Einfahrt wegen kaum ohne Dampfer einkommen können, so ist es das Beste, man nimmt einen Schlepper, wo man ihn trifft. Der Schlepplohn ist durchaus derselbe, ob der Dampfer ¾ Stunde oder 3 Stunden so zu sagen bugsirt, nämlich 10 d. per Reg.-Ton einkommend, dagegen wird ausgehend für 1 oder 2 Dampfer nichts berechnet. Die Dampfer geben ihre eigenen Trossen. Die Lotsen kommen in einem offenen 4-ruderigen, rot gemaltem Lifeboot ungefähr 1 Sm. ausserhalb der Einfahrt an Bord. Auch das Lotsgeld ist enorm hoch, nämlich 4 d. per Reg.-To., eingehend so wohl, als auch ausgehend. Um sowohl Lotsgeld als auch Dampfergeld für das Verholen zu sparen, thut man am besten, sich gleich beim Binnenkommen nach der Ballastkaje bringen zu lassen, statt erst vor Anker zu gehen und dann später nach dem Ballastplatze zu holen. Ist jedoch kein Ballastplatz frei, so bleibt Einem in diesem Falle natürlich nichts anderes übrig als vorläufig vor Anker zu gehen und das Schiff vor Flut und Ebbe zu vertäuen. Man löscht den Ballast entweder auf dem Strom in Leichter oder an der Kaje an Land. Hat man Steine d. h. Melbourne harte Steine an Bord, so kann man manchmal noch etwas Geld dafür erhalten, jedenfalls sie jedoch frei von dem Schiffe abholen lassen, falls man auf dem Strom in Leichter löscht. Liegt man aber an der Kaje, so heisst das Gouvernement den Ballast aus dem Schiffe und bringt ihn in Eisenbahnwagen weg für 9 d. die Tonne, gleichviel ob Steine oder Sand. Das Schiff muss jedoch die Ballastkörbe liefern, mit seinen Leuten sie füllen und in die Wagen entleeren. Man kann gut täglich 80—100 Tons Ballast löschen. Es ist hier allgemein Gebrauch, dass man den Ballast zu löschen, wegzubringen, stiffening Kohlen an Bord zu bringen und überzunehmen und schliesslich Kohlen zu trimmen ausverdingt und dafür Offerten sich geben lässt (to call for tenders).

Für Kohlen zum Steifen des Schiffes ist der Preis stets (d. h. für Leichter und einzunehmen) 2 sh. 6 d. Dagegen variirt das Trimmen von 2½—3½ d. An Werftgeld hat man für das Liegen an der Ballastkaje nichts zu zahlen, dagegen beim Kohlenladen ½ d. für die Reg.-Tonne per Tag. Sobald die Kohlen eingenommen sind, muss man von der Kaje abholen; man legt sich dann gleich direkt an eine der grossen schweren Mooringsbojen und ist damit klar um nach See gehen zu können. Jedes Verholen geschieht mittelst Schlepper und unter Lotsenkommando. Die Dampfer haben feste Taxe, die verhältnismässig hiefür nicht zu hoch ist, dagegen muss für jedes Verholen des Schiffes, sei es auch nur 2 Schiffslängen weit, dem Lotsen die Gouvernementstaxe, die wahrlich hoch genug ist, bezahlt werden. Ausgehend hat man, wie bereits oben erwähnt, Schlepperlohn frei, falls man einkommend eingeschleppt ist. Bei einigermassen grösseren Schiffen kommen beim Ausgehen gleich zwei Schlepper langseit und bringen das Schiff gerade ausserhalb Nobpoint und weiter nicht; auch hier geht der Lotse, der vielleicht kaum ¼ Stunde an Bord gewesen ist und dafür 4 d per Reg.-To. für die Gouvernementskasse berechnet, bereits von Bord. Wäre es nicht wegen des hohen Schlepplohns und des enorm hohen Lotsengeldes, so wäre New-Castle ein nicht zu teurer Hafen. Schiffsbedürfnisse gut und preiswürdig. Schiffsreparaturen, wenn auch teuer, doch vorzunehmen. Es befinden sich Maschinenwerkstellen und ein Patentslip hieselbst. Fleisch kostete im October 83 3¼ d. und Kartoffeln £ 3.15 sh. bis 4 £ die Tonne. Wasser ist sehr teuer und kostet 5 sh. die Tonne von 250 Gallons frei an Bord. Frachten sind nach irgend einem der oben bereits erwähnten Häfen stets zu haben. Befrachtungskommission 5 %. Wir charterten in Melbourne zu 14 sh. 6 d. p. ton Kohlen für Manilla.

Auch hier sowohl als auch in englischen Kohlenhäfen müssen Segelschiffe hinter Dampfern zurückstehen. Segelschiffe laden in turn. Dampfer dagegen holen an die Ladeplätze, sobald sie binnen kommen; treffen nun viele Dampfer ein, so kommt es nicht selten vor, dass Segelschiffe sehr lange hier gelegen haben, ehe sie ihre Ladung erhielten. Wir kamen binnen 18 Tagen mit voller Ladung weg.

Hier sowohl als in Melbourne ist beim Einklariren die erste Frage: Haben Sie Chinesen an Bord? Und wenn ja z. B. als Koch, Steward etc., so muss der Kapitän für jeden Chinesen, den er an Bord hat £ 10.— deponiren. Diese £ 10 werden zurückbezahlt, falls der Chinese mit dem Schiffe wieder ausgeht; im andern Falle, wenn z. B. der Chinese desertirt, sind die obigen £ 10 dem Governement verfallen. Also auch hier in Australien scheint man so wenig als in Californien, noch mehr Chinesen in das Land ziehen zu wollen.

A. L.

New-Castle N. S. W. Australien Unkosten für ein deutsches in Ballast einkommendes und mit voller Ladung Kohlen nach Manilla ausgehendes, 1006 Reg.-To. grosses Schiff. Octbr. 1883.

Feuergelder 4 d. per Ton	£	16.15. 4
Tonnengelder während des Ladens ½ d. per Ton per Tag, 5 Tage = 2½ d. die Tonne	„	10. 9. 7
Lotsgeld einkommend 4 d. die Tonne	„	16.15. 4
„ ausgehend 4 d. „ „	„	16.15. 4
„ 2 Mal verholen £ 3 jedesmal	„	6. 0. 0
Dampfergeld ein- und ausgehend 10 d. die Tonne	„	41.18. 4
„ 2 Mal verholen à £ 3	„	6. 0. 0
Ballast löschen 470 Tons, 10 d. die Tonne	„	19.11. 8
Leichterlohn und Einnehmen von 195 To. stiffening Kohlen à 2 sh. 6 d.	„	24. 7. 6
1417 Tons zu trimmen à 3 d.	„	17.14. 3
Werftgelder für stiffening Kohlen	„	1. 0. 0
Lichter beim Einnehmen der Kohlen	„	0.13. 8
Spanisches Konsulat für Beglaubigung der Papiere	„	5. 4. 2
Deutsches Konsulat	„	2.10. 3
Gesundheitspass und span. Konsulat	„	0.10. 6
Bekanntmachung in der Zeitung wegen Leute	„	0.12. 4
Maklergebühren ein- und ausklariren	„	5. 5. 0
	£	192. 3. 8

Die Verdeutschung englischer Boots- und Ruder-Benennungen

ist eine der ersten Aufgaben des jetzt seinen zweiten Jahrgang antretenden „Wassersport", des Berliner Organs des gesamten deutschen Rudervereins, und wird jeder Freund deutschen Rudersports ihm dafür aufrichtigen Dank wissen. So wird man denn auch hier am Rhein, wo das englische Wesen wohl noch tollere Blüten als in den Hansestädten getrieben hat, bald wieder deutsche Laute hören, die eben so bezeichnend und wohlklingend als die englischen sein dürften. Und wenn mal der Jubel über eine gelungene That hinausschallt in die Ferne, oder Mut gesammelt werden soll zu fröhlichem Beginnen, so wird man nicht mehr Hip, Hip, Hip — Hurrah! krächzen, sondern ehrlich und klar das alte deutsche Hep, Hep — Hurrah! hinausklingen lassen in alle Lande und Winde.

„Willst Du ein echter Deutscher sein,
So halt auch Deine Sprache rein,
Latein, Französisch, Englisch, bunt und kraus,
Sieht ja wie eine Narrenjacke aus!"

Ganz leicht war die Arbeit nicht und zweifelsohne nicht das Gelingen, aber doch darf man jetzt schon mit dem Erreichten sich einverstanden erklären. Es galt, unter manchen schon halb und halb eingebürgerten Versuchen — wir nennen nur die hier eingeführten „Riemen" gegenüber den anderswo üblichen „Rudern" — das sprachlich Richtige, Unzweideutige zu treffen (Riemen, lat. remus, mittelhochdeutsch rieme, schwäbische Mundart riem, niederdeutsch reem = Ruder, Ruderstange, während „Ruder" gleichbedeutend mit Steuerruder bleiben und das neuhochdeutsche „Rudern" eher dem mittelhochdeutschen rüejen, niederdeutschen rojen Platz machen sollte). Der „Wassersport" hat sich im Anschluss an den Namen des Werkzeugs „Riem" nun für das Zeitwort „riemen" entschieden und bildet damit die Namen der Boote Einriemer, Zweiriemer, Vierriemer, Sechsriemer, Achtriemer, zur Bezeichnung der Einriems-*Ausleger*-Rennboote, Zweiriems-*Ausleger*-Rennboote u. s. w. Ebenso ferner statt Zweiriems-Dollen-Rennboote = Dollen-*Zweiriemer*, oder Dollen-Vierriemer u. s. w. und die Zweiriems- etc. Auslegergig, resp. Dollengig, welche Namen sehr bald geläufig werden dürften. Dem englischen Wort „Sculler" (für Ruderer mit zwei Riemen) zum Unterschied von „oarsman" (dem Ruderer mit einem Riemen) ist vorläufig, weil unübersetzbar, das deutsche Bürgerrecht unter Verdeutschung der Schrift und Aussprache verliehen, und so nennt er die Twosculls Gig die Zweiskuller Gig oder Zweipaargig.

Eine Zusammenstellung der deutschen Benennungen gegenüber den bislang meist gehörten englischen Ausdrucken bildet den Schluss eines lesens- und beachtenswerten Artikels in Nr. 1 des „Wassersport" vom 3. Januar 1884. Danach setzt er das deutsche

Skiff, das (Vergnügungsboot-Jolle)	für	engl.	skiff, pleasure skiff
Auslegerskiff, das	„	„	outrigged „ „
Riemen, der	„	„	oar
Ruder, das (Steuerruder)	„	„	rudder
Ruderer, der	„	„	oarsmann
Skuller, der (sprich: Skuller) / Paarriemer, der	„	„	the sculler
Skull, der / Paarriemen, der	„	„	the scull
skullen, paarriemen (Zeitwort)	„	„	to scull
Skuller-Rennen / Paarriems-Rennen	„	„	sculler race
Skullerboot / Paarriemsboot	„	„	sculling boat
Rennen, Wettfahrt	„	„	race
Ausleger, Ausleger-Rennboot	„	„	outrigger
Dollenboot	„	„	inrigger
Gleitsitz	„	„	sliding seat
Gleitbahnen	„	„	runners
Trittbrett	„	„	stretcher

Die Zeitregulirung in den Vereinigten Staaten

hat endlich einer fast unausstehlich gewordenen Zeitverwirrung ein Ende gemacht, welche wirklich zu einer Lebensfrage eines geordneten Staatslebens geworden war. Man denke sich nur den Wirrwarr im Verkehr, welcher über einer Fläche von mehr denn 60 Längengraden mit mehr als 100 Normalzeiten der verschiedensten Plätze entstanden war, und der z. B. die Feststellung des Zeitpunkts atmosphärischer Ereignisse im meteorologischen Signaldienst zu einer Quelle unzähliger Nachfragen machte, ob Einsender nach der oder jener »Normalzeit« gerechnet hatte. Nachdem das Signalbureau, verschiedene Eisenbahnverwaltungen und Behörden bald diese, bald jene Vorschläge zur Abhülfe gemacht hatten, ist seit dem 18. November ein Vorschlag des Prof. *Abbey* zur Annahme und Durchführung gelangt, nach welchem das ganze Gebiet der Vereinigten Staaten in vier Längenstreifen geteilt ist, von denen der östlichste die Zeit des 75. Meridians von Greenwich als »*Eastern Time*«, der folgende die Zeit des 90. Meridians von Greenwich als »*Central Time*«, der folgende die Zeit des 105. Meridians von Greenwich als »*Mountain Time*« und der westlichste Streifen die Zeit des 120 Meridians von Greenwich als »*Pacific Time*« zu seiner Normalzeit gemacht hat.

Nach *Eastern Time* (5 Stunden nach Greenwich Zeit) rechnen also jetzt alle atlantischen Staaten von Maine bis Südkarolina; sodann der östliche Teil von der Provinz Ontario und der westliche Teil der Provinz Quebec in Canada; es umfasst dies Gebiet die Städte Boston, Newyork, Baltimore, Charleston nebst Pittsburgh und Quebec.

Nach *Central Time* (6 Stunden nach Gr. Zeit rechnet man von jenem Gebiet aus bis an die Ostgrenze von Neumexiko und Colorado bis zur Mitte von Nebraska und Dakota, also vom mexikanischen Golf bis zur Hudsonsbai in Chicago, Cincinnati, Cleveland (Ohio), Detroit (Michigan), St Paul (Minnesota), Louisville, Kansas City, Milwaukee, Neworleans, Indianopolis, Houston, Galveston.

Nach *Mountain Time* (7 Stunden nach Gr. Zeit) rechnet man von der Westgrenze jener Staaten bis zur Ostgrenze der Staaten des stillen Oceans oder in Bismark (Dakota), Helena (Montana), Salt Lake City (Utah), Denver, Santa Fe (N. Mex.)

Endlich gilt die *Pacific Time* (8 Stunden nach Greenwich Zeit) in den Staaten des stillen Oceans, einschl. Nevada, östliches Utah und Idaho, sowie in British Columbia.

Für den östlichen Teil von Quebec, Neubraunschweig und Neufundland ist endlich eine *Intercolonial Time* als Normalzeit bestimmt, die 4 Stunden später als Greenwich Zeit liegt, also mit der Zeit an 60° Länge W übereinstimmt.

Wir entnehmen diese Daten dem zweiten Heft der «Kolonialzeitung»; leider ist daselbst beharrlich statt Längengrad, Längenstreifen, das Wort Breitengrad, Breitestreifen gebraucht.

Geestemünder Hafenverkehr im Jahre 1883.

Im Hafen von Geestemünde kamen im Jahre 1883 im Ganzen 518 beladene, 215 unbeladene, zusammen 733 Schiffe von 260 309 Reg.-Tons an, und gingen in derselben Zeit ab 437 beladene, 363 unbeladene, zusammen 740 Schiffe von 267 092 R.-T. ab. Die grosse Zahl der ohne Ladung abgegangenen Schiffe beweist, dass an Exportartikeln bei uns kein Ueberfluss herrscht.

Unter den angekommenen Schiffen befanden sich 235 Seedampfer und zwar unter deutscher Flagge 122 (meist Bremer Badedampfer), britischer Flagge 102, norwegischer Flagge 6, griechischer, russischer, niederländischer je 1, spanischer Flagge 2 Schiffe. Unter den abgegangenen Schiffen befanden sich 236 Seedampfer in gleicher Verteilung, nur 1 britischer Dampfer weniger, und 1 Däne und 1 Schwede mehr.

Nach den Abgangs- und Bestimmungshäfen geordnet, so

	kamen von				gingen nach			
Deutschland	369	Sch.	50 640	R.-T.	376	Sch.	38 898	R.-T.
Grossbritannien	147	„	40 663	„	221	„	133 479	„
Frankreich	3	„	1 345	„	—	„	—	„
Holland	2	„	93	„	12	„	1 260	„
Belgien	—	„	—	„	6	„	5 392	„
Spanien	1	„	651	„	—	„	—	„
Norwegen	16	„	3 557	„	17	„	5 264	„
Schweden	11	„	1 206	„	15	„	3 837	„
Dänemark	3	„	460	„	2	„	916	„
Russland	58	„	33 909	„	17	„	5 422	„
Vereinigte Staaten	51	„	57 481	„	58	„	64 872	„
Uebrig. N.-Amerika	3	„	1 476	„	2	„	648	„
Westindien	1	„	721	„	3	„	1 290	„
Süd-Amerika	3	„	1 185	„	—	„	—	„
Ostindien	55	„	62 806	„	5	„	5 595	„
Hawaii-Inseln	—	„	—	„	5	„	4 600	„
Portugal, Romanien, Italien, Türkei etc.	12	„	5 118	„	1	„	129	„
Im Ganzen wie oben	733	Sch.	260 309	R.-T.;	740	Sch.	267 092	R.-T.

Ausser diesen Seeschiffen kamen an:

2329 Fluss-, Watt- und Leichterschiffe ... mit 73 844 R.-T.
1251 Fischkutter etc, (deutsche u. engl. Fl.) „ 22 194 „

3580 Fahrzeuge ... mit 96 038 R.-T.

und gingen ab:

2325 Fluss-, Watt- und Leichterschiffe ... mit 73 597 R.-T.
1250 Fischkutter etc. (deutsche u. engl. Fl.) „ 21 993 „

3575 Fahrzeuge ... mit 95 590 R.-T.

Verglichen mit 1882, so hat der Verkehr der Fischkutter um 180 Reisen resp. Fahrzeuge abgenommen.

Die Gesamt-Uebersicht des Geestemünder Schiffsverkehrs seit 1864, die wir in 1882 veröffentlichten (S. 22) ist jetzt dahin zu vervollständigen, dass

1882 759 Seesch. v. 267 786 R.-T. u. 3491 Flusssch. v. 86 267 R.-T.
1883 733 „ „ 260 309 „ „ 3580 „ „ 96 038 „
total 1882 ... 354 048, 1883 ... 356 347 R.-T.

dort verkehrten.

Nautische Literatur.

Deutsche Geschichte. In Verbindung mit Felix Dahn, Alfred Dove, Karl Theodor Heigel, August von Kluckhohn und Franz von Wegele, herausgegeben von Wilhelm von Giesebrecht. Acht Bände gr. 8°, jeder von etwa 50 Bogen. Verlag von Friedr. Andr. Perthes in Gotha.

Es fehlt weder an Lehrbüchern der deutschen Geschichte, welche Schulzwecken dienen, noch an Handbüchern, welche für die Bedürfnisse der Leserwelt in ihrem *weitesten* Umfange bestimmt sind. Daneben besitzen wir eine ungemein weitschichtige Literatur, welche sich auf grössere oder kleinere Abschnitte unserer Geschichte, einzelne Ereignisse oder hervorragende Persönlichkeiten bezieht, — monographische Darstellungen, welche zum Teil weit über den Kreis der Gelehrten hinaus Interesse erwecken. Aber es giebt eine grosse Zahl von Lesern aus den verschiedenen Berufskreisen, welche die *kurzen* Darstellungen *nicht* befriedigen und die doch ausser stand sind, sich in einer vollständigen Uebersicht der Einzeldarstellungen zu erhalten, wie selbst der Fachmann sie nicht ohne Mühe gewinnt. Sie verlangen ein Werk, welches den Gang unserer Geschichte *vollständig* darlegt, die Entwicklung der politischen, kirchlichen, sozialen und Kulturverhältnisse verfolgt und dabei zu eingehender Würdigung der wichtigsten Vorgänge und der hervorragenden Persönlichkeiten Raum behält, welches zugleich die Resultate der *neuesten Forschung* zusammenfasst und selbständig verwertet, indem es dabei die Grundlagen der Forschung an den Tag legt und so die Möglichkeit zu weiterem Studium, nach welcher Seite es sich auch richten möge, dem Leser bietet.

Eine deutsche Geschichte, welche diesen Anforderungen entspräche, ist bisher nicht vorhanden; aber das Werk, dessen erste Abteilungen jetzt veröffentlicht werden, kommt solchen Wünschen entgegen und dieser Versuch wird sicher in den weitesten Kreisen Anerkennung finden.

Die Bearbeitung der *Urgeschichte* unseres Volkes ist von Professor Felix Dahn, einem der ersten Kenner und Forscher auf diesem Gebiete, übernommen worden, und liegt jetzt die *erste Hälfte* seiner Arbeit vor (Preis 11 ℳ), die mit der zweiten bereits im Druck begriffenen Abteilung in Kurzem zum Abschluss kommen wird. Vielen wird es gewiss erwünscht sein, durch die Ausführungen des gelehrten Verfassers den zahlreichen Streitfragen, die sich an die *älteste* deutsche Geschichte knüpfen, näher treten zu können.

Gleichzeitig wurde der *sechste*, der *Geschichte Friedrichs des Grossen und Joseph II.* gewidmete Band in seiner ersten Hälfte (Preis 7 ℳ) dem Publikum übergeben und die Weise, wie Prof. Alfred Dove, als gründlicher Forscher und geschmackvoller Darsteller anerkannt, den Stoff bearbeitet hat, lässt erkennen, wie die Geschichte der letzten Jahrhunderte in dem Werke behandelt werden soll. Mit der zweiten stärkeren Abteilung wird der sechste Band alsbald vervollständigt werden. Die anderen Bände werden in kurz bemessenen Zwischenräumen folgen.

Wir empfehlen das *gross angelegte* Werk allen Deutschen, welche ein tieferes Interesse für die vaterländische Geschichte hegen, als ein nationales *Standard work*, das in keiner besseren Privatbibliothek fehlen darf. F. K.

Deutsches Flottenleben von H. von Holleben. Kiel, Universitäts-Buchhandlung (Paul Toeche) 1884. Ein Band klein 8°, 152 Seiten. Preis: ℳ 1,50.

Herr Korvettenkapitän von Holleben, der Verfasser des vor mehreren Jahren in demselben Verlage erschienenen köstlichen Buches: „*Sieben Jahre Seekadett*“, hat uns mit einem neuen, äusserst anmutigen Büchlein überrascht.

Dasselbe enthält in zwei Abteilungen je vier Skizzen, nämlich: *I. Abteilung: Schlecht Wetter.* 1. Die Kadettenmesse. 2. In der Last. 3. Bei den Herren Deckoffizieren. 4. In der Offiziermesse. *II. Abteilung: Gut Wetter.* 1. Eine Geschichte vom lahmen Vetter. 2. Die Vergnügungsrüchtler. 3. Eine Morgenwache im Geschwader. 4. Aus der Lieutenantszeit.

Für am gelungensten halten wir die „Geschichte vom lahmen Vetter“ und die „Morgenwache im Geschwader.“

Letztere Skizze ist so recht nach dem Leben gezeichnet — ein wahrer Unglückstag für den armen „Friedrich Karl“!

In der „Geschichte vom lahmen Vetter“ führt der Verfasser ein *neues Element* in die Marine-Belletristik ein: den *Humor im Panzerschiffbau.* Der „lahme Vetter“ ist nämlich das Panzerfahrzeug „Prinz Adalbert“ seligen Angedenkens. Lassen wir ein wenig den Verfasser sprechen:

„Diesmal ist der Schauplatz der Handlung ein recht eigenartiges Schiff. Es misst in der Länge gegen 120 Fuss (das metrische Mass hat es nicht mehr erlebt). Wenn man sich das Deck dieses Schiffes in fünf Teile geteilt denkt, von denen der vordere, der hintere und der mittlere vier bis fünf Fuss über den andern Rest erhaben erscheinen, so kann man mit der Erklärung, dass der vordere Teil die Back oder der vordere Turm, der mittlere Teil der zweite Turm und der hintere Teil die Kampagne sei, sich vorstellen, dass das ganze Fahrzeug ein Panzerschiff gewesen ist.

Die Türme und die Kampagne nahmen zwei Drittel der ganzen Schiffslänge ein, so dass nur noch etwa 50 Fuss für das vordere und das hintere Stückchen Deck übrig blieb. Da nun das Schiff ein Dampfschiff war und der dicke Schornstein durch das Deck hindurch musste und Treppen und Lichtlöcher eingeschaltet waren, so verblieben von den beiden Stückchen Deck eigentlich nur noch je zwei schmale Gänge an den Seiten des Schiffes.

Auf diesem Deck 120 Mann zu den verschiedenen Musterungen aufzustellen, und das ist doch mit ein Hauptzweck ihrer Existenz, war eine der Aufgaben des ersten Offiziers, und war eigentlich das hintere Turmdeck derjenige Platz, der dazu am besten benutzt werden konnte, freilich er war rund und die Leute mussten im Kreise daselbst um ihre Vorgesetzten umherstehen. Für die meisten war dies gleichgiltig, nur für den Kommandanten, der recht lange dies Schiff befehligte, hatte es die unangenehme Folge, dass er nach mehreren Jahren fortgesetzter Musterungen sich einen Gang angewöhnte, der darin bestand, dass er durch das stete Einwärtsschwenken des linken

Reines sich im Grunde genommen in einer andauernden Kreisbewegung befand .... Es war ein ganz eigenartiges Schiff, von dessen längst verrottetem Gebälk ich jetzt spreche. Es soll einst, natürlich nur so lange es in des fremden Rheders Hand war, und ehe man es gekauft hatte, als *schnell* bekannt gewesen sein. Doch solches war ein Phantom, das sich später entlarvte und ein hoher Herr, dessen Namen man im ersten Jubel des Besitzes entlehnt hatte, nannte das Schiff scherzweise nur immer „*mein armer lahmer Vetter*".

Der „lahme Vetter" war eins der zuerst gebauten Panzerschiffe, es brauchte daher nach Ansicht der Klügeren kein wirkliches Seeschiff zu sein und das war es denn auch wirklich nicht geworden. Die weniger Klugen waren diejenigen, die damit fuhren, und die dann, wenn sie dennoch in See mussten, sich möglichst auf dem mittleren Turm aufhielten und sich das Oelzeug um den Hals zusammenbanden, damit sie trockene Füsse behalten möchten. Es war ein Schiffchen, von dem die Engländer bei seinem Anblick erstaunt sagten, es sei ein „submarine needle gun vessel." Dies „submarine", weil es kontinuirlich bestrebt war, die Nase unterzutauchen, und „needle gun vessel", weil es vorne einen Sporn von 20 Fuss Länge hatte, den es glücklicherweise nie gebraucht hat; glücklicherweise, denn als man den „lahmen Vetter" abwrackte, fand man, dass der Panzersporn aus faulem Fichtenholz und Eisenblech geformt war. Diese ökonomische Idee der Erbauer war übrigens eine *durchgehende* gewesen, auch was den Schiffspanzer und seine Unterlage betraf, doch das wussten die Krieger an Bord nicht und sie trauten dem „lahmen Vetter" solche faule Stellen nicht zu.........Die fürchterliche Enge in den Räumen war der grösste Fehler des lahmen Vetters und man verspürte ihn überall, selbst in der Offiziersmesse, welche immer noch am günstigsten beim Bau behandelt worden war.

Ursprünglich hatte der Tisch in der Messe dazu gereicht, dass acht Menschen gerade an ihm sitzen konnten. Nun, da man aber fand, dass der „lahme Vetter" nicht recht dampfte, glaubte man, er wäre vielleicht ein *verkappter Schnellsegler* und um dies zu erproben, gab man ihm zwei gewaltige Masten und war die Offiziersmesse der gegebene Platz für die Durchführung des zwei Fuss im Durchmesser habenden Grossmastes. Der Schönheitssinn befahl dem Mast die Mitte der Messe als Durchgangspunkt, und in der Mitte der Messe stand der Tisch — der Grossmast ging von oben ab durch die Messe und durch den Tisch der Offiziere! So schlimm wie es sich anhört, es hatte auch seine vortrefflichen Seiten, die von den ingeniösen Konstrukteuren sicher berechnet waren: erstens an ein Uebergeben oder gar ein Umfallen des Tisches war nun nicht mehr zu denken und dann ferner, wenn zwei Messenmitglieder sich gezankt hatten, so hatten sie nun die beste Gelegenheit, sich dauernd aus Sicht zu halten.

Die Sitte, Tischtücher zu führen, kannte man damals schon und war die Messe mit den anerkannt guten, demnach auch teuren Linnen des Fiskus ausgerüstet. Diese waren auf den viereckigen Tisch zugeschnitten und, o Wunder! als der Mast durch den Tisch geführt war, konnte man sie nicht mehr verwenden. Eine entschiedene Benutzung der Scheere des Doktors half über diesen Skrupel hinweg und so entstanden aus einem Tischtuche je zwei kleine Läppchen, die man aneinander reihen konnte, auch dies war ein ökonomischer Vorteil. Der hinkende Bote kam erst später nach, als man die Genehmigung solch' frivoler Teilung einholte. Sie soll abgeschlagen worden sein, und die Unglücklichen, welche zuletzt vor den halben Tüchern sassen, sollen sie bezahlt haben.

Deckoffizier- und Kadettenmesse stiessen dicht an die Offiziersmesse, lagen *unter* dem hinteren Turme, und waren also Löcher ohne Luft und Licht. Doch auch dem wusste man abzuhelfen, denn man hatte die trennenden Schotten nur aus durchbrochenen Latten geformt, und die in der Offiziersmesse vielleicht noch nicht aufgebrauchte Luft kam so den Nachstuntergebenen in zweiter Hand noch zu Gute. Geheimnisse konnte man daher nicht haben und Jeder an Bord befand sich auf diese Weise unter steter Kontrolle, die der Gemütlichkeit des Lebens manchen Abbruch that."

Was sich nun auf dem „lahmen Vetter" Alles ereignete — die Schnurren des Kapitäns „Papchen" und seiner Nichte „Mariechen Setzdich", sowie der Bordoffiziere Graf von Brunshausen, von Degener und Lieutenant Sellhorn — möge der freundliche Leser in dem Büchlein selbst weiterlesen.

Wir wollen hoffen, dass dies *nicht der letzte* Strauss Seebilder war, mit welchen uns der Herr Verfasser beglückte und erheiterte! Die Ausstattung des Büchleins ist eine vorzügliche.

F. K.

Uebersicht

sämtlicher auf das Seerecht bezüglichen Entscheidungen der deutschen und fremden Gerichtshöfe, Reskripte etc. der betreffenden Behörden etc., einschliesslich der Literatur der dahin bezüglichen Schriften, Abhandlungen, Aufsätze etc.

Lotsendienst oder Nothülfe?

Ein Dampfschiff, welches während der Seefahrt durch einen Unfall Schaden am Steuerruder erlitten hatte, und der nötigen Reparatur halber in den nächst erreichbaren Hafen gebracht werden musste, aber des Revieres, in welchem es sich befand, unkundig war, machte Notzeichen und steckte das Signal des Lotsenbedürfnisses aus. Eine Fischersmack (einmastiges Handelsschiff) kam herbei und der Führer derselben erbot sich, das Dampfschiff in den Hafen zu bringen und führte dies aus. Er forderte hierfür demnächst einen nach den Grundsätzen der Nothülfevergütung zu bestimmenden Lohn, während ihm seitens des Dampfschiffführers nur einfaches Lotsgeld zugestanden wurde. Letzterer berief sich darauf, dass er nur ein Lotsensignal angesteckt, dass überdies die Smack eine Flagge geführt habe, welche er für ein Lotsenzeichen gehalten habe und habe halten dürfen. Hiergegen wurde seitens der Smack bemerkt, sie habe keine Lotsenflagge, sondern eine Flagge anderer Komposition geführt; es komme indess für den streitigen Punkt nur auf die *Art der Leistung* an und diese könne nur als Nothülfe betrachtet werden. — Der City of London Court erkannte auf blosses Lotsgeld, weil das Dampfschiff einen Lotsen verlangt habe und auf der Smack eine Flagge angesteckt gewesen sei, welche von einem Nichtkundigen für ein Lotsenzeichen habe gehalten werden können. Somit sei nur über eine Lotsenleistung ein Kontrakt zustande gekommen. — Der Führer der Smack appellirte an das Admiralitätsgericht, welches der letzteren einen unter Berücksichtigung der faktischen Umstände festgesetzten, das Maass blossen Lotsengeldes übersteigenden Hülfslohn zusprach, wobei folgende Annahmen als feststehend bezeichnet wurden: „Jemand, er mag Lotse sein oder nicht, welcher unter Zustimmung des Führers eines in Not befindlichen Schiffes diesem Hülfe leistet, hat, wenn nicht das Gegenteil besonders verabredet worden ist, das Recht, Vergütung unter Zugrundelegung der von der *Nothülfe* geltenden Grundsätze zu verlangen. Hieraus folgt, dass es unerheblich ist, ob der Hülfeleistende bei der Anbietung seiner Dienste sich als Lotse bezeichnet hat oder nicht; im ersteren Falle selbst dann, wenn dies unberechtigter Weise geschehen sein sollte." (Das. S. 347 f.)

Haftbarkeit des Schiffers, des Schiffsmaklers und des Schiffsadressaten für Lotsgeld.

Nichtausdehnung derselben auf Entschädigungsansprüche der Lotsen.

Werden einem Schiffe Lotsendienste geleistet, so ist selbstverständlich der *Rheder* zur Zahlung des dafür Geschuldeten verpflichtet. § 363 *der Schiffahrts-Akte vom 1854* legt indess auch dem *Schiffer*, nicht minder dem *Schiffsmakler*, bezw. dem *Agenten*, welcher das Schiff bei dessen Abfertigung bedient hat, die Verbindlichkeit auf, dem Lotsen, wenn er „*qualified pilot*" ist und dem Schiffe beim Abgehen Dienste geleistet hat, das demselben gebührende Lotsgeld (selbstverständlich mit dem Recht des Rückgriffs auf den Rheder) zu zahlen. — Nach § 357 *desselben* Gesetzes gebührt dem Lotsen, wenn es unthunlich gewesen sein sollte, ihn vor Beginn der eigentlichen Seereise zurück zu senden, sodass er diese ganz oder teilweise mitmachen musste, eine Vergütung von 10 sh. 6 d. für jeden Tag des ausserordentlichen Zeitaufwandes. — In dem besagten Falle belangte ein Lotse, welcher, statt nach dem Hinausbringen des Schiffes in See nach dem englischen Abgangshafen zurückkehren zu können, nach Genua hatte mitgenommen werden müssen, den *Schiffsmakler* auf die gedachte Vergütung für einen mehrwöchentlichen Zeitverlust. — Beklagter bestritt, dass die Haftung der im § 363 benannten Personen weiter reiche als auf das *ordentliche Lotsgeld*. — Die erste Instanz war anderer Ansicht und verurteilte den Schiffsmakler in den streitigen Belauf. Beklagter appellirte dagegen. — Die Common Pleas Division des High Court of Justice wies die Klage ab; die Richter erklärten, dass die durch § 363 verfügte Haftbarkeit der Schiffer, Schiffsmakler etc. nur auf das eigentliche Lotsgeld, nicht auf weitere Entschädigungsansprüche des Lotsen gehe. (Das. S. 348.)

Literatur.

1. Mecklenburg-Schwerin'sche Verordnung, betr. die Verpfändung von Seeschiffen und Schiffsparten, vom 28. März 1881 (Reg.-Bl. 1881 Nr. 9).
2. Verordnung des österreich. Handelsministeriums, betr. Einführung von Lohnabrechnungs- und Zahlungsbüchern für die Seehandelsschiffe der weiten Fahrt und der grossen Küstenfahrt, vom 1. Juni 1880 (S. G. Bl. 1880, S. 225).
3. Verordnung des österreich. Handelsministeriums, betr. Pflicht der Schiffer zur Hülfeleistung in Seenot, vom 1. Decbr. 1880 (S. Ges. Bl. 1880 S. 467).
4. Bestimmungen, betr. die Nachweisung des Waarenverkehrs zur See über die Haupthäfen des deutschen Zollgebietes, vom 29. Januar 1880 (Centr.-Bl. f. d. D. Reich 1880 Nr. 4).
5. Gesetz, betr. die Schiffsmeldungen bei den Konsulaten des deutschen Reichs, vom 25. März 1880 (S. G. Bl. 1880 Nr. 19) nebst Verordnung vom 28. Juli 1880 (das. Nr. 19).
6. Bestimmungen, betr. die Anerkennung der in spanischen Schiffspapieren enthaltenen Vermessungsangaben in deutschen Häfen, vom 8. Januar 1880 (Centr.-Bl. f. d. D. Reich 1880 Nr. 3).

7. Gesetz, betr. die Küstenfrachtfahrt, vom 22. Mai 1881 (S. G. Bl. 1881 Nr. 11).
8. Gesetz, betr. die Konsulargerichtsbarkeit in Egypten, vom 5. Juni 1880 (S. G. Bl. 1880 Nr. 14), nebst Verordnung vom 28. Decbr. 1880 (das. Nr. 23).
9. Gesetz, betr. die Konsulargerichtsbarkeit in Bosnien und in der Herzegowina, vom 28. Decbr. 1880 (S. G. Bl. 1880 Nr. 13), nebst Verordnung vom 23. Decbr. 1880 (das. Nr. 22).
10. Hamburgische Revidirte Ausführungs-Verordnung zum Reichsgesetze, betr. die Untersuchung von Seeunfällen vom 27. Juni 1877, vom 30. Juni 1880 (H. G. S. 1880 Nr. 18).
11. Bremische Verordnung, betr. das Lotsenwesen auf der Weser von der Stadt Bremen bis nach Bremerhaven (Br. G. Bl. 1880 Nr. 1).
12. Bremisches Gesetz, betr. eine Zusatzbestimmung zu § 15 der Verordnung vom 9. Juli 1866, betr. die Beförderung von Schiffspassagieren nach aussereuropäischen Ländern, vom 20. Febr. 1881 (Br. G. Bl. 1881 Nr. 1).
13. Dänisches Gesetz, betr. die Abänderung der älteren Schifffahrts- und Handelsgesetze auf Island, vom 7. Novbr. 1879 (Preuss. Hand.-Archiv 1880, I. S. 76).
14. Russische Verordnung, betr. das System der Schiffsvermessung, vom 15. Mai 1879 (Deutsch. Hand.-Archiv 1880 I. S. 1).
15. Internationale Vorschriften zur Verhütung des Zusammenstossens der Schiffe auf See (Deutsch. Hand.-Archiv 1880 II. S. 246, 317, 597).
16. Französisches Gesetz vom 29. Januar 1881 über die Handelsflotte (marine marchande) (Goldschmidt & Hahn, Zeitschrift f. d. ges. Handelsrecht Bd. 27 S. 209 ff.)
17. Belgische Schifffahrts- und Flossordnung vom 30. April 1881 für die unter Staatsverwaltung stehenden Wasserwege, mit sechs Anhängen über Transport von Schiesspulver etc.
18. Hamburger Lösch-Usancen für oberelbische Fahrzeuge (Goldschmidt & Hahn, Zeitschrift f. d. ges. Handelsrecht N. F. Bd. XIII S. 269 ff.)
19. Kais. deutsche Verordnung, betr. die Küstenfrachtfahrt, vom 29. Decbr. 1881 (das. S. 563).
20. Bekanntmachung, betr. die durch das Gesetz vom 22. Mai 1881 über die Küstenfrachtfahrt nicht berührten vertragsmässigen Bestimmungen (S. G. Bl. 1881 Nr. 20).
21. Lübeckisches Gesetz, betr. die Verpfändung von Seeschiffen, vom 18. Januar 1882 (Samml. der Lüb. Verordn. 1882 Nr. 1).
22. Lübeckisches Gesetz, das Aufgebotsverfahren betr., vom 25. März 1882 (das. 1882 Nr. 5).
23. Hessisches Regulativ, die Untersuchung der Rheinschiffe und die Ausstellung der Schiffsatteste betr., vom 7. September 1882 (H. Reg. Bl. 1882 Nr. 19).
24. Verordnung, betr. die Berechtigung fremder Flaggen zur Ausübung der deutschen Küstenfrachtfahrt, vom 29. Decbr. 1881 (S. Ges. Bl. Nr. 29).
25. Bestimmungen über die Anerkennung der in russischen Schiffspapieren enthaltenen Vermessungs-Angaben in deutschen Häfen, vom 11. Febr. 1882 (Centr.-Bl. 1882 Nr. 7).
26. Nachtrag zu den Bestimmungen über die Anerkennung der in schwedischen Schiffspapieren enthaltenen Vermessungs-Angaben in deutschen Häfen, vom 22. Juli 1882 (Centr.-Bl. 1882 Nr. 30).
27. Nachtrag zu der Instruktion (vom 10. Septbr. 1879) zur Ausführung des Gesetzes über die Konsulargerichtsbarkeit vom 4. Februar 1882 (Centr.-Bl. 1882 Nr. 12).
28. Circular-Erlass an die Kaiserl. Konsulate, betr. die bei der Unterstützung hülfsbedürftiger Reichsangehöriger zu beobachtenden Grundsätze, vom 1. April 1882 (Centr.-Bl. 1882 Nr. 18).
29. Dekret der portugiesischen Regierung, betr. die Zulassung fremder Schiffe zum Küstenhandel in den überseeischen Besitzungen, vom 18. August 1881 (D. Hand.-Archiv 1881 II. S. 887).
30. Niederländische Verfügung in Betreff der Bestimmungen zur Vermeidung von Schiffskollisionen, vom 5. October 1881 (das. II. S. 437).
31. Deklaration zwischen Italien und Russland, betr. die gegenseitige Befreiung der Schiffe beider Staaten von der Nachvermessung, vom 14. Mai 1881 (das. II. S. 51).
32. Inkrafttreten der neuen Vorschriften zur Verhütung des Zusammenstossens der Schiffe auf See in Brasilien, Ecuador, Hawaii, Japan und der Türkei, vom 1. Septbr. 1880 (das. 1881, I. S. 85).
33. Neuer schwedischer Zolltarif vom 3. Decbr. 1880 (das. I S. 29 ff. und Beilage zu Nr. 10).
34. Russische Verordnung, betr. die Erklärung des Hafens von Batum als Freihafen, vom 16./28. Decbr. 1880 (das. I. S. 353 ff.)
35. Haytisches Gesetz, betr. Konsulargebühren, vom 22. Octbr. 1881 (das. I. S. 89 f.)
36. Beschluss des Präsidenten von Venezuela, betr. das Erforderniss der konsularischen Beglaubigung der Konnossemente über vom Auslande eingehende Güter, vom 2. März 1882 (das. I. S. 314).
37. Konsular-Vertrag zwischen der Schweiz und Rumänien, vom 14. Februar 1880 (das. 1881 I. S. 307 ff.)
38. Konsular-Vertrag zwischen Belgien und den Vereinigten Staaten von Nordamerika vom 9. März 1880 (das. I. S. 359 ff.)
39. Konsular- und Niederlassungs-Vertrag zwischen Italien und Rumänien vom 17./5. August 1880 (das. II. S. 89 ff.)
40. Konsular-Konvention zwischen Belgien und Portugal vom 10. Novbr. 1880 (das. I. S. 345 ff.)
41. Konsular-Konvention zwischen Belgien und Rumänien vom 31. Decbr. 1880 / 12. Januar 1881 (das. S. 488 f.)
42. Konsular-Vertrag zwischen dem Deutschen Reich und Griechenland vom 26. Novbr. 1881 (S. Ges. Bl. 1882 S. 16).
43. Konsular-Vertrag zwischen dem Deutschen Reich und Brasilien vom 10. Januar 1882 (S. Ges. Bl. 1882 Nr. 15).

Verschiedenes.

Brockhaus' Konversations-Lexikon hat in seiner neuen, dreizehnten Auflage mit dem jüngst ausgegebenen 105. Hefte den *siebenten Band* vollendet. Derselbe umfasst die Artikel von Ford bis Gewindebohrer und zählt deren im ganzen 3842, doppelt so viel als der siebente Band in der vorigen Auflage enthielt. An räumlicher Ausdehnung sowohl wie durch präzise Fassung ragt unter ihnen der Artikel Frankreich hervor, ein ungemein klar gruppirtes Bild von der Geschichte, der Geographie, der Statistik, den Bevölkerungsverhältnissen unseres Nachbarlandes, das überdies noch in den besondern Artikeln Französische Akademie, Französische Kunst, Französische Litteratur, Französische Philosophie, Französisches Recht, Französische Revolutionskriege, Französische Sprache, Französisches Volk nach den verschiedensten Seiten im einzelnen weiter ausgeführt wird. Mit welcher Vollständigkeit die neuesten Erscheinungen auf allen Gebieten des Kulturlebens Aufnahme und Verarbeitung gefunden haben, davon zeugen namentlich die Artikel Gasbeleuchtung, Gaskraftmaschine, Gefängniswesen, Geflügelzucht, Geheimmittel (auf fünf Spalten die Bestandteile, den Verkaufspreis und den wirklichen Wert jedes einzelnen der angepriesenen Mittel verzeichnend, eine höchst verdienstliche Arbeit!), ferner Gelehrte Gesellschaften (ebenfalls sehr dankenswerthe spezielle Nachweise bietend), Generalstabskarten, Genfer Konvention, Genossenschaften, Geschoss und Geschütz, Gesundheitspflege sowie die zahlreichen Artikel unter Gemeinde, Gericht und Gewerbe (besonders Gewerbegesetzgebung). In organischem Zusammenhang mit dem Texte stehen die Illustrationen, nicht nur die demselben beigedruckten Abbildungen, sondern auch die 16 separaten Karten und Tafeln, deren Ausführung den Forderungen der modernen Technik entspricht. Demnach bestätigt auch der vorliegende Band das von der Kritik und vom Publikum mit seltener Einstimmigkeit abgegebene Urteil, dass sich die dreizehnte Auflage von Brockhaus' Konversations-Lexikon in Bezug auf innern Gehalt wie durch splendide und gefällige Ausstattung aufs vorteilhafteste auszeichnet und mit Recht die wärmste Empfehlung verdient.

Ein Demokrat, welcher für eine thunlichste Beschleunigung des Anschlusses Hamburgs an Preussen sich ausspricht, ist der Hamburger Abgeordnete Dr. *Wex*, der in der Hamburger Bürgerschaft bei der Beratung über den bekanntlich verunglückten Antrag, dem Senat wegen seiner Haltung zu der vielgenannten „Spritklausel" des deutsch-spanischen Handelsvertrags ein Misstrauensvotum zu geben, sich folgendermassen, allerdings vielfachen Widerspruch hervorrufend, äusserte:

„Unsere Duodezstaaten haben gar keine Berechtigung mehr, zu existiren. Allerdings sind ihre Tage gezählt. Alles drängt zum Einheitsstaate! Ich habe 1871 gegen die allgemeine Meinung gesagt: Je rascher wir uns an den Zollverein anschliessen, desto besser! Und die letzten zehn Jahre haben mir Recht gegeben. Heute sage ich: Je rascher die Annexion eintritt, desto besser! Als 1866 Frankfurt gewaltsam annektirt wurde, hat General von Manteuffel einem Frankfurter Senator gesagt: „Trösten Sie sich. Sie werden rasch und schmerzlos geschluckt, die Andern werden langsam gekaut!“ In dieser Situation befinden wir uns jetzt. Man möge doch nur die Seite berücksichtigen, die uns stets am nächsten liegt, die finanzielle Seite. Meint die Versammlung, dass wir noch lange den Zustand mit Cuxhaven ertragen können? Die Elbe ist seit 1866 ein deutscher Fluss; die Sorge für dieselbe hinterlässt man uns aber, und diese erfordert Opfer, die ein Kleinstaat nicht ertragen kann. Bei solcher Frage sollte man sich bewusst werden, dass eine Behandlung, wie die bei der Spritklausel, niemals aufhören wird. Es kann eben nicht auf die Kleinen mehr Rücksicht genommen werden, und diese Behandlung wird nicht eher aufhören, als bis die Selbstständigkeit freiwillig oder unfreiwillig aufgegeben wird. Je eher dies geschieht, desto besser!“

Das Frauenleben der Erde. Eine so grosse Fülle des anregendsten Stoffes und ein so abwechslungsreiches Gesammtbild bei diskreter Behandlung des Details, wie sie uns in diesem reich illustrirten ethnographischen Werke geboten werden, überrascht und befriedigt den Leser in gleichem Grade. In einer fast unübersehbaren Kette von Erscheinungen, deren Mittelpunkt allemal das Weib ist, sehen wir das Leben der Völker in einem Kreise sich abspielen, den wir seiner Natur nach einen Zauberkreis nennen möchten. Nachdem wir in überzeugender Weise dahin belehrt wurden, dass im Leben der Völker die materielle Existenz, der sittliche Werth und die soziale Stellung des Weibes jenen ihren wahren Kulturwert aufdrücken, entrollen sich vor unseren Blicken Bilder, die andererseits zeigen, dass erborgter Glanz und der äussere Firniss der Civilisirten fast noch abschreckender wirken, als der Naturzustand. Welche Zerrbilder tauchen da aus dem sozialen Leben der südamerikanischen Freistaaten, in den Salons der ahnenstolzen Peruaner oder aus den Bambushütten des ecuadorianischen Mischlingsgeschlechtes! Es sind Bilder von so origineller Eigenart, dass man die Schilderungen des Autors hier mit demselben ungeteilten Interesse verfolgt, wie seine summarischen Mitteilungen über die dunklen Schönen des Schwarzen Erdteiles und die glanzerfüllten farbigen Skizzen aus dem europäischen Frauenleben. Was das Kulturleben, soweit es mit dem schönen Geschlecht in Verbindung zu bringen ist, uns an erfrischendem Reiz bietet, wird uns da in anmutigster Form geboten. Es ist eine typenreiche, blendende Frauengalerie, fast zu viel des Schimmers, gegenüber den spärlichen Schattenstrichen, die der Autor hin und wieder angebracht hat. Da das „Frauenleben der Erde“ so trefflich geartet ist, namentlich aber in seinem europäischen Teile den Leserinnen die vielfachste Anregung bieten wird, so sei es namentlich diesen wärmstens empfohlen. Bei allem edlen Schwung der Sprache und dem gemütvollen Tone in der Schilderung fehlen gleichwohl jene pikanten Ausfälle nicht, auf Schwächen, die nun einmal selbst den Frauen der hochcivilisirten Europäer anhaften, die aber durch die geistvolle Art, in der sie gemacht werden, den Reiz der Lektüre wesentlich erhöhen. Vergl. Anzeigen.

Verlag von M. W. Silomon in Bremen. Druck von Aug. Meyer & Dieckmann, Hamburg, Alterwall 16.

HANSA

Redigirt und herausgegeben
von
W. von Freeden, BONN, Thomastrasse 9.
Telegramm-Adresse:
Freeden Bonn,
oder
Hansa Alterwall 28 Hamburg.

Verlag von *H. W. Silomon* in Bremen.
Die *„Hansa“* erscheint jeden 2ten Sonntag.
Bestellungen auf die *„Hansa“* nehmen alle Buchhandlungen, sowie alle Postämter und Zeitungsexpeditionen entgegen, desgl. die Redaktion in Bonn, Thomastrasse 9, die Verlagshandlung in Bremen, Obernstrasse 11 und die Druckerei in Hamburg, Alterwall 28. Sendungen für die Redaktion oder Expedition werden an den letztgenannten drei Stellen angenommen. **Abonnement** jederzeit, frühere Nummern werden nachgeliefert.

Abonnementspreis:
vierteljährlich für Hamburg 2½ *M*,
für Auswärts 3 *M* = 3 sh. Sterl.
Einzelne Nummern 60 ₰ = 6 d.

Wegen **Inserate**, welche mit 35 ₰ die Petitzeile oder deren Raum berechnet werden, beliebe man sich an die Verlagshandlung in Bremen oder die Expedition in Hamburg oder die Redaktion in Bonn zu wenden.

Frühere, komplete, gebundene Jahrgänge von 1872 1874, 1876, 1877, 1878, 1879, 1880, 1881, 1882 sind durch alle Buchhandlungen, sowie durch die Redaktion, die Druckerei und die Verlagshandlung zu beziehen.

Preis *M* 6; für letzten und vorletzten Jahrgang *M* 8.

Zeitschrift für Seewesen.

No. **7.** **HAMBURG, Sonntag, den 6. April 1884.** **21.** Jahrgang.

Inhalt:

Die Schwierigkeit deutscher Hochseefischerei.

Auf der Generalversammlung des deutschen Fischerei-Vereins, welche zu Berlin am 8. März c. in Gegenwart des Kronprinzen abgehalten wurde, hielt Prof. Dr. Benecke aus Königsberg »einen durch zahlreiche Apparate illustrirten Vortrag über die für Deutschland praktisch verwertbaren Ergebnisse der Londoner Fischerei-Ausstellung. Die Seefischerei bringt jährlich in Amerika 450, in England 240, in Frankreich 80, in Norwegen 25 Millionen ein, *dagegen kommt Deutschland gar nicht in Betracht.* Die Treibnetzfischerei auf Häring beschäftigt in Schottland 70 000 Menschen und 15 000 Boote, und brachte 1881 44 Mill. Mark ein. Deutschland kaufte 1879 5¼ Mill. Fass Häring für 32 Mill. Mark, die es selber **hätte gewinnen können.** *Die Häringsfischerei (Emden) wird aber in viel zu kleinlichem Maassstabe betrieben. Eine englische Firma rüstet 200 Schiffe mit 6 Dampfern aus und liefert in einem Jahre für 5½ Mill. Mark Fische. In Emden hat man mit zehn bis zwölf Fahrzeugen gearbeitet und mit so unbedeutendem Kapital, dass der Verlust eines Fahrzeuges das ganze Geschäft ins Stocken bringt. Die Beteiligung des grossen Kapitals ist daher dringend erforderlich, ausserdem die Anlage von Häfen in der Nähe der Fangplätze.*«

Soweit der Königsberger Professor laut dem Referate in der Morgenausgabe der »Kölnischen Zeitung« vom 10. März.

Da derselbe den *Gründern* der Emder Häringsfischerei den herben Vorwurf macht, dass sie die Sache ungeschickt angefangen haben, so mag es uns vergönnt sein, die Ansichten des H. Dr. B. in Betreff der Chancen deutscher Hochseefischerei in der Nordsee richtig zu stellen.

Die Gründer der Emder Häringsfischerei waren an sich nicht abgeneigt, das »grosse Kapital« für ihr Unternehmen zu gewinnen. Sie hatten zu dem Zweck sich mit einem leitenden Herrn der Disconto-Gesellschaft zu Berlin in Verbindung gesetzt, und seine Vermittelung angerufen, die Aktien der neuen Gesellschaft an der Berliner Börse einzuführen. Es bestand dagegen keinerlei Abneigung, nur erschien das in Aussicht genommene Aktienkapital (300 000 Mark) dem Herrn zu gering; wir müssten wenigstens mit 3 Mill. Mark an den Markt kommen.

Warum wurden dieselben nicht gefordert?

Lediglich und ausschliesslich aus dem bestimmten Grunde, dass *wir keine Verwendung dafür hatten.* Zum Fischen gehören sowohl Fahrzeuge und Netze als namentlich auch Fischer, und letztere fehlten ganz und gar, so sehr dass die zuerst angeschafften sechs Logger durchweg mit Holländern besetzt werden mussten, und selbst diese geringe Zahl anzuwerben nur mit Mühe gelang. Was hätte es also genützt, 10 Mal so viel Schiffe anzuschaffen, wenn wir sie nicht bemannen konnten! Die Mannschaftsfrage ist noch jetzt, 12 Jahre später, die brennende Frage. Nicht »der Verlust eines Schiffes, wie Herr Dr. B. sich ausdrückt, bringt das Geschäft ins Stocken«, (soviel sollte er als Königsberger doch wissen, dass seegehende Schiffe nach ihrem Wert *versichert* werden), sondern die Schwierigkeit, die Schiffe mit der Fischerei kundigen Männern zu besetzen, hemmt die stärkere Entwickelung.

Die deutsche Nordseeküste wird von der Ems bis zur Elbe von Bauern bewohnt, welche Ackerbau und Viehzucht treiben, und der Seefahrt so fremd als möglich gegenüberstehen. Die deutschen Seefahrer der Nordsee wohnen an den untern Flussläufen und im Binnenlande, und diese wenden sich bislang lieber der Kauffahrteifahrt als der Fischerei zu, welche ihnen nicht nobel und nicht lohnend genug erscheint. Ferner hat die deutsche Nordseeküste ausser an den Flussmündungen nur Watt- resp. Schlickhäfen, die ungeeignet sind zur Aufnahme tiefstechender seefähiger Kielschiffe, wie wir sie ausnahmslos an der englischen Küste finden. Emden selber war bislang ein Schlickhafen, und wenn es damit auch jetzt vielleicht besser wird, so bleibt es doch im Winter jeder Eisblockade ausgesetzt, und deshalb zum Winterfang ungeeignet. An der ganzen deutschen Nordseeküste wären nur zwei Plätze geeignet, etwa wie Maassluis und Vlaardingen unterhalb Rotterdam, Seefischerei im grossen Styl zu treiben, nämlich Geestemünde und Cuxhaven, nachdem letzteres endlich auch eine Eisenbahn erhalten. Ist in diesen beiden Plätzen die Mannschaftsfrage geschickt zu lösen — kostspielige Versuche sind früher vergeblich gemacht, — so wird die Belegenheit der Plätze keine Schwierigkeit machen; die Entlegenheit der Fischgründe bleibt aber ein ewiges Hindernis! Aber man stelle sich auch die Schwierigkeit der Anwerbung und der Einschulung von Fischereimannschaften nicht zu gering vor: man würde in den ersten Jahren immer nur den Abhub der Kauffahrteifahrer gewinnen und wahrscheinlich wieder teures Lehrgeld bezahlen müssen. Die Manchesterleute danken gewöhnlich für solche Erfahrungen, also dürfte deren Kapital andere Verwendung vorziehen.

So steht die Sachlage; es fragt sich für uns nur, ob nicht wieder mittelst *Staatsprämien* wie noch jetzt in Frankreich und früher auch bei uns der Ungunst der äussern Verhältnisse zu begegnen ist. Kommt der Seefischerei keine Hülfe von aussen, so lässt sich in denklicher Zeit nicht absehen, wie sie gehoben werden soll. Wir scheuen uns um so weniger, diesem Gedanken hier einen Platz einzuräumen, als selbst von Seiten anscheinend enragirter Gegner jeder Staatshülfe uns schwarz auf weiss bekannt ist, dass nicht das Prinzip an sich ihnen nicht genehm ist, sondern nur die geringe Höhe etwaiger Subvention des Staats sie »stolz« genug macht, darauf zu verzichten.

Die Marine-Vorlage zum Bau von Torpedobooten.

Wie wir bereits in unserer No. 5 c. andeuteten, ist die zu erwartende Vorlage zum Bau von Torpedobooten kürzlich an den Reichstag gelangt, in Form eines „Gesetzentwurfs betr. die Bewilligung von Mitteln zu Zwecken der Marineverwaltung" nebst begleitender „Denkschrift über die weitere Entwickelung der Kaiserlichen Marine," neben welcher noch eine besondere „Denkschrift über die Ausführung des Flottengründungsplans von 1873" eingereicht.

Der Gesetzentwurf beantragt „zu den aus Beilage I ersichtlichen Beschaffungen den Betrag von 18 790 000 ℳ zu bewilligen", diese „Mittel im Wege des Kredits flüssig zu machen", und die Marineverwaltung zu ermächtigen, „das Militärpersonal in den aus Beilage II hervorgehenden Grenzen zu verstärken."

Die Beilage I beantragt: „zu bewilligen für den Bau von 70 Torpedobooten, einschliesslich der dazu gehörigen artilleristischen und Torpedo-Armirung, 16 800 000 ℳ; für Herstellung unterseeischer Torpedobatterien an der Küste der Ostsee, einschliesslich der dazu gehörigen Torpedos, 857 000 ℳ; für Anlage von elektrischer Beleuchtung auf den Werften Kiel und Wilhelmshaven 373 000 ℳ — nach Abrechnung der bereits für die Ausrüstungswerft zu Wilhelmshaven bewilligten Kosten der Errichtung einer nunmehr in Fortfall kommenden Gasbeleuchtung mit 25 000 ℳ — 348 000 ℳ; für Vervollständigung der Kriegsbekleidung 785 000 ℳ" im Ganzen 18 790 000 ℳ.

In der Beilage II wird der Geldmehrbedarf

1. an *Gehalt und Löhnung* a) für Seeleute, und zwar für 6 Deckoffiziere, 90 Unteroffiziere, 804 Matrosen, zusammen 900 Köpfe; b) für Matrosenartillerie und zwar für 30 Feldwebel und Unteroffiziere, 270 Matrosenartilleristen, zusammen 300 Köpfe; c) für Maschinenpersonal, und zwar für 24 Maschinisten, 48 Maschinistenmaate und Feuermeister, 228 Heizer, zusammen 300 Köpfe; d) für 100 Schiffsjungen mit jährlich 156 290 ℳ
2. an Bureaugeldern, Waffenunterhaltungskosten, Unterrichtsgeldern und allgemeinen Unkosten jährlich 3003 ℳ
3. an Brotgeld, Zuschuss zur Beköstigung am Lande, Verpflegung an Bord 123 816 ℳ jährlich.
4. an Unterkunft 9 977 ℳ
5. an Krankenpflege 9 220 ℳ berechnet.

Die *erste* Lesung der Vorlage im Reichstag bewies die Bereitwilligkeit aller Parteien, die Forderungen der Reichsregierung zu bewilligen, und so wird ein nebensächlicher Wunsch des Reichstags, in der Form des Gesetzes die bislang üblichen Normen hervortreten zu lassen, voraussichtlich auch Seitens der Regierung keinen Schwierigkeiten begegnen. Demgemäss steht zu erwarten, dass der Beschluss der Kommission in der von ihr gewählten Fassung an die Stelle des Regierungsentwurfs treten wird. Die Kommission beantragt nämlich folgende Fassung:

§ 1. Der diesem Gesetze als Anlage beigefügte Nachtrag zum Reichshaushalts-Etat für das Etatsjahr 1884/1885 wird in Ausgabe auf 19 092 491 ℳ, nämlich auf 302 491 ℳ an fortdauernden und 18 790 000 ℳ an einmaligen Ausgaben, und in Einnahmen auf 19 092 491 ℳ festgestellt und tritt dem durch das Gesetz vom 2. Juli 1883 festgestellten Reichshaushaltsetat für das Etatsjahr 1884/85 hinzu. § 2. Die Mittel zur Bestreitung des auf 302 491 ℳ bezifferten Bedarfs an fortdauernden Ausgaben sind, soweit dieselben nicht durch Mehrerträge bei den ausser den Matrikularbeiträgen zur Reichskasse fliessenden regelmässigen Einnahmen ihre Deckung finden, durch Beiträge der einzelnen Bundesstaaten nach Massgabe ihrer Bevölkerung aufzubringen. § 3. Der Reichskanzler wird ermächtigt, die ausserordentlichen Geldmittel, welche in dem anliegenden Nachtrag zum Reichshaushaltsetat für das Etatsjahr 1884/85 zur Bestreitung einmaliger Ausgaben der Marineverwaltung im Betrage von 18 790 000 ℳ vorgesehen sind, im Wege des Kredits flüssig zu machen und zu diesem Zweck in dem Nominalbetrage, wie er zur Beschaffung jener Summe erforderlich sein wird, eine verzinsliche, nach den Bestimmungen des Gesetzes vom 19. Juni 1868 zu verwaltende Anleihe aufzunehmen und Schatzanweisungen auszugeben. § 4. Die Bestimmungen in den §§ 2 bis 5 des Gesetzes vom 27. Januar 1875 betreffend die Aufnahme einer Anleihe für Zwecke der Marine- und Telegraphen-Verwaltung finden auch auf die nach dem gegenwärtigen Gesetze aufzunehmende Anleihe und auszugebenden Schatzanweisungen Anwendung.

Während der Kommissionberatung hatte der Chef der Admiralität auf Befragen nachstehende Erklärung abgegeben:

„Die Marineverwaltung ist imstande, die für Torpedoboote und für Torpedobatterien beanspruchte Summe im Laufe des nächsten Etatsjahres zu dem angegebenen Zwecke voll zu verwenden. Die angestellten Untersuchungen und die vorliegenden Erfahrungen lassen keinen Zweifel darüber, dass eine Werft oder eine der Fabriken, deren für die Kaiserliche Marine zur Zeit mehrere beschäftigt sind, wenn einmal für ein gegebenes Modell die nötigen Vorarbeiten abgeschlossen sind und die Arbeit im Gange ist, wozu indes immer mehrere Monate erforderlich sein würden, pro Woche ein Torpedoboot abliefern kann. Die Beschaffung der Torpedos selbst kann derart gefördert werden, dass täglich einer gefertigt werden kann." Der Chef der Admiralität legte ferner hohen Wert darauf, dass die Bewilligung der beanspruchten Summe nicht in jährlichen Raten, sondern schon jetzt voll erfolge, um den Anforderungen der Küstenverteidigung jederzeit gerecht werden zu können. Er erklärte, dass es im Wunsche der Marineverwaltung selbst liege, die in Rede stehenden Beschaffungen allmählich eintreten zu lassen; militärische und administrative Gründe machten es aber dringend wünschenswert, den Termin nach Lage der jeweiligen Verhältnisse durch die Marineverwaltung selbst bestimmen zu können. In Bezug auf die hier und da laut gewordenen Befürchtungen; es würden sich an diese Forderung andere, ungleich höhere anreihen, bemerkte der Chef der Admiralität, dass ihm unerfindlich sei, worauf solche Besorgnisse sich gründen. „Die Anlage von Torpedobatterien, die nötigen Grunderwerbungskosten, die in einer Personalvermehrung der Werften bestehende Konsequenz der gegenwärtig vorliegenden Forderung u. s. w. werden nach oberflächlicher Berechnung 6,33 % der Beschaffungskosten der Torpedoboote einschliesslich der Armirung nicht übersteigen. Es ist dabei überaus wahrscheinlich, dass unter günstigen Verhältnissen an den im vorigen Gesetzentwurfe genannten Summen Ersparnisse eingebracht werden können, welche ein Aequivalent für die spätere Forderung jener 8,33% bilden, und was die sonstigen in der Denkschrift enthaltenen Angaben bezüglich weiterer Aufgaben der Marineverwaltung betrifft, so liegt auch in diesen kein Grund zur Befürchtung exorbitanter Ausgaben. Beispielsweise werden sich die Kosten für die Bauten auf den Werften auf einen Zeitraum von mehreren Jahren vertheilen und die Summe von 6 Millionen voraussichtlich nicht überschreiten. M. H., diese Erklärung wird Sie hoffentlich in der Kommission überzeugen, dass die ausgesprochenen Besorgnisse über die in Aussicht stehenden grossen Forderungen für die Marine unbegründet sind."

Bei dieser Erklärung hat sich sowohl dann die Kommission als auch bei der zweiten Lesung der Reichstag beruhigt, und ist danach auch die dritte Lesung ohne Debatte verlaufen. Die Erweiterung des Torpedowesens wird, wie wir hören, sofort nach Bewilligung der Vorlage in die Wege geleitet werden. Es sind dazu bereits Vorbereitungen getroffen worden.

Die mecklenburgische Rhederei

schildert das zu Anfang jeden Jahres erscheinende Verzeichnis der in Rostock und Wismar beheimateten Schiffe, welches vom Schiffsmakler O. Wiggers herausgegeben wird. Nach demselben besass

I. *Rostock*

am 1. Januar 1883	317 Schiffe	von	94 524 R.-T.
Hinzu kamen im Ganzen .... (nämlich 13 durch Ankauf, 1 durch Neubau)	14 „	„	8 984 „
Dagegen gingen ab im Ganzen (nämlich auf See verloren 9, kondemnirt 3, verkauft 4)	16 „	„	3 612 „
mithin Bestand am 1. Jan. 84	315 Schiffe	von	99 896 R.-T.

Die Zahl der Schiffe hat sich also um 0.63% vermindert, während der Tonnengehalt sich um 5.69% des vorigjährigen Bestandes vermehrt hat.

Diese Rostocker Schiffe werden bis auf 22 von zusammen 2 162 R.-T. die ohne Korrespondenten fahren, von 36 Korrespondentrhedern geleitet, unter denen die Herren Ed. Burchard 38 Schiffe von 11 503 R.-T., Aug. Burchard 37 Sch. von 11 738 R.-T., Wilh. Maack 31 Sch., davon 30 von 9 570 R.-T., Heinr. Bauer 22 Sch. von 7 902 R.-T., L. Burchard & Sohn 19 Sch. von 5 091 R.-T., G. Kindler 14 Sch. von 4 117 R.-T., Rich. Beselin 13 Sch. von 4 417 R.-T., C. Ahrens 11 Sch. von 4 399 R.-T., F. W. Fischer 10 Sch. von 3070 R.-T. etc. etc. fahren.

Obige 315 Schiffe enthalten 20 Dampfer und 295 Segelschiffe (nämlich 1 Vollschiff, 142 Barken, 18 Schunerbarken, 97 Brigs, 11 Schunerbriggs, 19 Schuner, 3 Galeassen, 1 Ever, 1 Schaluppe, 2 Jachten). Von Eisen gebaut sind 10 See-, 3 Flussdampfer; alle übrigen Schiffe sind von Holz, darunter 110 gekupfert, 72 kupferfest, 12 mit Zinkbeschlag. Es sind alle Rostocker eigentliche Seeschiffe, ausser 10 Flussdampfern und 6 Küstenfahrern.

II. *Wismar.*

Bestand der Rhederei am 1. Jan. 83:	38 Schiffe	v.	8193 R.-T.
Zugang durch Neubau	1 „	„	891 „
Abgang durch Verkauf	3 „	„	474 „
mithin Bestand am 1. Jan. 1884:	36 Schiffe	v.	8610 R.-T.

Der Verminderung der Zahl der Schiffe um 5.26% steht eine Erhöhung des Tonnengehalts um 5.09% gegenüber.

Von diesen Schiffen fahren 7 unter Korrespondenz ihrer Kapitäne, die übrigen werden von 6 Korrespondentrhedern gefahren, von denen Herr J. C. Thormann allein 18 Schiffe von 4 961 R.-T. dirigirt. Fünf andere Schiffe von 1 334 R.-T. fahren unter Korrespondenz von Herrn G. W. Löwe, 3 Schiffe von 842 R.-T. unter Korr. von Herren Davids & Carow, und je eins von 581, resp. 230 und 81 R.-T. unter Korr. der Herren H. Podeus, Aug. v. Plessen und Matth. Marén.

Unter den 36 Schiffen sind 3 Dampfer und 33 Segler (nämlich 10 Barken, 3 Schunerbarken, 9 Brigs, 9 Schuner, 2 Galeassen). Alle Dampfer sind von Eisen, alle Segler von Holz gebaut; 6 von letzteren sind gekupfert, 14 kupferfest gebaut. Alle Schiffe sind in der grossen Fahrt beschäftigt, mit Ausnahme von 2 Dampfschleppern und 4—5 Küstern.

Die Bewegung in dem beiderseitigen Flottenbestande zeigen nachstehende Tabellen an

I. *Rostock*

	Schiffe	Reg.-Tons	Durchschn.-Tragf.
1877	356	100 847	283,40 R.-T.
1878	363	101 423	280,95 „
1879	362	102 618	286,84 „
1880	354	104 283	294,58 „
1881	341	101 505	297,67 „
1882	325	98 602	303,27 „
1883	317	94 624	298,50 „
1884	315	99 896	318,14 „

II. *Wismar*

	Schiffe	Reg.-Tons	Durchschn.-Tragf.
1877	47	10 177	243,88 R.-T.
1878	44	9 978	226,78 „
1879	44	9 842	222,73 „
1880	46	9 612	229,83 „
1881	41	9 140	228,50 „
1882	38	8 492	229,51 „
1883	38	8 193	227,50 „
1884	36	8 610	240,00 „

Der *Schiffsverkehr* in Warnemünde, dem Hafen von Rostock, im Jahre 1883 umfasste 762 angekommene (543 Segler, 196 Dampfer, 23 notleidende Schiffe, worunter 3 Dampfer) und 770 abgegangene Schiffe (541 Segler, 202 Dampfer, 27 notleidende Schiffe, darunter 3 Dampfer). Von den angekommenen resp. abgegangenen Schiffen fahren 567 resp. 572 unter deutscher Flagge; ausserdem unter schwedischer 61 resp. 61, dänischer 47 (47), russischer 18 (20), norwegischer 55 (55), holländischer 4 (5), englischer 9 (9), französischer 1 (1) Schiff.

In Wismar kamen im vorigen Jahr 331 Segler und 101 Dampfer an und gingen ab 317 Segler, 100 Dampfer; unter den angekommenen resp. abgegangenen Schiffen fuhren 242 Segler und 38 Dampfer resp. 228 Segler und 37 Dampfer die deutsche Flagge; die dänische Flagge war in jedem Fall vertreten durch 15 Segler und 3 Dampfer, die schwedische durch 53 Segler, die norwegische durch 3 Segler und 2 Dampfer, die russische durch 17 Segler und 1 Dampfer, die englische durch 1 Segler und 57 Dampfer.

Germanischer Lloyd.

Deutsche Handels-Marine: Seeunfälle vom Monat Decbr. 1883 soweit solche bis zum 15. Januar 1884 im Central-Bureau des Germanischen Lloyd gemeldet und bekannt geworden sind.

I. Segelschiffe.	Anzahl	Ladung	Klasse *)	Alter (Jahre)	Rhederei
a. m. gering. Schaden eingekom.	7	[illegible]	[illegible]	[illegible]	[illegible]
b. m. schwer. Schaden eingekom.	11	[illegible]	[illegible]	[illegible]	[illegible]
c. an Grund gerat. od. gestrd. u. abgebr.	7	[illegible]	[illegible]	[illegible]	[illegible]
d. gestrandet und nicht abgebr.	4	[illegible]	[illegible]	[illegible]	[illegible]
e. Collision.	6	[illegible]	[illegible]	[illegible]	[illegible]
f. Totalverlust *)	21	[illegible]	[illegible]	[illegible]	[illegible]
Summa	56				
II. Dampfschiffe.					
a. m. Schad. eingekom.	5	[illegible]	[illegible]	[illegible]	[illegible]
b. an Grund geraten	4	[illegible]	[illegible]	[illegible]	[illegible]
c. Collision.	3	[illegible]	[illegible]	[illegible]	[illegible]
d. Totalverlust *)	1	[illegible]	[illegible]	[illegible]	[illegible]
Summa	16				

*) Soweit zu ermitteln, Klasse einer Schiffsklassifizirungs-Gesellschaft. O. = keine Klasse. Umgekommene Seeleute: 53.

*) Tonnengehalt von 21 Schiffen 5486 Tons.

*) Tonnengehalt von 1 Schiff 484 Tons.

BERLIN, d. 15. Januar 1884

Die russischen Navigationsschulen im Jahre 1883.

Die Moskauer Kaiserliche Gesellschaft zur Hebung des Seewesens giebt jährlich ein Heft sehr detaillirter Mittheilungen über die jetzt vorhandenen 39 Schulen heraus. Wir reproduziren das Wesentlichste davon in der nachfolgenden Tabelle, wie wir das bereits im December 1878 einmal gethan haben. Seit den letzten 5 Jahren hat sich das Navigationsschulwesen in Russland wesentlich vervollkommnet, wie eine Vergleichung mit der Tabelle v. J. 1878 leicht ergeben wird.

No.	Navigationsschulen	Wie viel Jahre die Schule existirt	Jahresbudget in Rubel: Von der Krone	Jahresbudget in Rubel: Ueberhaupt	Zahl der Schüler im Winter 1882—83: Ueberhaupt	Alter: Unter 17 Jahren	Alter: 17—21 Jahr	Alter: Ueber 21 Jahre	Haben zur See gefahren: 2 Jahre und länger	1—2 Jahre	½—1½ Jahre	Unter 1 Jahr	Gar nicht gefahren	Haben monatl. Gage erhalten: Unter 8 Rubel	8—20 Rubel	Ueber 20 Rubel	Erhielten Unterricht, Winter: 1	2	3	4—6	Nationalität: Russen	Nichtrussen	Ausländer
	Weisses Meer	—	11904	12664	156	39	104	9	61	47	35	—	13	11	43	29	33	45	29	16	156	—	—
1	Archangelsk	12	4104	4104	40	7	30	3	6	17	15	—	2	6	18	7	—	11	9	20	40	—	—
2	Patrakejew	9	1000	1200	24	6	14	1	9	7	6	—	2	1	7	—	6	4	4	8	21	—	—
3	Saumi	12	1000	1240	26	14	11	1	13	6	2	—	5	3	6	1	10	10	1	4	26	—	—
4	Kuschereka	9	1000	1120	19	2	15	2	4	8	5	—	2	1	5	1	6	4	5	4	19	—	—
5	Onega	7	1000	1200	11	3	6	1	4	3	3	—	1	—	3	2	8	4	—	3	11	—	—
6	Kem	12	3800	3800	36	7	28	1	25	6	4	—	1	—	4	18	7	12	10	7	36	—	—
	Baltisches Meer	—	21000	31398	554	100	344	109	117	95	184	98	57	39	285	90	146	108	59	56	81	407	10
7	Wosnessenje	3	1000	1200	11	4	7	—	1	3	3	—	1	—	3	—	6	—	5	—	11	—	—
8	St. Petersb. Jachtclub	7	2000	3700	56	2	47	7	—	—	—	—	—	—	4	3	—	—	—	—	—	—	—
9	Lebäschje	13	1000	1400	83	66	11	6	2	—	5	—	28	—	8	2	—	—	—	—	53	24	6
10	Narwa	10	1000	1500	19	5	14	—	—	3	11	—	5	3	6	1	—	—	—	—	14	5	—
11	Baltischport	7	1000	1300	23	—	19	4	6	9	6	1	2	—	16	1	13	6	1	1	1	19	3
12	Haimasch	19	2000	2500	80	—	64	16	22	20	36	2	—	5	63	12	30	26	21	3	—	80	—
13	Magnushof	7	1000	1300	55	1	40	14	12	18	10	15	—	15	39	1	12	12	3	1	—	55	—
14	Riga	28	—	4300	23	—	11	12	13	7	1	2	—	—	11	12	10	4	5	4	—	23	—
15	Angern	8	1200	1200	21	4	14	3	4	1	6	3	7	—	11	—	16	3	1	1	—	21	—
16	Lub-Essern	10	1000	1100	12	—	8	4	3	1	7	—	1	—	10	1	5	4	3	2	—	12	—
17	Dondangen	13	1000	1100	36	1	26	9	8	7	18	2	1	2	29	5	5	12	9	10	—	36	—
18	Windau	13	3000	3000	75	1	49	25	34	18	21	2	—	7	51	17	20	17	9	29	1	74	—
19	Hasau	11	1200	1200	9	4	5	—	—	1	4	—	4	2	3	—	4	3	—	2	—	9	—
20	Felixberg	11	1200	1200	21	2	18	1	1	5	15	—	—	3	11	—	11	3	1	2	—	21	—
21	Libau	22	3000	3500	21	8	9	7	12	2	2	1	7	1	11	5	8	15	1	—	1	22	1
22	Polangen	8	1000	1400	6	2	2	2	—	—	3	—	3	1	3	—	3	2	—	1	—	6	—
	Wolga u. Kaspisches Meer	—	3900	8750	180	65	101	5	7	18	51	6	36	—	24	45	73	46	22	27	166	13	1
23	Ribinsk	7	1000	1250	32	1	21	—	—	—	3	6	5	—	—	—	8	10	3	4	32	—	—
24	Astrachan	7	1000	1300	35	—	35	2	4	9	22	—	—	—	10	20	13	10	7	4	33	1	1
25	Gurjew	10	900	2200	71	56	14	—	2	4	11	—	10	—	12	6	25	11	12	19	71	—	—
26	Baku	2	1000	4000	42	8	30	3	4	5	15	—	21	—	2	19	27	15	—	—	30	12	—
	Asowsches Meer	—	5000	11600	219	28	147	73	73	56	66	29	25	2	72	57	127	41	29	43	205	17	27
27	Akasi	6	1000	1500	39	1	36	2	9	12	16	1	1	2	18	9	17	18	6	3	38	—	1
28	Rostow am Don	7	1000	3500	53	9	40	4	7	11	21	6	8	—	19	13	22	9	6	10	50	3	—
29	Taganrog	9	1000	2900	61	2	13	43	32	9	11	3	9	—	—	23	52	3	2	7	60	3	1
30	Berdjansk	7	1000	2000	36	1	12	23	25	8	3	—	—	—	6	15	14	10	7	5	10	3	23
31	Kertsch	6	1000	1800	57	15	40	1	—	16	15	19	7	—	29	7	22	9	8	18	47	8	2
	Schwarzes Meer	—	8545	13465	287	61	208	18	38	52	104	20	80	25	153	14	58	50	28	33	266	31	—
32	Poti	3	1000	1000	8	—	7	1	1	2	1	2	2	—	5	1	5	2	1	—	5	3	—
33	Anapa	4	1000	1100	13	—	11	—	—	1	5	—	4	—	6	3	1	2	5	4	12	1	—
34	Feodosia	9	1000	1500	20	3	14	3	—	—	3	9	8	—	10	2	11	2	4	3	17	3	—
35	Sewastopol	8	1000	1200	31	9	22	—	—	—	4	8	26	—	15	—	18	9	1	3	29	2	—
36	Berislaw	9	545	800	36	13	17	6	7	9	14	—	6	6	9	6	2	20	5	6	34	2	—
37	Cherson	11	2000	1665	109	19	87	3	12	28	62	—	7	16	85	1	—	—	—	—	102	7	—
38	Golaja Pristan	8	1000	1100	27	2	22	3	18	4	3	1	1	—	15	1	4	3	9	11	25	2	—
39	Nikolajew	9	1000	1500	43	18	23	2	—	5	12	—	26	3	8	—	17	12	3	6	42	1	—
	Zusammen																						
	Weisses Meer	—	11904	12664	156	39	104	9	61	47	35	—	13	11	43	29	33	45	29	16	156	—	—
	Baltisches Meer	—	21000	31398	551	100	341	109	117	95	184	98	57	39	285	90	146	108	59	56	81	407	10
	Wolga und das Kaspische Meer	—	3900	8750	180	65	101	5	7	18	51	6	36	—	24	45	73	46	22	27	166	13	1
	Asowsches Meer	—	5000	11600	219	28	147	73	73	56	66	29	25	2	72	57	127	14	29	43	215	17	27
	Schwarzes Meer	—	8545	13465	287	64	203	18	38	52	104	20	80	25	153	14	58	50	28	33	266	21	—
	Ueberhaupt	—	50349	78788	1426	296	899	214	296	268	440	83	211	77	577	205	437	303	167	205	874	458	38

No.	Navigationsschulen	Examen bestanden: Für weite Fahrt im Frühjahre 1883: Schiffer	Steuerleute	Für Kabotagefahrten: Schiffer	Steuerleute	Zusammen in den letzten 4 Jahren: Schiffer	Steuerleute	Schiffer	Steuerleute	Schülerzahl in den Jahren 1876—1883: 1876—77	1877—78	1878—79	1879—80	1880—81	1881—82	1882—83
	Weisses Meer	—	—	1	28	1	3	2	35	113	103	112	124	122	111	156
1	Archangelsk	—	—	1	6	—	2	2	15	23	23	30	30	40	38	40
2	Patrakejew	—	—	—	4	—	—	—	9	22	18	22	18	18	22	21
3	Saumi	—	—	—	6	—	—	—	6	20	17	—	12	13	—	26
4	Kuschereka	—	—	—	6	—	—	—	10	16	18	18	18	20	18	19
5	Onega	—	—	—	2	—	—	—	2	10	11	13	10	—	—	11
6	Kem	—	—	—	8	1	1	—	13	22	16	20	36	40	33	36
	Baltisches Meer	24	45	—	58	109	167	6	211	338	405	450	429	483	481	554
7	Wosnessenje	—	—	—	—	—	—	—	—	—	—	—	—	15	6	11
8	St. Petersb. Jachtclub	—	—	—	2	—	2	1	4	19	24	32	30	42	36	56
9	Lebäschje	—	—	—	—	—	—	—	—	70	75	70	27	49	25	83
10	Narwa	—	1	—	—	—	8	—	5	5	6	5	15	18	18	19
11	Baltischport	1	5	—	7	14	18	—	23	11	11	12	20	19	31	23
12	Haimasch	8	11	—	8	31	11	2	21	45	55	62	68	78	100	80
13	Magnushof	—	10	—	1	1	15	—	15	17	21	35	21	35	33	55
14	Riga	8	3	—	—	39	30	—	3	35	36	36	38	39	23	23
15	Angern	—	—	—	4	—	—	3	21	18	15	18	25	18	15	21
16	Lub-Essern	—	—	—	3	—	—	—	28	26	21	27	24	31	25	12
17	Dondangen	—	—	—	8	—	2	—	34	40	48	48	42	50	41	36
18	Windau	4	18	—	13	19	33	—	33	31	41	51	53	57	69	75
19	Hasau	—	—	—	1	—	—	—	1	10	35	13	11	8	9	9
20	Felixberg	—	—	—	3	—	—	—	6	13	9	—	10	11	15	21
21	Libau	3	2	—	3	5	18	—	19	31	60	32	28	26	27	21
22	Polangen	—	—	—	—	—	—	—	—	8	7	6	8	6	5	6
	Wolga u. Kaspisches Meer	—	7	—	11	—	7	7	36	27	66	86	110	127	135	180
23	Ribinsk	—	7	—	3	—	7	—	11	20	17	32	53	49	27	32
24	Astrachan	—	—	—	7	—	—	—	13	7	14	15	17	22	27	35
25	Gurjew	—	—	—	1	—	—	7	9	—	35	41	40	56	55	71
26	Baku	—	—	—	—	—	—	—	3	—	—	—	—	—	26	12
	Asowsches Meer	—	9	8	50	3	37	32	113	70	115	147	141	184	165	219
27	Akasi	—	1	—	13	—	15	7	21	—	16	27	26	25	23	39
28	Rostow am Don	—	4	—	4	—	4	—	22	10	3	17	20	34	35	53
29	Taganrog	—	4	8	23	1	16	8	49	13	28	43	36	51	30	61
30	Berdjansk	—	—	—	1	2	4	17	3	7	20	19	20	28	30	36
31	Kertsch	—	—	—	9	—	—	—	18	40	38	11	36	47	17	57
	Schwarzes Meer	—	1	40	12	—	9	72	80	171	115	171	190	251	267	287
32	Poti	—	—	—	3	—	—	—	5	—	—	—	—	15	11	8
33	Anapa	—	—	—	—	—	—	—	—	—	—	—	7	10	12	13
34	Feodosia	—	1	—	3	—	2	—	15	10	11	15	17	14	14	20
35	Sewastopol	—	—	—	—	—	—	—	10	21	19	25	28	20	23	31
36	Berislaw	—	—	—	—	—	—	8	16	24	20	17	25	31	35	36
37	Cherson	—	—	32	1	—	—	47	9	71	58	69	67	95	106	109
38	Golaja Pristan	—	—	8	5	—	—	17	13	15	15	20	27	30	23	27
39	Nikolajew	—	—	—	—	—	—	—	16	30	22	25	27	36	43	43
	Zusammen															
	Weisses Meer	—	—	1	28	1	3	2	35	113	103	112	124	122	111	156
	Baltisches Meer	24	45	—	58	109	167	6	211	338	405	450	429	483	481	554
	Wolga und das Kaspische Meer	—	7	—	11	—	7	7	36	27	66	86	110	127	135	180
	Asowsches Meer	—	9	8	50	3	37	32	113	70	115	147	141	181	165	219
	Schwarzes Meer	—	1	40	12	—	9	72	80	171	115	171	190	251	267	287
	Ueberhaupt	24	62	49	159	113	216	119	[illegible]	769	894	966	1063	1167	1153	1426
		294				643										

Der neue Eddystone-Feuerturm.

Trotz der vorläufigen Mitteilungen, welche wir über den Bau und die Wiederanzündung der Feuer auf dem neuen Feuerturm von Eddystone Felsen im Jahrgang 1882 S. 57 und 125 bereits gebracht haben, dürften einige ausführlichere Schilderungen des Erbauers selber, Mr. William Douglas, welche er kürzlich vor dem Verein britischer Civilingenieure vorgetragen hat, nicht unwillkommen genannt werden.

Douglas' Feuerturm ist der Reihe nach der vierte, welche auf diesen Eddystone Klippen gegenüber dem Hafen von Plymouth im Laufe der Jahrhunderte erbaut wurden. Nachdem der erste Holzbau, den Winstanley 1696—1698 aufrichtete, vom Sturm 1702 umgeblasen, der zweite solidere von Rudyerd aufgeführte 1755 vom Feuer verzehrt war, errichtete Smeaton einen runden nach oben sich verjüngenden Turm ganz aus Stein und Eisen, der bis jetzt allen Angriffen der Stürme und Wellen getrotzt hat. Leider hatte Smeaton nicht den Warnungen Gehör gegeben, und die schon sich zeigenden Risse in dem Gneiss Felsen, worauf der Turm erbaut wurde, ringsum mit Cement ausgefüllt, auch überall dem Turm eine etwas geringe Höhe gegeben. Diese Risse sind allmälig so bedenklich erweitert, dass der Fels im eigentlichen Sinne des Wortes begonnen hatte abzubröckeln, und in absehbarer Zeit dem Bau ein plötzlicher Zusammensturz drohte; obendrein wurden die Feuer nicht selten durch sich aufbäumende Sturmwellen ausgelöscht und damit der Schiffahrt an dieser höchst gefährlichen Stelle grosse Unsicherheit bereitet. Aus diesen Gründen entschloss sich die Trinity House Behörde zeitig für Ersatz zu sorgen, um so mehr da die zahlreichen benachbarten Feuer gebieterisch die Notwendigkeit klar legten, dass niemals Zweifel über die Individualität eines Lichts an dieser befahrensten Wasserstrasse der Welt aufkommen dürften. Da aber Smeatons Turm einstweilen noch leidlich seiner Bestimmung genügte, so konnte man ihn vorläufig stehen lassen und wählte zum Bau des neuen Turms eine 120 Meter von dem alten Turm belegene Klippe, die freilich so niedrig liegt, dass ein grosser Teil des Fundaments unter der Niedrigwassermarke der Springtiden liegt. Im Juli 1878 begann man mit der Anlage des aus Backsteinen und Cement gebauten Fangdamms, innerhalb dessen das Fundament des Turmes zu legen war. Im Juni 1879 konnten die ersten Lagen Werksteine gelegt werden, und am 18. Mai 1882 vollendete der Herzog von Edinburg das Werk, indem er die Lampen anzündete und die Feuer in den Dienst der Schiffahrt stellte. So war die schwierige Arbeit in vier Jahren ausgeführt, und ausser einem Jahre Arbeitszeit auch bedeutend an den Kosten gespart, indem die wirklichen Baukosten sich nur auf 59 255 £ St. statt der veranschlagten 78 000 £ St. beliefen, d. h. auf 24 % weniger. Der alte Turm von Smeaton ist seitdem auf Wunsch der Hafenbehörden von Plymouth zum Teil abgebrochen und die Laterne nebst vier Stockwerken desselben auf Plymouth-Hoe anstatt der alten Seemarke daselbst wieder aufgerichtet. Der übrig gebliebene Stumpf des alten Turms ist vollständig ausgemauert, und ein eiserner Mast in seiner Mitte aufgestellt. Derselbe Dampfer „Hercules", der mit seinen Krahnen und Maschinen die Steine zum Neubau herangebracht hatte, diente dazu im umgekehrten Verfahren die Steine des alten Turms abzuheben und in Leichter nach Plymouth Wellenbrecher zu verladen.

Der Unterbau des neuen Eddystone Feuerturms ist von concav cylindrischer Form, damit die See vom Turmkörper abgeleitet wird, und nicht wie am alten ungehindert so hoch hinaufflecken kann. Dadurch ist zugleich eine Plattform zum Landen vorbereitet, 2½ Fuss über Hochwasser, wo der eigentliche Turmkörper über dem 13 Meter im Durchmesser haltenden Fundament und dem 11 Meter dicken Unterbau sich zu verjüngen beginnt. Bis zu einer Höhe von 8 Meter über Hochwasser bei Springflut besteht der Turm aus massivem Mauerwerk, in welches lediglich die Wassercisterne eingelassen ist. Ueber diesem massiven Unterteil beginnt der Hohlraum des Turms, dessen Mauern von 2.6 Meter Stärke zu 0.67 Meter an der dünnsten Stelle im Dienstzimmer abnehmen. Alle Steine sind horizontal und vertikal verzahnt, wie wir das schon früher beim Bau des Wolf Rock Turms erwähnt haben, (vergl. „Hansa" 1876, No. 13 Beil. Seite 129) die Fundamentsteine liegen alle noch 0.3 m unter dem umgebenden Felsen und sind ferner gesichert durch 2 undertbalbzöllige Bolzen von Muntzmetall, die durch den Stein hindurch noch 9 Zoll tief in den Felsen gehen und mit Gegenkeilen befestigt sind, wie die hölzernen Bolzen der Schiffe. Der eigentliche Turm enthält 9 Räume, die 7 obern haben einen Durchmesser von 4.2 m, und eine Höhe von 3 m; sie dienen als Wohnräume für die Feuerwärter und zur Aufbewahrung der mannigfaltigen Vorräte; sie sind so feuersicher als möglich eingerichtet, die Wände von Hausteinen, die Böden von Granit mit Schieferplatten belegt, Treppen und Abteilungen von Eisen, Fenster und Fensterladen von Kanonenmetall. Das für die Lampen nötige Rüböl wird in 18 schmiedeeisernen Cisternen von 19 520 Liter Inhalt aufbewahrt: die Wassercisternen können 21 300 Liter Wasser fassen. 4668 Tons Granitsteine sind zum Bau verwandt.

Die Lichter angehend, so hatten die drei Türme von Winstanley, Rudyerd und Smeaton ein festes weisses Licht gezeigt: im Gegensatz dazu hat das Trinity House für den neuen Turm ein weisses Doppel-Blinkfeuer gewählt mit Perioden von einer halben Minute, welches 2 auf einander folgende Blinke zeigt, jeden von 3½ Sekunden Dauer mit einer Verdunkelung von 3 Sekunden dazwischen. Auch weist aus einem Fenster des Turms, 12 m unter dem Blinkfeuer ein festes weisses Licht nach den Hand Deeps, einer gefährlichen Untiefe 3½ Sm. nordwestlich von Eddystone. Ausserdem läutet bei Nebelwetter eine grosse Glocke zweimal in rascher Folge jede halbe Minute, um so als Schallsignal dem Leuchtsignal zur Verstärkung zu dienen; damit bei jedem Winde eine Glocke nach der Luvseite wirke, sind 2 Glocken von je 40 Centner Gewicht an entgegengesetzten Seiten des Turms ausgehängt.

Der optische Apparat besteht aus 2 übereinander angebrachten Reihen von Linsensystemen, deren zwölf je eine Reihe bilden. Die Brennebene der obern Reihe liegt 40 m über Hochwasser, und sind die Lichter 17,5 Sm. weit sichtbar, so dass sie bei klarem Wetter bis über den Feuerkreis der Lizard Lichter hinüberscheinen. Jedes Linsensystem erhellt 30° des Horizonts und je 47½° über und unter der Centralebene der Linsen; es besteht aus der Mittellinse und 39 Ringen, von denen 21 über, 18 unter der Mittellinse angebracht sind. Dadurch, dass die 6 obersten und 3 niedrigsten Ringe aus schwerem Flintglase bestehen ist erreicht, dass der Leuchtwinkel und die additionelle Kraft des Apparats alle bislang konstruirten an Mächtigkeit und Intensität übertreffen. Als Flamme dienen zwei Douglas Brenner von 6 Dochten, welche in den Brennpunkten jedes Linsensystems stehen. Wenn bei sichtigem Wetter das 10 Sm. entfernte Licht des Wellenbrechers von Plymouth sichtbar ist, so wird bloss der untere Brenner angezündet, und entwickelt dann der ganze optische Apparat eine Lichtstärke von 37 800 Kerzen. Verschwindet aber in dicker Atmosphäre jenes Plymouth Feuer, so müssen beide Brenner zugleich wirken, wobei sie vereint eine Lichtstärke von 159 600 Kerzen zeigen. Solche Lichtstärke übertrifft die des festen Lichtes von Smeatons — dem frühern — Turm um das 23fache und das der Talgkerzen des ersten Erbauers Winstanley um das 3 282fache.

Also feuersicheres Eisen und Granit statt brennbarem Holz, Foucault'sche Linsen mit sorgfältig regulirtem Uhrwerk statt Talgkerzen und Spiegel und eine dreitausendfach vergrösserte Wirkung, darin besteht der in zwei Jahrhunderten gemachte Fortschritt. Wünschen wir dass der Neubau auch den unveränderten Angriffen der Atmosphäre und See gewachsen bleibe.

Effekten-Versicherungs-Gesellschaft für Seefahrer zu Oldersum.

Bericht über die 13. ordentliche Generalversammlung am 22. Januar 1884.

Diese Effekten-Versicherungs-Gesellschaft für Seefahrer hielt kürzlich ihre 13. ordentliche Generalversammlung ab, und hatten sich dazu ausser der Direktion und dem Verwaltungsrat die Agenten von Papenburg und Warfingsfehn und eine spärliche Anzahl von Mitgliedern eingefunden. Der Director, Herr Lehrer Lüpkes, eröffnete die Versammlung mit einer kurzen Ansprache und einem Rückblick auf die Thätigkeit der Gesellschaft während ihres vierzehnjährigen Bestehens. Derselbe teilte sodann mit, dass für ihn, da er wegen vorgerückten Alters von seinem Posten entbunden zu werden wünsche, und für den mit dem Tode abgegangenen Rendanten, Reepschläger P. B. Diepen, eine Neuwahl stattzufinden habe, welche Mitteilung mit Bedauern entgegengenommen wurde. Auf Vorschlag des Verwaltungsrates wurde dem Herrn Lüpkes in Anbetracht der schätzbaren Verdienste um die Gesellschaft die Ehrenmitgliedschaft in der Direktion angetragen und von Herrn Lüpkes mit Dank für das ihm bewiesene Vertrauen angenommen. Das Andenken des verstorbenen Rendanten Diepen, der sein Amt stets mit Gewissenhaftigkeit und regem Eifer verwaltete, ehrte die Versammlung durch Erheben von den Sitzen. — Demnächst legte der Sohn des bisherigen Rendanten die Rechnung pro 1883 vor, aus welcher, was folgt, hervorzuheben: Schädenkonto: Einnahme ℳ 3554.55, Ausgabe ℳ 3328.50, Bestand ℳ 226.5; Einnahmereste: 1. von Mitgliedern ℳ 49.13, wovon unbeibringlich ℳ 14.63, 2. ca. 200 ℳ aus einer Prozesssache, welche in erster Instanz zu unseren Gunsten entschieden. Unkostenkonto: Einnahme ℳ 210.17, Ausgabe ℳ 196.35, Bestand ℳ 13.82. Die vorausbezahlte Prämie ad 2½ % beträgt ℳ 1397.50, belegt sind ℳ 1441.93, zu viel belegt ℳ 44.43, Gesamt-Einnahme ℳ 5162.22, Ausgabe ℳ 4966.78, Bestand ℳ 195.44. Die Rechnung war vom Verwaltungsrate revidirt und richtig befunden, es wurde daher auf Vorschlag des Direktors dem Rechnungsführer dankend Decharge erteilt. — In Erledigung des 3. Punktes der Tagesordnung, Feststellung der Schäden, wurden die bez. Schriftstücke verlesen und konnten endgültig festgestellt werden 7 Fälle mit ℳ 2284.20; zwei Fälle mit ca. 1000 ℳ wurden wegen bezweifelter Glaubwürdigkeit der beigebrachten Papiere vorläufig abgelehnt, der Direktion die Abwickelung der Sache aber überlassen, während ein Anspruch von ℳ 439 gänzlich abgelehnt wurde, weil die Prämie erst am Tage nach dem Unfall, ca. 4 Wochen nach der Generalversammlung bezahlt worden. Es ist zu bedauern, dass die Betreffenden erst durch Schaden klug werden müssen; obwol die Versicherten immer von Neuem wieder an die pünktliche Bezahlung der Beiträge erinnert werden, versäumen Viele solches dennoch, ohne zu bedenken, dass die Versicherung erst mit Entrichtung des Beitrages zu den Schäden des Vorjahres in Kraft tritt; die Prämie muss sofort nach Feststellung der Schäden entrichtet werden. Es wurde beschlossen, zur Deckung der Schäden von den für 1884 prolongirten Versicherungen 5½ % Prämie und ½ % Gebühren, von den mit dem 31. Dec. 1883 erloschenen Versicherungen aber in Anbetracht der zweifelhaften Schäden 6½ % zu heben, welche letztere nach Abzug der vorausbezahlten 2½ % mit 4 % zur Hebung gelangen. — Ein Antrag, im November d. J. eine extraordinäre Generalversammlung zur Beschlussfassung über Einführung von Winterprämien anzuberaumen, wurde einstimmig angenommen. — Die erforderlichen Wahlen hatten folgendes Resultat: B. G. Wallenstein, Direktor; Bruno Diepen, Kassenführer; H. W. Meyer, Beisitzer; J. de Haan, erstes und G. Spelde, zweites stellvertretendes Direktionsmitglied; Heiko Bruner, Verwaltungsratsmitglied. — Beiträge werden entgegen genommen durch den Kassenführer in Oldersum, Bruno Diepen, sowie durch die Agenten Herren Jac. Backhaus in Emden, Jos. L. Freericks in Papenburg, J. G. Plümer in Westrhauderfehn, T. J. Schoon in Warsingsfehn, E. H. Ulfers in Carolinensiel und J. H. Reiners in Leer. — Briefe etc. sind bis auf Weiteres an den Kassenführer Diepen zu richten.

Die deutsche Auswanderung nach überseeischen Ländern im Jahre 1883.

Nach den Berichten des Kaiserl. Statist. Amts stellte sich die deutsche Auswanderung nach überseeischen Ländern über deutsche Häfen und Antwerpen im Jahre 1883 folgendermassen. Es wanderten aus über:

Bremen	48 018	männliche,	39 721	weibliche,	zus.	87 739 Pers.
Hamburg	31 827	"	23 839	"	"	55 666 "
Stettin	305	"	241	"	"	546 "
Antwerpen	13 650	"	8 518	"	"	22 168 "
	zus. 93 800	männliche,	72 319	weibliche,	zus.	166 119 Pers.

gegen 193 869 Personen im Jahre 1882.

Von den deutschen Auswanderern im Jahre 1883 gingen

nach	m.	w.			
Vereinigte Staaten v. N.-A.	89 988	69 906	zus.	159 894	Personen
Britisch Nord-Amerika	308	283	"	591	"
Mexiko u. Central-Amerika	46	6	"	52	"
Westindien	30	2	"	32	"
Brasilien	918	645	"	1 563	"
Argentinische Staaten	456	212	"	668	"
Peru	29	13	"	42	"
Chile	129	57	"	186	"
and. südamer. Staaten	104	41	"	145	"
Afrika	465	307	"	772	"
Asien	35	15	"	50	"
Australien	1 292	812	"	2 104	"

und zwar

im	Januar	4 115	auf	94	Schiffen
"	Februar	8 401	"	93	"
"	März	15 775	"	131	"
"	April	27 338	"	124	"
"	Mai	25 185	"	132	"
"	Juni	13 881	"	116	"
"	Juli	11 469	"	115	"
"	August	13 587	"	105	"
"	September	14 753	"	107	"
"	October	19 440	"	124	"
"	November	8 683	"	102	"
"	December	4 042	"	98	"

In dem 13jährigen Zeitraum von 1871 bis 1883 einschl. wanderten aus Deutschland 1 165 606 Personen aus; dazu kamen von Havre in den Jahren 1871 bis 1882 nachgewiesene 50 335 Personen, welche in der Reichsstatistik nicht berücksichtigt werden konnten.

Bei einer Vergleichung der Auswanderung aus dem Reich mit der aus andern Ländern, stellt sich für die Periode 1871/82 die mittlere Zahl der Auswanderer, auf 100 000 der mittleren Bevölkerung berechnet, folgendermassen:

Irland	1101	Dänemark	256
Norwegen	635	Deutsches Reich	193
Schottland	531	Schweiz	173
England	488		

Zwischen dem Deutschen Reich und Schweden ist der Vergleich für die Periode 1871/81 möglich und ergiebt als relative Auswanderungsziffer für ersteres: 170, Schweden 294; zwischen dem Deutschen Reich und Portugal für 1872/81 verglichen, kommen in dieser Periode im Reich 169 Auswanderer auf 100 000 Einwohner, in Portugal 318. Das Reich wird also von den Ländern, für welche gleichartige Daten zu erfahren waren, an Stärke der Auswanderung übertroffen. (Die Schweiz, deren Nachweise überdies unvollständig sind, kommt ihm wenigstens sehr nahe), und dürften die nachstehenden Zahlenvergleiche geeignet sein, irrigen Vorstellungen über die relative Stärke der deutschen Auswanderung bezw. einer Ueberschätzung dieser Stärke zu begegnen.

Die *Gesamt-Auswanderung* über Bremen betrug im Jahre 1883: 111 295, über Hamburg 89 465 Personen.

Von den Auswanderer-Schiffen im Jahre 1883 fuhren unter der Flagge

des Deutschen Reichs	632	Dampf-,	17	Segelschiffe
Grossbritanniens	508	„	—	„
Hollands	12	„	—	„
Belgiens	98	„	—	„
Schwedens	—	„	1	„
Norwegens	—	„	1	„
Flagge nicht angegeben	71	„	—	„
	1321	Dampf-,	19	Segelschiffe

und zwar

von Bremen	201	„	—	„
Hamburg	951	„	18	„
Stettin	26	„	—	„
Antwerpen	141	„	—	„

Honigmann's feuer- und dampflose Lokomotive,

welche wir nach ihrem ersten Debüt als Strassenlokomotive zu Aachen bereits in unserer No. 17 v. 26. Aug. 1883 unsern Lesern geschildert haben, hat jetzt das Stadium der Vorversuche überstanden und ist in den regelmässigen Eisenbahndienst übergegangen. Wenn sie sich auch dort so bewährt, wie sie es bisher gethan, so steht ihr eine Zukunft bevor, welche die sämtlichen Steinkohlen-Lokomotiven der Gegenwart und wohl auch die noch immer nicht recht zur Entwickelung kommenden elektrischen Maschinen überflüssig machen wird.

Man schreibt von Aachen vom 21. März:

Vor einigen Tagen hat eine Probefahrt auf der Strecke Aachen-Jülich mit der feuerlosen Honigmann'schen Lokomotive stattgefunden. Der Erfinder hatte eine Lokomotive nach seinen Angaben umbauen lassen. Nachdem bereits einige Tage vorher kleinere Versuchsfahrten gemacht worden waren, wurde die ganze Strecke Aachen-Jülich und zurück bis Würselen durchfahren. Die Teilnehmer der Fahrt, unter denen viele Fachmänner sich befanden, hatten in einem angehängten Personenwagen Platz genommen und sprachen sich im Allgemeinen befriedigt über das Ergebnis aus, auch bezüglich der Ueberwindung von Schwierigkeiten bei Steigungen. Gutem Vernehmen der „Köln. Ztg." nach beabsichtigt die Aachen-Jülicher Bahnverwaltung, die Honigmann'sche Lokomotive zum Betrieb zu verwenden. Sie soll schon in den nächsten 14 Tagen für Personenverkehr zwischen Würselen und Stolberg Verwendung finden. Die hiesige Strassenbahn will ebenfalls einige Honigmann'sche Lokomotiven in Dienst stellen.

Dieser Probefahrt ist nach 8 Tagen der Beschluss gefolgt, die feuerlose Honigmann'sche Natron-Lokomotive vom 30. März ab regelmässig die Personenzüge zwischen den Stationen Stolberg und Würselen befördern zu lassen. Da nach den bisher erzielten Resultaten jede Füllung der Lokomotive für die Dauer eines Betriebes von 12 Stunden ausreichen dürfte, so ist damit eine genügende Regelmässigkeit des Dienstes gewährleistet, welche die der Feuerlokomotiven offenbar weit übertrifft, weil diese in viel kürzeren Fristen Wasser und Kohlen fassen müssen.

Hoffentlich verhilft das neuerweckte Nationalgefühl der Erfindung zu einer noch wohlwollenderen Aufnahme, als sie nach ihrem inneren Wert beanspruchen darf.

Nautische Literatur.

Hülfstafeln zur schnellen Berechnung von Deviations-Tabellen für den Regelkompass eiserner Schiffe. *Berechnet und herausgegeben von F. Jessen und Th. Lüning, Königl. Preuss. Navigationslehrern. Vorrede und Anweisung zum Gebrauch der Tafeln auch in englischer Sprache. Preis 8 Mark. Flensburg. Druck und Kommissionsverlag von J. H. Meyer, 1884.*

Als gegen Ende der fünfziger Jahre die Fahrt mit eisernen Seedampfern von Deutschland begann und der Norddeutsche Lloyd vier seiner kleinen Dampfer auf England (Hull und London) fahren liess, fragten wir mal einen Steuermann eines Hullbootes, welcher früher die Navigationsschule zu Elsfleth besucht hatte: „Sagen Sie mal aufrichtig, mein lieber H., was steuern Sie eigentlich, wenn Sie nach Hull gehen?" „„West, Herr."" „Und wohin kommen Sie mit diesem Kurse?" „„Irgendwo unter die englische Küste, und dann steuern wir Nord oder Süd, je nachdem."" „Sehr schön, aber wenn Sie nun zurück zur Weser fahren?" „„Dann steuern wir Ost!"" „Nun, und dann?" „„Damit haben wir schon südlich vom Texel Land gemacht, aber dann geht es ja längs der Küste hin!""

Man wird der buchstäblich wahren Geschichte eine gewisse landesübliche Gemütlichkeit nicht abstreiten können, aber erwarten, dass die Navigation der grossen Post- und Passagierdampfer zwischen Deutschland und Newyork in etwas strammerer Weise geführt wurde. Man darf dies ruhig zugeben, wenn auch die Strandungen bei Nieuwediep und Rattrayhead bewiesen, dass nur unter Anwendung grösster Vorsicht Unglücksfälle vermieden werden konnten.

Natürlich suchte man nach Abhülfe gegen die Unzuverlässigkeit der Kompasse auf eisernen Schiffen. Die Schulen hatten bislang meist nur auf die Lokalattraktion bei hölzernen Schiffen Rücksicht zu nehmen gehabt und sich derselben im Vorbeigehen entledigt, da die in Betracht kommenden Grössen der Deviationen gar unbedeutend zu sein pflegten. Und da diese Unterweisung für verschiedene auffällige Störungen bekannter Deviationsgrössen auf eisernen Schiffen nicht ausreichte, eine Theorie des Magnetismus in eisernen Schiffen aber noch nicht existirte, so erschöpften sich zunächst die Kompassbauer in allerhand Vorschlägen, die Störungen empirisch aufzuheben, bis endlich Airy, der Royal-Astronomer in Greenwich und, ins Praktische übersetzend, Dr. Merrifield eine Theorie des Magnetismus in eisernen Schiffen aufstellten und zugleich wissenschaftlich begründete Vorschläge machten, wie man die hauptsächlichsten Fehler der Kompasse in eisernen Schiffen künstlich kompensiren und den Instrumenten wenigstens einen Teil ihrer Vertrauenswürdigkeit zurückgeben könne, wie man selbige in hölzernen Schiffen gewohnt gewesen war. Im Verfolg der Zeit haben sich staatliche Institute und einzelne Mechaniker und Optiker diese Metoden angeeignet und der Schiffahrt in eisernen Schiffen auf diese Art einen gewissen Grad von Sicherheit zu geben sich bemüht.

Dennoch bleibt für den sorgsamen Führer eines eisernen Schiffes stete Aufmerksamkeit auf seinen Kompass von nöten. Die Deviation seiner Kompasse ändert sich mit den gesteuerten Kursen, mit der Krängung des Schiffes, mit der veränderten Ladung, mit der wechselnden Breite, und durch besondere Zufälle wie Blitzschlag, Nordlichter oder selbst durch schweres Arbeiten und Stossen in hohler See. Gegen die veränderten Kurse und Krängungsfehler helfen sog. Deviationstabellen, welche die Deviation auf jedem Kurse angeben, aber gegen die andern Störungen kann man sich nur wahren, wenn der Schiffsführer unterstützt von umfassender theoretischer Kenntnis der Theorie des Magnetismus es versteht, und den Zeitverlust nicht scheut, bei stillem Wetter und ruhiger See die Arbeit der Mechaniker und Seewärtler selbstständig so oft als angezeigt zu wiederholen und sich selber neue Deviationstabellen für die veränderten Umstände zu berechnen. Die dazu vorab nötigen Peilungen der Sonne oder eines festen Landobjektes kosten 20—30 Minuten Zeit, welche achtfältig und mehr eingebracht werden durch den Wegfall an Zeitverlust und Unsicherheit in dickem Wetter, wo der fleissige Schiffsführer auf seine Arbeit vertrauend seinen Weg achtsam fortsetzt, während der Andere ängstlich stoppt und sichtigeres Wetter abwartet.

Die Verfasser obiger Hülfstafeln etc. haben sich nun die höchst dankenswerte Aufgabe gesteckt, die nun noch erübrigte Rechenarbeit zur Aufstellung neuer Deviationstabellen dem Schiffsführer so leicht und sicher als möglich zu machen. Ist dieselbe auch nicht schwierig, da es sich um nicht mehr eigentliche Rechenarbeit handelt als welche man vornehmen müsste, wenn Einem einmal die Strichtafel abhanden gekommen wäre, so sind doch die vielfach wechselnden Vorzeichen der einzelnen Beträge die Quelle sehr häufiger und gefährlicher Fehler und wird der sonst so stark in Anspruch genommene Schiffsführer es äusserst gern sehen, wenn ihm die ganze Rechenarbeit auf die Addition von je drei den Tabellen numerisch mit ihren Vorzeichen zu entnehmenden Summanden zurückgeführt wird, welche die bekannten Werte B sin z, C cos z und D sin 2 z vorstellen, wozu unter Umständen noch die Krängungsfehler mit i.° K cos z hinzutreten. Alle diese Werte findet man für jeden vollen Kursstrich und für B = 0 bis B = ± 20° und für C = 0 bis C = ± 9°, desgleichen in Ausnahmefällen für C = ± 20 und B = 0 bis B = ± 9° in den ersten 152 Seiten der Tabellen; sodann auf S. 153 und 154 die Constantentafel D sin 2 z für D = + 0.5 bis + 7°0, und endlich die Krängungs-Deviation für 10° Krängung nach Backbord oder Steuerbord und den Krängungs-Koeffizienten von 0°.1 bis 1°.0 nach Lee oder nach Luv auf jedem gesteuerten Kurse. Eine knapp und deutlich geschriebene Einleitung in deutscher und englischer Sprache orientirt zum Ueberfluss über diese ganze Arbeit in Beobachtung und Rechnung. Beigegeben sind noch verschiedene Tabellen zur Verwandlung von Graden in Striche und der Kompasskurse in magnetische Kurse und umgekehrt. Einige gerechnete Beispiele vervollständigen die Unterweisung und können somit diese Tafeln mit vollstem Recht allen Führern eiserner Dampf- oder Segelschiffe wärmstens empfohlen werden, um so mehr als Druck und Papier wahrhaft ausgezeichnet deutlich und kräftig sind und das Aeussere des Quartheftes in rotem gepresstem Linnen mit Goldschnitt einen höchst gefälligen opulenten Eindruck macht.

Laut praktisch bereits angestellten Proben mit diesen Hülfstafeln Seitens deutscher Schiffsführer lässt sich in 15—20 Minuten die Aufstellung einer vollständigen neuen Deviationstabelle beschaffen, weil statt dem bisher üblichen vollen Rundschwaien nur zwei Peilungen auf Nord- oder Süd-Kurs, und auf Ost- oder West-Kurs zu nehmen sind, nachdem vorab im Hafen das D vermittelst des immer unerlässlichen völligen Rundschwaiens bestimmt worden war und die Rechenarbeit auf ein Minimum beschränkt ist; früher kostete die Anstellung der Peilungen und die Berechnung einer guten Deviationstabelle ca. 2 Stunden Zeit.

Navigationsschule.

Am 1. April d. J. beginnt an der hiesigen Navigationsschule ein neuer Kursus für die Steuermannsklasse, (Aufnahmeprüfung findet an demselben Tage statt).

Während der ersten drei Monate nach Beginn dieses Kursus können zu demselben noch aufnahmefähige Schüler zugelassen werden, eventl. später auch noch solche, welche einen gleichen Unterrichtskursus schon einmal durchgemacht haben, oder nachweisen, dass sie mit den bis dahin durchgenommenen Unterrichtsgegenständen völlig vertraut sind.

Aufnahme in die Schifferklasse und in die Vorschule findet jederzeit statt.

Geestemünde, den 17. März 1884.

Das Kuratorium
Brandt.

Soeben erschienen im **Commissions-Verlag** von **I. S. Meyer** in **Flensburg**:

Hülfstafeln

zur

schnellen Berechnung von Deviations-Tabellen

für den

Regelkompass eiserner Schiffe,

berechnet und herausgegeben von den
Königl. Preuss. Navigationslehrern **F. Jessen** u. **Th. Lösing**.

Vorstehendes einzig in seiner Art dastehende Werk ist berufen den Kapitänen eiserner Schiffe die Herstellung einer Deviations-Tabelle für sämtliche Kompasskurse so leicht wie möglich zu machen. Es umfasst etwa 1500 Tabellen, welche den veränderlichen Theil der Deviation enthalten und die erforderliche Anzahl Tabellen mit dem constanten Theile der Deviation. Ausserdem befinden sich im Anhang eine Anzahl Tabellen, welche die Krängungs-Deviation enthalten, sowie auch verschiedene andere, für den praktischen Gebrauch sehr nützliche Tafeln.

Dieses Werk setzt den Schiffsführer in den Stand bei Vermeidung des sehr zeitraubenden Rundschwaiens des Schiffes auf See durch Beobachtung der Deviationen auf nur zwei Kursen in kürzester Zeit zu einer zuverlässigen Deviations-Tabelle zu gelangen.

Die höchst interessanten Memoiren
der letzten Liebe HEINRICH HEINE'S
(genannt Mouche)
sowie der mit Spannung erwartete neueste Roman von

E. WERNER

Ein Gottesurteil

erscheinen jetzt in der illustrirten Zeitschrift

Schorers Familienblatt.

Preis vierteljährlich 2 ℳ — in Wochen-Nummern.
— Auch in Heften zu 50 Pf. —

Nach 4jährigem Bestehen hat Schorers Familienblatt bereits die Höhe von 75,000 Abonnenten erreicht und wird von der Presse als die beste illustrirte Zeitschrift Deutschlands anerkannt. Die ersten Schriftsteller und Künstler der Nation sind als Mitarbeiter gewonnen worden, und für die Herstellung der Bilder werden jährlich nicht weniger als 70,000 ℳ verausgabt.

Man kann jederzeit in allen Buchhandlungen und Postämtern abonniren, bei der Post jedoch nur auf die Wochenausgabe. Bereits erschienene Nummern und Hefte werden nachgeliefert.

W. LUDOLPH

Bremerhaven, Bürgermeister Smidtstrasse 72,

Mechanisch-nautisches Institut,

übernimmt die **komplete Ausrüstung** von Schiffen mit sämmtlichen zur Navigation erforderlichen Instrumenten, Apparaten, Seekarten und Büchern, sowie das Kompensiren der Kompasse auf eisernen Schiffen.

Das Frauenleben der Erde.

Geschildert von
Amand Freiherr v. Schweiger-Lerchenfeld.
Mit 200 Original-Zeichnungen von A. Wenzura.
40 Bogen groß 8. Eleg. geh. 6 fl. = 10 ℳ 80 Pf.
In Original-Prachteinband 7 fl. 50 kr. = 13 ℳ 50 Pf.

Verlag von F. A. Brockhaus in Leipzig.
Soeben erschien:

Elementare Meteorologie.

Von **Robert H. Scott.**
Uebersetzt von **W. von Freeden.**
Mit 63 Abbildungen und 11 Tafeln. 8. Geh. 6 ℳ Geb. 7 ℳ
(Internationale wissenschaftliche Bibliothek, 61. Band.)

Scott's „Elementare Meteorologie" erfreut sich in England eines grossen, wohlverdienten Erfolges und darf in der vorliegenden Uebertragung von W. v. Freeden, dem frühern Director der Deutschen Seewarte, auch beim deutschen Publikum der günstigsten Aufnahme sicher sein. Zeigt doch die kürzlich erfolgte Gründung einer deutschen meteorologischen Gesellschaft, dass die eminente Wichtigkeit, welche die Meteorologie für Leben und Wissenschaft hat, immer allgemeiner zur Anerkennung gelangt. Das Scott'sche Werk ist vermöge seiner populären, fasslichen Methode ganz besonders zur *Verbreitung* in weitern Kreisen geeignet.

Durch alle Buchhandlungen zu beziehen
A. HARTLEBEN'S

Elektro-technische Bibliothek.

In etwa 60 achttägigen Lieferungen à 4—5 Bogen, mit zusammen circa 1000 Abbildungen.
Preis jeder Lieferung 30 Kr. = 60 Pf. = 80 Cts. = 36 Kop.

INHALTS-UEBERSICHT.

I. Band. Die magnetelektrischen und dynamoelektrischen Maschinen. — II. Band. Die elektrische Kraftübertragung. — III. Band. Das elektrische Licht. — IV. Band. Die galvanischen Batterien. — V. Band. Die Verkehrs-Telegraphie. — VI. Band. Das Telephon, Mikrophon und Radiophon. — VII. Band. Elektrolyse, Galvanoplastik und Reinmetall-Gewinnung. — VIII. Band. Die elektrischen Mess- und Präcisions-Instrumente. — IX. Band. Die Grundlehren der Elektricität. — X. Band. Elektrisches Formelbuch, Terminologie in deutscher, englischer und französischer Sprache. — XI. Band. Die elektrischen Beleuchtungs-Anlagen. — XII. Band. Die elektrischen Einrichtungen der Eisenbahnen und das Signalwesen. — XIII. Band. Elektrische Uhren und Feuerwehr-Telegraphie. — XIV. Band. Haus- und Hotel-Telegraphie. — XV. Band. Die Anwendung der Elektricität für militärische Zwecke. — XVI. Band. Die elektrischen Leitungen und ihre Anlage für alle Zwecke der Praxis.

Mit zusammen circa 1000 Abbildungen.
In etwa 60 Lieferungen à 30 Kr. = 60 Pf. = 80 Cts. = 36 Kop.

Einzelne Bände werden aus den Lieferungen nicht abgegeben, vielmehr nur in [illegible] Handausgabe zum Preise von pro Band geheftet 1 fl. 65 kr. = 3 ℳ = 4 Francs = 1 R. 80 Kop.; eleg. geb. à Band 2 fl. 10 kr. = 4 ℳ = 5 Francs 35 Cts. = 2 R. 40 Kop.

A. Hartleben's Verlag in Wien.

Germanischer Lloyd.

Deutsche Gesellschaft zur Classificirung von Schiffen.

Central-Bureau: Berlin W. Lützow-Strasse 65.
Schiffbaumeister **Friedrich Schüler**, General-Director.
Schiffbaumeister **C. H. Kruse** in Kiel, Technischer Director.

Die Gesellschaft beabsichtigt in deutschen und ausserdeutschen Hafenplätzen, wo sie zur Zeit noch nicht vertreten ist, Agenten oder Besichtiger zu ernennen, und nimmt das Central-Bureau bezügliche Bewerbungen um diese Stellen entgegen.

Verlag von H. W. Silomon in Bremen. Druck von Aug. Meyer & Dieckmann, Hamburg, Alterwall 59.

HANSA

Redigirt und herausgegeben
von
W. von Freeden, BONN, Thomastrasse 9.

Abonnementspreis:
vierteljährlich für Hamburg 2½ M.,
für auswärts 3 M = 3 sh. Sterl.
Einzelne Nummern 60 ₰ = 6 d.

Zeitschrift für Seewesen.

No. 8. HAMBURG, Sonntag, den 20. April 1884. 21. Jahrgang.

Inhalt:

Beiträge zur Geschichte der „Asiatisch-Chinesischen Handlungsgesellschaft" zu Emden 1750—1755, und der Betheiligung König Friedrich II. an derselben.

Der Zufall hat uns dieser Tage Einsicht in verschiedene Familienpapiere gegeben, welche über die Gründung und weitern Schicksale obiger Gesellschaft vielfach andere Aufschlüsse bringen, als Wiarda in seiner »Ostfriesischen Geschichte« und nach ihm Dr. O. Klopp mitteilen. Da in die Darstellung des Hauptbeteiligten, eines Kaufmanns Teegel aus Amsterdam, zugleich interessante Berichte über den zweimaligen Besuch des Königs Friedrich II. in dem seit 1744 durch Erbschaft erworbenen Ostfriesland verflochten sind, so haben wir geglaubt, dieselben der Oeffentlichkeit um so eher übergeben zu sollen, als sich in Emden wohl Gelegenheit finden wird, die Bedeutsamkeit dieser Darstellung aus dortigen alten Kameral-Acten weiter darzuthun. Wiarda erwähnt den Kaufmann Teegel, von dem unsere Nachrichten herstammen, gar nicht, dagegen wohl der Kammerpräsident Lentz*), welcher jeden Monat einen vertraulichen Bericht an das Cabinet zu Berlin über alle Vorfälle von Bedeutung in der neuen Provinz einzusenden hatte. Die Berichte dieses hochangesehenen und allseitig beliebten Beamten sind nur noch bruchstückweise vorhanden, verbreiten sich aber ziemlich eingehend über die Vorgeschichte und fernern Erfahrungen jener Handelsgesellschaft, wie das »Ostfriesische Monatsblatt« im IV Jahrgang, 1876 S. 196—204 und 387—89 erzählt.

Wir werden im Verfolg unserer Darstellung daraus die bemerkenswertesten Abschnitte bringen, lassen aber jetzt unsern Kaufmann Teegel, dessen Nachkommen noch jetzt höhere Chargen in der preussischen Armee bekleiden, sich selber einführen mit einigen Nachrichten über sein Vorleben als Seemann und als Kaufmann und Beamter auf Java. Wir haben geglaubt das Colorit seiner Erzählung durch Beibehaltung seiner deutsch-holländischen Ausdrucksweise und Satzbildung wahren zu sollen, und geben das Manuskript also, wie es ist.

„Nachdem ich meine erste See-Reise nach Spitsbergen zwischen dem 75 und 80 Grad Norden-Breite gethan hatte, allwo die meiste Zeit Nacht und nur bei Monath Licht ist, dabei aber so kalt, dass ehe der Speichel auf den Grund kommt, er schon gefroren ist, kam ich auf meiner zweiten Reise auf dem Schiff „Herzenslust" nach Batavia; ich miethete mir daselbst ein Haus, hatte einen Sklaven und lebte ganz einsam und stille, wurde aber bald bei ansehnlichen Leuten und bei der Regierung bekannt, besonders bei dem Herrn Gouverneur General von Imhoff und Herrn Generaldirecteur Mossel.

*) Daniel Lentz, geb. zu Stendal 1696, seit 1719 Auditeur beim markgräflich Schwedt'schen Friedrich'schen Reiterregiment zu Calcar. Der Markgraf von Schwedt war ein eigentümlicher Herr und hatte u. A. die Gewohnheit dass, wenn ihm Jemand seiner Umgebung unangenehm war, er seinem grossen und schönen Hund einen Tritt gab und dabei den Namen desjenigen laut aufrief, der sich entfernen sollte. Als er in dieser Laune einst den Namen seines Auditeurs mit „Lentz heraus" dem Hunde zurief, gab Lentz dem Thier noch einen Tritt und rief „Markgraf heraus!" Darüber zu längerer Festungshaft nach Küstrin verurteilt, lernte ihn dort Kronprinz Friedrich kennen und achten. Als derselbe nach seiner Thronbesteigung eines Chefs der Regierung in Ostfriesland bedurfte, erinnerte er sich seines Leidensgefährten von Küstrin, und ernannte den mittlerweile zum Kriegs- und Domänenrat in Gumbinnen avancirten Lentz trotz anfänglichen Sträubens zum Geheimrat und Präsidenten von Ostfriesland. 1767 nahm Lentz seine Entlassung und starb im vollen Besitz der königlichen Gnaden bei Halle im folgenden Jahre. Vergl. Ostfries. Monatsbl. v. 1877 S. 1—4.

Meine erste Bedienung war Inspector über die Leprosen und die Insel Edam.

Nachdem wurde ich Commissarius vor See- und Commercien-Sachen und Commissarius von der Bank, welche Bedienung mir 2400 Thaler holländisch einbrachte.

Endlich wurde ich Administrator von der Amphion-Societät, wovon der Directeur General Mossel Directeur war. Diese Bedienung brachte mir jährlich über 7000 Thlr. ein, so dass ich jährlich über Neuntausend Reichsthaler frei Geld Einkommen hatte, ohne dass ich der ostindischen Compagnie jemals einen Stüber hatte zu kurz gethan haben; dabei war ich von verschiedenen Gouvernements auf den aussen Provinzen Gemechtigter.

Im Jahre 1740 wurden auf und um Batavia von den Chinesen 30tausend massakrirt und ich freue mich noch, dass ich keinen einzigen Chinesen umgebracht habe.

Auch wurde bei meiner Zeit der König von Bantam aus seiner Residenz in Arrest geholt und in's Exil nach Ambon gesandt.

Desgleichen wurde der Fürst von Madras arretirt und nach der Caab (Kap der guten Hoffnung ist gemeint d. Red.) gesandt.

Ich hatte auf Batavia 4 Häuser und einen grossen Garten 1 Stunde von der Stadt: ich hielt 5 Pferde von egaler Isabellen-Couleur. Meine Bedienten bestanden in 45 Manns- und Frauens-Sklaven; worunter 16 Mädchens, die nähen und in Gold und Silber bordiren konnten, in 5 Mannssklaven, welche die Musik auf der Harfe und Violine verstanden, die alle Abend und des Morgens um 6 Uhr unter mein Fenster musiciren mussten. Bei den Pferden hielt ich einen Kutscher, 2 Stallknechte und einen Grasschneider; in der Küche hatte einen Koch, 2 Kochleger und einen Marktgänger. Die übrigen Mannssklaven mussten arbeiten im Hause und Garten, und zwei davon mussten allezeit mit mir ausgehen oder ausfahren.

Den Harfenschläger und zwei Mädchens habe mit nach Europa gebracht, sie sind aber schon alle drei gestorben.

Ich kann mich noch innerlich ergötzen, dass ich Ursache dazu gegeben habe, dass die erste Luthersche Kirche in Asia ist auferbauet worden; ich liess die erste Einschreibung von den Lutheranern thun, die auf 12 000 Th. belief. Darauf ersuchte bei der Regierung um eine Collecte zu mögen thun, die erhielt 2 mahl zu mögen thun, welche ich auch 2 mahl selbsten gethan habe, die Kirche habe helfen bauen und auch mit helfen einweihen."

Seinen Anteil an der Gründung und Geschäftsführung der »asiatisch-chinesischen Handelsgesellschaft« in den Jahren 1750—55 und einige Jahre später bis in die Zeit des siebenjährigen Krieges hinein, erzählt nun Teegel, die trockene Geschichtserzählung der berufsmässigen Historiker mit allerhand persönlichen Erlebnissen ergänzend, in folgender detaillirter Weise:

„Nachdem ich F. G. Teegel im Jahre 1750 aus Ostindien, allwo ich zu Batavia honorable und profitable Bedienungen bekleidet hatte, dass sich mein jährlich Gehalt über Neuntausend Holl. Reichsthaler betrug, in Holland zu Hause kam, und in Amsterdam mich mit der Wohnung niedergelassen hatte, kam der Preussische Minister Herr de Ammon[1]) aus dem Haag zu mir und trug mir von Wegen Sr. Königlich Preussischen Majestät den Vorschlag vor, ich möchte mit der Wohnung nach Emden ziehen und helfen die ostindische Compagnie errichten, wozu Sr. Majestät einem Stuart[2]) eine Octroye allergnädigst verliehen hatte, auf welchen man aber kein gross Vertrauen setzte: Sr. Majestät wollte mich in Adelstand erheben und andre Gnadenbezeigungen angedeihen lassen; — ich deprecirte vor dem Adelstand, weil ich keine Männliche Erben hätte, nehme aber deswegen doch an, nach Emden zu gehen wohnen und helfen die ostindische Compagnie aufrichten, weil ich noch kein festes domicilium erwählet hätte; ich resolvirte also sogleich im October 1750 nach Emden zu reisen[3]) um zu sehen, wie diese Sachen allda beschaffen wären, und fand den Entrepreneur Stuart nur in schlechten Umständen, und ich war der erste, der 20 Actien zeichnete, worauf sogleich mehrere folgten, auch gab ich sogleich Commission, für mich ein Haus zu miethen, und reisete wieder nach Amsterdam. Nachdem ich den Winter über alle meine affairen in Holland in Ordnung gebracht hatte, reisete ich mit meiner Frau, Tochter und 4 von Batavia mitgebrachten Sklaven im April 1751 nach Emden, allwo Sr. Majestät der König im Monat Juny mit seinen 3 Herren Brüdern Königl. Hoheiten ankamen. Des andern Tages musste ich mit noch mehreren Personen vor Sr. Königl. Majestät in sein Quartier erscheinen, und zwar in praesentie der 3 Herren Brüder Königl. Hoheiten, unter andern war auch der Baron von Longewater, welchen der König mit dem Kammerherrnschlüssel begnadigt hatte, mit uns dabey, der auch um eine Octroye auf Indien anhielt[4]) und 4 Schiffe zugleich ausrüsten wollte; da ich ihn aber auf Batavia sehr wohl gekannt hatte und seine Umstände mir wohl bekannt waren, dass er der Mann nicht wäre, solches zu praestiren und der König schon einige Nachricht davon hatte, so befahl mir Sr. Majestät der König, dass ich mit diesem Herrn von Longewater über diese Unternehmung eins sprechen möchte. Darauf frug ich ihn, ob er denn schon 2 Millionen zu diesen 4 Schiffen und Etablirung der Compagnie parat hätte, und woher die 4 Schiffe und alle das Volk dazu kommen sollte, auch dass 2 Schiffe nach China und 2 Schiffe davon nach der Malabarküste gehen sollten um Pfeffer zu holen, allwo die Holländer, die Franzosen und Engländer alles auf Malabar inne hätten, und vor gewiss sein würde, dass diese 2 Schiffe eine verlorne Reise thun würden. Ferner auch, dass das project dass diese 4 Schiffe in Strass Sunda sollten bei einander kommen und trassiren ihre Schiffsladungen, das wäre eine ganz unthunliche Sache. Als Se. Majestät dieses Alles mit angehöret, kehrte Er sich um und gab dem Herrn Kammer-Präsident Lentz Ordre wegen der Recognition mit uns zu accordiren, welche denn auch auf 3 pr. Ct. fest-

[1]) Vielleicht ein Vorfahr des vor einigen Jahren in Köln verstorbenen Appellhofs-Präsidenten von Ammon.

[2]) Wiarda Ostfr. Gesch. VIII, S. 366 ff. erzählt von allerlei Projektenmachern aus Frankreich (Jerome Jaques aus Orleans), Holland (Looss), welchen aber ein Emder Kaufmann Heinrich Thomas Stuart vorgezogen sei. Derselbe erhielt unterm 4. Oct. 1750 die Königl. Octroy oder ein Privilegium auf zehn Jahre, später auf zwanzig Jahre, dass „seine Gesellschaft ausschliesslich den asiatisch-chinesischen Handel betreiben, im Namen des Königs mit den Souverains und andern Mächten in Indien Traktaten und Allianzen zur Beförderung und Ausbreitung ihres Commercii schliessen, alle Produkte nach und von Indien zollfrei in Emden einführen und indische Waaren in Emden ausschliesslich verkaufen dürfe. Sieben Directoren sollen zunächst ernannt, ihre Zahl aber auf direkten Vorschlag bei S. Maj. vermehrt werden. Die Holländer intriguiren fleissig dagegen, daher der König die Generalstaaten ersuchen lässt, die Emder Schiffe draussen freundlich zu behandeln."

[3]) Lentz berichtet unter Aurich d. 7. Juni 1751: „Die Interessenten der asiatischen Compagnie in Emden halten jetzt ihre Deliberations, setzen aber alles zu Ew. Königl. Maj. allerhöchster Approbation aus. An Ausländern sind dabei erschienen: der Hofrath Schmidt aus Frankfurt a/Main, der Agent Dillon aus Rotterdam, Wille als Mandatarius aus Hamburg, *Tegel aus Amsterdam, der mit seiner ganzen Familie zugleich nach Emden gezogen ist.* Sie wollen sich nicht befriedigen mit einem Schiffe, sondern alles anwenden, um in diesem Jahre 2 Schiffe sogleich auslaufen zu lassen." — Vorher hat L. schon am 4. Mai 1751 berichtet: „Zur Ausrüstung eines Schiffes nach China sollen höchstens 540 Aktien jede zu 500 Th., Summa 270 000 Th. erfordert werden. Laut den eingetroffenen Nachrichten von den Collecteurs ist diese Anzahl übrigens complet: 100 Aktien möchten in Berlin genommen sein, 110 in Hamburg, 80 in Braband, 60 in Frankfurt a/Main, 90 in Amsterdam, 115 in Ostfriesland und andern Städten. Summa 555 Aktien, es wird aber darauf ankommen, ob alle diejenigen, die sich gemeldet und einschreiben lassen, auch feste bleiben, wenn es zum Geldgeben kommt."

[4]) Lentz erwähnt noch „einen sichern Baron von Cruyiet aus Holland und einen reichen Ostindienfahrer nahmens Brede, die aber in Emden sich aufhaltend noch nicht partie mit der asiatischen Compagnie machen, sich einen andern Plan auszuarbeiten reserviren" u. s. w.

gesetzt wurde. Und da ich der erste Directeur und so zu sagen, die ganze affaire der Compagnie alleine wahrgenommen, alle instructies und reglemente vor die Compagnie und See-Officiers gemacht habe, so habe ich auch bei achtzigtausend Reichsthaler in Pistolen an Recognition vor unsere Schiffe successive vor Se. Majestät nach Berlin gesandt[3]).

Bey dieser Anwesenheit Sr. Majestät[4]) ersuchte ich um die Gnade, das adeliche Möllendorf'sche Rittergut zu Alvensleben zu mögen kaufen, welches mir gnädiglich accordiret wurde, und wurde mir des andern Tages darüber von Herrn geheimen Rath Eichel ein Rescript, als auch Copyen von denen Rescripte an die Magdeburg'sche und Halberstädt'sche Regierungen zugesandt.

Als im Jahre 1754 der König ein Stück Land von dem ertrunkenen Lande bei Rheiderland liess eindeichen, war ich der erste, der ein Stück davon vor zwölftausend Thaler kaufte[5]).

[3]) Darnach scheint also Teegel die Seele der ganzen Compagnie gewesen zu sein. Die Recognition ad 3% von der Bruttoeinnahme war die Gebühr für das verliehene Privileg. Im Nov. 1756 kurz vor Auflösung der Gesellschaft wies der Magistrat von Emden dem Könige nach, dass „dieselbe bereits 22000 Th. in dem Jahr an Recognition eingezahlt habe." Klopp II. S. 26.

[4]) Die Anwesenheit des Königs wirkte fördernd auf das Zustandekommen der Gesellschaft; Lentz berichtet 6. Juni 1751, dass „95 Aktien genommen seien und täglich mehr erwartet" wird. „Die Interessenten aus Braband schreiben, dass sie ihr Geld aus der Gotenburgischen Compagnie herausnehmen und in Emden emploiren würden: viele Hamburger wollen es auch thun. Der reiche Kaufmann Faber aus Amsterdam ist auch feste resolviret in Emden zu bleiben, hat auch als Directeur der asiatischen Compagnie geschworen, *aber heimlich, damit es in Holland noch zur Zeit nicht kund werde.*

Es wurde nun zur Beschaffung der nötigen Schiffe geschritten und zunächst zwei neue passende Fahrzeuge in England gekauft. Das erste Schiff, „Der König von Preussen", lief am 21. Febr. 1752 von Emden aus, kam im November in Canton an und kehrte am 14. Jan. 1753 von Canton nach Emden zurück, wo es am 6. Juli 1753 ankam. Das zweite Schiff „Die Burg von Emden" lief am 1. Oct. 1752 von Emden aus, und kehrte am 28. Mai 1754 aus Canton zurück. Es waren grosse Schiffe von 520—600 Last, die 20—36 Kanonen, 100 Matrosen und 20 Offiziere führen, darunter 12 Soldaten unter 1 Kommandeur und 1 Korporal. Die zurückgebrachten Ladungen bestanden in roher Seide, seidenen Stoffen, Thee, Porcellan und Apotheker-Waaren und wurden in öffentlicher Auction in Emden verkauft, wozu sich Kaufleute aus Hamburg, Bremen, Frankfurt a/Main, Holland, Braband zahlreich einfanden. Zur ersten Auction kam auch Kurfurst Clemens August von Cöln, begleitet vom Grafen von Metternich, und kaufte viele Waaren. „Der Verkauf fiel zwar gut aus, berichtet Wiarda, besonders des Porcellains, welches 20% theurer als zu Kopenhagen bei ähnlicher Licitation verkauft sei, aber Sachverständige wollten behaupten, dass die Schiffe zu klein seien." Darum wurde ein drittes Schiff, welches „Anlage auf 66 Kanonen" hatte in Holland angekauft, und unter dem Namen „Prinz von Preussen" nach Canton geschickt 31. Dec. 1753.

Zum Ankauf der Rückladungen nahmen diese Schiffe *baares Geld* mit, „der König von Preussen" z. B. auf der ersten Reise 700000 fl. holl. Die Piaster, welche für die Compagnie eigends in Aurich gemünzt wurden, hatten auf dem Avers das Brustbild des Königs mit der Umschrift Fridoricus Rex Borussiae und auf der Kehrseite das Wappen der Compagnie, ein Schiff in See vorstellend, mit dem preussischen Adler darüber, und als Schildhalter rechts einen Wildenmann, links einen Chinesen mit einem Ballen unterm Arm. Umschrift Confidentia in Deo et Vigilantia. Wiarda S. 370, 71.

[5]) Es ist der Königspolder, spätere Landschaftspolder gemeint, der grösste jemals eingedeichte Groden von 2026 Diemath à 2 Morgen etwa. Der König verkaufte davon etwa 400 Diemath an Private und den Rest von 1625 Diemath im Jahre 1755 an die ostfriesische Landschaft für 240000 Th., das Diemath zu 7½ Th. Reinertrag gerechnet und mit 5% kapitalisirt. Der Groden ist noch jetzt der herrlichste Polder weit und breit, höchst fruchtbar, ohne irgend welcher Düngung zu bedürfen. Teegel hatte also einen schönen sog. „Plaats" von etwa 80 Diemath oder 160 Morgen erhalten.

Lentz berichtet öfters an den König über die viele Not, welche die 1800 beim Deichbau beschäftigten Arbeiter ihm machten, die um mehr Tagelohn zu verdienen plötzlich „das Lavey aufsteckten" oder wie wir jetzt englisch sagen streikten. Auch über die Saumseligkeit der Käufer des eingedeichten Landes führt er Klage. „Diejenigen so meinen Vertrag nicht platterdings von sich weisen, wollen wenigstens den Polder vorhero sehen, also bin ich beständig zwischen Furcht und Hoffnung." Teegel hat als eifriger Patriot, wie wir ihn gleich noch näher kennen lernen, also ein gutes Beispiel gegeben.

Als der König im Jahre 1755 mit Sr. Hochfürstlichen Durchlaucht dem Herzog Ferdinand von Braunschweig zum zweiten Male nach Embden kam, hatte ich von Herrn Kammerpräsident Lentz vorab gehört, dass der König gerne wollte auf den Dollart zwischen Ostfriesland und Holland eine Tour zu Wasser thun; ich liess sogleich eine grosse Schlupe bauen, aptirte dieselbe hinten mit einer Decke oder Himmel, mit Küssens und Behengsel, bestellte 8 grosse starke Matrosen darauf, die ich in weisse Hemde mit schwartz Band, und in schwartze Sammet-Mützen mit weissem Blich und Zug-Namen liess kleiden und bis zur Ankunft Sr. Majestät liess parat halten.

Der König war kaum eine Stunde in Embden gewesen, so liess Er mir durch Herrn Kammerpräsident Lentz befehlen, ich sollte morgenfrüh um 6 Uhr zu ihm kommen; ich machte, dass ich schon vor 6 Uhr da war, der Bediente so den Kaffee nach oben brachte wies mich unten in eine Kammer, worin ich den Herzog Ferdinand Durchlaucht fand, es währte aber nicht lange, so wurde ich nach oben beim Könige gerufen, allwo beinahe eine Stunde blieb, und mich Verschiedenes frug und zugleich recommandirte den Holländern in ihren Ostindischen Etablissementen nicht zu nahe zu kommen.

Endlich ging der König nach unten und stieg mit dem Herzog Ferdinand, dem Herrn Grafen Gotter, Herrn Kammerpräsident Lentz und Herrn von Appel in das Fahrzeug, so ich hatte machen lassen, und worauf ich unsern Seelieutenant als Steuermann gesetzt hatte, und fuhren also nach aussen beinahe bis Delfzyl.

Ich hatte dem König gesagt, dass wir ein neu Schiff von unserer Schiffsbauerey würden ab ins Wasser lassen laufen, dieses wollte der König sehen, und als er von der Wasserfahrt zurück kam, fuhren Sie nach unserer Schiffsbauerey und stiegen aus. Ich trat zum Könige und ersuchte Sr. Majestät möchten die Gnade haben und geben dem Schiffe einen Namen. Er antwortete mir: „ich habe niemals taufen lassen," sah sich um und bekam den Herzog Ferdinand zu Gesichte und sagte zu mir: „lasse er's Prinz Ferdinand heissen." darauf liess ich das Schiff in's Wasser ablaufen*).

Bey Gelegenheit dass der König hier war, besorgte ich in's Quartier verschiedene Meublen, unter andern auch eine elfenbeinerne Schreiblade aus China, worauf mir ein Dintenstab gemacht hat, weshalb ich diese Ladje meiner Tochter zum Andenken verehre. Ich liess in Amsterdam auf meinen Namen ein grosses Schiff von 40 Kanonen vor unsere ostindische Compagnie bauen, dem gab ich auch den Namen „Prinz Ferdinand".

Als darauf im Jahre 1756 der grimmige Krieg ausbrach und ich befürchtete, die Franzosen möchten uns kommen zusprechen, schrieb ich sogleich ohne Jemandes

*) Diese ganze Schilderung des zweiten Besuches des Königs in Ostfriesland weicht in vielen Stücken von Wiarda ab; von Lentz liegt leider kein Bericht vor. Wiarda fasst sich sehr kurz (nachdem der erste Besuch allerlei Misstimmung über zu kurzen Aufenthalt und zu hohe Rechnungen zurückgelassen hatte) also, vergl. S. 377: „In diesem Jahre (1755) begnadigte der König mit seiner hohen Anwesenheit zum zweiten und letzten mahle diese Provinz. S. königl. Majestät trafen am 14. Juni in Emden ein. In der königl. Suite waren Prinz Ferdinand von Braunschweig, einige Generale und Flügeladjutanten, der Abbé Prades, und der geheime Cabinetsrath Eichel. Am 15. Juny fuhr der König nach der *Knocke*, bestieg *daselbst* ein segelfertiges Schiff, speiste zu Mittag auf diesem Schiffe, und liess sich dann mit einer Chaloupe (das wird Teegels Fahrzeug sein, womit er auch hinausgefahren war. D. Red.) wieder nach Emden rudern. Hierauf verfügte sich der König nach dem Schiffszimmerwerft sah ein grosses Schiff vom Stapel laufen, nahm die Merkwürdigkeiten des Rathhauses in Augenschein, und trat an dem folgenden Tage am 16. Juni die Rückreise an." Das ist Alles was Wiarda über diesen Besuch erzählt.

Vorher S. 373 berichtet Wiarda aber: „Die Compagnie hatte noch immer günstige Aussichten. Sie kaufte ein *viertes* in *Amsterdam* neugebautes Schiff, und taufte es „Prinz Ferdinand".

Das in Emden gebaute Schiff wird kein „Ostindienfahrer" gewesen sein! Uebrigens erscheint uns Teegels Darstellung genauer.

Wissen im Namen des Königs einen Brief an unsern Capitain auf dem „Prinz Ferdinand" über Holland an die Caab und einen über England nach St. Helena, dass er nicht mit dem Schiff in Emden kommen sollte, sondern entweder in England oder in Pergen in Norwegen einlaufen sollte; den Brief nach St. Helena hatte er erhalten und war deshalb in Portsmuth in England eingelaufen [9]).

P. S.

Als das schöne neue Schiff „Printz Ferdinand" folgend mein Schreiben nach St. Helena zu Portsmuth in England war zu Hause gekommen, reisete ich über Holland nach London, und verkaufte die gantze Ladung des Schiffs an die Englisch-Ostindische Compagnie vor

Rthlr. 768 000 in Gold.

Im Jahre 1757 empfing ich aus dem Haag von einem guten Freund den ich salusitirte und der mit den feindlichen Ministern Reischag und Affri und sächsischen Ponikan täglich verkehrte und umging, die positive Nachricht, dass die Franzosen würden in Ostfriesland einbrechen. Dieweil ich nun ein grosses Capital baar Geld von der Compagnie in meinem Hause hatte, so resolvirte im Monath April mit Sack und Pack nach Delfziel in Holland zu flüchten, und nahm das Compagnieschiff „König von Preussen" mit, damit das Schiff nicht in französische Hände fallen sollte, ich war kaum in Delfziel angekommen, so kam auch der Herr Kammerpräsident Lentz an und brachte mir 5 Kisten Königs-Geld in Bewahrung an, worüber nachhero viele Verfolgung hatte, indem es der Kriegsrath Hitjer an Herrn Baron von Kinckel, kaiserlichen Commissarius verrathen hatte, dass ich die 5 Kisten mit Geld in Verwahrung hätte. Zuerst sandte der Herr Baron den Kriegsrath Hitjer, nachhero den Kriegsrath Crüger, um die 5 Kisten abzuholen. Ich wollte dieselben nicht folgen lassen, darauf war der Herr Baron von Kinckel nach Groningen gereiset, und hatte bei den Herren Staaten ersucht, mich arretiren zu lassen, welche es aber abgeschlagen hatten. Endlich kam der Kriegsrath Frieders und brachte einen Brief von Sr. Majestät dem Könige, worin geschrieben stand, die Kammer sollte das Geld hier behalten, ob sie es vielleicht bei einer französischen invasion möchte von nöthen haben, darauf liess ich die 5 Kisten dem Kriegsrath Frieders folgen. Endlich kam der abgefallene Kriegsrath Hitjer [10]) zu mir nach Delfzyl und verlangte, ich sollte machen, dass das Schiff „Prinz Ferdinand", so aus China erwartet würde, mit seiner Ladung in Emden käme, und möchte ich deshalb ein Schiff nach dem Canal senden, das die Ordre an das Schiff brächte, ich antwortete, dass solches unmöglich anginge, und ich dazu kein Schiff bekommen könnte; zugleich sagte er, die Ladung müsste in Emden verkauft werden, wovon die Hälfte von dem Ertrage des Geldes von der Ladung an die Landstände könne geliehen werden und an die Kaiserin die andere Hälfte bezahlen. Zu gleicher Zeit bekam ich auch einen expressen von dem österreich'schen Minister Reischag aus dem Haag, der mir antrug, ich sollte nach Nieport gehen wohnen und richten allda eine ostindische Compagnie auf, wozu die Hälfte von dem Capital der Ladung des Schiffs „Prinz Ferdinand" könnte genommen werden, Ihro kaiserliche Majestat wollten mich zu ihrem geheimen Rath machen und sonsten favorisiren, ich schlug aber alles reine aus.

Auch verlangte der französische General Douvet in Emden, das Schiff „der König von Preussen" nach Emden, um es gegen die Engländer zu equipiren, deren 8 Schiffe unter dem Commandeur Parker auf der Ems lagen und verhinderte, dass keine Victualien besonders Salz nach Emden konnten gebracht werden.

Auf Ersuchen des Englischen und Preussischen Ministers van der Hellen, mit dem ich eine starke Correspondenz führte, und alles entdeckte, was ich nur von unsers Königs Feinden erfuhr und was mir mein Freund im Haag von den Ministers berichtete, versahe ich die 8 englischen Schiffe von allen Victualien, liess in dem Dom und Groningen Brod und Zwieback backen, und in Delfzyl liess ich bei continuatie Schafe schlachten, wovon alle Morgen folgends Akkord mit Commandeur Parker, jedes Schiff sein Deputat liess abholen.

Ferner wurden alle Courirs [11]) von unserm König, von England und dem Haag an mich adressiret, die ich dann weiter forthalf, entweder zu Wasser oder zu Lande, denen ich denn auch bisweilen Geld vorstreckte. Diese Courirs verursachten mir viele Zusprache von Officiers aus Groningen und von den Englischen Schiffen: ich hatte das Haus von dem Delfzyler Commandeur de Vries gemiethet, welches immer voll war, gleich als ob ein grosser Hof sich da aufhielt. Das Speisen und Trinken aller dieser Herren kostete mir Geld und viele Unkosten.

Der französische General Douvet war gewaltig böse auf mich, dass ich ihm das Schiff nicht wollte folgen lassen, dass ich die englischen Schiffe verproviantirte, dass ich die Courirs forthalf, denn es waren bei continuatie Spione in Delfzyl, welche ihm Alles rapportirten, und auch willens gewesen sind um mich zu lichten [12]), wozu sie aber keine Gelegenheit hatten. Weshalben sich der Herr General hinter unsern Schiffscapitain steckte und mit demselben überein gekommen war, wenn ich nach dem Herrn Parker führe, was oft geschah, sollte er mich in Emden liefern, dafür wollte er ihm tausend Ducaten bezahlen. Der Capitain le Rue will den Schiffs-Lieutenant in sein Complott ziehen und offerirt ihm die Hälfte der 1000 Ducaten, der Lieutenant aber, der ein ehrlicher Norweger war, kam zu mir und erzählte mir das schelmsche Vornehmen des Capitains; ich liess ihn sogleich ans Land kommen und gab ihm seinen Abschied. Er war darauf nach Duynkercken auf einen französischen Kaper in Dienst gegangen, und als ich in London war, wurde er als Arrestant aufgebracht, und seine halbe Hand war abgeschossen."

Damit endet dieses Stück Selbstbiographie; verschiedene spätere Versuche, in Emden den Handel mit dem »fernen Ost« wieder ins Leben zu rufen, blieben ohne dauernden Erfolg; auch wird der Name Teegels dabei nicht genannt. Er wird sich nach Holland und von da nach Deutschland zurückgezogen haben.

---

[9]) Es wurden die bislang erzielten Gewinne der Gesellschaft sehr geschmälert durch die zu teure Ausrüstung, worüber namentlich die Berliner Aktionaire, von neidischen Ostseefreunden aufgestachelt, klagten, sodann durch Meuterei und Aufsätzigkeit der Mannschaften, welche schliesslich ein abtränniger Beamter der Gesellschaft, Peter Meyer, nach Holland lockte, so dass es immer schwerer wurde die Schiffe zu bemannen, und endlich durch die drohende Kriegsgefahr. „Die Actien der Compagnie fielen deshalb von einem Monat zum andern. Inzwischen kam das letzte Schiff „Prinz Ferdinand" im Frühjahr 1757 zurück. „Weil damals Ostfriesland von den Franzosen occupirt war, lief es in einen englischen Hafen ein. Die in England verkaufte Ladung *soll* über 600 000 Th. eingebracht haben; dies war das letzte Retourschiff. Gleich nachher wurde die Compagnie aufgehoben und die Interessenten gingen auseinander. So endigte die Emder asiatisch-chinesische Handlungsgesellschaft." Wiarda S. 374.

[10]) Hitjer hatte etwas früh und entschieden die Flagge gewechselt, und wurde dafür später „nach Magdeburg" zur Verantwortung befohlen. S. Wiarda, der auch im Uebrigen ähnlich berichtet.

[11]) Vergl. Bericht von Lentz vom 30. Januar 1758 (praes. in Berlin 15. Februar): „1. Da unsere Correspondenz sehr gefährlich ist, so gehet dieser Brief per expressen auf Groningen (d. h. über Delfzyl d. Red.) von dort über den Haag und Hamburg, welches jetzo die einzigste sichere route ist." 2. „Der von Appel hat sich zum Gouverneur im Administrationscollegio gemacht und hält es in Allem mit den franz. Commissäre; auch Hitjer thut was er will, legt keinerlei Rechnung ab; wenn der Feind das Land wieder verlässt, müssen in der Geschwindigkeit Hitjer und Appel arretirt, wenigstens ihnen die Schriften und das baare Geld abgenommen werden."

[12]) lichten = aufheben d. h. nach Emden bringen.

Die Rhederei der Ostsee.

I.

Die Schiffahrt Memels und Königsbergs am 1. Januar 1883.

Die Erträglichkeit der Rhederei unsers kleinen, in der äussersten Nordostecke gelegenen Hafens zeigt leider seit Jahren einen stetigen Rückgang, die Frachten waren niedrig und meist gering vorhanden, wenn auch hie und da einmal ab Amerika, Schottland, Schweden, Finnland etc. etwas besser. Trotzdem hat eine Zunahme des Schiffsverkehrs im allgemeinen gegen das Vorjahr von 148 Schiffen = 34 100 Reg.-Tons stattgefunden; hiervon fallen allein ca. 18 000 Reg.-To. dem vermehrten Dampfschiffsverkehr zu. Es wurden abgeladen im Jahre 1882: 56 Dampfer mit Sleeperklötzen, Schwellen und Stäben, wovon nur zwei mit Stäben (1881: 30), 12 Dampfer mit Leinsaat, ebenso viel im Vorjahre und 29 Dampfer mit Getreide (1881: 8). Die Dampfschiffe waren überwiegend englischer, einige deutscher, schwedischer und norwegischer Nationalität.

Das Resultat der Memeler Dampfschiffs-Aktiengesellschaft war im allgemeinen zufriedenstellend, doch haben kleine Unfälle, höhere Abgaben und namentlich auch höhere Assekuranz-Prämien den Verdienst etwas geschmälert. Die Gesellschaft hat jetzt drei Dampfer in Fahrt von zusammen 1646 Reg.-To., 2600 Tons Schwergewicht.

Die Monatsheuer für die Schiffsmannschaften betrug während des Jahres durchschnittlich 46 Mark.

Am Schluss des Jahres 1881 bestand die Rhederei aus 61 Schiffen mit 22 669 Reg.-To., hierzu kamen durch Neubau bezw. Ankauf je zwei von zusammen 2091 Reg.-Tons; es wurden verkauft bezw. gingen verloren 7 Schiffe enthaltend 2411 Reg.-To. Im Hafen von Memel verblieben zu Ende des Jahres 1881: 28 Schiffe mit 7902 Reg.-Tons; hierzu liefen im Laufe des Jahres ein 939 Schiffe mit 182 417 Reg.-To. — 609 unter deutscher Flagge — und es blieben nach Abgang von 932 Schiffen mit 178 879 Reg.-To. während des Jahres 1882 am Schlusse desselben 35 Schiffe mit 11 440 Reg.-To. im Hafen.

Die Wareneinfuhr belief sich zur See auf 8 400 760 ℳ, während die Ausfuhr 17 362 710 ℳ betrug.

Das russische Absperrungssystem und die Begünstigung Libau's hat Memel ausserordentlich geschadet. Wir kommen auf die Konkurrenz Libau's später einmal besonders zurück.

Was den Schiffsverkehr von *Königsberg* anbetrifft, so war derselbe schon seit 1879 im Wachsen begriffen, welches erfreulicher Weise seinen Fortgang auch im Jahre 1882 nahm.

In Pillau waren eingelaufen:

	2498 Schiffe	von	372 773	Last	od.	1 580 581 cbm	
gegen	1884	»	» 278 465	»	»	1 180 690	» i. J. 1881

Darunter waren:

	1255 Dampfer	von	305 861	Last	od.	1 294 729 cbm	
gegen	878	»	» 204 088	»	»	865 332	» i. J. 1881

Von den eingegangenen Schiffen führten 1316 die deutsche Flagge.

Aus Pillau waren ausgegangen:

	2429 Schiffe	von	386 542	Last	od.	1 540 139 cbm	
gegen	1860	»	» 276 856	»	»	1 172 869	» i. J. 1881

Darunter waren:

	1261 Dampfer	von	311 108	Last	od.	1 319 097 cbm	
gegen	865	»	» 197 869	»	»	838 922	» i. J. 1881

Die letzten sehr günstigen Winter haben auf das Lohnende der Rhederei mit eingewirkt. Der Dampferverkehr hat sich wesentlich gehoben und wird eine weitere Vergrösserung dieses Verkehrs sicherlich eintreten, wenn erst die Haffrinne eine hinreichende Tiefe erhält.

Die Segelfrachten waren durchweg gedrückt und verlustbringend, wie das auch in anderen preussischen Häfen der Fall war, Getreideladungen fallen schon fast ausschliesslich den Dampfschiffen zu, welche gute Resultate erzielten.

Die Segelschiffsrhederei von Pillau verringerte sich durch Seeverlust um zwei Schiffe, wogegen für dieselbe ein amerikanisches Schiff in Bremerhaven angekauft wurde. Die Bemannung der Schiffe hat mitunter Schwierigkeiten, so dass Leute aus Pommern geholt werden mussten. Die Heuern sowie die Preise der Ausrüstungsgegenstände, des Proviants etc. waren nahezu den in früheren Jahren gleich.

Die Königsberger Dampfschiffsrhederei vermehrte sich im Jahre 1882 um drei eiserne Frachtdampfschiffe von zusammen 2090 Reg.-To., welche sämtlich in Elbing gebaut wurden, woselbst weitere zwei Dampfschiffe für Königsberg in Auftrag gegeben sind.

Der Schiffbau hat sich im verflossenen Jahre in Königsberg insofern gehoben, als eine Werkstätte für Eisenschiffbau und ein hydraulischer Slip mit Dampfbetrieb eingerichtet worden sind. Beschränkte sich die Werkstätte für Eisenschiffbau bisher auch nur auf Reparaturbauten, so ist doch Hoffnung vorhanden, dass auch bald Neubauten von kleineren Schiffen vorkommen werden.

Von den in Pillau eingelaufenen Schiffen kamen 2118 von 291 620 Last gleich 1 236 469 cbm nach Königsberg, im Vorjahre 1579 von 207 828 Last = 881 190 cbm.

Von Königsberg seewärts ausgegangen sind 2078 Schiffe von 289 083 Last gleich 1 225 712 cbm gegen 1549 Schiffe von 206 445 Last gleich 875 326 cbm im Jahre 1881. Ausserdem gingen mit Ballast oder leer binnenwärts: nach Memel 9 Schiffe von 329 Last, nach Russland 3 von 131 Last.

Den Leichterverkehr zwischen Pillau und Königsberg vermittelten:

von Pillau.......	596	Fahrzeuge
nach Pillau......	1087	»
zusammen	1683	Fahrzeuge

durchschnittlich zu 40 Last gerechnet, macht dies 67320 Last oder 285 437 cbm.

Die Einfuhr Königsbergs seewärts belief sich auf 63 259 776 ℳ, gegen 66 456 671 ℳ i. J. 1881; die Ausfuhr betrug 112 972 125 ℳ, gegen 89 582 229 ℳ i. J. 1881. Es ist somit im Jahre 1882 bei der Ausfuhr ein Plus von 23 389 905 ℳ gegen das Vorjahr vorhanden.

J. F.

Germanischer Lloyd.

Deutsche Handels-Marine: Seeunfälle vom Monat Febr. 1884 soweit solche bis zum 16. März 1884 im Central-Bureau des Germanischen Lloyd gemeldet und bekannt geworden sind.

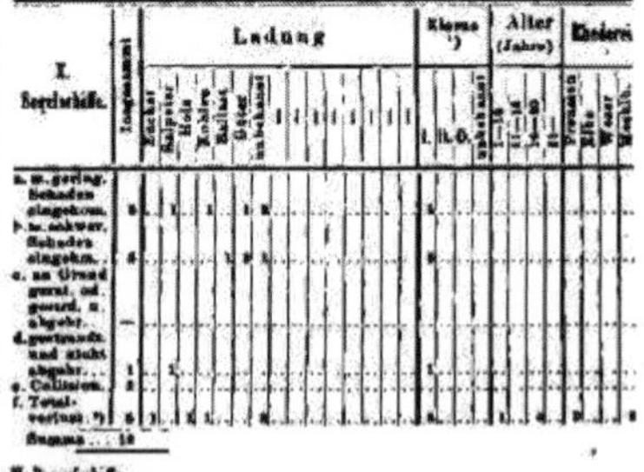

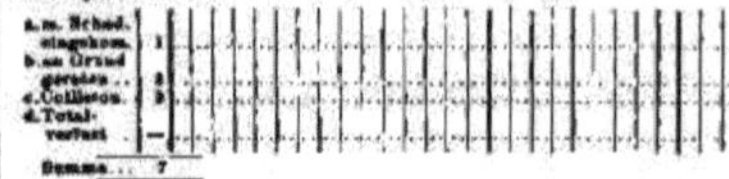

*) Soweit zu ermitteln, Klasse einer Schiffsklassifizierungs-Gesellschaft. O. = keine Klasse. Umgekommene Seeleute: 8.

**) Tonnengehalt von 8 Schiffen 1070 Tons.

BERLIN, d. 15. März 1884.

Die Kälterückfälle im Mai.

Die »gestrengen Herren«, Pankratius, Servatius, Bonifacius, welche in die dritte fünftägige Periode des Mai fallen, sind durch die dann häufigen dem Blütenstande so nachteiligen Nachtfröste so berüchtigt geworden, dass schon seit langer Zeit die Bestrebungen der Meteorologen darauf gerichtet waren, die Gründe für diesen auffälligen Temperaturrückgang in jenen Tagen ausfindig zu machen. Auch hier hat unser Dove, wenn auch mehr als prophetischer Seher, den Weg gezeigt, auf welchem die Lösung des Rätsels gefunden werden müsse, ohne freilich bei dem Stande der damaligen Wissenschaft völlige Klarheit über die Sache zu gewinnen. Sein Gedanke, »dass bei den Kälterückfällen im Mai eine vorhergegangene starke Erwärmung im Südosten eine Rolle spielen müsse«, ist durch die Untersuchungen des baierischen Meteorologen v. Bezold zur Gewissheit erhoben.

Es handelte sich dabei um zwei getrennte Fragen: 1. wo liegt das Gebiet, welches im Mai vor der ganzen Umgebung, namentlich der westlichen voraus, ungewöhnlich stark erwärmt zu werden *pflegt* (nicht in jedem Jahre finden nämlich diese Kälterückfälle statt) und 2. an welchen Maitagen tritt dieser Wärmeüberschuss hauptsächlich hervor. Eng verknüpft ist damit der von der neuern Meteorologie aufgestellte Erfahrungssatz, dass ein solches überwärmtes Gebiet zugleich als ein Gebiet niedrigen Luftdrucks sich darstellt, an dessen westlicher Rückseite sich nördliche Winde einstellen müssen, welche dann als Grund des Kälterückfalls zu gelten haben.

Nun ergiebt sich aus v. Bezolds Untersuchungen mit sprechender Zahlenrichtigkeit, dass bei der im Frühjahr beginnenden Erwärmung Europas die Balkanhalbinsel und das darüber liegende *ungarische Tiefland* bis zu den Karpathen (im geringern Grade sowohl was Raum als Temperaturunterschiede anbelangt, auch das Rheinthal) sich besonders rasch erwärmen, und dort ein überhitztes Gebiet mit entsprechend niedrigem Barometerstande sich bildet, während im Süden wie im Norden, und namentlich im Westen die Temperatur noch erheblich niedriger, der Barometerstand erheblich höher zu sein pflegt. Ferner ergiebt sich aus v. Bezolds Zusammenstellungen der fünftägigen Temperaturmittel des Maimonats, dass gerade in der dritten Pentade, vom 11.—15. Mai, die *ungarische Tiefebene* eine um 6.°1 höhere Temperatur als die normale ihrer Breite zukommende Wärme erlangt, während die Wärmeüberschüsse in den andern Pentaden resp. 3.°6, 4.°6, —, 5.°4 und 5.°5, und wie gesagt nördlich, südlich und westlich davon erheblich weniger zu betragen pflegen. Verbinden sich diese Ausnahmezustände mit der weitern Thatsache, dass um dieselbe Zeit im westlichen Europa hoher Barometerstand vorherrscht, so ist die natürliche Folge davon das Einsetzen von nördlichen Winden in dem nächst benachbarten Deutschland.

Für den praktischen Landwirt, Gärtner und alle übrigen bei den dann eintretenden Kälterückfällen resp. Nachtfrösten beteiligten Personen wird es also von grösster Wichtigkeit sein, auf die Temperaturzustände im benachbarten Ungarn während des Mai- und selbst des April- oder Junimonats (weil die Rückfälle sich öfters verlegen) ein wachsames Auge zu halten. Treten dort starke Wärmegrade auf, stärker als sie nach der geographischen Lage des Landes berechtigt sind, und gleichzeitig bei uns hohe Barometerstände, so sind damit die Vorbedingungen zum Eintritt von Nachtfrösten gegeben, und werden die betreffenden Wirtschafter wohl daran thun, sich bei Zeiten zur Abwehr der üblen Folgen zu rüsten.

Die genauern Einzelheiten finden sich in den Abhandlungen der II. Klasse der K. baier. Akademie d. Wissenschaften in der zweiten Abteilung des vierzehnten Bandes. München 1883.

Was aber die Erwartungen angeht, welche zu *diesem* Frühjahr über etwaige Kälterückfälle im Mai gehegt werden dürfen, so hat zunächst die kürzlich andauernde Wärmeperiode der letzten März- und ersten Aprilwochen den *Blütenstand* derartig gezeitigt, dass derselbe von einer *Mai*kälte nicht mehr zu leiden haben wird; wir werden im Mai weniger Blüten als vielmehr angesetzte Früchte zu sehen bekommen. Dass letztern aber ein Nachtfrost nicht auch schädlich sich erweisen könnte, wer wollte das in Abrede stellen! Es fragt sich aber, ob obige Vorbedingungen einer lokalen Ueberhitzung und gleichzeitig verminderten Luftdrucks eintreten und für uns verhängnisvoll werden dürften.

Das bleibt abzuwarten, wird aber von Tag zu Tage bei fortschreitender Entwickelung zum Sommer immer unwahrscheinlicher. Möglicher Weise verlegt sich aber in diesem Jahre die Periode der Kälterückfälle nach einer weit frühern Jahreszeit. Wie sie in einigen Jahren erst im Juni erfolgen, können sie in andern auch schon im April eintreten. —

Nautische Literatur.

Die Schiffsmaschine, ihre Konstruktionsprinzipien, sowie ihre Entwickelung und Anwendung. Nebst einem Anhang: Die Indikatoren und die Indikatordiagramme. Ein Handbuch für Maschinisten und Offiziere der Handelsmarine von **W. Müller**, *Ingenieur zu Bremerhaven. Mit 100 in den Text eingedruckten Holzstichen. Braunschweig bei Friedr. Vieweg & Sohn. 1884.* 5 ℳ

Wie das Handbuch von Scholl in Bezug auf stationäre Maschinen, so will dieses Handbuch in gedrängter Kürze und einfacher, allgemein verständlicher Form das Wesen der Schiffsmaschine, ihre Konstruktionsprinzipien und ihre Entwickelung beschreiben und ihre Anordnung und Behandlung darstellen. Die rasche Entwickelung unserer Dampfschiffahrt hat naturgemäss das Bedürfnis nach solcher Anleitung geweckt und ist es erfreulich zu sehen, dass die Emancipation vom Auslande sich wie über die Maschinisten und die Maschinen, so jetzt auch über die Literatur ausdehnt und allmälig immer mehr literarische Hülfsmittel unserm darnach verlangenden Maschinenpersonal geboten werden. Das Werk von Müller hat die gestellte Aufgabe recht glücklich gelöst und bietet dem Suchenden eine geschickte Auswahl aus dem umfangreichen Stoffe, ohne sich einerseits auf weitläufige theoretische Untersuchungen einzulassen, noch andererseits sich in die platte Praxis zu verlieren. Eine physikalische Einleitung geht der im vierten Kapitel beginnenden Geschichte und Entwickelung der Dampfmaschine voran, die neuere Schiffsmaschine wird eingehend behandelt, die Behandlung und Instandhaltung der Maschinen und Kessel unter Dampf und ausser Dienst augenscheinlich auf Grund persönlicher Erfahrungen gelehrt und in einem Anhange die vielgenannten Indikatoren und Indikatordiagramme besprochen. Der ganze Eindruck der Schrift ist ein befriedigender und kann dieselbe deshalb betreffenden Kreisen empfohlen werden. Der Preis ist natürlich durch die vielen Holzschnitte höher geworden als der Umfang des Buches sonst erwarten liess.

Lehrbuch der Chemie für Maschinisten und Torpeder. Im Auftrage der Kais. Admiralität verfasst von Dr. Paul Knuth, ord. Lehrer an der Städt. Ober-Realschule und Lehrer der Chemie an der Kaiserl. Maschinisten- und Torpedo-Schule in Kiel. Kiel 1884. Universitäts-Buchhandlung (Paul Toeche).

Ein Lehrbuch der Chemie, welches in seinem Lehrgange von der üblichen Praxis vielfach abweicht. Verfasser beginnt nach Arendt's Vorgange mit den *Metallen*, deren Vorkommen in der Natur, physikalische Eigenschaften, Anwendung und Verhalten beim Erhitzen in der Luft vorab besprochen werden. Denn erst jetzt folgt der *Sauerstoff* und nun ist der Uebergang zu den *Metalloiden* gefunden, und mit ihnen zu den für den Schüler interessanten Sauerstoff- und Wasserstoffexperimenten, welche, nachdem die Sahara der einzelnen Metalle durchwandert ist, doppelt willkommen geheissen, aber auch doppelt fruchtbar wirken werden. In dem systematischen Kursus der Metalloide treten dann die für Maschinisten und Torpedos wichtigen Stoffe in den Vordergrund, sowie die metallurgischen Lehrstoffe und die wichtigsten Metallverbindungen. Ein sehr genaues und ausführliches alphabetisches Register erhöht die Brauchbarkeit des gewiss nützlichen und praktischen Werkes. Druck und Ausstattung sind vorzüglich zu nennen.

„Ahoi", Zeitschrift für deutsche Segler, ist der Titel einer in Vorbereitung begriffenen Monatsschrift für alle *deutschen Segler,* mögen dieselben im 100 Tonner oder im offenen 4 m-Boot die Segel hissen, einem Verein angehören oder auf eigene Hand den edlen Segelsport betreiben. Der Herausgeber, *H. v. Glasenapp,* kann auf grosse Teilnahme rechnen aus den Kreisen der Liebhaber wie der offiziellen Seglerkreise in der Kriegs- wie Handelsmarine, da trotz dem notorischen Erfolge des „Wassersport" doch für den Segelsport noch Manches zu thun übrig bleibt. Der Preis, 3 ℳ pr. Quartal, ist massig gestellt.

Verschiedenes.

Herabsetzung der Feuer- und Bakengelder in Schweden. Durch Königl. Bekanntmachung vom 9. November 1883 sind die in schwedischen Häfen zu entrichtenden Feuer- und Bakengelder vom 1. Januar 1884 an um 10 pCt. herabgesetzt.

Diese Abgaben, welche von den, von einem ausländischen Hafen ankommenden oder nach einem solchen abgehenden Schiffen erhoben werden, betragen zur Zeit:

für Schiffe in Ladung 30 Oere pro Reg.-To.
„ „ „ Ballast 15 „ „ „

und zwar so lange, bis im Laufe eines Kalenderjahres das Schiff eine Summe gezahlt hat, welche vier Mal so hoch ist, als der jedesmalige Betrag, welchen es als beladen zu zahlen gehabt hätte; sodann bei ferneren Reisen:

für Schiffe in Ladung 20 Oere pro Reg.-To.
„ „ „ Ballast 10 „ „ „ —s—

Vergünstigung bezüglich der Lastabgabe für Dampfer, welche für regelmässige Fahrten zwischen ausländischen und russischen Häfen bestimmt sind. Das Kaiserl. russische Zolldepartement hat zur Nachachtung und Eröffnung an die Handeltreibenden und Schiffer zur Kenntniss der Zollämter gebracht dass Anzeigen über Dampfer, welche für regelmässige Touren zwischen ausländischen und russischen Häfen bestimmt sind, ein Anrecht auf den Genuss der Vergünstigung bezüglich der Lastabgabe künftighin nur dann begründen können, wenn solche Anzeigen unter Beobachtung des im Handel allgemein üblichen Verfahrens bei Herstellung einer regelmässigen Dampfschiffverbindung geschehen sind, d. h. nach vorhergegangener Benachrichtigung der Kaufmannschaft durch besondere Publikationen, mit Angabe des Namens des Schiffes, welches die regelmässigen Fahrten unterhalten soll, des Namens des Schiffsführers, der Ankunfts- und Abgangszeit der Schiffe.

Das Zolldepartement weist daher die Hafenämter an, mit Eröffnung der Schiffahrt die erwähnten Anzeigen nur dann anzunehmen, wenn die obigen Bedingungen erfüllt sind, und wenn sie von Personen ausgehen, welche von den Schiffseigentümern selbst oder deren Schiffsführern dazu autorisirt sind. — s —

Grossbritanniens Schiffahrt im Jahre 1883. Der Tonnengehalt aller im Jahre 1883 aus fremden Ländern und den britischen Kolonien eingelaufenen oder dahin abgegangenen *beladenen* Hochseeschiffe und Küstenfahrzeuge stellt sich im Vergleich zu den drei Vorjahren folgendermassen:

a. Hochseeschiffe.

		Britische Flagge Tonnen	Fremde Flagge Tonnen	Zusammen
Einlauf.	1883	19 186 054	7 124 264	26 310 318
	1882	17 810 380	7 004 069	24 815 049
	1881	16 864 668	6 360 040	23 224 708
	1880	17 018 011	6 975 269	23 993 280
Auslauf.	1883	22 135 662	7 237 498	29 373 160
	1882	20 392 626	7 306 237	27 698 863
	1881	19 605 532	6 731 161	26 336 693
	1880	18 867 857	6 817 813	25 685 670
b. Küstenfahrzeuge.				
Einlauf.	1883	26 595 508	130 714	26 726 222
	1882	26 026 649	109 215	26 135 864
	1881	25 716 723	122 394	25 839 117
	1880	25 925 195	96 041	26 021 236
Auslauf.	1883	24 005 943	81 720	24 087 663
	1882	23 489 953	83 058	23 573 011
	1881	23 298 182	75 419	23 373 601
	1880	23 670 068	66 557	23 736 625

— s —

Zollbehandlung von an der russischen Küste gestrandeten und als Wrack verkauften Schiffen. Nach einer Entscheidung des russ. Zolldepartements ist für Schiffe, welche an der russischen Küste gestrandet sind und als Wrack verkauft werden, ein Zoll zu erheben, der zu dem Zoll, welchen das Schiff ohne Beschädigung hätte zahlen müssen, in dem gleichen prozentualen Verhältniss steht, wie der Erlös aus dem Wracke zum ursprünglichen Wert des Schiffes. — s —

Dem Handel geöffnete Häfen in Peru. Zur Zeit sind dem Handel folgende Peruanische Häfen geöffnet: Arica (unter Chilenischer Botmässigkeit), Callao, Eten, Mollendo, Salaverry, Pacasmayo, Payta und Pisco. — s —

Zollfreiheit der sogenannten Korkfender-Apparate. Eine Verfügung des Königl. Preuss. Finanz-Ministeriums vom 16. Dezbr. v. J. bestimmt, dass sogenannte Korkfender-Apparate zur Verhütung der Reibung anlandender oder an einander fahrender Schiffe, welche zur Ausrüstung von Seeschiffen vom Auslande eingehen, zu dem Bootsmannsgut im Sinne des § 3 III. Nr. 5 der unterm 8. Dezbr. 1879 erlassenen vorläufigen Bestimmungen, die Zollfreiheit der zum Bau, zur Reparatur oder zur Ausrüstung von Seeschiffen aus dem Auslande eingehenden nicht metallenen Materialien betreffend, zu rechnen sind. — s —

Schiffsbewegung von Tschifu im Jahre 1882.

Es gingen ein, zusammen:

1.	580	Dampfschiffe	mit	438 496	Reg.-T. Raumg.
darunter deutsche	41	„	„	31 825	„
und zwar mit Ladung	30	„	„	23 391	„
in Ballast	11	„	„	8 434	„
2.	213	Segelschiffe	„	76 618	„
darunter deutsche	116	„	„	41 921	„
und zwar mit Ladung	84	„	„	30 009	„
in Ballast	32	„	„	11 912	„

Ausgegangen sind im Jahre 1882, zusammen:

1.	578	Dampfschiffe	mit	437 216	Reg.-T. Raumg.
darunter deutsche	41	„	„	31 825	„
und zwar mit Ladung	25	„	„	20 379	„
in Ballast	16	„	„	11 446	„
2.	206	Segelschiffe	„	73 748	„
darunter deutsche	112	„	„	40 497	„
und zwar mit Ladung	98	„	„	35 596	„
in Ballast	14	„	„	4 901	„

—k—

Der Kampf der Schutzzöllner und Freihändler findet im amerikanischen Kongress einen Hauptummelplatz auf dem Gebiete des Schiffsbaus. Man ist lange von der Annahme zurückgekommen, dass die Verwüstungen der Alabama Schuld seien an dem Rückgange der amerikanischen Schiffahrt und hat den Grund vielmehr in dem Vorsprunge entdeckt, den England im Bau eiserner Schiffe vor Amerika erlangt hat, und in den schutzzöllnerischen Bestimmungen des Tarifs, dass nur in Amerika gebaute Schiffe die amerikanische Flagge tragen sollen. Neuerdings hatten die Freunde des „freien Schiffbaus" Aussicht, den Kongress für sich zu stimmen. Die Anwälte „freier Schiffe" waren von vornherein damit einverstanden gewesen, dass den amerikanischen Schiffsbauern die freie Einfuhr alles Schiffbaumaterials gewährt werden sollte. Damit aber waren die Besitzer der grossen Schiffswerften am Delaware, Roach und Genossen, damit waren Robeson und seine Anhänger nicht zufrieden. Sie verlangten, dass den amerikanischen Schiffsbauern nicht nur die freie Einfuhr von Materialien gestattet werde, sondern auch, dass ihnen, im Falle der Benutzung einheimischen Materials, so viel aus der Bundeskasse vergütet werde, als der Zoll betragen haben würde, falls sie mit importirtem Material gebaut hätten.

Ganz abgesehen davon, dass eine derartige „Rückvergütung" den gröbsten Betrügereien Thür und Thor geöffnet und von vornherein die Anstellung einer neuen Beamtenklasse notwendig gemacht hätte, ist ein solches System, das einerseits die einheimische Industrie durch Zölle auf Rohmaterial in Nachteil bringt, andererseits einen einzelnen Zweig dieser Industrie durch Rückvergütungen, welche aus der allgemeinen Kasse kommen müssen, entschädigen will, gänzlich widersinnig.

Als sich die Befürworter „freier Schiffe" nicht darauf einlassen wollten, da thaten sich sämmtliche Schutzzöllner zusammen und brachten schliesslich das schon angenommene Amendement, welches es jedem amerikanischen Bürger freistellte, Schiffe zu kaufen, wo sie am wohlfeilsten seien, doch noch zu Falle. Die Schiffahrtsbill wie sie schliesslich im Hause angenommen worden ist, ohne diese wesentlichste ihrer Bestimmungen, gleicht dem Messer Lichtenbergs ohne Griff und Klinge. Sie wird im Senate schwerlich durchgehen. Hoffentlich wird der nächste demokratische Kongress als erste Gabe die Annahme einer vernünftigen Schiffahrtsbill bringen, wie sie Herr Kehr vor nunmehr neun Jahren vorgeschlagen hat. Dann ist Aussicht, dass die Sterne und Streifen wieder eine achtunggebietende Stellung auf dem Ocean einnehmen.

Die Memoiren der Mouche. Unter dem Titel „Die Coulissen eines Buches“ hat Paul d'Abrest soeben eine boshafte Schrift veröffentlicht, in welcher er die Manipulationen des Advokaten Julia aufdeckt, der seine wenigen Blätter von Heines Hand zum Gegenstande der übertriebensten Neugierde zu machen verstand. Das von Jahr zu Jahr wachsende Interesse für Heines Lebensumstände kam seinem Geschäfte sehr zu statten. Dasselbe Interesse diente einem edlern Zwecke, als es den Erfolg von Camille Seldens Buch „Die letzten Tage Heinrich Heines“ in Frankreich und Deutschland entschied. Camille Selden, ein vornehmer französischer Schriftsteller, ist nämlich niemand anders als — Heines „Mouche“, seine letzte Liebe, die er in seinen letzten Gedichten unsterblich gemacht hat. Einstweilen lebt und wirkt Camille Selden, hinter deren wahren Namen man nicht zu dringen vermag, als Professorin der deutschen Sprache im Mädchenlyceum zu Rouen und hat soeben ein Buch vollendet, dass nicht nur bei sämtlichen Verehrern Heines, sondern auch bei allen denen Aufsehen machen wird, die an der Wechselwirkung, Frauenleben und Dichtung, Anteil nehmen. Das merkwürdige Buch „Die Memoiren der Mouche“ wird noch vor der französischen Ausgabe zuerst in „Schorers Familienblatt“ erscheinen, welche vortreffliche Zeitschrift wir hiemit unsern Lesern ins Gedächtnis zu rufen uns erlauben.

Druckfehler in No. 7. In der Besprechung der »Hülfstafeln zur schnellen Berechnung von Deviationstabellen« von Jessen und Löning sind leider zwei sinnentstellende Druckfehler mitgelaufen. S. 55 Z. 22 v. u. ist zu lesen: »die Addition von zwei den Tabellen numerisch mit ihren Vorzeichen zu entnehmenden Summanden,« statt wie dort stehen geblieben ist »von je drei« u. s. w. Es sind ja in den Tabellen B sin z + C cos z bereits addirt, und so bleibt dem Kapitän nur die Addition zweier Grössen übrig nämlich (B sin z + C cos z) + Constante.

Ferner muss es S. 55 Zeile 16 v. u. heissen: für C = ... C = ± 15, statt ± 9, wie ein Blick in die Tabellen lehrt.

Verlag von H. W. Silomon in Bremen. Druck von Aug. Meyer & Dieckmann, Hamburg, Alterwall 26.

HANSA

Redigirt und herausgegeben
von
W. von Freeden, BONN, Thomasstrasse 9.
Telegramm-Adresse:
Freeden Bonn,
oder
Hansa Alterwall 28 Hamburg.

Verlag von M. W. Silomon in Bremen.
Die „Hansa" erscheint jeden 2ten Sonntag. Bestellungen auf die „Hansa" nehmen alle Buchhandlungen, sowie alle Postämter und Zeitungsexpeditionen entgegen, desgl. die Redaktion in Bonn, Thomasstrasse 9, die Verlagshandlung in Bremen, Obernstrasse 14 und die Druckerei in Hamburg, Alterwall 28. Sendungen für die Redaktion oder Expedition werden an den letztgenannten drei Stellen angenommen. Abonnement jederzeit, frühere Nummern werden nachgeliefert.

Abonnementspreis:
vierteljährlich für Hamburg 2½ M,
für auswärts 3 M = 3 sh. Sterl.
Einzelne Nummern 60 ₰ = 6 d.

Wegen Inserate, welche mit 30 ₰ die Petitzeile oder deren Raum berechnet werden, beliebe man sich an die Verlagshandlung in Bremen oder die Expedition in Hamburg oder die Redaktion in Bonn zu wenden.

Frühere, komplete, gebundene Jahrgänge von 1872 1874, 1876, 1877, 1878, 1879, 1880, 1881, 1882 sind durch alle Buchhandlungen, sowie durch die Redaktion, die Druckerei und die Verlagshandlung zu beziehen.
Preis M 4; für letzten und vorletzten Jahrgang M 8.

Zeitschrift für Seewesen.

No. 9. HAMBURG, Sonntag, den 4. Mai 1884. 21. Jahrgang.

Inhalt:

Aus dem fünfzehnten Vereinstage des deutschen nautischen Vereins. Berlin 25./27. Februar.

Der diesjährige Vereinstag des deutschen nautischen Vereins hat anscheinend durch die Krankheit des bisherigen Vorsitzenden und die Bildung der Rhedereivereine an der Elbe, Weser und Trave so gelitten, dass in den Zeitungen kaum noch von ihm die Rede gewesen ist, zumal er auch nur eins der gestellten Themata, die Beratung des Gesetzes über die Untersuchung von Seeunfällen, zu Ende geführt hat. Der neue Vorsitzende, Herr Konsul Sartori, Kiel, erstattete zunächst den *Jahresbericht* an Stelle des Herrn Gibsone, Danzig, aus welchem hervorgeht, dass von den auf dem vorigen Vereinstage erfolgten Beschlüssen und Anträgen 1. die *Auslegung eines Feuerschiffs westlich von der Oderbank* in 54° 11',1 N. B. und 14° 21' O. L. noch nicht zur Ausführung gelangt ist; 2. die Einführung eines national-deutschen *Betonnungssystems* bis jetzt keinen praktischen Erfolg gehabt hat; 3. die Kommission zur Entwerfung eines Planes wegen Errichtung einer allgemeinen, auf Gegenseitigkeit gegründeten *Seeversicherungsgesellschaft* ihre Arbeiten noch nicht zum Abschlusse gebracht hat; 4. die Beratungen über die *Versicherung der deutschen Seeleute* gegen Unfälle, Erkrankung etc. *im Berufe* fortzusetzen sind, und zwar nach Ansicht des Kieler nautischen Vereins unter *Beihülfe und Regelung des Staats*, nach Ansicht des Vorsitzenden, *ausgehend* von der Organisation der *Berufsgenossenschaften* unter entsprechender Anlehnung an die Eigenart und das Bedürfnis der Seeschiffahrt. Das ganze Schiffahrtsgewerbe laborirt z. B. an der übergrossen Konkurrenz der Dampfer gegen die Segler und mahnt zur Einhaltung im Bau der Dampfer, um »erst das erforderliche Gleichgewicht zwischen der Leistungsfähigkeit der Verkehrsmittel zur See und dem Bedarf des Verkehrs selbst herzustellen.« Dazu tritt als erschwerender Umstand die allgemeine Erhöhung der Versicherungsprämien, »obgleich die deutsche Rhederei im Verhältnis zu ihrer Schiffszahl nicht mehr Unfälle zu beklagen hat als die englische.« U. E. sollte sie eigentlich weniger davon heimgesucht werden, wegen ihres bessern Materials an Schiffen und Mannschaften; doch mögen einzelne Unfälle im Anfange des Jahres besonders schädlich auf die Durchschnittsziffer eingewirkt haben. Es sind nämlich verloren gegangen:

in *England*
von insgesamt ca. 18 000 Segelschiffen 550 mit 200 619 Tons = 3 %.
von insgesamt ca. 4700 Dampfschiffen 141 mit 106 071 Tons = 3 %;

in *Deutschland*
von insgesamt 3855 Segelschiffen 118 mit 41 138 Tons = 3 %.
von insgesamt 515 Dampfschiffen 14 mit 11 383 Tons = 2,5 %.

Ein von Roper jun. konstruirtes Patent-Self-Launching-Lift-Raft als Mittel gegen die verheerenden Wirkungen bei Unfällen wie dem der »Cimbria« wurde in der Versammlung vorgezeigt, und resolvirte der Verein dass er »mit lebhaftem Interesse von demselben Kenntnis genommen habe.«

Wie gesagt bewegten sich sonst die Beratungen des Vereinstages fast nur um die *Abänderungen*, welche mit dem Reichsgesetz vom 22. Juli 1877 betr. die *Untersuchung von Seeunfällen* vorzunehmen sind. Im Gegensatz zu unserer in No. 5 ausführlich historisch und theoretisch dargelegten Ansicht bekennt sich freilich der Vorsitzende als Anhänger der *Patent-*

entziehung auf Zeit, ist aber damit, obwohl unterstützt von Hamburger Delegirten, in der entschiedenen Minderheit geblieben, da der Vereinstag von dieser «Verschlechterung des Gesetzes» nichts wissen wollte. Da man die Stellung des Vereinstages zu den vielen gestellten Anträgen nur unvollständig aus den offiziellen Protokollen der Debatten erkennen kann, so begnügen wir uns mit der Wiedergabe der wirklich gefassten Beschlüsse, wie sie der Vorsitzende in dankenswerter Weise in einer Broschüre zusammengestellt hat, welche auf der einen Seite den bekannten Wortlaut des zur Zeit gültigen Gesetzes und gegenüber auf der andern den vom Vereinstage gewünschten veränderten Wortlaut einzelner Artikel desselben enthält. Letztere lauten nun also:

Eingang, § 1, § 2 unverändert; im § 3 soll Absatz lauten

2. wenn in dem Falle des § 2 Ziffer 2 b bei ausländischen Kauffahrteischiffen die Untersuchung vom Reichskanzler angeordnet ist.

§§ 4, 5, 6 bleiben unverändert; zu § 6 wird die Resolution beschlossen

»Der deutsche nautische Verein ist der Meinung, dass zur Untersuchung der Seeunfälle, von denen Kauffahrteischiffe betroffen werden, eine wesentlich geringere Anzahl von Seeämtern, als gegenwärtig vorhanden, ausreichend und empfehlenswert ist.«

In § 7 soll der letzte Absatz lauten wie folgt, und ist zugleich die nachstehende Resolution beschlossen resp. wiederholt:

Mindestens drei Beisitzer müssen die Befähigung als Seeschiffer besitzen und müssen als solche gefahren haben.

Resolution von 1881 und 1884:

»Der deutsche nautische Verein hält es für wünschenswert, dass wenn möglich und thunlich unter den vier Beisitzern des Seeamts mindestens drei sein müssen, welche als Seeschiffer gefahren haben und unter diesen wiederum ein aktiver Seeschiffer, welcher ein zu der Kategorie gehörendes Schiff führt, wie das von dem verhandelten Unglücksfall betroffene.«

§ 8 unverändert, zu § 9 der Zusatz beschlossen:

Bei der Wahl ist thunlichst Rücksicht zu nehmen auf die Anforderungen, welche der einzelne Fall an die Kenntnisse der Beisitzer zu stellen geeignet ist.

§§ 10 bis 13 einschliessl. unverändert; zu letzterm als Zusatz beschlossen die Resolution von 1881 und 1884:

a. »Der Vereinstag beschliesst, an den Herrn Reichskanzler die dringende Bitte zu richten, zu Reichskommissaren bei den Seeämtern nur Personen zu bestellen, welche durch Beruf und Erfahrung für dieses Amt die erforderliche Qualifikation besitzen, und bei Besetzung dieser Stellen tüchtige Seeschiffer der Handelsmarine vorzugsweise zu berücksichtigen.«

b. »Der Vereinstag spricht den Wunsch aus, dass den Reichskommissaren ein möglichst grosses Gebiet angewiesen, die Zahl derselben also möglichst beschränkt werde.«

§ 14 bleibt. § 15 soll lauten unter Einfügung der neuen gesperrten Worte:

§ 15.

Die deutschen Seemannsämter im Auslande (Konsulate) haben, sobald sie von einem Seeunfalle Kenntnis erlangen, zur vorläufigen Feststellung des Thatbestandes, *wenn möglich unter Zuziehung zweier nautischer Sachverständigen*, diejenigen Ermittelungen und Beweiserhebungen vorzunehmen, welche keinen Aufschub dulden.

Im § 16 ist der Eingang verändert und vor dem dritten Absatz ein anderer eingeschoben wie folgt:

§ 16.

Die Einleitung der Untersuchung erfolgt in den Fällen des § 3, Ziffer 1 und 2 durch den Vorsitzenden ohne Weiteres, in dem Falle des letzten Absatzes des § 3 dagegen erst nach vorgängigem Beschluss des hierzu einzuberufenden Seeamts.

Absatz 3, neu

Zu den laut Absatz 2 und 3 des § 3 dem Vorsitzenden Zwecks Vorbereitung der Hauptverhandlung obliegenden Ermittelungen und Vernehmungen von Zeugen hat derselbe zwei nautische Beisitzer hinzuzuziehen.

§§ 17 bis 24 einschl. bleiben unverändert. Der wichtige § 25 dessen erster Satz nicht unwesentlich verändert ist und zu welchem ein wichtiger Zusatz beschlossen ist; ferner §§ 26 und 27 mit ihren Abänderungen mögen im Ganzen folgen, und sind der grössern Deutlichkeit halber alle Aenderungen und Zusätze mit gesperrter Schrift wiedergegeben. Diese wirklich gefassten Beschlüsse haben die Mehrheit auf sich vereinigt aus einer Masse gestellter Anträge:

§ 25.

Ueber die Ursachen des Seeunfalles (§ 4) hat das Seeamt einen Spruch abzugeben. Derselbe muss mit Gründen versehen sein und hat insbesondere das Ergebnis der Beweisverhandlungen festzustellen. Der Spruch ist schriftlich abzufassen und spätestens innerhalb 14 Tagen nach Schluss der Verhandlungen in öffentlicher Sitzung zu verkünden. Dem Reichskommissar, sowie auf Verlangen dem Schiffer und dem Steuermann ist Ausfertigung des Spruches mitzuteilen.

Nach Erhebung der vom Seeamt angeordneten Beweise hat der Vorsitzende nach vorheriger Beratung mit den Beisitzern den Schiffer auf etwaige Widersprüche und Lücken in seiner Darstellung aufmerksam zu machen, ihm mitzuteilen, worin das Seeamt ein Verschulden seinerseits erblickt und ihm so die Gelegenheit zu geben, sich besser als bisher zu verteidigen und neue Beweisanträge zu stellen.

§ 26.

Wenn der Spruch des Seeamts ergiebt, dass ein deutscher Schiffer etc. den Unfall oder dessen Folgen infolge des Mangels solcher Eigenschaften, welche zur Ausübung seines Gewerbes erforderlich sind, verschuldet hat, *so kann demselben auf desfallsigen Antrag des Reichskommissars durch Beschluss des Seeamts die Befugnis zur Ausübung seines Gewerbes (§ 31 der Gewerbeordnung vom 21. Juni 1869) entzogen werden.*

Einem Schiffer, dem die Befugnis entzogen wird, kann nach Ermessen des Seeamts auch die Ausübung des Steuermannsgewerbes untersagt werden.

§ 27.

Gegen den Spruch des Seeamtes (§ 25), sowie gegen die Entscheidung desselben über einen Antrag auf Entziehung der Befugnis zur Ausübung des Gewerbes (§ 26) kann sowohl von dem durch den Spruch (§ 25) oder die Entscheidung (§ 26) Betroffenen, als auch vom Reichskommissar Beschwerde beim Ober-Seeamt eingelegt werden. Die Beschwerde muss binnen 14 Tagen nach der Verkündung, oder, wenn diese in Abwesenheit des Beschwerdeführers erfolgt ist, nach der Zustellung des Urteils bei dem Seeamt zu Protokoll oder schriftlich eingelegt werden. Dem Beschwerdeführer, welchem das Urteil noch nicht zugestellt war, ist dasselbe nach Einlegung der Beschwerde zuzustellen.

Die Beschwerde muss bei Einlegung des Rechtsmittels oder spätestens binnen weiterer 14 Tage nach Ablauf der Frist zu dessen Einlegung oder, wenn zu dieser Zeit das Urteil noch nicht zugestellt war, nach Zustellung desselben bei dem Seeamt zu Protokoll oder schriftlich gerechtfertigt werden.

Die Einlegung der Beschwerde hat keine aufschiebende Wirkung.

Ferner soll der erste Satz von § 29 lauten:

Das Oberseeamt bildet eine kollegiale Behörde und besteht aus einem Vorsitzenden, auf welchen die Bestimmungen des § 7, Absatz 2 Anwendung finden und sechs Mitgliedern, von welchen letzteren *wenigstens vier die Befähigung als Seeschiffer besitzen und als solche gefahren haben müssen.*

Endlich ist § 30 also gefasst:

§ 30.

Das Oberseeamt kann eine Ergänzung oder Wiederholung der Beweisaufnahme vornehmen oder anordnen, *muss dies aber auch nach erfolgtem Spruche thun, wenn durch nachträglich vorgebrachtes Beweismaterial sich die Wahrscheinlichkeit von dem Unverschulden des Betreffenden ergeben sollte.*

Der Vorsitzende kann ein Mitglied des Oberseeamts mit der Darstellung der bisherigen Verhandlungen und Ermittelungen beauftragen.

Das übrige Gesetz bis zum Schluss ist unverändert geblieben.

Im Ganzen hat sich der Vereinstag auf den Boden unserer Vorschläge gehalten, und ist nur mehr ins Detail gegangen, wo wir uns mit entfernten Andeutungen begnügten, wohin wohl die Revisions-Arbeit sich erstrecken möchte. —

Zu wünschen wäre jedenfalls, dass bei den nächsten Reichstagswahlen darauf Rücksicht genommen würde, dass eine *fachkundige* Persönlichkeit die Vertretung übernähme. Ohne solche ist im Reichstag schwerlich etwas zu erreichen.

Die Schwierigkeit deutscher Hochseefischerei.

II.

Wir erhalten nachstehenden Brief von dem für die deutsche Seefischerei begeisterten Hr. Prof. Benecke, d. d. Königsberg, d. 15. April 1884, welchem wir gern wegen seiner Tendenzen einen Platz in unserm Blatt gewähren, wenn auch die guten Wünsche manchmal den Thatsachen voraufzueilen scheinen.

»Der verehrlichen Redaktion kann ich, von einer mehrtägigen Fischereireise zurückkehrend, erst heute für die gefällige Zusendung von No. 7 der »Hansa« danken und meinen im März d. J. in Berlin gehaltenen Vortrag überreichen.

Die Bemühungen der »Hansa«, meine »Ansichten inbetreff der Chancen der deutschen Hochseefischerei in der Nordsee richtig zu stellen« erkenne ich zwar mit vollem Dank an, vermag mich aber doch nicht zu überzeugen, dass die deutsche Hochseefischerei in der Nordsee mit Aussicht auf durchschlagenden Erfolg anders als mit grossem Kapital betrieben werden kann. War es, wie die »Hansa« ausführt, bei Gründung der Emder Häringsfischerei leicht, ein Aktienkapital von einigen Millionen zu erhalten, so hätte man entschieden zugreifen sollen, statt mit Experimenten in kleinem Maassstabe zu beginnen, deren Resultate unmöglich zu Schlüssen über den Erfolg eines grossartig organisirten Betriebes verwertet werden können. Bekannt war der Fischreichtum der Nordsee, die Lage der Hauptfangplätze, die Betriebsweise der schottischen und holländischen Häringsfischerei, ebenso bekannt der grossartige Häringsbedarf Deutschlands; ein unendlicher Vorrat von Fischen auf der einen, die Sicherheit eines regelmässigen Absatzes auf der anderen Seite.

Die Mannschaftsfrage, welche nach der »Hansa« »noch jetzt, nach zwölfjährigem Betriebe, die stärkere Entwicklung hemmt,« scheint mir bei einer von vornherein in grossem Maassstabe angelegten Fischerei weit leichter zu lösen als bei kleinen Versuchen, die sie auch in weiteren zwölf Jahren nur wenig fördern dürften. Die Untauglichkeit des grössten Teiles unserer an der Nordsee wohnenden Bevölkerung zur Seefischerei ist zur Genüge bekannt und die wirklich seetüchtigen Leute aus jener Gegend, die jetzt in der Handelsmarine beschäftigt sind, haben erklärlicher Weise wenig Neigung, sich einem kleinen, in seinem Erfolge zweifelhaften Fischereiunternehmen zuzuwenden. Indessen würde man, wenn es gelte eine ansehnliche Flotte von Fischerfahrzeugen zu bemannen, keineswegs, wie die »Hansa« meint, auf den Abhub der Kauffahrteifahrer angewiesen sein. Sind die Nordseeküsten nicht imstande, die nötige Mannschaft zu stellen, so ist diese in um so grösserer Zahl in den östlichen Provinzen zu finden. An der Ostsee und den Haffen sind tausende tüchtiger Fischer beschäftigt, ausschliesslich durch Fischerei ein kärgliches Brod zu erwerben, welches bei der steten Zunahme der Bevölkerung und ihrer Abneigung gegen andere Berufsarten täglich knapper wird. Hier ist das Material für die Bemannung von Nordseeloggern in reicher Menge und guter Qualität vorhanden und der Abgang einiger hundert Fischerfamilien von hier nach der Nordsee könnte den Auswandernden wie den Zurückbleibenden nur zu gleichem Vorteil dienen.

Allerdings sind unsere Fischer nur mit der Küstenfischerei vertraut, aber man würde ihnen schweres Unrecht thun, wollte man annehmen, dass sie nicht in kurzer Zeit den Betrieb der Hochseefischerei erlernen könnten. Natürlich wäre für jedes Fahrzeug zunächst ausser dem Schiffer ein kleiner Stamm tüchtiger, erfahrener Hochseefischer erforderlich; dieser wäre im Anfange im Auslande zu suchen, gegen hohen Lohn aber auch zu finden. Dazu mag man auch eine Staatsbeihilfe fordern, denn unzweifelhaft hat der Staat die Verpflichtung, einer so wichtigen Industrie die Wege zu bahnen und darf dafür auch grosse Opfer nicht scheuen. Gewiss werden aber bei sicherer Aussicht auf dauernde und lohnende Beschäftigung tüchtige Steuerleute und Matrosen genug sich bereit finden lassen, entweder auf fremden oder auf deutschen, zunächst von Ausländern geführten Fahrzeugen die Hochseefischerei gründlich zu erlernen, um bald selber die Führung eines Loggers übernehmen zu können, zumal der Verdienst bei der Segelschifffahrt zur Zeit nicht eben sehr verlockend ist. Natürlich dürfte sich die Hochseefischerei nicht auf den nur während einiger Monate lohnenden Häringsfang beschränken, sondern müsste auch die Trawl- und Angelfischerei umfassen, um Fahrzeuge und Mannschaften das ganze Jahr hindurch zu beschäftigen.

Geeignete Häfen für zahlreiche seetüchtige Fahrzeuge sind in Geestemünde und Cuxhaven vorhanden, der Bau von Fischerwohnungen, die Anlage grosser Eishäuser, Räuchereien und Mariniranstalten dürfte an diesen Orten keine Schwierigkeiten haben. Beide Hafenplätze stehen in Eisenbahnverbindung mit dem Binnenlande, die Einstellung eigener Fischkühlwagen und eine weitere Ermässigung des Frachttarifs für frische Fische würde *bei grossem Betriebe* sich leicht durchsetzen lassen. Wie ungeheuer dann die Nachfrage nach Seefischen sich im Binnenlande steigern würde, ist leicht zu ermessen; an den meisten Orten sind die billigeren, für den Konsum der grossen Massen geeigneten Seefische bisher kaum dem Namen nach bekannt, und bekanntlich wächst die Bevölkerung Deutschlands jährlich um eine halbe Million, so dass die Frage einer billigen Ernährung immer dringender wird.

Die Entlegenheit der Fischgründe, welche in der »Hansa« als ein »ewiges Hindernis« bezeichnet wird, erschwert nur den *kleinen* Betrieb; eine Gesellschaft, die eine grosse Fischerflotte aussendet, wird natürlich zwischen den Fangplätzen und den Heimatshäfen regelmässig eine Anzahl von Dampfern kursiren lassen müssen, um den Fahrzeugen den Fang abzunehmen und neue Netze, Besteck, Eis, Salz, Tonnen und Lebensmittel zuzuführen. Uebrigens kann von einer Entlegenheit der Fischgründe eigentlich nur inbetreff des Härings die Rede sein; die meisten Plattfisch- und Dorscharten halten sich in genügender Menge an der ganzen holländischen, deutschen und dänischen Küste auf, um grosse Flotten von englischen Trawlern in Sicht unserer Nordseeinseln zu beschäftigen. Und was den Häring anlangt, so bemerkt der von den Herren v. Freeden, Dantziger und P. v. Reusen jr. im November 1871 erstattete Bericht der Hochseefischerei-Enquete-Kommission: »*Die Fischerei kann von einem deutschen Nordseehafen aus mindestens eben so gut geschehen als von den Maashäfen, weil letztere von den Fischgründen weit entfernter sind als erstere.*« Mit dem sehr beachtenswerten Bericht dieser Kommission bin ich »überzeugt, dass eine in holländischer Weise betriebene, *mit ausreichenden Geldmitteln ausgestattete* und vor allem mit der nötigen Sachkenntnis geleitete deutsche Fischerei gute Resultate liefern und eine Quelle des Wohlstandes für viele sein würde.« Aber selbst zu dem jetzigen kleinen Betriebe sind die Mittel der Emder Gesellschaft unzulänglich, geschweige denn zu einem Betriebe in grossem Maassstabe. In dem gelegentlich der Berliner internationalen Fischereiausstellung im J. 1880 veröffentlichten Bericht über Ostfrieslands Anteil an der Binnen-, Küsten- und Hochseefischerei teilt G. F. Zimmermann mit, wie es der Emder Gesellschaft im J. 1874 zur Ersetzung eines verloren gegangenen Loggers »an den erforderlichen Mitteln fehlte« und beklagt es, dass die Ausrüstung der derzeitig im Besitze der Gesellschaft befindlichen 11 Logger zur Trawlfischerei unmöglich sei, weil die dazu erforderlichen 77 000 Mark bei dem Stande des Geschäftsvermögens nicht herbeizuschaffen seien.

Stände es wirklich so, wie die »Hansa« meint, dass nur mittelst Staatsprämien »der Ungunst der äusseren Verhältnisse zu begegnen« wäre und dass sich, »kommt der Seefischerei keine Hülfe von aussen, in denklicher Zeit nicht absehen lässt, wie sie gehoben werden soll,« so wäre es besser, weitere Versuche überhaupt einzustellen. Der Staat hat kein Interesse, ein an sich nicht lebensfähiges Unternehmen durch dauernde Subventionen auf Kosten der Gesamtheit über Wasser zu halten. Uebrigens ist auch in Holland ein günstiger Erfolg der Hochseefischerei erst zu verzeichnen, seitdem die Staatssubventionen eingestellt sind.

Aber in so düsterem Lichte wie der »Hansa« erscheint mir die Lage keineswegs. In dem letzten Geschäftsbericht der Emder Gesellschaft wird eine Besserung der Verhältnisse bereits konstatirt; hoffen wir, dass es ihr gelingen möge, ihren Geschäftsbetrieb so zu vergrössern, wie es zu kräftigem Bestehen und Gedeihen erforderlich ist. Eine mit grossen Mitteln arbeitende deutsche Hochseefischerei wird und muss Erfolg haben und in gesegnetem Andenken werden die Namen derer fortleben, denen es gelingt, unserem Vaterlande eine so wichtige Nahrungsquelle zu erschliessen, einen Stamm tüchtiger Matrosen für unsere Kriegsflotte heranzubilden und die vielen Millionen, die wir bisher jährlich dem Auslande für Produkte der Nordsee zahlen, dem nationalen Vermögen zu erhalten.

Benecke.

Wir kommen in folg. Nummer auf den Gegenstand zurück. *D. Red.*

Die Barometer-Curven nach den Ausbrüchen des Vulkans auf Krakatoa.

Bereits in unserer No. 2 erwähnten wir im Anschluss an eine Mitteilung der Berliner Sternwarte, dass an verschiedenen andern meteorologischen Stationen, welche mit selbstregistrirenden Barometern ausgerüstet sind, die Erschütterungen der Luft durch den vulkanischen Ausbruch auf Krakatoa wahrgenommen seien. Es haben sich damals von der Centralstelle des Erdbebens aus Erschütterungen der Luft nach allen Seiten in Form von kolossalen Luftwellen verbreitet, deren Vorübergang von den selbstregistrirenden Instrumenten durch Heben und Senken der Quecksilbersäule im Barometer angezeigt werden musste, sobald die Instrumente nach ihrer mechanischen Konstruktion und lokalen Aufstellung empfindlich genug für den Eindruck waren. Der Direktor der Londoner Seewarte, R. H. Scott, veröffentlicht jetzt eine Anzahl dieser Barometer-Curven im Märzheft 1884 der österr. meteor. Zeitschrift, und führen wir in gedrängter Zusammenstellung die Hauptstellen dieser Curven in nachstehendem Holzschnitt vor, ohne Rücksicht auf die absolute Höhe der abgelesenen Barometerstände, welche für unsern Zweck gleichgültig ist, dagegen unter Anfügung eines Maassstabes in engl. Zollen, damit man die absolute Höhe der Schwankung messen kann. Die Zeiten sind Greenwich Zeiten, welche von 2 zu 2 Stunden von 6 U. Vm. des 27. Aug. bis 6 U. Vm. des 28. Aug. laufen. Scott verfolgt die abnehmenden Einbiegungen der Curven noch bis Mitternacht des 29.—30. August.

Barometer-Curven 27./28. Aug. 1883.

Leider ist die wirkliche Anfangszeit der Ausbrüche und besonders des Hauptausbruchs in Dunkel gehüllt. „Die Stösse dauerten von 4 U. Nm. am 26 bis zum Tagesanbruch am 27. Aug (Ortszeit d. h. von 9 U. Vm. bis 10 U. Nm. Aug. 26 Greenwich Zeit.) Wahrscheinlich aber war die Dauer etwas länger. Genauere Angaben liegen nicht vor.

Aus den vorstehenden Barographen-Curven ergiebt sich nun Folgendes:

1. Etwa am 11 U. Vm. am 27. Aug. zeigte sich zu Petersburg ein Steigen des Quecksilbers im Barometer, und gleich darauf ein Fallen. An den andern Orten bis Valencia, wo Barographen vorhanden sind, zeigten sich ähnliche Erscheinungen mit grösserer oder geringerer Deutlichkeit; bei den westlichen Stationen war das Steigen der Säule mehr ausgeprägt; eine gewisse Familienähnlichkeit verraten alle Curven um 2 Uhr Nm. Greenwich Zeit.

Diese Störung bewegte sich von Ost nach West mit sehr grosser Geschwindigkeit; das Steigen des Quecksilbers nach dem ersten Fallen fand zu Petersburg um Mittag, zu Valencia am 2 U. 25 Min statt, also wurde in 2 Stand. 25 Min. der Zwischenraum von 13[illegible] Meilen zurückgelegt.

2. Am 28. Aug. erschien eine etwas ähnliche Störung, pflanzte sich aber von West nach Ost fort. In Valencia erschien sie 3 U. 20 M., in St. Petersburg 5 U. 15 Min., brauchte also nicht einmal 2 Stunden.

So sind nun noch mehrere Störungen aber von minderer Grösse an den folgenden Tagen, bald von Ost nach West, bald umgekehrt sich fortpflanzend, wahrgenommen. Scott registrirt ihrer vier.

Die Grösse der einzelnen Schwankungen in engl. Zollen ergiebt sich aus folgender Zusammenstellung Scotts:

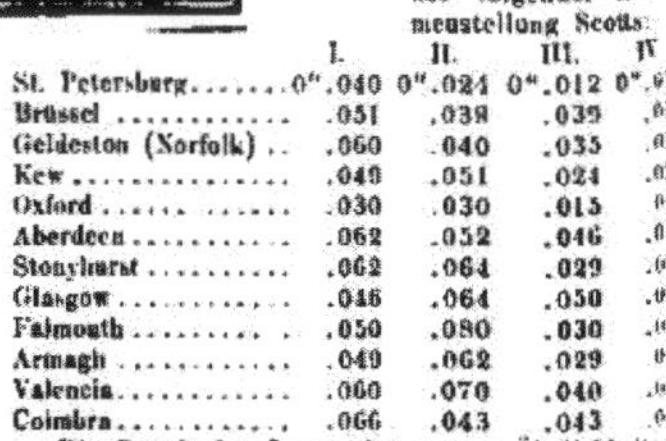

	I.	II.	III.	IV.
St. Petersburg	0".040	0".024	0".012	0".[illegible]
Brüssel	.051	.038	.039	[illegible]
Geldeston (Norfolk)	.060	.040	.035	[illegible]
Kew	.049	.051	.024	[illegible]
Oxford	.030	.030	.015	[illegible]
Aberdeen	.062	.052	.046	[illegible]
Stonyhurst	.062	.064	.029	[illegible]
Glasgow	.046	.064	.050	[illegible]
Falmouth	.050	.080	.030	[illegible]
Armagh	.049	.062	.029	[illegible]
Valencia	.060	.070	.040	[illegible]
Coimbra	.066	.043	.043	[illegible]

„Die Gestalt der Curven hat grosse Ähnlichkeit mit der Curve des King'schen Barographen zu Liverpool an den Waterloo-Docks vom 15. Jan. 1864, als die „Lottie Sleigh" mit einer Ladung von 13 000 Kilo Schiesspulver in die Luft flog, 5 Kilom. vom Observatorium entfernt. Die Curve findet sich am Fuss der übrigen Curven zur Vergleichung angefügt.

Ueber die Geschwindigkeit der Fortpflanzung finden sich u. a. folgende weitere Erörterungen. „Die Luftwelle lief von Ost nach West in 36 Std. 57 Min. um die Erd-

und von West nach Ost in 35 Std. 17 Min. und durcheilte einen Grad des grössten Kreises in 0.1026 Std. resp. in 0.098 Stunden. Daraus berechnet sich der Ursprung der Störung in Krakatoa zu 9 U. 32 Min. Vm. 27. Aug. aus der westwärts gerichteten Welle, und zu 9 U. 13 Min. aus der ostwärts gerichteten Welle, also im Mittel zu 9 U. 24 Min. Vm. 27. August. Die Geschwindigkeit der Wellen würde für die erstern 1078, für die zweiten 1130 Kilom. in der Stunde betragen. Die Geschwindigkeit des Schalles ist bei 10° C. 1211 Kil. und bei 27° C. 1250 Kil., bei — 18° C. immer noch 1157 Kil., würde also noch bedeutend mehr betragen als die der Krakatoa-Luftwellen. Die verschiedene Geschwindigkeit der von O nach W und der von W nach O gerichteten Wellen erklärt sich genügend aus der Umdrehung der Erde von W nach O.

Da die von O nach W ziehende Welle noch etwa 122 Stunden nach ihrer Entstehung an den Barometer-Curven verschiedener Stationen bemerklich war, und ihre Geschwindigkeit 1078 Kil. betrug in der Stunde, so hat sie vor ihrem wahrnehmbaren Erlöschen 132 260 Kilom. zurückgelegt, ging also 3¼ Mal um die Erde herum.

Die deutsche Polar-Expedition auf Südgeorgien hat die erste Welle, um 12 Uhr Mittags 27. Aug. mit einer Hebung beginnend, ganz deutlich beobachtet; das Maximum des Bar.-Standes trat ein 12 U. 35 Min., und fiel dann das Barometer rasch um 2¼ mm innerhalb 30 Min.; eine zweite und dritte Schwankung wurden auch noch beobachtet. Die Station Moltkehafen auf Südgeorgien liegt 12 464 Kil. in gerader Entfernung von Krakatoa, nur durch die weiten Gewässer des südlichen stillen Oceans von ihm getrennt.

C. Wolf berechnet aus den Pariser Störungen die Geschwindigkeit der Fortpflanzung der Welle zu 1173 Kil. per Stunde oder 326 Meter per Sekunde, d. h. fast genau gleich der Geschwindigkeit des Schalles.

Uebersicht, Umfang und Ertrag des Kabliaufanges bei den Lofoden.

Gelegentlich der vorigjährigen Londoner Fischerei-Ausstellung wurden von den Kommissaren der einzelnen Länder Tabellen hergegeben, welche die Bedeutung der heimischen Fischerei veranschaulichen. Wir bringen hier zwei derselben über die Norwegische Fischerei a) bei den Lofoden, und b) im Allgemeinen, aus welchen man sich ein deutliches Bild von der grossen Bedeutung dieser Industrie machen kann.

a. *Kabliaufang bei den Lofoden.*

Jahr	Zahl der Fischer	Zahl der Boote	Zahl d. Kabliau in Millionen	Wert in Millionen Kronen à M 1.18
1866	20 855	5 723	21.0	5.664
1867	21 129	5 906	20.1	6.168
1868	21 098	5 643	24.0	4.724
1869	20 671	5 776	20.4	4 172
1870	18 840	5 030	21.5	5.480
1871	17 420	4 383	17.5	6.448
1872	16 772	4 238	20.0	7.152
1873	17 276	4 278	19.5	6.220
1874	18 821	4 439	20 0	6.576
1875	18 301	4 881	23.0	6.971
1876	21 346	5 790	22.0	5.682
1877	21 287	5 315	28.4	8.823
1878	22 723	5 251	25.3	6.820
1879	25 586	6 009	26.3	6.435
1880	27 232	6 144	27.5	5.734
1881	26 850	6 153	28.4	5.623

Während also in den 16 Jahren die Zahl der Fischer um 29%, die Zahl der Boote um 8%, der Fang um 35% gestiegen sind, hat der Ertrag vom ersten zum letzten Jahre, mit vielen Schwankungen allerdings, um 4% abgenommen. Bekanntlich wird der Körper des Kabliau zum sog. Stockfisch getrocknet; die getrockneten Köpfe dienen den Einwohnern als Viehfutter im Winter.

b. Erträge der norwegischen Seefischerei überhaupt von 1866—1881, in Millionen Kronen.

Jahr	Kabliau	Haringe und Sprotten	Makrelen	Langfisch Schwarzfisch etc.	Lachs	Hummer
1866	11.016	7.620	0.628	0.960	0.252	0.280
1867	11.552	7.076	0.792	0.960	0.236	0.256
1868	8.624	9.332	0.580	1.100	0.180	0.284
1869	8.428	7.952	0.600	1.168	0.256	0.240
1870	13.800	4.476	0.844	1.204	0.232	0.240
1871	13.384	9.220	0.900	1.360	0.220	0.320
1872	14.884	5.068	0.716	1.396	0.240	0.252
1873	15.276	6.368	0.832	1.748	0.406	0.252
1874	14.558	5.892	0.796	1.328	0.352	0.296
1875	15.405	5.858	0.719	1.270	0.407	0.337
1876	10.884	7.970	0.621	2.000	0.458	0.355
1877	19.411	6.790	0.708	1.780	0.449	0.291
1878	12.933	4.780	0.671	1.977	0.362	0.351
1879	12.682	4.920	0.681	1.371	0.336	0.342
1880	12.640	7.103	0.696	1.448	0.382	0.405
1881	10.925	4.062	0.769	2.175	0.401	0.377

Auffallend sind die Sprünge in diesen Zahlen, so in der ersten Tabelle im Jahre 1870, welche sich bei den Lofoden, dem Sitz der grossen Gesellschaften aber nicht finden. Vergleicht man den Gesamtertrag des ersten und letzten Jahres oder 20,656 Millionen gegen 19.609 Millionen, so findet man eine Abnahme des ganzen Ertrages um 2%, welche von um so grösserer Bedeutung ist, als inzwischen ein bedeutendes Sinken des Geldwertes überhaupt eingetreten ist.

Germanischer Lloyd.

Deutsche Handels-Marine. Seeunfälle vom Monat März 1884 soweit solche bis zum 15. April 1884 im Central-Bureau des Germanischen Lloyd gemeldet und bekannt geworden sind.

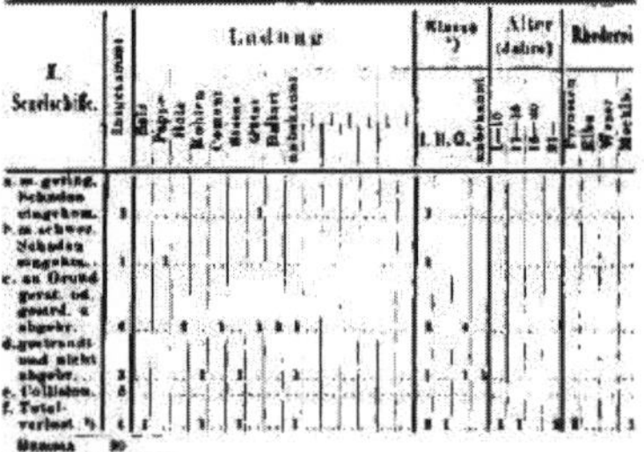

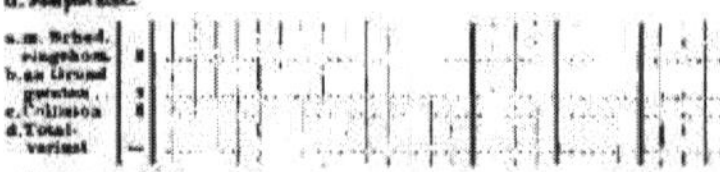

Summa . . 7

*) Soweit zu ermitteln, Klasse einer Schiffsklassifizirungs-Gesellschaft. U. = keine Klasse. Umgekommene Seeleute: 18.

²) Tonnengehalt von 4 Schiffen 812 Tons.

BERLIN, d. 15. April 1884.

Aus Briefen deutscher Kapitäne.

VII.

Zollplackereien in Italien und Spanien.

Es ist ein leidiges Kapitel, welches ich aber hier nur streifen kann. Wüsste ich die richtigen Addressen, so müsste Alles ihren Manchesterleuten gemeldet werden, damit sie sehen, wie gut wir es in Deutschland haben, auf welches sie jetzt mit solcher Geringschätzung herunter zu sehen pflegen. Die guten Leute sollten sich nur mehr auswärts blicken lassen, um zu lernen was man sich dort alles gesetzlich gefallen lassen muss, und das entsetzliche

Winseln und Jammern zu verlernen, wenn einmal der „Individualität des Deutschen" im eigenen Lande etwas nahe getreten wird. Komme ich da neulich aus See nach Genua, mit Gesundheitspässen, Manifesten etc. etc. und last, not least mit Proviantliste, meiner Meinung nach in bester Ordnung, versehen. Sofort nach Erteilung der „Pratique" kommt eine ganze Gesellschaft Zolloffiziere an Bord, deren Hauptaugenmerk Salz und Taback, nebenbei auch Kaffee und Zucker ist. Jedes Gramm Taback muss aufgeführt sein, desgl. Salz, und stimmt es nicht, so kostet es 71 Francs für jede 25 Gramm. Da man auf See mit einer Federwaage sehr schlecht, mit einer Dezimalwaage aber gar nicht wiegen kann, so ergiebt sich natürlich ein Unterschied; beim Salz, welches der Masse wegen nur abgeschätzt wird, noch mehr als beim Taback. Ein halbstündiges Parlamentiren bringt die Geschichte denn noch glücklich zum Abschluss. 25 Gramm Taback werden Jedem vom Ersten bis Letzten bewilligt, alles Übrige versiegelt und die Gesellschaft begiebt sich wohl gestärkt an Land, nimmt aber die Listen etc. mit sich. Beim Ausklariren kommt alles dreifach gestempelt und unterschrieben wieder an Bord, man darf aber bis zum nächsten Hafen nichts daran ändern und sollte man auch das halbe Schiff voll zollpflichtiger Sachen gekauft haben. Da es im nächsten Hafen nicht mit auf der Liste steht, so ist es Contrabande und der Brigandiere oder richtiger Brigadiere bekommt sein Drittel der Strafe. In Genua wurden nun an Taback 81 Kilo gewogen. Tags darauf in Livorno 80 Kilo, obgleich kein Taback von mir verabfolgt war. Der nächste Tag findet mich in Neapel, der Wunderstadt, weshalb es mich auch nicht Wunder nimmt, wenn der Taback unterwegs Gewicht zugelegt hat. Der alte Brigadiere wollte sich auf den Kopf stellen, als er 84 Kilo herauswog. Gioja darauf schenkte sich das Wiegen, nahm Cognac und Cigarren wie alle seine Vorgänger und versiegelte wieder. Messina darauf wog richtig am selben Nachmittage 76.5 Kilo heraus, kehrte sich aber nicht an das Salz, weil es auf Sicilien frei ist. Oben genannte 25 Gramm Taback sind beiläufig für die ganze Aufenthaltszeit bestimmt, mag dieselbe 2 Stunden oder 1 Jahr dauern: Cigarren müssen jedesmal dem Brig. vorgezählt werden.

Ausser diesen gewöhnlichen Ankunftsvisiten, die konstatiren sollen, ob der vorige Brigadiere auch richtig gewogen oder der Kapitän richtig deklarirt hat, giebt es noch eine grosse Staatsvisite, die das ganze Schiff durchschnobert und selbst jedem Mann Hosen und Hemd vom Leibe zieht. Freilich ist die Einwilligung des Konsuls zu dieser Visite nötig, und darf sie, wie von kundiger Seite mir versichert wurde, erst 24 Stunden nach Ankunft des Schiffes, unter Begleitung des Konsuls oder eines seiner Leute an Bord kommen. In Tarento nun — beiläufig der schmutzigsten, flohreichsten Stadt, die ich je gesehen, woher die ganze Mannschaft mit halber Dysenterie zurückkehrte, und die Menschen nur von Gurken, Knoblauch, Zwiebeln und Muscheln zu leben scheinen, wo man in dem schönsten Hafen der Welt einen Dampfer bei todtstillem Wetter vor 3 Ankern zu liegen zwingt — muss man draussen ankern, und kommt erst in den Hafen, nachdem Pratique erteilt ist. Gegen 6½ Uhr Abends wurde ich erst freigegeben, ging dann an Bord um Instruktionen zu geben und dann wieder an Land, um mich zum Morgen ladefertig zu melden. Dort werde ich kurz darauf von einem Zolloffizianten weggeholt — zur Revision an Bord. Wie ich ins Boot steige, sitzt ein anderer — Herr mit darin, der sich als deutschsprechender Schreiber unsers Konsuls, der Italiener ist, einführt; da er sich nicht als offizielle Person anmeldet, so denke ich, er will dolmetschen und das Schiff und die Papiere sich ansehen. Das Schiff war noch beim Einlaufen, und lässt den Anker fallen, als wir längsseit kommen. Wie gewöhnlich war das Feldgeschrei „Aller Taback!" Ich lasse also die Leute von der Arbeit abbrechen und herbringen was sie haben, wobei sie aber, wie es in jedem Hafen erlaubt war, etwas, d. h. ihre 25 Gramm zurückbehalten. Wie denn alles beisammen ist, fragt mein Brigadiere „Ist das Alles?" Ich sage Ja! und schicke mit einem Donnerwetter meine Leute an die Arbeit, um das Schiff noch festzubekommen, da es unterdessen schon völlig dunkel geworden ist. Mein Brig. bestellt aber höchst kaltblütig sämtliche Leute in ihr Logis und lässt untersuchen, und mein Vice-Konsul meint auf meine Remonstration, ich hätte dies ja durch meine Bejahung erlaubt und sei er offiziell mitgekommen, um die Durchsuchung des Schiffes zu überwachen. Natürlich finden die Kunden beim ersten Anlauf etwas Taback offen auf dem Tisch liegen, und werden die Eigentümer mit Hurrah vor den Chef geschleppt. „Sehen Sie wohl, mein Kapitän, da ist doch noch Taback!" Dann geht es an die Offiziere; alles wird durchgewühlt, und nur das grimmige Aussehen derselben hält die Kunden ab, ihnen unter das Hemd oder in die Unterhose zu fahren. Aber o Himmel, da liegt noch eine abgebrochene Cigarre zwischen Wäsche, welche Mutter zu Hause noch fein säuberlich zusammengepackt hat. Mein Zimmer sowie die ganze Kajüte wird verschont, da der Chef zu faul ist und ich keinem Galgengesicht erlaube Hand anzulegen. Auch die Maschine erscheint unheimlich, da leicht ein halber Centner Kohlen herabfallen oder ein Dampfhahn unversehens aufschnappen könnte. Aber 4 Mann sind abgefasst, auf der Zollwaage ergiebt es mit 6fachem Papier und Siegellack 250 Gramm brutto. In einer Apotheke an Land aber nur 180 Gr. brutto. Mit einer Gönnermiene ohne Gleichen erklärt der Brig., er wolle es als eine einzige Defraudation ansehen, und nur 71 Fr. dafür berechnen, wiegt den andern Taback aber nicht, sondern schreibt einfach 75 Kilo auf und versiegelt. Am andern Tage kann Signor Brig. sich aber das Vergnügen nicht versagen, noch während des Ankerhebens seine Siegel zu inspiziren. — Gnade Gott, wenn der Kunde irgendwo einen Riss entdeckt hätte! Mit dem grössten Behagen habe ich ihn wie einen Schemen ignorirt. Denn es muss Einem doch leid thun, wenn an solcher Schnapphähne und solch' einem Konsul willen Leute, welche 50 ℳ. im Monat verdienen, mit Geldstrafe belegt werden. Musste sein Schreiber nicht Ordre haben uns genau zu sagen, wie sich Jedermann zu benehmen habe, und dass es gefährlich sei, sich selber seine jämmerlichen 25 Gramm Taback zu reserviren! Aber als Italiener hat der Konsul vielleicht seine Gründe, es mit den Zollleuten nicht zu verderben und ihnen eher einen Nebenverdienst zu gestatten. Jedenfalls sollte er soviel vom Dienst verstehen, dass seine Leute sich als Angestellte beim fremden Kapitän einführen, damit dieser erfahre, wessen er sich halten darf, und wenn man ihm solche Kenntnis nicht zutrauen kann, so sollte er in seiner Instruktion von Berlin darüber belehrt werden. Auch sollte die gesetzmässige Zeit von 24 Stunden nach Ankunft eingehalten werden, damit der Kapitän inzwischen Zeit habe, sich nach solchen aussergewöhnlichen Vorkommnissen umzuhören. Ueberall aber sollte man alle Konsulate deutschen Reichsangehörigen übertragen, so lange solche zu haben sind.

Tarento hat übrigens zwei Merkwürdigkeiten: 1. eine starke Süsswasserquelle etwa ¼ Meile von Land auf 4 Faden Wasser im Hafen. Sie kommt wie ein stark kochender Sprudel bis an die Oberfläche. 2. einen wunderbar schönen, gegen alle Winde geschützten und vor allen Gefahren sicheren Hafen, an welchem das Merkwürdigste wiederum ist, dass er nicht benutzt wird, da der Eingang versandet ist. Im Uebrigen ist es fast so heiss und schlimm wie Gioja, der „Freudenhafen", wo man nur von Morgens 6 bis Mittags 1 Uhr arbeitet, weil dann Alles, selbst die Arbeiter an Bord, ausreisst, um nach höher gelegenen Orten ringsum zu verschwinden. Die Wenigen, welche zurückbleiben, sind die richtigen Saffranskelette, und wir werden bei längerm Aufenthalt ihnen bald gleichen. Der „Freudenhafen" ist nämlich von sehr niedrigem morastigem Hinterlande umgeben, woraus sich, sobald die Sonne niedriger sinkt, rein giftige Dünste erheben, die Alles ohne

Gnade umbringen. Aber — ausser unzähligen Flöhen — Wein giebt es hier die schwere Menge; wo nicht Oliven wachsen, da stehen Weinstöcke in Terrassen am Berg hinauf wie am Rhein oder neben einander im Flachlande. Von Segelanweisungen zu diesem neumodischen Paradiese sei noch erwähnt, dass man den neuen Leuchtturm Faro hier sieht, ebenso Stadt Scylla, den Aetna, und den Stromboli der Liparen, was also auf 20 Sm. NOlich von der Strasse von Messina herauskommt.

Von Spanien im nächsten Briefe.

Nautische Literatur.

Berühmte Seeleute. Von **Reinhold Werner**, *Kontreadmiral a. D. Erste Abteilung: XVII. Jahrhundert. Jean Bart; Du Quesne; De Ruiter. Mit drei Portraits. Berlin 1882. Verlag von Otto Janke. Ein Band von 568 Seiten in 8°. Preis: ℳ 6.— Zweite Abteilung: XVIII. und XIX. Jahrhundert. Paul Jones; Nelson; Farragut; Tegetthoff. Mit vier Portraits. Berlin 1884. Verlag von Otto Janke. Ein Band von 670 Seiten in 8°. Preis: ℳ 9.—*

Mit dem Aufschwunge unserer Marine ist in Deutschland auch das Interesse für nautische Dinge gewachsen und giebt sich vielfach im gebildeten Publikum das Bestreben kund, mit den Verhältnissen des Seewesens näher bekannt zu werden. Bei der Knappheit deutscher Literatur über diesen Gegenstand wird deshalb das hier angezeigte Werk gewiss willkomme sein.

Im ersten Bande hat der Verfasser den Lebensgang der drei grössten Seeleute des XVII. Jahrhunderts geschildert und damit zugleich in allgemein verständlicher Weise die Entwicklung des Seekriegswesens dieser so wichtigen Periode vorgeführt, mit der jene Männer auf das engste verknüpft sind. Im XVII. Jahrhundert bildeten sich nicht nur die Kriegsflotten zuerst als selbstständige militärische Institutionen heraus, sondern sie entschieden auch die Geschicke der westlichen Staaten Europas und damit indirekt unseres ganzen Weltteiles. Bei diesen Entscheidungen haben Du Quesne, de Ruiter und Jean Bart die Hauptrolle gespielt und ihre Bedeutung ist deshalb geschichtlich eine ausserordentlich grosse. Zugleich bieten aber ihr Leben, ihre Thaten und ihr Charakter auch so viele Momente von allgemeinem Interesse, dass sie die Sympathien der Leser im vollen Masse verdienen.

Dieselben Gesichtspunkte waren für den Verfasser bei der Bearbeitung des zweiten Bandes massgebend, indem er solche Persönlichkeiten auswählte, welche durch ihr Wirken sowohl die Geschichte ihres eigenen Landes, wie anderer beeinflusst haben, gleichzeitig als Marksteine in der Entwicklung der Seekriegsgeschichte dastehen und auch in rein menschlicher Beziehung allgemeines Interesse erwecken.

Wir müssen dem Verfasser das Zeugnis ausstellen, dass er in seiner Darstellung überall den historischen Boden festgehalten, das ihm zu Gebote gestandene Material kritisch gesichtet und sowohl die Thatsachen wie die Lebensbilder der behandelten Persönlichkeiten in vollkommen objektiver Weise wiedergegeben hat.

Wir empfehlen das vom Verleger auf das Geschmackvollste ausgestattete Werk — ganz besonders den jüngeren Kreisen — auf das Wärmste. F. K.

Verschiedenes.

Die Wasserbauten bei Cuxhaven. Wie Bremen die Vertiefung und Begradigung des Weserstromes bis Bremen auf seine Tagesordnung gesetzt und damit eine Arbeit von 40—50 Mill. sich vorgenommen hat, so hat auch der Hamburger Senat namhafte Geldmittel für Schutzbauten bei Cuxhaven beantragt, weil die bisherigen Arbeiten sich als unzureichend erwiesen haben. Wenn man die Berichte der Techniker liest, so kommen sie einfach darauf hinaus, dass alle bisherigen Versuche, den Strom, der seine tiefe Rinne immer näher an das südliche Ufer hinanschiebt, zurückzudrängen, vergebens gewesen und die darauf im Laufe der Zeit verwandten Millionen in's Wasser geworfen sind. Trotzdem beantragen die Techniker, nach demselben System fortzuarbeiten und nur die darauf verwandten Mittel zu verdoppeln. Es wird schwer, sich davon Nutzen zu versprechen. Sind es doch höchstwahrscheinlich der Medem- und Kratz-Sand, durch welche das tiefe Fahrwasser zum Ausbiegen nach Süden gezwungen wird, und sollte man lieber versuchen, diese Sände an ihrer Südkante soweit wegzubaggern, dass der Strom sich hier mehr ausbreiten kann und demnach nicht gezwungen ist, sich nach Süden hin ein immer tieferes Bett zu wühlen. Ob der Vorschlag helfen wird ist eine andere Frage, aber wenn auch die Techniker nichts Besseres zu empfehlen wissen, als die Fortsetzung der bisherigen erfolglosen Arbeiten, und wenn es durch ein Naturgesetz feststeht, dass, so lange die Ursachen unverändert bleiben, auch die Wirkungen fortdauern müssen, so scheint es doch wenigstens des Versuches wert, ob man nicht den Ursachen zu Leibe gehen kann, die das ganze Unheil verschulden.

Die Seefischerei Belgiens im Jahre 1882. Die Zahl der Ausrüstungen zum Stockfischfange, welche im Jahre 1852 nur 129 betrug, ist nach und nach auf 282 im Jahre 1871 gestiegen, um in 1882 wieder auf 124 zu fallen. Was die Erträge dieser Fischerei betrifft, so haben dieselben seit dem ersteren Jahre zwischen 1 536 000 Kg. (im Jahre 1852) und 3143 000 Kg. (im Jahre 1856) geschwankt; in 1865 beliefen sie sich auf 2 101 000 Kg., in 1868 auf 2 738 000 Kg., in 1871 auf 1 885 000 Kg., in 1881 auf 1 000 000 Kg. und in 1882 auf 868 000 Kg.

Für den grossen Häringsfang haben während des Jahres 1857 bis 1860 Ausrüstungen nicht stattgefunden; im Jahre 1861 fand eine einzige statt, 1862 drei und 1863 eine; seit dieser Zeit hat man die Ausrüstungen eingestellt. Der Ertrag dieser Fischerei, welcher im Jahre 1852 107 000 Kg. war, fiel im Jahre 1856 auf 18 000 Kg.; im Jahre 1862 betrug er 49 000 Kg. und 1863 nur 2 150 Kg.

Der Ertrag der kleinen Häringsfischerei, welcher im Jahre 1881 einen Werth von 121 000 Franken hatte, hob sich im Jahre 1882 auf 100 000 Franken, und die betreffende Fischerei wurde in dem letzteren Jahre mit 31 Booten betrieben.

Zum Fang frischer Seefische fanden im Jahre 1882 300 Ausrüstungen statt, welche einen Ertrag von 3 038 000 Franken brachten. Im Jahre 1852 lieferte dieser Fischfang nur einen Ertrag von 917 000 Franken.

Der Bestand der Fischerboote war zu den hier nächst bezeichneten Zeitpunkten folgender:

	Zahl der Boote	Tonnengehalt	Zahl der Mannschaft
1880...	307	10 180	1 766
1881...	299	10 476	1 635
1882...	300	10 047	1 733

—s—

Der Schiffahrtsverkehr Belgiens im Jahre 1882. Die Seetransporte haben einwärts in 6 395 Segel- und Dampfschiffen von zusammen 3 941 920 Messtonnen stattgehabt, wovon 3 638 111 mit Waren eingingen; sie waren mit 115 343 Mann besetzt. Mit 1881 verglichen, hat eine Vermehrung stattgefunden in der Zahl der eingelaufenen Schiffe um 8 pCt., im Tonnengehalt um 17 pCt., im Grade der Beladung um 15 pCt., in der Stärke der Bemannung um 16 pCt.

Von den 6 395 *eingelaufenen* Schiffen waren 5 452 beladen und 943 kamen in Ballast an; in der Zahl der letzteren sind die Dampfschiffe und Postdampfer einbegriffen, welche keine Waren führten. Was die ersteren betrifft, so hat im Vergleich mit 1881 eine Vermehrung um 8 pCt. in der Zahl, um 16 pCt. im Tonnengehalt, um 15 pCt. in der Beladung und um 15 pCt. in der Bemannung stattgefunden.

Der Anteil der britischen Flagge ergiebt sich aus folgenden Zahlen: Anzahl der Schiffe 50,6 pCt., Tonnengehalt 59,8 pCt., Ladung 58,6 pCt.

Zum Ausgang wurden deklarirt 6 271 Segel- und Dampfschiffe mit einer Gesamttragfähigkeit von 3 938 298 Tonnen, wovon 2 253 886 Tonnen wirkliche Ladung; die Bemannung bestand in 114 640 Köpfen. Gegen 1881 hat sich die Zahl der ausgelaufenen Schiffe um 9 pCt., ihr Tonnengehalt um 18 pCt. und ihre Bemannung um 13 pCt. vermehrt.

Von jenen 6 271 Schiffen sind 3 525 beladen und 2 746 in Ballast ausgelaufen.

Der Anteil der Dampfschiffahrt am allgemeinen Schiffahrtsverkehr i. J. 1882 war folgender:

beim Eingang 4 429 Dampfschiffe mit einer Tragfähigkeit von 3 011 830 To.

„ Ausgang 4 440 „ „ einer Tragfähigkeit von 3 285 194 To.

Bestand der belgischen Handelsmarine.

Im Jahre 1882 hat sich die Zahl der Schiffe der belgischen Handelsmarine, von 59 in 1881, auf 62, also um 5 pCt. vermehrt, und die gesamte Tragfähigkeit ist von 77 840 Tonnen auf 82 647 Tonnen, also um 6 pCt. gestiegen.

Von den 62 Schiffen waren:

16 Segelschiffe mit 6 750 To. Tragfähigkeit.
46 Dampfschiffe „ 75 897 „ „

—s—

Der Schiffahrtsverkehr in Yokohama im Jahre 1882. Die Zahl der während des Jahres 1882 im Hafen von Yokohama eingelaufenen ausländischen Kauffahrteischiffe betrug 271, mit einem Netto-Raumgehalt von 372 261 T. Gegen das Vorjahr ergiebt sich somit ein Abfall um 26 Schiffe mit einem Tonnengehalt von 13 257 Tonnen.

Die Zahl der im Jahre 1882 eingelaufenen deutschen Schiffe war 26, mit einem Tonnengehalt von 12 969 Tonnen, unter denen 5 Dampfschiffe, gegen 30 Schiffe mit 11 563 Tonnen im Vorjahre. 23 verschiedene Schiffe beteiligten sich an dem Verkehr mit Yokohama, von denen 3 im Laufe des Jahres den Hafen von Yokohama zwei Mal besuchten, wodurch die Zahl von 26 eingelaufenen Schiffen erreicht wird. Ihrem Heimatshafen gemäss gehören nach: Hamburg 11 Schiffe mit 7955 To., Bremen 1 Schiff mit 336 To., Barth 1 Schiff mit 503 To., Schleswig-Holstein 6 Schiffe mit 1905 To., Danzig 4 Schiffe mit 1366 To.

Von den ausgegangenen 20 deutschen Schiffen mit 10 974 Tonnen waren 5 mit Stückgütern befrachtet, 2 mit Petroleum, 1 mit Kohle, 1 mit Fischöl und Kampher, und die übrigen 11 gingen in Ballast, und zwar die Mehrzahl nach chinesischen Häfen.

Der Zuckertransport von Formosa bildete, wie in früheren Jahren, die Hauptbeschäftigung der deutschen Schiffahrt.

Zwei von den eingelaufenen Schiffen gingen durch Verkauf in japanisches Eigentum über und 2 in russisches bezw. britisches, 2 befanden sich am Ende des Jahres noch im Hafen. Die Besatzung der während des Jahres 1882 eingelaufenen 23 verschiedenen Fahrzeuge betrug 358 Mann, von denen 149 auf 5 Dampfern. Die Frachtsätze für deutsche Schiffe waren nicht befriedigend. Mit einer einzigen Ausnahme gingen sämtliche Schiffe, welche von Takao mit Zucker angekommen waren, in Ballast entweder nach Nagasaki oder direkt nach chinesischen Häfen. Ein deutsches Schiff nahm volle Ladung Fischöl und Kampher für Havre und London zu 2 £ Sterl. 5 sh. pro Ton.

—s—

Hafenverkehr von Veracruz. In Veracruz sind im Jahre 1882 zusammen 700 Schiffe mit 396 856 Tonnen, darunter 23 deutsche mit 20 289 Tonnen, angekommen; von den deutschen Fahrzeugen kamen 19 aus Hamburg und 1 aus Antwerpen mit Stückgütern, je 1 aus Barrow und Cardiff mit Eisenbahnschienen und 1 aus Cardiff mit Kohlen; 12 derselben liefen mit Produkten nach Hamburg aus, 11 gingen in Ballast ab.

—s—

Deutsche Kolonisation fasst jetzt festen Fuss an zwei Stellen der alten Kontinente, an der südlichen Westküste von Afrika durch die Bremer Firma **Lüderitz & Co.** und auf der Nordküste von Borneo durch eine in Hamburg, unter der Leitung des Herrn Friedr. Huckmeyer mit einem Kapital von 200 000 ℳ gegründete Actiengesellschaft.

Conical buoys und Can-buoys. Unter Conical buoys versteht man bei den neuesten Versuchen, zu einem einheitlichen Betonnungssystem zu gelangen, diejenigen Bojen oder Tonnen, welche über Wasser die Form eines Kegels zeigen und unter Can-buoys diejenigen, welche über Wasser platt abgestutzt sind. Erstere sollen zur Bezeichnung der Steuerbord-, letztere zur Bezeichnung der Backbordseite der Fahrwasser, für einlaufende Schiffe gerechnet, verwandt werden. Sind mehrere Einfahrten da, so treten die Farben als weitere Unterscheidungsmerkmale hinzu, die Conical buoys stets nur in einer Farbe, die Can buoys mit weissen Streifen durch das Schwarz oder Rot, welche Farben als die besten anerkannt sind. Sände in den Fahrwassern sollen durch runde, Telegraphen durch grüne Bojen, Wracks durch drei Kugeln und bei Nacht durch drei weisse Lichter an der Raa eines Schiffes bezeichnet werden.

Die „**Servia**“-Reise der Cunard-Linie, welche im Mai 16 Tage nach Newyork dauerte, statt der vorausgesetzten 8 bis höchstens 9 Tage, wirbelt viel Staub auf in den amerikanischen Blättern, nach denen die viel aufgepuffte Cunard-Linie ihren Höhenpunkt überschritten zu haben scheint.

Von der preussischen Regierung soll jetzt der dänischen angezeigt sein, dass sie neben der **Oderbank** ein **Feuerschiff** auszulegen beabsichtigt. Vergl. oben.

Verlag von H. W. Silomon in Bremen. Druck von Aug. Meyer & Dieckmann, Hamburg. Altenwall 3a.

Redigirt und herausgegeben
von
W. von Freeden, BONN, Thomasstrasse 9.
Telegramm-Adresse:
Freeden Bonn.
oder
Hansa Alterwall 22 Hamburg.

Verlag von *H. W. Silomon* in Bremen
Die „*Hansa*" erscheint jeden 2ten Sonntag.
Bestellungen auf die „*Hansa*" nehmen alle Buchhandlungen, sowie alle Postämter und Zeitungsexpeditionen entgegen, desgl. die Redaktion in Bonn, Thomasstrasse 9, die Verlagshandlung in Bremen, Obernstrasse 41 und die Druckerei in Hamburg, Alterwall 22. Sendungen für die Redaktion oder Expedition werden an den letztgenannten drei Stellen angenommen. **Abonnement** jederzeit, frühere Nummern werden nachgeliefert.

Abonnementspreis:
vierteljährlich für Hamburg 2½ ℳ,
für auswärts 3 ℳ = 3 sh. Sterl.
Einzelne Nummern 60 ₰ = 6 d.

Wegen Inserate, welche mit 25 ₰ die Petitzeile oder deren Raum berechnet werden, beliebe man sich an die Verlagshandlung in Bremen oder die Expedition in Hamburg oder die Redaktion in Bonn zu wenden.

Frühere, komplete, gebundene Jahrgänge von 1872 1874, 1875, 1877, 1878, 1879, 1880, 1881, 1882 sind durch alle Buchhandlungen, sowie durch die Redaktion, die Druckerei und die Verlagshandlung zu beziehen.
Preis ℳ 8; für letzten und vorletzten Jahrgang ℳ 9.

Zeitschrift für Seewesen.

No. 10. **HAMBURG, Sonntag, den 18. Mai 1884.** **21. Jahrgang.**

Inhalt:

Die Rhederei der Ostsee.

II.

Der Schiffsverkehr von Elbing, Danzig, Stolp, Swinemünde, Stettin und Stralsund am 1. Januar 1883.

Elbing und *Braunsberg*, letzteres wegen des flachen Fahrwassers im Haff, haben in dem zurückliegenden Jahre wenig erfreuliche Verhältnisse aufzuweisen gehabt, während von Danzig Günstigeres zu melden ist.

Die Rhederei *Danzigs* bestand aus 85 Schiffen von 114 477 cbm, darunter 13 Schraubendampfer von 18 981 cbm. Die Zahl der mit Metallhaut beschlagenen Segelschiffe hat sich im Jahre 1882 wiederum um eins verringert; es existiren demnach nur noch zwei Danziger Schiffe, welche zu längeren Reisen nach Ostindien und dem stillen Ocean geeignet sind. Dagegen sind für Danzig zwei neue Seedampfer auf den dortigen Schiffswerften gebaut worden, während zwei andere Ende des Jahres noch im Bau begriffen waren. Auch die Zahl der Personen- und Bugsirdampfer hat sich abermals, und zwar bedeutend vermehrt. Es haben jetzt 31 Flussdampfboote Danzig als ihren Heimatshafen und ist man mit dem Bau von vier neuen beschäftigt.

Die Matrosenheuer stellte sich pro Monat auf 36 ℳ zu Anfang, bis 50 ℳ vor Schluss der Schiffahrt.

In den Hafen von Danzig sind im Jahre 1882 eingegangen 2123 Seeschiffe von 805 634 To., darunter 918 Dampfer von 517 654 To., darunter 1175 Schiffe von 410 339 To. unter deutscher Flagge. Ausgegangen sind 2080 Seeschiffe von 786 551 To., darunter 909 Dampfer von 512 761 To., 1142 Schiffe von 395 761 To. unter deutscher Flagge.

Der Bestand der Segelschiffsrhederei in *Stolp* ist in dem fruchtlosen Kampfe gegen die Dampfschiffe auf 8 Fahrzeuge von zusammen 754 Reg.-To. heruntergegangen.

Bei diesem andauernden Kampfe der Segelschiffahrt ist natürlich auch die Lage der Rhederei in *Swinemünde*, die sich fast ausschliesslich auf Segelschiffe beschränkt, wesentlich schlechter geworden.

Die niedrigen Frachten stehen in keinem Verhältnis zu den Kosten für Heuer, Assekuranz, Ausrüstung, Verzinsung des Anlagekapitals und Verschlechterung der Schiffe, und mit vollem Recht kann behauptet werden, dass es im allgemeinen und mit Rücksicht auf das damit verbundene Risiko kein schlechteres Geschäft giebt, als die Rhederei mit solchen Segelschiffen, die hauptsächlich auf die Fahrt in der Ost- und Nordsee angewiesen sind.

Die Swinemünder Rhederei bestand zu Anfang des Jahres 1877 aus 55 Schiffen von zusammen 7201 To., wogegen der Anfang des Jahres 1881 einen Bestand von 41 Schiffen von zusammen 5337 To. aufweist.

Davon sind:

32 Segelschiffe incl. Küstenfahrzeuge mit 4931 To.
8 Bugsir- und Passagierdampfer mit ... 254 „
1 Seegüterdampfer mit .... 152 „

Es ist somit seit 1877 ein Abgang von 14 Schiffen mit 1864 To. zu konstatiren.

Leider entstehen für die Schiffahrt Stettins, wenn einmal frühzeitig Eis friert, grosse Schäden. Nach dem seiner Zeit eingeholten kompetentesten Zeugnis wäre ein Eisbrecherboot unbedingt imstande gewesen, die Schiffahrt während des ganzen Monats December frei zu halten und darf man voraussetzen, dass das Gleiche trotz der ungewöhnlichen Dauer des Frostes in den folgenden Monaten der Fall gewesen sein würde.

Die Einfuhr und Ausfuhr zur See sind gegen das Vorjahr in Stettin fast unverändert geblieben. Es betrug:

Einfuhr:		Ausfuhr:	
1882	1881	1882	1881
723 798 To.	716 719 To.	401 513 To.	399 650 To.

Die *Stettiner Rhederei* umfasste am 1. Januar 1882: 184 Schiffe mit 44 134 Reg.-To., hierzu kamen durch Neubau 4 Schiffe mit 1636 Reg.-To., durch Ankauf 3 Schiffe mit 1004 Reg.-To., zusammen 7 Schiffe mit 2640 Reg.-To. Abgegangen sind durch Seeverlust 12 Schiffe mit 3122 Reg.-To., durch Verkauf 5 Schiffe mit 1211 Reg.-To., zusammen 17 Schiffe mit 4333 Reg.-To.; mithin betrug der Bestand der Rhederei am Schlusse des Jahres 1882: 174 Schiffe mit 32 441 Reg.-To. Im Bau waren begriffen am Schlusse des Jahres 1882: 5 Schiffe mit 2150 To.

Es waren in den Stettiner Hafen eingelaufen 1882:

1615 Dampfer mit 522 540 Reg.-To.
1577 Segelschiffe mit 171 374 „

zusammen 3192 Schiffe mit 693 914 Reg.-To.
d. i. 184 Schiffe mit 27 135 Reg.-To. mehr als im Vorjahre.

Aus demselben liefen aus:

1618 Dampfer mit 522 650 Reg.-To.
1594 Segelschiffe mit 175 559 „

zusammen 3212 Schiffe mit 698 209 Reg.-To.
d. i. 172 Schiffe mit 27 025 Reg.-To. mehr als im Vorjahre.

Das Gewicht der im Jahre 1882 seewärts eingegangenen Güter betrug 723 798 301 kg im Werte von 154 537 454 ℳ, während sich das Gewicht der seewärts ausgegangenen Güter auf 401 512 527 kg im Werte von 122 794 568 ℳ belief.

Die fortdauernde Abnahme der *Stralsunder Rhederei* hat sich leider auch auf das Jahr 1882 übertragen. Die Rhederei dieses Platzes ist in den letzten 4 Jahren von 45 459 Reg.-To. auf 33 910 Reg.-To., oder um mehr als 25 pCt. zurückgegangen. Die Frachten für Holz-Segelschiffe, aus welchen die dortige Rhederei noch immer ausschliesslich besteht, deckten durchschnittlich kaum die Betriebskosten. Aus der Ostsee wird Getreide fast nur noch per Dampfer verschifft.

Kohlenfrachten nach der Ostsee zurück waren noch niedriger. Der Grund dafür ist teils in der auch für den Transport dieses Massenguts immer übermächtiger werdenden Konkurrenz der Dampfer, teils darin zu suchen, dass englische und schottische Kohlen von den deutschen Ostsee-Häfen immer mehr durch oberschlesische Kohlen, deren Transport dahin durch billige Eisenbahn-Frachttarife begünstigt wird, verdrängt werden.

Der Erbauung oder dem Ankaufe von Dampfern ist man im Stralsunder Bezirke leider noch immer nicht näher getreten. Dass der Neubau von Holz-Segelschiffen auf den dortigen Werften nach wie vor vollständig ruht, ist unter den obwaltenden Verhältnissen nicht anders zu erwarten.

Der Bestand der Rhederei Stralsunds belief sich am 1. Januar 1882 auf 172 Schiffe mit 36 818 Reg.-To., hierzu kamen durch Ankauf 4 Schiffe mit 1011 Reg.-To., während im Laufe des Jahres abgingen 13 Schiffe mit 3073 Reg.-To. durch Seeverlust und 7 Schiffe mit 846 Reg.-To. durch Verkauf und Umvermessung, zusammen 20 Schiffe mit 3919 Reg.-To. Die Rhederei hat sich somit um 16 Schiffe mit 2908 Reg.-To. vermindert, so dass am 31. December des Jahres 1882 ein Bestand von 156 Schiffen mit 33 910 Reg.-To. vorhanden war.

Eingelaufen sind in den Hafen von Stralsund 543 Schiffe von 181 103 cbm. Die seewärts eingegangenen Güter hatten ein Gewicht von 585 994 Ctr., die der ausgegangenen Güter ein solches von 113 531 Ctr. *Fr.*

Einige technische Fragen zum Ausweichungsgesetz.

Als im verflossenen October die Bark „Paposa" bei dem Ankern unweit Glückstadt, durch den aufkommenden Dampfer „Cramlington" in den Grund gelaufen, und der Totalverlust der „Paposa" dadurch herbeigeführt wurde, dass die Bark ihre Seitenlichter erst einnahm und die Ankerlaterne aufsetzte, als das Schiff vor der Flut herumgeschwungen und *stromrecht* lag, da wurde in seemännischen Kreisen die Frage aufgeworfen: „Wann die Seitenlichter in solchen Fällen einzunehmen seien?"

Nun ist im Monat März d. J. ein ähnlicher Fall unter St. Pauli (Hamburg) vorgekommen, indem der aufkommende Dampfer S. daselbst seinen Anker fallen liess und mit dem Kopf nach Norden, vor der Flut herumschwang, während der abkommende Dampfer P. das grüne Seitenlicht des schwingenden Dampfers S. erblickte, und annahm, dass dasselbe noch in Fahrt begriffen sei. Darum hielt der P. mit ganz langsam gehender Maschine, der Kaiserlichen Verordnung gemäss, dicht an der Nordseite des dortigen Fahrwassers entlang, und als er keinen Raum zum Passiren vorfand, rief man dem S. zu rückwärts zu gehen, worauf die Antwort erfolgte, dass man vor Anker liege. Infolge davon ging der P. full speed astern, kollidirte aber dadurch mit dem daselbst am Ladeplatz vertäut liegenden Dampfer G., sodass der letztere sank.

Da dies nun innerhalb 5 Monaten der zweite Fall ist, dass eine Kollision infolge der noch stehenden Seitenlichter entstand, so ist die Frage wohl gerechtfertigt und wichtig genug zu erörtern: „Wann müssen die Seitenlichter beim Ankern eingenommen, und die Ankerlaterne gesetzt werden?"

Die Kaiserliche Verordnung hat hierfür keine Direktive, wenn man das Schiff, welches seinen Anker hat fallen lassen, nicht nach § 5 als manövrirunfähig ansehen will. Hierauf lässt sich freilich entgegnen, wenn man den § für solchen Fall als zu Recht bestehen lassen will, dass es die Sache nicht bessern wird, da das auf- oder abkommende Dampfschiff annehmen muss, dass das andere Schiff, obwohl manövrirunfähig, auf einem *Flusse* fest vor Anker liege, während es in Wirklichkeit noch in Bewegung begriffen ist. Aus diesem Grunde, d. h. da das ankernde Schiff noch in Bewegung begriffen ist, es entweder mit der Flut von hinten gegen die Kette anläuft oder herumschwingt, oder auch beide Bewegungen zugleich macht, geht unsere Ansicht dahin:

1. Dass ein solch ankerndes Schiff als manövrirunfähig nicht angesehen werden sollte.

2. Dass die Seitenlaternen so lange auf ihrer gesetzlichen Stelle zu belassen sind, bis das Schiff stromrecht liegt, um andeuten zu können, dass es noch nicht fest liegt, wo dann, sobald das letztere eintritt

3. Sofort und möglichst gleichzeitig mit dem Fortnehmen der Seitenlichter, die Ankerlaterne aufgesetzt werden sollte.

Bei dieser Besprechung wirft sich andererseits die Frage auf: An welcher Stelle soll nach § 8 der Kaiserlichen Verordnung die Ankerlaterne angebracht werden? Dieselbe besagt, das Licht „soll so eingerichtet werden, dass ein helles, gleichmässiges und ununterbrochenes Licht über den ganzen Horizont sichtbar wird." Eine solche Stelle giebt es aber auf keinem Schiffe, wenn man das Licht nicht etwa unter dem Flaggenknopf anbringen will, welches einerseits aber der Kaiserlichen Verordnung entgegen, und andererseits nicht immer thunlich ist. Nach der gewöhnlichen Praxis wird die Ankerlaterne an Steuerbordseite im Fockwant angebracht, bei einigen auch oberhalb auf am Fockstag, da aber in beiden Fällen schon Kollisionen vorgekommen sind, indem das Licht durch die Fockmast verdunkelt worden, so dürfte es sich empfehlen die Ankerlaterne an der Steuerbord Fockrah, etwa in der Mitte zwischen Nock und Toppnant in der gesetzlichen Höhe anzubringen, wo dann bei der grösseren Entfernung vom Fockmast, der Verdunkelungswinkel bedeutend spitzer als in den beiden vorgenannten Stellungen ist.

Nauticus.

Nachschrift. Von dem Seeamt zu Hamburg wurde am 18. April d. J. der Spruch abgegeben, betreffend die Kollision zwischen den beiden Hamburger Schraubendampfern „Grasbrook", Kapt. J. H. C. Schwaner, und „Portia", Kapt. C. Vormeng, welcher Unfall sich bekanntlich gegen 3½ Uhr

Morgens am 28. März d. J. in der Nähe des St. Pauli-Fischmarktes ereignete. Der „Grasbrook" wurde durch den Zusammenstoss so stark beschädigt, dass das Schiff sich mit Wasser füllte und auf Grund sank, während die unbeschädigt gebliebene „Portia" ihre Reise nach London ohne Aufenthalt fortzusetzen vermochte. Nach beschaffter Entlöschung der aus Kohlen bestehenden Ladung wurde der Leck des „Grasbrook" provisorisch gedichtet, das Schiff gehoben und dann im Trockendock reparirt, worauf die Ladung wieder an Bord genommen worden ist, mit welcher sich der „Grasbrook" jetzt auf der Reise nach Westindien befindet. (Genaueres siehe Abendblatt der Börsenhalle vom 8. und Hauptblatt vom 9. vor. Monats).

Der Spruch des Seeamts hatte den folgenden Wortlaut: „Der Zusammenstoss der „Portia" mit dem „Grasbrook" ist dadurch herbeigeführt, dass die elbabwärtsgehende „Portia" um in dem engen Fahrwasser unter St. Pauli eine Kollision mit der aufkommenden „Betty Sauber", welche zu Anker gegangen war um zu schwoien, zu vermeiden, stoppen und rückwärts gehen musste und dabei unter Mitwirkung der Flutströmung gegen den „Grasbrook" hinangedrückt ist.

Ein Verschulden oder ein fehlerhaftes Manövriren ist unter den vorliegenden Umständen der „Portia" nicht nachzuweisen. Nicht zu billigen ist es, dass die „Betty Sauber", nachdem sie vor Anker gegangen war, um zu schwoien, die Seitenlichter nicht eingenommen hat."

Es ist wünschenswert, dass für das enge Fahrwasser der Elbe ein Signal festgesetzt werde, um anzuzeigen, dass ein Schiff zu schwoien beabsichtigt und zu dem Zwecke vorübergehend zu Anker gegangen ist."

Dazu bemerkt unser sachverständige Korrespondent, dass „daraus zu ersehen ist, wie geteilt die Ansichten sind, und wie wichtig es ist näher festzustellen, wie es beim Ankern gehalten werden soll. Ich für meine Person halte entschieden daran fest, dass so lange ein Schiff nicht stromrecht liegt, die Seitenlichter beizubehalten sind. Hätte im gegebenen Falle B. S. beim Fallen des Ankers, ihre Ankerlaterne gesetzt, so wäre „Portia" zu glauben berechtigt gewesen, dass B. S. fest und stromrecht vor Anker liege, während sie in Wirklichkeit im schwoien quer Stromes lag, und daselbst fast das ganze Fahrwasser einnahm. Bei Hochwasser oder beim Anfang der Flut, weiss jeder Lotse, dass die auf dem Flusse angetroffenen Schiffe *quer liegen können*, und wird jedenfalls beim Erblicken eines weissen Lichtes Rücksicht darauf nehmen müssen, und auch als tüchtiger Lotse nehmen. Nicht zu billigen wäre es dagegen, wenn ein ankerndes und im Schwingen begriffenes Dampfschiff, seine weisse Topplaterne noch stehen liesse; dieselbe soll nach meiner Ansicht sofort beim Fallen des Ankers herunter genommen werden. So lange aber kein Gesetz darüber existirt, macht es Jeder nach seinem besten Ermessen. Einseitig kann Hamburg resp. Deutschland auf der Elbe nichts bestimmen, da das internationale Ausweichungsgesetz bis zur Elbbrücke Hamburg's reicht.

Zur Geschichte des Thermometers.

Der Präsident der Königl. meteorol. Gesellschaft zu London, Herr R. H. Scott, hielt in der Sitzung der Gesellschaft vom 19. März einen Vortrag über die Geschichte und Entwickelung des Thermometers, nach welchem der älteste Erfinder des Instruments unbekannt ist. Zuerst erwähnt der bereits etwa 50 Jahre alten Erfindung ein Dr. R. Fludd in einer 1638 erschienenen Schrift. Bacon, welcher 1636 starb, erwähnt das Instrument ebenfalls. Die frühesten Thermometer waren eigentlich Sympiezometer, da das Ende der Röhren offen war und in Wasser tauchte, welches in der Röhre stieg oder fiel, wie die Luft in der Kugel sich ausdehnte oder zusammenzog. Solche Instrumente litten natürlich unter den Einflüssen des Luftdrucks und der Temperatur, wie Pascal bald entdeckte. Jedoch wurden gleichzeitig mit solchen Instrumenten auch Thermometer mit geschlossenem Rohr zu Florenz angefertigt, und einige von diesen alten Instrumenten wurden noch vorgezeigt auf der 1876 zu Süd Kensington abgehaltenen Leih-Ausstellung wissenschaftlicher Apparate. Sie befinden sich in der Sammlung der Florentiner Akademie und stimmen nach dem allgemeinen Prinzip ihrer Bauart mit den jetzigen Thermometern überein. Die Verbesserungen in der Konstruktion der Thermometer stammen hauptsächlich von Engländern her, indem Rob. Hooke den Gefrierpunkt, Halley den Siedepunkt und den Gebrauch des Quecksilbers statt des Weingeist und Newton zuerst den Begriff der Blutwärme einführte. Fahrenheit war ein Deutscher von Geburt, starb aber als Günstling Jacob I. in England. Réaumur's Thermometer ist in seiner schliesslichen Form von De Luc angegeben und das hundertteilige gewöhnlich Celsius zugeschriebene Thermometer stammt eigentlich von Linné. Celsius Skala stand umgekehrt wie jetzt, 0° bedeutete den Siedepunkt, 100° den Gefrierpunkt. Eine Ausstellung und Musterung von allerlei Arten beschloss den Vortrag; ausgestellt waren Normal-, Maximum-, Minimum-, Maximum und Minimum-, metallische, selbstregistrirende, Sonnenstrahlungs-, See-, Erd- und Brunnen-, spezielle, mit verschiedenen Formen der Kugel, Skalen etc. und vermischte Thermometer, nebst Thermometerschränken, Photographien etc. etc. *Nat.*

Beiträge und Bemerkungen zu unserer Kenntnis der Wirbelstürme oder Cyclonen.

Von *A. Schück, Seewhiffer.*

In No. 23 v. Jahrg. der „Hansa" ist den deutschen Seefahrern zugängig gemacht ein Artikel des „Nautical Magazine" vom September v. J., der sie hinweist auf Arbeiten des spanischen Paters B. Vines, die darlegen ein Einbiegen von ± 15° des Windes nach dem sog. Centrum der Antillen-Stürme.

In meiner kleinen Arbeit: „Die Wirbelstürme etc." (Schulze'sche Hofbuchhandlung Oldenburg i. Gr.) S. 22, habe ich bereits erwähnt, dass Mr. Redfield 45° für das Einbiegen des Windes nach dem Centrum in den Cyclonen die nahe dem Sl. Teil der Ostküste Nordamerikas auftraten, als „durchschnittliche" Grenze bezeichnete; nach den mir vorliegenden Thatsachen äusserte ich a. o. O. S. 45 u. ff: „Stellt man sich mit dem Gesicht in den Wind so liegt es auf der Nl. Erdhälfte rechts, auf der Sl. links, meistens nach hinten, und zwar sind hierfür 4 Kompassstriche = 45° keine übertriebene Annahme, jedoch nicht als unzweifelhaft bewiesene Thatsache, oder als Bequemlichkeitsregel zu betrachten." Wenige Zeilen vorher hatte ich bereits nach Piddingtons wörtlichem Citat darauf hingewiesen, dass Redfield beabsichtigte: die schematische Zeichnung einer Cyclone mit nach dem sog. Centrum einbiegenden Spiralen, sie aber unterliess: aus Rücksicht auf die Bequemlichkeit des Kupferstechers.

Jene Arbeit enthält in Wort und Bild 2 Fälle aus dem Nordatlantic, 24 aus ostasiatischen Meeren, 2 aus dem indischen Ocean, aus denen sich erkennen lässt: die Bewegung des Windes um das sogenannte Centrum ist unregelmässig; — aus vorurteilslos und streng sachlich durchgeführten Arbeiten geht hervor: die Gesetze, nach denen diese Bewegung stattfindet, sind nur zum geringsten Teil bekannt, weil noch nicht genügend erkannt sind: die Gesetze, nach denen die Verteilung des Luftdrucks und die Ausgleichung in den Unregelmässigkeiten der letzteren vor sich geht. — Als einzige Möglichkeit, der Erkenntnis dieser Gesetze näher zu treten ist zu betrachten: 1. Einrichtung von Stellen zur Sammlung und Diskussion der Schiffsbeobachtungen in *allen* an der Seefahrt teilnehmenden Staaten, 2. Vereinigung dieser Anstalten für synchronische d. h. auf eine bestimmte Zeit reduzirte Beobachtungen an 6 Tageszeiten. Die Zusammenstellung, Verarbeitung, Herausgabe dieser Beobachtungen verursachen so viel Kosten, dass sie kaum möglich sind, wenn letztere nicht — sei es gleichzeitig, sei es abwechselnd — von verschiedenen Regierungen bestritten werden; bei längerer Friedensdauer ist dies erreichbar.

In gen. Arbeit hob ich hervor, dass seit 1860 die Herren Meldrum, Scott, Toynbee, Willson energisch gegen die durch Piddingtons Richtungstabellen und Hornkarten (der übrige wertvollste Teil seines Buches blieb in zu vielen Fällen un- oder nur wenig beachtet) verbreitete Ansicht der Windbewegung in Kreisen aufgetreten sind; dabei vergass Maury anzuführen, der in seinen Slg. Dir. 8. Aufl. 1859, II. S. 451 u. ff. — vielleicht schon in früheren Auflagen — gegen diese Annahme auftritt und spiralförmige Figur einer Cyclone giebt; ich kann aber nicht beurteilen, ob sie von ihm selbst veranlasst oder nur citirt ist. Wir können uns um so mehr freuen, dass jetzt von einem Spanier die Bewegung des Windes in unregelmässigen Spiralen nach dem Centrum hin auch für Westindien nachgewiesen ist, denn wir verdanken Spanien die Entdeckung Westindiens und sie ist ein Beweis, dass dieses Königreich ebenfalls der Verwendung meteorologischer Forschung für die Seefahrt nicht bloss seit längerer Zeit Aufmerksamkeit, sondern auch an die Oeffentlichkeit tretende Thätigkeit zuwendet.

Infolge von spanischer Seite geschehener Anregung habe ich mich mit ein Paar Taifunen beschäftigt, die über Luzon oder die St. davon gelegenen Inseln zogen und habe dabei die Barometerstände einiger Schiffe verglichen, welche letztere in ob. Arb. S. 24 erwähnt, deren Lage zum sog. Centrum mit Windrichtung, -stärke und Wetter dargestellt ist; dadurch werden die in ob. Arb. S. 40 bis 42 gegebenen Fälle von nachweisbaren absoluten Gradienten*) (durchschnittlichem Unterschiede im Barometerstande für je 60 Sm.), in geringem Maasse auch unsere Kenntnis der Verteilung des Luftdrucks um das sog. Centrum vermehrt.

1871, Oct. 1 a. $1_{,7}$ U. Gr.-Zeit befand sich die deutsche Bark „Palma" aus Hamburg im Centrum eines Taifuns; ausser anderen Schiffen waren in einiger Entfernung von ihr die K. K. Ö.-U. Korvette „Fasana" und die britische Bark „Kelso".

1872, Oct. 2 p. $7_{,5}$ U. G. Z. war die deutsche Bark „Felix Mendelssohn" aus Bremen im Centrum eines Taifuns nicht sehr weit von der Insel Hainan, die britische Bark „Velocity" und die deutsche Bark „Herrmann Friedrich" unweit der Nordküste von Luzon, die deutsche Bark „Ellen Rickmers" nahe der Südküste von China.

Schiff	Br. °N	Lg. °OGr.	v. Centrum Sm.	Richtg.	Wind v.	Stk.	Richt.-winkel Kompstr.	Bar. mm	Df. mm	absol. Grad.
Palma	$16_{,4}$	$116_{,4}$	0	0	0	0	0	$736_{,8}$		
Kelso	$8_{,8}$	$109_{,4}$	590	SW¼S	WSW	6	12¾	$57_{,1}$	$20_{,3}$	$2_{,4}$
Fasana	$10_{,4}$	$110_{,1}$	430	SW½W	W	6	12	$54_{,0}$	$17_{,1}$	$2_{,4}$
F. Mendelssohn	$17_{,6}$	$112_{,1}$	0	0	0	0	0	$725_{,1}$		
E. Rickm.	$21_{,4}$	$115_{,3}$	280	SSO½O	SSzO	10	13¾	$54_{,0}$	$20_{,1}$	$6_{,0}$
Velocity	$19_{,1}$	$120_{,0}$	450	OzN	0	0	0	$56_{,6}$	$20_{,4}$	$4_{,4}$
H. Friedr.	$19_{,0}$	$120_{,6}$	440	OzN	SzO	1	8	$56_{,4}$	31,2	$4_{,3}$

Vel. und H. F. befanden sich, soweit es jetzt beurteilen kann, im Grenzgebiet der Luftdruck-Depression, in deren Minimum oder sog. Centrum F. M. war — und einer weiter ostwärts gelegenen; E. R. aber an der nördlichen Grenze jener; sie war vorher nördlich von Vel. und H. F. westwärts gezogen, bei E. R. war, während der ganzen Zeit in der über sie berichtet wird, der Wind Ol. und NOl.

Da in einer periodischen nautischen Zeitschrift der verfügbare Raum beschränkt ist, bin ich nicht imstande, aus den mir zugänglichen veröffentlichten Berichten über Stürme in den verschiedenen Zonen die Richtungswinkel des Windes und die Unterschiede im Barometerstande für alle die Fälle auszusondern, in denen Schiffe im sog. Centrum waren; ich schliesse hier noch ein Paar Beispiele aus einem sog. Mauritiusorkan an.

Herr A. V. Vielle in Mauritius hatte Herrn Bar. v. Heerdt, Dir. der marit. Abteilung des meteor. Instituts in Utrecht, Berichte über Orkane vom 3.—8. Mai 1879 Jan. 1880 u. 81 gesandt, von den Hr. Bar. v. H. die erstgenannten durch bei den meteor. Instituten in Utrecht London und Hamburg vorhandene Berichte vervollständigte und nach ihnen eine Bahn für das Centrum entwarf; darauf war er so gütig, sie mir vor ca. 2¼ Jahren zu gleichem Zweck zu schicken. Obgleich wir verschiedene Hauptzeiten annahmen, mit anderen Worten verschiedene Normalörter bestimmten, so wich doch die bezügliche Lage der Bahn nicht so von einander ab, als es bei derartigen Arbeiten erwartet werden muss; bis jetzt versuchte vergeblich, jene Berichte zu vervollständigen.

1879, Mai 3, p. $10_{,4}$ U. G. Z. befand sich ein sog. Cyclonencentrum nach Schätzung in $25_{,4}$° S, 50° O G und bewegte sich bis 6. p. $9_{,3}$ U. nach $27_{,3}$° S, $55_{,8}$° (OSO|O $4_{,6}$ Sm. p. h.) wo das franz. Schiff „Gabrielle Alice" in dasselbe geriet; von dort zog es bis 7. p. ... nach $26_{,9}$° S, $58_{,5}$° O (NOzO¹/₂O $6_{,6}$ Sm. p. h.) wo es bei dem deutschen Schiff „Bylgia" aus Hamburg vorbeistrich. Der Ort der „Gabrielle Alice" war bei weitem nicht so bestimmbar, wie der der „Bylgia", doch blieben meine Bemühungen dies auszugleichen (wie erwähnt) erfolglos. Nach Schätzung hätte sich das Centrum bewegt: vom 3. 10. ... bis 4 a. $6_{,4}$ U. $25_{,4}$° ... $51_{,2}$° O (O $8_{,9}$ Sm. p. h.) dann bis 6. p. $9_{,3}$ U. ... S, $55_{,9}$° O (SO ... $4_{,9}$ Sm. p. h.) — bei der Unsicherheit die allen solchen Schätzungen anhaftet, halte es für gewagt, Annahme dieser Biegung der Bahn in den Vordergrund zu stellen. Es ist dies einer der selten bekannt werdenden Fälle in denen das Centrum über zwei verschiedene Beobachter zog.

In Figur 1 und 2 habe wie früher angegeben: Ort des Centrum, Richtung und Entfernung der Beobachter von ihm, Windrichtung, -stärke und Wetterzeichen; der Radius des um das Centrum beschriebenen kleinen Kreises ist wieder gleich der angenommenen Summe (40 Sm.) der Unsicherheit beider Schiffsorte, die gestrichelten Linien bezeichnen die grössten Abweichungen des linearen Centrum-Gradienten (Linie vom Beobachter zum Centrum) infolge dieser Unsicherheit; die einfach punktirte Linie ist die direkte Verbindung zweier Orte bei denen der Unterschied im Barometerstand nicht mehr als $0_{,5}$ mm beträgt; die doppelt punktirte ist die mit Rücksicht auf ein drittes Schiff gezogene (immer als willkürlich zu betrachtende) Verbindungslinie solcher Orte; die Windpfeile fliegen mit dem Wind, an ihrer Spitze stehen die Haken für Windstärke und zwar stellen die schmalen Pfeile die Windstärke 1—7 (ein kurzer, drei lange und ein kurzer Haken) dar, die breiten Pfeile die Windstärke 8—12 (1—3 lange

*) Entfernung vom Centrum in Seemeilen (verhält sich zum): Unterschiede im Barometerstande (wie sich verhält) = (1 Aequatorgrad oder) 60 Sm. (zum): absoluten Gradienten; oder: der absolute Gradient ist die trigonometrische Tangente des Winkels im rechtwinkligen Dreieck, dessen gegenüberliegende Kathete der Unterschied im Barometerstande, dessen anliegende die Entfernung vom Centrum (der Aequatorgrad oder 60 Sm. als Einheit gerechnet) ist; der geschätzte Gradient ist die Entfernung zweier Isobaren von einander ebenfalls auf jene Maasseinheit reducirt.

Haken); am anderen Ende der Pfeile sind die Wetterzeichen angebracht; wenn auch an der anderen Seite der Pfeilspitze ein Haken ist, bezeichnet er abnehmenden Barometerstand.

1879, Mai 6 p. 9,3 U. G. Z.

Schiff	Br. °S	Lg. °O G.	vom Centrum Sm.	Centrum Richtg.	Wind	von Stk.	Richtg.-winkel Kompstr.	Bar. mm	Df. mm	absol. Grad-mehr	Df. in mm	Std.
F. Gabr. Alice	27,7	64,4	0	0	0	0	0	717?			46?	37
S. Majestic	24,8	68,2	228	NO 3/4 N	W	6	5	56,4			2,9	13
D. Bylgia	26,4	58,7	178	NOzO 1/2 O	WNW	8	5	57,3			5,4	25
Kl. Regina Mar.	21,1	61,1	624	NOzO 1/2 O	NNO	9	11 1/4	64?			2,4?	14
» Marie Elisab.	29,1	56,8	85	SW 1/2 O	S	11	17	37,6			20,4	41
D. F. Bismarck	30,1	42,6	697	W 3/4 N	OSO	5	3	67,3			+ 2,4	Pr. 8
D. Eduard	20,6	52,4	455	NNW 3/4 W	SWzW	4	7 1/2	60,3?			+ 0,8?	2
D. Herrmann	26,6	55,6	112	NNW 1/2 W	SWzS	7	5	57,8			+ 5,3	14

1879, Mai 7 p. 8,1 U. G. Z.

Schiff	Br. °S	Lg. °O G.	vom Centrum Sm.	Centrum Richtg.	Wind	von Stk.	Richtg.-winkel Kompstr.	Bar. mm	Df. mm	absol. Grad-mehr	Df. in mm	Std.
D. Bylgia	26,7	68,1	0	0	WzN	1	0	744,6			−17,6	48
S. Majestic	25,3	58,6	58	N 3/4 O	NWzW	9	10 1/4	48,6	4,6	4,0	10,3	36
Kl. Reg. Mar.	24,1	62,7	262	NOzO 1/2 O	NNW	10	9	?				
Kl. Mar. Elis.	28,0	65,1	239	SW 1/2 W	S	9	11 1/4	51,4?			+14,8	24
D. Herrmann	28,6	52,6	825	WzN	S	6	7	64,4	19,6	3,7	+0,7	3,4
D. Eduard	21,6	50,6	560	NW 3/4 W	SSW	5	7	64,7?			+0,7	3,6

Barometerkonstruktion und -korrektion der „Gabrielle Alice“ und „Regina Maris“ sind unbekannt; der Barometerstand der „Marie Elisabeth“ am 7. p. 8,1 U. ist nach 2 Ablesungen von 12stündiger Zwischenzeit interpolirt und nach Mitteilung des Steuermanns vom „Eduard“ pumpte dessen Barometer; dies erklärt obige offene Stellen.

Es sind jetzt 30 Jahre seitdem Maury auf dem Brüsseler Kongress seine Ansicht über den Nutzen meteorologischer Beobachtungen auf Schiffen, ihrer Sammlung, Zusammenstellung und Diskussion scheinbar zur allgemeinen Anerkennung brachte; aber die Befolgung seiner Ansicht ist doch nur gering (manchmal auch nur scheinbar) denn, nach 30 Jahren und aus so besuchter Gegend konnten in Fällen wie der oben erwähnte nur 3 meteorologische Institute und ein Privatmann in Mauritius nur so wenige Berichte geben; Regierungen, Rheder, Händler, Versicherer, Seeschiffer und -Steuerleute können also unmöglich den Nutzen solcher Beobachtungen und Arbeiten für Dampf- und Segelschiffe erkannt haben, (er lässt sich zwar nicht in Zahlen wiedergeben, thatsächlich ist er aber unendlich gross) — oder es sind nicht die rechten Wege gewählt, um die an der Sicherheit, Regelmässigkeit und Geschwindigkeit des Seeverkehrs Interessirten zur richtigen Erkenntnis jenes Nutzens zu bringen. — Der sichtlichste Erfolg der Bemühungen Maury's und seiner Nachfolger besteht bis jetzt darin, dass, trotzdem die Schiffe mit immer weniger Mannschaft in See geschickt werden, ihre gewöhnlichen Reisen nicht schlechter sind als früher; dies ist ein nicht zu unterschätzender Gewinn, aber zweifellos könnten bessere Reisen gemacht werden.

In oben angeführten Beispielen finden wir wiederum die seit Jahrzehnten erkannte Bewegung des Windes um ein Bar. Min. im Ganzen nachgewiesen (auf der Sl. Erdhälfte mit dem Lauf des Uhrzeigers), im Einzelnen aber nicht abhängig von der Lage zum sog. Centrum, — die Windstärke nicht in dem Maasse abhängig von der Entfernung vom sog. Centrum als nach eingebürgerten Ansichten erwartet werden könnte. Am 6. p. 9,3 U. mögen Herrm. und Mar. Elis. gleich weit vom sog. Centrum entfernt gewesen sein, bei H. wies die Windrichtung von diesem weg, bei M. E. ungefähr recht auf dasselbe zu; während der Unterschied in der Windrichtung bei den fast in gleicher Richtung vom sog. Centrum befindlichen H. und E. nur gering ist, ist er bei den nach einer anderen Seite ähnlich gelegenen Bylgia und Reg. Mar. sehr gross; da über die Richtung der Bahn bis dahin nur soviel sicher ist, dass sie aus westlicher Gegend nach östlicher lag, so ist höchstens „Eduard“ als seitlich von der Bahn befindlich zu betrachten, alle andern Schiffe können sich in der vorderen Cyclonenhälfte befunden haben. In Bezug auf Windstärke hat H. nur wenig grössere als der doppelt soweit vom Centrum entfernte „Majestic“, dessen Barometerstand niedriger war als auf H. und B.; B. hat nur wenig grössere als Maj. und H. aber etwas geringere als Reg. Mar.; B. und M. haben jedenfalls nahe gleiche Lage zur Bahn, bei B. ist auch beachtenswert grössere Windstärke, die Windrichtung ist ziemlich gleich.

In den folgenden 23 Stunden ändert sich die Windrichtung am meisten bei Maj., Reg. Mar. und H., bei B., auf welche das Centrum zuzieht, wird der Wind bis 7. 7,1 U. NWzN, er erreicht dabei für einige Stunden Stärke 11, ändert aber in der nächsten Stunde zurück bis WzN, dabei in den letzten beiden Stunden von Stärke 10—1 abnehmend; bei Maj. war er anfänglich ziemlich rasch NNW geworden, dann ebenso rasch auf WzS zurückgeändert, er nahm langsam an Stärke zu und wurde nach ca. 6 Stunden wieder NWzW. Bei „Regina Maris“ änderte der Wind, soweit der sehr karge Bericht dies beurteilen lässt, von NNO—NNW, an Stärke wenig zunehmend; der Barometerstand auf diesen 3 Schiffen nahm noch ab und scheint bei „Majestic“ und „Bylgia“ ziemlich gleichzeitig den oben erwähnten niedrigsten Stand erreicht zu haben, der Unterschied in der Abnahme desselben ist aber bedeutend: 12,7 gegen 7,6 mm. — Während bei M. Elis. die Windrichtung dieselbe bleibt, die Windstärke allmälich abnimmt, ändert die Windricht. bei H. 3 Strich der grösseren Entfernung vom Centrum entsprechend; bei ihm bleibt die Windstärke gleich; auf beiden Schiffen nimmt der Barometerstand zu, jedoch auch mit bedeutendem Unterschiede: 14,5 gegen 7,3 mm.

Während das Min. der Bar. Depr. von „Bylgia“ ostwärts weiter zog, ändert sich der Wind bei „Herrmann“ sehr langsam noch 3 Strich nach Osten und an Stärke abnehmend; bei „Bylgia“ rasch (in ½ Std. 6 Strich) nach Süden, in dieser halben Stunde von 1—12 zunehmend, dann allmälich an Stärke abnehmend; bei „Majestic“ ändert der Wind bedeutend langsamer durch W nach SWzW, anfänglich etwas an Stärke (bis 10) zu-, dann abnehmend; bei „M. Elis.“ blieb der Wind noch 12 Stunden unverändert Süd und nahm an Stärke gleichmässig ab, bei diesen 4 Schiffen nahm der Barometerstand zu.

Ungefähr 4 Stunden nachdem das Centrum „Bylgia“ passirte, scheint der Barometerstand auf „Regina Maris“ am niedrigsten gewesen zu sein, bis dahin änderte der Wind, an Stärke zunehmend, nur 2 Strich westlicher und Barometerstand sowie Windrichtung scheinen 7 Stunden unverändert geblieben zu sein, später änderte der Wind (in ca. 25° S, 62° O) noch mehr nach West.

Wie bereits angedeutet, ist das Material nicht vollständig genug, um eine eingehende Diskussion des Verlaufs dieser Cyclone zu rechtfertigen, auch erlaubt der Platz nicht, das vorhandene Material zu veröffentlichen, einen ungefähren Ueberblick wird die folgende Zusammenstellung geben, welche die Lage der Schiffe etc. zu der Greenwich-Zeit enthält, an der der jedesmalige niedrigste Barometerstand beobachtet wurde.

Schiff	Br. °S	Lg. °O	Wind von	Stk.	Bar. mm	Df. mm	i. Std.	Wetter	Seegang von	Höhe
1879 V. 3. p. 10,4 U.										
B. Drumclog ..	28,4	47,4	SOzO	10	750,2	−5,4	14	q, r, o, l	NW u. OSO wirr	8
Hollander	23,1	64,4	NzO	10	57?					
Bylgia	35,1	64,7	»	7	63,6	−3,6	19	q, r	NO	7
Mar. Elisabeth	27,6	60,6	NzW	6	58,4	−4,4	15	q r		
4. a. 9,4 U.										
Bylgia	25,4	63,7	NzO	9	61,6	−5,6	29	u	»	8
Hollander	23,4	65,6	NzW	10	56,6?	−2	24	q r l		
Mar. Elisabeth	28,1	60,6	NW	5	55,4	−5,4	25	q r		
Drumclog	26,1	46,6	SSO	10	56,6	+5,4	10	q,	SW u. SO	9
5. a. 6,9 U.										
Hollander ...	23,7	66,1	NWzN	11	55?	−3	48			
Bylgia	25,6	61,7	N	6	60,6	−3	5	c	NO	6
Mar. Elisabeth	28,8	59,3	O	2	56,4	−0,4 / −5,6	4 / 48	cstr. II.	N	
Herrmann ...	25,7	57,1	N	4	59,6	−1,6	4	c	N	3
Gabrielle Alice	30,6	55,6	SO	5	62?					
Fürst Bismarck	29,1	48,6	SSO	7	60,6	+3,6	8	q		
Johanne	30,6	38,6	SzO	5	68,6	0	4		SSO	4
Eduard	19,7	53,1	W	1	59,0?	−0,6	8	c	NW	6

Auf »Fürst Bismarck« und »Eduard« beobachtete man den niedrigsten Barometerstand 4 bezw. 16 Stunden später, er hatte sich nur geringfügig geändert; diese Schiffe bewegten sich offenbar am Rande oder in einer Luftdruck-Depression von grösserer Ausdehnung, in der mehrere sogen. Minima oder Centren vorhanden waren.

6 a. 0_4 U. (nach den Bemerkungen

Herrmann....	26_4	57_1	N	8	752_8	-7_4	20	c u	N 5	(SW z. 30)
Bylgia.......	25_9	60_1	NzW	6	61_8	$+0_8$	2	c l	NO	6
Mar. Elisabeth	29_4	67_4	O	5	64_4	-1 Par 4 / -6_1 64		q		
Fürst Bismarck	29_1	46_8	SSO	8	61_7	-0_4	Par 4	p	SSO	8
Johanne......	31_4	26_4	SO	5	68_1	-0_5	» 4	c	»	4
Eduard.......	20_4	53_4	WNW	5	59_8	-1_1	» 4	c	SW	5
Hollander....	23_8	56_7	NNW		567	+1?				

Auf »Maria Elisabeth« beobachtete man den niedrigsten Barometerstand (736_4) nur eine Stunde früher als auf »Gabrielle Abee«.

8 a. 0_4 U.

Regina Maria	24_1	62_7	NNW	10	746_8?	-10_4	41	q_1		
Majestic	25_4	58_1	W	9	53_8	$+4_1$	4_2	p	SWzS	8
Bylgia......	26_4	58_5	SzW	10	49_4	$+4_1$	4_3	q_1	S	9
Mar. Elisabeth	29_4	54_4	S	8	53_5	$+16_2$	28_5			
Herrmann ...	25_4	61_8	S	6	64_7	$+12_1$	40	c q p	S	5
Eduard	21_4	50_4	SOzO	5	63_3	-1_5 Par 4 / $+2_4$ 28		q d	SSW	5

Ausserdem glaube ich hervorheben zu müssen, dass bei „Mar. Elis." ähnliches zu bemerken ist wie am 25. März 1879 (ca. 2¾ Monat früher) in derselben Gegend bei „Sophia Joakim": die Windrichtung weist in verhältnismässig geringer Entfernung vom sog. Centrum ungefähr recht auf dieses zu, — folglich könnte die Meinung entstehen, dort habe sich der Wind in anticyclonaler Richtung (auf der Sl. Erdhälfte gegen den Lauf des Uhrzeigers) um das Centrum bewegt. Man hätte also beobachtet, dass auch bei geringer und nicht nur „bei grosser Geschwindigkeit des Centrum, im eigentlichen Sturmgebiet anticyclonale Windrichtung vorkommt" (Ann. d. Hydr. IX. 1881, S. 406). Indess bleibe bei meiner — 1881 i. gen. Arbeit S. 28 in Bezug auf Taf. IV, Fig. 24 und zugehörigen Bericht ausgesprochenen — Ansicht, dass dies nur Schein ist, der durch ungenaue Orts- und/oder Zeitbestimmung, oder durch gleichzeitiges Vorhandensein zweier sog. Minima in geringer Entfernung von einander, oder durch besondere Verteilung des Luftdrucks hervorgebracht wird. — Solche Fälle geben Beweis für die Richtigkeit des Ausspruchs desselben Herrn (E. Knipping, Ann. p. p. X, 1882, S. 81), dass eine freiere Auffassung des ganzen Wesens der Stürme nötig ist. Wie schwierig es ist, auch nur für eine kurze Strecke die Bahn des Sturmcentrum oder absoluten Minimum durch Berichte aus ihm selbst zu bestimmen und „die Lokalität zu berücksichtigen" weiss Hr. Kn. selbst sehr wohl (vergl. ob. Arb. S. 54—56 u. 75): jedenfalls glaube ich 1876 keinen irrigen Ausspruch gethan zu haben als äusserte: man schreibt dem Centrum oder Bar. Min. einer Cyclone zu grossen Einfluss auf die Windrichtung zu; diese sowohl als die Windstärke werden auch hier von der Verteilung des Luftdrucks, also der Lage der Isobaren abhängen." —

Um diese Verteilung des Luftdrucks kennen zu lernen, eine freie und richtige Auffassung des ganzen Wesens der Stürme bestmöglichst zu gewähren, bedarf es der oben erwähnten, bis jetzt vergeblich, weil unrichtig angestrebten gemeinsamen Arbeit, und für diesen speziellen Zweck bedarf man gleichzeitiger Beobachtungen oder der Zurückführung dieser Beobachtungen auf gleiche Zeit.

Nautische Literatur.

Praktischer Schiffbau: Bootsbau von A. Brix, geheimer Admiralitätsrat und Docent an der Königl. Gewerbe-Akademie. Herausgegeben von dem Verein „Hütte". — Zweite Auflage. Selbstverlag der „Hütte". 1883. IV und 38 Seiten Folioformat mit 15 Tafeln in Doppelformat. Preis: ℳ 10.—

Als wir vor noch nicht ganz vier Jahren das Erscheinen von Brix' „Bootsbau" in der „Hansa" anzeigten, gaben wir der Hoffnung Ausdruck, dass dieses Werk sich nicht allein für den Vortrag über praktischen Schiffbau an der nunmehrigen Kgl. Technischen Hochschule nützlich erweisen, sondern dass es auch über diesen Rahmen hinaus eine willkommene Bereicherung der vaterländischen Schiffbau-Literatur bilden würde.

Diese Hoffnung ist, wie das verhältnissmässig schnelle Vergreifen der ersten Auflage bewiesen hat, durchaus berechtigt gewesen. Studirende der Königl. Technischen Hochschule und längst in der Praxis stehende Fachmänner u. s. w. haben in gleicher Weise dieses erfreuliche Resultat herbeigeführt, sie haben dem Werke eine Verbreitung gegeben, welche jetzt eine zweite Auflage notwendig gemacht hat.

Der Herr Verfasser hat sich der Mühe unterzogen, sein Werk *vollständig neu* zu bearbeiten, wobei nicht allein dasjenige Berücksichtigung gefunden hat, was bei der ersten Auflage aus Raummangel wegbleiben musste, sondern auch allem dem Rechnung getragen werden konnte, was in den vergangenen vier Jahren auf dem fraglichen Gebiete neu hinzugekommen ist.

Text und Zeichnungen haben hierdurch in gleicher Weise eine umfangreiche Vermehrung erfahren, auch ist es gleichzeitig möglich geworden, das Gebiet der eigentlichen Sportboote etwas mehr wie früher zu streifen, ohne den eigentlichen Charakter des Werkes: den Bau der Boote für die Ausrüstung von Seeschiffen aufzugeben.

Die Ausstattung des Werkes ist musterhaft. F. K.

Die Uniformen der deutschen Marine in detaillirten Beschreibungen und Farbendarstellungen. Nebst Mitteilungen über Organisation, Stärke etc., sowie einer Liste sämtlicher Kriegsfahrzeuge und den genauen Abbildungen aller Standarten und Flaggen. Nach authentischen Quellen herausgegeben. Zweite, neu bearbeitete und vermehrte Auflage. Leipzig, 1884. Verlag von Moritz Ruhl. II. 64 Seiten und 24 Tafeln in Farbendruck in Okt.-Format. Preis: 2 ℳ 50 Pf.

Dass von diesem Werkchen nach wenigen Jahren eine zweite Auflage notwendig wurde, beweist die praktische Brauchbarkeit desselben. Der Text enthält in sieben Abteilungen und einem Anhange in gedrängter Kürze alles Wissenswerte und die 24 Tafeln enthalten nicht weniger als 221 Abbildungen.

Allen Jenen, welchen darum zu thun ist, sich über die Uniformen der deutschen Marine zu informiren, können wir das Werkchen auf das Beste empfehlen. Der Preis ist ein sehr mässiger. F. K.

Verschiedenes.

Statistik der Wracks und verlassenen Schiffe, welche die Amerikaner jetzt fleissig kultiviren, verspricht lohnende Auskunft über die Oberflächenströmungen des Oceans, da diese Fahrzeuge ziemlich tief fast mit der Oberfläche gleich zu treiben pflegen und deshalb den Winden keine Angriffspunkte bieten. Es müssen aber die Beobachtungen nicht allein sorgfältig nach Ort und Zeit sondern auch nach besonderen Kennzeichen eingetragen werden, damit man mehrseitig gesehene Triftgegenstände genau und sicher identifiziren kann; ein verlässlicher Schluss auf Richtung und Stärke der Strömung lässt sich jedoch erst dann ziehen, wenn ausserdem die Zwischenzeiten der Beobachtungen nicht zu klein sind. Auch erscheint vom 1. Mai an ein amerikanisches Meteorologisches Monatsblatt.

Erkennung der Verfälschung hanfenen Tauwerks und Segeltuchs mit neufundländischem Flachs. Als Mittel zur Erkennung dienen Salpetersäure und Chlor. Guter gereinigter Hanf nimmt durch Salpetersäure in den ersten Augenblicken eine blassgelbe Farbe an, gewöhnlicher Flachs zeigt keine Veränderung, während neufundländ. Flachs sofort purpurrot wird, Manilahanf wird durch Salpetersäure etwas dunkler rot, aber nicht so stark als neufundländischer Flachs; Aloehanf wird bloss rosarot. Wird neufundländischer Flachs mit Chlorwasser benetzt, nach 2–3 Sekunden dieses abgelassen und dagegen Ammoniak aufgetröpfelt, so bekommt er eine violetrote Färbung. Hanf wird unter gleicher Behandlung nur matt rosarot, gewöhnlicher Flachs hingegen wird dadurch gar nicht gefärbt.

Süsswasserseen in unmittelbarer Nähe des Oceans sind ebenso wenig selten als Quellen und Süsswasserbrunnen nahe am Strande des Meeres. Kürzlich ist auf der kleinen Insel Norderney ein Röhrbrunnen angelegt, welcher in 79' Tiefe sehr schönes Trinkwasser liefert und hat das Beispiel zu weiterer Nachahmung gereizt.

Der **Schenkwirt** oder **Barkeeper des Cunard-Dampfers „Gallia", G. Paynter,** hat den Atlantic seit 1851, wo er seine erste Fahrt machte, 500 Male überfahren, und auf 27 verschiedenen Cunardschiffen im Ganzen 1 500 000 Meilen auf See zurückgelegt. Dabei ist er erst 50 Jahre alt.

Von Ocean zu Ocean. Wir erhalten von der Verlagsbuchhandlung A. Hartleben in Wien die erste, prächtig ausgestattete Lieferung eines neuen Werkes von A. von Schweiger-Lerchenfeld das unter vorstehendem Titel eine Schilderung des Weltmeeres und seines Lebens enthalten wird. Das vorliegende Heft enthält, einschliesslich des reich ausgestatteten Prospektes, nicht weniger als 20 Illustrationen, ferner einen hübschen Farbendruck: „Unterseeische Landschaft mit Medusen“ und eine kolorirte Karte. Diese Reichhaltigkeit in der äusseren Ausstattung entpricht ganz dem Programm des Werkes, das in 30 Lieferungen 200 Illustrationen, 12 Farbendruckbilder und 15 Karten enthalten hat. Die äusserst lichtvoll und farbig geschriebene „Einführung“ entrollt in grossen Zügen die Tendenz dieses schönen Werkes, welches eine Zierde des diesjährigen Büchermarktes zu werden verspricht. „Von Ocean zu Ocean“ soll weder ausschliesslich eine populäre Oceanographie, noch vorwiegend naturwissenschaftlich oder rein geographisch, sondern dies alles zusammen sein. Von den physikalischen Verhältnissen des Meeres ausgehend, im weiteren Verlaufe die grossartigen Erscheinungen der Land- und Inselbildungen berührend, soll das Werk die Kette ausführlicher geographischer Küstenschilderungen mit dem reichen organischen Leben der Oceane verbinden und hierdurch das schier unerschöpfliche Thema des „Lebens auf dem Meere“ (Schiffer- und Fischerleben) in allen Zonen bildlich und textlich dem Leser vermitteln. Da der Verfasser sein Werk zu einer „Oceankunde“ erweitern will — einer Disciplin, die kaum dem Namen nach besteht, werden schliesslich auch alle, mit dem Oceane in Verbindung stehenden kulturgeschichtlichen Erscheinungen, von den uralten Kosmogonien bis zur modernen „Aesthetik des Meeres“ ausführliche Behandlung erfahren. In diesen knappen Zügen liegt ein Programm, wie es umfassender und reichhaltiger kaum gedacht werden kann. Bei dem billigen Preise (30 Kr. = 60 Pf. = 80 Cts. die Lieferung) wird das schöne Werk zweifellos grosse Verbreitung finden.

Das Licht der Leuchttürme. Die vielumstrittene Frage, ob das elektrische Licht für die Signallaternen der Seeschiffe und als Lichtquelle der Leuchttürme sich eigne, dürfte in der nächsten Zeit definitiv entschieden werden. Bekanntlich ist an der französischen Küste das elektrische Licht bereits in Gebrauch genommen, und die Kammern haben eine ausgedehntere Anwendung desselben beschlossen, während in anderen Ländern, namentlich in England, Holland und Deutschland, noch mit der weiteren Einführung desselben gezögert wird. Eine vom Trinity House ernannte Kommission, welche die Vorzüge der verschiedenen Leuchtfeuersysteme zu prüfen hat, begab sich, wie die französische elektrotechnische Zeitschrift mitteilt, kürzlich nach Dover, um bei South Foreland die letzten Vorbereitungen zu ihren Versuchen zu treffen. Nachdem man die Maschinen und Apparate, welche dort aufgestellt waren, besichtigt hatte, wählte die Kommission eine kleine, drei englische Meilen entfernte Insel(?) als Beobachtungsort, um dort vergleichende Messungen der mit Oel, Gas und Elektricität gespeisten Feuer vorzunehmen. Diese Messungen werden vorzugsweise an trüben und nebeligen Abenden und Nächten ausgeführt werden. Die Experimente werden wahrscheinlich mehrere Monate hindurch fortgesetzt und von grossem Interesse und hoher Bedeutung sein. Am steilen Gestade, wo sich die Brandung bricht, sind drei massive Türme errichtet worden. Der erste ist für das elektrische Licht bestimmt und die Maschinen sind daselbst bereits probeweise versucht; der zweite wurde Herrn Wigham aus Dublin übergeben, welcher die vorzüglichsten Leuchttürme Irlands mit Gaslicht versah; der dritte endlich wird das bisherige System des Trinity House, welches Pflanzenöl anwendet, zur Anschauung bringen. W. f. N.

Der **Panama-Kanal** wird neueren Berichten zufolge, um grossen Schiffen mit 8 m Tiefgang eine leichte Durchfahrt zu gestatten, eine Sohlenbreite von 22, eine Wasserlinienbreite bei Erdeinschnitt von 50, bei Felseinschnitt von 32 und an den Kreuzungsstellen von 120 m erhalten. Die Tiefe wird unter dem mittleren Wasserspiegel in erdigem Boden 8.5 und in Felsboden 9 m betragen. Die Herstellungsarbeiten des zwischen Colon und Panama in einer Länge von 73 km zu grabenden Kanals erfordern allein eine Erdbewegung von 97 Mill. cbm und an Gesamtkosten für das ganze Unternehmen 675 Mill. ℳ. In letzter Zeit waren 11 000 Arbeiter täglich beschäftigt, es standen 20 Baggermaschinen, 39 Transportschiffe, 33 Remorqueure, 72 Exkavatoren, 53 Krähne, 132 Lokomotiven, 3983 grosse Waggons, 2226 Transportwagen, 117 Lokomobilen, 185 Pumpen, 274 km Arbeitsbahnen in Verwendung.

Ess- und Trinkgeschirr für Yachten. Um Teller, Tassen u. s. w. beim Gebrauche auf Yachten einen sichern Stand zu geben, ist von Mr. Vernon ein eigentümliches Mittel ersonnen worden, das wohl zuerst auf der „International Fisheries Exhibition“ in London zu sehen war. Es werden danach Teller, Tassen u. s. w. auf ihrer Unterseite mit einem Rande versehen, der selbst wieder zu einer ringförmigen Rinne gestaltet ist. In diese Rinne wird von unten her ein Gummiring eingepasst, der so hoch und fest sein muss, dass der Teller oder die Tasse darauf steht. In Folge dessen hat alles Geschirr einen Halt auf dem Tische; es wird bei Schwankungen nichts gegen einander gestossen — denn die Reibung ist so gross, das das Geschirr selbst dann noch auf dem Tische stehen bleibt, wenn die Neigung die Hälfte eines rechten Winkels erreicht hat. (Wassersport)

Zum Frachtverkehr auf dem Mississippi. Obgleich die Mündungen des Vaters der Ströme im warmen Golf von Mexiko auf 29° Breite liegen, so ist sein oberer Stromlauf doch öfters strengen Wintern ausgesetzt. Von 1865 bis 1882 blieb südlich von St. Louis, wo die grosse Stromschiffahrt beginnt, der Strom nur 5 Winter hindurch gänzlich frei von Eis; im Durchschnitt der 17 Jahre war die Schiffahrt 29 Tage von Eisgang oder fester Eisdecke unterbrochen, welche Stockung im Winter 80/81 sogar bis zu 78 Tagen dauerte.

Der Frachtverkehr auf dem Mississippiflusse während des Jahres 1882 war nicht so stark als in einem der drei vorhergehenden Jahre, wie aus nachstehender vergleichenden Tabelle ersichtlich ist:

	1882	1881	1880	1879
Auf Dampfern und Barken eingegangene Tonnenzahl	808 080	852 410	893 860	688 970
Auf Dampfern und Barken verschiffte Tonnenzahl . . .	762 905	944 025	1 007 525	676 445
Zusammen	1 571 985	1 796 435	1 901 385	1 365 415
Auf Flössen eing. Tonnenz.	271 490	356 020	198 315	
Zusammen	1 843 475	2 152 455	2 099 700	

Der Frachtverkehr auf dem Mississippiflusse hat in den letzten Jahren grosse Veränderungen erfahren. Die St. Louis und Mississippi-Valley-Transportation-Company umfasst gegenwärtig die drei Barkenlinien, welche noch vor zwei Jahren bestanden und ist derartig organisirt, dass sie mit Leichtigkeit selbst einen stärkeren Frachtverkehr als den jetzigen bewältigen kann. Die Gesellschaft hat augenblicklich nicht weniger als 98 Barken oder Schleppkähne und 13 Schleppboote. Eine Barke fasst zwischen 50—60 000 Buschels (à 35¼ Liter) und kann in kürzester Frist beladen werden. Ein Schleppboot wird oft von hier mit 4 oder 6 Barken im Schlepptau abgefertigt, also ein Cargo von 200—300 000 Buschels Getreide führen. Im Laufe des vergangenen Jahres hat die Gesellschaft in Belmont, Mo., einen Elevator fertig gestellt, der 300 000 Buschels fassen kann. Dieser Bau wurde deshalb vorgenommen, damit, falls der Fluss unterhalb St. Louis zufriert, der Getreidetransport nach New-Orleans nicht unterbrochen wird. Jetzt kann das Getreide auf der Eisenbahn nach Belmont gebracht werden, von wo es dann auf Fahrzeugen weiter flussab befördert werden kann. In New-Orleans besitzt die Gesellschaft sowohl feststehende als schwimmende Elevatoren, und es vergeht kein Jahr ohne dass wichtige Verbesserungen in der Verladung von Getreide eingeführt werden.

Die Aussichten für das Frühjahrs- und Sommergeschäft des Jahres 1883 waren die besten, und, nachdem die 83ger Ernte so gut ausgefallen ist wie die vorjährige, wird, guten Autoritäten zufolge die Ausfuhr via New-Orleans die des vorigen Jahres erheblich übersteigen.

Ueber die von der Regierung ausgeführten Flussverbesserungen sagt der Bericht der Merchants Exchange für das Jahr 1882: Die Arbeiten zwischen St. Louis und Cairo schritten langsam, aber in zufriedenstellender Weise fort. Die Leuchtbarken und die „Snagboats" leisteten so vortreffliche Dienste, dass die Dampfer im schlechtesten Wetter und in den dunkelsten Nächten nicht gezwungen waren, beizulegen.

Die **Arbeitskraft der Niagarafälle,** so schreibt „Schorer's Familienblatt", welche unbenutzt verloren geht, ist eine kolossale. Das geometrische Bureau der Vereinigten Staaten hat berechnet, dass jede Minute 285 000 cbm Wasser aus einer Höhe von 61 m niederfallen und 3 Millionen Pferdekräften entsprechen, die dem industriellen Bedürfnisse einer Bevölkerung von 200 Millionen Seelen vollauf genügen könnten. Man macht sich ernsthafter, denn je zuvor, mit dem Gedanken vertraut, wenigstens einen Teil dieser ungeheuren hydraulischen Kraft nutzbar zu machen, da die elektrische Kraftübertragung von Tage zu Tage vervollkommnet wird.

Aus der Meerestiefe. Der französische Avisodampfer „Talisman" hat kürzlich eine Forschungsreise vollendet und auf derselben eine sehr wichtige Thatsache festgestellt, welche man bis dahin zwar ahnte, aber doch nicht sicher bewiesen hatte. Es ist dies die Verbreitung zahlreicher arktischer Tiere in den Meeren der wärmeren Gegenden, jedoch nur in grossen Tiefen derselben. Bekanntlich ist durch zahlreiche Temperaturmessungen festgestellt, dass das Weltmeer in seinen grossen Massen stark abgekühlt ist, dass überall in grossen Tiefen Temperaturen herrschen, welche dem Gefrierpunkte nahe kommen. Der Ocean ist — fast hätten wir gesagt, leider — durch die aus den Polargegenden herstammenden kalten Strömungen in seiner Temperatur erniedrigt, und nur die oberen Schichten werden noch durch den Einfluss der Sonne erwärmt. Jenen kalten Strömungen aus den Polargegenden sind nun eine Menge von Tieren gefolgt, und man fischt sie also mit dem Schleppnetz aus den grossen Tiefen der tropischen Meere. Besonders schlagend erweist sich diese Uebereinstimmung an zahlreichen Muscheln und Schnecken. So fand z. B. der „Talisman" mehrere Arten von Spindelschnecken, die in Island und Finnmarken in ganz flachen Meeren in der Nähe der Küste leben, an der Küste von Marokko und der Sahara in Tiefen von 2000 m wieder. Man sieht, dass diese und andere Tiere besonders der Temperatur des Wassers und den Strömungen folgen. Wie merkwürdig aber, dass sie im Norden in flachen Meeren unter geringem Druck und unter dem Einfluss des Tageslichts existiren, während sie in den tropischen Meeren den ungeheuren Druck einer Wassersäule von 2000 m aushalten und in Tiefen leben, in welche niemals ein Lichtstrahl eindringt, in denen nicht allein „purpurne Finsternis", sondern schwärzeste Finsternis herrscht. (D. F.-Z.)

Der **Great Eastern** soll jetzt seine wenig rühmliche Laufbahn als grösstes Kauffahrteischiff der Welt mit der Bestimmung zum Kohlenbunker in Gibraltar beschliessen. Das 211 m lange, 36.7 m über den Radkasten breite und 17.67 m tiefe Schiff von 7.63 m Tiefgang und 25500 T. Rauminhalt ist also zu nichts anderem mehr zu gebrauchen, nachdem es früher noch einmal in sensationeller Thätigkeit als Telegraphenleger aufgetreten war. Seine maschinellen Kräfte sind zu unbedeutend nach jetzigem Maasstab: seine Maschine von 1600 PK für die Räder und 1000 PK für die Schraube treten gar zu sehr gegen die 5—6000 PK unserer grossen Transatlanter und die 10 000 PK der grossen Panzerschiffe zurück. Da Gibraltar einer der besuchtesten Kohlenplätze der Welt ist, so dürfte die Wahl des Platzes die richtige sein. Natürlich wird er mit den kräftigsten Dampfkrahnen und andern Förderungsmitteln auf's beste versehen werden.

Das Einbiegen der Winde nach der Mitte eines Sturmfeldes zeigen sehr anschaulich zwei in „Science" No. [illegible] reproduzirte Sturmkarten von Capt. Toynbee im Met. Office London, und M. A. Davis der Signal Service in Washington: Es geht aus diesen Karten ganz deutlich hervor, dass die gewöhnliche Regel, das Centrum des auf den Rücken stehenden Windes eines Sturmfeldes resp. das Barometer-Minimum 8 Strich zur Linken von der Richtung des Windes zu suchen, oft nicht so richtig ist, als dasselbe vielmehr 6, ja sogar nur 4 Striche links vom Winde anzunehmen und nach dieser Annahme den Kurs des Schiffes zu regeln.

Die **Bleiproduktion** ist von allen Ländern der Welt in Spanien am grössten, da es 120 000 Tons jährlich producirt, ihm folgen zunächst Amerika mit 100 000, Deutschland mit 90 000 T. Der Distrikt Linares in Spanien enthält allein 800 Bergwerke mit einer Förderung von jährlich 67 000 Tons.

Verlag von H. W. Silomon in Bremen. Druck von Aug. Meyer & Dieckmann, Hamburg. Alterwall 48.

HANSA

Redigirt und herausgegeben
von
W. von Freeden, BONN, Thomasstrasse 3.
Telegramm-Adresse:
Freeden Bonn.
oder
Hansa Alterwall 28 Hamburg.

Verlag von H. W. Silomon in Bremen.
Die „*Hansa*" erscheint jeden 2ten Sonntag.
Bestellungen auf die „*Hansa*" nehmen alle Buchhandlungen, sowie alle Postämter und Zeitungsexpeditionen entgegen, desgl. die Redaktion in Bonn, Thomasstrasse 3, die Verlagshandlung in Bremen, Obernstrasse 44 und die Druckerei in Hamburg, Alterwall 28. Sendungen für die Redaktion oder Expedition werden an den letztgenannten drei Stellen angenommen. Abonnement jederzeit, frühere Nummern werden nachgeliefert.

Abonnementspreis:
vierteljährlich für Hamburg 2½ ℳ,
für auswärts 3 ℳ = 3 sh. Sterl.
Einzelne Nummern 60 ₰ = 6 d.

Wegen Inserate, welche mit 25 ₰ die Petitzeile oder deren Raum berechnet werden, beliebe man sich an die Verlagshandlung in Bremen oder die Expedition in Hamburg oder die Redaktion in Bonn zu wenden.

Frühere, komplete, gebundene Jahrgänge von 1873 1874, 1876, 1877, 1878, 1879, 1880, 1881, 1882 sind durch alle Buchhandlungen, sowie durch die Redaktion, die Druckerei und die Verlagshandlung zu beziehen.
Preis ℳ 6; für letzten und vorletzten Jahrgang ℳ 8.

Zeitschrift für Seewesen.

No. **11.** HAMBURG, Sonntag, den 1. Juni 1884. **21.** Jahrgang.

Inhalt:

Die Schwierigkeit deutscher Hochseefischerei.

III.

Nur mit Widerstreben ergreifen wir in dieser Angelegenheit noch einmal das Wort. Es ist so herzerquickend, Jemand mit solcher Begeisterung eine einst geliebte, jetzt mehr oder weniger aufgegebene Sache vertreten zu sehen, dass nur das Bestreben ein völlig unbefangenes Urteil durch Rede und Gegenrede zu ermöglichen, uns noch einmal zur Feder greifen lässt; wir wollen aber nur mit einigen Strichen den Gedanken des Herrn Dr. Benecke zu folgen suchen.

Wir geben durchaus zu, dass der Schluss vom Kleinen auf das Grosse ein gewagter ist. Die Emder Häringsfischerei-Aktien-Gesellschaft, welche mit 300 000 ℳ wirtschaftet, giebt keinen Anspruch, von ihrem Misserfolg auf gleiche Resultate eines mit 3 Millionen Mark unternommenen Versuches zu schliessen. Aber davon ist auch weniger die Rede gewesen als dass es zu damaliger Zeit (1871/2) nicht möglich oder angängig war, ein so grosses Unternehmen zu beginnen. Die Gründer der Emder Gesellschaft von 1871/2 waren *vielleicht zu ängstlich* bemüht, ihrer Gründung eine vollständige moralische und wirtschaftliche Integrität zu wahren; aber über den Misserfolg ihres Unternehmens trösten sie sich mit dem Gedanken, dass wenn auch »Alles verloren, doch die Ehre gerettet« ist. Dieser Standpunkt scheint vollauf anerkannt zu sein, als der Staat dieser notleidenden Gesellschaft mit der bekannten Subvention unter die Arme griff.

Die Mannschaftsfrage machte 1872 viel mehr Schwierigkeiten als vielleicht jetzt. Damals blühte die Kauffahrteischiffahrt im hohen Grade und es war absolut unmöglich von dort her Mannschaften für das unbekannt gewordene Gewerbe der Häringsfischerei zu gewinnen. Das Auskunftsmittel, Fischerleute aus den Ostseeprovinzen in die — neue — Provinz Hannover zu verpflanzen, mag ebenfalls jetzt leichter als damals auszuführen sein. Wir sind uns näher gerückt in den letzten zehn Jahren; damals hat kein Mensch an diese Hülfstruppen gedacht. Die Sache steht wohl einfach so, dass im Jahr 1872 Geld leichter, Mannschaften schwerer als jetzt zu beschaffen waren; wie leicht jetzt beide zu gewinnen und ob sie gleich leicht zu erhalten sind, wollen wir nicht untersuchen, da wir keine Steine in den Weg zu werfen beabsichtigen.

Eine grosse Schwierigkeit bleibt auch jetzt noch zu lösen, die Erhaltung der Mannschaften im Winter. Der Häringsfang dauert nur 5 Monate, mit Zu- und Abrüstung etwa 6 Monate; womit sollen die Leute das übrige halbe Jahr hindurch beschäftigt werden? Die Antwort lautet: mit dem Winterfang! Diesen betreiben auch die Holländer und wie es scheint im ziemlich grossen Styl; aber bisher haben sie gewöhnlich behauptet, nur unter dem Zwang der Umstände, weil ihnen sonst ihre Leute verlustig gehen, nicht weil *sie* vom Winterfang direkten Vorteil haben. Eher setzen sie von dem *Ertrage* des Sommerfanges *soviel zu*, dass der Winterfang notdürftig betrieben werden kann. Die Emder Gesellschaft konnte von Anfang an *nicht* auf solche *disponible* Sommererträge zurückgreifen; sie hat weniger gefangen als die Holländer, freiwillig gewährten Bankierkredit mehr als ihr gut war benutzt, und ist von Jahr zu Jahr zurückgegangen, bis jetzt mit Hülfe der Staatssubvention und infolge des teuren Lehrgeldes eine leichte Besserung eingetreten ist. Der Winterfang auf Tafelfische verlangt aber mindestens ebensoviel technische Vorbildung als der Häringsfang im Sommer und ganz andere dazu, da es sich um andere Fangapparate und ganz andere Fische handelt. Mit den vom Auslande zugezogenen Lehrmeistern hat man *durchweg üble Erfahrungen* gemacht. Der einzige praktikale Weg zur Erzielung einer Anzahl geschulter Lehrmeister scheint uns der zu sein, dass eine Anzahl Leute in mittlern Jahren sich dazu versteht, in England auf englischen Treibnetz- und Schleppnetz-Booten oder Schiffen Dienste zu nehmen und mit grosser Selbstverleugnung und ohne ihre fernern Absichten zu verraten, eine Lernzeit von etwa 2—3 Jahren durchmacht, um dann als ausgelernte Hochseefischer das Kommando auf heimischen Schiffen zu übernehmen. Wir geben gern zu, dass solche Pläne nur von einer grossen geldkräftigen Gesellschaft ausgeführt werden können. Der Winterfang ist nötig, aber dazu sind erst recht grosse Mittel erforderlich.

Die Belegenheit der Fischereigründe spielt keine *grosse* Rolle gerade, aber sie ermöglicht unstreitig den Schotten, die ausgedehnteste Fischerei (wir waren selber mit 800 Booten von Peterhead aus in See und sahen die 700 Fahrzeuge von Fraserburgh in 5 Meilen Entfernung von uns fischen) mit den kleinsten Mitteln, gewissermassen vor der Thür ihrer Häuser, zu betreiben. Daher ihre kolossalen Erträge, die wir ihnen freilich zum grossen Teil deshalb abkaufen, weil wir den Häring, der in Deutschland in vielen Provinzen zur Volksnahrung geworden ist, *nicht so billig* fangen können, soviel besser unsere Methoden und Produkte auch sind. Man lachte uns in Hamburg geradezu aus, als wir dort mit den Schotten konkurriren wollten. Viel schadet die Ansicht, dass »Häring — Häring ist«, und die wenigsten Leute wissen, wie ein gesalzener Häring schmecken soll, muss und kann. Bei der Schleppnetzfischerei auf Tafelfische ist die Geographie uns günstiger; weil die Fanggründe nun vor unserer Thür liegen und die Engländer weitere Reisen als wir machen müssen, nachdem sie in der Nähe ihrer Küsten bereits reine Bahn gemacht haben. Dass mit grossen Mitteln, welche die Engländer »von ihrem Uebrigen« entnehmen können, da etwas zu erreichen ist — *zumal wenn das eigene Land einen so aufnahmefähigen Markt abgiebt* — soll am wenigsten von uns bestritten werden, die wir gewohnt sind, mit Thatsachen, unangenehmen wie angenehmen, nach ihrem Wert zu rechnen.

Auch England hat es übrigens an staatlicher Aufmunterung nicht fehlen lassen, wenn auch in Frankreich und Holland das *System der Staatsprämien* vollständiger zur Anwendung gelangt ist. Wir wünschen in diesem Punkt nicht missverstanden zu werden, und zumeist aus dem Grunde, hierüber ein deutliches Wort zu reden, haben wir noch einmal uns zum Wort gemeldet, wenn wir auch nicht hoffen wollen, dass gewisse Küstenblätter von ihrer — »freisinnigen« — Methode abweichen werden, bloss Entgegnungen aufzunehmen, ihr Publikum aber im Unklaren zu lassen, was der erste Redner eigentlich gesagt hat. Unser Standpunkt ist ganz einfach folgender. Unerlässliche Voraussetzung ist, dass es sich um ein *allgemein nützliches* Unternehmen handelt, zu dessen Durchführung aber nur unzureichende Kräfte vorhanden sind. Die Zuckerindustrie ist als solche frühzeitig von Preussen erkannt, und mit vielen andern Millionen danken wir aufrichtig den Staatslenkern des vorigen und dieses Jahrhunderts dafür, dass sie liberal genug dachten, diese schwache Pflanze gegen die frühzeitige Erstickung durch überlegenen ausländischen Mitbewerb zu schützen. Kurzsichtige, engherzige Manchesterleute sagen freilich, und sagen es noch heute, darüber hätten wir Jahre lang den heimischen Zucker teurer bezahlen müssen als der Koloniezucker zu haben war; sie sind aber blind dagegen, dass dafür auch eine Industrie gross gezogen ist, die vielleicht bald imstande wäre, die ganze Welt mit feinem Zucker zu versorgen. Dass nach Eintritt so blühender, allerdings künstlich hervorgerufener Zustände das Recht auf Bezug ausserordentlicher Zuwendung vom Staate aufhören muss, ist in Deutschland eine *allseitig* anerkannte Thatsache, und es ist uns nicht unbekannt, dass auch Holland die Prämien auf den Häringsfang **erst dann** *zurückgezogen hat*, als es diese Industrie mit Hülfe der Prämien zur Selbstständigkeit herangezogen hatte.

Das ist unser Standpunkt in dieser Sache. Er mag nicht nach dem Geschmack der »Freisinnigen« sein, welche den rohen Krieg Aller gegen Alle predigen, aber dafür ist es uns auch absolut gleichgültig, was die Gesellschaft derer von Richter und Genossen über unsere Ansichten denkt. Die Leute mögen in ihrem eigenen Fett schmoren und ferner in ihren Grundsätzen schwelgen.

Doch kehren wir zu unserm Gegenstande zum Schluss zurück. Wir haben geschrieben weil wir glauben, dass zur Durchführung schwieriger Unternehmungen es nicht genügt, begeisterungsvoll mit dem schlechthin ausgesprochenen es »wird und muss« gehen die Sache anzugreifen. Schon ein Grösserer vor uns hat gesagt, dass »in Geldsachen die Gemütlichkeit aufhört« und die Bildung einer grossen Fischereigesellschaft ist zunächst eine Geldfrage, bei welcher wer das Geld hergiebt, gern wissen will, wozu er es hergiebt und wie es sich lohnt. Die Begeisterung allein thut es nicht, es soll auch kühle Ueberlegung dabei sein. Wenn der Soldat stürmen soll, so ist todesverachtender Mut das erste Erfordernis, aber darum soll ihm doch vorgearbeitet sein, und er selber mag für das harte bevorstehende Stück Arbeit — seinen Gürtel fester schnallen.

Vor allen Dingen aber nehme man sich nicht vor, eine **Aktiengesellschaft** für Hochseefischerei zu Leben zu rufen. Nach unsern Wahrnehmungen machen nur diejenigen Unternehmer in Holland, Frankreich und Grossbritannien leidliche oder gute Geschäfte, welche selber den Betrieb mit *eigenem* Gelde führen. Nur keinen Direktor, kühl bis ins Herz hinan, der sich mit Brutto-Erträgen genügen lässt, von denen er ja leben kann! Für diese Leute dürfte wohl keine misera plebs von Aktionären mehr zu finden sein. Wer nicht seine eigene Haut zu Markte tragen will, dem raten wir wenigstens, von der Fischerei fern zu bleiben!

Die Rhederei der Ostsee*).

III. (Schluss.)

Die Schiffahrt Lübecks, Kiels u. Flensburgs am 1. Jan. 1883.

Auch der Schiffsverkehr *Lübecks* hat zugenommen; sowohl die Zahl der Schiffe wie deren Gehalt hat — dem gesteigerten Warenverkehr entsprechend — gegen das Vorjahr eine Zunahme erfahren.

Es sind am dortigen Platze angekommen in 1882

	1034	Segelschiffe	von	279 282	cbm
	1133	Dampfschiffe	„	778 119	„
zusammen	2167	Seeschiffe	von	1 057 401	cbm
d. i.	51	„	„	182 234	„ mehr als

im Jahre 1881.

Abgegangen sind im Jahre 1882:

	1038	Segelschiffe	von	283 048	cbm
	1133	Dampfschiffe	„	780 457	„
zusammen	2171	Seeschiffe	von	1 063 505	cbm
d. i.	53	„	„	195 775	„ mehr als

im Jahre 1881.

*) Nach dem vom Generalsekr. des D. Handelstags herausgegebenen „Wirtschaftsjahr“.

Während sich bei der Segelschiffahrt sowohl der Zahl wie dem Inhalte nach ein Rückgang ergiebt, ist der Dampfschiffsverkehr ein immer grösserer geworden. Im Jahre 1850 kamen auf 100 cbm Gehalt der Segelschiffe nur 38 cbm Gehalt der Dampfschiffe. 1879 dagegen auf denselben Gehalt der Segelschiffe: 163 cbm Gehalt der Dampfschiffe, 1880: 204 cbm, 1881: 250 cbm und 1882: 279 cbm. Im Jahre 1850 kamen nur 207 Dampfschiffe in Lübeck an, 1860: 278, 1870: 454, 1881: 1072 und 1882: 1133.

Dem Rückgang der Segelschiffahrt entsprechend, hatte der sonst in Lübeck auf mehreren Werften emsig betriebene Bau von Segelschiffen seit den 70er Jahren ganz geruht; im Jahre 1882 ist derselbe indessen wieder aufgenommen worden. — Die Schiffbau-Einrichtungen der Schiffsmaschinen- und Kesselbau-Werkstatt „Pioneer" sind inzwischen durch ein zweites Schwimmdock vervollständigt und sowohl seitens der dortigen Rhedereien als auch für fremde Schiffe stark benutzt worden. Dieselbe Werkstatt begann Ende 1882 mit der Herstellung einer Werft für den Bau eiserner Schiffe in grösseren Dimensionen. Auch andere Lübecker Maschinen- und Schiffbau-Etablissements haben ihre Einrichtungen im letzten Jahre derartig vervollkommnet, dass Umbauten und Vergrösserungen von eisernen Dampfschiffen und Neubauten von Schiffsmaschinen daselbst bewerkstelligt werden konnten, während in früheren Jahren zu solchen Zwecken die Nachbarhäfen aufgesucht werden mussten.

Es sind im verflossenen Jahre neue regelmässige Dampfschiffslinien nach Aarhuus und Kolding, Nystad, Stettin, Stralsund und Danzig eingerichtet, während auf anderen schon früher befahrenen Routen eine Vergrösserung und Vervollständigung des bisherigen Dampfer-Materials erfolgte.

Die Lübecker Rhederei zählte zu Ende des Berichtsjahres 47 Schiffe von 36 862 cbm, darunter 35 Dampfer von 28 929 cbm. Während von den Segelschiffen drei und von den Dampfschiffen zwei nach auswärts verkauft wurden, sind durch Ankauf bezw. Neubau 1 Segelschiff und 4 Dampfschiffe hinzugekommen.

Der Schiffsverkehr des engeren Hafengebiets zu *Kiel* weist im Jahre 1882 gegenüber dem Vorjahre nach fast jeder Richtung Fortschritte auf. Die Anzahl der ein- und ausklarirten Segel- und Dampfschiffe beträgt 7188 Fahrzeuge von 2 325 228 cbm Raumgehalt, gegen 6853 Schiffe mit 1 966 380 cbm im Jahre 1881. Dies ergiebt eine Zunahme von 4,9 pCt. der Zahl der Schiffe und 18,3 pCt. des Raumgehalts. In Betreff des letzteren hat sich während des ganzen letzten Jahrfünfts das Jahr 1882 am günstigsten gestaltet. Ein Rückgang liegt nur vor, soweit die Segelschiffahrt in Betracht kommt, hier freilich bedeutend: 15,7 pCt. der Zahl und 18,2 pCt. des Raumgehalts nach, während sich der Verkehr der Dampfschiffahrt alles in allem um 27,1 pCt. gegen das Vorjahr hob. Die Schiffahrt konnte während des Jahres unausgesetzt stattfinden. Beladen war jedes Segelschiff durchschnittlich zu 51 pCt., ähnlich wie in den beiden Vorjahren (ca. 50 pCt.), jedes Dampfschiff zu 21,8 pCt., d. h. erheblich besser wie 1881 (12 pCt.). Das anscheinend so ungünstige Verhältnis in der Beladung der Dampfschiffe, verglichen mit den Segelschiffen, erklärt sich durch den Einfluss der vorzugsweise für die Passagierbeförderung bestimmten Postdampfschiffe.

Der Uebergang von der Segel- zur Dampfschiffs-Rhederei ist in Kiel nahezu vollständig durchgeführt. Der Bestand der Rhederei ergab Anfang Januar 1882 17 Segelschiffe von 7 467,5 cbm und 30 Dampfer von 20 515,7 cbm, zusammen 47 Schiffe von 27 983,2 cbm Tragfähigkeit. Es sind im Jahre 1882 nicht weniger als 10 Segelfahrzeuge mit einem Gesamtgehalt von 4 727,3 cbm in Abgang gekommen, so dass der Bestand am Beginn des Jahres 1883 betrug: 7 Segelschiffe mit 2 740,2 cbm und 40 Dampfer mit 33 141,3 cbm, zusammen 47 Schiffe mit 35 881,5 cbm Tragfähigkeit. Die Zahl der vorhandenen Dampfer ist gegen 1878 gerade um das Doppelte gestiegen (von 20 auf 40); die Steigerung der Tragfähigkeit derselben von 1 zu 2 hat sich in noch kürzerer Zeit vollzogen, nämlich von 1880 bis 1883. In dem einen Jahre 1882 finden wir für jedes abgegangene Segelschiff im Durchschnittsgehalt von 472 cbm einen Dampfer von 1 352 cbm eingetreten. Während von 1882 auf 1883 die Schiffszahl im Ganzen unverändert blieb, hat sich die Gesamttragfähigkeit um 7 898,3 cbm und die durchschnittliche Tragfähigkeit jedes einzelnen Schiffes von 595,4 cbm auf 763,4 cbm erhöht. Der Wert der Kieler Rhederei in ihrem gegenwärtigen Bestande beträgt nach Schätzung in Segelschiffen ca. 200 000 ℳ., in Dampfern ca. 5 600 000 ℳ., zusammen ca. 5 800 000 ℳ.

Die Schiffsfrequenz des *Flensburger Hafens* hat sich im Jahre 1882 nicht unwesentlich gehoben.

Es liefen ein:

	1664	Segelschiffe	mit	183 436 cbm
	2019	Dampfer	„	336 831 „
zusammen	3683	Schiffe	mit	520 267 cbm.

Der Verkehr der Segelschiffe weist gegen das Jahr 1881 eine Zunahme auf, und zwar der Zahl der Schiffe nach um 224, nach Cubikmetern um 9191; es ist dies um so erfreulicher, da gerade die Segelschiffahrt hauptsächlich den Handel mit solchen dänischen Plätzen vermittelt, mit welchen Flensburg andere Verbindungen fehlen. Die Zahl der eingegangenen Dampfer hat sich um 169 mit 53 839 cbm vermehrt, die Zunahme der Gesamtfrequenz um 393 Schiffe mit 63 030 cbm oder ca. 10 bezw. 11 pCt.

Der Bestand der Flensburger Rhederei betrug:

1\. Mai 1883: 46 Schiffe von 20 056 Reg.-Tons, darunter 30 Dampfer von 17 236 Reg.-Tons.

1\. Juli 1882: 53 Schiffe von 17 817 Reg.-Tons, darunter 26 Dampfer von 13 988 Reg.-Tons.

Danach ergiebt sich für die zehn Monate, vom 1. Juli 1882 bis 1. Mai 1883, eine Abnahme der Gesamtzahl der Schiffe um 7 (meistens kleine Segelschiffe), dagegen eine Zunahme der Dampfschiffe um 4 mit 3248 Reg.-Tons, und der gesamten Tragfähigkeit der Schiffe um 2239 Reg.-To.

Bei einer Vergleichung mit dem Jahre 1873 zeigt sich, dass in diesem zehnjährigen Zeitraum die Zahl der Schiffe zwar genau dieselbe geblieben ist (46), die Tragfähigkeit derselben sich aber um *beinahe das Dreifache* gesteigert hat! Ein noch weitaus günstigeres Bild gewinnt man, wenn man berücksichtigt, dass die Zahl der Dampfschiffe von 11 auf 30 und deren Tragfähigkeit von nahezu 4000 Reg.-Tons auf über 17 000 Reg.-Tons, also *mehr als das Vierfache gestiegen* ist. Während im Jahre 1873 die Tragfähigkeit der Dampfer etwa die Hälfte der Tragfähigkeit sämtlicher Schiffe ausmachte, beläuft sich die jetzige Tragfähigkeit der Dampfer auf 85 pCt., so dass die Umwandlung der Segelschiffahrt in Dampfschiffahrt sich nahezu vollzogen hat und die Leistungsfähigkeit der Flensburger Handelsflotte dadurch eine verhältnismässig weitaus grössere geworden ist. *Fr.*

Aus Briefen deutscher Kapitäne.

VIII.

Aus Korea.

Aus der »Hongkong Daily News.«

Obgleich die Mündung des Salee-Flusses breit und tief genug ist, so ist es doch ratsam die Einfahrt nur bei Tage aufzusuchen, da die vielen Klippen und Bänke ausserhalb der Mündung das Einfahren bei Nacht sehr gefährlich machen. — Der richtige Name des Landvorsprunges quer ab von Rose-Insel ist Che-mul-po, er gehört zum Bezirk von Seuchuan. — In Chemulpo sollen die europäischen Niederlassungen errichtet werden, bei meiner Anwesenheit im October v. J. waren Hunderte von koreanischen Arbeitern beschäftigt das betreffende Stück Land zu ebenen. Dasselbe liegt sehr günstig in der Nähe der Rhede am Fusse einiger Hügel, die es im

Winter vor den kalten Nordwinden beschützen, aber offen nach Süden zu, so dass im Sommer die kühlen Seewinde es bestreichen können. — Der einzige Nachteil der Niederlassung ist das ausserordentlich grosse Vorland, welches gerade vor ihrer Fronte liegt und bei niedrig Wasser trocken fällt. Die Gezeiten an der Westküste von Korea haben bei gewöhnlicher Flut einen Hub von 26 Fuss ($7_{,9}$ m), bei Springflut und günstigem Winde von 34—36 Fuss ($10_{,4}$—$11_{,0}$ m); trotz dieses starken Hubes ist der Strom nicht schwer und man kann mit einem gewöhnlichen Boote sehr gut gegen ihn anrudern. Die Ursachen, dass man den Strom nicht stärker fühlt, sind die grosse Breite der Mündung und, dass die Sandbänke sich weit vom festen Lande nach See zu erstrecken, auch allmälich abfallen. — Der Ankerplatz für Schiffe über 12 ($3_{,66}$ m) Fuss Tiefgang ist ausserhalb Rose-Insel im gewöhnlichen Fahrwasser; die Distanz von hier bis zum Landungsplatze kann nicht kleiner wie 6 oder 7 Sm. (1 Sm. = 1852 m) sein, denn wir gebrauchten einige Stunden, um vom Ankerplatze in einem vierruderigen Zollhausboote gegen die Ebbe den Landungsplatz zu erreichen. — Von Rose-Insel läuft ein schmales Fahrwasser von 3 und 3.5 Faden ($5_{,49}$—$6_{,4}$ m) nach dem Landungsplatz zu, die Schiffe in diesem Kanal müssen aber vorne und hinten vertäuen, um nicht beim Schwaien au Grund zu kommen. — Jedem einfahrenden Schiffe wird vom Hafenmeister, Kapt. Schulze, der Ankerplatz angewiesen. Derselbe baut augenblicklich ein koreanisches Haus auf dem Landvorsprunge, dicht bei der zukünftigen Niederlassung und wird dieses Haus eine gute Landmarke für einfahrende Schiffe sein. —

Die Koreaner siedeln sich massenhaft in Chemulpo an, sie bauen in allen Richtungen Hütten, leider ohne Plan und ohne Wege zu lassen; auch japanesische Kaufleute und Arbeiter kommen mit jedem Dampfer an, diese sind aber gewandter wie die Koreaner und suchen sich die besten Plätze in der japanesischen Niederlassung aus; hauptsächlich wird die Westseite bebaut, welche an das Revier grenzt. Zwei europäische Schiffshändler haben sich hier ebenfalls angesiedelt, voraussichtlich wird der Ort in 5 Jahren ein bedeutender Handelsplatz sein. —

Während meiner Anwesenheit in Chemulpo war ich der Gast des Zollinspektors Stripling, seiner Gastfreiheit danke ich es, dass ich mich nach einer stürmischen Reise von Nagasaki rasch erholen konnte, um meine Reise nach Seoul fortzusetzen. — Früh Morgens verliess ich in einem Hongkong Tragstuhl mit acht koreanischen Stuhlträgern Chemulpo um nach Seoul zu gehen; sie verteilten sich: vier Kulies um zu tragen und zwei an jedem Ende, um beim häufigen Wechsel der Stuhlstange von einer Schulter auf die andere den Stuhl zu stützen, wobei man ziemlich unsanft durchgeschüttelt wurde. Die koreanischen Kulies sind schwergebaute Leute und gehen mit einem kurzen, raschen Schritt, haben aber nicht den sichern Gang wie ihre chinesischen Kollegen, infolge dessen man durch die schaukelnde Bewegung des Tragstuhles nahezu seekrank wird. — Die Distanz von Chemulpo bis Seoul ist etwa 25 Sm. und führt der Weg durch eine hügelige Gegend, welche etwa 7 Sm. von Chemulpo in einem ungefähr 200 Fuss (60 m) hohem Passe ihre grösste Höhe erreicht. Der Weg ist ziemlich gut, nur auf zwei Stellen schlecht. Die erstere Strecke passirt man bevor man den Salee-Fluss erreicht, sie besteht aus etwa 2 Sm. losem, weissen Saude, die andere, die schlechteste Strecke, ist von Mapaw bis Seoul in dem Felsenbette eines ausgetrockneten Flusses. — Wir passirten den Salee-Fluss in einer guten Fähre und landeten in Mapaw; obgleich die Wassertiefe im Flusse hier noch 12 Fuss ($3_{,66}$ m) beträgt, endet an diesem Orte die Schiffahrt des Salee-Flusses, daher bedeutet der Platz für Seoul dasselbe, was Tungchow für Peking. — Die Gegend, durch welche der Weg führte, war sehr fruchtbar und gewährte einen prächtigen Anblick; die Kämme der Hügel waren durchgehend mit Tannen bewaldet, sämtliche Thäler stark angebaut mit Reis, Hirse, Buchweizen, Taback und gewöhnlichem Gemüse; letzteres sah gröber und üppiger aus wie das chinesische. Der Taback soll sehr gut sein: obgleich die Blätter nur an der Sonne getrocknet sind, wird er von den hier lebenden Europäern dem fabrizirten englischen vorgezogen; dagegen ist der hiesige Reis bei den Chinesen und Japanern nicht beliebt, weil er im gekochten Zustande eine starke stärkehaltige kleberige Eigenschaft hat. Der Reis stand sehr gut auf dem Felde, die Aehren waren voll und gross, das Stroh dick. — Aeusserst armselige Dörfer lagen hin und wieder am Wege aus Lehmhütten mit niedrigen Strohdächern bestehend; vierkantige Löcher mit hölzernen Schiebern vertreten Fenster und Thüren, Haus- und Küchengerät beschränkt sich gewöhnlich auf einen Topf mit hölzernem Schöpflöffel und ein Paar niedrige vierkantige Tische mit 6zölligen Beinen; gewöhnliche Strohmatten vertreten die Stelle des Bettzeuges, alle Geräte waren auf roheste Weise verfertigt. — Trotzdem die Leute in solchen schmutzigen Hütten wohnen, sieht man dieselben doch auf der Strasse reinlich und nett gekleidet; Arm und Reich trägt sich gleich: Strümpfe, Hose, Mantel und ein breitkrämpiger Hut; die Frauen tragen dieselbe Sorte Hosen und Schuhe wie die Männer, aber über den Hosen einen langen Unterrock, der 4 Zoll oberhalb der Hüften vermittelst eines breiten Bandes befestigt ist, die Schultern sind mit einer Art kurzärmeliger Jacke bedeckt, welche aber nicht bis zum Unterrocke reicht, über das Ganze wird ein Flor-Ueberwurf von blauer Farbe getragen, der sehr hübsch aussieht. Junge sowohl wie alte Frauen haben grosse Hände und Füsse, sowie grobe, harte Gesichtszüge, ich erinnere mich nicht irgendwo ein hübsches Gesicht gesehen zu haben. Sie arbeiten durchgängig hart in den Städten sowohl wie auf dem Lande, sie bestellen vorwiegend das Feld und besorgen den Transport der Waren: auf dem Kopfe.

Seoul, die gegenwärtige Hauptstadt von Korea, liegt in einer hohen Thalmulde, welche von 5—600 Fuss (150—180 m) hohen Bergen umgeben ist. Die Stadt ist von einer Steinmauer umschlossen, die acht Thore hat; acht breite Strassen, die sich im rechten Winkel schneiden, durchsetzen die Stadt, jedoch sind die Nebenstrassen sehr eng. Die Häuser sind durchgehends einstöckig, mit Stroh gedeckt, von einer ärmlichen Bauart und gemeinem Aussehen, ein Mittelding zwischen chinesischer und japanesischer Bauart, wie überhaupt alle Sitten und Gebräuche in Korea den Einfluss des einen oder andern Landes aufweisen. — Betritt man die Stadt durch das Westthor, so fallen gleich die breiten Strassen auf, die rein und hart gehalten sind, aber auch die schlechte einförmige Häuserfronte, welche nur durch wenige Verkaufsläden unterbrochen wird. Hin und wieder sieht man einen Frucht- oder Tabacksladen, in ersteren lagen nur wenige Früchte aus; wir versuchten einige Birnen, fanden dieselben aber grob, hart und geschmacklos; dagegen waren die Persimmons und Kastanien ausgezeichnet; gebratene Kastanien scheinen ein Nationalgericht der Koreaner zu sein. Die Tabacksläden mit ihren schönen Wasserpfeifenköpfen und Mundstücken hatten ein besseres Aussehen, zu jedem Kopfe gehört ein Rand feingearbeiteter Rohres. Die Koreaner sind grosse Raucher, haben daher gute Pfeifen und guten Taback. —

Die Strassen sind des Tag's über immer stark belebt, die weisse Kleidertracht mit dem breitkrämpigen Hute herrscht vor; dieser kleidet sehr gut, gewährt aber wenig Schutz gegen Sonne oder Kälte, bei Regenwetter werden die Hüte mit Oelpapier überzogen und Mäntel aus demselben Stoffe getragen. Das koreanische Oelpapier ist sehr stark, ein Bogen doppelt zusammengelegt ist kaum mit der Hand zu zerreissen. — In Seoul tragen die Frauen lose über dem Kopf eine Art grüner Mantille, welche mit der linken Hand unter dem Kinn zusammengehalten und beim Begegnen mit Europäern so zusammen gezogen wird, dass von dem Gesichte nichts zu sehen ist; woher diese Sitte, sowie die, Unterröcke zu tragen stammt, ist mir nicht bekannt. — Die Koreaner scheinen nicht so neugierig und aufdringlich zu sein wie die Chinesen, denn ich wurde während meiner Spaziergänge wenig belästigt; blieb ich einerwärts stehen, so versammelten sich allerdings einige Leute um meinen Anzug zu bewundern, hatten sie dann ihre Ansichten ausgetauscht, so gingen sie wieder aus einander; anders war es aber, wenn unsere Damen mit spazieren gingen, dann folgte uns ein ganzer Haufen Koreaner, Frauen sowohl wie Männer; es war spasshaft anzusehen, mit welchem Erstaunen sie unsere Frauen anstierten. —

Bei meiner Ankunft in Seoul wurde ich von Herrn und Frau von Möllendorf herzlich willkommen geheissen und mir Gastfreiheit angeboten; ich nahm dieses liebenswürdige Anerbieten mit Dank an, später sah ich, dass Herr von Möllendorf ungefähr jedem Europäer, der die Hauptstadt besucht, denselben herzlichen Empfang bietet. Herr von Möllendorf ist Vicepräsident des koreanischen auswärtigen Amtes; nach den Besuchen der koreanischen Beamten, vom Prinzen abwärts, die sich bei ihm Rats erholen, zu urteilen, ist er augenblicklich der populärste Mann in Korea; ausserdem ist er Chef des europäischen Zolldienstes und ist es ihm in kurzer Zeit gelungen, diesen gut zu organisiren. — Durch taktvolles Auftreten sowie durch Annahme der koreanischen Kleidung hat Herr von Möllendorf sich zum persönlichen Freunde des Königs gemacht, Europäer werden an ihm eine mächtige Stütze haben, um den Handel eines Landes zu entwickeln, welches reich an mineralischen Schätzen ist und von einem intelligenten Volke bewohnt wird. — Ebenso wie ihr Mann beim König, hat es Frau von Möllendorf verstanden, sich bei der Königin und deren Hofdamen beliebt zu machen. Am Tage meiner Ankunft waren gerade drei Hoffräuleins in Begleitung eines Neffen des Königs zum Besuch und meldeten für den nächsten Tag den Besuch der Königin an. — Die einzigen sehenswerten Gebäude der Stadt sind der neue Palast, der Sommerpalast, welcher auf 24 dicken Granitsäulen errichtet ist und die Empfangshalle, welche eine schlechte Nachbildung von der Empfangshalle in Peking ist; dasselbe kann von dem Inneren des Sommerpalastes gesagt werden. Der neue Palast verfällt rasch, weil er nicht bewohnt wird; vor etwa fünf Jahren entstand Feuer in ihm, der koreanische Aberglaube hielt dies für ein sehr schlechtes Zeichen, infolge dessen bezog der König wieder den alten Sommerpalast. Besucher können leicht Eingang zum neuen Palast erhalten und sich in den parkähnlichen Gartenanlagen der hübschen Aussicht erfreuen. —

Der Gesundheitszustand der Stadt lässt vieles zu wünschen übrig, an beiden Seiten der Strassen laufen Abzugsgräben entlang, die allen möglichen Unrat enthalten und im Sommer stark ausdünsten. — Das Klima ist trocken und erfrischend, nirgend wo in China habe ich die Luft so rein und klar gefunden wie hier.

Nach zehntägigem genussreichen Aufenthalt begleitete ich Herrn von Möllendorf nach Chemulpo und von dort bis nach Fusan.

Nach einer Notiz in der „Hongkong Daily News" war das Telegraphenkabel, welches Japan mit Korea verbindet am 23. Nov. v. J. gelegt, und am 15. Januar dieses Jahres dem öffentlichen Verkehr übergeben worden. Das Kabel endet in Fusan (Korea) und findet der Anschluss an die japanischen Telegraphenlinien bei Sobuko statt, es ist über die beiden japanischen Inseln Iki und Tsushima geleitet, auf letzterer wird ein Bureau eröffnet werden. *E. K.*

Das Prämiengesetz zur Hebung der italienischen Handelsmarine.

Der vom Finanzminister, im Einverständnisse mit seinen Kollegen für die äusseren Angelegenheiten und für die Marine dem Parlamente vorgelegte Entwurf eines Handelsschiffahrtsgesetzes enthält die Bestimmungen, welche man nach reiflichen Erwägungen als notwendig erachtete, um der stark im Rückschritt befindlichen Handelsmarine unter die Arme zu greifen, und um sowohl den Schiffs- und Schiffsmaschinenbauern, als auch dem maritimen Handel im allgemeinen den grösstmöglichen Schutz gegen die ausländische Konkurrenz zu gewähren. Das Land soll sich auch in dieser Hinsicht von der fremden Hilfe emancipiren können, die es bisher in Anspruch zu nehmen bemüssigt war, und der man stets mit Widerwillen begegnete, weil man in derselben eine Art von Abhängigkeit erblickte.

Diesem Gesetze nach werden für eine Periode von zehn Jahren — von der Sanktionirung desselben an gerechnet — Prämien bewilligt, welche für jede Tonne der auf italienischen Werften aus Stahl oder Eisen gebauten Segel- oder Dampfschiffe 30 italienische Lire, für jede Pferdekraft der in italienischen Etablissements konstruirten und auf Schiffen italienischer Flagge installirten Maschinen und Kessel 10 Lire und für jeden Metercentner der in italienischen Etablissements für die Kriegsmarine gebauten Kessel 6 Lire betragen. Für die in Italien an den Schiffen, Maschinen und Kesseln vorgenommenen Reparaturen wird ebenfalls nach einem bestimmten Ausmaass eine Prämie bewilligt.

Diese vorerwähnten Prämien werden um 10—20% zu Gunsten derjenigen Schiffe erhöht, welche im Kriegsfalle als Auxiliarkreuzer verwandt werden können; diese besondere Begünstigung wird während der erwähnten Periode auch den im Ausland angekauften Schiffen gewährt, wenn sie dem genannten Zwecke entsprechen.

Der Staat behält sich für einen Zeitraum von fünf Jahren das Pfandrecht auf die ganze Höhe der ausbezahlten Prämie vor, um im Falle das Schiff ins Ausland verkauft werden sollte, keinen Schaden zu erleiden.

Die mit Gesetz vom 19. April 1872, 30. Mai 1878 und 31. Juli 1879 bewilligte Zollfreiheit einzelner für den Schiffbau verwandter Materialien wird mit dem Inkrafttreten dieses Gesetzes aufgehoben.

Das Gesetz bestimmt weiter, dass der ganze Kohlenvorrat, der für die Kriegsmarine importirt wird, auf Schiffen der italienischen Flagge verschifft werden muss. Nur der Ministerrat kann in aussergewöhnlichen Fällen eine Abweichung von dieser Bestimmung gestatten.

Die Küstenfrachtfahrt ist ausschliesslich der italienischen Flagge vorbehalten; nur in den ersten fünf Jahren nach der Sanctionirung des Gesetzes, dürfen auch Schiffe anderer Staaten zur Küstenfrachtfahrt zugelassen werden, vorausgesetzt, dass mit dem betreffenden Staate ein Schifffahrtsvertrag besteht, der die vollständige Gleichberechtigung sichert.

Fünfunddreissig Artikel des Gesetzes beziehen sich auf die Schiffahrtsabgaben und andere Details. Bemerkenswert ist Art. 20, welcher die Bestimmung enthält, dass fremde Schiffe, welche nicht das Recht der gleichen Behandlung mit italienischen Schiffen geniessen, das Doppelte der für letztere festgesetzten Schiffahrtsabgaben zu leisten haben. Laut Art. 43 sind alle italienischen Segel- und Dampfschiffe für die Dauer von fünf Jahren von der Einkommensteuer befreit, eine Ausnahme davon machen die Dampfer der vom Staate subventionirten Linien. Endlich wird den Eisenbahnverwaltungen und den mit den Staatsanstalten arbeitenden Unternehmern und Lieferanten zur Pflicht gemacht, thunlichst dahin zu streben, zur Verschiffung ihrer Frachten nur Schiffe der eigenen Nationalität zu chartern.

Man schätzt, dass die Prämien und die Koncessionen in Bezug auf Schiffahrtsabgaben, Einkommensteuer etc., die dieses Gesetz gewährt, dem Staate ca. 2 000 000 fl. kosten werden.

(Mitth. a. d. G. d. Seew.)

Germanischer Lloyd.

Deutsche Handels-Marine: Seeunfälle vom Monat April 1884, soweit solche bis zum 15. Mai 1884 im Central-Bureau des Germanischen Lloyd gemeldet und bekannt geworden sind.

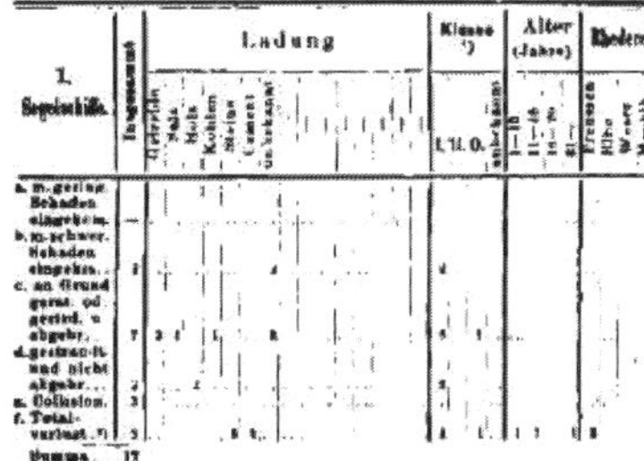

¹) Soweit zu ermitteln, Klasse einer Schiffsklassifizierungs-Gesellschaft. O. = keine Klasse. Umgekommene Seeleute: 3.

²) Tonnengehalt von 1 Schiffen 184 Tons.

BERLIN, d. 15. Mai 1884.

Uebersicht

sämtlicher auf das Seerecht bezüglichen Entscheidungen der deutschen und fremden Gerichtshöfe, Reskripte etc. der betreffenden Behörden etc., einschliesslich der Literatur der dahin bezüglichen Schriften, Abhandlungen, Aufsätze etc.

Titel VIII.

Havarie.

Inwiefern begründet das Angrundsetzen eines Schiffes wegen Treibeises eine grosse Havarie?

Aus den *Entscheidungsgründen:* „Von den gesetzlichen Voraussetzungen für die grosse Havarie, insbesondere 1. einer gemeinsamen Gefahr für Schiff und Ladung; 2. einer zur Errettung beider aus dieser Gefahr vorsätzlich dem Schiff vom Schiffer zugefügten Schädigung, wobei 3. die unmittelbar und mittelbar durch die Massregel verursachten Schäden und die zu dem angeführten Zweck aufgewandten Kosten in Betracht kommen, ist zu 1. die gemeinsame Gefahr nicht mit den vorigen Richtern deshalb zu verneinen, weil sie noch nicht eingetreten sei zur Zeit, als der Schiffer sich zu der streitigen Massregel — dem Angrundsetzen — entschlossen habe. Allerdings ist das Eingetretensein der Gefahr Voraussetzung der Havarie grosse. Allein es steht fest, dass der „St. Bernhard" wegen des Eises in den Hafen nicht kommen konnte, und dass im Strom das mit der Ebbe abwärts treibende Eis ihn zu zerschneiden oder wegzureissen und auf eine Sandbank zu treiben drohte. Die Ebbe war bereits eingetreten, somit die Gefahr eine nahe und gegenwärtige. Es ist nicht erforderlich, dass der Augenblick abgewartet werde, wo die Gefahr ihre grösste Höhe erreichte und solchen Falles würde die Massregel zu spät kommen. Die Wirkungen der weiteren Ebbe standen mit Notwendigkeit bevor. Sofern sie die Existenz des Schiffes gefährdeten, war nicht mehr von einer nur möglicherweise eintretenden Gefahr die Rede. — Zu 2: Das Angrundsetzen des „St. Bernhard" ist nach dem Vortrage der Kläger nur so zu verstehen, dass das Schiff an die fragliche Stelle gebracht wurde mit der Gewissheit, dass es bei zunehmender Ebbe auf dem Grund sitzen werde, nicht dahin, dass es schon durch das Hinbringen selbst auf den Grund geraten sei. Die Parteien streiten nun insbesondere darüber, ob dieses Manöver als eine vorsätzliche Schädigung aufzufassen sei oder nicht. Und allerdings haben die Kläger ihre Behauptung in dieser Hinsicht nur wenig thatsächlich begründet. Sie haben nicht angegeben, wie die Wassertiefe an der fraglichen Stelle war und weshalb der Kapitän aus der Gewissheit, das Schiff werde während einer kürzeren oder längeren Frist bei der Ebbe den Grund berühren, annehmen musste und angenommen hat, diese Massregel werde das Schiff beschädigen. Die vorsätzliche Zufügung eines Schadens hätte aber diese Gewissheit zur Voraussetzung, wenngleich nicht auf jeden einzelnen Schaden die Absicht gerichtet zu sein brauchte, um ihn als Havarie grosse anerkennen zu lassen. Mit Recht haben die Beklagten geltend gemacht, dass die Voraussetzungen des Art. 708 Abs. 3 H.-G.-B.: „wenn das Schiff absichtlich auf den Strand gesetzt worden ist" nur solche Fälle einschliesst, wo das gewaltsame Versetzen auf den Strand offensichtlich schwere Beschädigungen für das Schiff in Aussicht stellt. Dass aber ein mehrstündiges Festsitzen bei der Ebbe bis zur nächsten Flut (von der Eisgefahr abgesehen) eine gewusste und gewollte Schädigung des Schiffes war, ist keineswegs selbstverständlich, sondern hätte thatsächlich dargelegt werden müssen. Aus der Verklarung, wonach man sich, um der bezeichneten Gefahr zu entgehen, gezwungen sah, das Schiff in der Nähe des Kaiserhafens an den Grund zu setzen, geht dies ebenfalls nicht hervor, um so weniger wenn man erwägt, dass das Angrundgeraten erst nachträglich als Folge des Manövers eintrat und nur als solche spätere Folge gedacht sein konnte. Zu 3: Auch die in Havarie grosse berechneten Schäden selbst sprechen nicht für die Annahme eines durch das Angrundsetzen gebrachten Opfers, indem der ursächliche Zusammenhang zwischen ihnen und dieser Massregel, so weit ersichtlich, fehlt. (Es folgt nun eine Darlegung, dass nach der Beweisaufnahme anzunehmen, die berechneten Schäden seien durch *Eisgang während des Angrundsitzens* des Schiffes entstanden, und wird sodann fortgefahren:) Die durch Eis verursachten Schäden sind aber nicht deshalb, weil sie während des Angrundsitzens eintraten, für *eine Folge* des letzteren zu achten; sie rühren vielmehr von derselben, unverminderten Gefahr her, wegen welcher der „St. Bernhard" an Grund gelegt wurde." (Erk. des Ober-Landesger. zu Hamburg vom 30. Januar [illegible] Seuffert, Archiv N. F. Bd. VIII, S. [illegible] f.)

Nautische Literatur.

Die Alabama. Eine Seenovelle von E. Brenta. Pola, Verlag von F. W. Schrinner. Ein Band von 106 Seiten kl. 8°. Preis: ℳ 3.—

Glänzender Stil und Phantasie vereinigen sich in der Erzählung, um dieselbe beträchtlich über die Spiegelfläche gewöhnlicher belletristischer Erscheinungen emporzuheben. Von geradezu fesselnder Wirkung sind die Schilderungen landschaftlicher Scenerie und psychologischer Vorgänge. Die abenteuerlichen Thaten und romantischen Geschicke des sagenhaften Piratenschiffes und seiner wilden, verwegenen Besatzung verschlingen sich zu einer gehaltreichen, im höchsten Grade spannenden Erzählung, die mit nur flüchtig behandelten, lebenswarmen Episoden so gesättigt ist, dass es dem Verfasser — ein k. k. österreichischer Seeoffizier — ein Leichtes gewesen wäre, bei weiterer Ausgestaltung derselben den dankbaren Leser durch einige Bände eines Romans zu geleiten. Die Gestaltungskraft hätte dem Dichter nicht gemangelt, denn mehrere meisterhafte Partien der „Alabama" athmen einen so hinreissenden Zauber und bekunden ein so ungewöhnliches Talent des Verfassers, dass Letzterer mit der reichen Ladung, welche seine „Alabama" an Bord führt, auf den stolzeren Zielen des Romans mit der vollen Bürgschaft des Gelingens hätte zusteuern dürfen. Die markigen Typen eines Ryder und Ralph, die sympatische Figur Morans und die anmutige, nur in nebeliger Ferne auftauchende Erscheinung Auroras können in dem engen Rahmen, den E. Brenta seiner Novelle gezogen, kaum zur vollen Geltung gelangen, und über manche reizende, in den Gang der Handlung eingeflochtene Geschichte, bei der längeres Verweilen lohnen würde, führt der Verfasser den Leser mit wenigen Strichen im Fluge dahin. Das beeinträchtigt selbstverständlich keineswegs den inneren Wert des Büchleins, dem wir Blatt für Blatt mit steigendem Interesse und mit jener Empfindung gefolgt sind, welche die Leistungen eines originellen Geistes in dem Leser zurücklassen.

F. K.

Verschiedenes.

Die **Deutsche Gesellschaft zur Rettung Schiffbrüchiger** veröffentlicht in ihrem Märzberichte eine Uebersicht der Strandungen an den deutschen Küsten im Jahre 1883 und die Beteiligung der deutschen Rettungsstationen an der Rettung der Insassen, aus welcher das „Wochenblatt für Gesundheitspflege" Nachstehendes mitteilt:

Hiernach verunglückten im Jahre 1883 an den deutschen Küsten 63 Schiffe gegen 92 im Jahre 1882. Auf den gestrandeten Schiffen befanden sich, soweit die Zahl ermittelt werden konnte, 304 Personen, von denen nachweislich 27 Personen ertranken, während 277 Personen gerettet wurden. Bei 3 Schiffen, welche ohne Besatzung strandeten, ist der Verbleib der auf denselben befindlichen Personen nicht nachzuweisen; es ist leider anzunehmen, dass dieselben sämtlich ihren Tod gefunden haben. Gerettet wurden 81 Personen durch Rettungsboote, 3 durch Raketen-Apparate, 87 durch Selbsthülfe, 24 durch Hülfe vom Lande, 82 durch Hülfe in See. Bei 25 Strandungen traten 33 Rettungsstationen in Dienst; bei 13 Strandungen sind die Besatzungen der Schiffe durch Rettungsstationen gerettet worden.

Die Zahl der im Jahre 1883 durch deutsche Rettungsstationen geretteten Personen beträgt 84. Bis zum 1. Jan. 1884 wurden überhaupt 1463 Personen durch deutsche Rettungsstationen gerettet. Es ist dies ein Resultat, das keiner weiteren Beleuchtung bedarf, um diese Institution als eine der segensreichsten erscheinen zu lassen, die je durch uneigennützige Menschenliebe ins Leben gerufen wurde, und um die dringende Mahnung immer wieder gerechtfertigt erscheinen zu lassen, durch thatkräftigste Unterstützung die Mittel zu ihrer immer segensreicheren Entfaltung herbeizuschaffen.

Wir gedenken an dieser Stelle eines hochherzigen Anerbietens, welches Herr Emil Robin in Paris der Deutschen Gesellschaft zur Rettung Schiffbrüchiger gemacht hat. Derselbe erbietet sich in die Hände der Gesellschaft ein Kapital niederzulegen, von dessen Ertrage jährlich eine Prämie von 500 Frcs. demjenigen deutschen Kapitän ausgezahlt werden kann, der während des Jahres eine Schiffsbesatzung aus bedeutender Gefahr gerettet hat. Herr Robin hat diese Prämie ausser für Frankreich bereits für England, Holland und Italien ausgesetzt und beabsichtigt, dieselbe auch für Spanien, Russland, Dänemark auszusetzen. Die französische Prämie für 1883 wurde von der französischen Gesellschaft zur Rettung Schiffbrüchiger dem Kapitän des französischen Dreimasters „Mercur“, Herrn Hippolyte Luce zuerkannt, der im Oktober, nachdem er selbst einen drei Tage anhaltenden heftigen Sturm auszuhalten gehabt hatte, die aus 16 Mann bestehende Besatzung eines sinkenden norwegischen Schiffes durch vier Bootfahrten bei stürmischer See rettete. Der Vorstand der Deutschen Gesellschaft zur Rettung Schiffbrüchiger hat das Anerbieten des Herrn Robin mit Dank angenommen.

Bei der Ausübung des Rettungsdienstes fanden im Jahre 1883 fünf Mitglieder der Rettungsmannschaften ihren Tod. Die Namen der Braven verdienen auch an dieser Stelle genannt zu werden; es waren: der Bootsmann Jungmann aus Warnemünde, der Steuermannsschüler Koop aus Wustrow, der Lotsenaspirant Minck aus Cuxhaven, der Lotse Kehnappel aus Warnemünde und der Bootsmann Harms aus Horumersiel. Fast alle die Genannten hinterliessen Angehörige in hülfsbedürftiger Lage. Beträge zu ihrer Unterstützung nimmt der Vorstand der Gesellschaft mit Dank entgegen; auch die Redaktion dieses Blattes ist gern bereit, dieselben zu vermitteln.

Die goldene Medaille der Gesellschaft zur Rettung Schiffbrüchiger wurde Herrn Bruno Petermann, erstem Offizier auf dem Norddeutschen Lloyddampfer „Rhein“ zuerkannt für die Rettung eines am 29. September vor. Jahres in der Nähe von Newyork über Bord gefallenen Matrosen unter eigener Lebensgefahr. Es war dies die vierte Person, welche von Herrn Petermann aus Seegefahr gerettet worden ist. —t.

Austernzucht in England. Die Austernzucht im abgelaufenen Jahre an der Südküste Englands, sowie in den Mündungen verschiedener Flüsse ist wieder so entmutigend ausgefallen, dass Fachkenner zu der Ueberzeugung gekommen sind, sie werde sich in England nie lohnen. Austern verlangen lange und warme Sommer, diese sind England sehr selten; einige Austernsorten gedeihen in englischen Gewässern überhaupt nicht, und von denen, die unter günstigen Umständen etwa noch gedeihen würden, gehen so viele verloren, dass ihre Züchtung die Kosten kaum deckt. Dabei machen die französischen und amerikanischen Austern den englischen eine sehr fühlbare Konkurrenz, so dass die künstliche Austernzucht in England nie sehr grosse Aussicht auf Erfolg haben kann, um so mehr, da die sogenannten „einheimischen“ Austern (natives) fast gänzlich ausgestorben sind und die andern nur selten einen guten Markt finden. Unter diesen Umständen dürfte die Austernzucht in England nicht lange mehr fortgesetzt werden. Deutsche Rundschau.

Die Zukunft des Congogebietes. In seinem Vortrage über das südliche Congo-Becken, welchen der Afrikareisende Dr. Max Buchner am 9. Januar 1884 im Verein für Erdkunde zu Halle a. S. hielt, äusserte er sich über den Wert des Congo-Beckens für den Europäer folgendermaassen: Die Handelsartikel des Congogebietes sind Sklaven, Kautschuk und Elfenbein. Die Befürchtung, dass die Zufuhr des letzteren bald gänzlich versiegen werde, ist wenigstens bezüglich der Westküste für die nächsten 50 Jahre unbegründet, da das innerste Congobecken noch unberührte Gebiete enthält, mit reichen Vorräten, weniger an lebenden Elephanten als an totem Material, Jagdtrophäen der Häuptlinge. Letztere sehen die Elephantenjagd als ihr Regal an, weshalb dem gemeinen Neger ein Elephant eine so seltene Erscheinung ist, dass er die Zähne vielfach für die Hörner des Tieres hält. Der Binnenhandel mit den genannten Produkten liegt fast ausschliesslich in den Händen der Schwarzen, die geborne Kaufleute sind, vor allen der halbnomadischen Kioko, verwegener Sklaven- und Elephantenjäger, und der Bangala, die aus vielfach noch unerforschten Gebieten den Kautschuk über Kimbundu-Malange nach Loanda bringen. Auch gegen die Küste hin dringt der Negerhändler immer mehr in dem Maasse vor, als sein Selbstgefühl sich hebt und seine abergläubische Scheu vor der Berührung mit der Küste und den Weissen abnimmt. Welchen Wert wird nun in Zukunft das Congo-Becken für den Europäer haben? Die Unmöglichkeit europäischer Ackerbau-Kolonien im tropischen Afrika ist durch das Aussterben der portugiesischen Verbrecherkolonie bei Malange erwiesen: das Klima macht eben dem Europäer angestrengte Körperarbeit unmöglich. Aber auch der europäische Kaufmann vermag im allgemeinen gegen den eingeborenen Händler nicht aufzukommen: in diesem Wettkampfe der beiden Rassen muss der minder klimaangepasste Weisse unterliegen. Eine erfolgreiche Konkurrenz ist nur da zu erhoffen, wo sie durch Dampferverkehr erleichtert wird, das heisst für unser Gebiet längs des Congo auf der Strecke Livingstone-Pool bis Stanley-Pool und zu beiden Seiten der Congo-Mündung von Gabun bis Ambriz. Hier errichtete Faktoreien versprechen für die nächsten 50 Jahre noch einen einträglichen Kautschuk- und Elfenbeinhandel. Späterhin würde man den Versuch machen müssen, die Eingeborenen zur Arbeit zu erziehen, allerdings unter dem Ausschluss übertriebener Humanitätsschwärmerei, und dadurch die Anlage von Vanille-, Cacao-, auch Chininplantagen zu ermöglichen. Gerade für die Deutschen, die nördlich der bezeichneten Küstenstrecke, im französischen Gabun zahlreich und angesehen sind, bietet sich hier ein weites Arbeitsfeld: hier ist die Welt noch nicht vergeben. Derjenigen Nation aber wird zweifelsohne auch politisch schliesslich dies Gebiet zufallen, die es verstehen wird, die stärksten Privatinteressen an dasselbe zu knüpfen. Möge sich daher der deutsche Kaufmann die Gunst der augenblicklichen Verhältnisse zu Nutzen machen, wo dort noch freier Handel im freien Lande herrscht.

Vertrag zwischen England und Portugal bezüglich des Congo. Zwischen England und Portugal ist bezüglich des Congo ein Vertrag abgeschlossen und am 8. Februar 1884 zu London unterzeichnet worden, in welchem die Souveränität Portugals über alle an der Westküste Afrikas zwischen dem achten und fünften Grad zwölf Minuten südlicher Breite liegenden Territorien anerkannt wird. Auf dem Zambesi und dem Congo sollen die Schiffe aller Nationen nach einem erst auszuarbeitenden Schiffahrts-Reglement frei verkehren können, und beide Regierungen verpflichten sich, sowohl an der West- wie an der Ostküste Afrika's den Sklavenhandel zu unterdrücken.

Ueber die **Handelsaussichten am Congo** drückt Dr. Pechuël-Lösche seine Ansichten in folgenden Thesen aus:

„Das tropische Afrika enthält keine aufgestapelten, zur Abholung bereit liegenden Produkte.

„Das Elfenbein findet sich allenthalben zerstreut in einem Gebiete von ungeheurer Ausdehnung. Es ist ein so unsicherer Artikel, dass es weitgehenden Berechnungen nicht zur Grundlage dienen kann.

„Die zur Ausfuhr kommenden Bodenprodukte entstammen nicht dem Innern, sondern peripherischen Gebieten, welche den Handelsposten verhältnismässig nahe liegen.

„In vielen Gebieten sind Faktoreien bereits in solcher Zahl vorhanden, dass sie an der Grenze der Existenzfähigkeit stehen.

„Unternehmungen, welche eine unmittelbare Ausbreitung entlegener Gebiete bezwecken, haben mindestens für sehr lange Zeit auf jeden Gewinn zu verzichten. Beherrschen sie nicht eine vorzügliche, lückenlose Wasserverbindung mit dem Meere, so sind sie von Anfang verfehlt.

„Unter allen Umständen müssen Handelsunternehmungen auf ausserordentlich grosse Schwankungen des jährlichen Umsatzes vorbereitet sein.

„Das tropische Afrika eignet sich nicht für die Besiedelung durch Europäer.

„Kaufleute und Pflanzer mögen daselbst bei vernünftiger Lebensweise eine Reihe von Jahren aushalten, ohne ernstlichen Schaden an ihrer Gesundheit zu leiden. Ausgeschlossen ist jedoch regelmässige harte, körperliche Arbeit, wie sie etwa die eigene Bewirtschaftung eines Grundbesitzes in der Weise unserer Bauern mit sich bringt.

„Die Ertragsfähigkeit des Bodens wird wesentlich beeinträchtigt durch ungünstige Regenverteilung.

„Zur Entwicklung Afrikas ist vor allem der Afrikaner berufen.

„Es ist möglich, den Afrikaner zu stetiger Arbeit zu erziehen.

„Die Anlegung von Pflanzungen ist zunächst wichtiger als die Gründung von Faktoreien."

Achtes Heft d. Kolonialzeitg.

Hafenabgaben in Swansea. Zufolge einer Bekanntmachung des General-Superintendenten der „Swansea Harbour Trustees" vom 14. Januar d. J. dürfen alle Schiffe, welche Ladung suchen, in den Docks von Swansea sieben Tage ohne Entrichtung von Abgaben irgend welcher Art aufhalten. —t—

Stand der Handelsflotte der österreichisch-ungarischen Monarchie am 1. Jan. 1884.

Kategorie der Schiffe	Schiffe weiter Fahrt			Grosse Küstenfahrer			Kleine Küstenfahrer, Fischerboote und Barken			Zusammen		
	Zahl	Tonnen	Bemannung	Zahl	Tonnen	Bemannung	Zahl	Tonnen	Bemannung	Zahl	Tonnen	Bemannung
Vollschiffe	13	13 687	186	—	—	—	—	—	—	13	13 687	[illegible]
Barkschiffe	271	149 909	2 884	1	470	9	—	—	—	272	150 379	[illegible]
Brigs	46	16 500	395	—	—	—	—	—	—	46	16 500	[illegible]
Brigantinen	16	4 794	133	3	684	22	—	—	—	19	5 478	[illegible]
Schunerbrigs	36	10 107	265	18	2 268	93	—	—	—	54	12 375	[illegible]
Goeletten	—	—	—	1	81	4	1	52	6	2	133	[illegible]
Schuner und Lugger	8	2 169	58	20	1 796	91	4	187	15	32	4 154	[illegible]
Kutter	—	—	—	—	—	—	10	135	26	10	135	[illegible]
Trabakeln etc.	—	—	—	19	937	74	652	16 563	3 183	671	17 490	[illegible]
Brazzere	—	—	—	—	—	—	623	5 006	1 478	623	5 006	[illegible]
Leuti und Gaöten	—	—	—	—	—	—	446	1 662	998	446	1 662	[illegible]
Fischerboote	—	—	—	—	—	—	2 293	6 442	8 530	2 293	6 442	[illegible]
Leichterboote	—	—	—	—	—	—	4 560	9 683	8 736	4 560	9 683	[illegible]
Dampfer*)	66	67 562	2 204	28	9 218	505	40	1 499	209	134	78 279	[illegible]
Zusammen	465	264 728	6 115	90	15 458	797	8 629	41 218	22 069	9 174	321 403	[illegible]

*) 22 072 Pferdekräfte.

—t—

Verlag von H. W. Silomon in Bremen. Druck von Aug. Meyer & Dieckmann, Hamburg, Alterwall 22.

HANSA

Redigirt und herausgegeben
von
W. von Freeden, BONN, Thomasstrasse 8.
Telegramm-Adresse:
Freeden Bonn,
oder
Hansa Alterwall 28 Hamburg.

Verlag von M. W. Silomon in Bremen.
Die „Hansa“ erscheint jeden 2ten Sonntag. Bestellungen auf die „Hansa“ nehmen alle Buchhandlungen, sowie alle Postämter und Zeitungsexpeditionen entgegen, desgl. die Redaktion in Bonn, Thomasstrasse 8, die Verlagshandlung in Bremen, Obernstrasse 44 und die Druckerei in Hamburg, Alterwall 28. Sendungen für die Redaktion oder Expedition werden an den letztgenannten drei Stellen angenommen. Abonnement jederzeit, frühere Nummern werden nachgeliefert.

Abonnementspreis:
vierteljährlich für Hamburg 2½ ℳ,
für auswärts 3 ℳ = 3 sh. Sterl.
Einzelne Nummern 60 ₰ = 6 d.

Wegen Inserate, welche mit 25 ₰ die Petitzeile oder deren Raum berechnet werden, beliebe man sich an die Verlagshandlung in Bremen oder die Expedition in Hamburg oder die Redaktion in Bonn zu wenden.

Frühere, komplete, gebundene Jahrgänge von 1872 1874, 1876, 1877, 1878, 1879, 1880, 1881, 1882 sind durch alle Buchhandlungen, sowie durch die Redaktion, die Druckerei und die Verlagshandlung zu beziehen.
Preis ℳ 6; für letzten und vorletzten Jahrgang ℳ 8.

Zeitschrift für Seewesen.

No. 12. HAMBURG, Sonntag, den 15. Juni 1884. 21. Jahrgang.

Inhalt:

Die Lage der Schiffahrt in der Nordsee am 1. Januar 1883*).

Hamburg-Altona, Bremen, Oldenburg, Ems-Jade.

Die Schiffahrt *Hamburgs* hat seit 1879 in jedem Jahre stetig zugenommen. Die Zahl der eingelaufenen Schiffe betrug im Jahre 1882: 6189 mit 3 030 909 Reg.-Tons (5975 Schiffe mit 2 805 605 Reg.-Tons in 1881), darunter 3604 Seedampfer mit 2 437 666 Reg.-To. (2256 Dampfer mit 2 256 373 Reg.-To. in 1881). Es liefen aus 6167 Schiffe mit ca. 3 014 002 Reg.-To. (6022 Schiffe mit 2 857 384 Reg.-To. 1881), darunter 3600 Seedampfer mit ca. 2 436 040 Reg.-To. (3415 Dampfer mit 2 300 654 Reg.-To. in 1881).

Der Begehr und Bedarf von Dampferräumen war 1882 ebenso stark wie im Vorjahre; alle besseren deutschen Schiffbau-Etablissements sind mit Dampfschiff-Neubauten beschäftigt. Von Seglern wurden dagegen nur verhältnismässig wenig eiserne neu in Fahrt gesetzt, und vom Neubau hölzerner Segelschiffe ist kaum noch die Rede. Die Zahl der letzteren nimmt daher auch stark ab und das Fehlen geeigneter Seglerräume nötigt Ablader bereits mehrfach, sich der Dampferräume zu bedienen.

Die neue Dampferverbindung einer Hamburger Privatrhederei mit der Westküste Afrikas hat sich in erfreulicher Weise gehoben und zu häufigeren Expeditionen Veranlassung gegeben. Dagegen musste die Dampferlinie nach dem Bottnischen Meerbusen wegen mangelnder Güter zeitweilig wieder eingestellt werden, und die direkten Dampfschiffe nach Australien fanden ausgehend nicht volle Verwendung, weil das deutsche Element in Australien nicht stark genug vertreten ist, und an Rückfrachten von dort mangelte es infolge der schlechten Ernte des Landes, so dass Schiffe dieser Linie sich rückkehrend nach den Häfen Javas zur Beladung begeben mussten.

Die beiden Newyorker Linien fanden sowohl mit Gütern als Passagieren gute Verwendung.

Die Hamburger Rhederei bestand in der 2. Hälfte des Jahres 1882 aus:

	329	Segelschiffen	mit	138 462	Reg.-Tons
	162	Dampfschiffen	„	149 774	„
zusammen	491	Schiffe	mit	288 236	Reg.-Tons
im Vorjahre	495	„	„	270 055	„

Der Bestand der Hamburgischen Kauffahrteiflotte war am 1. Januar 1883:

503 Schiffe mit 295 471 Reg.-Tons, darunter 167 Dampfer mit 154 615 Reg.-Tons.

Bezüglich der Schiffahrt *Altona's* ist zu bemerken, dass es bei der kommerziellen Beurteilung dieses Platzes nicht darauf ankommt, ob die Zahlen des Imports der dort angekommenen Schiffe steigen oder fallen. Es lässt sich ein genaues Bild des Schiffsverkehrs und der Wareneinfuhr Altonas nur schwer entwerfen, da der grösste Teil der gelöschten Güter für Rechnung Hamburger Häuser eingeführt wird und andererseits sich der Anteil an dem Import und Export Altonas in Hamburg nicht feststellen lässt, obgleich er verhältnismässig nur geringfügig ist. Wohl aber kommt in Betracht die Zahl der beladen abgehenden Seeschiffe und das Verhältnis derselben zu den in Ballast oder leer ausgehenden. Dies Verhältnis stellt sich nun aber als ein ausserordentlich ungünstiges heraus, wie die folgende Tabelle der seit dem Jahre 1878 abgegangenen Seeschiffe zeigt. Von diesen waren, nach dem Tonnengehalt berechnet, im Jahre

1878	beladen	ca.	38	pCt.,	unbeladen	ca.	62	pCt.
1879	„	„	33	„	„	„	67	„
1880	„	„	42½	„	„	„	57½	„
1881	„	„	28	„	„	„	72	„
1882	„	„	22	„	„	„	78	„

*) Nach dem trefflichen Werke des Gen.-Sekr. des deutschen Handelstages Annecke „Wirtschaftsjahr.“

Der Bestand der Altonaer Rhederei belief sich am Schlusse des Berichtsjahres auf 25 Schiffe von 7044 Reg.-Tons und einer Besatzung von 224 Mann.

Die Rhederei in *Harburg* wurde auch im Jahre 1882 im bisherigen Umfange betrieben. Die Erträgnisse sind im grossen Ganzen zufriedenstellend gewesen.

Eine besondere Hervorhebung verdient die Thatsache, dass im vorigen Jahre eine ziemliche Anzahl kleinerer Schiffe, wovon auch einige aus dem Harburger Bezirk, die sonst nur Beschäftigung in der Küstenfahrt suchten, in die transatlantische Fahrt, namentlich nach Brasilien getreten sind und gute Ausfrachten dahin erzielten.

Es sind in den Hafen von Harburg während des Berichtsjahres eingelaufen: 586 Schiffe von 56 087 Reg.-Tons — davon 140 unbeladen; — ausgelaufen sind 581 Schiffe von 55 734 Reg.-Tons — davon 313 unbeladen. Unter den angekommenen und abgegangenen Schiffen befanden sich je 19 Dampfer.

Die *Weserflotte* zählte Ende 1882: 569 Schiffe von 405 249 Reg.-Tons, d. i. 19 Schiffe von 25 914 Reg.-To. mehr als zu derselben Zeit des Vorjahres. Von dieser Flotte gehörten *Bremen* 344 Schiffe von 299 397 Reg.-Tons. Es kamen daselbst 1882 an: 2708 Schiffe von 1 129 517 Reg.-Tons, die sich auf die verschiedenen Löschplätze der Weser folgendermassen verteilten:

Bremerhaven	1157 Schiffe	von 798 218	Reg.-Tons
Vegesack	66 „	„ 4 416	„
Bremen	990 „	„ 71 098	„
Bremische Häfen ..	2213 Schiffe	von 873 732	Reg.-Tons
Geestemünde	316 „	„ 188 196	„
Brake	128 „	„ 31 936	„
Nordenhamm	51 „	„ 35 653	„

Die Seedampferflotte des Norddeutschen Lloyd betrug am Ende des Jahres 1882: 32 Dampfer von 83 530 Reg.-Tons Brutto. Die Zahl der Dampfer dieser Flotte ist in dem Vorjahre gleichgeblieben, während sie sich um 1719 Reg.-Tons vermehrt haben.

Die Gesamteinfuhr und Ausfuhr Bremens betrug:

	Einfuhr		Ausfuhr	
	Menge Ctr.	Wert ℳ	Menge Ctr.	Wert ℳ
1882	33 172 102	600 351 892	23 411 927	482 166 665
1881	34 000 754	654 562 714	25 668 172	526 492 940

Es betrug das Quantum und der Wert der seewärts ein- und ausgeführten Waren:

	Einfuhr		Ausfuhr	
	Ctr.	ℳ	Ctr.	ℳ
1882	19 545 082	332 245 833	10 558 803	177 791 646
1881	20 461 276	385 630 856	10 464 096	108 211 077

In das deutsche Zollgebiet wurden von Bremen dem Werte nach

	1882	1881
eingeführt	147 536 981 ℳ	150 110 147 ℳ
ausgeführt	246 843 359 „	265 933 946 „
zusammen	394 380 340 ℳ	416 044 093 ℳ

Der Seeschiffahrtsverkehr *Oldenburgs* gestaltete sich im Jahre 1882 wie folgt: Es sind in den dortigen Häfen angekommen: 542 Schiffe von 13 401 Reg.-Tons, abgegangen: 559 „ „ 14 121 „

Die oldenburgische Handelsflotte bestand am 1. Jan. 1882 aus 345 Seeschiffen von 209 412 cbm, 1881 „ 345 „ „ 197 511 „

Die oldenburg-portugiesische Dampfschiffs-Rhederei, Aktiengesellschaft, betreibt eine regelmässige Dampfschifffahrt zwischen Brake, Oporto und Lissabon. Diese Verbindung eröffnete dem Handel und der Industrie des Herzogtums, Bremens, Westfalens u. s. w. ein neues Absatzgebiet und hat thatsächlich zur Ausdehnung des Weserhandels wesentlich beigetragen.

Der Bestand der Schiffe des *Ems-Jade-Gebiets* betrug am 1. Jan. 1882: 620 Fahrzeuge von 57 666 Reg.-To. gegen 651 Schiffe von 60 075 Reg.-Tons am 1. Jan. 1881.

In den Haupthäfen dieses Gebiets gestaltete sich der Seeschiffahrts-Verkehr im Jahre 1882 folgendermassen:

	Eingang		Ausgang	
	Zahl d. Schiffe	Ladungsfähigk. Reg.-To.	Zahl d. Schiffe	Ladungsfähigk. Reg.-To.
Leer	494	42 374	494	42 145
Papenburg ..	313	22 275	322	21 111
Emden	415	19 687	313	17 239
Wilhelmshav.	794	18 111	692	15 636
Norderney ..	1664	50 644	1664	50 644

Fr.

Der grösste geschichtlich bekannte Vulkan-Ausbruch

Unsere Leser werden sich erinnern, dass, als am 26., 27. und 28. August vorigen Jahres der furchtbare Ausbruch des Vulkans Krakatoa über 35 000 Menschen das Leben kostete, die Nachrichten über dieses Naturereignis so bruchstückweise und in solch grossen Zwischenräumen in die Oeffentlichkeit drangen, dass wohl niemand imstande war, sich ein klares Bild daraus zu entwerfen. Diesem Uebelstande ist jetzt durch das so eben veröffentlichte Ergebnis einer amtlichen Untersuchung abgeholfen worden. Nachdem durch Regierungsbeschluss vom 4. Oktober 1883 die Mittel zu einer wissenschaftlichen Reise nach den meistgeschädigten Teilen von Niederländisch-Indien bewilligt waren und der Chef der Hafenwerke von Batavia das Dampfschiff „Kodiri" zur Verfügung gestellt hatte, ist eine wissenschaftliche Kommission 17 Tage in der Sunda-Strasse mit Untersuchungen beschäftigt gewesen.

Es ist bekannt, dass ein grosser Teil aller feuerspeienden Berge in Reihen angeordnet ist, vielleicht weil dieselben, wie z. B. längs der Westküste von Südamerika über einer ungeheuren Erdspalte sich auftürmen. Auch die ostindischen Inseln besitzen eine solche Kette von Vulkanen, eine Kette, die sich von Sumatra her durch die Sunda-Strasse nach Java erstreckt, um dann bei Timor nordwärts nach den Philippinen hin umzubiegen. Nun hatten, so weit man weiss, die Vulkane an der Sunda-Strasse sich seit mehr als 200 Jahren ruhig verhalten; seit etwa 3 Jahren aber sind und zu Erdbeben verspürt worden, die wahrscheinlich daher rührten, dass Wassermassen in die stark erhitzten tiefern Erdräume eindrangen und zu Wasserdampf von hoher Spannung verdampften. Das stärkste Erdbeben entfiel auf den 1. September 1880, und schon damals scheint der durch die Wasserdämpfe ausgeübte Druck stark genug gewesen zu sein, um flüssige Lava in den Röhren der Vulkane von Krakatoa bis beinahe zur Mündung nach aufwärts zu pressen. Ein eigentlicher Ausbruch hat aber erst mit dem 20. Mai 1883 begonnen und zwar wurde schon damals ohne Ausfluss von Lava jener feine Bimssteinstaub ausgetrieben, aus dem auch das Material aller spätern Ausbrüche bestand. Die feine, poröse Natur dieser Auswurfstoffe erklärt sich dadurch, dass Dampf von grosser Spannung in die flüssigen Massen einströmte. An dieser Stelle möge auch erwähnt werden, dass der Ausbruch des Krakatoa die bisherigen Ansichten von der Ausdehnung unterirdischer Hohlräume wesentlich umgestalten wird; denn es wäre ein merkwürdiger Zufall, wenn die starken Erdbeben, die man in Australien verspürte, ohne ursächlichen Zusammenhang der Zeit nach mit dem Ausbruch des Krakatoa zusammengefallen sein sollten.

Bei dem Ausbruch vom 26., 27. und 28. August 1883 ist nur Krakatoa beteiligt gewesen, alle Angaben über die gleichzeitige Thätigkeit anderer Vulkane, beispielsweise des Sebessi, haben sich als irrig erwiesen. Die ehemalige Insel Krakatoa, so wie sie vor dem Ausbruche war, bestand aus drei vulkanischen Kegeln, von denen der nördlichste namens Perboewatan im Mai 1883 zuerst thätig gewesen ist. Der mittlere Kegel namens Danan hatte zuletzt im Jahre 1680 Bimssteine ausgeworfen, war aber auch bei dem Ausbruch von 1883 beteiligt. Der südlichste 822 m hohe Berg Rakata (hieraus ist durch irrtümliche Aussprache Krakatoa entstanden) ...

im vorigen Jahre unthätig geblieben. Ueber die Ausbrüche, die mit längern Pausen vom 20. Mai bis zum 26. August andauerten, wissen wir nur wenig, da die Insel Krakatoa von je her unbewohnt war und bloss zeitweise von Fischern besucht wurde; da aber am 11. August noch grünende Bäume vorhanden waren, so kann bis dahin der Aschenfall nicht sehr stark gewesen sein. Am 26. August nahmen die Explosionen sehr an Heftigkeit zu, erreichten am 27. morgens um 10 Uhr ihre grösste Stärke und dauerten mit abwechselnder Gewalt noch bis zum 28. gegen 6 Uhr morgens an. Das Eigentümlichste bei diesem Ausbruch ist, dass weder Erdbeben gefühlt wurden noch Lavaströme ausflossen, dass aber der Aschenregen sehr dicht war und dass die Wogen der See und des Luftoceans alles in dieser Hinsicht bisher auf der Erde Beobachtete übertrafen. Der Knall der Explosionen vom 27. August ist auf Ceylon, in Birma, in Manilla, zu Doreh auf Neu-Guinea und zu Perth an der Westküste Australiens gehört worden. Verbindet man die entlegensten Punkte, an denen die Explosionen noch deutlich hörbar waren, miteinander, so entsteht ein Kreis von 3333 km Durchmesser. Was das bedeutet, ist daraus ersichtlich, dass, wenn ähnliche Explosionen in Amsterdam stattfänden, dieselben am Uralgebirge, in der Sahara, in Grönland und auf Spitzbergen hörbar sein würden. Die stärksten Explosionen sind an verschiedenen Orten auch nicht annähernd zur gleichen Zeit gehört worden, was wahrscheinlich von der Windrichtung herrührt. So wurde beispielsweise der lauteste Knall in Buitenzorg um 6½, in Batavia um ½9 und in Telok-Betong am 27. August um 10 Uhr morgens vernommen. Seltsamer mag es erscheinen, dass der Knall dichtbei lange nicht so laut war als in grösserer Entfernung. Man erklärt das durch die ungeheure Menge von Aschenteilchen, die dichtbei in den untern Luftschichten der Fortbewegung der Schallwellen hinderlich gewesen sein mögen.

Besonders stark waren beim Ausbruch des Krakatoa nicht bloss jene kurzen Wellen des Luftoceans, welche wir als Schall vernehmen, sondern auch jene langen Wogen, welche sich durch ihren Druck auf leicht bewegliche Gegenstände bemerkbar machen. Zu Batavia und Buitenzorg, in einem Abstande von 150 km, begannen die Glocken zu läuten, die Fenster klirrten und schlecht verschlossene Thüren öffneten sich von selbst. Sogar zu Palembang, in einer Entfernung von 350 km, befürchtete man, dass das Regierungsgebäude einstürzen werde, und zu Alkmaar bei Pasoeroean, 830 km von Krakatoa entfernt, bekamen einige Mauern Risse.

Da es im Meteorologischen Institut zu Batavia leider keinen selbstregistrirenden Barometer giebt(!), so ist man behufs Feststellungen über die Schwankungen des Luftdrucks auf die Aufzeichnungen der Gasfabrik angewiesen. Nimmt man an, dass die Fortbewegung jener als Druck sich kundgebenden Luftströmungen eben so schnell oder beinahe eben so schnell sei wie diejenige des Schalles, so ergiebt es sich, dass diese Luftströmungen 7 Minuten benötigten, um von Krakatoa nach Batavia zu gelangen, und dass die stärkste Explosion auf den 27. Aug. 10 Uhr 5 Minuten nach batavischer Zeit entfiel. Wie aus den Mitteilungen der meteorologischen Anstalten des Auslandes hervorzugehen scheint, hat grade diese Luftwoge nicht weniger als 3½ Mal den gesamten Umfang der Erde umkreist. Die Ausbrüche, die bis zum 27. August gegen 10 Uhr morgens bloss überseeisch gewesen waren, scheinen von diesem Zeitpunkte an auch unterseeisch geworden zu sein, danach zu urteilen, dass bis dahin bloss trockene Asche, nunmehr aber auch Schlamm, d. h. eine Mischung von Seewasser und vulkanischer Asche, ausgeworfen wurde. Am 27. August, um 10 Uhr morgens, scheint auch die eine Hälfte des Rakata-Kegels abgebrochen zu sein und durch den Sturz ins Meer jene Flutwelle erzeugt zu haben, welche an den Küsten von Java und Sumatra so schreckliches Unheil anrichtete.

Dicht bei der Insel Krakatoa lagen früher drei andere Inseln, nämlich Verlaten-Eiland, Lang-Eiland und Poolsche Hoek. Von diesen ist die letztere Insel gänzlich verschwunden, die beiden andern sind aber durch die von Krakatoa ausgeworfenen Massen bedeutend grösser geworden. Die Insel Krakatoa selbst war früher 33¾ qkm gross; von dieser ursprünglichen Oberfläche sind nach vorhergehender durch den Ausbruch verursachter Aushöhlung und darauf folgendem Einsturz 23 qkm im Meere versunken, während 10¾ qkm übrig blieben. Zu diesen 10¾ qkm ist aber an einer Stelle, wo früher das Meer flutete, durch die Auswurfstoffe ein neues Stück Land hinzugekommen, sodass das jetzige Krakatoa 15 1/3 qkm gross ist. Die beiden ehemaligen Vulkankegel Perboewatan und Danan existiren nicht mehr, das merkwürdigste und auf der Erde wohl einzig dastehende Schauspiel zeigt aber der zur Hälfte abgesprengte Kegel des Rakata. Dieser Kegel hat sich, wie schon früher erwähnt, bei dem vorigjährigen Ausbruch nicht beteiligt, seine eine Hälfte ist aber, sei es durch den Einsturz der beiden andern Vulkane, sei es weil in der eigenen Röhre die Dampfspannung wuchs, abgesprengt worden und im Meere versunken, so dass wir heute in einem senkrechten Absturz von mehr als 800 m einen vollkommenen Querdurchschnitt durch einen ehedem feuerspeienden Berg vor uns haben. An der Stelle, wo früher die 23 jetzt versunkenen Quadrat-Kilometer von Krakatoa bis zu mehreren Hundert Meter über die Wasserfläche emporragten, ist jetzt die See 200 m und an einzelnen Stellen sogar 300 m tief. Eine einzelne Felssäule von 10 qm Oberfläche ragt 5 m hoch aus dem hier 200 m tiefen Meere hervor.

Der ausgeworfene Bimsstein, der ab und zu mit kleinen Teilchen Obsidian, Glas und Feldspat vermengt ist, enthält 60—70 pCt. Kieselsäure, 14—16 pCt. Alaun, 6 pCt. Eisenoxydul, 4 pCt. Kalk, 4—6 pCt. Soda und ein wenig Magnesia. Die gröbern Stücke sind in einem Umkreis von 15 km, die kleineren bis abwärts zur Grösse einer Faust in einem Umkreis von 40 km gefallen. Innerhalb des Umkreises von 15 km Radius liegen Bimsstein und Asche 20—40 m und an einigen Stellen sogar 60—80 m hoch. Diese dicken Lagen von Asche waren zwei Monate nach dem Ausbruch zwar oberflächlich abgekühlt, glühten aber in den tieferen Schichten, aus denen Rauch und Wasserdampf empordrang, wohl noch weiter. Die Insel Sebessi, auf der es früher 4 wohlhabende Dörfer gab, ist gegenwärtig von einer mächtigen Aschenschicht überdeckt, aus der bloss einige verkohlte Baumstümpfe hervorragen. Auch zwischen Krakatoa und Sebessi hat die Asche nicht nur die ganze Tiefe der See ausgefüllt, sondern ragt auch noch an zwei Stellen, die man Steers-Eiland und Calmeijer-Eiland genannt hat, über den Wasserspiegel hervor. Einen langen Bestand werden diese Inselchen, an denen die Wogen nagen und bröckeln, voraussichtlich nicht haben. Jene sechzehn angeblichen Vulkane, von denen in den ersten nach Europa gesandten Telegrammen die Rede war, haben niemals in der Wirklichkeit bestanden, sondern bloss in der Phantasie aufgeregter Leute. Das Verbreitungsgebiet der feinern Asche zeigt deutlich den Einfluss der Windrichtung; südwestlich ist die Asche bis Kokos-Eiland (1200 km), nordöstlich aber bloss bis Singapore (835 km) geflogen; insgesamt ist der Flächenraum, in dem die Asche als dicke, dem Boden auflagernde Schicht beobachtet wurde, grösser als Deutschland mit Einschluss von Dänemark, Niederlande und Belgien. Die feinern Aschenteilchen sind aber ziemlich lange in den obern Luftschichten verblieben und vielleicht über den grössten Teil der Erde verstreut worden. Hat man doch im Schnee, der in Spanien, und im Regen, der in Holland fiel, mineralische Stoffe gefunden, deren Zusammensetzung sich durchaus nicht von derjenigen der Asche des Krakatoa unterscheidet. Jene lebhaften Dämmerungsfarben, welche während längerer Zeit auf der ganzen Erde beobachtet wurden, will man ebenfalls mit den vom Krakatoa in die höchsten Luftschichten emporgeschlenderten und dort in Eis verwandelten Wassermassen in Verbindung bringen. So viel ist sicher, dass die Offiziere der deutschen Kriegskorvette „Elisabeth", welche am 20. Mai von Anjer abdampfte, schon für den damaligen weniger heftigen Ausbruch eine Höhe der Aschensäule von 11 000 m berechneten. Bei den viel heftigern Explosionen vom 26. und 27. August mögen aber Asche und Dämpfe wohl bis zu 15 oder 20 km hoch aufwärts getrieben worden sein. Die Masse der vom Krakatoa ausgeworfenen Asche wird eher zu niedrig als zu hoch auf 18 Cubikkilometer berechnet, während die ausgestossenen Gase und Dämpfe das vielhundertfache Volumen gehabt haben mögen. Von diesen 18 cbkm fester Stoffe liegen nicht weniger als 12 oder ⅔ innerhalb des obenerwähnten Umkreises von 15 km. So ungeheuer auch diese Masse von 18 cbkm erscheinen mag, so ist das doch nichts im Vergleich zu dem im übrigen viel weniger heftigen Ausbruche des Tambora, der im Jahre 1815 stattfand. Junghuhn berechnet für diesen Ausbruch die Masse der ausgeworfenen festen Stoffe auf 317 cbkm, während andere Gelehrte nur 150—200 cbkm dafür annehmen.

Weit weniger als betreffs der übrigen mit dem Ausbruche des Krakatoa verknüpften Naturerscheinungen wissen wir über die Meeresfluten, über ihre Entstehung, die Zeit ihres Auftretens und ihre Höhe, und doch haben grade diese Meeresfluten den Verlust von mehr als 35 000 Menschenleben verursacht. Von denjenigen Leuten, welche über diese Fluten in ihrer ganzen Furchtbarkeit hätten berichten können, ist beinahe niemand am Leben geblieben, — dort aber, wo die Fluten thatsächlich beobachtet wurden, traten sie verhältnismässig schwach und wenig verheerend auf. Immerhin stieg das Wasser bei Vlakken Hoek 15 m, bei Telok-Betong 22 m und nördlich von Anjer 36 m. Auch wurde die Flutwelle auf Ceylon, Mauritius, in Aden, Port Elizabeth, Süd-Georgien, sogar an der französischen Küste gemessen. Es hat mehrere Flutwellen gegeben, aber die höchste ist unzweifelhaft durch den Sturz der noch ganz soliden, etwa 1 cbkm fester Gesteinsmasse enthaltenden Hälfte des Kegels Rakata verursacht worden.

Seit dem 28. August ist kein weiterer vulkanischer Ausbruch auf Krakatoa beobachtet worden, aber die grösste Wahrscheinlichkeit spricht dennoch dafür, dass ein solcher noch in der ersten Hälfte des October, wahrscheinlich am 10. October, stattgefunden hat. An einigen Stellen auf Krakatoa sind nämlich jene Risse in den Aschenmassen, wie sie sich erst durch die Abkühlung bilden konnten, von einer ganz anders gefärbten, augenscheinlich frischern Schlammmasse ausgefüllt. So viel aber ist sicher, dass seit Mitte October kein Anzeichen vulkanischer Thätigkeit auf Krakatoa wahrnehmbar gewesen ist. N. K. Z.

Soll für das Schwaien eines Schiffes ein besonderes Signal angeordnet werden,

und wann soll man auf einem Schiff das an den Anker gelegt wird die (Fahr-) Signal-Laternen einnehmen?

Von *A. Schuck*, Seeschiffer.

Diese Frage ist vor einiger Zeit auch in der „Hansa" erörtert worden, aber nicht für den richtigen Fall, denn es handelte sich nicht um schwaiende Schiffe, sondern um solche, die am Anker aufdrehen, ferner hat man die Frage hinzugezogen: Sind schwaiende Schiffe als in Fahrt begriffen zu betrachten?

Nach meiner Ansicht ist die Sache für am Anker aufdrehende Schiffe durch die Kaiserl. Verordnung vom 7. Jan. 1880 entschieden, da diese nur von in Fahrt seienden und am Anker liegenden Schiffen spricht, folglich die sich an den Anker legenden oder am Anker aufdrehenden Schiffe noch als in Fahrt befindlich betrachtet. Diese Auffassung ist auch durchaus richtig, denn solche Schiffe verändern ihren Ort (durch Ausstecken von Kette bezw. Tau) wenn auch seitwärts oder rückwärts und führen bestimmte Wendungen aus, es wirken auf sie also noch andere, dem Willen ihres derzeitigen Führers untergebene Kräfte als die Haltkraft des Ankers und bedingen ihre Lage im Wasser so wie zu anderen Schiffen. — Es ist unmöglich, für jedes Manöver leicht von einander zu unterscheidende und nicht falsch zu verstehende Signale zu geben, selbst für die Fälle: „mein Schiff steuert noch nicht", „ich wende", „ich halse" hat man es lieber unterlassen, als Verwirrung angerichtet; deshalb hat man durch Art. 23 u. 24 den Seefahrern verboten, zu glauben, sie hätten ihre Pflicht gethan, wenn sie weiter nichts beachten bezw. befolgen als das in den vorhergehenden Paragraphen Vorgeschriebene.

Was heisst Schwaien? Das Schiff kommt von einer bestimmten Lage in die entgegengesetzte bezw. wird von seinem derzeitigen Führer veranlasst, statt einer bestimmten Lage die entgegengesetzte einzunehmen; es ist also eine Erweiterung von „Wenden" und eine Beschränkung von „Halsen", denn beim Wenden ändert man die Schiffslage um 12—14 Kompassstriche, beim Schwaien um 16, beim Halsen um 32 weniger 12—14 also 20—18; am Anker aufdrehen oder auftörnen ist unbestimmte, von Umständen abhängige Aenderung der Richtung. — Am Anker aufdrehen, Wenden, Schwaien und Halsen kann man sowohl nach Steuerbord als nach Backbord, ausserdem kann man Wenden und Halsen mit Hülfe von Segeln oder damit und mit anderen Mitteln (Anker, Boot, Dampfmaschine, Ruder, Treibanker), ankern und am Anker aufdrehen entweder nur unter Segel oder mit Segeln und mit den genannten bzw. anderen Hülfsmitteln oder nur mit einem oder mit mehreren von ihnen; so kann man Schwaien nur durch Einwirkung des Stromes oder durch sie (auch gegen sie) und irgend ein Werkzeug, um durch letzteres eine bestimmte Richtung inne zu halten, also sich nach bestimmter Richtung zu bewegen d. h. nach bestimmter Richtung Fahrt zu machen; denn Fahrt und Bewegung sind gleichbedeutend. Ein auf andere Weise als fest am Anker liegendes Schiff z. B. ein durch gestoppte oder rückwärts arbeitende Maschine bezw. aufdrehen oder backbrassen einen Augenblick stillliegendes Schiff ist noch als in Fahrt seiend zu betrachten, weil es nur aus Fahrt vorwärts in Fahrt rückwärts oder aus Fahrt nach einer Richtung in Fahrt nach anderer übergeht.

Wenn Anker und Kette das Schiff auch nur gegen den Strom halten, so geben sie ihm Fahrt durchs Wasser; sie, das Ruder, Segel, Boote, Dampfmaschine, Taue etc. können dann als Mittel benutzt werden, gewisse Bewegungen auszuführen; geschieht dies durch freien Willen des derzeitigen Schiffsführers wie beim Aufdrehen, so erhöhen Anker und Kette die Manövrirfähigkeit, weil sie behülflich sind, das Manöver innerhalb des unter obwaltenden Umständen engstmöglichen Raumes auszuführen; geschieht diese Bewegung aber auf Veranlassung einer ausserhalb des betreffenden Schiffes befindlichen Person z. B. des derzeitigen Führers eines vorbeifahrenden Schiffes um diesem Platz zum Passiren zu geben, so ist dieser zweiten Person und etwaigen dritten Personen gegenüber die Manövrirfähigkeit jenes Schiffes als beschränkt zu betrachten, weil es sich nur in einem je nach Umständen sehr beschränkten Bogen bewegen kann.

Da, wo nur die p. p. Verordnung gilt, sind am Anker treibende Schiffe „in Fahrt" und haben je nach Umständen ihre Lichter wie gewöhnlich, oder die Seiten vertauschend und nach dem Hinterende leuchtend anzubringen.

Man wird sagen: am Anker liegende Schiffe kommen manchmal auf (oder zwischen) Wind und Strom zu liegen, sind sie dann auch „in Fahrt"? Nach meiner Ueberzeugung folgt dies schon aus der Bezeichnung „wir laufen über unseren Anker oder über den Strom hin", was wörtlich genommen, nur eine besondere Art von auf Wind und Strom liegen ist.

Daraus und aus der Kaiserl. Verordnung folgt die Beantwortung der Frage: Wann soll man auf einem Schiffe das an den Anker gelegt wird aufhören, die für in Fahrt seiende Schiffe vorgeschriebenen Lichter zu zeigen? Sie lautet einfach: „Sobald das Schiff aufhört, sich nach dem Willen seines Führers zu bewegen, und dem Willen desselben entsprechend still liegt.“ Wenn also ein Schiff an den Anker gelegt werden soll, sind die Vorkehrungen zu treffen, um, sobald es ruhig am Anker liegt, die für in Fahrt seiende Schiffe vorgeschriebenen Lichter zu löschen und das Ankerlicht zu zeigen; hat der Schiffer dazu nicht Mannschaft genug an Bord und wird infolge hiervon Schaden angerichtet, so hat das Schiff oder er ihn zu tragen, weil der Wunsch aus dem im Schiffe angelegten Kapital möglichst viel Vorteil zu ziehen, das Privilegium Schaden anzurichten nicht in sich schliesst.

Bei sichtigem Wetter sind für schwaiende Schiffe keine Signale notwendig, denn wenn ein Seemann ein Ankerlicht sieht, muss er wissen, dass das es zeigende Schiff nicht absolut fest liegt oder liegen muss, sondern am Anker scheeren und durch Umstände die nicht mit Willen des Schiffsführers herbeigeführt sind, quer zu Wind und Strom oder quer ab vom Anker liegen kann; darnach hat er sich zu richten und wenn er es nicht thut, so hat er den event. entstandenen Schaden nach allen Richtungen zu tragen. Den nur durch Stromänderung schwaienden und den auf Wind und Strom liegenden Schiffen könnte vielleicht freigestellt werden, bei unsichtigem Wetter ähnliche wie die in Art. 12 b. vorgeschriebenen Signale mit der Glocke zu geben, d. h. wenn sie den Strom an Steuerbord haben, einen Schlag mit der Glocke, wenn sie ihn an Backbord haben, zwei Schläge an der Glocke.

Am Anker auf Wind oder Strom zu drehen, wenn andere Schiffe in solcher Nähe sind, dass dadurch Gefahr des Zusammenstossens (auch anderer Schiffe unter sich) entsteht, ist schnurgerade gegen Art. 23 und 24; nach meiner Ansicht ist ein mit Lotsengerechtsamen versehener und Lotsendienst auf dem betreffenden Schiffe verrichtender Mann verpflichtet, es zu verbieten. Wenn ein Hafen von beladenen Schiffen nur zu gewissen Zeiten verlassen werden kann, so haben ankommende Schiffe sie daran nicht durch Aufdrehen oder Schwaien zu hindern, sondern sich an der an Steuerbord von ihnen liegenden Seite des Fahrwassers so lange fest zu machen, bis ihr Umdrehen den ausfahrenden Schiffen keinen Schaden zufügen kann; möge dann die Hafenpolizei dafür sorgen, dass auch ihnen Platz gemacht wird.

Der Unfug, das Ankerlicht vom Fockwant aus zu zeigen, sollte nirgends geduldet, sondern überall bestraft werden; wo eine Fockraa vorhanden, ist diese der Platz dafür, sonst das Fockstag. — Für die Elbe gilt die Kais. Verordnung vom 7. Jan. 1880 nicht durch internationales Abkommen, sondern durch Beschluss der Hamburger Deputation für Handel und Schiffahrt, möglicherweise nach vorhergehender Verabredung mit den Regierungen der Elbprovinzen und Hannovers, kann also durch dieselbe Behörde bezw. dieselben Behörden für die Elbe jederzeit aufgehoben und durch eine Elbordnung ersetzt werden.

Aus Briefen deutscher Kapitäne.

IX.

Taiwanfu auf Formosa

etwa 3 Sm. landeinwärts gelegen, ist eine Stadt von etwa 100 000 Einwohnern, von denen ein schwunghafter Handel betrieben wird; die Strassen sind wie in allen chinesischen Städten enge und krumm, ungeheurer Schmutz ist in ihnen vorherrschend, stehende Wassertümpel und seichte Kanäle verpesten die Luft. Dieses, sowie das Zusammenleben aller möglichen Haustiere mit den Chinesen in einem Raume und ein etwas wärmeres Klima als auf dem gegenüberliegenden Festlande, ist wohl die Ursache, dass man bei beiden Geschlechtern durchgängig nur hohläugige bleiche Gesichter sieht; denn obgleich auf dem festen Lande in den Städten derselbe Schmutz herrscht, so sieht man dort doch sehr viele gesunde, unter den Frauen sogar hübsche Gesichter. — Ausser den Missionären (4 Männer mit ihren Frauen nebst 2 ledigen Frauen) die ein Krankenhaus errichtet haben, leben hier keine Europäer. Arme Chinesen werden unentgeldlich verpflegt, die Reichen müssen bezahlen. — Ein flacher Graben sowie ein Moddeich verbinden Taiwanfu mit seinem Ausfuhrhafen Anping. Der Deich ist etwa 15 Fuss (4,₆ m) hoch bei 20 Fuss (6,₄ m) breit, und läuft dicht an dem Graben entlang. Die Fläche zwischen Taiwanfu und Anping, vom Deiche aus südwärts, ist so weit das Auge reicht ein Sumpf; sie ist in kleine quadratische Felder mit Deichen von etwa 3 Fuss Höhe eingeteilt und werden diese Felder im Sommer zum Fischfang benutzt. Man lässt sie mit der Flut volllaufen, streut Futter hinein für die Fische und lässt sie mit der Ebbe wieder trocken laufen. Dass unter diesen Verhältnissen die Sumpffelder unter einer tropischen Sonne stark ausdünsten müssen, liegt auf der Hand, im SW-Monsun herrscht deshalb das Malariafieber, sowohl in Taiwanfu wie in Anping. Abgesehen von diesem Fieber, das bald weichen würde, wenn die Insel in europäische Hände käme, kommen selten andere Krankheiten vor und ist das Klima im Ganzen gut. — Anping, der Hafen von Taiwanfu, ist ein armseliges Fischerdorf von etwa 3000 Seelen, und liegt neben und hinter einem Hügel von etwa 50 Fuss (15 m) Höhe, auf dem die Holländer im Jahre 1630 das Fort Zelandie erbaut hatten, das jetzt in mehrere Gebäude umgewandelt ist; in der Mitte der Gebäude steht noch der Baum, der früher schon in dem Fort stand und immer als Landmarke gedient hat. Unterhalb des Forts, weiter nach See zu, stehen die Wohnungen der europäischen Zollbeamten und Kaufleute, von denen die Wohnung des Zollinspektors, dicht unter dem Fort, mit einem weissen Flaggenpfahle ohne Raa scharf hervortritt; von diesem Flaggenpfahle wird vom Topp aus am Tage die chinesische Zollhausflagge, bei Nacht von der Sahlung aus, etwa in halber Höhe in 60 Fuss (18,₃ m) Augeshöhe, ein festes weisses Feuer gezeigt; ich sah dieses Feuer bei klarer Luft in 12 Sm. Abstand, bei diesigem Wetter wird es aber wohl nicht weiter als 8 Sm. weit zu sehen sein.

Es sind hier folgende europäische Firmen vertreten: Elles & Co., Boyd & Co., Tait & Co., Russel & Co. von Amoy, das deutsche Haus Dirks & Co. von Swatow aus. Der deutsche Konsularagent, Herr Graham, zugleich Konsularagent ungefähr aller Nationalitäten, ist der Vertreter der Firma Elles & Co. — Drei Dampfer, von Dirks & Co. sowie Douglas Lapraik & Co. vermitteln die Verbindung mit Takao, Hongkong, Swatow, Amoy und Tamsui, drei kleine Dampfer fahren jetzt auch zwischen Takao und Anping; durch einen Telegraphen ist Anping über Taiwanfu mit Takao verbunden. Ein englischer Arzt Dr. Meier, in Takao wohnhaft, kommt ungefähr täglich nach Anping und berechnet sich für jedes Schiff 10 $ für die ganze Zeit, die es dort liegt. Obgleich ein chinesischer Compradore dort ansässig, ist Dauerproviant in Anping nicht zu haben, aber frisches Fleisch jeden Tag; dieses ist jedoch kaum zu geniessen und kostet 8 C. à ℔; besser sind junge Ziegen, welche 3 $ das Stück kosten; Suppenkraut kostet 4 C. à ℔, anderes Gemüse giebt es nicht. Eier 80 C. für 100 Stück, von denen aber mehr als die Hälfte verdorben sind, Wasser: ein Boot voll von etwa 4 Tonnen 5 $, Reis à Pikul 3 $ 20 C., weisser Zucker à ℔ 6 C., brauner 3½, junge Schweine à Stück 1 $ 20 C., Fische sind teuer, obgleich das ganze Küstengebiet bis zu 4 Sm. vom Lande im NO-Monsun wie besäet von Fischerleuten ist (im Juli und August gehen die Fischerleute selten hinaus). Ananas sind im April und Mai billig, die übrigen Früchte aber immer teuer, Kartoffeln giebt es nicht, dieselben muss man entweder von Amoy oder Hongkong kommen lassen, süsse Kartoffeln 75 C. à Pikul, Ballast à Ton 45 C., lange Bambus zum Garniren 100 Stück 7 $ 25 C., kleine Bambus 2½ Pikul für 1 $, Garnirmatten (alte Zuckerkörbe) 1 C. à Stück, 1000 Sack Zucker à ein Pikul 7 $ zu stauen. Will man Kulies haben, so bezahlt man für 3 Mann 1 $ à Tag. Bootsmann für jeden Tag 1 $, nimmt man ihn nicht für die ganze Zeit, so bezahlt man 2 $ jedesmal, ein Tragstuhl von und nach Taiwanfu 1 $ jedesmal. — Bei Küstencharters für Chinesen hat man nichts mit der Garnirung und Stauung zu thun, für Europäer haftet aber das Schiff dafür, und nimmt man in der Regel den Stauer des Abladers. — Etwa anderthalb Seemeilen ausserhalb Anping liegt eine Barre, auf der für gewöhnlich bei Niedrigwasser im NO-Monsun nur 2—4 Fuss Wasser stehen und da die Flut hier nur 4 Fuss steigt, in der Regel auch hohe Brandung läuft, so ist die Barre nur für kleine Junken passirbar; drei Rinnen durchsetzen die Barre, die südlichste ist die tiefste; im SW-Monsun ist bedeutend mehr Wasser auf der Barre. Die Strecke zwischen Anping und der Barre versandet von Jahr zu Jahr mehr, weil die alte chinesische Unsitte, den Ballast über Bord zu werfen, noch immer fleissig von den Junken ausgeübt wird, so dass man bei niedrig Wasser kaum mehr mit einem gewöhnlichen Boote von See aus nach Anping kommen kann.

Eben innerhalb der Barre, an der Südseite des Fahrwassers, liegt eine Mudbatterie, die aber von See aus nicht gut zu erkennen ist; etwa 1 Sm. unterhalb dieses Forts liegt noch eine andere sehr gut erkennbare, mit einem schwarzen Flaggenpfahle, der in halber Höhe eine Raa trägt und an dessen Topp am Tage die chinesische Flagge gehisst wird. Dicht oberhalb derselben Batterie, nach Anping zu, ist ein Fahrwasser, in welchem immer sehr viele Fahrzeuge liegen. — Am 22. April v. J. wurde beobachtet $\odot$ im Meridian = 78° 53′ 45″, Indexfehler = ∘, darnach φ 22° 58′ N; zu gleicher Zeit peilte die Batterie auf den vier Inseln oder der hohe runde Baum dahinter N¾W, Fort Zelandie NOzO¾O, Affenberg SzO¾O, darnach φ 22° 59′ N, L 120° 8′ O, hiernach liegt also Fort Zelandie um 1 Sm. zu nördlich; die Länge wird wohl angenähert richtig sein. — Der ungenannte Berg, welcher in der Karte 1 Sm. südlich von Taiwanfu angegeben ist, ist von See aus nicht zu erkennen. — Die Ansegelung von Anping ist schlecht. Die Küste vom Affenberge bis nördlich von den Pescadores besteht aus niedrigen Dünen mit hohen Bergen im Hintergrunde. Auf diesen Bergen sah ich in der letzten Hälfte des April v. J. dwars ab von Taiwanfu noch Schnee liegen. — Nördlich von Taiwanfu (Anping) erstreckt sich eine Lagune bis nach den Pescadores, die landeinwärts durch niedriges Land und seewärts durch niedrige „dunkel, schmutziggelbe“ Dünen begrenzt wird. Die Dünen sind von Vegetation und Dörfern entblösst, auf denselben stehen nur hin und wieder einzelne Fischerhütten von ein paar Bäumen umgeben; bei den Hütten stehen grosse vierkantige Rahmen zum Trocknen der Netze, die von See aus in 3 bis 4 Sm. Entfernung wie Häuser aussehen. Die Dünen sind von vielen Eingängen nach der Lagune durchbrochen, vor und in denen meistenteils Junken liegen. Ein Haupteingang befindet sich etwa O von East-Insel, ein Zweiter etwa 8 Sm. von Anping, ein Dritter hinter der Voyloy-Bank; die vier Inseln, welche eben südlich dieses Eingangs liegen, sind als solche von See aus nicht zu erkennen, sondern bieten sich dem Auge dar als eine Baumgruppe mit einer Batterie in der Mitte; unmittelbar hinter der Batterie ragt ein einzelner hoher runder Baum über die Gruppe hervor. Etwa 3 Sm. südlich obiger Batterie liegt Anping; südwärts von Anping tritt das feste Land dagegen unmittelbar an die See heran, die Kämme der mässig hohen „hellgelben“ Dünen sind hier bis nach Takao hin mit Vegetation bekleidet und mit zahlreichen Fischerdörfern besetzt. — Anping bietet in 8 bis 9 Sm. Entfernung folgenden Anblick: man sieht etwa in 60 Fuss (18 m) Augeshöhe ein „weisses“ Gebäude (das alte Fort Zelandie) mit einem Baum darauf, das rund von andern Bäumen umgeben ist und sich scharf am Horizonte abzeichnet, eben unterhalb des Forts, mehr nach See zu, drei europäisch gebaute „weisse“ Häuser. Der Baum markirt sich schärfer von Süden als von Norden her; nähert man sich mehr, so kommen unmittelbar unterhalb des Forts, die übrigen dunklen europäischen und chinesischen Häuser sowie der weisse Flaggenpfahl vor dem Zollinspektors Wohnung in Sicht. Mit einem Fernrohre sah ich bei klarem Wetter den Flaggenpfahl schon in 8 Sm. Entfernung. Vor der Barre liegen im NO-Monsun immer Junken, im SW-Monsun aber nicht, auch findet man meistenteils europäisch gebaute Schiffe auf der Rhede liegen. Die obigen weissen Häuser sind das einzige Kennzeichen, denn man findet an der ganzen Küste, herauf oder herunter, in den Fischerdörfern keine weiss angestrichene Häuser.

(Schluss folgt.)

Die Entweichungen von Seeleuten der deutschen Handelsmarine im Jahre 1882.

Nach der Statistik über die Entweichungen von Seeleuten der deutschen Handelsmarine sind im Jahre 18[illegible] im Ganzen 4386 Entweichungen angezeigt worden, [illegible] denen 81 noch in das Vorjahr fallen. Von den für das Jahr 1882 verzeichneten Entweichungen fällt die grö[illegible] Zahl auf die Monate April bis November, durchschnittlich je 417, December bis März dagegen durchschnittlich [illegible] 235, und die geringste Zahl mit 211 auf den Februar.

Die Gesamtzahl der in den Jahren 1881 und 18[illegible] von der deutschen Handelsflotte entwichenen Seeleute verteilt sich nach der dienstlichen Stellung des Betreffenden in nachstehender Weise:

	Zahl der Entwichenen 1881	18[illegible]
Steuerleute und Bootsleute	44	[illegible]
Schiffshandwerker	330	[illegible]
Matrosen und Leichtmatrosen	2366	[illegible]
Schiffsjungen	472	[illegible]
Maschinisten und Assistenten etc.	12	[illegible]
Heizer und Kohlenzieher	757	[illegible]
Proviant- und Lagermeister	62	[illegible]
Personen unbekannter Stellung	42	[illegible]
zusammen	4082	[illegible]

Hiernach hat von 1881 auf 1882 eine Zunahme [illegible] 304 Desertionsfällen (= 7,45 %) stattgefunden.

Nach dem Alter der Entwichenen verteilen sich [illegible] dem Jahre 1882 gemeldeten Entweichungsfälle derart, [illegible]

8 der Entwichenen unter 15 Jahren
833 » » von 15 bis unter 20 Jahren,
1068 » » » 20 » » 25 »
736 » » » 25 » » 30 »
481 » » » 30 » » 40 »
101 » » » 40 » » 60 »
26 » » 60 Jahr und darüber zählten, [illegible]
1142 » » blieb das Alter unbekannt.

Unter den Entwichenen befanden sich 2791 Deutsche, 1512 Ausländer und 83 Personen unbekannter Herkunft. Bei 1621 der entwichenen Deutschen war die engere Heimat unbekannt, 904 derselben waren Preussen, [illegible] Hamburger, 45 Bremer, 36 Oldenburger, 48 Mecklenburger und die übrigen 89 Deutschen gehörten verschiedenen anderen Bundesstaaten an.

Von den Entweichungen fanden in deutschen Häfen statt 143 oder 3,3 % der Gesamtzahl; davon 33 in Bremen, 30 in Danzig, 14 in Hamburg, 10 in Memel und 9 in Stettin; die weit überwiegende Mehrzahl von den in deutschen Häfen Entwichenen (126 von 143) bestand aus Deutschen.

Die grösste Zahl der Entweichungen 2757 oder 62,[illegible] % der Gesamtzahl, entfällt auf die Häfen der Vereinigten Staaten von Amerika, davon 2012 (45,[illegible] % der Gesamtzahl) auf Newyork, 258 auf Baltimore, 259 auf San Franzisko und 30 auf Philadelphia. Auf die britischen Häfen kommen 502 Entweichungen (11,4 % der Gesamtzahl), davon auf Cardiff 113, Shields 16, London 67, Liverpool 62, Newcastle 39, Hull 60. Von den übrigen Entweichungsfällen haben 231 in central- und südamerikanischen Häfen, 268 in den Häfen Australiens und der Südsee, 62 in ostindischen, 86 in französischen, 92 in chinesischen, [illegible] in niederländischen, 39 in belgischen, 38 in russischen und 37 in afrikanischen Häfen stattgefunden.

—s—

Nautische Litteratur.

Rang- und Quartierliste der Kaiserlichen Marine für das Jahr 1884. (Abgeschlossen am 1. November 1883.) Auf Befehl Sr. Majestät des Kaisers und Königs. Redaktion: Die Kaiserl. Admiralität. Berlin, E. S. Mittler & Sohn, Kgl. Hofbuchhandlung, Kochstr. 69—70. Kiel, Universitätsbuchhandlung. Schumacherstr. 86. Gr. Oct. VI und 110 Seiten. Preis: ℳ 2,25.

Die diesmal mit Frakturlettern gesetzte Rang- und Quartierliste der Kaiserlichen Marine bringt zunächst die Behörden, und zwar zuerst die Admiralität, dann die Deutsche Seewarte, die Station der Ostsee, die Station der Nordsee, die Kommandantur zu Kiel, endlich die Marineartillerieinspektion zu Kiel. Die Gliederung der einzelnen Behörden ist folgende:

Die *Admiralität*, an deren Spitze ein „Chef" (Gen.-Lieut. à la suite der Armee v. Caprivi) steht, hat folgende Gliederung: Centralabteilung, Militärische Abteilung, Statistisches Bureau der Admiralität, Auditeur der Admiralität, Generalarzt der Marine, Dezernat E., Marinedepartement, Verwaltungsabteilung; besondere Dezernate: Hydrographisches Amt, Observatorium zu Wilhelmshaven, Chronometer-Observatorium zu Kiel, Bureaubeamte der Admiralität. Die *Deutsche Seewarte* in Hamburg zählt 1 Direktor, 4 Abteilungsvorsteher, 1 Vorsteher des Chronometerinstituts und 3 Assistenten.

Der *Station der Ostsee* unterstehen: Die erste Matrosendivision, die Schiffsjungenabteilung, die erste Werftdivision, das Seebataillon, das Abwicklungsbureau der Station der Ostsee, die Werft zu Danzig, die Werft zu Kiel, das Torpedodepot zu Friedrichsort, die Hafenbaukommission zu Kiel, die Fortifikation zu Friedrichsort, das Festungsgefängnis zu Friedrichsort, die Marineakademie und -Schule, die Seeoffizier- und Kadetten-Prüfungskommissionen, die Maschinisten-, Steuermanns- und Torpedoschule, endlich die Intendantur der Station der Ostsee, zu welcher das Bekleidungsmagazin, die Garnisonbauverwaltung zu Kiel, die Garnisonverwaltung zu Kiel, das Lazaret zu Kiel, die Garnisonverwaltung zu Friedrichsort und das Lazaret zu Friedrichsort gehören.

Der *Station der Nordsee* unterstehen: Die zweite Matrosendivision, die zweite Werftdivision, das Abwicklungsbureau der Station der Nordsee, die Werft zu Wilhelmshaven, das Torpedodepot zu Wilhelmshaven, die Fortifikation zu Wilhelmshaven, das Lotsenkommando an der Jade, endlich die Intendantur der Station der Nordsee, zu welcher das Kleiderdepot zu Wilhelmshaven, die Garnisonbauverwaltung zu Wilhelmshaven, die Garnisonverwaltung zu Wilhelmshaven, das Lazaret zu Wilhelmshaven und das Lazaret zu Yokohama gehören.

Der *Marineartillerieinspektion* zu Kiel unterstehen: Die erste Matrosenartillerieabteilung zu Friedrichsort, die zweite Matrosenartillerieabteilung zu Wilhelmshaven, das Artilleriedepot zu Wilhelmshaven, das Artilleriedepot zu Friedrichsort, das Seeminendepot zu Friedrichsort, das Seeminendepot zu Wilhelmshaven.

Es folgt nun der Personalbestand der Marine. Die Kaiserl. Marine zählt: 4 Offiziere à la suite der Marine, 8 Kontreadmirale (Livonius, Gr. v. Monts, v. Wickede, Frhr. v. Schleinitz, v. Blanc, Frhr. v. Reibnitz, Frhr. v. d. Goltz, Knorr), 1 Generalmajor, 11 Offiziere des Admiralstabes (2 Kapitäne zur See, 6 Korvettenkapitäne, 3 Kapitänlieutenants), 401 Offiziere des Seeoffizierkorps (22 Kapitäne zur See, 38 Korvettenkapitäne, 85 Kapitänlieutenants, 153 Lieutenants zur See, 103 Unterlieutenants zur See), 10 Offiziere à la suite des Seeoffizierkorps (1 Admiral, 1 Viceadmiral, 2 Kapitäne zur See, 2 Korvettenkapitäne, 2 Kapitänlieutenants, 2 Lieutenants zur See), 14 Offiziere des Marinestabes (9 Korvettenkapitäne, 5 Kapitänlieutenants), 71 Seekadetten, 41 Kadetten, 29 Offiziere des Seebataillons, 1 Offizier à la suite des Seebataillons, 13 Feuerwerksoffiziere, 8 Zeugoffiziere, 7 Torpederoffiziere, 68 Aerzte, 1 bei der Marine zur Dienstleistung kommandirter Arzt, 42 Maschineningenieure, 2 Torpederingenieure, 42 Zahlmeister, 9 Geistliche, 6 Justizbeamte, 8 Intendanturbeamte, 60 Ingenieure (8 Direktoren, 14 Oberingenieure, 22 Ingenieure, 16 Unteringenieure), 8 Rendanten, 1 Bekleidungsverwaltungsbeamter, 2 Garnisonbaubeamte, 4 Garnison- und Lazaretverwaltungsbeamte, 293 Deckoffiziere (108 der ersten Matrosendivision, der ersten Werftdivision und der Schiffsjungenabteilung; 114 der zweiten Matrosendivision und der zweiten Werftdivision, 52 der Artillerie, 15 des Torpedowesens), 9 Zeugfeldwebel, 19 Zahlmeisteraspiranten, 83 Personen der Reserve (11 Lieutenants zur See, 33 Unterlieutenants zur See der Matrosendivisionen, 4 Unterlieutenants zur See der Matrosenartillerie, 8 Offiziere des Seebataillons, 27 Aerzte), 45 Personen der Seewehr (3 Kapitänlieutenants, 14 Lieutenants zur See, 13 Unterlieutenants zur See, 1 Hilfsunterlieutenant, 3 Offiziere des Seebataillons, 11 Aerzte).

Die Liste S. M. Kriegsschiffe und Kriegsfahrzeuge, sowie die Liste der Fahrzeuge zum Hafendienst weist aus: 13 Schlachtschiffe (7 Panzerfregatten, 6 Panzerkorvetten), 31 Kreuzer (11 gedeckte Korvetten, 10 Glattdeckskorvetten, 5 Kanonenboote der Albatross-Klasse, 5 Kanonenboote I. Klasse), 30 Küstenverteidigungsfahrzeuge (1 Panzerfahrzeug, 13 Panzerkanonenboote, 15 Torpedoboote und Minenleger, 1 Kanonenboot II. Kl.), 8 Avisos, 2 Transportfahrzeuge, 12 Schulschiffe, 20 Fahrzeuge zum Hafendienst (11 Schleppdampfer, 9 Lotsenfahrzeuge und Feuerschiffe). Hiervon sind folgende Schiffe und Fahrzeuge in Dienst gestellt:

A. *In nicht heimischen Gewässern:* 1. Auf der ostasiatischen Station: 4 gedeckte Korvetten, 2 Kanonenboote I. Klasse. 2. Auf der australischen Station: 1 Kanonenboot der Albatross-Klasse, 1 Kanonenboot I. Klasse. 3. Auf der ostamerikanischen Station: 2 Glattdeckskorvetten, 1 Kanonenboot der Albatross-Klasse. 4. Auf der westamerikanischen Station: 1 Glattdeckskorvette. 5. Im Nordatlantic: 1 Glattdeckskorvette. 6. Auf der Mittelmeerstation: 1 Aviso. Es befinden sich sonach im Ganzen auf auswärtigen Stationen: 4 gedeckte Korvetten, 4 Glattdeckskorvetten, 2 Kanonenboote der Albatross-Klasse, 3 Kanonenboote I. Klasse, 1 Aviso, zusammen 14 Schiffe und Fahrzeuge.

B. *In heimischen Gewässern:* 1 gedeckte Korvette (zu Torpedozwecken), 1 Aviso (Stationstender zu Wilhelmshaven), 1 Artillerieschiff (zu Wilhelmshaven), 1 gedeckte Korvette (Wachtschiff in Kiel). F. K.

Verschiedenes.

Die **Aussichten der Segelschiffahrt im fernen Osten** schildert uns nachstehender Privatbrief eines deutschen Kapitains aus Manila vom Neujahr 1884: „Meinen Brief ab Melbourne werden Sie seiner Zeit erhalten haben. Inzwischen habe ich eine Reise via Newcastle N. S. W., wie Sie aus der einliegenden Reiseübersicht ersehen werden, gemacht. Meine Reisen lassen, was Schnelligkeit anbetrifft, nichts zu wünschen übrig; mit dem Verdienst sieht es aber, wie überall für die Rhederei sehr traurig aus, dies werden Sie wohl aus eigener Erfahrung wissen. Erhält man hier draussen überhaupt noch Fracht, so ist dieselbe nicht allein unter aller Kritik, sondern ein Segelschiff muss ausserdem so viel Liegetage in den Kauf nehmen, dass es so zu sagen als Packhaus für den Kaufmann dient. Dampf nichts als Dampf! Den Dampfern kann und muss man eine schnelle Expedition geben, Frachten sind aber *auch für dieselben* grösstenteils unbestehbar. Meiner Ansicht nach steht die Zunahme der Dampfer in keinem Verhältnisse mit der Zunahme der Verfuhr von Produkten; es hat gewissermaassen eine Ueberproduktion stattgefunden und da Dampfer, einmal in Fahrt, nicht still liegen dürfen, so müssen sie einfach Frachten à tout prix annehmen, was natürlich auf die Segelschiffahrt einen doppelten Einfluss ausübt. Oft und wieder hat man gesagt, Frachten könnten nicht niedriger gehen, aber wir haben Perioden durchgemacht, in denen es dennoch geschah; ob aber Dampfer für Hausreisen noch niedrigere Frachtraten acceptiren können, als jetzt offerirt werden, bezweifle ich doch sehr. Kleinere Dampfer von 7—800 Tons — worunter viele unter deutscher Flagge — verdienen bei richtiger und sparsamer Führung immer noch etwas in der Küstenfahrt, für Segelschiffe scheint aber auch diese vorbei zu sein, und so kann es leicht möglich werden, dass wir alten Kerls noch die Segelschiffe auf See suchen müssen aber nicht finden können. Dies ist meine Ansicht von der Segelschiffahrt, möchte gern mal Ihre werte Ansicht darüber hören" etc. etc.

Deutsche Kohlenausfuhr und Deckung unsers Bedarfs an Seeleuten. Es ist leider Thatsache, dass der Matrosenersatz für die kaiserliche Marine immer schwieriger wird und dass die deutsche Seebevölkerung überhaupt an Zahl abnimmt, während viele deutsche Matrosen den Dienst auf englischen und amerikanischen Kauffahrern vorziehen, weil sie dort höhern Lohn als auf deutschen erhalten. Es fragt sich nun, ob unser Land Grundlagen besitzt, dieser Erscheinung zu begegnen, und welche Mittel hierzu angewandt werden können. Wir glauben diese Frage, was die Grundlagen anbetrifft, bejahen zu müssen, unter Hinweis auf den ausserordentlich grossen Mineralreichtum unseres Landes, besonders auf den Reichtum an Kohlen, und was die Mittel anbetrifft, so müssen wir auf unsern Hauptkonkurrenten, nämlich England, sowie auf die Mittel und Wege, welche dieses Land zu gunsten seiner Kohlenausfuhr, dadurch indirekt zu gunsten seines Handels und der Schiffahrt angewandt hat, aufmerksam machen. Es dürfte genügend bekannt sein, dass die Engländer, unsere Hauptkonkurrenten in allen Hafenplätzen, den Handel mit Kohlen ausserhalb Englands als Haupthebel zu der heutigen Bedeutung ihrer Schiffahrt ansehen und in demselben die eigentliche Ursache ihres grossen Uebergewichts derselben über die anderer Nationen erblicken. Die Kohlenflotte ist der Nerv der ganzen englischen Kriegsmarine, und zwar weil sie die Hauptschule der Matrosen ist. Jedes disponible Schiff ist in normalen Zeiten sicher, Fracht in englischen Kohlenhäfen zu finden, und jeder unbeschäftigte Seemann findet dort mit Sicherheit Stelle. Die englische Regierung hat deshalb die grössten Anstrengungen nicht gescheut, um eine Ausfuhr hervorzurufen und zu heben, welche ohne Schädigung der industriellen Kraft des Landes in kräftiger Weise zum Uebergewicht auf See und zur Ermöglichung billigster Frachtsätze der übrigen Fabrikationsartikel, sowie der zur Herstellung derselben nötigen aus der Fremde herbeizuschaffenden Rohmaterialien beiträgt.

Ein englisches Schiff und jedes andere in englischen Kohlenhäfen gelöschte Schiff ist nicht gezwungen, mit wertlosem Ballast auszulaufen, es ist vielmehr in der Lage, den stets bereiten Artikel Kohlen als solchen einzunehmen, und so könnte es auch in unseren Haupt-Nordseehäfen sein. Dieses Verhalten der Engländer sollte uns als Richtschnur dienen.

Der Westfälische Kohlen-Ausfuhr-Verein, der bedauerlicherweise nicht mit den nötigen Mitteln ausgerüstet ist, Ausfuhr in grossem Umfange zu betreiben, hat indessen durch seine Versuche Kohlen in ganzen Schiffsladungen, deren Zahl in der gegenwärtigen Verschiffungsperiode die Ziffer 400 überschreiten wird, auszuführen, die Möglichkeit der Ausfuhr von Produkten des rheinisch-westfälischen Steinkohlenbergbaues erwiesen, namentlich die Anerkennung der Qualitäten dieser Produkte zuwege gebracht und durchgesetzt. Es handelt sich in der Hauptsache von jetzt ab darum, den Kreis unserer ausländischen Abnehmer zu vergrössern, hierzu würde nichts dienlicher sein, als wen die Reichsregierung oder die kaiserliche Admiralität dazu übergünge, an auswärtigen Plätzen Kohlenniederlagen zu errichten oder wenigstens mit Lieferanten geeignete Verträge abzuschliessen, welche denselben die Errichtung solcher Niederlagen zur Möglichkeit machten. Würde alsdann den Inhabern solcher Kohlenniederlagen gestattet, ausser einem für S. M. Schiffe stets zu reservirenden bestimmten Quantum eine fernere Menge einzulagern, über welche sie freihändig verfügen können, so wäre dadurch nicht nur das Erhalten der Niederlagen mit bester und frischester Ware gesichert, sondern auch die Möglichkeit gegeben, zunächst anlaufende deutsche Frachtdampfer mit den ihnen nötigen Betriebskohlen zu versehen, welche dadurch in geeignetster Weise den Dampfern anderer Nationen als Beispiel dienen würden. Eine zweckmässige Einleitung und Unterstützung der rheinisch-westfälischen Kohlenausfuhr ist nicht denkbar. Wenn man sich vergegenwärtigt, welch ungemein günstige Rückwirkung dadurch auf unsere Seeschiffahrt hervorgebracht werden würde, im Falle es auf diese Weise, was uns nicht zweifelhaft ist, gelingt, nach und nach eine Kohlenausfuhr in grösserm Umfange herbeizuführen, so schöpft man hieraus den Mut, diese Frage unsern massgebenden Personen zur Erwägung recht dringlich ans Herz zu legen. Werden endlich unsere Seehäfen mit zweckmässigen Ueberlade-Vorrichtungen, deren Anlage wir schon so lange und dringlich befürwortet haben, versehen, so wird man in unseren Häfen ebenso rasch und zweckmässig bedient werden können, als in den englischen, da es nur einer einfachen Verständigung mit uns bedarf, um die nötige Kohlenmenge in dem geeigneten Zeitpunkte zur Ueberladung bereit zu haben. (. 1

HANSA

Redigirt und herausgegeben
von
W. von Freeden, BONN, Thomastrasse 9.
Telegramm-Adresse:
Freeden Bonn.
oder
Hansa Alterwall 28 Hamburg.

Verlag von H. W. Silomon in Bremen.
Die „Hansa“ erscheint jeden 2ten Sonntag. Bestellungen auf die „Hansa“ nehmen alle Buchhandlungen, sowie alle Postämter und Zeitungsexpeditionen entgegen, desgl. die Redaktion in Bonn, Thomastrasse 9, die Verlagshandlung in Bremen, Obernstrasse 45 und die Druckerei in Hamburg, Alterwall 28. Sendungen für die Redaktion oder Expedition werden an den letztgenannten drei Stellen angenommen. Abonnement jederzeit, frühere Nummern werden nachgeliefert.

Abonnementspreis:
vierteljährlich für Hamburg 2½ ℳ,
für auswärts 3 ℳ = 3 sh. Sterl.
Einzelne Nummern 50 ₰ = 6 d.

Wegen Inseraten, welche mit 35 ₰ die Petitzeile oder deren Raum berechnet werden, beliebe man sich an die Verlagshandlung in Bremen oder die Expedition in Hamburg oder die Redaktion in Bonn zu wenden.

Frühere, komplete, gebundene Jahrgänge von 1873 1874, 1876, 1877, 1878, 1879, 1880, 1881, 1882 sind durch alle Buchhandlungen, sowie durch die Redaktion, die Druckerei und die Verlagshandlung zu beziehen.
Preis ℳ 5; für letzten und vorletzten Jahrgang ℳ 8.

Zeitschrift für Seewesen.

No. 13. HAMBURG, Sonntag, den 29. Juni 1884. 21. Jahrgang.

Das Abonnement
auf unsere Zeitschrift bitten wir baldigst zu bestellen. Die Post verlangt vor Anfang jeden Quartals neue Bestellung und Vorausbezahlung.

Inhalt:

Zeichen der Zeit.

Während man bislang ruhig annehmen durfte, dass jeder handelspolitischen Vorlage der Reichsregierung der Widerstand der Hansestädte ziemlich sicher sein würde, weil letztere noch immer nicht von der Ansicht lassen wollen, dass sie allein die eigentlich richtige Anschauung und Erfahrung im Welthandel besässen, hat sich neuerdings in diesen Kreisen anscheinend ein grosser Umschwung vollzogen. Wir rechnen unter die bedeutsamsten Erscheinungen nach dieser Richtung die Ansiedelung der Bremer Firma Lüderitz & Co. in Angra Pequeña, die Befürwortung der Postdampfervorlage durch den Reichstags-Abgeordneten H. H. Meier aus Bremen und die Eingabe von fünfzig grösseren Hamburger Firmen (besonders Importeuren von Kaffee) um Einführung einer Surtaxe d'entrepôt. Man kann nicht sagen, dass diese Erscheinungen auf ureigene Gedanken der betreffenden Personen zurückzuführen sind. Lange vor der Besitzergreifung des afrikanischen Gebiets durch die Bremer Firma und den von ihr beim Reiche gestellten Antrag auf Gewährung von Reichsschutz, hatte die Reichsregierung die bekannte Samoa-Vorlage beim Reichstage eingebracht. Die Linke voran und verschiedene andere Gruppen des Reichstags betrachteten die Samoa-Vorlage indessen nicht als einen *möglichen* Anfang zur Erwerbung von Kolonien durch das Reich, sondern etwa von dem Standpunkt, wie man ein geplantes Actienunternehmen rechnungsmässig prüft, und da die Aussichten auf Gewinn nicht völlig sicher waren, verwarfen sie die Vorlage, um damit der Annahme, dass die Regierung auf Erwerbung von auswärtigen Besitzungen sinne, ein zweifelloses Dementi zu geben. Im Reiche bedauerte man allgemein die Ablehnung, aber obwohl die Regierung seitdem nicht verraten hat, dass sie dem allgemeinen Zuge der europäischen Seemächte, aus noch nicht mit Europa verbundenen auswärtigen Ländern europäische Kolonien zu machen, zu folgen Lust habe, so hat doch das Beispiel gewiss auf den Entschluss der Bremer Firma eingewirkt, vor der Hand privatim koloniale Erwerbungen einzuleiten, für welche nachher der Reichsschutz, voraussichtlich nicht vergeblich, anzurufen sei. Letzteres ist eingetroffen, und zwar in einer so bündigen diplomatisch vollendeten Weise, dass die verblüfften Engländer, welche schon ihr altes «hands off» geltend machen wollten, jetzt höchstens im Hause der Lords einige schwache derartige Rufe ertönen lassen zum Zeichen, dass das alte Gelüste noch nicht in jeder Brust erloschen ist, wenn ihm auch keinerlei Folge gegeben werden soll. So hat eine Hansa-Firma selber mit der alten Tradition gebrochen, als ob eine deutsche Flotte und deutsche Kolonien an sich vom Uebel seien.

Es ist ebenfalls noch nicht lange her, als man von dieser Seite sich hartnäckig darauf steifte, dass es das einzige Zeichen der Gesundheit einer Handels-Unternehmung sei, wenn dieselbe völlig auf eigenen Füssen stehe, und eine Unterstützung von Aussen her als verderblich ablehne. Dass der Grundsatz schön an sich ist und Mannesmut verrät, soll von uns am wenigsten geleugnet werden. Aber die Folge war die, dass weniger direkt rentable Unternehmungen unterblieben und fremde Nationen, welche nicht so prüde über Staatssubventionen und Privilegien aller Art dachten, neue Verbindungen schufen und anknüpften, deren wir wenigstens ebenso bedürftig waren als sie. Es war deshalb ein weiser Schritt der Reichsregierung, die Nation von diesen falschen, von den Hansestädten im Lande und der Linken im Reichstag hauptsächlich vertretenen, Anschauungen zu warnen, indem sie sich direkt erbot, zur Errichtung schneller Postdampfer-Linien nach Ostasien und Australien die namhafte Summe von jährlich 4 Millionen und darüber aus Reichsmitteln beizutragen. Die vereinigte Linke hat natürlich auch diesen durchaus nationalen Antrag von ihrem wie immer engen kalkulatorischen Standpunkt bekämpft, weil schon auswärtige Linien dieses Geschäft ausreichend besorgten und wir nicht unnützer Weise unsere Steuerlast vermehren dürften. Leider hat der Reichstag in soweit diesen jämmerlichen Standpunkt geteilt, als er die Vorlage an die Budgetkommission verwies, statt wie unsere nationalliberale Partei wollte, sie gleich in zweiter Lesung im vollen Hause durchzudrücken. Indessen ist doch hervorzuheben, dass der Vertreter für Bremen »mit seiner 27jährigen Erfahrung als Rheder und Kaufmann« ein kräftiges Wort für die Postdampfervorlage vorher eingelegt und hoffentlich damit für die zweite Lesung und deren Ausgang wirksam vorgearbeitet hat.

Was aber den jetzt laut ersten Zeitungsnachrichten beim Reichskanzler eingegangenen Antrag von fünfzig grossen Hamburger Handelshäusern auf Einführung einer Surtaxe d'entrepôt und der damit beantragten Wiedereinführung einer unterschiedlichen Behandlung einkommender Schiffe anbelangt, so möchten wir allerdings wünschen, dass der in seinem Leben mehr als recht war geschmähte Mosle diesen Schritt der Hansagenossen noch erlebt hätte. Da die ganze Nachricht vorerst auf Mitteilungen in einzelnen Blättern beruht, der Wortlaut der Eingabe noch völlig unbekannt ist, so versteht es sich von selbst, dass wir uns zur Sache nicht darüber äussern können, höchstens könnten wir hervorheben, wie viel Zeit gewisse Ideen nötig haben, um populär zu werden und ihre Anhänger dazu zu ermutigen sich öffentlich zu ihnen zu bekennen und Folgerungen aus ihnen zu ziehen. Jedenfalls wird unser grosser Kanzler eine grosse Genugthuung darin finden, dass wiederum ein anderer Teil seiner handelsreformatorischen Ideen so gewichtige Vertreter auch in der andern Hansestadt gefunden hat. Des Reiches Wohlfahrt aber wird wie bisher am besten gedeihen, wenn auch ferner der Wahrspruch der obersten Stätte bleibt »Prüfet Alles und das Beste behaltet.«

Der Seeverkehr in den deutschen Häfen und die Seereisen deutscher Schiffe im Jahre 1882.

Der soeben ausgegebene II. Teil des 62. Bandes der „Statistik des deutschen Reichs" enthält den Seeverkehr in den deutschen Hafenplätzen und die Seereisen deutscher Seeschiffe im Jahre 1882; nach ihm beziffert sich die gesamte Schiffsbewegung des deutschen Reichs im Jahre 1882 auf: 109 548 ein- und ausgegangene Schiffe mit einer Ladungsfähigkeit von 17 135 053 Reg.-Tons. Mitgerechnet sind hierbei 2920 Schiffe von 274 590 Reg.-Tons, welche nicht zu Handelszwecken die deutschen Häfen besuchten; *der ganze Seeverkehr des deutschen Reichs zu Handelszwecken* stellt sich demnach auf: 106 628 angekommene und abgegangene Schiffe mit einem Netto-Raumgehalt von 16 860 463 Reg.-To. gegenüber 102 642 Schiffen mit 15 410 019 Reg.-To. im Vorjahre. Es ergiebt dies eine Zunahme des Seeverkehrs für das Jahr 18[illegible] um 3986 Schiffe mit 1 470 444 Reg.-To. Raumgehalt; [illegible] dieser Zunahme ist der Verkehr der Segelschiffe mit 11[illegible] Schiffen und 70 013 Reg.-To., derjenige der Dampfschiff[e] mit 2861 Schiffe und 1 400 431 Reg.-To. beteiligt.

Nach den drei Hauptrichtungen des deutschen Seeverkehrs mit dem Vorjahre verglichen weist auf i. J. 18[illegible]

1. der Verkehr der deutschen Häfen unter sich in d[er] Gesamtsumme der ein- und ausgelaufenen Schiffe ein[e] Zunahme um 502 Schiffe und 355 926 Reg.-To.,
2. der Verkehr der deutschen Häfen mit ausserdeutsche[n] europäischen Häfen eine Vermehrung um 3440 Schif[fe] und 967 238 Reg.-To.,
3. der Verkehr zwischen deutschen und aussereuropäische[n] Häfen endlich eine solche um 44 Schiffe und 147 [illegible] Reg.-Tons.

Im Einzelnen betrachtet, ist die Zunahme in der Za[hl] der angekommenen und abgegangenen Schiffe im Verke[hr] der deutschen Häfen unter sich für das Jahr 1882 [illegible] Vergleich zum Vorjahre hauptsächlich eine Folge des [illegible] hafteren Schiffs- (Küsten-) Verkehrs in den Häfen [illegible] westlichen Teils der Provinz Hannover, der Provinz Ost- und Westpreussen, des Grossherzogtums Oldenb[urg] des Nordseegebiets der Provinz Schleswig-Holstein [illegible] des Grossherzogtums Mecklenburg-Schwerin; dagegen [illegible] giebt sich ein grösserer Rückgang in der Zahl der [illegible] kehrenden Schiffe für die Häfen des Ostseegebiets [illegible] Provinz Schleswig-Holstein, der freien Städte Hamb[urg] und Lübeck, des östlichen Teils der Provinz Hann[over] und der Provinz Pommern. Der Hauptanteil an der [illegible] nahme des Verkehrs zwischen deutschen Häfen entf[ällt] wie auch im Vorjahre, auf die Dampfschiffe; denn [illegible] rend die im deutschen Küstenverkehr angekommenen [illegible] abgegangenen Segelschiffe der Zahl nach sogar um [illegible] hinter den im Jahre 1881 angeschriebenen zurückblie[ben] und dem Raumgehalt nach nur um 11 423 Reg.-To. [illegible] genommen haben, beziffert sich die Steigerung des Dam[pf]schiffsverkehrs auf 390 Schiffe und 344 503 Reg.-[To.] Eine Verminderung in der Zahl der ein- und ausgegang[enen] Dampfer fand statt in den Häfen der Provinz Pom[mern] des Ostseegebiets der Provinz Schleswig-Holstein, [illegible] westlichen Teils der Provinz Hannover und der [illegible] Stadt Lübeck.

Die im Verkehr zwischen deutschen und ausserdeutschen europäischen Häfen gegen das Vorjahr sich her[aus]stellende bedeutende Vermehrung trifft zum grossen [Teil] auf den Verkehr mit dänischen, britischen, schwedi[schen] und den russischen Ostsee-Häfen; es beträgt die [Zu]nahme dem Vorjahre gegenüber für den Verkehr [mit] dänischen Häfen 1400 angekommene und abgegang[ene] Schiffe und 166 251 Reg.-To. oder bezw. 41 % und 1[illegible] mit britischen Häfen 664 Schiffe und 291 735 Reg.-[To.] (19 % bezw. 30 %), mit schwedischen Häfen 61[illegible] Schi[ffe] und 98 923 Reg.-To (18 % bezw. 10 %) und mit d[en] russischen Ostseehäfen 383 Schiffe und 130 159 Reg.-[To.] (11 % bezw. 13 %). In dem Verkehr mit den übrig[en] europäischen fremden Häfen ist, mit Ausnahme der [illegible] schen, rumänischen, griechischen und der russischen Hä[fen] am weissen Meere und Eismeere, eine allgemeine [illegible] weise nicht unbeträchtliche Vergrösserung ersichtlich.

Die kleine Vermehrung in der Zahl und dem Ra[um]gehalt der von aussereuropäischen Häfen im deutsch[en] Reich angekommenen und dorthin abgegangenen Sch[iffe] rührt von der Zunahme des transatlantischen Dampf[er]verkehrs bei einer geringen Abnahme des Segelschiffver[]kehrs her. Verhältnismässig bedeutendere Aenderung[en] gegen das Vorjahr haben nur stattgefunden im Verk[ehr] mit den südamerikanischen Häfen am stillen Meere [illegible] lich von Chile, mit Brasilien und den westindischen [illegible] wo eine Steigerung um bezw. 53, 49 und 21 Schiffe [illegible] bezw. 41 979, 34 436 und 10 123 Reg.-Tons eintrat, [illegible] Verkehr mit Ostindien, in welchem ein Rückgang um [illegible] Schiffe und 22 569 Reg.-Tons stattfand, und im Verk[ehr] mit den Vereinigten Staaten von Amerika, wo sich

Zahl der Schiffe um 61 verminderte, der Tonnengehalt dagegen um 41 896 Reg.-Tons zunahm.

Im Jahre 1882 sind in deutschen Häfen

1. *angekommen:*

a) mit Ladung

	29 078	Segelschiffe mit	2 284 559	Reg.-To.
	14 136	Dampfschiffe „	5 308 118	„
	b) in Ballast oder leer			
	8 535	Segelschiffe mit	341 246	„
	1 514	Dampfschiffe „	566 946	„
	c) zusammen			
	37 613	Segelschiffe mit	2 585 805	„
	15 650	Dampfschiffe „	5 875 064	„
überhaupt angekommen	53 263	Schiffe mit	8 440 869	Reg.-To.
und zwar deutsche	29 464	Segelschiffe „	1 533 707	„
	8 779	Dampfschiffe „	2 563 210	„
fremde:	8 149	Segelschiffe „	1 032 098	„
	6 871	Dampfschiffe „	3 311 854	„

2. *abgegangen:*

a) mit Ladung

	27 052	Segelschiffe mit	1 783 077	„
	12 849	Dampfschiffe „	4 440 545	„
	b) in Ballast oder leer			
	10 691	Segelschiffe mit	774 695	„
	2 773	Dampfschiffe „	1 441 277	„
	c) zusammen			
	37 743	Segelschiffe mit	2 557 772	„
	15 622	Dampfschiffe „	5 881 822	„
überhaupt abgegangen	53 365	Schiffe mit	8 439 594	Reg.-To.
und zwar deutsche	29 472	Segelschiffe „	1 538 911	„
	8 784	Dampfschiffe „	2 590 636	„
fremde:	6 271	Segelschiffe „	1 018 861	„
	6 838	Dampfschiffe „	3 291 166	„

Am Gesamtverkehr des Reichs hatten hiernach im Jahre 1882 Anteil unter 100 verkehrenden Schiffen 70,9 Segelschiffe, 29,1 Dampfschiffe und von je 100 Reg.-To. der verkehrenden Schiffe kommen 30,4 auf Segelschiffe und 69,6 auf Dampfschiffe.

Von je 100 verkehrenden Schiffen kommen auf deutsche Schiffe 71,1, auf fremde Schiffe 28,9; von je 100 Reg.-Tons Raumgehalt der verkehrenden Schiffe kommen dagegen 48,5 auf deutsche und 51,5 auf fremde Schiffe.

Eine besonders hervorragende Stellung nimmt unter den fremden Flaggen in Bezug auf die Ladefähigkeit der verkehrenden Schiffe die britische ein: im Jahre 1882 kamen vom Gesamttonnengehalt aller in deutschen Häfen ein- und von dort ausgelaufenen Schiffe 30,4 % auf britische, und in den Vorjahren war dies Verhältnis sogar noch grösser. Der Verkehr der britischen Dampfer, welcher sich im Jahre 1878 dem Raumgehalt nach auf 44,3 % des Gesamtraumgehalts der in deutschen Häfen angekommenen und von dort abgegangenen Dampfschiffe berechnete, betrug im Jahre 1882 nur noch 40,1 % des letzteren, während die Beteiligung der deutschen Dampfschiffe in demselben Zeitraum der Ladefähigkeit nach von 38,1 % auf 43,6 % stieg.

Zieht man den Verkehr der einzelnen Häfen nach der Gesamtladefähigkeit der in denselben ein- und ausgegangenen Schiffe in Betracht, so ergiebt sich, dass in 29 deutschen Hafenplätzen die Gesamtladefähigkeit der in jedem derselben ein- und ausgegangenen Schiffe 50 000 Reg.-Tons überstieg, während die geringste Zahl der ein- und ausgegangenen Schiffe gegen 350 beträgt.

Der Seeverkehr in diesen 29 Hafenplätzen belief sich im *Mittel von Ein- und Ausgang* auf 33 777 Schiffe mit einem Gesamtraumgehalt von 8 025 481 Reg.-To., woraus sich die durchschnittliche Ladefähigkeit eines Schiffes zu 237,6 Reg.-To. berechnet, gegenüber 228,6 Reg.-To. im Vorjahre. Die verhältnismässig bedeutendste Zunahme des Gesamtseeverkehrs im Vergleich zum Vorjahre weisen dem Raumgehalt nach Königsberg mit 59,7 %, Swinemünde mit 39,6 %, Neumühlen mit 39,1 %, Kappeln mit 30,9 %, Bremen mit 26,1 % und Neufahrwasser mit 25,3 % auf; eine Abnahme der Schiffsbewegung fand nur in Bremerhaven mit 6,1 % statt.

Unter den 29 Haupthäfen des Reichs treten mehrere Häfen durch einen bedeutenden Dampfschiffsverkehr hervor, und zwar sind es deren 15, bei denen die Ladungsfähigkeit der in jedem derselben ein- und ausgegangenen Dampfschiffe 100 000 Reg.-Tons übersteigt; es belief sich der Verkehr nach dem *Mittel der ein- und ausgegangenen Schiffe* in diesen 15 Häfen auf 12 407 Dampfschiffe mit einem Gesamtraumgehalt von 5 635 367 Reg.-Tons, und zwar:

a) nach der Anzahl der verkehrenden Dampfschiffe

Hamburg	3 586	Pillau	296
Kiel	2 089	Geestemünde	224
Stettin	1 583	Flensburg	202
Lübeck	1 066	Memel	170
Königsberg	993	Neumühlen	135
Neufahrwasser	977	Tönning	108
Bremerhaven	520	Altona	72
Swinemünde	386		

b) nach dem Raumgehalt der verkehrenden Dampfschiffe

	Reg.-To.		Reg.-To.
Hamburg	2 431 029	Pillau	163 063
Bremerhaven	568 569	Geestemünde	106 013
Stettin	538 120	Tönning	63 885
Neufahrwasser	387 458	Altona	61 458
Königsberg	339 737	Flensburg	60 528
Kiel	338 629	Memel	55 768
Lübeck	273 314	Neumühlen	50 844
Swinemünde	196 952		

Im Vorjahre bezifferte sich der Dampfschiffsverkehr in denselben 15 Häfen nur auf 10 906 Dampfschiffe mit 4 941 748 Reg.-Tons.

Im Vergleich mit dem Vorjahre weisen die Häfen Königsberg, Swinemünde, Neufahrwasser, Memel, Neumühlen, Lübeck und Kiel dem Raumgehalt nach die bedeutendste Vergrösserung ihres Dampfschiffsverkehrs auf; es berechnet sich dieselbe auf bezw. 43,2, 34,5, 34,2, 31,7, 25,5 und 25 %. Eine Abnahme des Dampfschiffsverkehrs fand nur in den beiden Häfen Bremerhaven und Flensburg statt, es verringerte sich derselbe dem Raumgehalt nach in ersterem Hafen um 3,4, in letzterem um 0,3 %.

Die Gesamtzahl der von deutschen Schiffen im Jahre 1882 gemachten Seereisen beträgt 59 362 und der entsprechende Raumgehalt 13 613 064 Reg.-To.; dies ergiebt im Vergleich mit den im Jahre 1881 nachgewiesenen 57 233 Reisen und einem entsprechenden Tonnengehalt von 12 041 091 Reg.-To. eine Zunahme in der Zahl der Seereisen um 2129 und eine Vergrösserung des Gesamt-Raumgehalts um 1 571 973 Reg.-Tons.

Es fanden statt Reisen deutscher Schiffe

	mit Ladung		in Ballast od. leer	
	Schiffe	Reg.-To.	Schiffe	Reg.-To.
zwischen deutsch. Häfen	22 496	978 173	6365	275 385
vom Auslande nach deutschen Häfen	7771	2637398	1482	190 789
von deutschen Häfen nach dem Auslande	7568	2418109	1879	467 332
zwischen ausserdeutsch. Häfen	8517	5431664	3284	1213914
Gesamtzahl d. Seereisen	46 352	11465644	13010	2147420

Der Verkehr deutscher Schiffe zwischen deutschen Häfen untereinander hat gegen das Vorjahr um 380 Fahrten und 131 439 Reg.-Tons zugenommen.

Die Zahl der Reisen deutscher Schiffe zwischen deutschen und fremden Häfen, d. h. die Zahl der Reisen von Deutschland nach dem Auslande und vom Auslande nach Deutschland, hat, verglichen mit dem Vorjahr, um 1006 zugenommen, die entsprechende Ladefähigkeit sich um 556 436 Reg.-Tons vergrössert.

Zwischen ausserdeutschen Häfen wurden von deutschen Schiffen unter Mitrechnung der Zwischenfahrten hamburgischer und bremischer Dampfer im Ganzen 11 801 Reisen gemacht, d. h. 743 Reisen mehr als im Vorjahre. Von diesen Fahrten wurden 7 529 in europäischen und 4 272 in aussereuropäischen Hafenplätzen begonnen, und hatten 7 534 europäische und 4 267 aussereuropäische Häfen als Reiseziel.

Von den sämtlichen Seereisen der deutschen Schiffe wurden 78,1 % mit Ladung und 21,9 % in Ballast oder leer gemacht. Insbesondere waren von den Schiffen auf Reisen

	beladen	in Ballast
zwischen deutschen Häfen	77,9 %	21,1 %
„ deutschen Häfen und andern europäischen Ländern	80,4 „	19,6 „
„ deutschen Häfen und aussereuropäischen Ländern	98,9 „	1,1 „
„ ausserdeutschen Häfen Europas	63,5 „	36,5 „
„ ausserdeutschen Häfen Europas u. aussereuropäisch. Ländern	93,9 „	6,1 „
„ aussereuropäischen Häfen	75,9 „	24,1 „

—s—

Schiffsverkehr im Suezkanal im Jahre 1883.

Während des Jahres 1883 haben 3307 Schiffe von 5 776 823 Nettotonnen oder 8 051 307 Bruttotonnen den Kanal befahren und 65 622 306 Francs an Kanalgebühren entrichtet. Der Flagge nach verteilen sich diese Schiffe folgendermassen:

Flagge	Schiffszahl	Nettotonnen in 1000 To.	Bruttotonnen in 1000 To.	Kanalgebühren in 1000 Fr.
Englische	2537	4406	6136	49 920
Französische	272	557	783	6 341
Holländische	124	229	310	2 612
Deutsche	122	156	213	1 764
Italienische	63	132	194	1 477
Spanische	51	107	149	1 221
Oesterreich-Ungarische	67	99	137	1 195
Russische	18	28	44	346
Norwegische	19	25	34	291
Belgische	12	17	28	194
Türkische	9	7	10	107
Japanische	5	4	6	48
Egyptische	3	2	5	37
Chinesische	1	3	2	24
Dänische	2	2	3	24
Portugiesische	1	1	1	12
Amerikanische	1	1	1	9
	3307	5777	8051	65 622
Dagegen im Jahre 1882	3198	5075	7122	60 216

Der Zahl der Schiffe nach entfielen in Prozenten auf die englische Flagge 76,8, die französische Flagge 8,2, holländische 3,7, deutsche 3,7, italienische 1,9, spanische 1,5, österr.-ungarische 2,0 u. s. w., dem Bruttogehalt nach auf die englische Flagge 76,2, französische 9,1, holländische 3,6, deutsche 2,7, italienische 2,4, spanische 1,8, österr.-ungarische 1,7 u. s. w.

Zu dem oben nachgewiesenen Betrag der im Jahre 1883 erhobenen Kanaltaxen kommen noch verschiedene Nebeneinnahmen, zusammen ca. 3 Mill. Francs, so dass im Ganzen ein Erträgnis von ca. 68½ Mill. Francs erzielt wurde. Von den 3307 Schiffen, welche voriges Jahr den Kanal transitirten, kamen 1663 (gegen 1610 im Vorjahr) vom Mittelländischen, 1644 (gegen 1588) vom Roten Meer; der Gattung nach befanden sich darunter: 2498 Handelsdampfer (gegen 2220 im Vorjahr), 588 (gegen 506) Postdampfer, 96 (gegen 141) Dampfer in Ballast, 54 (gegen 42) Transportschiffe, 25 (gegen 56) Avisoschiffe, 10 (gegen 22) Kanonenboote, 9 (gegen 12) Korvetten, 8 (gegen 8) Kreuzer, 7 (gegen 10) Yachten, 5 (gegen 10) Panzerschiffe, 3 (gegen 1) Fregatten u. s. w. Der Durchschnitt des Tonnengehaltes und der Kanalgebühren stellt sich pr. Schiff wie folgt: Nettotonnage 1747 (im Vorjahr 1587), Bruttotonnage 2435 (gegen 2227), Kanalgebühren 19 843 Francs (gegen 18 829 Francs).

—s—

Der Schiffbau Grossbritanniens in den Jahren 1881 und 1882.

Der Schiffbau ist anerkanntermaassen während der letzten Jahre eine Hauptstütze des Wohlstandes.

Dampfschiffe wurden gebaut in 1881:

				Zuwachs Tons
aus Stahl	34,	Tonnengehalt	68 366	
verloren	1,	»	1 536	66 830
» Eisen	411,	»	590 503	
verloren	139,	»	138 370	452 133
			zusammen	518 963
» Holz	30,	»	1 659	
verloren	18,	»	1 704	— 45
Totalzuwachs an Dampfschiffen nach Tonnengehalt				518 918

Segelschiffe wurden gebaut in 1881

aus Stahl	3,	Tonnengehalt	3 167	3 167
» Eisen	50,	»	68 650	
verloren	52,	»	43 936	24 714
			zusammen	27 881
» Holz	269,	»	16 448	
verloren	821,	»	168 579	
oder ein Ueberschuss der verlorenen über die neuerbauten von				124 250

Für 1882 stellten sich die Ziffern wie folgt:

Dampfschiffe:

				Zuwachs Tons
in Stahl	65,	Tonnengehalt	116 449	116 449
keine Verluste	—,	»	—	
» Eisen	446,	»	672 740	
verloren	168,	»	160 743	511 997
			zusammen	627 446
» Holz	30,	»	1 784	
verloren	24,	»	2 516	— 732
Totalzuwachs an Dampfschiffen nach Tonnengehalt				626 714

Segelschiffe:

in Stahl	8,	Tonnengehalt	13 478	13 478
keine Verluste	—,	»	—	
» Eisen	23,	»	112 852	
verloren	45,	»	46 153	66 699
			zusammen	79 177
» Holz	246,	»	13 066	
verloren	789,	»	164 294	
also ein Ueberschuss der Verluste von				151 228

was einen Ausfall des Tonnengehalts der Segelschiffe von 72 051 ausmacht.

Diese Zahlen zeigen deutlich, dass Eisen und Stahl als Material der Zukunft für den Schiffbau betrachtet werden. Die Segelschiffe verschwinden mehr und mehr, ebenso die hölzernen Dampfschiffe; der Neubau der letzteren scheint sich, nach dem Tonnengehalt zu schliessen, lediglich auf Schleppschiffe zu beschränken.

Fassen wir die vorstehenden Zahlen für die beiden Jahre zusammen, so finden wir das folgende Ergebnis:

				Zuwachs Tons
Neue Dampfschiffe in Eisen oder Stahl:	906,	Tonnengehalt	1 447 058	
verloren oder aufgebrochen	298,	»	300 649	1 146 409
Dampfschiffe in Holz	60,	»	3 443	
verloren etc.	42,	»	4 220	
Ueberschuss der verlorenen				777
Bleibt Zuwachs				1 145 632

—s—

Aus Briefen deutscher Kapitäne.

IX.

Taiwanfu auf Formosa (Schluss).

Ansegelung von Anping. Kommt man von Takao, so ist das Auffinden von Anping sehr leicht, um so mehr, da man sich dicht an die Küste heran loten kann selbst bei diesigem Wetter; anders liegt aber die Sache, wenn man von Westen, also von See aus kommt und die Pescadores nicht gesehen hat; da der Strom unregelmässig setzt, so weiss man dann in der Regel nicht genau, ob man nördlich oder südlich vom Orte steht; herrscht zugleich diesiges Wetter, welches hier sehr häufig stattfindet, so ist die Aussegelung schwierig.

a. Man kommt zu nördlich. — Der Grund steigt steil an, man läuft innerhalb einer Seemeile von 40 Faden (73 m) und mehr nach 8 Faden (15 m) und weniger und steht dann noch 1 bis 2 Sm. von den Bänken ab. Bei mehr als 15 Faden ($27,_{4}$ m) Wassertiefe ist der Grund weich, bei weniger: hart. Die Grenze zwischen Tief- und Grundwasser ist scharf markirt und läuft mit der Küste parallel, man kann diese Farbegrenze von der Marsraa aus in 2—3 Sm. Entfernung deutlich ausmachen und sieht zugleich auch die niedrigen „dunkeln schmutziggelben" Dünen von Vegetation entblösst, nur hin und wieder von einzelnen Häusern, nicht Dörfern, und hohen, vierkantigen Rahmen zum Trocknen der Netze besetzt, die sich in 5—6 Sm. Abstand wie Inseln ausnehmen; weisse Gebäude fehlen und ist das hohe Land im Hintergrunde in der Regel nicht zu sehen. Hinter den Dünen sieht man Junken segeln und eine Masse derselben in den verschiedenen Eingängen liegen. Brandung steht bei nördlichen Winden nicht viel auf den Bänken unterhalb East-Island, daher sei man vorsichtig und halte den einzigen zuverlässigen Warner, das Lot im Gange; dies gilt vorzugsweise von der Voyloy-Bank etwa 4 Sm. nördlich von Anping. Die Bank ist gefährlich, denn bei nördlichen Winden steht auf ihr nur etwas Kabbelung und die Tiefe nimmt rasch ab, in ½ Sm. Entfernung hat man 14 Fuss ($4,_{3}$ m) Wasser, harten Grund. Die Schiffe vor der Barre sind bei diesigem Wetter sehr schlecht zu erkennen; es passirt häufig, dass man von der Voyloy-Bank aus dieselben nicht sieht, aber selber von Anping aus gesehen wird. So sah ich vor etwa 2 Jahren eine englische Bark auf die Bank auflaufen: Kapitän und Steuermann behaupteten später, dass sie von den Schiffen vor der Barre nichts gesehen hätten und noch kürzlich, bei meiner letzten Anwesenheit, bemerkte ich wie 5 Dampfer in 3 Sm. Entfernung vorbeiliefen die uns nicht sahen, obgleich wir mit 4 Schiffen vor der Barre lagen; erst nach einiger Zeit wurden dieselben ihren Irrtum gewahr. Man gehe daher bei unsichtigem Wetter so dicht heran als möglich und halte das Lot im Gange; ist man die Voyloy-Bank passirt, d. h. wenn die Baumgruppe mit der Batterie auf den vier Inseln in O peilt, so halte man recht auf die vor Anker liegenden Schiffe ab; in Ballast bringe man Fort Zelandie in O oder OzN, aber nicht nördlicher und ankere in 4—5 Faden, wo der Ballast über Bord geworfen werden muss; mit Ladung bringe man Fort Zelandie zwischen ONO und NO, und ankere in 5—7 Faden (9—13 m) Wasser, wo Platz ist. Kleinere Schiffe können bis auf 1 Sm. an die Barre herangehen, grössere müssen etwas weiter ab bleiben. Die Baumgruppe auf den vier Inseln ist deshalb so gut kenntlich, weil es die erste ist, die man von Norden kommend antrifft, und weil gerade hinter der Batterie, die aber nicht gut kenntlich ist, ein einzelner hoher Baum über die Uebrigen hervorragt. Segelt man mit raumen Winde und hat den Affenberg in Sicht, so bringe man diesen nicht südlicher als SSO¾O, man läuft dann etwa 1½ Sm. von den Bänken in 6—8 Faden (11—$14,_{6}$ m) Wassertiefe entlang und passirt die Voyloy-Bank mit 5 Faden ($9,_{1}$ m) Tiefe in 1 Sm. Abstand.

b. Man bekommt weisse Gebäude (Anping) recht voraus: dann halte man nur darauf ab und ankere in den obengenannten Peilungen und Tiefen.

c. Man kommt zu südlich. — Die Farbengrenze des Wassers verläuft hier nicht so scharf markirt als im Norden, man kann sie aber trotzdem sehr gut ausmachen, auch ist die Distanz zwischen Farbengrenze und Dünen hier 5 Sm. und mehr, statt 3 Sm. und weniger im Norden; die Tiefen verlaufen allmählicher auf flaches Wasser, man wirft nicht von 20 Faden ($36,_{6}$ m) und mehr auf einmal 10 ($18,_{3}$ m) und weniger, sondern man kann sich bis auf 7 Kabellängen heranloten. Die Dünen sind „hellgelb", mässig hoch, sehen nicht wie Inseln aus und die Kämme sind mit Bäumen bewachsen. Ist es etwas sichtig, so sieht man nicht allein den Affenberg, sondern auch den Whaleback, Coast Table, Soco und Ungio Berg. Der Ungio ist ein 1080 Fuss (329 m) hoher langgestreckter Berg, dessen Kamm nur eine Ebene bildet, nach Norden zu allmählich verläuft, nach Süden zu aber terrassenförmig abfällt. Dicht dabei liegt der Soco-Berg, 800 Fuss (244 m) hoch; sein Kamm ist spitz und hat eine länglich runde Form; beide Berge sind nicht zu verfehlen, da sie dicht zusammen liegen. Hat man die Küste ausgemacht, so ist es nicht schwierig, längs den Dünen nach Anping zu kreuzen. Man liegt hier mit 45 Faden (82 m) Kette an einem Anker. Der Ankerplatz ist sicher von Mitte October bis Mai, kommt man in der übrigen Zeit, so stecke man Bojen auf den Anker, damit man ihn wiederfinden kann, falls geschlippt werden muss. Kommt im SW-Monsun schlechtes Wetter und kann man mit Sicherheit flüchten, d. h. von den Pescadores oder Takao frei kommen, so gehe man unter Segel, wenn nicht, so bleibe man liegen, gebe so viel Anker und Kette als man hat und warte das Resultat ab. Die schwerste See kommt aus SW und kommen daher die Schiffe, wenn sie Strand aufgehen, zwischen den vier Inseln und Anping hoch und trocken auf die Dünen zu sitzen. Leben werden selten verloren; es ist also besser, wenn es doch einmal Strand aufgehen soll, dies hier zu thun, anstatt bei den Pescadoren oder Takao, denn in einem Taifun werden dort selten Leben geborgen.

Der Handel hat sich in den letzten 10 Jahren von Takao nach Taiwanfu gezogen, welches für denselben bedeutend günstiger liegt als jenes, da es über ein grosses Hinterland gebietet. Es ist hier denn auch schon seit Langem eine Zollhausbank errichtet und brauchen daher die Zölle und Tonnengelder nicht mehr in Takao bezahlt zu werden, sondern man thut dies am Platze. — In den jährlichen Veröffentlichungen des chinesischen Handels, die vom Generalzollinspektor in Shanghai ausgegeben werden, wird noch immer die alte Mode befolgt, die Handelsbewegung von Taiwanfu unter der Rubrik von Takao aufzuführen: obgleich die Einfuhr im Verhältnis zu Taiwanfu sehr gering ist und der hauptsächlichste Teil der Ausfuhr ebenfalls auf Taiwanfu entfällt; Zucker wird allerdings mehr von Takao ausgeführt, andere Produkte dagegen in sehr geringen Beträgen. Diese statistischen Angaben des Generalzollinspektors beziehen sich übrigens nur auf Produkte, die in europäische Schiffe verladen werden, aber nicht auf die Ein- und Ausfuhr der Junken, und wird man nicht fehl schliessen, wenn man für die Junken ¼ oder den gleichen Betrag der untenstehenden Sätze annimmt. — Die Einfuhrhäfen für Taiwanfu Takao vermittelst europäischer Schiffe sind Hongkong, Amoy, Foochow, Shanghai. — Folgende Artikel werden hauptsächlich eingeführt: Opium, Baumwollenzeuge, Wollenzeuge, Eisen in Stangen, Eisenwaren, Blei, Petroleum, Petroleumlampen, Schirme, Seife, Glas, Reis, Taback, messingene Knöpfe, chinesische Medizin, getrocknete Lilienblüten, Sandelholz, eiserne Zuckerpfannen, Steine, Mehl, Uhren u. s. w.

Dagegen ausgeführt: Zucker, Erdnüssekuchen, Erdnüsse, Hanf, Felle, Turmerik, Saat, Salz u. s. w.

Unter den Einfuhrprodukten treten für 1881 folgende Artikel hervor:

Opium	373 872	Pikul	Eisen in Stangen	1 357	Pikul
Baumwollenzeug aller Art	41 030	Stück	sonstige Eisenwaren	1 453	»
Wollenzeuge	5 738	»	Blei	472	»
Schirme	1 319	»	Petroleum	27 250	Kist.
Uhren	193	»	Petroleumlampen	2 000	Stück
Japanisch. Tuch	2 953	»	Reis	163 267	Pikul
Seife, Glas	1 319	Pikul	Mehl	4 921	»

Hauptausfuhrprodukt ist, und wird wohl in absehbarer Zeit für Südformosa bleiben, der Zucker. Es wurden in Pikuln ausgeführt im Jahre:

		davon bezogen: Japan	Australien	England	Amerika	Hongkg.
1872	611 007	162 355	59 919	46 865	28 963	5 000
1880	997 625	331 894	46 079	152 220	keine	92 006
1881	718 585	283 998	65 484	69 929	130 431	61 440
1882	666 143	301 825	158 848	keine	48 244	74 225

Die Zuckerernte wurde in den Jahren 1881 und 82 durch die vielen Taifune schwer beschädigt, daher der Ausfall gegen das vorhergehende Jahr. Diese Missernte macht sich auch in dem Gesamtwert der Ausfuhr für 1881 geltend, denn es betrug in Taels

die Einfuhr für 1879 = 1 808 785 1880 = 1 742 622 1881 = 1 799 061
» Ausfuhr » » = 2 089 416; » = 2 561 078; » = 1 753 718

Der Taiwanfu Zucker ist verschieden vom Takao Zucker, hiernach richtet sich denn auch die Ausfuhr. Japan und Australien beziehen ausschliesslich Takao Zucker, dagegen England und Hongkong beide Sorten; Amerika nur Taiwanfu Zucker. Von chinesischen Häfen führen Shanghai, Tientsin und Newchwang nur Taiwanfu Zucker ein, Chefoo und Ningpo beide Sorten, Swatow bezieht nur sehr wenig Formosa Zucker.

An der Gesamtzuckerausfuhr beteiligten sich in Pikuls in den Jahren:

	Taiwanfu	Takao
1880	400 712	396 913
1881	336 142	382 443
1882	220 210	345 932

Stellt man die Hauptausfuhr-Produkte von 1874 und 1881 zusammen, so ergiebt sich in Pikuls:

	1874	1881
Zucker brauner	672 677	718 585
Zucker weisser	19 298	36 133
Hanf..........	10	1 013
Felle..........	15	1 370
Vormerik	10 492	19 298

An baarem Gelde wurde in beiden Plätzen während des Jahres 1881

eingeführt, vorwiegend von Amoy ... 356 081 Taels
ausgeführt, „ nach Shanghai 762 203 „

Die Tonnenzahlen der Schiffe verhielten sich in den beiden folgenden Jahren wie folgt:

1872 = 39928 To., davon Dampfer 4643 To.
1881 = 62016 To., „ „ 30918 To.

Diese Ziffern sind aber dahin zu verstehen, dass die Dampfer in den seltensten Fällen beladen wurden, sondern nur auf ihrer Route nach anderen Häfen Taiwanfu-Takao anliefen; es passiert häufig, dass sie kein Pfund Ladung mitnehmen, die Segelschiffe dagegen werden ausnahmslos beladen. Dieses Jahr hat man den Versuch, Dampfer für die Zuckerfahrt zu verwenden, wieder fallen lassen und nur Segelschiffe gechartert.

Es vermittelten 52 Schiffe von 18636 To. Raumgehalt den Handel mit den chinesischen Häfen, davon waren deutsche 24 von 7247 To., englische ebenfalls 24 von 10445 To. Hiervon gingen die deutschen ausnahmslos beladen, von den Engländern aber etwa die Hälfte in Ballast. Im Jahre 1882 besuchten 29 Dampfer und 66 Segelschiffe Taiwanfu-Takao. *E. K.*

Nautische Literatur.

***Almanach für die K. K. Kriegs-Marine 1884.** Mit Genehmigung des K. K. Reichs-Kriegsministeriums, Marinesection. Herausgegeben von der Redaktion der „Mitteilungen aus dem Gebiete des Seewesens". Neue Folge: IV. Jahrg. Pola. In Kommission bei Gerold & Comp., Wien. Druck von Kleinmayr & Bamberg, Laibach. 1 Band Taschenformat VIII und 326 Seiten. Preis, in Leinen gebunden: 4 Mark.*

Der Inhalt dieses bekannten und weitverbreiteten Almanachs gliedert sich in: I. Maass-, Gewichts- und Reduktions-Tabellen; II. Artillerie der verschiedenen Flotten; III. Flottenliste; IV. Gebührenwesen und Normalien; V. Personalstand der K. K. Kriegsmarine.

Die „*Flottenlisten*" nehmen nicht weniger als 116 Seiten in Anspruch und sind mit einer minutiösen Sorgfalt und Genauigkeit zusammengetragen, so dass sie in ihrer gegenwärtigen Form und Gestalt kaum noch irgend einen Wunsch übrig lassen dürften. —

Der erste Abschnitt enthält alle Daten, welche sich auf Konstruktion und Armirung der gesamten Schiffe aller Staaten beziehen und in Tabellenform bringen lassen; ausserdem für die ungepanzerten Schiffe einige charakteristische Details, soweit dies der Raum zuliess.

Der zweite Abschnitt giebt nähere Details über die Panzer- und Deckpanzerschiffe, welche den Gefechtswert und das charakteristische Aeussere derselben besser zur Anschauung bringen.

Bezüglich der allgemeinen Anordnung der Tabellen sei folgendes erwähnt:

In der Rubrik *Gattung* ist die Bezeichnung eingesetzt, wie sie in den offiziellen Listen vorkommt (der *Typ* der Panzer- und Deckpanzer- (protected) Schiffe resultirt aus den im Abschnitte II enthaltenen Schiffsbeschreibungen). Die Namen derjenigen Schiffe, auf welchen auch nur eine geringe Zahl von Geschützen *en barbette* installirt ist, sind in den Tabellen mit Kursivschrift gesetzt; es ist demnach z. B. das englische Panzerschiff „Téméraire" und das französische Panzerschiff „Dévastation" auf diese Art kenntlich gemacht, obwohl diese Schiffe die Mehrzahl der schweren Geschütze in gedeckter Breitseitaufstellung besitzen. In der Rubrik *Panzer* ist stets die grösste Dicke des Panzers angegeben, und zwar beim Gürtelpanzer die Dimensionen desselben an der Wasserlinie in der Mitte der Schiffslänge und beim Turmpanzer jene an den Geschützpforten. Bei Sandwichanordnung der Panzerung (zwei Plattenlagen mit Holzzwischenlage) sind die Stärken beider Plattenlagen angeführt; die obere Zahl giebt die Dimensionen des Aussenpanzers an. Besitzt ein Schiff Compound- oder Stahlpanzerung, so sind die Stärken der Platten mit Elzevirziffern gesetzt. Die Dicke der doppelten Beplattung hinter dem Panzer ist in den Panzerdimensionen *nicht* inbegriffen. In der Rubrik *Pferdekraft* ist bei den Schiffen, welche Compound-, bezw. Woolfmaschinen besitzen, die betreffende Zahl mit Elzevirziffern gesetzt. In der Rubrik *Artillerie* bezeichnen die Elzevirziffern die Anzahl der Geschütze und die gewöhnlichen Ziffern das Kaliber der Rohre. Schiffe mit *Zwillingsschrauben* führen neben dem Namen den Buchstaben *s*. Ungepanzerte Schiffe, welche *Torpedoeinrichtungen* besitzen, sind durch die dem Schiffsnamen angefügte Ziffer ‚ gekennzeichnet; da man annehmen kann, dass heutzutage sämtliche Panzerschiffe in Kriegsausrüstung mit Torpedos armirt werden, wurde die Charakterisirung der Panzerschiffe in Bezug auf Torpedoeinrichtungen im ersten Abschnitte unterlassen, im zweiten Abschnitte hingegen sind alle Daten aufgenommen worden, welche über die Torpedoarmirungen zu erlangen waren.

Die Namen sämtlicher Schiffe, welcher *einer Gattung* angehören, stehen in *alphabetischer Reihenfolge*, weil hierdurch das Auffinden eines bestimmten Schiffes erleichtert wird.

Alle Schiffe, die *innerhalb einer Gattung dem gleichen Typ* angehören, führen vor dem Namen einen Buchstaben; das *Typschiff* ist durch denselben Buchstaben in *fetter* Schriftgattung ausgezeichnet.

In Bezug auf das *Konstruktionssystem* der Schiffskörper sind im zweiten Abschnitte keine Angaben enthalten; es sei daher hier erwähnt, dass sämtliche moderne Panzerschiffe nach dem mehr oder weniger modifizirten Stutzplattensystem gebaut sind. In neuester Zeit tritt jedoch die Tendenz zutage, die Zahl der Vollspanten und Schotten zu erhöhen und überhaupt den ganzen Bau stärker zu gestalten, damit infolge eines gelungenen Torpedoangriffes das Schiff nicht gefährdet werde (Typ „Amiral-Baudin" etc.). Das letzterwähnte Konstruktionssystem, nach welchem die neuesten französischen Panzerschiffe gebaut werden, ist einfacher, solider und billiger als das Stutzplattensystem.

Während die Artillerieliste, welche den II. Teil dieses Almanachs bildet, über die in den verschiedenen Marinen *schon bestehenden Geschützgattungen* Aufschluss giebt, erscheint in den Schiffslisten die Armirung, besonders für die im Bau befindlichen Schiffe Frankreichs, Englands und der Vereinigten Staaten Nordamerikas nach dem Konstruktionsprojekte aufgenommen, doch stehen die bezüglichen Geschützrohre oft noch nicht zur Verfügung der Marine der betreffenden Staaten. In manchen Fällen ist nicht einmal die Konstruktion der Rohre endgültig entschieden (z. B. beim engl. 63 Tons Hinterlader, dem amerik. schweren Hinterlader). Das französische Panzerschiff „Redoutable" musste mit 27 cm-Geschützen neuen und alten Systems armirt werden, während der „Amiral Duperré" und die „Dévastation" 34 cm-Stahlgeschütze führen, und zwar weil zur Zeit der Fertigstellung der zuerst genannten Schiffes die im Projekte vorgesehenen Geschütze noch nicht fertig waren. Die gegenwärtig in Bau befindlichen Panzerschiffe führen die schweren Geschütze nur in Barbette-Aufstellung.

Im *zweiten Abschnitte* konnte die Ausrüstung der Panzerschiffe mit Torpedobooten nicht vollständig aufgenommen werden, weil dieselbe noch nicht in jeder Marine endgültig durchgeführt ist und die Schlachtschiffe der meisten Nationen die ihnen zugewiesenen Torpedoboote erst im Kriegsfalle einzuschiffen habe. Die grösste Zahl der englischen, französischen und italienischen modernen Panzerschiffe führen die sogenannten *turn-abouts*, d. h. die von White erbauten, schnelllaufenden und äusserst manövrirfähigen Barkassen. Die Dimensionen dieser Boote sind: Länge 14.63 m, Breite 2.82 m, grösster Tiefgang 1.04 m, Deplacement 7.6 Tons, ind. Pferdekraft 150 und laufen 13 Meilen.

Die Schutzmassregeln gegen Torpedoangriffe, als Netze oder andere Annäherungshindernisse, elektrische Projektoren etc., sind in den Schiffsbeschreibungen nicht aufgenommen, weil sämtliche Panzerschiffe heutzutage mit derartigen Mitteln, welche mehr oder weniger ihrem Zwecke entsprechen, ausgestattet sind.

Nach den vorstehenden Prinzipien, welche die Redaktion in einer *Einleitung* vorausschickt, sind die „Flottenlisten", welche mit Ende November 1883 abgeschlossen wurden, zusammengestellt. Wir nahmen dieselben vollinhaltlich auf, um zu zeigen, mit welchem Raffinement — das Wort im guten Sinne genommen — in Bezug auf Raum und Satz gearbeitet wurde. Die Reichhaltigkeit dieser concisen Tabellen ist geradezu fascinirend. Durch dieselben ist der „Almanach" nicht nur für Jene, die sich mit *Flottenevidenz* befassen, sondern für Jeden, der sich überhaupt für das Seewesen interessirt, unentbehrlich gemacht. Es erklärt sich daraus auch die kolossale Verbreitung dieses Almanachs, welcher alljährlich seinen Weg vom Pei-ho bis zum El Plata in die Tasche jedes Seeoffiziers und Marine-Ingenieurs macht. Thatsache ist ferner, dass die Daten der Flottenlisten des Almanachs, weil grösstenteils auf offiziellen Angaben fussend, häufig als „Quelle" citirt werden. Zum Schlusse geben wir hier noch die *Definition* einiger technischer Ausdrücke von allgemeinen Interesse, wie solche von der Redaktion ein für allemal festgesetzt wurde.

Kasematte, durch gepanzerte Querwände und durch ebensolche Seitenwände geschützter gedeckter Raum eines Schiffes, in dem die Hauptgeschütze Aufstellung finden.

Citadelle, durch gepanzerte Querschotten abgeschlossene Panzeranlage, welche entweder selbstständig an der Bordwand oder als Fortsetzung des Gürtelpanzers nach aufwärts zum Schutze der Drehvorrichtungen von Türmen, der Treibapparate etc. dient.

Brustwehr, der vorgenannten ähnliche Panzeranlage, nur innerhalb der Bordwand oder unmittelbar nächst der Basis eines Turmes angebracht.

Reduit, geschlossener gepanzerter Raum auf dem Oberdeck, gewöhnlich über die Bordwand ausragend, in dem nur eine Minimalzahl von Geschützen Aufstellung finden kann.

Geschützstand, Geschützaufstellung hinter einer eigens konstruirten Panzerwand mit oder ohne Flanken, zum Schiessen durch Pforten oder en barbette.

Traverse, ein von Citadelle oder Kasematte unabhängiges Panzerquerschott zum Schutze gegen Enfilierfeuer.

Splittertraverse, ein zwischen zwei Geschützen einer Kasematte oder Batterie aufgestelltes, aus Eisen oder Stahl hergestelltes partielles Querschott.

Ramme, schwanenhalsförmig gebogener Rammsteven.

Sporn, Rammsteven mit ausgesprochener Spitze.

Rammbug, entsprechend starke Bugkonstruktion zum Rammen, jedoch ohne eigentlichen Rammsteven zu besitzen.

Torpedogeschütz, leichtes Geschütz zur Abwehr von Torpedoangriffen.

Batteriehöhe, Höhe der Geschützpforten-Untertrempel der unteren Batterie über Wasser.

Feuerhöhe über Wasser, Höhe der Seelenachse der betreffenden Geschütze über Wasser.

Klappschanzkleid, Bordwand über Deck zum Umklappen.

Für diese scharfen Definitionen sind wir der Redaktion sehr dankbar, weil bis nun eine nicht geringe Konfusion herrschte und insbesondere *Citadelle* und *Brustwehr* nicht selten verwechselt werden.

F. K.

Verschiedenes.

Die **Passagierbeförderung von Amerika nach Europa** nimmt in diesem Jahre eine ganz ungewohnte Ausdehnung, wozu namentlich die Einstellung der Schnelldampfer des Norddeutschen Lloyd in die Reihenfahrten seiner Schiffe ein Wesentliches beigetragen haben wird. Es ist dies schon deshalb anzunehmen, weil diese Schiffe vor allen englischen, französischen, belgischen Dampfern mit Vorliebe von den Amerikanern benutzt werden. Seit Beginn der Reisezeit führen nämlich diese Schiffe wöchentlich an 600 Passagiere und mehr (der Dampfer „Elbe" neuerdings sogar 749 Passagiere) nach Europa. Rechnet man die Passagiere der andern von Newyork und Baltimore etc. auf der Weser ankommenden Dampfer hinzu, so ergiebt sich eine Einwanderung von 800—1000 Personen wöchentlich, die nun schon seit mehreren Monaten anhält. Die grosse Mehrzahl dieser Ankömmlinge sind selbstverständlich nur Besucher auf kurze Zeit, die bei ihrer Rückkehr nach Amerika die Zahl der Passagiere und Auswanderer auf deutschen Schiffen anschwellen. Man kann sich leicht vorstellen, welcher Vorteil der Stadt Bremen aus den materiellen wie geistigen und literarischen Reiseausrüstungen dieser durchweg bemittelten Durchzügler erwächst, und bewährt sich somit die Einstellung dieser Schiffe auch ganz besonders für die Rückreisen derselben.

Das Verhältnis der Staats- zu den Privatbahnen in Deutschland stellte sich am 1. Juli so, dass von den rund 35 500 Kilometern überhaupt vorhandener Bahnen nahezu 32 000 Kilometer dem Staate angehören. Die grössten noch vorhandenen Privatbahnen sind die pfälzischen und die hessische Ludwigsbahn. Die preussischen Staats- und vom Staate verwalteten Privatbahnen umfassen allein 20 300 Kilometer. Ausser diesen werden noch von dem preussischen Ministerium der öffentlichen Arbeiten die 1 300 Kilometer langen Reichsbahnen verwaltet. Hoffentlich sind bald alle Bahnen verstaatlicht und beginnt dann die Verwaltung, sich mancher längst veralteter Methoden und Gebräuche zu entschlagen, welche noch von der Zopfzeit des Postdienstes ihr ankleben. Dahin rechnen wir namentlich den *Verkauf der Billette*. Welches andere Interesse hat die Verwaltung an dem Verkauf eines Billets, als dass sie für die Fahrt von so und soviel Kilometer Länge in der und der Wagenklasse das ihr gebührende Geld vereinnahme. Ob sie dieses Geld direkt vom Reisenden oder indirekt von einer andern Verkaufsstelle (Gasthof, Kaufmann etc.) einnimmt, kann ihr bei nachgewiesener Sicherheit völlig gleichgültig sein. Ferner ist es ihr gleichgültig, ob der Reisende das Billet heute oder morgen, oder über 4 Wochen verwendet, gerade wie sie es den Eigentümern von Saisonkarten gegenüber schon jetzt so hält. Wozu also das widerwärtige Gedränge um die Verkaufsstellen an den Bahnhöfen und warum nicht Freigebung des Billetverkaufs an verschiedenen Stellen der Städte, gerade wie in Amerika, wo man sich in Musse seine Eisenbahnbillette beim Kaufmann löst und sie sogar selber zu bestimmten Fahrten zusammenstellt. Dort verkauft der Kolonialwarenhändler, der Schneider, der Konditor ausser Kaffee, Hosen und Zuckersachen auch Fahrbillette zu beliebigen Fahrten, die er gegen baar von der Eisenbahn vorher gekauft hat. Was aber dort den Eisenbahndienst entlastet, sollte auch hier willkommen begrüsst werden.

Die Hindernisse deutscher Kohlenausfuhr liegen nicht allein in der grossen Entfernung der Kohlengruben von der Küste, und dem Mangel an billigern Verbindungen beider als durch Eisenbahnen, sondern auch in den primitiven Ladevorrichtungen an der Weser u. s. w.

Wie sehr verschieden die Einrichtungen in den englischen und hiesigen Häfen sind, geht am besten daraus hervor, dass z. B. ein Schiff von 2800 Tons Tragfähigkeit in englischen Häfen in ca. 6 bis 8 Tagen zu beladen ist, wogegen ein Schiff von gleichem Raumgehalt in einem hiesigen Hafen mindestens die doppelte Anzahl Ladetage gebraucht. Hierfür ist der Grund allein in den hier bestehenden überaus primitiven Einrichtungen zu suchen, denn bevor die Kohlen in's Schiff gelangen, werden sie erst vom Waggon auf's Strassenpflaster geschaufelt, dann per Schiebkarre über die Eisenbahnschienen weg an Deck der Schiffe gefahren und dann von oben in den Raum hinabgestürzt, wo sie natürlich sehr zerstückelt anlangen. Daher ist es auch den überseeischen Geschäften nicht zu verargen, wenn sie deutsche Kohlen nicht kaufen wollen, und man pflegt in ausländischen Häfen wohl zu sagen: „Den deutschen Grus können wir nicht gebrauchen." Und das auch, im Vergleich zu den, in Folge der viel besseren Ladevorrichtungen in englischen Häfen, in grossen Blöcken anlangenden Kohlen mit Recht. Es giebt freilich jetzt auch in Geestemünde und Bremerhaven Krähne, mit welchen Kohlen an Bord befördert werden können, aber im Vergleich zu den englischen Vorrichtungen genügen dieselben durchaus nicht, denn erstens sind diese Krähne nicht immer frei und dann muss doch immerhin die Kohle aus den Waggons in die eisernen Behälter, welche an diese Krähne befestigt werden, geschaufelt werden, worunter die Kohlen sehr leiden. Darauf schwingt der Krahn bis an Deck und über die Luken, wo die Behälter gekippt und die Kohlen dann mit grosser Vehemenz bis auf den Boden der Schiffe gestürzt werden. Dort kommen sie ebenso zerbröckelt und zerstückelt an, als wenn sie per Schiebkarre an Bord befördert werden. Was nun die erwähnten englischen Einrichtungen betrifft, so werden dieselben in einem Artikel der früheren „Bremerhavener Zeitung" folgendermassen geschildert: Die Kohlenzüge kommen auf erhöht angelegten Geleisen bis unmittelbar an die zu beladenden Schiffe gefahren. Ein Waggon nach dem andern wird auf die Drehscheibe gebracht und auf einer Brücke, an deren Ende sich eine Brückenwaage befindet, gewogen und dann wird der Waggon hinten geöffnet und gesenkt, und die Kohlen gleiten auf einer dazu hergerichteten Laufbrücke direkt in den Raum und Boden der Schiffe, sodass nachher nur noch die sogenannten Trimmer die Ladung im Schiffe zu trimmen haben. Wer gesehen hat, mit welcher Leichtigkeit und Schnelligkeit diese Beladung vor sich geht und wie wenig die Kohlen dabei leiden, und sieht, wie jämmerlich die hiesigen Anstalten in dieser Beziehung sind und mit wieviel Zeitverlust und damit entsprechend grösseren Kosten die hiesige Beladung deutscher Kohlen ist, dem wird es leicht begreiflich sein, weshalb deutsche Rheder sich viel besser stehen, von deutschen Häfen in Ballast nach England zu versegeln, um dort Kohlen zu laden.

Von amerikanischen und deutschen Kaufleuten in Mexiko schreibt die New-Orleanser „Deutsche Ztg.": „In den letzten 20 Jahren haben nicht allein in Mexiko, sondern auch an der ganzen Westküste unseres Kontinents hinab bis Patagonien deutsche Kaufleute die Kontrolle über den Importhandel erlangt. Ihr Erfolg beruht auf Geduld, Genügsamkeit mit mässigem Profit, Fleiss, Beharrlichkeit und einer gesunden Kapital-Basis, während amerikanische Kaufgeschäfte in Mexiko gewöhnlich auf Spekulation hinauslaufen, welche von der geringsten Widerwärtigkeit über den Haufen geworfen wird. Ausser zwei oder drei Firmen, welche mit Ackergeräthschaften und Waffen handeln, und einigen wenigen Schnapsläden bestehen in der Stadt Mexiko, von welcher aus alle importirten Güter über das Land versendet werden, keine amerikanischen Geschäfte, dagegen sehr viele deutsche, welche alle möglichen Handelszweige vertreten. Dem Deutschen kommt dabei ganz besonders zu Gute, dass der Mexikaner gegen ihn kein Vorurteil hegt. Die Deutschen verstehen es auch vortrefflich, sich mit den mexikanischen Beamten in freundschaftlichem Verkehr zu erhalten — ja, sie drücken gern der in der Regierung, namentlich in den Zollämtern, herrschenden Korruption gegenüber ein Auge zu, erkaufen sie sich doch damit Ruhe und Frieden für ihren Geschäftsbetrieb. Es wäre möglich, dass ein vernünftiger Handelsvertrag den amerikanischen Kaufleuten ein weites Feld in Mexiko eröffnen könnte: aber um dasselbe auszunützen, müssten sie sich, wie die deutschen, den mexikanischen Zuständen anpassen lernen. Ferner wäre es ihre Aufgabe, da sie die Deutschen schwerlich aus der 300 Meilen von der Küste entfernt liegenden Hauptstadt verdrängen könnten, den Hafenplatz Vera Cruz zu einem New-York für Mexiko zu machen und von dort aus ihre Agenten über das ganze Land auszusenden. Die Hauptstadt wird wohl stets in den Händen der Deutschen verbleiben, da diese, sollte es den Amerikanern gelingen, ihre Waaren billiger einzuführen, als die deutschen importirt werden können, ja einfach ihren Bedarf ebenfalls aus amerikanischen Fabriken beziehen könnten. Damit aber, dass die Amerikaner Vera Cruz für sich in Beschlag nehmen, ist auch noch nicht Alles gewonnen. Was den Deutschen in Mexiko ganz besonders vorwärts geholfen hat, ist der treffliche deutsche Konsulardienst. Jeder dieser Beamten hält es für seine Hauptpflicht, den Handel seiner Landsleute, den Importverkehr mit Deutschland möglichst zu heben und zu fördern. Die amerikanischen Konsuln spielen daneben eine sehr klägliche Rolle, und was unsere Regierung von der Wichtigkeit ihres Konsulardienstes versteht, geht deutlich aus der Thatsache hervor, dass sie neulich den Konsul in Vera Cruz, der ihr dort seit 20 Jahren, und ausnahmsweise tüchtig, gedient hat, seines Amtes enthoben und durch einen — Deutsch-Amerikaner (Bruno Tschuck), der in Geschäftsverbindung mit den hervorragendsten deutschen Häusern in Mexiko steht, ersetzt hat."

Durch ein Königliches Dekret vom 8. Februar d. J. ist die im Königlichen Dekret vom 2. Januar 1880 zum **Hafenbau in Manila bestimmte Abgabe** nach der Ladungsfähigkeit der Schiffe von 20 bezw. 10 Centavos auf die Hälfte herabgesetzt worden. Demzufolge werden in Zukunft von jeder Vermessungs-Tonne der Schiffe für grosse Fahrt 10 Centavos und der Küstenfahrer 5 Centavos per Peso erhoben werden. —s—

Bestimmungen über die Anerkennung der in belgischen Schiffspapieren enthaltenen Vermessungsangaben in deutschen Häfen. Nachdem vom deutschen Reich und der Königlich belgischen Regierung eine Vereinbarung wegen gegenseitiger Anerkennung der Schiffsvermessungen getroffen worden ist, sind für die auf Grund der belgischen Schiffsvermessungsordnung vom 27. August 1883 vermessenen belgischen Schiffe die in deren Messbriefen (Certificats de jaugeage) enthaltenen Angaben über den Netto-Raumgehalt vom 1. April 1884 ab in den deutschen Häfen ohne Nachvermessung als gültig anzuerkennen. —s—

Verlag von H. W. Silomon in Bremen. Druck von Aug. Meyer & Dieckmann. Hamburg. Alterwall 55.

Beilage zur HANSA No. 13. 1884.

Seebilder.

Von Hamburg nach Konstantinopel.

Erster Brief d. d. 13. Mai. — Bis Malta.

Punkt 3 Uhr Nachmittags den 28. April erscholl das Kommando des Lotsen „Los achter", nachdem kurz vorher auf seinen Wink ein kleiner Schlepper sich in Bewegung gesetzt hatte, seinen grossen Kollegen aus dem Innern des „Brandenburger Hafens" auf den freien Elbstrom hinauszuholen und eine Strecke weit durch die Hamburger und Altonaer Fährlichkeiten des Elbverkehrs zu geleiten, bis er der eigenen Kraft vertrauen sollte. Hoch oben auf dem Turm des Seemannshauses und unten auf dem Ponton der Harburger Dampfer standen die jüngeren und älteren Freunde versammelt, dem nach Ostsibirien via Odessa bestimmten Frachtdampfer und seinen Insassen die letzten Scheidegrüsse zuzurufen und zuzuwinken. Mit „Stückgütern", d. h. einem nützlichen Mancherlei der verschiedensten Art beladen, sollte er in Odessa einen Teil löschen, neue andere Ladung nebst einigen Passagieren einnehmen und dann seine Reise durch den Suezkanal an Singapore und Hongkong vorbei nach Wladiwostock fortsetzen und in Nikolajewsk am Amur beenden. Bis Konstantinopel hatte er einen einzigen Passagier an Bord, den Vater des Kapitäns, welcher statt der rheinischen Luft mal wieder Seeluft geniessen und sich speziell die Stätten der alten Kultur ansehen und über Athen und Venedig mit einem Schiffe des österreichisch-ungarischen Lloyd zurückkehren wollte. Auch fuhr ein jüngerer Sohn als Matrose mit, und war damit die Aussicht auf gemütliches Zusammensein vervollständigt. Für die leibliche Verpflegung war in bekannter vorzüglicher Weise durch Herrn W. R. von Hamburg gesorgt, welcher es sich nicht nehmen liess, noch im letzten Augenblick mit verschiedenen Raritäten, als „Hamburger Topfkuchen" u. s. w. an Bord zu kommen, um sich zu überzeugen, dass Alles wohl und ausreichend besorgt sei. Der Herr war erst im vorigen Herbst mit dem österreichischen Verdienstorden mit der Krone ausgezeichnet, in Anerkennung der Verpflegung der wissenschaftlichen österreichischen Polar-Expedition nach Jan Mayen. Die Bedeutung des Geschäfts im Stubbenhuk 37 erhellt u. A. daraus, dass Herrn R. neulich offizielle Gelegenheit geboten war, in Wilhelmshaven zu erklären, dass er bereit und gerüstet sei, täglich zwei bis drei Kriegsschiffe für lange Fahrt zu verproviantiren „mit Allem was dazu gehört", „vom Ersten bis zum Letzten". Was dies gelassene Wort bedeutet, werden Kenner zu beurteilen wissen; für die Andern dürfte es zu weitläufig sein, dies hier auseinanderzusetzen.

Die bösen Stellen beim Altonaer Quai und dem Finkenwärder Feuer wurden trotz so vieler gegenkommender Dampfer und Segler glücklich passirt, ebenso die vorspringende Kaiserbaake, und dann in fröhlicher Unbekümmertheit noch einmal der Anblick des schönen Elbufers und seiner Villen genossen, bis zu dem noch nicht kartoffelgrünen Süllberg bei Blankenese hinunter. Die Blankeneser Jugend, noch immer des alten Spruchs eingedenk, was ein Haken werden will, krümmt sich bei Zeiten, tummelte sich am Strande oder übte sich im Bootfahren wie vor Jahren. Ueberhaupt hatten die Elbufer wenig Veränderungen aufzuweisen, nur die stolze „Elbschloss-Brauerei bei Nienstedten verriet dass auch dort eine gute Quelle für Wasser, für Dividenden sagt man weniger, gefunden sei; ein bekannter berühmter Garten winkte so einladend wie immer von der Terrasse herunter. „Sechs Diners" macht 30 Mark, 5 Flaschen Roten à 4 Mark, macht 20 Mark, Kutscher („haben wir nicht gehabt") — macht 2 Mark, Kaffee macht 3 Mark, Cigarren („haben wir nicht gehabt") — macht 2 Mark — in Summa, meine Herren und Damen, 57 Mark, bekommen Sie also 3 Mark zurück, besten Dank! und weg war der Alte dann, um dieselben Additionen in ungestörter Ruhe am andern Ort fortzusetzen. Es geht ja nichts über die Gemütlichkeit!

Bei Schulau passirten wir den ersten Zollkreuzer, einen kleinen bebenden Dampfer, der jedem Schiffe einen Besuch abstattet, welches nicht unter Zollflagge — zwei Dreiecke, schwarz und weiss, zu einem Viereck verbunden — fährt, um — seine Plomben zu revidiren. Die Zollflagge befreit von der Visite; dafür ist der Lotse unter Eid verpflichtet darauf zu achten, dass keine Person noch Sache von Bord kommt, bis das Schiff die drei senkrecht über einander stehenden weissen Feuer bei Cuxhaven passirt ist; erst dort wird wieder freie Kommunikation mit dem Lande gestattet. Der Kirschbaumwald im Altenlande zeigte leider auch nur schmutzig-rote Blüten; hier noch schlimmer als am Rhein hat ein Nachtfrost die Hoffnungen eines ganzen Jahres vernichtet. Dort lag eine ganze Reihe Boote mit je einem Insassen darin quer über die Elbe in gleichen Abständen und in geradester Linie vertaut; ein zahlreich bemanntes Boot machte sich eben daran, längs ihnen sorgfältige Grundpeilungen (Tiefenmessungen) vorzunehmen und die ermittelten Wassertiefen in bereit gehaltene Karten einzutragen. Jedes Jahr werde so die ganze Stromstrecke vom Hamburg bis Cuxhaven im Auftrage der „Hamburger Deputation für Handel und Schiffahrt" durchgemustert; dafür ist auch die Elbe, wenn nicht der bestgekannte, so doch einer der bestgekannten und am sorgfältigsten ausgepeilten, befeuerten und bebaakten Ströme der Erde, Hamburg's Segen und Stolz zugleich! Heute war freilich die Elbe die Artigkeit selber, aber doch hütete sich der Lotse sorgfältig, in den brausenden und siedenden Wirbelstrom hinein zu halten, welchen die Elbe gleich oberhalb der Bösch gebildet hat, wo der 40 Meter tiefe Strom die schweren Steindeiche der holsteinischen Marsch zu unterwühlen emsig bemüht ist, trotz der starken Buhnen aus Buschholz mit Steinen und Kleierde, wie sie Kapt. Eads neuerdings auch zur Regulirung und Austiefung einer Mündung des Mississippi mit glücklichem Erfolg nachgeahmt hat. Wenn kleine Fahrzeuge in den Zauberkreis dieses Wirbels unvorsichtiger Weise hineingeraten, so haben sie trotz aller Anstrengung, wieder herauszugelangen, erst einige Male den tollen Rundtanz mitzumachen. Aufkommende Schiffe, welche an der Bösch einen Lotsen empfangen müssen, halten daher gern weit nach dem südlichen Ufer hinüber und zwingen so die Böschlotsen zu langer Bootfahrt, bis sie an Bord gelangen.

Die „Stacken" bei Cuxhaven lagen schon im tiefen Dunkel als wir passirten; auch dort spottet der Strom, der hier den südlichen Strand benagt, aller Anstrengungen der Techniker, welche ihn vergeblich abzuhalten suchen. Dort wird das Geld im eigentlichen Sinne des Wortes sackweise „ins Wasser" geworfen: der Kratesand gegenüber wächst nach Süden zu und drängt das Fahrwasser immer näher an das südliche Ufer heran. Von den Cuxhavener Hafenbauten, einer kostspieligen Gründung der siebenziger Jahre, sahen wir nichts; am besten ist es, ebenso wenig darüber zu sagen.

Nun war bald das dritte Elbfeuerschiff gegenüber den beiden Feuern der Insel Neuwerk erreicht, wo der Lotse sich zu verabschieden hatte; ohne die aufregenden Scenen, welche das Absetzen von Lotsen in stürmischer dunkler Nacht zu begleiten pflegen, nahm der artige Mann die letzten Postkarten mit auf die Reise, die gleich mit einem gerade aufsegelnden Schiffe heimwärts angetreten wurde, und damit waren wir für die nächsten vierzehn Tage, bis Malta, wo „gekohlt" werden sollte, auf uns selber angewiesen. Der Kapitän übernahm das Kommando, passirte um Mitternacht das erste Feuerschiff der Elbe, nachdem er sich durch eine ganze Flotte von Fischerfahrzeugen, welche die einsetzende Flut zur Kreuzfahrt nach Hamburg benutzen wollten, glücklich trotz der finstern Nacht hindurchgewunden hatte, und fuhr dann zwischen Helgoland-Feuer und dem Feuerschiff der Weser hindurch in die offene See hinaus. Um 4 Uhr an Deck kommend, sahen wir kein Land mehr und arbeiteten längs den ostfriesischen Inseln hin mit dem Kurs auf Borkumriff Feuerschiff. Dasselbe liegt seit einigen Jahren westlich von der alten Seemarke, dem aus den Ablagerungen der Emsmündungen gebildeten, durch rothe Steinchen ausgezeichneten Borkumriff und erspart den passirenden Schiffen die häufig trügerische Arbeit, das Riff zur Orientirung über ihren Ort, wo sie sich befinden, anzuloten, oder die noch gefährlichere Mühe, so nahe der Küste hinzulaufen, bis man das Feuer auf der Insel selber in Sicht bekam. Anfangs wurde das in freier See daliegende Feuerschiff öfters „durch Sturm" von seiner Station vertrieben und dadurch, weil Schiffe es nun nicht am gewohnten Ort fanden und an ihrer Position irre wurden, die Ursache mancher Seeunfälle, bis man den eigentlichen Grund des Vertreibens in gewissenlosen Kettenlieferungen suchte; seitdem mit richtigen Ketten versehen, reitet es jeden Sturm ohne zu vertreiben ab und hat selbst der Orkan vom 11.—12. Decbr. vor. Jahres ihm nichts anhaben können. Aus gleichen Gründen haben die Holländer ein Feuerschiff vor Terschelling nach See hinaus gelegt, und ist auch dadurch die Schiffahrt nach und vom Kanal bedeutend erleichtert; jeder Schiffer sucht lieber ein Feuerschiff auf, das er zu beiden Seiten passiren kann, als einen Feuerturm auf festem Wall; weisen doch die Wrackkarten die meisten Schiffbrüche in der Nähe der Feuertürme auf, wo die Schiffe Orientirung suchen und dabei ins Unglück gerathen. Wir passirten Borkumriff Feuerschiff um 9 Uhr drei Meilen nordwärts davon, und Terschelling Feuerschiff 3¼ Uhr Nachmittags. Die Zeit wurde mit zahlreichen Compass-Regulirungen — der partie honteuse der Dampferführung — und Ortsbestimmungen hingebracht; die alten „Künste" versagten noch nicht. Gern hätten wir auch vor Texel ein drittes Feuerschiff ausgelegt gesehen, damit namentlich einkommende Schiffe diese „Ecke" nicht so knapp umsegeln brauchen; dafür wird indessen wohl noch mehr Bussgeld im Voraus gefordert. Ueber zehn Jahre wird man ein Texel Feuerschiff vielleicht für ebenso unerlässlich halten als jetzt die Feuerschiffe von Borkumriff und Terschelling.

Allmälig näherten wir uns den „unerschöpflich reichen" Fischgründen der Nordsee. Versprengte Vorposten kündeten die Nähe der Hauptflotte an. Ehe man sich's versieht, erblickt man vor sich, links und rechts neben sich und bald auch „achteraus" Dutzende, und bald Hunderte von völlig gleich geriggten Fischkuttern von Yarmouth, Dartmouth, Grimsby, Maassluis etc. etc., untermischt mit einigen Dampfern, welche hier dem Fang edler Tafelfische, vom Schellfisch und der

Scholle an bis zur Zunge und Tarbutt obliegen, und den Segen entweder selbst oder per Dampfer an die grossen Fischmärkte in Grimsby, Yarmouth, London abliefern, vereinzelt auch nach Bremerhaven, Cuxhaven, der Maas oder nach Nieuwediep kommen, je nach dem Winde. Aber auch für den vorbeifahrenden Kauffahrteimann sorgt das nie zu stillende Bedürfnis des Fischermanns nach Taback und gebranntem Wasser. Je tiefer wir in die Flotte hineingerieten, desto öfter sahen wir ein Boot mit drei Mann Besatzung sich von einem Kutter loslösen und sich abmühen, uns den Weg zu verlegen. Bald war ein Boot längsseit und im schauderhaftesten Englisch die Offerte gestellt und der *Tausch*handel — wie an den Grenzen der Civilisation üblich — abgeschlossen. Für eine Flasche Rum und eine Flasche Whisky wurde ein ganzer Kasten voll Fische erhandelt, der Inhalt an Deck ausgeleert und das Aequivalent in demselben Kasten hinuntergegeben. Aber, o weh! War es Ungeschicklichkeit oder Gier? Vor dem Herauanehmen stossen die Flaschen zusammen und sich beide Hälse ab, die braunen Flüssigkeiten fliessen vermengt in den Kasten. Schleunigst werden die Reste gehoben und bevor durch die Bodenspalte das Gemengsel in das Bootwasser sich ergiesst, hält der „Steuermann" seinen alten, schleunigst weiter eingedrückten Filzhut darunter, fängt damit das „edle Nass" auf, und bringt im durstigen Zuge Rum, Whisky nebst Fischwasser, Schuppen und Schleim durch die eigene Kehle in Sicherheit. Als er aber, nun lecker geworden, auch anfängt, die unvermischten Getränke auf ihre Güte zu probiren, wobei er sehr geschickt, trotz des schwankenden Bootes, die scharfen Kanten der Bruchflächen der Flaschen zu vermeiden versteht, wird er mit drohend erhobenen Fäusten und Stimmen an die gleichwägende Gerechtigkeit erinnert, um vielleicht noch ein hartes Wort oder anderes Gefecht an Bord des bald wieder erreichten Kutters zur Klärung des Falles bestehen zu müssen.

Ob dieser kleine Handel nach dem ersten Mai noch fortblühen darf, wenn die neue Fischerei-Konvention der Nordseestaaten in Kraft tritt, und bewaffnete Regierungs-Dampfer die Oberaufsicht übernehmen, wird die Praxis lehren. Das schändliche Gewerbe der Antwerpener, Rotterdamer und anderer Bumschiffe, welche regelmässigen Handel mit Spirituosen und noch Schlimmerem gegen Fische trieben, wird aber sicher gelegt werden; desgleichen die gegenseitige Netzvertilgung und das Faustrecht überhaupt, welches eine stärkere Partei gegen eine jeweilig schwächere in Scene zu setzen liebt. Vielleicht liegt das Bedürfnis nach Schutz dem Geselligkeitstriebe der Fischer zugrunde; selten sieht man vereinzelte Fahrzeuge, dagegen passirten wir drei Flotten von mehreren Hunderten von Kuttern, zwei am Tage, wo sich Alles handlich macht, eine des Nachts, wenn das Ausweichen oft die peinlichste Aufmerksamkeit herausfordert.

Auffallend war die geringe Anzahl uns begegnender grosser Kauffahrer; als wir am folgenden Morgen uns dem Eingange zum Kanal näherten, entdeckten wir zwischen den vlämischen Banken im Süden und den englischen Sänden im Norden bald desto mehr derselben. Der bis dahin herrschende Ostwind hatte die grosse Fahrt im Kanal zurückgehalten; jetzt nach Süden umlaufend hatte er schon einigen Schiffen, welche sich näher der französischen Küste gehalten hatten gestattet, ihren östlichen Kurs fortzusetzen. Doch erst als wir in rascher Folge nach einander die Feuerschiffe von North Sand Head, East Goodwin und South Sand Head passirt hatten und um Mittag uns Dover näherten, bot sich uns eins der schönsten mannigfaltigsten Seebilder, die sich denken lassen. Ganze Wolken von Seglern, vom Top bis zum Deck in Leinewand gehüllt, kamen uns mit dem immer stärker sich aufmachenden südlichen Winde entgegen, untermischt mit riesigen Post- und Passagierdampfern vom fernen Ost wie vom nähern West-Indien, und zwischen ihnen kleine Schlepper mit ihren Opfern im Schlepptau, welche die Geduld beim Warten verloren hatten und nun verdriesslich mit ihren glücklichern Leidensgefährten um die Wette fahren. Ein eiserner Viermaster, mit fünf Segeln übereinander am Fock- und Kreuzmast, überragt vom Skysegel des Grossmastes und mit feinem Spankermast mit Schratsegeln nahm sich am stattlichsten dazwischen aus; der Flaggenstation zu Dover, ebenso wie dem Norddeutschen Lloyd-Dampfer „Hohenzollern" wurde unser Name signalisirt, damit erstere schon heute Nachmittag an Lloyd's Börse in London, letzterer morgen Abend nach Bremen berichte, dass wir wohl und gut Dover passirt seien; ein mächtiger P. & O. (Peninsular and Oriental) Dampfer schien Truppen an Bord zu haben, welche sich gewiss freuten, Old England statt Aegypten vor sich zu sehen. Nördlich von dem alten Schloss von Dover oben auf den Klippen war ein grosser viereckiger Platz abgesteckt und viel Baumaterial angehäuft, als ob dort eine neue Kaserne angelegt werden sollte. Beim oberen Feuerturm von Südforeland waren drei weitere Leuchttürme errichtet in einer Flucht neben einander; von dort sollen die entscheidenden Versuche nächstens angestellt werden zur Lösung der Streitfrage, ob das alte Rüböl, das neue Steinöl oder das noch neuere elektrische Licht am geeignetsten sei, zur Beleuchtung der Küsten und Seewege zu dienen, speciell, ob dem elektrischen Licht wirklich und mit Recht der Vorwurf zu machen ist, dass es so geringe *nebeldurchdringende* Kraft besitze.

Die bis dahin ringsum beiige Luft hellte mit dem auffrischenden feuchtern Winde immer mehr auf, bis bei Dungeness der Kanal im klaren Sonnenschein einen wahrhaft feenhaften Anblick bot. Lauter Gegensegler kamen mit vollen Segeln vor dem Winde dahergeschossen, dicht unter der englischen Küste wie meilenweit südwärts in den Kanal hinein; nur einige Dampfer hielten mit uns westlichen Kurs, von Kreuzern war kaum etwas zu sehen. Wir hoffen, dass bis zur Nacht sich die Schaar etwas lichte, sonst giebt es wieder peinlich sorgfältige, vorsichtige Arbeit für die Kommandobrücke, wo es heute bei dem gegenwehenden Winde lange nicht so gemütlich mehr war als vorher vor dem Winde. Einige der Gegensegler sahen übrigens ziemlich mitgenommen aus; einer grossen englischen Bark fehlten Klüverbaum und Bugspriet, wofür nur notdürftiger Ersatz vorläufig beschafft war; einem schwerbeladenen Bremer Schiffe war die ganze Verschanzung am Backbord weggeschlagen bis zum Grossmast hin. Interessant sind die fortwährenden Mutmassungen über Nationalitäten, Ladung und Bestimmung der Schiffe. Erstere wird am Bau des Rumpfes, der Art der Takelung und der ganzen Ausrüstung aus häufig undefinirbaren Kleinigkeiten aber mit fast nie fehlender Sicherheit ausgemacht: das ist ein Schwede, das ist ein Norweger, da segelt ein Scotsman, von Dundee, von Glasgow, das ist ein Londoner Vollschiff, hier kommt Mynheer auch angewackelt, da präsentirt sich Monsieur, und so geht es in Einem fort, bis der am Heck gelesene Name und Heimatsort die letzten Zweifel hebt. Die Ladung ist schon schwieriger, aber man trifft es auch. Der Hamburger Hafen war voll von Eisschiffen, meist Norwegern, und wenn man dort auch nicht Schlittschuhlaufen konnte, wie am 1. April(!) im Düsseldorfer Hafen um das Floss mit den 40000(!!) Cub.-Metern Eis herum, so glaubte man sich doch auch im Hamburger Hafen kühl angeweht. In der Nordsee begegneten uns Schaaren von eben solchen Schiffen, die aus den Hoofden heraufkamen, nachdem sie ihre kühle Ladung in London etc. gelöscht hatten; die Gegensegler im Kanal brachten wohl mehr Frachtgüter, Petroleum für Bremen und Hamburg, Holz für englische Osthäfen und ostindische Produkte ebendahin. Harte Arbeit hatten die Semaphore-Stationen, da die zahllosen ostwärts bestimmten Schiffe alle ihre Signalflaggen von der Gaffel wehen liessen, um schleunigst nach Lloyds berichtet zu werden. Hinter kräftigen Fernröhren stehen die Beobachter auf den Türmen, diktiren den Schreibern die Merkzeichen, andere Gehülfen schlagen die zugehörigen Namen in den Schiffsregistern nach, und die Depesche nach London ist fertig: Schiff „Derwent" von London, Dungeness passirt 4 Uhr 20 Min. Nachmittags. Am andern Mittag, wenn das Schiff eben in Victoria Dock bei Blackwall fest gemacht ist, wird die Ladung, wenn es nicht schon vorher geschehen ist, an der *Londoner* oder sonst einer Börse des vereinigten Königreichs verkauft und die Löschung kann beginnen.

Bis 9 Uhr Abends nahm der Wind an Stärke zu, so dass das Schiff schon ansehnlich zu tanzen begann, dann lief er nördlich, der Mond kam ganz klar durch und bald wurde es wieder ruhiger. Da der Barometerstand fast unverändert geblieben und das Aussehen der Luft auch noch nicht verdächtig war, so war die Annahme wohl gerechtfertigt, dass der stärkere Wind von einem Gewitter über dem südlichen England hergerührt habe. Am andern Morgen, dem 1. Mai, war das Wetter sonnig und klar, der Seegang viel geringer und der Wind unserm Kanalkurs WzN gerade entgegen, also auch WzN. Die Zahl der Gegensegler hatte schon seit Mitternacht bedeutend abgenommen, jetzt sahen wir nach Insel Wight hinüber nur noch einige ostwärts steuernde Fahrzeuge. Quer vor uns über lief ein Havre-Dampfer nach Southampton bei den Needles hinein. Von den vielen Feuern an der englischen Küste sei das zwischen dem elektrisch beleuchteten Städtchen Eastbourne und Hastings liegende Feuerschiff der Royal-Sovereign-Shoals erwähnt, dessen drei aufeinander folgende Blinke sehr hell und rasch (in 23 Sekunden) nacheinander aufleuchten, worauf für den Rest der Minute Alles dunkel bleibt. Dies Blinkfeuer ist ungemein hell und wichtig, da es vor einer kaum 3 Meter tiefen Sandbank warnt, welcher es in 21 Meter Wassertiefe vorliegt. Von den mächtigen Sirenen und Nebelhörnern einzelner Feuertürme und Schiffe bekamen wir natürlich nichts zu hören, da dieselben nur bei dickem, nebeligen Wetter in Thätigkeit gesetzt werden.

Auffallend ist die über Nacht eingetretene Aenderung in der Farbe des Wassers: statt der anfänglich grasgrünen, später blaugrünen Gewässer der Nordsee befinden wir uns jetzt im grünlich gelben Kanalwasser, welches wahrscheinlich von dem kalkigen Untergrund und den kalkigen Klippen der Südküste so milchig gefärbt ist. Der „George Thompson", ein stattliches Vollschiff mit doppelten Bramraaen, sechs Segel übereinander, zieht eben seine weissen Furchen durch das Wasser hart an uns vorbei. Sein Pathe wird wohl der bekannte Glasgower Schiffsbaumeister oder ein Verwandter des berühmten schottischen Physikers sein, der sich durch seinen neuartigen Kompass um die Führung von eisernen Fahrzeugen so sehr verdient gemacht hat, und dessen Patent-Kompass auch auf unserer Brücke als Steuer- und Regelkompass dient. Ein ganz gleich grosser Klipper, der „Aristides", segelt rechts an uns vorbei; der

Steuermann meint, die werden wohl „von einem Komptoir" fahren. Unmassgeblich, setze ich in Gedanken hinzu.

Um 9 Uhr Morgens sind wir dwars ab von dem mächtigen Bill of Portland und nun heisst es Lebewohl Alt England. unser Kurs geht nach den berüchtigten Ushant- oder Quessant-Inseln, der Küste von Finisterre und dem Hafen von Brest gegenüber, quer über den Kanal. Der Wind frischt wieder auf und mit ihm und der grösseren Nähe des Oceans hebt sich die Dünung. Dieselbe wird im Laufe des Tages immer heftiger und schwerer, und da das Schiff den Wind gerade entgegen hat, so macht es immer weniger Fortgang. Da es am Nachmittage deutlich wird, dass wir den Feuerkreis von Ushant-Feuerturm während der Nacht nicht erreichen werden und bei dem westlicher stehenden Winde der Kapitän nicht gern der französischen Küste sich weiter nähern will, so beschliesst er, den Kanalkurs wieder aufzunehmen und Ushant als Abfahrtspunkt liegen zu lassen. Diese Insel, die auch früher zur Orientirung der von Süden nach Westen kommenden, den Kanal einlaufenden Schiffe von grosser Wichtigkeit war, hat noch an Bedeutung gewonnen, seit sie auch zur Orientirung der den Kanal verlassenden, nach der Strasse von Gibraltar bestimmten Dampfer dient. Die sog. „grosse Fahrt", d. h. die nach Nord- und Süd-Amerika und rund dem Kap der Guten Hoffnung und Kap Horn bestimmten Segler und Dampfer benützen meist Lizard, oder auch St. Agnes auf den Scilly-Inseln, als Abfahrtspunkte und bleiben nördlich von unserem Wege, der den Mittelweg zwischen den Kursen jener Schiffe der grossen Fahrt und der nach französischen und nordspanischen Häfen bestimmten Fahrzeuge bildet. Der Ocean hat ja auch seine ziemlich fest begrenzten Fahrstrassen, auf denen sich die Schiffe zusammendrängen, gerade wie das feste Land; seitwärts von ihnen ist es öde und leer. Aber auch auf unserem Fahrwege heisst es bald, „einsam bin ich, nicht alleine"; das fröhliche Gedränge der immer malerisch, imposant und verändert auftretenden Segler hört auf, bald sehen wir nur langweilige einförmige Dampfer um uns, die, einer wie der andere, ihre gerade Bahn verfolgen.

Der *Frachtdampfer* der Gegenwart, eine Frucht des Grundsatzes der Teilung der Arbeit und der Sucht, Geld zu machen, ist gerade kein Produkt, worauf der menschliche Geist oder gar unser Schönheitssinn stolz sein darf. Hervorgegangen ist er zunächst aus dem Personen- und Postdampfer, welcher in den vierziger Jahren unseres Jahrhunderts den Ocean sich unterthan machte und, um zu bestehen, auch die Beiladung wertvoller dringlicher Güter nicht verschmähte, bis auf weniger von Personen resp. Auswanderern befahrenen Linien allmälig die Güterbeförderung zur Hauptsache wurde, ganz wie auf den Eisenbahnen des Festlandes. Natürlich wurden nun die kostspieligen raumfressenden Kajütsbauten und die starken kohlenvertilgenden Maschinen aus den Schiffen entfernt, um mit geringerm maschinellen Aufwand eine thunlichst grosse Menge Ladung zu befördern, und dies umsomehr, als ihre schlimmsten Konkurrenten, die allmälig in Mode kommenden grossen *eisernen Segelschiffe* dem Frachtdampfer immer noch in billigerm Ankaufspreis und Betriebskosten überlegen waren, welchen letztere nur die grössere Regelmässigkeit der Beförderung entgegenzusetzen hatten. Verschiedene Vorschriften über die Ausmessung des Laderaums behufs Feststellung der Beitragspflichtigkeit zu Hafen-, Tonnen- und Feuergeldern und das Bestreben, auf jede Weise das Anlagekapital auszunutzen, reizten den Erfindungsgeist der Bauherren wie der Baumeister, nur möglichst grosse und im Ankauf wie im Betriebe billige Schiffe herzustellen und darüber manche Rücksicht auf Schnelligkeit und Schönheit, namentlich auch auf Sicherheit und Bequemlichkeit für die Mannschaften aus den Augen zu setzen. Für letztere ist der Frachtdampfer so wenig als das eiserne Segelschiff ein Gewinn zu nennen. Ihr Logis ist wahrlich nicht verbessert gegen früher, und das Deck der gar langen eisernen Segelschiffe oder der vielen mit den drei berüchtigten Aufbauten vorn, in der Mitte und achter und mit zwei „Badewannen" dazwischen versehenen Frachtdampfer in schlechtem Wetter eher eine Schwimm- und Badeanstalt als ein menschlicher Arbeitsplatz zu nennen. Auf dem sog. Spardeckdampfer (Dampfer mit leichtem Oberdeck über dem eigentlichen Hauptdeck) sind jene drei Aufbauten freilich zu einem einzigen Deck äusserlich verbunden, aber dafür, dass jetzt überkommende Seen leicht abfliessen, entbehrt man auch jeglichen Schutzes an Deck gegen Wind, See und Wetter. Einen grossen Vorsprung namentlich auf grösseren Strecken, auf denen kleinere Schiffe schwierig zu verwenden sind, hat der Frachtdampfer gegen die frühern Segler gewonnen, seit die Kombination der Hoch- und Niederdruckmaschinen das sog. gemischte, auf deutsch Compound-System geschaffen und damit den Kohlenverbrauch der Dampfer fast auf die Hälfte vermindert hat, ganz abgesehen von dem regelmässigeren Gange und dadurch weniger kostspieligen Unterhalt der Maschinen. Neuerdings haben einzelne Schiffbauer dem einen Niederdruck-Cylinder noch einen zweiten zugesellt, so dass jetzt der hoch gespannte Dampf Anfangs z. B. mit zehn Atmosphären Druck in den — kleinen — Hochdruck-Cylinder eintritt, dann mit etwa fünf Atmosphären Druck in den ersten einmal doppelt so grossen Niederdruck-Cylinder übergeht, um dann schliesslich mit einem sehr fraglichen Rest von Druck einem noch grösseren dritten Cylinder eine letzte Wirkung auszuüben. Da man die Angriffskurbeln der drei Kolbenstangen nun gleichmässig um die Welle der Schraube verteilen kann, so bekommt dadurch das Schiff, wie unser Compound-Dampfer beweist, eine wunderbar ruhige Bewegung ohne alle und jede merkbare Erschütterung, ob aber auch einen Gewinn an Leistungsfähigkeit, möchten wir bezweifeln. Der Kohlenverbrauch, nur fünf Tons per Tag für 82 nominelle Pferdekräfte, ist unfraglich *sehr* gering, aber man scheint uns mit der maschinellen Kraft der meisten Frachtdampfer überhaupt hart an derjenigen Stelle angekommen zu sein, wo man zeitweise fragen darf, ob der Frachtdampfer überall noch verdient, Dampfer genannt zu werden, und das Segelschiff ihm nicht auch in Fahrt und Fortgang wieder überlegen geworden ist. Bei dem stärkeren Gegenwind und Seegange, welchen wir in diesen Tagen im Kanal zu bekämpfen hatten, machten viele der mitquälenden Dampfer so geringe Fortschritte, zwei Seemeilen und weniger per Stunde, dass sie von jedem wohlausgerüsteten Segler unbedingt geschlagen wären, und auf eine Leeküste besetzt grosse Not gehabt hätten, sich einer Strandung zu entziehen. Daher sieht man sie auch jeden günstigen Wind sofort mit allen ihren Segeln benutzen, zum Unterschiede von den mächtigen, so starken wie schnellen Postdampfern, von denen man zu sagen pflegt, dass sie erst Segel setzen, wenn andere Schiffe sie wegnehmen.

Die See kam auf den Gründen immer gröber von vorn und spülten schon ganz artige Wellen vorn und mittschiffs über. Die schwerste See weichte den ersten Steuermann oben auf der Kommandobrücke durch, als wir die Gründe verlassend von dem Rande des Hochplateau's von Europa auf das Tiefseebecken des Atlantic hinausfuhren, welches hier im steilen Absturz von 100 Faden auf den Gründen bald zu 2600 Faden in der Bay von Biscaya oder der sogenannten spanischen See der holländischen Seefahrer sich vertieft. Hier kamen wir endlich nach dem erst gelben, dann gelb- und blaugrünen Kanalwasser in die eigentlichen blauen Gewässer des Atlantic, von denen Maury so viel geschrieben. Die Tiefen sprechen sich leicht aus, sind aber doch so ansehnlich, dass man wohl sie durch einen Vergleich sich klarer machen darf. Alle sieben Berge unseres Siebengebirges würden kaum 1900 Faden erreichen, wenn man sie aufeinander stellte, und würde also ihre gesammte Höhe doppelt genommen werden müssen, vermehrt um die der „Riesenhäupter" der näheren Umgebung, ohne doch auf das darüber wegfahrende Schiff den Eindruck zu machen, den uns die Chapelle-Bank gleich vor den Gründen mit ihren nur 80 Faden in ringsum grösserer Wassertiefe bereitete. Es ist ganz merkwürdig, wie die in den Tiefen vorwärts arbeitende Grundsee sich vor einem solchen steil aufragenden Plateau aufbäumt. Vor Jahr und Tag fuhr ich mit einem Elsflether Segelschiff von der Weser mit nach Dover und bekam vor den Goodwins Bänken, etwa da, wo jetzt East Goodwin Feuerschiff liegt, Gelegenheit, mit einem Dealboot nach Land zu kommen. Das Wetter war schön, die See schlicht wie die Alster, nach Hamburger Manier zu reden, der Kurs des Bootes führte an den kolossalen Seetonnen der Goodwins vorbei direkt über diese berüchtigten Bänke, vor deren steilem Absturz die Wassertiefe plötzlich von 20 Faden auf 2—1 Faden abnimmt. Und unversehens, als wir den Rand des Abhanges passirten, fuhr das Vordertheil des Bootes in die Höhe, dass man glauben sollte, es wolle in der Längsrichtung überkippen, so senkrecht hob sich dort die aus der Tiefe andringende Dünung auf den wallartigen Rand der Sandbank hinauf. Ein unwillkürlicher Griff an die Bootsdoften und ein tröstliches „never mind, Sir, all right" des Steuermanns von achter her, und hinüber waren wir, — der Schrecken war das meiste, wie Mynheer zu sagen pflegt. Ganz ähnlich erging es uns beim Verlassen der Gründe; plötzlich tanzte einmal das Schiff in die Höhe, und nieder ging es, nahm aber dabei eine solche See über, dass der Steuermann oben auf der Kommandobrücke total durchnässt wurde und ich ob des donnernden Gepolters der Wassermassen längs Deck aus dem Schlafe in die Höhe fuhr, um — mich gemach auf die andere Seite zu legen. Der Mensch gewöhnt sich an Alles und nichts hat mir diesmal weniger zu schaffen gemacht als das Donnern der sich gegen Bug und Seitenwand oder über Deck brechenden Seen.

Je weiter wir nach Süden kamen, desto mehr gelangten wir in den Bereich der ständigen nordwestlichen Dünung und des regelmässigen Seeganges, welcher in den Golf von Biscaya hineinsetzt, wenn auch der Wind trotz mehrfacher Veränderung nach Nordwesten immer in die westliche Richtung zurückfiel. Erst Samstag konnten wir wieder Segel setzen und Sonntag wurde es klar, dass wir in ein anderes Luftgebiet übergegangen waren. Es wurde entschieden milder, die harte rauhe Nordseeluft nicht allein sondern auch die Kanalluft war hinter uns geblieben, Luft und See fühlten sich weicher, molliger an. Am Montag Morgen 10 Uhr sahen wir das Festland von Spanien durch den Landnebel auftauchen und bald lag das hohe schroffe Küstengebirge deutlich vor uns; Nachmittags 3 Uhr nach 8 Tagen Reise hatten wir Cap Finistere dwars ab in 9 Seemeilen Entfernung. Tief ausgewaschene schwarze Klippen mit Regenrunsen von schroffstem Aussehen wechseln mit sandigen hellscheinenden Abhängen, über welchen sich der Faro-Berg mit seinem tief gezackten Grat bis in die Wolken erhob. Die See war belebt von einer Menge mitfahrender oder gegenkommender Dampfer, welche alle um diese Ecke sich herumdrängen, nur eine Gentlemans-Yacht mit ihren saubern weissen Segeln dazwischen und ein schmucker portugiesischer Schoner mit schön buntem Gang um die Kapitäns-Hütte auf dem Achterschiff stechen vorteilhaft ab gegen die übrige schwarze Schaar. Auffallender Weise haben wir nichts Lebendes bisher im Wasser gesehen: über die schwarzen grossäugigen und scharfzähnigen Bewohner der Tiefe, welche das französische Forschungsschiff „Talisman“ neulich aus den tiefsten Tiefen dieses Meeresteils heraufgeholt hat, sind wir unbewusst hinweggefahren. Die Delphine und Walfische sollen um diese Jahreszeit noch südlicher, bei Cap St. Vincent, stehen und dort erst ihre Aufwartung machen.

Seit wir wieder guten Fortgang, 8 Seemeilen in der Stunde, machen, wird ein Instrument an Bord wieder mit grösserem Interesse betrachtet, nämlich Walker's neuestes Patentlog, welches auf dem Heck unseres Schiffes angebracht, gestattet die Menge der zurückgelegten Meilen direkt abzulesen. Eine vierflügelige Schraube läuft auch hier an einer längeren Leine hinten aus, ist aber fest mit der Leine verbunden und dreht durch diese einen Zapfen an Bord so oft herum, als sie selber durch ihre Umdrehungen den Wiederstand der Leine überwältigt. Mit dem Zapfen ist wieder eine endlose Schraube und mit dieser ein System gezahnter Räder in einem dicken Uhrgehäuse verbunden, dessen Zifferblatt in hundert Theile eingetheilt ist derart, dass, wenn der Zeiger von einem Theil zum andern rückt, das Schiff inzwischen eine Seemeile fortgerückt ist. Alle Viertelmeile verräth aus dem Innern des eleganten Messinggehäuses ein heller Klang von einer kleinen Glocke, der bis zur Komandobrücke bei ruhigem Wetter hörbar ist, dass der Apparat funktionirt; mit einem Nachtglase liest man von derselben Stelle aus bequem die Zahl der Meilen ab, welche bis zu gewisser Zeit zurückgelegt sind. Da unser Schiff unter guten Umständen 9 Seemeilen in der Stunde macht, so wird im Etmal, d. h. in 24 Stunden der Zeiger also reichlich zweimal die Runde um das ganze Zifferblatt machen, oder 200 Meilen zurückgelegter Strecke und darüber andeuten.

Während wir mit südlichem Kurs längs der portugiesischen Küste an der Douromündung vorbeifuhren, wurde ich in der Nacht von Montag auf Dienstag öfers durch scharfe Knalle geweckt. Wie am Morgen mir erklärt wurde, sei der bis dahin mehr westliche Wind nach Nord und Nordost umgelaufen und habe dadurch einen kurzen Seegang gegen den Bug veranlasst, dessen Stösse wie Pistolenschüsse geklungen hatten. Wirklich waren See und Luft über Nacht merkwürdig verändert; der Kapitän meinte, wenn Jemand mit verbundenen Augen plötzlich hierher gestellt würde, so würde er erklären, dies sei die richtige Passatluft mit ihren leichten weissen Haufenwolken rings um den Horizont und die richtige lange Passatsee dazu, die von Norden her ihre weissen Köpfe uns nachsandte. Wir sind natürlich noch lange nicht in der eigentlichen Passatzone, aber die Passatzonen strecken sich alle an ihrer östlichen Grenze etwas nach den Polen hin vor, so dass ihre sonst ziemlich mathematische Gürtelgestalt an dieser Stelle einen zipfelartigen Ansatz erhält. Dieser weit nördlich sich vorstreckende Zipfel reicht im Nordatlantic nach Portugal hinauf, im Südatlantic nach dem Kap der Guten Hoffnung, im Südindischen Ocean bis Kap Leeuwin hinunter, im Nordpacific nach Kalifornien hinauf, im Südpacific bis über Valparaiso und Valdivia hinunter. Sache der Segelschiffs- und auch Dampfschiffsführer ist es, diesen Zipfel als ersterreichbaren Anfang des Passats baldmöglichst aufzufinden und sich nutzbar zu machen. Da es jetzt platt vor dem Winde dahingeht, so wird auch das viereckige Fock- und darüber statt des viereckigen Marssegels ein Dreiecksegel gesetzt, welches der Besegelung ein eigenartiges Aussehen giebt.

Die merkbare Aenderung der Temperatur giebt sich äusserlich in der veränderten Beschäftigung der Matrosen kund, die eifrigst beim Nähen von Hängematten und der Zurichtung der Sonnenzelte beschäftigt werden, die wir an den gegenkommenden Dampfern seit einigen Tagen schon gesehen haben. In alten holländischen Logbüchern wurden die meteorologischen Aenderungen in drastischerer Weise notirt als das heutzutage Sitte geworden ist, wo man Barometerstand, Temperatur, Luft, Wind etc. in einer einzigen Reihe von Zahlen zu kennzeichnen liebt. Damals schrieb z. B. der Steuermann in sein Journal: „Van daag heeft de Timmerlieden by het werk tot erste Keer de Jas uitgetrokken“ d. h.: Heute haben die Zimmerleute bei der Arbeit zum ersten Male die Jacke ausgezogen. Rechnen kann man mit solchen Angaben freilich nicht, aber die Meteorologie ist ja auch nicht, wie es heutigen Tages mitunter scheinen will, nur zum Rechnen da, sondern dass man sich was dabei denke, und letzterer Zweck wird durch die holländische Notiz gewiss und sicher erreicht. Und gewiss ist es dem Steuermann bei seiner Eintragung ebenso gemütlich zu Sinne gewesen, als uns, die wir auf dem gemach von einer Seite zur andern schlingernden Schiffe uns nach bösen vergangenen Tagen der besseren Gegenwart erfreuen, die endlich auf die Hülfe des Ofens verzichten lässt.

Am Nachmittag rückten wir der portugiesischen Küste erheblich näher, und gehen zwischen ihr und den Farilhaos-Felsen und Burling-Eiland in geringem Abstand von letzterem durch, 20 Sm. nördlich der Mündung des Tajo. Von den Farilhaos-Felsen erhebt sich die nördlichste zu der ansehnlichen Höhe von 315 Fuss, wie eine reguläre vierseitige Pyramide aus der Meeresfläche aufsteigend, und durch ihren regelmässigen scharf zugespitzten Aufbau durchaus an die Pyramiden von Gizeh erinnernd, denen freilich die schäumende Brandung am Fusse fehlt. Burling-Eiland ist flach abgerundet mit steil abfallenden Felswänden, kurzer grüner Schafweide oben und Guanolagern auf den vorliegenden Klippen, die vielfache quer durchgehende Löcher im porösen Fels aufweisen. An der einzigen Landungsstelle im Südwesten ist ein Fort in den Fels eingebaut, hoch oben auf der obersten Stelle steht ein wichtiger Feuerturm mit Signalstation daneben. Die von Süden kommenden Schiffe pflegen alle, die von Norden kommenden meistenteils zwischen Insel und Festland durchzugehen. Auf letzterem erkennt man in der Nachmittagssonne das erste *weisse* Städtchen Peniche, deren Farbe nun die tonangebende wird; hinter ihm erhebt sich der dicke runde Berg Junta von 2200 Fuss Höhe. Sonst ist die Küste wenig interessant; das Land fällt in mehreren Terrassen zum Meere ab, zuletzt eine Steilküste zeigend mit häufigen [illegible] digen Abhängen dazwischen und fast überall von brauner Haide und spärlichem Wald bedeckt.

Weiter nach Südwesten fesselt in auffälliger Weise den Blick das grosse berühmte Kloster Mafra, welches auf halber Höhe etwas zurück vom Meere liegend mit seinem an das Schloss von Berlin erinnernden massiven Bau, der von vier schweren Türmen flankirt wird, weit, weit über den Ocean hinausschaut. Dahinter liegt auf mehrtausend Fuss hohem Berge das Schloss Cintra und zwischen beiden zieht sich eine Kette von [illegible] kegelförmigen Bergspitzen vom Meer über der Schlucht des kleinen trockenen Flüsschens Sigardro nach dem Dorfe Torres Vedras hinauf, die Lage der bekannten Verschanzungen verratend, hinter welchen geschützt der von der Tajoflotte reichlich auskömmlich d. h. gut verproviantirte Wellington seinen Gegner Marschall Soult aus dem armen nördlich davon liegenden Teil Portugals herausshungerte. Aus See kommt ein Telegraphendampfer mit seinen klotzigen Windeschrauben an Steven und Heck dahergerollt und geht vor uns über in den Peniche-Hafen hinein: weiter nach See entdecken wir ein englisches grosses Panzerschiff, welches eilends nordwärts steuert, wer weiss mit welchen Depeschen für die Regierung des [illegible] beherrschenden Inselreichs. Englische Kriegsschiffe sind in der Ferne an ihren gelben Schornsteinen leicht auszumachen; ein viermastiger Dampfer der Duke-Linie eilt mit seinen [illegible] Schornsteinen vorüber; die P. u. O.-Linie führt schwarze Schornsteine und sollen ihre Schiffe nur drei Masten führen, wie der Kapitän bemerkt. Zwei solche Ungetüme der Duke-Linie [illegible] nebeneinader auf einer Klippe des Roten Meeres sitzen; es [illegible] sich kaum, ob das nicht die teuerste Art der Betonnung [illegible] gefährlichen und unbekannten Meeres ist; England kann sich noch immer nicht dazu verstehen, die Bezeichnung der gefährlichsten Stellen dieses vielbefahrenen Meeres auf seine Kosten in regelmässiger Form zu übernehmen.

Am Mittwoch den 7. Mai früh 5 Uhr war der Himmel [illegible] völlig klar und wolkenlos bis zur Kimm oder dem Seehorizont herunter. Zur grossen Genugthuung wurde konstatirt, dass [illegible] rere hartnäckige Mitdampfer achteraus gesackt waren: [illegible] dampfer fuhren nahe unter Land an Cap Sines vorbei, während wir weiter ab unsern Kurs gerade auf Cap St. Vincent setzten. Vorher werden wir aber durch ein ganz eigenartiges Schauspiel überrascht. An Steuerbord voraus zeigten sich auf einmal eine Menge spitzer Masten am klaren Morgenhimmel, und bald erkannten wir ein Geschwader von sechs englischen Kriegsschiffen, welches in zwei um fünf Schiffslängen getrennten Divisionen nordwärts steuerte, formirt in Kiellinie drei Schiffe genau hintereinander, je ein Fünfmaster voraus und in gleichem Abstande von zwei Schiffslängen dahinter links zwei Batterieschiffe mit drei Masten, rechts ein Turmschiff und ein Batterieschiff. Alles grosse mächtige Schiffe, denen wahrscheinlich das einzelne Kriegsschiff von gestern als Despatchschiff vorausgeschickt war. Die Politik war freilich von unsern Gesprächen ausgeschlossen, aber die Frage, was diese Fahrt wohl zu bedeuten habe, wurde doch nach allen Richtungen erörtert; die endliche Abstimmung ergab, nicht dass diese Schiffe eine blosse Uebungsfahrt machten oder Truppen von Aegypten zurückbrächten, sondern dass England und Frankreich aneinander geraten und dieses Geschwader zur Blockade von Brest bestimmt sei. Damit zufrieden, hiess es dann allseitig „Vabamos“, nach der neuen spanischen Lesart.

(Fortsetzung folgt.)

Verschiedenes.

Eingegangen sind zwei Nachträge zum internat. Register des Germanischen Lloyd vom 16. April und 31. Mai, welche enthalten: 40 resp. 39 Berichte über neu aufgenommene, resp. neu klassificirte Schiffe, welche dem Register pro 1884 hinzuzufügen sind. 133 resp. 127 Berichte über Veränderungen und Korrekturen, welche die bereits im Register pro 1884 enthaltenen Schiffe betreffen. 17 resp. 25 Berichte über Schiffe, welche dem Anhange zum Register pro 1884 hinzuzufügen sind, endlich 1 resp. 16 Berichte über Veränderungen und Korrekturen, welche die im Anhange zum Register pro 1884 bereits enthaltenen Schiffe betreffen.

Verlag von H. W. Silomon in Bremen. Druck von Aug. Meyer & Dieckmann. Hamburg, Alterwall 36.

HANSA

Redigirt und herausgegeben
von
W. von Freeden, BONN, Thomastrasse 9.
Telegramm-Adresse:
Freeden Bonn,
oder
Hansa Alterwall 28 Hamburg.

Verlag von *H. W. Silomon* in Bremen.
Die „*Hansa*" erscheint jeden 2ten Sonntag.
Bestellungen auf die „*Hansa*" nehmen alle Buchhandlungen, sowie alle Postämter und Zeitungsexpeditionen entgegen, desgl. die Redaktion in Bonn, Thomastrasse 9, die Verlagshandlung in Bremen, Obernstrasse 44 und die Druckerei in Hamburg, Alterwall 28. Sendungen für die Redaktion oder Expedition werden an den letztgenannten drei Stellen angenommen. **Abonnement** jederzeit, frühere Nummern werden nachgeliefert.

Abonnementspreis:
vierteljährlich für Hamburg 2½ *M*,
für auswärts 3 *M* = 3 sh. Sterl.
Einzelne Nummern 60 ₰ = 6 d.

Wegen **Inserate**, welche mit 25 ₰ die Petitzeile oder deren Raum berechnet werden, beliebe man sich an die Verlagshandlung in Bremen oder die Expedition in Hamburg oder die Redaktion in Bonn zu wenden.

Frühere, komplete, gebundene Jahrgänge von 1873 1874, 1876, 1877, 1878, 1879, 1880, 1881, 1882 sind durch alle Buchhandlungen, sowie durch die Redaktion, die Druckerei und die Verlagshandlung zu beziehen.
Preis *M* 8; für letzten und vorletzten Jahrgang *M* 4.

Zeitschrift für Seewesen.

No. **14.** **HAMBURG, Sonntag, den 13. Juli 1884.** **21.** Jahrgang.

Inhalt:

Die Postdampfervorlage,

welche von dem alten Reichstag in der Kommission begraben ist, hat alle Aussicht im neuen Reichstag ihr Wiederauferstehungsfest zu feiern und inzwischen zum Stich- und Rufwort der Parteien zu dienen: Hie Bismarck, dort Richter; — hie grosse nationale Gesichtspunkte und Ziele, dort nörgelndes, verbittertes Missbehagen über alles und jedes; — hie systematische weitgreifende Ideen zur Unterstützung von Handel und Gewerbe, dort elende kleinkünstlerische Krämerrechnung über Soll und Haben; — hie der Appell an die grossen in Tritt und Bewegung zu setzenden lebenden und materiellen Massen, dort die Berufung auf darbende Schullehrer und Postsekretäre; — hie der Wunsch deutschen Handel und Wandel vom Auslande unabhängig zu machen und instand zu setzen, sich selber direkt seinen Anteil an den Vorteilen kolonialen Besitzes und Handels zu erringen, selbst wenn der Einsatz auch etwas kostet, dort das Bestreben Deutschland in steter Abhängigkeit vom Ausland zu erhalten, und die alte Nachgiebigkeit und das Duckmäusertum der schwachen Hansestädte auf das gewaltige glücklich geeinte Deutschland zu übertragen, auf die Gefahr hin für das anfangs billigere System von allem künftigen Ersatz aus den reichen Aufkünften überseeischen Handels ausgeschlossen zu werden, unter Verkennung des Satzes, dass das Billigste immer das Teuerste ist; — hie das unverzagte Anfassen grosser nationaler Zwecke ohne Furcht und Bangen aber auch ohne herausfordernde Vermessenheit, dort eine elende Heldenfurcht vor einem »Nasenstüber«, den Bambergers Patriotismus von einem forschen Auftreten erwartet u. s. w. — wahrlich wem da die Wahl noch zweifelhaft wird, an dem müssen entweder alle Künste der Entstellung offenkundiger Thatsachen mit Geschick geübt, oder er muss so herzlos, fraktionsverbissen und in seiner Eitelkeit verletzt sein, wie die Führer der, um mit dem Augsburger Bürgermeister zu reden, nicht »frei-« sondern »*unsinnigen*« Partei, die Richter, Rickert, Bamberger oder Bamberger, Rickert, Richter u. Gen. es längst geworden sind. Nun so viel an uns ist, wir nehmen das Rufwort auf und stimmen zum nächsten Reichstag für den Mann, der Deutschland in den Sattel gehoben hat und es seitdem reiten lernt, ohne sich weiter als nötig ist um »Hindernisse« zu kümmern, für welche der edle Renner höchstens die Hinterfüsse übrig hat.

Wir beneiden die unglücklichen Deutschen nicht, welche im Auslande unter den Augen der fremden Nationen es haben ansehen müssen, mit welchen Gründen Fortschritt und Centrum die Vorlage aus dem Plenum des Reichstags in die Kommission verschleppt haben. Wie peinlich muss ihnen gerade das offene Armutszeugnis in die Ohren geklungen haben, welches der eitle Bamberger, der noch 1871 mit Emphase alle Deutschen im Auslande als »cives germanos« beschützt wissen wollte, dem inzwischen doch wahrlich nicht schwächer gewordenen Reich ausstellte, bloss weil der gewaltige Lenker desselben ein besseres Vertrauen zu dem Vermögen und zur Kraft des Reiches hat. Wir hätten nicht geglaubt, dass seit Bambergers unglücklichem Anlauf gegen die Samoa-Vorlage, der wahrlich weder im Inlande noch erst recht im Auslande vergessen ist, noch ein zweites noch schlechteres Schauspiel von ihm aufgeführt werden würde, welches die Stellung der Deutschen im Auslande sicher nicht verbessern wird, nachdem sie gerade jetzt eine so allseitig achtungsvoll anerkannte geworden war, dass man mit Lust und Behagen in der Fremde reisen möchte.

Ebenso wenig beneiden wir die Wähler in den Küstengegenden des engeren Vaterlandes, welche sich von dem Fortschritt in den letzten Jahren haben umgarnen lassen; sie haben jetzt so recht Gelegenheit zu sehen, in welche Gesellschaft sie geraten sind. An der Ems mag freilich die Kurzsichtigkeit der Partei, die keine Augen für die Wahrnehmung des Segens hat, der weitern Kreisen aus einer Beförderung des Handels zufliesst, sich noch überbieten in dem Trost, dass die Ems-Häfen in die beabsichtigte Subvention doch nicht eingeschlossen gewesen seien und ihr Standpunkt also der alte bleiben könne. Die Leutchen dort hatten seiner Zeit auch kein Verständnis dafür, dass die Zuckerindustrie ein ungeheurer Impuls für eine Menge landwirtschaftlicher und industrieller Gewerbe geworden ist, und verstockten sich auf die eine Klage, dass der der Zuckerfabrikation gewährte Schutz den Zucker verteuert habe, ohne auch zu bedenken, dass der Zucker wahrscheinlich jetzt noch viel teurer und jedenfalls schlechter geworden wäre, wenn die Tropen allein den kolossal gestiegenen Bedarf hätten decken sollen. So würde es auch gehen, wenn Deutschland nicht rechtzeitig noch für eigene Verkehrslinien mit dem Ausland sorgte; — binnen wenigen Jahren wird der gesteigerte Verkehr die jetzt noch billigern Gelegenheiten verteuern und nebenbei unsere Unthätigkeit uns von der Ausbeutung der neuen Verkehrsgebiete und deren bevorstehender Entwickelung ausgeschlossen haben. Mit welchem Gesicht die Bevölkerungen der Küstenländer die für die Flotte ausgeworfenen und ferner auszuwerfenden Beträge ansehen müssen, mag ihnen ferner selber überlassen bleiben. Sie sollten sich eigentlich freuen, dass dem überaus teuren Material eine Reihe ernster Aufgaben in Aussicht gestellt wurden, aber freilich, wenn auch ihre Führer wie sie selber den Anfängen zugejubelt haben, so haben die erstern sich doch bei der ersten praktischen Probe so deutlich als möglich für so unfähig erklärt, dass wir neugierig sind, ob oder wie die Knappen der Herren Wink nachahmen werden. Und doch hat Bamberger Unrecht, wenn er glaubt, dass die Ems je einen ›Nasenstüber‹ abbekommen könnte; sie ist 1848 verschont geblieben und bleibt es auch ferner.

Dieser jetzt von allen Seiten dementirte und Lügen gestrafte, von H. Scharf Seitens der Samoa-Gesellschaft gründlichst nach Hause geleuchtete Herr hat übrigens an seiner Partei wirklich wie ein »enfant terrible« gehandelt. Abgesehen von allen andern überaus kleinlichen Gesichtspunkten und Verdrehungen, unter denen er die grosse Frage hat leiden lassen, sollte so grobe Unkenntnis der wirklichen thatsächlichen Verhältnisse doch nicht vorkommen, dass er die Dampferlinien der Hansestädte bloss darum rühmt, weil sie ohne Subvention in die Höhe gekommen seien. Und doch haben die ersten Linien, die des ›Washington‹ und ›Herrmann‹ seel. 48er Andenkens, gerade die pekuniäre Unterstützung fast aller deutschen Staaten genossen, welche trotz Bundestag und allem die Errichtung einer Dampferlinie nach N.-Amerika für ein ebenso nationales und notwendiges Unternehmen erklärten, wie die Reichsregierung jetzt die Schaffung staatlich subventionirter Linien nach Ostasien und Australien ansieht.

Wenn Bamberger in den faktischen Verhältnissen einer Richtung so unkundig ist, wer mag ihm dann noch nach anderer Seite Vertrauen schenken. Jetzt sagt er, wir würden mit unseren 4 Millionen mehr thun als verhältnismässig England an seine Linien wendet. Abgesehen davon, dass England in den vierziger Jahren der Cunard Linie 15 Millionen ℳ für die Postbeförderung nach und von Amerika zuwandte, als die deutschen Fürsten $1\frac{1}{2}$ Millionen zum Ankauf obengenannter Dampfer zusammenschossen, so ist dank seiner offenen Hand England mittlerweile in die Lage eines omnipotenten Geschäftsmannes gekommen, der an Reisenden und Offertenbriefen sparen kann, nachdem er sich die alleinige Kundschaft oder Bezugsquelle gesichert hat. Darum noch einmal, wie man es auch ansehen mag, die Gründe der »freisinnigen« Herren Bamberger, Rickert, Richter und Gen. sind so »unsinnig« als möglich. Von ihrem »Hilf dir selbst«-Standpunkt aus haben sie keinen Sinn für die durch die ganze Natur sich ziehende Tatsache, dass die jungen Kulturen erst eines gewissen Schutzes zu anfänglichen Gedeihen und Erstarken bedürfen, wenn sie nicht unnötig kümmerlich bleiben oder gerade verkümmern sollen; sie haben auch keine Ahnung davon, dass in der sittlichen Welt die gleichen Gesetze herrschen und spotten darüber, wenn der Schwache für seine Ideen und Ziele Hülfe beim Starken sucht, und nennen Heroenkultus, was nichts als die Anerkennung einer faktisch höheren Kraft und die dadurch bedingte Unterordnung und Einordnung ist. Darum sagte auch der Augsburger Fischer mit Recht zu den in Ulm versammelten Parteigenossen, da sollen wir nicht zurückschrecken, dass man uns beschuldigt wir seien überfüllt von dem Gefühl der Dankbarkeit gegenüber dem Mann, den wir als einen der hervorragendsten Schöpfer des deutschen Reiches betrachten! Wenn wir uns zurückerinnern, was Deutschland war, welche Schutzlosigkeit der Deutsche, der ins Ausland ging, zu ertragen hatte, und wenn wir uns erinnern, was Deutschland geworden ist, wie jeder Deutsche, mag er auftreten in Afrika, Amerika, Australien oder wo immer, wie er jetzt respectirt wird, da wird man nicht verkennen, dass da ein grosser Unterschied in der Beziehung eingetreten ist durch die Politik, deren Obsiegen wir in erster Linie dem Reichskanzler Fürsten Bismarck zu verdanken haben. Es kann da wohl irgend Jemand wie Richter, Bamberger und dergl. sagen, die deutsche Nation hat kein Interesse daran, dass ihre Flagge an der afrikanischen oder asiatischen Küste weht. Meine Herren, die deutsche Nation hat ein hohes Interesse daran. Und wenn die Herren blos darüber ärgerlich sind, dass vielleicht, wenn die deutsche Flagge erscheint und die Eingeborenen sagen, da kommt ein deutsches Schiff, wenn dabei hunderttausendmal öfter der Name Bismarck als der Name Richter genannt wird, das thut der Ehre der deutschen Nation keinen Eintrag. Und deshalb wollen wir uns gar nicht schämen, im guten Sinne des Wortes Verehrer von Bismarck zu sein, und zu sagen: Ja, wir haben Vertrauen zu Bismarck und zu ihm auf jeden Fall mehr Vertrauen als zu irgend einem seiner ausgesprochenen Gegner. Und in diesem Sinne, dass wir Anhänger der grossen deutschen Politik des Fürsten Bismarck sind und bleiben wollen, rufe ich: Deutschland, Deutschland über Alles! Unser deutsches Vaterland lebe hoch!

Angra Pequeña.

Eine nächstens im Verlage von F. A. Brockhaus zu Leipzig erscheinende Uebersetzung eines so zeitgemässen als bedeutenden Werkes des Mitgliedes der Königlichen Geographischen Gesellschaft zu London Herrn H. H. Johnston: »der Kongostrom von seiner Mündung bis Bolobo, mit einer allgemeinen Schilderung der Naturgeschichte und Anthropologie seines westlichen Stromgebietes« mit vielen Karten und Beilagen, bringt u. a. auch eine kritische Uebersicht der Pflanzengeographie und physikalischen Eigentümlichkeiten

keit der ganzen Westküste Afrika's vom Aequator bis zum Oranjeflusse oberhalb des Kaplandes herunter. Da Angra Pequeña innerhalb dieser Grenzen liegt, so mag es angezeigt sein, von einem höhern Standpunkt aus die vielfach gar philiströs betrachtete neue Erwerbung zu beleuchten. Johnston unterstützt seine Darlegung freilich durch eine besonders kolorirte Karte des Küstenlandes, indessen lassen sich seine Auslassungen auf jeder andern Küstenkarte auch leicht verfolgen. Er schildert nun die Verteilung und verhältnismässige Ueppigkeit der Vegetation, welche dem Reisenden auf dem Wege durch das westliche tropische Afrika bis nach dem Oranjeflusse herunter entgegen tritt, in folgender Weise:

›Gewisse Eigentümlichkeiten der Pflanzengeographie des südwestlichen Afrika lassen sich am besten auf der beifolgenden Karte verfolgen. Ich habe mich bemüht auf derselben die Verteilung und verhältnismässige Ueppigkeit der Vegetation zu zeigen, welche einem auf der Reise durch das westliche tropische Afrika und besonders in den Gegenden zwischen dem Kuneneflusss und dem obern Kongo entgegen tritt. Von Sierra Leone bis zum Ogowefluss längs der Küste herrscht *endloser Wald* vor. Dies ist nur ein Teil der grossen *Waldregion oder des Waldgürtels*, welcher seine besondere Fauna und Flora hat, und sich in östlicher Richtung in der Nähe des Aequators durch mehr als die Hälfte von Afrika bis zum Victoria Njansa-See und den westlichen Ufern des Tanganjika-Sees ausdehnt. Dies ist die Zone der menschenähnlichen Affen, welche gleichmässig in der Nähe von Sierra Leone, am Uëlle und nahe dem obern Nil gefunden werden. Hat man aber die Mündung des Ogowe passirt, so fangen die Wälder, ausser wo sie den Flussläufen folgen, an, sich von der Küste zurückzuziehen, und machen allmälig einer mehr offenen *Savannen-Landschaft* Platz, welche so charakteristisch für den grössten Teil Afrikas ist und von ältern Reisenden so glücklich als ›parkartig‹ geschildert wird, eine Bezeichnung, welche ihre offenen Grasplätze und regelmässigen Gruppen schattiger Bäume hinlänglich rechtfertigen. So sieht die Landschaft zu Loango, Kabinda und längs dem untern Kongo bis nach Stanley-Pool aus. Aber ein wenig südlich von der Kongomündung beginnt die parkartige Landschaft ihrerseits sich von der See zurückzuziehen, etwa bei Cabeça da Cobra, und nun folgt *eine recht hässliche Gegend mit dürftigem Pflanzenwuchs und weniger reichlichem Regen*. Dieser Art ist das Land um Loanda, wo ausser Euphorbien, Baobabs und Aloen kaum etwas wächst, und wo es oft kaum zwei Monate im Jahr regnet. Dies unfreundliche Land zieht sich längs der Küste eine Strecke weit hin, etwa bis zum 13. Breitengrad, *wo auch ihre Grenze nach dem Innern abschwenkt, um der reinen Wüste Platz* zu machen, welche von nun ab ununterbrochen bis zum Oranjefluss in 28½° S vorherrscht. Auf einer Reise vom Kunenefluss bis Mossamedes passirt man nach einander diese letzten drei Arten der Landschaft, und gelangt, nachdem man eine reine Wüstenzone durchwandert hat und darauf eine Gegend mit sparsamem Pflanzenwuchs, endlich in ein schönes welliges Land mit zerstreuten Waldflächen und Grasplätzen, welche die See erst nördlich des Kongostromes wieder erreichen. Die vier Distrikte, welche ich oben beschrieben habe, wechseln von fast absoluter Unfruchtbarkeit bis zu überströmendem Reichtum der Vegetation: vielleicht ist indessen Unfruchtbarkeit ein zu hartes Wort, weil *der Wüstenboden recht wohl imstande ist, reiche Erndten zu geben*, sobald ihm der Regen nur nicht fehlt. Die sandigen Wüsten zwischen Mossamedes und dem Oranjefluss (einschliesslich also des in 26½° S liegenden Angra Pequeña Landes) erzeugen wenig ausser der seltsamen Welwitschia mirabilis und wenigen verkrüppelten Bauhinien; in der folgenden Region sind Euphorbien und Aloen die Herren des Bodens, gelegentlich einem Affenbrotbaum, einer Mimose oder Feige Raum gewährend. In der parkartigen Landschaft sind die Waldbäume zu zahlreich und mannigfaltig, als dass man sie aufzählen könnte; doch mögen unter ihnen die hübsche Hyphaene-Palme, die Oelpalme bis 10° Süd, der Baumwollenbaum, der Affenbrotbaum, gigantische Mimosen, Feigenbäume, und eine Unzahl herrlicher Bäume aus der Familie der Schmetterlingsblütler erwähnt werden. Dies ist die am meisten typische Gegend von Afrika und der Tummelplatz der grossen Jagdtiere. Die Rhinozeros, Zebras, Giraffen und vielen Antilopen kommen nie in den Waldgürtel, der einen so grossen Teil des westlichen Afrika bedeckt und die oberste Spitze vegetabilischen Wachstums bedeutet, wo im weiten Raum, unter beständigem Regen und einer Aquatorialen Sonne das Pflanzenleben blüht und allgewaltig über das tierische Leben herrscht.

In Bezug auf Unfruchtbarkeit und geringe jährliche Regenmenge zeigen die Küstenländer des südwestlichen Afrika eine merkwürdige Aehnlichkeit mit denen des westlichen Australien und des westlichen Südamerika. Alle sind mehr oder weniger richtige Wüsten, während Queensland, das südöstliche Afrika und Brasilien von Pflanzenleben strotzen. Es ist ferner eine interessante Thatsache, welche aber hier nur kurz gestreift werden kann, dass ein Blick über eine physikalische Karte der Erde uns unwiderleglich dartlhut, dass im Norden wie im Süden des Aequators die tropische Zone von den gemässigten durch eine mehr oder weniger scharf begrenzte Region von Wüsten und pflanzenleeren Steppen getrennt ist. Die Sahara, die syrische, arabische, persische und indische Wüste, die grosse Wüste von Gobi und die öden Wüsten in China und Tibet trennen die fruchtbaren Gebiete des mässig warmen Europa, Afrika und Asien von der Zone des tropischen Regens, gerade so wie in Nordamerika fast in denselben Breiten die Salzebenen, Wüsten und die hässlichen todtstarren Einöden des nördlichen Mexico dazwischenliegen. Südlich von der Linie finden wir in Süd-Amerika die Atacama-Wüste und die Grassteppen des Gran Chaco nebst den nördlichen Staaten der Argentina; das sterile Gebiet von Inneraustralien, die Kalahari-Wüste von Südafrika, welche sich nordwärts bis Mossâmedes ausbreitet und ihren Einfluss auf die westliche Küstenlinie bis nahe an den Kongo erstreckt.‹

Der Regenmangel in den weiten Gebieten nördlich und südlich von Angra Pequeña ist also eine typische Eigentümlichkeit aller Gegenden, welche die südliche heisse Zone begrenzen, und wird daher die Erwerbung dieses Küstenstrichs weniger Bedeutung für eine Kolonisation in dem gewöhnlichen Sinne des Worts haben, als vielmehr auf eine Ausbeutung der Mineralschätze des Binnenlandes an Kupfer etc. hinauslaufen.

Aus dem deutschen Nautischen Verein.

Der Druck der stenographischen Berichte des 15. Vereinstages ist mit thunlichster Beschleunigung erfolgt, nicht nur, um die Einzel-Vereine mit dem Inhalt der dort gepflogenen Berathungen baldmöglichst genau bekannt zu machen, sondern vor allem deshalb, um unsere Erörterungen über das *Reichsgesetz betreffend die Untersuchung von Seeunfällen vom 27. Juli 1877 und dessen Ausführung* bei einer Abänderung dieses Gesetzes rechtzeitig zur Geltung bringen zu können. Ich hoffe, dass allen Vereinen mittlerweile die gewünschte Anzahl von Exemplaren zugegangen sein wird. Schon vor der Herausgabe der stenographischen Berichte liess ich unsere „Abänderungsvorschläge" zu dem Gesetze zusammenstellen u. A. einige Exemplare derselben nebst besonderer Eingabe unterm 23. März d. J. dem

Reichsamt des Innern zugehen. Daraufhin ist hier die Antwort eingegangen, *„dass die von dem deutschen Nautischen Verein ausgesprochenen Wünsche bei der bevorstehenden Revision des Gesetzes etc. werden in Erwägung gezogen werden.“*

In einer Vorstellung vom 30. v. M. an den Herrn Reichskanzler habe ich sodann die bisher noch unerledigt gebliebenen Verhandlungsgegenstände des 14. Vereinstages: a) betreffend die *Auslegung eines Feuerschiffes auf der Oderbank*, b) betreffend die *Einführung einer einheitlichen Betonnung nach gleichem Systeme in den deutschen Gewässern* vorgetragen. Beide Angelegenheiten sind von solcher Wichtigkeit für die deutsche Schiffahrt, dass wohl darauf gerechnet werden darf, dass die Verhandlungen unseres Vereins hier noch einen vollen Erfolg erzielen werden.

Wegen des gleichfalls vom vorigen Jahre noch unausgeführt gebliebenen Beschlusses des Vereins betreffend Vorarbeiten für die Errichtung einer *Seeversicherungs-Gesellschaft auf Gegenseitigkeit* durch eine damals eingesetzte Kommission habe ich mich mit dem Antragsteller, Herrn Domcke-Stettin, in Verbindung gesetzt und ihn ersucht, das zunächst Erforderliche in dieser Sache zu veranlassen. Die Vereine werden über den weiteren Fortgang der Sache s. Zt. unterrichtet werden.

Ich kann nur meine bereits neulich ausgesprochene Bitte wiederholen, *Anträge für den nächsten Vereinstag* möglichst frühzeitig hierher anzumelden, damit die Vorbereitung derselben durch Vorberatung in den Einzel-Vereinen in gebührender Weise geschehen kann. Zunächst liegt nur ein Antrag vor: derjenige des hamburger Nautischen Vereins:

„Der deutsche Nautische Verein wolle dahin wirken, dass auf der deutschen Handelsmarine eine Uebereinstimmung des Sprachgebrauchs herbeigeführt werde über die Bedeutung der Ausdrücke *Bug* und *Hals* für die Lage beim Winde segelnder Schiffe.“

Es wird sich gewiss empfehlen, dass die ebengedachten technischen Begriffe aus den sachkundigen Kreisen unseres Vereins heraus derart klargestellt werden, dass alsdann auch für den juristischen Gebrauch etc. kein Zweifel obwalten kann. Ich bitte deshalb in allen Vereinen eine genaue Interpretation der Ausdrücke „Bug“ und „Hals“ beraten und das Ergebniss davon bis zum 31. Oktober d. J. hierher mitteilen zu wollen. Ich werde alsdann die verschiedenen Antworten zusammenstellen, wonach wir auf dem nächsten Vereinstage zu einer bestimmten Formulirung gelangen müssen.

Der Vorsitzende
des deutschen Nautischen Vereins
Sartori.

Noch einmal die Schwierigkeiten der deutschen Hochseefischerei.

IV.

Herr Prof. Benecke scheint noch einmal in einem andern Blatte eine Entgegnung zu unserer Antwort in No. 11 d. J. veröffentlicht zu haben, wenigstens beehrt er uns mit einer Fahne aus der Weserzeitung vom 21. Juni, in welcher er zunächst sorgfältig die Punkte registrirt, in welchen wir derselben Meinung sind, dann aber es „auffallend findet, dass die „Hansa“ in ihren der Schwierigkeit der deutschen Hochseefischerei gewidmeten Artikeln einiger Uebelstände gar nicht gedenkt, welche thatsächlich zur Zeit noch ein grosses Hinderniss bilden und deren Abstellung dringend erwünscht ist.“

Wir waren so sehr auf diese Einrede gefasst, dass wir thatsächlich schon die beiden Nummern 10 und 11 vom 20. Mai und 3. Juni vor. Jahres für den Königsberger Herrn Professor zurückgelegt hatten, weil er augenscheinlich unsere damaligen Ausführungen nicht kannte. Da uns lediglich daran lag, die etwas zu sanguinischen Anschauungen des vom „neutralen“ Standpunkte aus urteilenden Herrn von dem Standpunkte eines „gebrannten Kindes“ zu beleuchten und auf ihr praktisches Maass zurückzuführen, so waren wir erst recht nicht in der Lage auf das vor Ja[hresfrist] bereits Gesagte noch einmal zurückzukommen, weil unsern Lesern es sonst erst recht zuviel geworden sein möchte. Da wir uns beflissen haben, dem Herrn Professor B. die Nummern zuzusenden, so wird er sich wohl jetzt auch nicht enthalten dürfen, die Leser der Weserzeitung mit dem Inhalte dieser Artikel in Kenntnis zu setzen, wie er es mit den Artikeln dieses Jahres gehalten hat.

Germanischer Lloyd.

Deutsche Handels-Marine: Seeunfälle vom Monat Mai 1884, soweit solche bis zum 15. Juni 1884 im Central-Bureau des Germanischen Lloyd gemeldet und bekannt geworden sind.

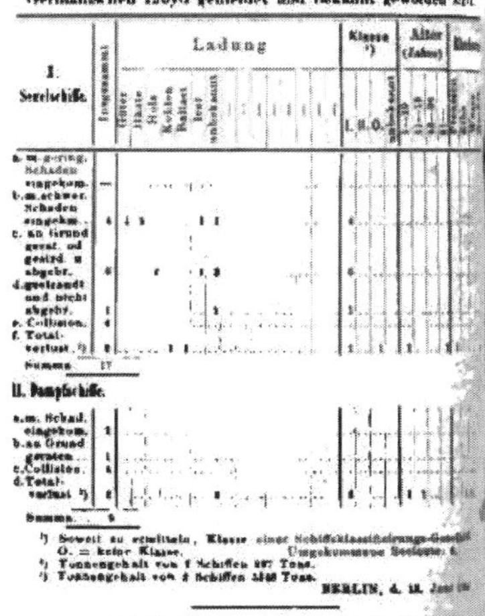

I. Seeschiffe.	Anzahl	Ladung	Klasse ¹)	Alter (Jahre)
a. m. gering. Schaden eingekom.	—	[illegible]	[illegible]	[illegible]
b. m. schwer. Schaden eingekom.	4	[illegible]	[illegible]	[illegible]
c. an Grund gerat. od. gestrd. u. abgebr.	6	[illegible]	[illegible]	[illegible]
d. gestrandet und nicht abgebr.	1	[illegible]	[illegible]	[illegible]
e. Collision.	4	[illegible]	[illegible]	[illegible]
f. Totalverlust ²)	2	[illegible]	[illegible]	[illegible]
Summa	17			
II. Dampfschiffe.				
a. m. Schad. eingekom.	1	[illegible]	[illegible]	[illegible]
b. an Grund geraten	1	[illegible]	[illegible]	[illegible]
c. Collision.	1	[illegible]	[illegible]	[illegible]
d. Totalverlust ³)	2	[illegible]	[illegible]	[illegible]
Summa	5			

¹) Soweit zu ermitteln, Klasse einer Schiffsklassifikations-Gesellsch. O. = keine Klasse. Umgekommene Seeleute: [illegible]

²) Tonnengehalt von 2 Schiffen [illegible] Tons.

³) Tonnengehalt von 2 Schiffen [illegible] Tons.

BERLIN, d. 18. Juni [illegible]

Aus Briefen deutscher Kapitäne.

X.

Reise des deutschen Schiffes „J. W. Gildemeister“ von Newcastle N. S. W. nach Manila.

Da mir die östliche Route von Australien nach China resp. Manila unbekannt war, so suchte ich so viel als möglich von in dieser Fahrt beschäftigten Kapitänen Informationen einzuholen. Leider konnte mir keiner derselben über die im November — Zeit des Eintritts des NW-Monsuns an dem NÖlichen Teil der australischen Küste — möglicherweise anzutreffenden Winde sichere Auskunft geben, weil alle ähnliche Reisen gewöhnlich im SW—SO-Monsun, resp. zu Ende des NO—NW-Monsuns gemacht hatten. Ein in Newcastle herausgegebener A[usweis] ... manach führte verschiedene Reisen nach Manila auf, variirend von 50—72 Tagen, doch auch zu anderen Jahreszeiten, als die unsrige. Der nächste Weg wäre nördlich zwischen Neu-Irland und den Salomon-Inseln gewesen; doch da, wie oben bemerkt im November der NW-Monsun durchkommt und sich nach Findlay bis zu den östlichsten der Salomon-Inseln erstrecken soll, so vermutete ich auf diesem Wege viel Windstille. Da mir ferner die östlichste Route bei den Fidji-Inseln vorbei ein zu grosser Umweg schien, so entschloss ich mich die sogenannte Mittelroute westlich von Neu-Caledonien zwischen Salomon- und Santa Crux-Inseln hindurch, dann nördlich hinauf durch die östlichen Carolinen-Inseln hindurch und nördlich von denen, wenn der NO-Passat gut durchsteht, einen direkten Kurs für die St. Bernardinostrasse zu wählen*).

*) A. Schück: »Die Wege des Oceans für Segelschiffe.« 2 Karten in Mercator's Projection; L. Friederichsen & Co. (II Jahresbericht der Geographischen Gesellschaft in Hamburg).

Wir verliessen mit 1460 Tonnen Steinkohlen beladen — also mit ziemlich tief gehendem Schiffe — Newcastle am 27. October, 1883, Nachmittags 4 Uhr bei böigem NW-Winde und steuerten erst ostwärts weg, um von der Küste frei zu kommen und den an derselben nach Süd setzenden Strom zu durchkreuzen. Dieser NW-Wind holte schleunigst nach SW und wehete noch ziemlich frisch bis zum 30.; ungefähr NO steuernd erreichten wir am selben Tage 29° 30′ S u. 159° 33′ O; dort wurde der SW flau, holte nach W und starb ganz ab. Nach 8 Stunden Windstille kam Nachts vom 30.—31. leichter NW auf, mit durchschnittlicher Stärke 3—4 wehend, welcher uns am 2. November auf 24° 25′ S u. 162° 11′ O brachte. Nun steuerten wir direkt N, der NW flaute allmälich ab, veränderte durch W nach S und am 4. Nov. in 20° 11′ S u. 162° 5′ O durch S nach SSO und SO und wurde nun zum SO-Passat. Dieser war zwar nur sehr mässig, jedoch war der Fortgang mit dem sehr gut segelnden Schiffe recht befriedigend. Westlich von Neu-Caledonien hinauf bis zu 9° 35′ S u. 163° 12′ O hatten wir täglich eine Versetzung nach Richtungen südlich von West, durchschnittlich 0,6 bis 0,7 Sm. per Stunde. In letztgenannter Breite, welche wir am 8. Nov. erreichten, trat eine Störung des SO-Passates ein; NO-, NW-Wind, Windstille, O—ONO-Wind wechselten mit einander ab, bis am 11. Nov. 5° 19′ S in 162° 23′ O erreicht wurde.

Am 12. und 13. Nov. wehte leichter bis mässiger NNO—NO-Wind, mit ihm passirten wir am 13. 0° 58′ S in 159° 44′ O. Die Strömung war hier wieder entschieden westlich, 14 bis 27 Sm. im Etmal. Da ich so dicht bei der Linie bereits den Wind so bedeutend nördlich von Ost bekommen hatte, so glaubte ich schon, dass ich ohne Mallung und Windstille durch den Stilltengürtel durchgeschlüpft wäre, doch leider ging meine Erwartung nicht in Erfüllung: ich sollte diese Stille recht gründlich kennen lernen. Vom 13. in 0° 58′ S u. 159° 44′ O bis zum 24. in 6° 38′ N u. 157° 38′ O, wo NO durchkam, hatten wir so recht Gelegenheit, die Tugend der Geduld — bei glühender Hitze (30—32° Cels. unterm Sonnensegel) — zu üben. Wie erwähnt stellte sich am 13. Windstille ein, am 14. machte sie einer ganz leichten SSO-Brise Platz; diese änderte bei ganz leisem Zug, wobei kaum Steuer im Schiffe war, durch O nach NNO und N. Am 18. in 1° 50′ N u. 157° 52′ O nach Mallung von 8 Stunden Dauer erhielten leichten westlichen Zug, der uns am 20. auf 3° 40′ N und 157° 20′ O brachte. Hier wieder 24 Stunden Windstille, der ein ganz flauer südlicher Zug mit Regenböen folgte; diese leichten Böen halfen uns doch etwas vorwärts. Am 23. bei flauem östlichem Zug wurde in 5° 58′ N u. 158° 4′ O das Eiland Ponape, über 2000 Fuss hoch, in circa 55 Sm. Entfernung erblickt. Da uns im letzten Etmale der Aequatorial-Gegenstrom NOzO¾O 40 Sm. versetzt hatte und wir bei dem leisen Zug kaum 1—2 Sm. in der Stunde zurücklegten, so liess ich in der Voraussetzung, dass ein ähnlicher Strom uns der Insel zu nahe setzen würde, so westlich als möglich steuern. Während der Nacht wechselten NNO-Püffe mit Windstille ab; Morgens am 24. von 4—6 Uhr hatten steife Brise aus WSW; um 7 U. flaute es ab, um 8 U. kam endlich NO-Passat durch; mit ihm klarte die Luft ab. Wir erhielten den Passat in 6° 20′ N u. 157° 45′ O Mittags; als ich das aufgemachte Besteck mit den Beobachtungen verglich, fand ich statt wie gestern 40 Sm. nur 4 Sm. NOzO¾O Versetzung. Da wir im letzten Etmale kaum 40 Sm. bei flauem Winde N gutgemacht hatten, so ist dies wieder ein Beweis, wie wenig man in See fest auf eine bekannt sein sollende und vorzufindende Strömung rechnen kann und wie es leicht möglich ist, dass man sein Schiff versegelt, gerade weil man auf solche Strömung rechnet und sie berücksichtigend den Kurs wählt.

Von der Linie in circa 159° O bis 3° 40′ N u. 157° 20′ O war die Strömung sehr veränderlich und leicht, bald östlich, bald westlich; wir wurden auf dieser Strecke in den 5 Tagen vom 15. bis 20. Nov. im Ganzen nur 19 Sm. nach NW versetzt. In 3° 40′ N Br. schien der Aequatorial-Gegenstrom einzusetzen und ergab eine Geschwindigkeit wie folgt:

	Strom nach
20. Nov. von 3° 40′ N u. 157° 20′ O bis	
21. „ „ 4° 1′ N u. 157° 27′ O „	NOzO¾O 11 Sm.
22. „ „ 4° 47′ N u. 157° 40′ O „	ONO¾O 24 „
23. „ „ 5° 58′ N u. 158° 4′ O „	NOzO¾O 40 „
24. „ „ 6° 38′ N u. 157° 38′ O „	„ 4 „

In diesem Monat und in dieser Gegend scheint also die Aequatorial-Gegenströmung eine Breite von 3 Breitengraden gehabt zu haben.

Nachdem am 24. Nov., wie bereits bemerkt, Morgens 8 Uhr der NO-Passat durchgekommen war, wurde um tiefer in denselben zu gelangen, ein ziemlich nördlicher Kurs gesteuert. Der Passat frischte allmälich auf und wehte durchschnittlich mit Stärke 4—5; 8½—9½ Sm. in der Stunde zurücklegend kamen wir recht gut vorwärts. Anfangs war der Wind NO, später stetig ONO. Am 27. waren bereits in 11° 14′ N u. 148° 29′ O und setzten, südlich von den Ladronen-Inseln passirend, unseren Kurs auf den St. Bernardino-Kanal. Am 3. December hatten wir schon 13° 17′ N u. 127° 38′ O erreicht und hätten in etwas mehr als 24 Stunden die Einfahrt obigen Kanals erreichen können, als es anfing stürmisch zu werden; eine Bö mit schwerem Regen und heftigen Gewittern folgte der andern, die Luft sah besonders in SW sehr drohend aus, dort stand eine kompakte Masse wie eine dunkle Mauer, in ihr blitzte und donnerte es unaufhörlich. Da mir das ganze Aussehen der Luft nicht gefiel und ich nicht Lust hatte beizudrehen um besser Wetter abzuwarten, so entschloss ich mich kurz trotz des ziemlich langen Umweges, den ich dabei zu machen hatte, bei dem Winde fahrend nördlich um Luzon in die chinesische See hineinzusegeln. Wir luvten also an den Wind. Der NO-Passat wehte recht steif, fast stürmisch und da er sehr schral war, so mussten wir schwer pressen, um nicht zu viel Abtrift zu haben. Am 5. in 17° 39′ N u. 123° 27′ O wehte er mit Stärke 7; dabei lief eine solche kolossale unregelmässige See, dass das Schiff, das immer noch unter vollen Marssegeln war und scharf bei dem Winde noch 6—7 Sm. per Stunde machte, entsetzlich stampfte, so dass es ganze Seen vorn über den Bug und hinten übers Heck schöpfte. Mitunter wurde die See ungefähr halbe Stunden lang etwas mässiger, rollte dann aber von Neuem aus N, NNO und NO heran, während der Wind stetig aus NO wehte.

In der Nacht vom 5. auf den 6. standen 4 Stunden SOwärts ab, um erst mit Tagesanbruch Land zu erblicken. Gegen 7 Uhr Morgens den 6., also bei hellem Tage kamen statt, wie wir vermuteten, die Küste von Luzon, die hohen turmartigen Felsenklippen der Didikas-Felsen in Sicht, und gleich darauf zeigte sich auch im Morgennebel das hohe Eiland Camiguin. Von den Didikas SW nach der Südspitze letztgenannter Insel steuernd hatten erst eine sehr hohe Kreuzsee aus NW und NO, bald darauf wurde die See ziemlich schlicht. Unsere Position nach Peilung im Vergleich mit dem Besteck ergab in den letzten 20 Stunden eine Stromversetzung von NWzN 32 Sm.; diese Strömung war wohl die Ursache der kolossalen Kreuzsee. Mit bis zur Stärke 8 und des Abends am 6. bis zur Stärke 9 zunehmenden NO-Winde steuerten durch den Kanal zwischen Camiguin und Luzon und fanden erst einen W—WSW-Strom von 1½ Sm. pr. Stunde bis Nachmittags 3 Uhr. Gleich nach 3 Uhr passirten eine so weit das Auge sehen konnte reichende Strecke von förmlicher Brandung, doch da keine Untiefen in der Karte angegeben waren, konnten diese Brecher nur das Resultat von Stromkabbelungen sein und wir steuerten deshalb hindurch, obgleich das Schiff manchmal kaum zu steuern war, wenn auch seine Geschwindigkeit 9 Sm. i. d. Std. betrug. In der Nacht von 10—12 Uhr wehte der Wind in Stössen von Stärke 9—10, das Schiff lief 11 Sm. i. d. Std., war aber so aussergewöhnlich unlenkbar, dass ich alle Segel am Kreuztop festmachen musste, um nur einigermaassen auf dem Kurs liegen bleiben zu können. Bei Tagesanbruch am 7. Dec. wurde es flauer, Mittags gaben die Beobachtungen eine Stromversetzung längs der Nordostküste von Luzon von 29 Sm. SSW½W in 20 Stunden. Besteck Mittags den 7. 16° 44' N u. 119° 44' O. Längs der Küste in Sicht des Landes steuernd wurde es sehr flau, und wechselte mit Windstille ab. Bis zum 8. in 15° 32' N u. 119° 43' O Stromversetzung N 8 Sm. Vom 8. bis zum 9 mit ganz flauen veränderlichen Winden und Mallung südwärts steuernd, fanden in 24 Stunden bis zu 14° 10' N u. 119° 57' O eine Strömung von S 24 Sm. Gegen diese südliche Strömung und östliche veränderliche Winde ankreuzend erreichten endlich die Rhede von Manila in der Nacht vom 10. auf den 11. December, nach einer immer noch raschen Reise von 44 Tagen. Von zweien einige Zeit vor mir angekommenen englischen Schiffen hatte das eine 68 Tage und das andere 72 Tage Reise von New-Castle N. S. W. nach hier. *A. L.*

Fast einen Monat später am 20. Novbr. verlies die Bark „Jupiter", Kapt. Ringe, aus Hamburg, New-Castle N. S. W., ebenfalls nach Manila bestimmt, und wählte ebenfalls den früher als „mittleren" bezeichneten Weg zwischen den Salomon- und Neu-Hebriden-Inseln. Kapt. Ringe schreibt: Den SO-Passat hatte mässig stark bis 10° S unweit Stewart-I., von dort Mallungen; am 22. Dec., dem 30. Tage der Reise passirte den Aequator in 164° 5' O L. Nördlich der Linie waren Böen von W und SW mit schwerem Regen vorherrschend; den NO-Passat bekam ich erst am 9. Jan. nördlich vom Carolinen-Archipel in 13° N u. 152° O G.; ich passirte dann zwischen Guam und Roto, kam am 17. Jan. a. 8 Uhr in die San Bernardinostrasse, die 2 U. Nm. am 18. bereits durchsegelt war, sah 6 U. Nm. am 18. das Feuer von Corregidore, doch konnte das Schiff erst 11 U. Nm. am 19. in Manila-Bai an den Anker legen. 58 Tage von Newcastle N. S. W. — Unweit der Linie konnte ich Reihentemperaturen messen bis in 500 Faden (ca. 915 m) Wassertiefe, die ich bereits an die Seewarte abgeliefert habe.

Ungewöhnlich starke Stromversetzung im westlichen Teil des Nord-Pacific.

Bericht v. Kapt. *V. B. Diedrichsen*, Bark „Prudentia" aus Hamb., mitgeteilt durch *A. Schuck*, Seeschiffer.

1883 am 18. Dec. Mg. 4 U. peilten Ombay-Ostspitze SzW; zwischen Ombay und Timor, sowie in Ombay-Pass hatten starken Strom nach Ost, während er nach Findlay westlich setzen sollte. In Banda-See Wind W 5 mit heftigen q, passirten westlich von Boeroe-I. und gelangten 21. Dec. in Pitts-Pass; hier Wind NW 3. Abends 22. in Gilolo-Pass; 23. Geby-I. (Nordende des Gilolo-Pass) in SOzO½O, hiernach bei 0° 15' S u. 128° 45' O. G. Dauer des Reiseteiles Sandelwood-Geby: 7 Tage, sehr günstig. 26. Dec. bei 0° 50' N u. 129° 49' O; während dieser 3 Tage Windstille mit starkem r, auch q aus SWl. und Ol. Richtung; in Gilolo-Pass und bis zu diesem Schiffsort hatten keine Stromversetzung; sehr hohe Dünung aus N.

			während dieser 24 Std.	Strom nach
27. Dec.	0° 38' N	129° 44' O,	Wind NO u. NW 2 u. Windst.	W 18 Sm.
28. »	1 21	130 24	» » » »	W 22 »
29. »	1 49	131 32	» Nl. 3	keiner
30. »	keine Beobachtung		» NW. 3	
31. »	3 47	134 24	» Wl. mit q u. r in 48 Std.	SOzO 25 »
1884				
1. Jan.	3 51	135 53	» NW 3	SOzO½O 48 »
2. »	3 54	136 19	» Windstille	O 46 »
3. »	keine Beobachtung		» Nl. 3	
4. »	4 47	138 48	» N 3 in 48 Std.	SOzO½O 64 »
5. »	5 7	139 35	» Sehr flau u. Windst.	OSO½O 25 »
6. »	5 41	140 30	» NWl. 3	SOzO½O 42 »
7. »	5 51	141 21	» Nl. 2	SOzO½O 40 »
8. »	6 25	141 49	» NW—W 3	SO½O 35 »
9. »	6 56	141 52	» NW u. W 3	SSO 19 »
Gegen 6 U. Abds. Wind NNO 3, Nachts zunehmend u. NO				
10. »	7 50	140 22	» NO 5 Seeg. sehr unruhig	WSW 10 »

Mittags erblickten Philip-I. des Carolinen-Archipels in NOzO 25 Sm. ab. Vom 10.—16 NO-Passat 5—6, anfangs mit q und r bei sehr unruhigem Seegange, später klar und ruhiges Meer.

16. Jan. 20° 12' N 122° 54' O; in diesen 6 Tagen durchschnittliche zurückgelegte Distanz 192 Sm., Strom täglich W½S 23 Sm. Nachmittags sahen Battang- und Balintan-In., segelten durch Balintan-Kanal: 17. bei 19° 29' N u. 120° 30' O, Passat 3, steuerten an Luzon Küste entlang, 20. erblickten Corregidore-I., Wind O u. NO 5—6.

Verschiedenes.

Für die Postdampfervorlage. Eine Generalversammlung des Vereins zur Wahrung der gemeinsamen wirtschaftlichen Interessen in Rheinland und Westfalen, begründet ihre Zustimmung zu der Vorlage unter andern in nachstehenden die Rhederei speziell betreffenden Worten:

„Für die dritte Grundbedingung, für die Rhederei ist vom Staate, von der Nation bisher nur verhältnissmässig wenig gethan. Daher sind unsere überseeischen Verbindungen, trotz der ausserordentlichen, nicht genug anzuerkennenden Bestrebungen der deutschen Rheder, ungenügend, und deshalb wird es der deutschen Industrie schwer im Kampfe mit der ausländischen Concurrenz in den transatlantischen Ländern Fuss zu fassen.

Unter diesen Umständen musste die, mit dem in Rede stehenden Entwurfe bekundete ernste Absicht der verbündeten Regierungen, die Hilfe und Unterstützung der ganzen Nation auch der Rhederei zuzuwenden und sie dadurch zu befähigen, ihre wichtige Aufgabe vollkommener als bisher zu erfüllen, hohe Befriedigung und Freude in allen Kreisen hervorrufen, in denen die Grundbedingungen für das wirtschaftliche Gedeihen und der innige Zusammenhang derselben mit der Gesammtwohlfahrt und dem Bestande und der Machtstellung des Staates erkannt werden.

Gross war daher das Befremden dieser Kreise über die Stellung, welche die Majorität des Hohen Hauses dem Gesetzentwurfe gegenüber einnahm. Für den Geschäfts- und Gewerbestand der Nation, dessen Angehörige so häufig gezwungen sind, unter Verzicht auf sofortige Rente, Kapitalanlagen zu machen, um spätere Gewinne zu erzielen, ist es namentlich unfassbar, wie der Hinweis auf die voraussichtlich jahrelange Ertraglosigkeit der zu verwendenden Staatsgelder, als Grund für die ablehnende Haltung von der Majorität des Hohen Hauses angesehen werden konnte.

Die Notwendigkeit wird allgemein anerkannt, den Export thunlichst zu fördern, zwischen dem Mutterlande und seinen Vertretern im Auslande die möglichst besten Verbindungen herzustellen, Schutz und Ansehen, auf welche jeder Deutsche jetzt in erhöhtem Masse Anspruch hat, auch auf die an überseeischen Plätzen arbeitenden Söhne des Vaterlandes zu übertragen, die deutschen Handelsniederlassungen zu fördern und die Bestrebungen zur Errichtung deutscher Kolonien ihrem Ziele näher zu führen. Von den Gewerbetreibenden und Geschäftsleuten, diesen Trägern des wirtschaftlichen Lebens, wird in übergrosser Mehrzahl anerkannt, dass der mit der Gesetzesvorlage bezeichnete Weg, dass dieser erste Schritt auf demselben, von höchster Bedeutung für die Erreichung der vorbezeichneten Ziele ist, dass die Nation einen, freilich nur sehr kleinen Teil ihrer Mittel kaum einem Unternehmen zuwenden könnte, welches segensreichere Früchte zu zeitigen verspricht."

Die Hindernisse deutscher Kohlenausfuhr, welche wir in vor. Nummer in einem auch in die „Nordd. Allg. Zeit." übergegangenen Artikel schilderten, erhalten ihre drastische Bestätigung durch nachstehende Mitteilung der in Bremerhaven erscheinenden „Provinzialzeitung":

„Das neue schmucke Schiff, welches gegenwärtig bereits gekupfert, mit Takelung und Stengen versehen, auf Rickmers Helgen auf Geestheile liegt, soll am Freitag event. am Sonnabend dort vom Stapel laufen. Dasselbe ist von *Herrn R. C. Rickmers für eigene Rechnung der Firma* dort *erbaut* und wird den Namen „Ellen Rickmers" erhalten. Das Kommando wird Herrn Kapt. Joh. Heins, dem bisherigen Führer der „Madeleine Rickmers" anvertraut werden. Das Schiff, welches ca. 2300 Tons Kohlen und ca. 23 000 Säcke Reis laden kann, geht nach seiner Fertigstellung von hier in Ballast nach Cardiff, um den

Kohlen für Singapore zu laden; von dort setzt es dann seine Reise nach einem der Reishäfen fort, von wo aus es mit Reis für Rheders Rechnung und für dessen Reisdampfmühlen in Bremen nach hier zurückkehrt. Dass das Schiff von hier nach Cardiff erst in Ballast geht, um dort Kohlen zu laden, ist wiederum ein Beitrag zu der in unserem Blatte vom Sonntag, den 22. Juni, gebrachten Geschichte über *die mangelhaften Vorrichtungen für die Verladung deutscher Kohlen* in den Weserhäfen, denn ein *hiesiger* Rheder würde seine *hier* befindlichen Schiffe doch sicherlich nicht erst in Ballast nach einem fremden Hafen senden, dort den *unverkäuflichen* Ballast mit *grossen Kosten löschen* und dann englische Kohlen laden lassen, wenn er auch nur die *geringste* Aussicht hätte, mit dem Export *deutscher Kohlen* von hier aus, auch nur eben *seine Selbstkosten* decken zu können."

Der Fall lässt keine weitere Deutung oder Erklärung zu. Wir glauben aber, dass hier nicht allein der Rheder der leidende Teil ist, sondern und noch mehr die Produzenten deutscher Kohlen. Sollte es nun ganz unmöglich sein, letztere Kreise zu werktätiger Abhülfe zu bestimmen! Dass dort nicht übermässig viel selbstständige Initiative steckt, glauben wir aus dem stets ins Stocken geratenden Anlauf zur Rheinseeschiffahrt zu erkennen. Aber die Anlage guter Löschungs- resp. Ladevorrichtungen in einem Abladehafen wie Bremerhafen-Geestemünde sollte doch nicht etwa auf den fertig gestellten Kanal Dortmund-Nordsee warten.

Das Zeitungswesen in Deutschland schildert ein Aufsatz des „Arch. f. Post u. Tel." über die Entwickelung der Zeitungsbesorgung durch die Post und gleichzeitig ein interessantes Bild von dem kolossalen Aufschwung desselben. Die Verwendung der Post zum Vertrieb der Zeitungen ist schon uralt, jedoch erst am 1. Januar 1825 erfolgte die Uebernahme des gesammten Zeitungsdebits auf Staatsrechnung, während die Einrichtung des Zeitungs-Kontors in Berlin schon am 1. Januar 1822 stattgefunden hatte. Gegen Ende des zweiten Jahrzehntes unseres Jahrhunderts war die Zahl der von den preussischen Post-Anstalten debitirten Zeitschriften bereits auf 388 angewachsen, unter welchen sich 145 politische Zeitungen und 243 nicht politische Blätter befanden. Dagegen betrug im Jahre 1883 die Zahl der in die Preisliste der Reichspost aufgenommenen Zeitungen nicht weniger als 8529, von denen 3607 ausserhalb Deutschlands erscheinen. Von den letztgedachten erscheinen 775 in deutscher Sprache. Im deutschen Reichspostgebiete sind im Jahre 1873 durch die Postanstalten 1 144 764 Zeitungsexemplare mit 248 154 482 Nummern vertrieben worden. Für das Jahr 1883 stellt sich dieser Verkehr auf 2 Millionen Exemplare mit einer Nummernzahl von über 400 Millionen.

Ein- und Ausfuhrzoll für Kohle im Hafen von Frederikshaven. Zufolge einer Entscheidung des dänischen Ministeriums des Innern haben Dampfschiffe, welche in Frederikshaven einzig und allein behufs Einnahme von Kohlen für ihren Gebrauch einlaufen, künftig nur einen der Tonnenzahl der eingenommenen Kohle entsprechenden Ein- und Ausfuhrzoll zu entrichten. Um dieser Begünstigung teilhaftig zu werden, ist es erforderlich, dass das Fahrzeug nicht länger als 24 Stunden in dem genannten Hafen bleibt und dass der Raumgehalt 200 T. übersteigt. Eine Frist von 12 Stunden wird denjenigen Schiffen gewährt, welche nur Kohle in Menge von 5 bis 10 T. einnehmen. Fahrzeuge, welche weniger als 5 T. einnehmen, werden nicht so angesehen, als hätten sie den Hafen nur behufs Einnahme von Kohle angelaufen.

Der Ein- und Ausfuhrzoll ist auf 16 Oere für die Tonne, welche gleich 10 dänischen Kohlentonnen gerechnet wird, festgesetzt. —s—

Die ersten atlantischen Kabelleger in ihren geschäftlichen Anfängen. Wer noch vor 40 Jahren die Firma an Cooper's Geschäftsplatz in Newyork las: „*Peter Cooper*, — Leim und Eisendraht", ahnte nicht, dass er vor dem Comptoir eines Mannes stand, der sich zu einem der grössten Industriellen, aber auch Philanthropen entwickeln sollte. Das Comptoir war klein, unscheinbar, und nur die Sauberkeit und Ordnung, die aus Allem hervorsah, fiel in die Augen. In demselben wurden nur die Aufträge entgegengenommen, die in den Fabriken ausgeführt wurden. Der Mann mit dem intelligenten und gleichzeitig gutmütigen Gesichte, der an dem mittleren Schreibpulte sass, machte den Eindruck eines zuverlässigen Faktors, der die Fabrikräume mit dem Comptoir vertauscht hat. Seine Sprache hatte einen eigentümlich milden und doch bestimmten, jeden nicht völlig motivirten Widerspruch ausschliessenden Klang. — Unmittelbar neben Cooper's Comptoir und unter demselben Dache befand sich Field's Firma: „*Cyrus W. Field* — Lumpen." Hier kaufte ein gedrungener Mann mit Yankee-Gesicht und Yankee-Accent die Ergebnisse des Sammelfleisses der Lumpensammler zusammen, die er an die — später zum Teil ihm gehörigen — Papiermühlen in den Neu England Staaten verkaufte. Die unmittelbare Nachbarschaft bewirkte, dass beide Männer sich auch persönlich und geschäftlich näher traten und schliesslich die Hauptbegründer der Kabelverbindung der neuen mit der alten Welt wurden.

Die Mississippi-Kommission, unter deren Oberaufsicht die Flussbauten im Mississippi stehen, hat ihren Jahresbericht erstattet. Sie behauptet, dass die von ihr gemachten Anlagen sich sehr gut bewähren, und nicht mehr als blosse Versuche betrachtet werden können. Zum ersten Male spricht sich die Kommission auch offen für Deichbauten aus. Die von ihr vorgeschlagenen Deiche sollen jedoch nicht auf eine Höhe gebracht werden, dass sie gegen solche ausserordentliche Fluten, wie die vom letzten Frühjahre, schützen, sondern nur hoch genug gemacht werden, um gewöhnliche Fluten, wie sie fast jedes Jahr vorkommen, in Schranken zu halten, wodurch der Schiffahrt ein Nutzen geschieht.

Weniger erfreulich als die übrigen Teile des Berichts ist der Schluss, worin mitgeteilt wird, dass von den $ 4 123 000, welche für die zwei Jahre, 1. Juli 1882 bis 30. Juni 1884 bewilligt waren, bereits so viel verbraucht ist, dass nach den Berechnungen am 1. Juli 1883 nur noch $ 950 000 übrig blieben, d. h. von der für zwei Jahre bewilligten Summe wird für das zweite Jahr kaum mehr als ein Viertel übrig sein, und es wird deshalb eine Nachbewilligung nöthig werden, wenn die Arbeiten nicht in's Stocken gerathen sollen. Wüsste man, dass das Geld sämmtlich gut verwandt worden wäre, so hätte das nicht viel zu sagen, aber es sind unangenehme Gerüchte im Umlauf, dass die an dem Bau beschäftigten höheren Ingenieure einen grossen Theil des Geldes vergeudet haben.

Kunst und Witz der Neger. Hierüber hat Max Buchner jüngst im „Ausland" Bemerkungen gemacht, die uns sehr treffend dünken und aus denen wir Nachstehendes mitteilen:

„Die Neger, wie überhaupt alle Wilden sind grosse Kinder, man braucht deshalb ihr geistiges Thun nicht besonders ernst zu nehmen. Jenes erstaunliche System von Tiefsinnigkeiten, welches theologisirende Stubenforscher aus ihnen ans Tageslicht ziehen zu müssen glaubten, hält nicht Stand vor einer nüchternen, unbefangenen Prüfung des Thatsächlichen. Um über religiöse Vorstellungen bei Naturvölkern etwas wirklich Stichhaltiges zur Erkenntnis zu bringen, dazu gehört auch viel mehr Zeit und namentlich auch viel mehr kritische Schärfe, als manchen Berichterstattern verfügbar zu sein schien. Vorläufig lässt sich an einem kleinen Mädchen von fünf Jahren, das mit seiner Puppe plaudert, die ganze Mythologie der Naturvölker besser studiren, als aus den dicksten, unverdaulichsten Büchern hochgelehrter Anthropo- und Ethnographen.

Man hat die Neger als „Fetischanbeter" rubriciren wollen und ihnen nachgesagt, dass sie Fetischdienst betreiben und sich zur Fetischreligion bekennen. Ich vermochte jedoch für derlei Wortschwall keine reelle Grundlage aufzufinden. Weder irgend eine Art Anbetung noch irgend ein Dienst wird mit dem harmlosen Spielzeug geübt, das wir Fetisch nennen, wohl aber wird in dasselbe eine geheimnisvolle, halb empfundene, halb gedachte gute oder böse Kraft hineinphantasirt.

So ein Neger sitzt häufig da und denkt an garnichts. Nun trifft sein Auge zufällig einen knorrigen Ast, der etwas sonderbar gewachsen ist und ungefähr aussieht wie ein menschliches Antlitz. Er hat seine Freude daran und nimmt sein Messer, um der Natur noch ein wenig nachzuhelfen. Er schnitzelt die Augen, den Mund, die Nase besser heraus und schliesslich blickt das Ding so spasshaft drein, dass er es für immer besitzen möchte und vor seine Hütte verpflanzt. Alle Tage betrachtet er nun seinen „Fetisch" und alle Tage grinst ihn dieser eindrucksvoll an. Der Fetisch grinst drohend, das ist ganz gut für die Feinde, die werden sich davor fürchten. Vielleicht lässt sich die Wirkung noch erhöhen, indem man die Augen rot macht oder in den Bauch ein kleines Spiegelchen einsetzt u. s. w. Auf solche Art ungefähr denke ich mir das noch heute sich täglich wiederholende Zustandekommen der ersten Götzenfiguren. Ist das nun ein religiöser Vorgang? Ich glaube nein. Ich glaube, er gehört weniger dem Begriff „Religion", als dem verwandten, aber ursprünglicheren Begriffe „Kunst" an. Von dem Standpunkte rein künstlerischer Betrachtung aus werden denn auch die bildlichen Erzeugnisse des urwüchsigen Negergemütes geniessbarer sein, als wenn wir erst in die abstrusen Tiefen vergleichender Religionsforschung hinabsteigen müssen, ganz abgesehen davon, dass der moderne Menschenverstand an haltlosen, theologischen Spitzfindigkeiten überhaupt kein Interesse mehr hat. Gewiss bleibt es selten beim Schaffen aus blosser Freude an neuen Formen. Kaum sind dieselben fertig, so bemächtigt sich ihrer fast stets das Bedürfnis einer Abwehr der dunkeln Schicksalsmächte, die als Erklärungsversuche gelegentlicher Angstgefühle in die umgebende Welt hinausprojicirt werden, und die Nachahmung stempelt sie zu gesetzlichen Typen. Aber zweifellos kommt diese praktisch-religiöse Nutzbarmachung erst in zweiter Linie. Statt der Namen „Fetisch" oder „Götzen" dürften deshalb lieber die Ausdrücke „Amulette" oder „Medicinen" zu gebrauchen sein."

Verkehr deutscher Schiffe in javanischen Häfen in 1883. In *Batavia* gingen im Jahre 1883 18 deutsche Schiffe (16 Segel- und 2 Dampfschiffe) ein, davon 3 (2 Segelschiffe und 1 Dampfschiff) in Ballast. Jene Fahrzeuge sind sämtlich in dem nämlichen Jahre wieder ausgegangen, darunter 10 (9 Segelschiffe und 1 Dampfschiff) in Ballast. In *Cheribon* gingen 7 deutsche Schiffe (5 Segelschiffe und 2 Dampfschiffe) ein, darunter 4 (3 Segelschiffe und 1 Dampfschiff) in Ballast. Von jenen Fahrzeugen liefen in demselben Jahre 6 (5 Segelschiffe und 1 Dampfschiff) mit Ladung wieder aus. —s—

Verkehr deutscher Schiffe in Buenos-Aires i. J. 1883. Eingegangen sind 149 deutsche Fahrzeuge, darunter 63 Dampfschiffe und 86 Segelschiffe; zwei der letzteren liefen Buenos-Ayres als Nothafen an. 3 Schiffe, 1 Dampfschiff und 2 Segelschiffe, liefen in Ballast ein. Von jenen Fahrzeugen wurden 2 Segelschiffe verkauft und gingen 127 (61 Dampfschiffe und 66 Segelschiffe) wieder aus, darunter 49 (45 Segelschiffe und 1 Dampfschiffe) in Ballast und 1 Segelschiff leer. —s—

Verkehr deutscher Schiffe in Antwerpen im Jahre 1883. 413 deutsche Fahrzeuge kamen an, und zwar 265 Dampfschiffe und 148 Segelschiffe, darunter 22 (8 Dampfschiffe und 14 Segelschiffe) in Ballast. 3 Segelschiffe wurden für deutsche Rechnung angekauft; 1 Dampfschiff wurde verkauft. Von jenen zusammen 415 Fahrzeugen gingen in demselben Jahre 404 (263 Dampfschiffe und 141 Segelschiffe) aus, davon in Ballast 153 (104 Dampfschiffe und 49 Segelschiffe). Am Jahresschlusse waren 11 deutsche Schiffe (10 Segelschiffe und 1 Dampfschiff) im Hafen. —s—

Eine Cyclone hat Akyab am 16. Mai, also ziemlich spät in der Jahreszeit noch betroffen und ausser argen Verwüstungen in Stadt und Hafen, der Schiffahrt einen grossen Verlust bereitet dadurch dass sie den 1876 neu gebauten Leuchtturm völlig umwarf. Chittagong im Norden, Rangun im Süden haben den Sturm gespürt, aber weiter nicht unter ihm gelitten. Verschiedene Dampfer die zwischen Calcutta, Rangun und Madras fahren, haben das Unwetter mit mehr oder minder Erfolg auf See abgehalten.

Verlag von H. W. Silomon in Bremen. Druck von Aug. Meyer & Dieckmann. Hamburg. Alterwall 28.

Beilage zur HANSA No. 14. 1884.

Seebilder.

Von Hamburg nach Konstantinopel.

Erster Brief d. d. 13. Mai. — Bis Malta.

(Fortsetzung.)

Für Abwechslung war heute fortwährend gesorgt. Denn plötzlich eröffnete eine erste Schaar von Delphinen ihr lustiges Spiel vor dem Bug des brausend die Wellen zerteilenden Schiffes, bald auf dem Bauch oder auf der Seite oder auf dem Rücken schwimmend, in tollen Sprüngen durch die Luft vorausschiessend, und um die Wette ihre Schwimmkünste und weissen Bauchschilder unter schwarzbraunen Rücken produzirend; neben ihnen ein dichter Klumpen von wohl vierhundert Möven um einen grossen Fisch, der auf dem Meere schwamm, kreischend und sich gegenseitig neidisch bekämpfend; dann wieder rechts drei stattliche Walfische oder Nordkaper ruhig nebeneinander daherziehend und verwunderungsvoll vielleicht den närrischen Sprüngen ihrer kleinen Verwandten zuschauend. Und über Allem ein harzig süsser Duft vom Lande her, als wir mit frischem Winde um 9 Uhr Morgens Kap St. Vincent und damit die südwestliche Ecke von Europa in grösster Nähe umfuhren, während eben ein französischer gegenkommender Dampfer der Signalstation daselbst die Buchstaben P Q G signalisirte, d. h. „melden Sie mich meinem Rheder!". Ein weisser runder Turm mit grüner Kuppe, montirt mit einem starken Drehfeuer erster Ordnung, welches 220 Fuss hoch über dem Meere 20 Meilen weit sichtbar ist, zeigt den Seefahrern bei Nacht diese Ecke, welche scharf umfahren binnen kaum einer Stunde in ein völlig verändertes geradezu südliches Meer mit geringer Bewegung, lauen Winden und bald auch veränderter Farbe geleitet, wo eine sommerliche Temperatur herrschte, während es kurz vorher noch leidlich kühl war. Kap Vincent bildet so eine ganz auffällige Wetterscheide, welche sich uns freilich von der angenehmen Seite zeigt, da wir allmälig den Winter satt bekommen hatten. Dass aber gleichzeitig mit entschieden zunehmender Wärme die Tage ebenso merklich an Länge abnehmen, war mir speziell eine neue Ueberraschung. Doch wurde der erste längere Abend angenehm verbracht, da uns ein vor den Bug treibender portugiesischer Fischermann gegen ein Zehnschillingstück zwei delikate Mahlzeiten von Fischen überlassen hatte. Tabak durfte er nicht annehmen, doch war eine Handvoll Cigarren als Zugabe hochwillkommen. Elf Köpfe Bemannung zählte die kleine Arche Noah, welche hier auf der grossen Heerstrasse der Dampfer nach und von Europa gewiss gute Geschäfte macht.

Am andern Tage sollten wir gegen Morgens 8 Uhr Gibraltar und die nach dieser Stadt benannte nur sieben Seemeilen breite Strasse passiren.

War es in Erwartung dieses grossen Ereignisses oder weil ich das erinnerungsreiche Kap Trafalgar auch sehen wollte, genug, ich war nach erquicklichem Schlafe — man lernt an Bord allerlei, drei Male warm essen und zwischendurch früh 5 Uhr eine Tasse Kaffee mit Butterbrod und Nachmittags 3 Uhr Kaffee mit Hamburger Topfkuchen verzehren, so lange die Herrlichkeit noch dauert, und namentlich dann auch der gehörigen Ruhe pflegen — schon um 1 Uhr Nachts auf der Brücke, wo es aber noch ganz wie gewöhnlich friedlich und ruhig aussah. Der Steuermann mit dem Mann am Ruder auf der Brücke, ein Mann auf dem Ausguck, der dritte Wachtsmann irgendwo untergekrochen, das Wetter schön und still, die Untersegel gesetzt und voll beim Winde und wenig gegenkommende Schiffe; doch war dem Steuermann die wenn auch noch sehr geringe Dünung von vorne verdächtig. Wir plauderten bis 2 Uhr hin, repetirten mal wieder die Sternbilder in dieser Zeit der Nacht bei dem hellen Mondlicht und dann ging ich wieder nach unten, auf dem Sopha das Weitere abzuwarten. Die See wurde offenbar unruhiger, es kam Wind und so ging ich um 3 Uhr wieder nach oben und hatte dann links Kap Trafalgar, rechts Kap Spartel, ersteres mit seinem Drehfeuer, letzteres mit sehr hellem, hohem festem Feuer voraus, zwischen denen hindurch es in den mehr und mehr auffrischenden Wind und die Schaar der Gegensegler, nicht Dampfer hineinging. Die Küsten lagen noch im Dunkel, später erkannte man das jäh abfallende Vorgebirge von Trafalgar und die Stätte der letzten grossen Seeschlacht, welche Admiral Werner in seinem zweiten Bande der „berühmten Seeleute" so anschaulich beschrieben hat. Wir hatten das Thema schon den Abend vorher durchgesprochen und jetzt forderte die Gegenwart ihre Rechte. Da die Segel anfingen lebendig zu werden, nahm der Steuermann die Stagfock ein, dann liess der Kapitän das hintere und gleich darauf auch das vordere Gaffelsegel festmachen, wobei man sehr deutlich sah, wie sehr die Existenz und Hülfe des dritten Wachtmanns Noth that, und dass derselbe durchaus nicht überflüssig ist. Der Wind erwies sich als der nicht ungewöhnliche „Wind der Strasse von Gibraltar", wird rasch ungebührlich grob „wie ein halber Kuhsturm" und flaut ab, sobald man trotz alledem in die Engen hineinsetzt und Kap Tarifa, die südlichste Spitze von Spanien, passirt hat. Oestlich Gibraltar würde es wieder ganz still werden, nachdem allerdings der „Lokalwind" seine Schuldigkeit gethan und eine ganze Menge westwärts bestimmter Schiffe, durch die Strasse geleitet habe, vor welcher der Westwind der letzten Tage und der einsetzende Strom sie im Mittelmeer festgebannt gehalten hat. Wie vorhergesagt, so kam es auch. Vor Tarifa halber Storm, bald hoher Seegang in dem in der Mitte der Strasse ostwärts setzenden Strom, und eine Masse Aussegler an der Nordseite der Strasse, wo eine westliche Gegenströmung und schlichteres Wasser die Schiffe in den Atlantik geleiten. Wohl hundertundfünfzig meist grosse Schiffe mögen uns bis 8 Uhr passirt sein, dem rückwärts gewandten Blick ihre hellen Segel in der Morgensonne zeigend. War bisher das Küstengebirge nirgends sehr imposant gewesen, so wurde es jetzt desto interessanter, je näher wir der Meerenge und damit den beiderseitigen Küsten kamen. Die afrikanische Seite ist vom Kap Spartel bis Ceuta von hohen Bergen umsäumt, unter denen der über 8000 Fuss hohe Simonito östlich von Tanger mächtig hervorragt und mit seiner übergeneigten kegelförmigen Spitze an den von Bonn aus gesehenen Oelberg unseres Siebengebirges erinnert. Die afrikanischen Berge sind alle mehr oder weniger kegelförmig, nicht so massig abgerundet als die gegenüberliegenden europäischen, der fleissige Anbau des Fusses derselben hüben wie drüben ist gleich deutlich erkennbar. Von dem als weisses Viereck an den Berg herauf sich ziehenden Tanger, welches an die bekannten Bilder des alten Algier erinnert, kommen zahlreiche Händler in Gemüsen, Geflügel und Ziegen täglich nach Gibraltar hinüber, wie der Kapitän erzählte, schmutzige verwegene Gesellen, deren Nähe nicht blos wegen des Knoblauchgeruchs unheimlich wirkt. Auf der europäischen Seite fallen bald in die Augen die gezackten Berge von St. Bartolomaus, an die sieben Churfürsten über dem Wallensee erinnernd; mit ihrem Fuss tauchen sie freilich nicht wie der Watzmann in einen tiefgrünen Königssee mit prächtigen Saiblingen, sondern in eine merkwürdig hoch hinaufreichende Anspülung röthlichen Sandes, den offenbar die westliche Strömung aus der Strasse hier abgelagert hat. An den St. Bartolomaus Berg schliesst sich eine Einsattelung und dann folgt die ebenfalls 1500 Fuss hohe Silla de Papa; da hinter beiden Bergen mit ihren zackigen Spitzen eine hohe Bergkette der Küste parallel strich und das zwischenliegende Thal fast ganz mit den vom Winde herübergedrängten Nebelwolken erfüllt war, so konnte man sich ohne viel Phantasie nach dem Berner Oberland und Grindelwald mit seinen Gletschern versetzt denken, neben welchem die Schreckhörner und der Eiger Wache hielten. Dann streckte sich Tarifa auf seiner kurzen sandigen Nehrung heraus, dessen grüner Feuerturm wie der Turm von Oberwesel fast aus dem Wasser aufzuragen schien. Die Altstadt Tarifa mit ihren weissen Häusern und maurisch flachen Dächern liegt seitwärts der neuen Festung mit ihren roten Ziegeldächern und schweren Forts am Gestade des Meeres. Das Land ist herrlich angebaut, überall schon grün und von dunklen Cartusherken durchzogen, oben den Berg hinauf bunter Busch; von der in ihren „Tetas" 2450 Fuss hohen Nuestra Senhora de la Luz hinter Tarifa senken sich mindestens fünfzehn deutlich erkennbare Bergrücken wie vom Drachenfels nach Königswinter mit zwischenliegenden Einsenkungen zur Küste herunter, welche hier gerade verläuft und zuletzt in etwa 80 Fuss hoher Böschung schräg abfallend dem Regenwasser jeder Schlucht einen aparten Auslauf zum Meere verstattet, als sähe man Lorch mit seinem Eisenbahndamm und den vielen Durchlässen leibhaftig vor sich. Und Alles bunt grün und mit vielen Wohnungen besetzt im wohlthuenden Gegensatz gegen die trostlose Haide und die menschenleere Oede der portugiesischen Küstenberge in der Nähe von Kap Vincent und nördlich vom Tajo. Die hellen Stellen auf den grünen Aeckern seien Mais und Zuckerrohr, welches letztere viel von Afrika nach Gibraltar gebracht wird, erläuterte der Kapitän dazu.

Immer noch drängten sich die Nebelmassen vom Winde getrieben über die 2500 Fuss hohen Picacho- und Enmedio-Berge, ohne dass die Dünung gerade grösser wurde; diese nahm vielmehr stetig ab, je mehr wir uns jetzt dem hinter Tarifa allmälig hervorkommenden Felsen von Gibraltar und der tiefen Bucht von Algesiras näherten. In zwei Absätzen fällt der steile Berg von Gibraltar nach der Strasse zu ab bis herunter nach der 80 Fuss hohen „Spitze von Europa", über welcher sich der Feuerturm 150 Fuss steil aus der See erhebt. Beide Absätze sind bedeckt von unzähligen militärischen Bauten, obgleich eine Landung hier fast unmöglich zu nennen ist. Die Festungswerke verraten freilich vielfach, dass man gegen Kleingewehrfeuer sich besonders hüten will, doch sind auch weite Schiessöffnungen genug da, wenn auch nicht wie in den berühmten Felsengallerien übereinander nach der Landzunge hinüber, welche den isolirten Felsen von Gibraltar vor dem Festlande schützen. An der Strasse zunächst, an und in den genannten Befestigungen liegt die Gouvernementsstadt; daran schliessen sich der Bai entlang, also am westlichen weniger steilen Abhang des Felsens, die öffentlichen Anlagen und an diese nach dem Innern der Bai hin die Geschäftsstadt Gibraltar. Wir sahen von ihr nur wenig, desto deutlicher die vielen, vielen Hulks, welche als Kohlenlager so und so vieler Kohlenfirmen dienen. Die Entwickelung der Frachtdampferfahrt hat Gibraltar zu einem der beauchtesten Kohlenhäfen gemacht. Schiffe, die „kohlen“ wollen, geben ihre Absicht seitig durch ein Signal der Signalstation kund, welche in einer leichten Einsattelung zwischen der nördlichen und südlichen Spitze des Gibraltarfelsens hoch oben liegt; von da teilt der Telegraph den Namen des Schiffes und sein Begehr der betreffenden Firma mit, diese schickt die nötige Mannschaft an Bord des Hulks, und wenn das Schiff längsseit des Hulks kommt, ist die Mannschaft schon parat, die Kohlen hinüber zu schaffen, damit das Schiff möglichst rasch expedirt werde. Da unser erster Maschinist auf Befragen erklärte, dass er noch für sechs Tage und mehr Kohlen in Vorrat habe, so fuhren wir jetzt direkt vorbei, und signalisirten bloss unsere Namen-Buchstaben hinauf, damit wir als „passirt am 7. Mai“ berichtet würden. An der Ostseite fällt der Felsen viel steiler ab; er wird früher vielleicht die Einsattelung nicht gehabt haben, denn jetzt liegt unterhalb derselben ein ziemlich steiler Abhang von gelbrötlichem Schutt und Sand, welcher offenbar von oben abgebröckelt ist. Ein kleines Fischerdorf liegt am Wasser wie angeklebt an den steilen Hang; die Insassen sollen indessen mehr „vom Strande“ als vom Fange leben, da viele Schiffe hier scheitern, welche die wechselnde Strömung und der Nebel über ihren Ort getäuscht haben. Schmale Fusssteige führen um den Gibraltar-Felsen vielleicht ganz herum; stellenweise waren jedoch die Abstürze so steil wie die unter der Burgruine des Drachenfels und entzogen sich unsern Instrumenten.

Kaum eine halbe Stunde waren wir im Mittelmeer selber und hatten eben noch im Scheiden von der Strasse die Terrassen der Gallerien wahrgenommen, welche die nach der Landseite im Felsen untergebrachten Batterien markiren, als alle Nebel verzogen waren, der steife Wind völlig aufgehört hatte und nun das Mittelmeer mit seiner wunderbaren azurnen Bläue im hellen Sonnenschein des Maimorgens rings um uns lag, Ceuta und die afrikanische Küste unsern Blicken entschwunden und das malerische spanische Küstengebirge bis zum „Achatfelsen“ des Kap de Gata uns zum Führer dienen sollte. Der Kurs O¼S wurde für die 150 Sm. lange Strecke aufgegeben und nun ging Jeder an seine dringende Arbeit, welche durch den gestrigen Buss- und Bettag eine störende Unterbrechung erfahren hatte. Das Dringendste war die Herstellung von Ventilatoren, Sonnensegeln, Hängematten, kurz die Vorbereitungen für die zu erwartende Sommerhitze, welche seit Vincent plötzlich Jedem von uns zum Bewusstsein gebracht war, der bis dahin noch nicht so recht an die Wandlung glauben wollte. Ausserdem gab es viel zu „malen“, die Winsche mussten gereinigt und bunt angestrichen werden, der Zimmermann einen vergessenen Durchlass für die Schiffstreppe herstellen, damit man nicht immer über die Monkey-Reling an Deck klettern brauche u. s. w. Die Ventilatoren bestehen aus ein Decimeter breiten, an einem Ende um einen Centimeter umgeschlagenen Ringen von Kupferblech, so weit, dass sie genau in die Fenster oder „Ochsenaugen“ der Schiffswände passen, und werden an den halben Umfang dieser Ringe etwa einen halben Meter lange, flach gerundete Stücke Weissblech gelötet, damit dieselben die gegenkommende Luftströmung auffangen und in das Innere der längs den Seitenwänden liegenden Logisräume leiten. Sie sind ganz praktisch und schaffen eine sehr erwünschte Lufterneuerung; von aussen sehen sie wie Geschützmündungen aus und werden anfänglich den chinesischen Seeräubern wohl einen heilsamen Schrecken eingeflösst haben.

Die Weiterfahrt giebt in der That Zeit, sich auf sein Inneres zurückzuziehen, da die Aussenwelt vorerst weniger bietet. Wir fahren in einem Abstande von 20—30 Sm. längs der spanischen Küste hin, so dass nur die hohe Sierra Nevada über das niedrige Küstengebirge deutlich hinausragt, die Städte Malaga, Almeria aber unter dem Horizont verschwinden. Die 5000 Fuss hohen Almunecar-Berge zwischen beiden Städten sind noch in Winterschnee, doch nicht so dicht domartig eingehüllt, wie der ewige Schnee die Bergriesen des Berner Oberlandes bedeckt, sondern lassen die einzelnen Grate und deren verschiedene Abstürze aus der leichten Decke hervorblicken; die noch 3000 Fuss höheren Küstenberge in der Nähe des Kap de Gata, die Gador-Gruppe, werden im Morgennebel passirt. Vom Kap de Gata führte dann der Kurs quer über nach Kap Tenes an der afrikanischen Küste, so dass wir längere Zeit völlig freie See um uns hatten. Der Freitag war ein ganz klarer Tag, am wolkenlosen Himmel stieg die Sonne auf und ging ebenso im Westen unter, der Horizont von wunderbarer Schärfe den ganzen Tag hindurch. Unter dem blauen Himmel zeigte die See eine mit der schönblauen Lösung von schwefelsaurem Kupferoxyd vergleichbare Farbe, wie wir sie früher zu den damals neuartigen galvanoplastischen Versuchen im „physikalischen Kabinet der Provinzialschule zu Jever“ zu benutzen pflegten. Das Wasser war geradezu erfüllt von kleinsten weissleuchtenden Tierchen, sonst sah man nur vereinzelte Delphine und gar keine Vögel auf der langen Fahrt. Auch an Schiffen war diese Strecke durchaus leer, selbst als wir die afrikanischen Gebirge in fünfzig Seemeilen Abstand durchschimmern sahen, erblickten wir weder Segel noch Rauch von irgend einem Fahrzeug. Leider war der Wind fortwährend uns entgegen und von unwillkommener Stärke, nach Richtung und allem der reine NO-Passat. Sollte er bis Malta so anhalten und die kappe Dünung noch zunehmen, so kostet [illegible] uns einen vollen Tag Reise mehr zu den schon in und [illegible] dem Kanal geschmälerten zwei Tagen. Das afrikanische Gebirge ist längs der Küste hier ziemlich niedrig, die über 5000 Fuss hohen Vorberge des Atlas sieht man desto deutlicher und [illegible]fach über die Nebel der Küstenreihe hinausragen.

Aber gemütlich war es heute an Bord wie je zuvor. Man steht vor Sonnenaufgang auf, begrüsst die Wachmannschaft und wartet auf der Brücke den Untergang des Mondes und den Aufgang der Sonne ab, bis der Steward mit seiner „Mock“-Kaffee und einem Butterbrot erscheint, welches mit grösstem Appetit und Behagen in dem frischen Zuge des Morgenwindes verspeist wird. Gegen 6 Uhr ruft der Steuermann von der Brücke [illegible] dem Telegraphen die wahre Schiffszeit nach dem Maschinenraum herunter, damit der Maschinist seine Uhr neu stellt. Dann kommt die Episode der gründlichen Deckreinigung, während welcher man sich zum Schreiben in die Kajüte oder das Navigationszimmer zurückzieht, wenn nicht Wind und Wetter die Arbeit an einem genial vom Zimmermann in der Ecke der Kommandobrücke improvisirten Klapptisch gestatten. Die Reinlichkeit unseres Decks steht in wohlthuendem Gegensatz gegen den Schmutz der meisten Dampfer; viel mag dazu beitragen, dass unser Spardeck von vorn bis hinten frei liegt im Wind und so der Ansammlung von Schmutz und Staub schon dadurch vorgebeugt ist. Auch liegen die Kajüträume vor der Maschine mittschiffs und sind nicht wie auf den Segelschiffen und vielen Dampfern der Kugelfang für Alles, was lose längs Deck treibt. Dann beginnen die astronomischen Beobachtungen an Kompass und Chronometer und jetzt erscheint der Steward wieder, um mit freundlicher Miene zum sehnlich erwarteten substantiellen warmen Frühstück einzuladen. An Deck ist jetzt die andere Wachtmannschaft aufgezogen, die erste hat „Wache zur Koje“ für gewöhnlich; in diesen schönen Tagen sind aber alle Mann an Deck beschäftigt, die Restanten aufzuarbeiten. Vom Maschinenpersonal sieht man desto weniger; der erste Maschinist, ein Schlosser seines Handwerks, wie die meisten Uebrigen [illegible] eifersüchtig gegen die Allgewalt des Kapitäns, wird überhaupt nie an Deck gesehen, der zweite und dritte Maschinist beteiligen sich gelegentlich an Deckarbeiten, die drei Heizer und [illegible] beiden Kohlenzieher sieht man nur beim Wechsel ihrer Wache zwischen dem Logis vorn und der Maschine oder Kombüse [illegible] her wechseln. Die eigentliche Schiffsarbeit müssen 6 Matrosen einschliesslich des Zimmermanns, je drei auf jeder Wache [illegible] ihren zwei Steuerleuten leisten; ausser ihnen ergänzen [illegible] Koch und der Steward das 18 Köpfe starke Personal des Kapitäns. Von lebendem Getier, auch nicht dem viel betrachteten [illegible] habe ich noch nichts, gar nichts bemerkt, nur eine schwarze Gans hat sich in Riga auf's Deck verirrt und fährt jetzt [illegible] stillvergnügt mit nach südlichen Breiten, bis auch ihre [illegible] schlägt. Mittags zwischen 12 und 1 Uhr wird gerechnet, neu [illegible] aufgegeben, die freilich im Laufe des Tages vielen Veränderungen unterliegen, und der Nachmittag wieder unter Arbeiten [illegible] Art hingebracht. Leider hatten wir keine Harpune an Bord, so dass wir die Delphine unangefochten ziehen lassen [illegible] sie mit Revolverschüssen zu behelligen, kann ein richtiges [illegible]glied des rheinischen Jagdschutzvereins doch nicht über [illegible] bringen. Dazu sind die Thiere neben ihrer fabelhaften [illegible]digkeit und Lustigkeit auch zu schön, da sie drei Farben [illegible] Leibe tragen, welchen bekanntlich mit blanker Waffe entgegengetreten wird. Denn auch diese Erinnerungen versagt [illegible] nicht; um 6 Uhr Abends geht's nach „Hagemann“ und [illegible] Stoff ist wenigstens ebensogut als in dem allen Rheinländern bekannten „Mauspfad“ zu Bonn.

Am Samstag den 10. Mai war der Wind ruhiger, die [illegible]schlichter, die Sonne entsprechend wärmer, so dass nicht [illegible] der Zimmermann seinen Rock auszog; der ganze Tag [illegible] rechter sonniger stiller Mittelmeertag, wie ihn Tempi [illegible] d. h. „Passatzeiten“ nur mit sich führen können. Die Luft [illegible] schon so trocken, dass nach dem Waschen das Deck [illegible] einer halben Stunde wieder auftrocknet, alles Holz und [illegible] glitzert von Salzteilchen, welche mit dem salzigen Seewasser am Morgen über Deck gespritzt sind. Dieselben machen [illegible] merklich rauh anzufühlen, und müssen z. B. vor dem Anstreichen sorgfältig durch Abwaschen mit süssem Wasser entfernt werden.

Eine sehr angenehme Abwechselung ist auch seit Gibraltar eingetreten, die Entfernung der „Schlingerleisten“ vom Esstisch. Dieselben bilden wirklich eine unangenehme Zugabe [illegible] männischen Haushalt. Zwischen hohen Vierecken von [illegible] halb Quadratfuss Fläche den ganzen Apparat des Essens verstauen und aus ihnen mit allerlei Schwebekünsten sein Essen im Schweiss des Angesichts zum Munde führen, dabei den Scherzen der Uebrigen ausgesetzt sein, wenn nicht Alles nach Wunsch und Willen gelingt und am Ende müde und halbsatt aufstehen, um nachher das Glück wieder vielleicht mit mindern [illegible] zu versuchen — nun es lernt sich ja auch und gut mag [illegible] sein, aber man freut sich mit Onkel Bräsig doch, wenn [illegible] ist. Ja, wenn noch die alte holländische oder Emder Mannsrolle an Bord gälte, die „zweimal in der Woche grüne, zweimal graue Erbsen, zweimal „Sackkuchen“ (den wir jetzt [illegible] deutsch „Pudding“ nennen), und den siebenten Tag „was der Herrgott giebt“ versprach, da konnte man unschwer [illegible] die andere dieser Mahlzeiten verschmerzen; aber jetzt [illegible] die Seemannskost doch so mancherlei Abwechselung [illegible]

Appetit ist so naturwüchsig scharf, dass man wirklich zu kurz zu kommen glaubt, wenn man sich eine Pause gestattet.

Algier passirten wir zur Mittagszeit, als leider die Sonne schon weit binnen Landes stand; man soll es eigentlich in der Morgenbeleuchtung sehen, doch erkannte ich freudig die vielen Einzelnheiten wieder nach der Schilderung in einem Frühjahrs-Feuilleton des leitenden rheinischen Blattes, und konnte diesmal den Führer des Kapitäns abgeben, der mit steigender Verwunderung die Details über das „grosse Kaffeehaus", die „Welobergo", die „Kuppel des botanischen Gartens", das grosse „Regierungsgebäude", über der hohen „Esplanade", die „Douane", das „Brechwasser" etc. anhörte, wie die einzelnen Teile der Stadt allmälig in unsern starken Fernröhren sichtbar wurden. Aber der Hafen war leer und langweilig; so oft ich auch die behagliche Sicherheit beneide, mit welcher die Bewohner des hohen Küstenlandes auf die See hinausschauen, so glaube ich doch, dass Holländer, Ostfriesen, Oldenburger, Holsteiner, die sich oft bangen Herzens hinter hohe Deiche vor der Wut des Meeres flüchten müssen, die „alte Nordsee" trotz aller ihrer Tücken mehr lieb haben als die Bewohner dieser Gegenden ihr stilles blaues Mittelmeer. Dort sieht man doch wenigstens die See belebt mit Hunderten von kleinen und grossen Segeln, hier kann man Tage lang fahren, ohne einen Lappen Leinewand zu entdecken. Aber schön angebaut und fruchtbar ist hier die Küste, westlich wie namentlich östlich von Algier, wo häufig tiefe Einbuchtungen der 4—6000 Fuss hohen Küstenkette ein reiches Vorland amphitheatralisch aus dem Meere aufzusteigen gestatten, welches besonders im Schein der Abendsonne sich sehr einladend präsentirte. Eine grosse Kaserne vor einem befestigten Lager bei Dellis, in welchem Rothosen herumschwärmten, schaute weit nach Westen auf's Meer hinaus in wunderbar schöner Lage. Aber meilenweit am nahen Strande war nicht einmal ein Boot, geschweige ein Schiff zu entdecken. Alles schön sonnig, aber ohne Leben und Verkehr. Das Land muss ziemlich viel Regen bekommen haben, denn bis jetzt wenigstens waren die Weiden saftig grün und mit Vieh gut betrieben, die Gerste ging schon der Reife entgegen, so gelb schien sie herüber. Die des Nachts fallende Thaumenge ist sehr bedeutend; Tags über heben sich unter dem Einfluss des aufsteigenden Luftstroms die Wolken über dem Gebirge, um sich Abends wieder zu demselben herunterzusenken und ihre schwere Ladung Wasserdunst, welche die Tagessonne der Erde entlockt, vermehrt um die von See hergewehten Dünste während der Nacht als Thau der Erde zurückzuerstatten. Anfangs wunderte ich mich im Stillen, wie die Seeleute nur so weit in der Ferne voraus Land entdecken konnten, wo ich mit meinem fernsichtigen Auge nichts als trüben Dunst zu sehen vermochte. Das Rätsel ist mir jetzt gelöst. Das Land im Süden und Osten und Westen verrät sich unzweideutig durch die darüber stehenden Wolken. So weit wie voraus die weissgeballten Cumuli sich erstrecken, so weit ist auch unser Kurs durch das unter ihnen vorauszusetzende Land bedingt; nördlich davon und durch den ganzen nördlichen Horizont herum ist die klarste Kimm der Welt und die offene See.

Hinter dem in tiefer breiter Bucht versteckten Philippeville kam eine Flotte von fünf Panzerschiffen und zwei grössern und mehreren kleinern Torpedoschiffen, manövrirend unter zurückgeschobenen Feuern auf uns zugeschwommen, die Panzerschiffe wieder in Kiellinie in zwei Treffen fahrend, die grössern Torpedoschiffe und Avisos vorn und hinten, die kleinern zwischen den Kolonnen. Deutlich sahen wir das Lancirrohr des einen Torpedoschiffes. Es schienen Italiener zu sein; sie fuhren wie auch ein stark zurückgebliebenes Turmschiff zwischen uns und dem Lande hin, so dass wegen der Sonne Einzelheiten nicht auszumachen waren, und bogen Nachmittags in die Bai von Philippeville ab. Letztere wird von hohen zackig geformten Kaps begrenzt, von denen das westliche das Kap der sieben Spitzen heisst. Aber ein „Siebengebirge" schien es darum noch lange nicht, wenn auch kräftiges „Drachenblut" dort wachsen könnte. Da die Franzosen jetzt am ganzen Mittelmeer auf „Bordeaux" fahnden, so könnten sie recht wohl auf den Einfall kommen, Algier zu einem Weinlande zu machen. Ich glaube, wenn sie nur eine gerechte Verwaltung und Sicherheit des Eigentums und des Erwerbes herstellen, so würden sich die kundigen Leute schon einfinden.

Wir kommen jetzt zum Gebiet von Tunis, welches aber von See aus lange nicht so angebaut aussieht als Algier; viele kahle Strecken von rötlichem Sande bedeckt zeigen sich, wo vor zweitausend Jahren die Villen der meerbeherrschenden Carthager am Seestrande standen und Roms Kornkammer lag. Aber die See wurde belebter, je näher wir der Bai vor Tunis kamen. Erst waren es die zahlreichen Boote der Korallenfischer, welche unsere Aufmerksamkeit auf sich zogen, nachher eine Menge kleiner Küstenfahrer und Dampfer, welche teils wie wir zwischen der Küste und den im Wege liegenden Galita-Inseln und den mit dem Wasser gleich hoch liegenden, daher gefährlichen, Sorelle-Klippen durchpassiren wollten, aber freilich im strahlend schönen Sonnenschein, während uns nur der Mond gedient hatte, teils diese Klippen und Inseln nordwärts umfahren wollten. Doch blieben wir der Küste zu fern, um mit den Fischern einen Handel über ihre roten hochgeschätzten Korallen anfangen zu können. Aus guten Gründen eilten wir unaufhaltsam Malta zu, wo wir neue Kohlen fassen wollten. Vorher hatten wir aber noch ein erbauliches Schauspiel auf dem Wasser zu geniessen. Treibt da weit voraus sichtbar ein Dampfer, der nicht wie wir anderen auf geradem Kiel fährt, sondern mit einer schweren Schlagseite nach Backbord herüberhängt. Der Mann hat doch nirgends schlechtes Wetter gehabt, dessen Folgen er nicht länger überwunden haben musste. Hatten wir doch seit Gibraltar das schönste klarste Wetter, den Wind freilich entgegen, aber von Tag zu Tage in abnehmender Stärke. Wollen doch etwas nahe an ihm vorbeigehen, man kann nicht wissen was ihm fehlt. Aber als wir nach geraumer Zeit herankommen, hat er sich wieder aufgerichtet, und antwortet auf unsere Anfrage, die auf berlinisch mit dem einen Wort „nanu!" hinreichend signalisirt sein dürfte, er habe verschieden grosse Bunker, der eine sei vorgestern leer geworden und nun „trimme" er seine Ladung. Dies Geschäft setzte er denn auch so ausgiebig fort, dass später das Schiff sich nach Steuerbord überlegte, wie wir noch deutlich sehen konnten, in Malta aber, wo er sich anderen Tages uns längsseit legte, wieder gerade stand, als die Kohlen weit genug aufgebraucht waren. Dort hörten wir dann die ganze Misère, welche unsere obigen Auslassungen über die Mängel der typischen Frachtdampfer der Gegenwart gar drastisch illustrirte. Das Schiff kam in Ladung von einem Nordseehafen und sollte in Malta neue Kohlen und einige Passagiere einnehmen, um damit nach Calcutta weiter zu fahren. Der Kapitän hatte vor der Abfahrt seine Kohlenbunker vollgefüllt und die von ihrem sehr ungleichen Inhalt veranlasste Schlagseite, durch angemessene Verteilung der letzten Stücke Ladung ausgeglichen. Das Mittel hält vor, so lange nicht ein Bunker leer wird und nun der andere allein zur Speisung der Feuer dient. Bei ruhigem Wetter und steifem Schiff mag das eine Zeitlang hingehen, sein Schiff war aber sehr rank und so musste er unterwegs seine Leute hinunterschicken, das Uebergewicht der Ladung bei Seite zu schaffen; wäre er dabei von schlechtem Wetter überrascht, wer weiss was dann geschah. Damit war sein Klagelied aber noch nicht zu Ende. Wir mussten zu ihm an Bord kommen, sein Schiff zu besichtigen. Das Erste was geschah war, dass wir beinahe über die Luken seiner Kohlenbunker stolperten, die doch so unglücklich wie möglich im Wege lagen; der Koch, der sie gerade vor seiner Kombüse hatte, wisse ein Lied davon zu singen, meinte der Kapitän. Die Kajüte ist in der Arche Noah sicher nicht so voll gewesen als diese war. Der Kapitän hatte sich wegen der langen Reise und der angenommenen Passagiere stark mit „tinned-provisions" versehen, aber keinen Platz dazu auf seinem Schiffe gefunden, weil die Räume für Vorräthe überhaupt schon viel zu klein für seine 25 Mann Besatzung waren. Er würde wohl die ganze Zeit im Navigationszimmer und auf der Brücke zubringen müssen, meinte er resignirt und die Provisionen in seine Kajüte stellen, wenn es anginge. Ich übergehe die weiteren Einzelheiten über die Schwierigkeit der Beladung des viel zu schmalen und gleichzeitig viel zu tiefen Schiffes, und seine zu geringe Maschinenkraft, aber immer öfter wurde ich an die Worte, welche Oxenstjerna seinem Sohne zugerufen haben soll, erinnert, welche auf diesen Fall angewandt etwa heissen würden: „Mein Sohn, du glaubst nicht, mit wie wenig Verstand heutzutage Schiffe gebaut werden, denen man doch Menschenleben und Güter anvertraut, weil man sie unter Assekuranz bringen kann." Es klingt geradezu unglaublich, wenn ich anführe, dass auf dem Deck keine Speygaten zum Abfluss des Deckwassers waren, dass über den Thüren der Kajüten die Bezeichnungen fehlten, auf welchen man in Suez so pedantisch besteht; dass das Deck keinerlei Bequemlichkeit, weder Bank noch Stuhl für die erwarteten Passagiere führte, ebensowenig als Stützen für die Sonnensegel ursprünglich da waren, die der Kapitän nebst den Segeln selber erst hatte in aller Eile und ohne Zeit zum Probiren anschaffen müssen, während statt eigener Proviantkammer mit besonderem Brot— etc. Kojen irgend welche Gelasse im Hinterschiff abgekleidet waren etc. etc. Dabei musste der Kapitän aber einräumen, dass die Höhe seiner Kajüte ungewöhnlich gross sei, und das Schiff wohl weniger rank ausgefallen wäre, wenn man das Zwischendeck resp. Hauptdeck einen Fuss höher gelegt hätte. Die Indikator-Diagramme zeigten wenigstens dass die Cylinder gut balancirt waren, wenn auch die Kessel hätten grösser genommen werden dürfen, um der Wucht der Maschine grössern Nachdruck zu geben.

Die vielbewunderte schrankenlose Konkurrenz bringt auch diese Wunder zuwege, und wehe dem, der daran zu rütteln wagt. Wie Hornisse fallen die sog. Freihändler über ihn her, ohne daran zu denken, dass mit den Vorschriften über die fachmännische Prüfung aller an Bord angestellten Offiziere der Staat schon einen ersten heilsamen Schritt gethan hat, das Leben der im Schiffsdienst stehenden Personen vor abwendbarer Gefahr zu schützen. Warum soll er sich denn nicht die Befugniss beilegen, solchen Produkten der Gedankenlosigkeit oder Einfalt der Aufseher bei Schiffsbauten als ungeeignet zu ihrem Zweck die Licenz zu verweigern und so die Aufseher der Baumeister zu richtigeren Leistungen anzuhalten! Der Tag wird und muss kommen, aber wie lange soll's noch dauern! Mit der schrankenlosen Konkurrenz, dem Kriege aller gegen alle, d. h. dem sog. bethlehemitischen Kindermord, wo die Schwachen die Opfer sind, heilt man solche Krankheiten nicht, das beweist England, dessen sprüchwörtliche „Erbweisheit ohne Gleichen" man doch nicht auf dem Gebiete der Verwaltung suchen wird.

Der Abschied von Afrika wurde uns erleichtert, da plötzlich der schwarze Erdteil und die See weit um uns herum in dichten Nebel gehüllt wurden. Die nächste Folge war eine unliebsame Verzögerung der Fahrt, da wir nur mit halber Kraft vorwärts tasteten, während alle Minute zu diesem langsamen Marsch das Nebelhorn die schaurige Begleitung spielte. Und Vorsicht that doppelt nöthig, da alsbald sich vor uns ein Konzert von Nebelhörnern hören liess, glücklicherweise von deutlich unterschiedlicher Klangfarbe. Der Kapitän machte nun von den internationalen Vorschriften Gebrauch, indem er das Signal des einen nähern Schiffes, das mehr von links herüber klang mit einem, das Signal der andern Schiffe, die mehr von rechts herübertonten, mit zwei kurzen Stössen seines Horns (Dampfpfeife) beantwortete. Auf diese Weise wurde das erste Schiff verständigt, dass wir unser „Ruder Backbord" legten, um es am Backbord zu passiren, was auch deutlich erkennbaren Erfolg hatte, während die andern Schiffe nach Steuerbord verdufteten; von dem ersten Schiffe haben wir nichts, von den beiden andern nur eins in grosser Entfernung hinter uns, als der Nebel sich zu heben anfing, gesehen. Die internationalen Signale können aber nur dann recht zur gedeihlichen Wirksamkeit gelangen, wenn Jeder sie anwendet.

Wie gesagt, Afrika nahm im Nebel Abschied und so haben wir von dem massigen Kap Bon, dem östlichen Wächter der Bai von Carthago, nur den obern über dem Nebel hervorragenden Teil gesehen, der allerdings auf einen mächtigen Fuss schliessen liess. Dafür wurden wir durch eine herrliche Aussicht und Einsicht auf das recht in unserm Wege liegende Pantellaria entschädigt, welches wir Nachmittags in nächster Nähe passirten. Diese Insel, aus einem vulkanischen Berge von 2000 Fuss Höhe bestehend, stellt, wie der Kapitän versicherte, den Aetna im Kleinen vor. Man denke sich nur von Westen kommend, dass statt des einen Städtchens mit weissen Häusern ein ganzer Kranz derselben längs dem Meeresufer den Fuss des schaumgebornen Berges umgürte, dass statt der unzähligen auf dem untern Abhange verstreuten Einzelwohnungen, die der Bauer inmitten seiner Aecker bewohnt, kleine und grosse Dörfer verteilt seien; dann folge am Aetna ein ebensolcher schwarzer Pinien-, Kastanien- und Eichenwald, darauf vegetationslose öde Lava, und über dieser statt des klaren Himmels von Pantellaria allerdings am Aetna noch eine Kuppe mit hellglänzendem Schnee resp. Asche je nach der Jahreszeit und die rauchende Spitze selber, und das Ganze sei zudem fünfmal höher und gewaltiger. Aber die zahllosen kleinen Krater wie Auswüchse auf dem Bergeshang, die furchtbar steilen zerrissenen Schründe und Spalten und Hohlbecken — den Krater oben soll ein See von unergründlicher Tiefe ausfüllen — die Thalschluchten und namentlich die ebenern Abhänge bedeckt mit reichster mannigfaltigster Vegetation, wo alle Gemüse nebst Feigen, Oliven, Baumwolle, Wein in reichster Fülle gedeihen und dichter schöner Wald darüber für die versiegende Feuchtigkeit sorgt, das Alles sei ganz wie am Aetna auch.

Interessant für den Rheinländer war besonders der Terrassenbau an der Nordseite, welcher lebhafte Erinnerungen an die Weingelände des Ehrenfels gegenüber dem Mäuseturm von Bingen wachrief, wenn auch die Zahl der über einander aufsteigenden Stufen auf Pantellaria vielleicht die zehnfache war. Vom „Gewächs" können wir leider nichts verraten.

Nun noch eine laue Mondscheinnacht und wir sind in Malta. Darüber und über die Weiterfahrt im nächsten Briefe. Geschlossen den 18. Mai.

2. Von Malta nach Konstantinopel.

Die Gruppe der drei Inseln Malta, Comino und Gozzo hat einen ganz verschiedenen Charakter als die vorgenannte Insel Pantellaria. War bei dieser der vulkanische Ursprung deutlich in der äussern kegelförmigen Bergform mit den unzähligen kleinen gleichartigen Auswüchsen auf dem Mantel des Hauptkegels deutlich ausgedrückt, und dieser Eindruck verstärkt durch die hier und da verstreuten Massen unverwitterter Lava, Schlacken und Bimstein, welche zuweilen steile tiefe Schluchten, Seebecken und Schründe aller Art bildeten, so sind die drei Inseln Gozzo, Comino, Malta, wenn auch gelegentlich steil aus dem Meere aufragend, doch durchweg ohne hervorragende Spitzen, zeigen vielmehr eine ziemlich ebene Oberfläche. Ohne irgendwie geologische Gebiete berühren zu wollen, möchten wir annehmen, dass Pantellaria jüngeren, die letzteren drei Inseln älteren Datums sind, und ihre vulkanische Entstehung höchstens aus der Natur des Gesteins erraten lassen, wenn sie nicht überhaupt aus Kalkstein bestehen. Höchst beachtenswert erschienen uns zur Bestätigung letzterer Ansicht die abgeplattete Form vieler kleinen Höhen, die ursprünglich wie andere benachbarte Hügel früher kegelförmige Gestalt gehabt haben mögen, jetzt aber als richtige Tafelberge erscheinen. Besonders zwei derselben erinnerten in ihrem ganzen äussern Aufbau an die bekannten Berge der sächsischen Schweiz, der Königstein und Liebenstein; die Elbe fehlte jedoch zwischen ihnen, wie überhaupt jede Wasserrinne auf diesen Inseln, welche nicht die stolze dunkle Waldkrone des malerischen Pantellaria tragen. Vielmehr tritt fast überall das nackte weissgelbliche oder röthlichgelbe Gestein zu Tage, kümmerlich von noch nicht abgewaschener Erde bedeckt, welche, wie auf unsern rheinischen und Moselbergen, durch zahllos über einander gebaute Terrassen festgehalten werden muss.

Wenn man, wie wir, sich von Westen her der Inselgruppe nähert, erblickt man zuerst das geradezu senkrecht aus dem Meere aufsteigende Gozzo; dieser nordwestliche Absturz mag leicht 150—180 Fuss hoch sein, flacht aber weiter nach Süden in verschiedenen kleinen Baien, welche den Fischern und Gemüsefahrzeugen der Einwohner leidlichen Schutz nur gegen Nordwind gewähren, bis zum ebenen Strande ab. Unzählige häufig tief eingeschnittene Grotten in den Felswänden legen Zeugnis ab von der Porosität des Gesteins, welche viele Bewohner zum Höhlenbau benutzen; frühmorgens hart unter Land hinfahrend, sahen wir häufig, wo das Land schichtenweise eingesunken war, die Bauern direct aus der steilen gebliebenen Wand heraustreten und Rauch aus Oeffnungen über den Thüren herauskommen. Dann wieder sah man runde grosse und kleine Vertiefungen, offenbar wo eine Blase eingestürzt war. Die thätigen Fumarolen der Südseite sahen wir nicht rauchen, da der Morgennebel erst später verzog und erst zuletzt die [illegible] Spitze der Insel mit dem Fort darauf freigelegt wurde. Auf einem zweiten höheren Rücken liegt ein grösserer Ort mit einer stattlichen Kirche mit zwei vierseitigen Türmen spanischen Charakters. Als weitere Eigentümlichkeit bemerkten wir zwei Mühlen mit sechs Flügeln; die „Getreuen in [illegible]" müssen sich diesen Konkurrenten zu der sonst alleinstehenden Eigenthümlichkeit ihrer Stadt gefallen lassen. Die türkischen Mühlen die wir später an den Dardanellen sahen, hatten [illegible]lich wohl 10—12 Flügel.

Ein schmaler aber tiefer Kanal trennt die noch niedrigere und flachere Insel Comino mit ihrer Dependenz Cominotto von Gozzo wie von Malta. Letzteres tritt alsbald in den Vordergrund durch seine bedeutend grössere Ausdehnung, welche bei Gozzo nur 8 auf 2¼ Sm., bei Malta aber 15 auf 8 Sm. beträgt. Da der Hafen Valetta an der Nordseite liegt, so sind es die mächtig hohen und gewaltigen Festungswerke, welche die Aufmerksamkeit neben den vielen zuweilen sehr stattlichen Villen auf sich lenken. Die ganze Insel fasst sich auf die Stadt zusammen und lässt diese dadurch um so kräftiger hervortreten. Da die See spiegelglatt war, so waren wir bald zur Stelle und hatten schon um 10 Uhr den Hafenlotsen an Bord. Geschützsalven aus den Forts und von einem [illegible] Lager vor der Stadt verrieten, dass die starren Mauern [illegible] risches Leben bargen. Für friedliche Erholung scheint ein mächtiger viereckiger Bau bestimmt, der ringsum von einer Säulenhalle umgeben war, und wie so viele andere Privat- und öffentliche Bauten antiken Charakter zeigte. Alle Gebäude waren von einem mattgelben oder weissen, sehr weichen Kalkstein hergestellt, der selbst an der Luft seine Farbe lange bewahrt, wenn er auch wohl mit der Zeit härter wird. Die schattenlosen Landstrassen müssen zur Sommerszeit das reine Staubmeer sein; jetzt sah man noch manchen grünen Baum neben den Häusern in sorgfältig gepflegten Gärten, in Blumengärten bei der schönen Aussicht über die Hafen [illegible] wir alle unsere Sommerblumen in üppigster Blüthe und neben ihnen reife Apfelsinen u. s. w. (Schluss folgt.)

Verschiedenes.

Verkehr deutscher Schiffe in chilenischen Häfen im Jahre 1882. Nach der amtlichen Veröffentlichung [illegible] die Zahl der in chilenischen Häfen eingelaufenen deutschen Schiffe im Jahre 1882 218 von zusammen [illegible] Reg.-To. Tragfähigkeit (28 Schiffe von 12 104 Reg.-To. Tragfähigkeit mehr als im Jahre 1881); von denselben waren 117 von 63 249 Reg.-To Tragfähigkeit Segelschiffe, 71 von 81 809 Reg.-Tonnen Tragfähigkeit Dampfer.

Verkehr deutscher Schiffe in Swatau im Jahre 1883. Am ersten Januar 1883 befanden sich 2 deutsche Segelschiffe von 742 Reg.-To. im Hafen, während 67 deutsche Fahrzeuge (47 Dampfschiffe und 20 Segelschiffe) von zusammen 45 728 Reg.-To. im Laufe des Jahres einliefen und die gleiche Anzahl Schiffe von 45 266 Reg.-To. auslief. Von den genannten Fahrzeugen kamen 7 (6 Dampfschiffe und 1 Segelschiff) in Ballast ein; 20 (7 Dampf- und 13 Segelschiffe) liefen in Ballast aus.

Verkehr deutscher Schiffe in Singapore im Jahre 1883. Angekommen sind im Jahre 1883 180 deutsche Schiffe von zusammen 147 301 Reg.-To. Darunter befanden sich 135 Dampfschiffe (124 mit Ladung und 11 in Ballast) und 45 Segelschiffe (36 mit Ladung und 9 in Ballast). Von jenen Fahrzeugen liefen im Jahre 1883 wieder aus 180 Schiffe von zusammen 146 065 Reg.-To. und zwar 130 Dampfschiffe (70 in Ladung und 60 in Ballast) und 50 Segelschiffe (19 mit Ladung und 31 in Ballast).

Verlag von H. W. Silomon in Bremen. Druck von Aug. Meyer & Dieckmann. Hamburg, Alterwall 19.

HANSA

Redigirt und herausgegeben
von
W. von Freeden, BONN, Thomasstrasse 9.
Telegramm-Adresse:
Freeden Bonn,
oder
Hansa Alterwall 28 Hamburg.

Verlag von *H. W. Silomon* in Bremen.
Die „*Hansa*" erscheint jeden 2ten Sonntag.
Bestellungen auf die „*Hansa*" nehmen alle Buchhandlungen, sowie alle Postämter und Zeitungsexpeditionen entgegen, desgl. die Redaktion in Bonn, Thomasstrasse 9, die Verlagshandlung in Bremen, Obernstrasse 11 und die Druckerei in Hamburg, Alterwall 18. Sendungen für die Redaktion oder Expedition werden an den letztgenannten drei Stellen angenommen. **Abonnement** jederzeit, frühere Nummern werden nachgeliefert.

Abonnementspreis:
vierteljährlich für Hamburg 2½ ℳ,
für auswärts 3 ℳ = 3 sh. Sterl.
Einzelne Nummern 60 ₰ = 6 d.

Wegen **Inserate**, welche mit 25 ₰ die Petitzeile oder deren Raum berechnet werden, beliebe man sich an die Verlagshandlung in Bremen oder die Expedition in Hamburg oder die Redaktion in Bonn zu wenden.

Frühere, komplete, gebundene Jahrgänge von 1872 1874, 1876, 1877, 1878, 1879, 1880, 1881, 1882 sind durch alle Buchhandlungen, sowie durch die Redaktion, die Druckerei und die Verlagshandlung zu beziehen.
Preis ℳ 4; für letzten und vorletzten Jahrgang ℳ 8.

Zeitschrift für Seewesen.

No. **15.** **HAMBURG, Sonntag, den 27. Juli 1884.** **21.** Jahrgang.

Inhalt:

Sehr milder Winter, heisser Sommer.

Unter den wissenschaftlichen Meteorologen gilt als Erfahrungssatz, dass nach einer Reihe schlechter z. B. windiger regnigter Tage, es wahrscheinlicher ist, dass weitere windige Regentage folgen, als gutes trockenes Wetter, und dass ebenso einer Reihe guter trockener Tage wahrscheinlicher noch weitere solche Tage folgen, als Tage mit schlechtem Wetter. Es ist das nichts weiter als eine Anwendung des Gesetzes der Kontinuität auf atmosphärische Verhältnisse.

Jene Erfahrung gilt aber nur für eine Folge von Tagen, und ist nicht ohne Weiteres auf Monate, Quartale oder gar Jahreszeiten zu übertragen. Die Volksmeteorologie erwartet auch keineswegs nach einem milden Winter einen ähnlich gleich warmen sondern einen kühlen Sommer und umgekehrt, und sucht instinktgemäss darin die «Ausgleichung der Temperatur», auf Grund des lange vorher geglaubten, von Dove zuerst streng wissenschaftlich nachgewiesenen gleichen Grades der Sonnenwärme, welche die Erde jährlich vom Hauptquell aller Wärme, der Sonne, empfängt. Es geht aber mit diesem Satze der Laien-Meteorologie wie mit so vielen andern — er beruht auch auf ungenauer Beobachtung.

Auf Grund einer seit 1720 in Berlin mit seltenen Unterbrechungen fortgesetzten Reihe von Temperaturbeobachtungen hat Dr. Hellmann sich kürzlich speziell mit den sog. milden Wintern beschäftigt und ihrem Zusammenhange mit nachfolgenden milden oder kühlen Sommern nachgeforscht. Er versteht unter milden Wintern diejenigen, in welchen sowohl im December als im Januar die mittlere Monatswärme höher blieb als die normale Mitteltemperatur des Monats. Solcher Winter hat Berlin seit 1755 nicht weniger als 34 gehabt, von 1755—1821 die Hälfte und von 1821—1884 wieder die Hälfte. Obgleich die Jahresintervalle ziemlich gleich sind, 66 und 63 Jahre, so darf man daraus indessen nicht auf eine regelmässige Wiederkehr milder Winter schliessen; thatsächlich folgen sie sich völlig regellos. Aber ganz gewöhnlich gehen solchen zu milden Wintermonaten schon zu warme November voraus, und ebenso folgen ihnen zu warme Februar- und Märzmonate. Es steht 3 gegen 1, dass dem zu warmen December ein zu warmer November vorhergegangen ist, und man kann 4 gegen 1 wetten, dass einem zu milden December und Januar auch ein zu warmer Februar und 4 gegen 3 wetten, dass auch noch ein zu warmer März den vorangegangenen zu milden Wintermonaten folgen werde.

Man sieht daraus in greifbaren Zahlen, wie weit obiges Gesetz der Kontinuität sich ausdehnen lässt.

Dr. Hellmann hat nun die Frage noch weiter verfolgt und eine Untersuchung darüber angestellt, ob ein milder Winter auch auf die Witterung der nachfolgenden *Jahreszeiten* von Einfluss sei, und damit die Frage zu einer praktisch äusserst wichtigen zugespitzt.

Wir lassen die Ergebnisse seiner Untersuchung hier wörtlich folgen, da man nur dadurch sich ihrer Tragweite im vollen Umfange versichern kann. H. sagt also: «Auf einen *mässig* milden Winter folgt häufiger ein kalter als ein warmer Sommer, und auf einen *sehr warmen* Winter folgt *sehr wahrscheinlich* auch ein warmer Sommer. Ja, man kann sogar behaupten, *je wärmer ein Winter* ist, um so wahrscheinlicher wird auch der folgende *Sommer zu warm* sein.»

Nun, dass der verflossene Winter 1883/84 recht warm war ist Keinem von uns aus dem Gedächtnis entfallen, und darüber werden wir auch Alle einverstanden sein, dass der heurige Sommer allgemach als drückend heiss empfunden wird. Die Menge Gewitter welche wir nun schon durchgemacht haben und von denen in andern Jahren eins genügt, um einer Wärmeperiode ein jähes Ende zu machen, treibt in diesem Sommer nicht ein einziges Mal den Wind dauernd nach Norden herum, und bringt deshalb auch nur kurze Abkühlung, der sofort wieder intensive Wärme nachfolgt.*

Da aber gewöhnlich kalte Winter mit klarer Luft und Ostwinden, milde Winter mit bedeckter Luft und Westwinden, heisse Sommer mit klarer Luft und Südwinden bei uns zusammengehen, so sieht man doch, dass eine gewisse Aenderung der atmosphärischen Verhältnisse vorangehen muss, wenn einem zu warmen Winter ein heisser Sommer folgen soll.

*) Vergl. R. H. Scott, Elementare Meteorologie. Deutsch von W. v. Freeden. S. 186. Anm.

Deutsche Nordseelotsen oder englische Kanallotsen?!

Fremde nach deutschen Nordseehäfen bestimmte und durch den Kanal ihren Bestimmungsort aufsuchende Schiffe lassen sich noch vielfach von der sonderbaren Vorstellung leiten, dass die Befahrung der Nordsee und die Aufsuchung ihrer Flussmündungen ein so ungewöhnlich schwieriges Unternehmen sei, dass man je früher desto besser einen Lotsen für das letzte Ende der Reise annehmen müsse. Infolge davon sehen wir sie häufig schon im Kanal einen sogenannten »Northsea Pilot« annehmen, und zwar zu dem sehr soliden, schwerwiegenden Preise von 15—20 £ St., wovon sie wenigstens zwei Drittel ihren Rhedern hätten sparen können, wenn sie nur ein wenig die vorhandene Literatur über die Befahrung der Nordsee sich angesehen hätten. Sie würden aus jedem dieser Bücher ohne Weiteres ersehen haben, dass nicht weniger als 4 Hamburger und 7 Bremer, Oldenburger und Preussische Lotsschuner vor den Flussmündungen von der Eider bis zur Ems stets in See herumkreuzen und es einem herankommenden Schiffe geradezu fast unmöglich machen, eines dieser Schiffe zu verfehlen. Dabei lässt sich aber ohne Weiteres annehmen und jede Probe dürfte es bestätigen, dass sie von diesen deutschen Nordseelotsen doch viel sicherer, zuverlässiger und billiger bedient werden als von dem soviel weiter entfernt kreuzenden, hierorts stets mangelhaft orientirten, englischen Kanallotsen. Wer die beiderseitige Probe gemacht hat, bezweifelt die Richtigkeit dieser Behauptung nicht, und wer erst eine Probe mit einem englischen Kanallotsen gemacht hat, wird schwerlich zum zweiten Male nach solcher oft mehr als zweifelhaften Stütze ausschauen. Hat sich doch noch kürzlich der Fall ereignet, dass ein nach Hamburg bestimmtes Schiff, nachdem es Helgoland gesichtet, bis zur Kugelbake bei Cuxhaven von einem sog. Northsea Pilot gebracht ist; dass dieser Lotse aber vollständig und fest des Glaubens gewesen ist, er befinde sich in der Weser, deren Feuerturm er gut kenne, und nun die Hülfe eines Schleppers verweigert, da sie selber mit ihrem Schiff bei besserer abzuwartender Gelegenheit »um die Ecke« segeln würden, um in die Elbe hineinzukommen, und dass erst ein herbeigeholter landsmännischer Kapitän den Fremden darüber belehrt hat wo sie wirklich seien, und dass weder der Lotse noch er das Schiff, sondern das Schiff und sein gütiges Geschick sie beide nach Cuxhaven gebracht hatte. Ohne den Schlepper hätte der Fremde sich vielleicht nächstens Tags weiter nach Osten, also vor die Eider wahrscheinlich bringen lassen, und diese Scherze bezahlte der Kapitän mit 17 £ St.

Wenn auch diese faktische Geschichte viel[leicht] nicht jedem englischen Kanallotsen passiren [würde], so zeigt sie doch wie weit die Unerfahrenheit [der] Leute im einzelnen Falle führen kann.

Aus der Meerestiefe.

„Der französische Avisodampfer „Talisman“ hat [kürz]lich eine Forschungsreise vollendet und auf derselben [eine] sehr wichtige Thatsache festgestellt, welche man bis [dahin] zwar ahnte, aber doch nicht sicher bewiesen hatte. E[s ist] dies die Verbreitung zahlreicher arktischer Tiere in [den] Meeren der wärmeren Gegenden, jedoch nur in [grossen] Tiefen derselben. Bekanntlich ist durch zahlreiche Tem[pe]raturmessungen festgestellt, dass das Weltmeer in [seinen] grossen Massen stark abgekühlt ist, dass überall in [grossen] Tiefen Temperaturen herrschen, welche dem Gefrierpu[nkt] nahe kommen. Der Ozean ist — fast hätten wir [gesagt] leider — durch die aus den Polargegenden herstammen[den] kalten Strömungen in seiner Temperatur erniedrigt, [und] nur die oberen Schichten werden noch durch den Ei[nfluss] der Sonne erwärmt. Jenen kalten Strömungen [der] Polargegenden sind nun eine Menge von Tieren ge[folgt] und man fischt sie also mit dem Schleppnetz aus den [grossen] Tiefen der tropischen Meere heraus. Besonders schla[gend] erweist sich diese Uebereinstimmung an zahlreichen [Mu]scheln und Schnecken. So fand z. B. der „Talisman“ mehrere Arten von Spindelschnecken, die in Island [und] Finnmarken in ganz flachen Meeren in der Nähe der [Küste] leben, an der Küste von Marokko und der Sahara in [Tiefen] von 2000 Metern wieder. Man sieht, dass diese und [an]dere Tiere besonders der Temperatur des Wassers und [den] Strömungen folgen. Wie merkwürdig aber, dass sie [im] Norden in flachen Meeren unter geringem Druck und [unter] dem Einfluss des Tageslichts existieren, während [sie in] den tropischen Meeren den ungeheuren Druck einer W[asser]säule von 2000 m. aushalten und in Tiefen leben, in [welche] niemals ein Lichtstrahl eindringt, in denen nicht [die] „purpurne Finsternis“, sondern schwärzeste Fi[nsternis] herrscht.“

Soweit die „Deutsche Fischerei-Zeitung“. „Sch[weizer] Familienblatt“ brachte bereits vor einiger Zeit Abbild[ungen] einiger seltsamen Formen aus grosser Tiefe vom „Talisman“ heraufgeholter Fische und fielen uns an diesen [Bildern] ganz besonders die grossen Glotzaugen und das [er]scharfe Gebiss auf. Die Frage liegt nahe, wenn die [Tief]seetiere so grosse Augen haben, sollte dann wohl in [den] grossen Tiefen, in welchen sie leben, so „schwarze Finsternis herrschen“, wie der Schlusssatz vorstehe[nder] Mitteilung offenbar annimmt.

Für gewöhnlich sehen wir, dass die Tiere sich [in] ihrem innern Körperbau wie in ihrer äussern Erschein[ung] den Umständen, unter denen sie zu leben genötigt s[ind,] ziemlich genau anpassen. Was von unzähligen Tieren [der] Oberwelt aber als Naturgesetz gilt, dürfte recht wohl [auch] von den unterseeischen Tieren angenommen werd[en]. Mögen auch viele Tiere fortwährend von unterseeische[n] Strömungen in niedere Breiten entführt werden, so w[erden] unzählige andere, welche zum Teil auch zu den [Gattungen] und Familien gehören, welche ein sesshaftes Leben führ[en,] doch an Ort und Stelle geboren werden und damit [der] Natur Gelegenheit geben, Körperbau und Organe [dem] Orte angemessen umzubilden. Nun haben alle Kopf[füsser] der Tiefe, eine Menge Schaltiere u. s. w. voll entwick[elte] grosse Augen, mit welchen sie doch sicher sehen [können]. Sie sind häufig grösser, als bei den verwandten in geri[nger] Tiefe gefangenen Arten; häufig aber stimmen sie an Grösse und Aussehen völlig mit letzteren überein. [Dass] die Tiefwasser Gastropoden häufig verstümmelte oder [gar] keine Augen besitzen, schadet unserer indirekten Be[weis]führung um deswillen nicht, weil diese Tiere haupt[säch]lich in dem weichen Schlamm der Tiefe leben und also Augen nicht mehr als unser Maulwurf bedürfen.

Aber auch das äussere Aussehen, die Farbe d[er] Tiefseetiere lassen die Annahme mindestens als ge[...]

erscheinen, dass dort unterhalb 2000—3000 Faden alles Licht längst aufgehört habe. Ein grosser Teil dieser Tiefseetiere ist stark gefärbt, das steht ausser Zweifel. Häufig allerdings stösst man auf matte Farben und mögen diese Tiere durchscheinend sein, vielleicht um weniger leicht eine Beute stärkerer Räuber zu werden, also zum eigenen Schutz, vielleicht auch um sich selber vor ihrer Beute zu verbergen, wenn sie am Boden festsitzend warten müssen, bis ein Beutetier in ihre Nähe gelangt. Aber neben diesen matter gefärbten durchsichtigen Formen treten zahlreiche stark einförmig oder bunt gefärbte Formen der Echinodermen, Schaltiere, Kopffüssler, Ringelwürmer etc. auf, welche ihre Farben doch sicherlich zeigen und in ihnen gesehen sein wollen. Dabei ist es merkwürdig, dass diese Farben durchweg orange, orangerot, gelegentlich bräunlichrot, purpur und purpurrot sind, nicht aber gelb oder grün oder blau. Sollte man daraus nicht schliessen müssen, dass selbst bis in die grössten Tiefen etwas seegrünes Licht durchdringt, etwa von der Stärke unseres Mond- oder wenigstens unseres Fixsternlichtes, und dass jene Tiere in ihren Augen Organe besitzen, welche gerade für diese Lichtstärken passend eingerichtet sind. Je weiter auf See, desto durchlässiger wird das klare Meerwasser im Vergleich zum stets getrübten Küstenwasser und desto eher kann das Sonnenlicht nach unten dringen.

Aus Briefen deutscher Kapitäne.

XI.

Tai-o-hae, Hafen von Nuka-Hiwa, Marquesas-Inseln, Süd-Pacific.

Bericht von Kapt. *Andresen*, deutsche Bark »Georg Blohm« aus Hamburg, mitgeteilt durch *A. Schück*, Seeschiffer.

Die Angabe von Herrn Kapt. z. See v. Werner, (der von Osten kam) dass der von Sir E. Belcher als Ansegelungsmarke bezeichnete Basaltfelsen nicht kenntlich ist, gilt auch für von Westen kommende Schiffe. „Georg Blohm" musste im Mai 1883 — von Tahiti nach Tai-o-hae bestimmt — zwischen Rua-Pua und Nuka-Hiwa kreuzen; um den Hafen offen zu sehen empfiehlt es sich, bei ca. 5 Sm. Abstand von Nuka-Hiwa den höchsten Berg von Rua-Pua in mw. Süd zu bringen, dann zeichnet sich K. Martin am Ostende von N.-H. als steiler Abfall von dem übrigen schrägeren Verlauf der Küste scharf ab. Auf K. Martin steure man zu, bis man die von Kapt. Krusenstern, Sir E. Belcher und Kapt. v. Werner erwähnten Inseln erkennt, dann auf die östlichste derselben (Mattaou) zu, indem man sie recht voraus, eher ein wenig an Steuerbord hält; ca. 1½ Sm. von den Inseln entfernt, sieht man einige, an der Westseite der Bucht stehende Häuser, die als neue Steuermarke dienen, bis man sich zwischen jenen beiden Inseln (Mattaou u. Motu-nui) aber näher an ersterer (Krusenstern: 100—150 Faden = 180—270 m von ihr ab) befindet. Sobald dies geschehen, steuert man auf den die Ostseite der Bucht markirenden und begrenzenden Devils-point zu, so dass man ihn in 40—50 m Entfernung passirt; befindet man sich quer ab von ihm, so erkennt man die von der französischen Regierung angelegte Landungsbrücke oder Pier, die letzte Steuermarke. Gewöhnlich wird nach Passiren von Devils-point der Wind so veränderlich, dass man ihm mit Brassen kaum folgen kann, daher kommt das Schiff, das man unter allen Segeln zu halten hat, bald aus der Fahrt und man ankert auf 22—40 Faden = 40—75 m Wassertiefe.

Wenn der Hafenmeister (ein von einem Waljäger 1846 zurückgebliebener Franzose, Mr. Bruno) auf dem ansegelnden oder aufkreuzenden Schiffe die Lotsenflagge gesehen hat, pflegt er schon ausserhalb des Hafens bzw. zwischen den Inseln und Devils-point an Bord zu kommen, um das Schiff einzulotsen; ist dies nicht geschehen, so hisst man, sobald man am Anker liegt die Lotsenflagge, dann kommt er an Bord, gewöhnlich vom Agenten begleitet.

Nach dem Ankerplatz hin hat man zu warpen; er befindet sich zwischen dem erwähnten Regierungspier und dem Hause der Königin; dort ist allmälich abfallender Sandstrand, während der übrige grösste Teil des Randes der Bucht voll Klippen liegt. Man lässt den Anker in 6 Fd. = 11 m Wassertiefe fallen und giebt ihm später 60 Fd. = 110 m Kette; dann hat man genügend Pferdeleinen etc. aufeinander zu stecken, um vom Achterende aus eine Trosse nach Land zu bringen und an einem der dort am Strande entlang stehenden dicken Bäume zu befestigen. Diese Trosse wird soweit eingeholt, dass die p. p. 60 Fd. = 110 m Kette genügend steif sind, um das Schiff stets auf die, in die Bucht hineinstehende Dünung zu halten; das Achterende vom Schiffe befindet sich dann 300—360 m vom Lande ab, mit ca. 4 Fd. = 7 m Wasser unter dem Achterende des Kiels (grössere Schiffe würden also weiter vom Lande ab zu bleiben haben: das vom Achterende mit 30 Fd. = 55 m Täukette ausgelegte Warp gab mit der Dünung mit, so dass achter nur die Landfesten hielten). Der Strom setzt aussen stark nach Westen, stösst sich in der Bucht aber an deren Westseite und läuft an dem Strande entlang nach Osten bzw. Süden und bei Devils-point wieder aus der Bucht; es darf daher nicht befremden, wenn der Lotse den Warpanker bedeutend westlicher legen lässt als der Ankerplatz des Schiffes sein soll, sonst würde man in die vor dem Regierungsgebäude liegende Bucht gelangen. Mr. Bruno war so gefällig, sein Walboot zum Ausbringen des Warpankers und der Pferdeleinen zu leihen, ein Paar Mann der Schiffsbesatzung bedienten in ihm die Leinen etc., die Bootsleute bekamen ein angemessenes Trinkgeld, Herrn Bruno war es angenehmer für die zuvorkommende Art und Weise in der er seinem Dienst oblag, Erkenntlichkeit durch seltene europäische Lebensmittel zu erhalten.

Zum Unter-Segel-Gehen hat man die zwischen 9 bis 12 U. Mgs. einsetzende Landbrise zu benutzen; man lässt zunächst die Achtertrosse fest, hievt das Schiff über den Anker und setzt alle Segel, um beim Durchkommen der Brise den Anker aufzunehmen und jene Trosse loszuwerfen (Einzelheiten werden durch Stärke der Dünung etc. bedingt); der Agent weist in der Regel jemanden zum Losmachen der Trosse an. Beim Aussegeln steuert man wieder näher an der Ostinsel zwischen den Inseln durch, bis frei von Land.

Das Löschen des Ballastes ist insofern vom guten Willen des französischen Gouverneurs abhängig, als er manchmal gestattet, Sandballast in nicht weniger als 25 Faden = 45 m Wassertiefe über Bord zu werfen, Steine müssen unter allen Umständen an Land gebracht werden; wenn der Agent nicht sein Ladeboot leihen will, hat dies mit den Schiffsbooten zu geschehen. In der Regel ent- und beladet man mit der eigenen Mannschaft, bedarf man Arbeitsleute, so sind möglicherweise einige chinesische Kulies des Agenten oder durch den Agenten Sträflinge (Eingeborene) von der Regierung zu erhalten; zum Zerkleinern der Copra wurden an Bord Chinesen und eingeborene Frauen beschäftigt. Leichterfahrzeuge (plattbodene Schuten) hatte jedes der beiden Handlungshäuser nur eines; da die Herren auf freundschaftlichem Fusse standen, so lieh, wenn nur ein Schiff dort war, das andere Haus seine Schute; ausserdem kam die Ladung in Walbooten an Bord, auch mussten die Schiffsboote dazu benutzt werden. Zum Einnehmen von 130 Tons Baumwollensamen und 180 Tons Copra brauchte man 25 Tage; Mrss. Hard & Co. werden es jetzt rascher besorgen können, da sie einen kleinen Pier mit Geleisen für Block- oder Rollwagen (Trucks) gebaut haben: an ihm können Leichter und Boote beladen werden, ohne die Säcke durchs Wasser zum Boote zu tragen. — Es ist am sichersten, Garnirung von Tahiti mitzubringen, Matten waren gar nicht vorhanden, Stauholz nur wenig und teuer, Steinballast wäre zur Not durch den Agenten zu bekommen.

Ausfuhrprodukte nach Europa sind: Baumwolle, Baumwollensamen, Copra; nach S. Franzisko: dasselbe, ferner essbare Baumschwämme (für Chinesen) und einige Apfelsinen; — dort wachsende Citronen werden nicht versandt. — Frischer Proviant ist reichlich; Rind-, Schweine- und wildes Ziegenfleisch ist zu haben, aber nicht regelmässig; will man Schaaffleisch essen, so kauft man ein kleines Schaaf und schlachtet es selbst; Hühner sind sowohl zahm als wild käuflich, auch Garneele und Fische; von Wurzelfrüchten erhält man Yams und süsse Kartoffeln, Brotfrucht, Bananen, Kokosnüsse, Ananas, Popeias, Dorian, Mango's, Tamarinthen; auch Brunnenkresse war reichlich. Wilde Ziegen, verwilderte Hühner und Schweine sind häufig; auf erstere wird zuweilen eine Treibjagd veranstaltet, indem man möglichst viele nach Devils-point treibt; die sich hier nicht ergreifen lassen wollen müssen in's Meer springen, aber dort sind Boote verteilt, von denen aus man die Hinabgesprungenen auffischt. Nach Tahiti wird viel Vieh versandt. — Bei den Agenten ist Dauerproviant, selbst laufendes Tauwerk, vereinzelt auch Drahttau zu bekommen; naturgemäss halten sie kein grosses Lager. — John Hard & Co. hatten eine Maschine zum Absondern der Baumwollensaat und Pressen der Baumwolle aufgestellt, der betreffende Maschinist besorgt aus Gefälligkeit kleine Schmiede- und Klempner-Arbeit; Schiffszimmerarbeit ist schwieriger zu erhalten, man wäre auf den Zimmermann des Regierungskutters und die Bootbauer (Eingeborene) angewiesen; Mr. Fischer (aus Kopenhagen) Agent der Herren Crawford & Co. ist gelernter Segelmacher, event. hätte man seine Gefälligkeit zu benutzen.

Frisches Wasser erhielt man, durch Erlaubnis des Gouverneurs unentgeltlich aus der Wasserleitung der Regierung; für diese war zwischen zwei Hügeln ein Sammelbassin angelegt, von dem eiserne Röhren nach den Häusern der Europäer und an das Ende des Regierungspier führten; das dortige Ausflussrohr ist mit einem Hahn abschliessbar. An dies Rohr hatte man einen Schlauch zu befestigen, um die Wasserfässer im Boot zu füllen, doch konnte dies nur bei ganz ruhigem Wetter geschehen, weil beständig Dünung in die Bucht dringt und sowie diese bedeutend ist, läuft man Gefahr, dass das Boot unter die Brücke geworfen wird oder umschlägt. Sollte man aus dieser Leitung kein Wasser erhalten können, so münden nahe beim Ankerplatz 2 Bäche mit klarem Wasser, einer beim Hause der Königin, einer beim Polizeihause, das gleichzeitig Zollwache ist.

Die drei Postschoner, welche die Verbindung zwischen San Franzisko und Tahiti besorgen, kehren auf der Reise von S. Fr. nach Tahiti in Tai-o-hae an, auf der Rückreise nicht, so dass nur ein mal monatlich regelmässige Verbindung ist. — Von Geldmünzen waren alle an den Küsten des Pacific gangbaren vorhanden; die häufigsten waren chilenische, dann französische.

Bei der Ankunft übergiebt man den in Tahiti erhaltenen Pass an Mr. Bruno, der ihn an Land dem Regierungskommissar einhändigt; sobald man die Anfangsgeschäfte beim Agenten erledigt hat, ist es Gebrauch, sich persönlich dem Kommissar und Gouverneur vorzustellen (sehr freundliche, zuvorkommende Herren); ebenso geht man am Tage vor der Abfahrt zum Gouverneur und Kommissar um sich zu verabschieden, und erhält von letzterem den Pass für Tahiti.

Ausser den Regierungsbeamten, ihren Familien und den Missionären lebten dort 11 Europäer und 4 verheiratete europäische Frauen; es gab dort 3 Gasthäuser, eines von einem Neger gehalten. — Den Missionsdienst besorgten ein Bischof, 2 Geistliche und 4 Laienschwestern, letztere als Lehrerinnen der eingeborenen Kinder. Die Kirche ist aus Stein gebaut, das Gouvernementsgebäude teils aus Holz, teils aus Stein, alle anderen Häuser nur aus Holz, einige nach westindischer, andere nach amerikanischer Art; Regierungshospital, Kaserne und Gefängnis befanden sich unter demselben Dach. Die Hütten der Eingeborenen waren nicht ganz so schmutzig wie man sie oft findet, Flöhe jedoch ausserordentlich zahlreich; die Hütten der circa 16 chinesischen, mit eingeborenen Frauen lebenden Kulies, waren schmutziger als jene. —
Die meisten Boote der Eingeborenen sind nur klein
ohne Ausleger, die grösseren hatten Walbootform
europäische Segel; die Fischerei wurde in den Buchten
mit Netzen, auf der See nur wenig mit Angeln betrieben.

Infolge der vor wenigen Jahren ausgebrochenen
Pockenepidemie soll die Zahl der Eingeborenen von
auf 400 abgenommen haben. Fast alle älteren Le
haben Pockennarben, viele sind sehr entstellt; die jünge
ren haben ein gewinnendes Aeussere; sie scheinen
und kräftig zu sein; den schlechten Leumund als gra
hafte Kannibalen, sollen ältere in der Pockenepidemie b
währt und ihre an den Pocken gestorbenen nächsten
verwandten (vielleicht selbst im Fieber besinnungsl.
A. S.) roh verzehrt oder angefressen haben! —
Tättowiren war früher so gebräuchlich, dass selbst
Waljägern abgelaufene Europäer — um eingeb.
Frauen zu bewegen, sie zu heiraten — sich (die m
auch im Gesicht) tättowiren lassen mussten; seit A
bruch der p. p. Epidemie hat es die französische Re
rung gänzlich verboten. — Die schon bejahrte, eben
tättowirte Königin kleidet sich elegant europäisch
hat sie sich weder an Schuhe noch an Strümpfe gew
man kann sich leicht vorstellen, wie eigentümlich sie
weil barfuss gehend — aussieht; sie ist schwer
spricht keine europäische Sprache; wenn sie Be
macht oder empfängt, ist sie von einer Adoptivtochter
Dolmetscher begleitet; zur lateinischen Kirche über
treten, hat sie sich nahe bei ihrem Hause ein kap
artiges Grab errichten lassen, das sie täglich besucht
für die schönste Wohnung erklärt, die ihr beschieden
Der Thronfolger (auch tättowirt und pockennarbig) i
Valparaiso erzogen, spricht gut spanisch und zeigt
gewöhnlich in vollständigem europäischen Anzuge.

Die nächste Aufgabe unserer vielen Kolonial-Vere

sollte sein, sich alle zu *einem deutschen Verein* zusam
zu schliessen. Die öffentliche Meinung in Deutsc
hat sich so unzweideutig zu Gunsten der beschr
Kolonisationspläne des Reichskanzlers ausgesproche
der Uebergang zur Tagesordnung über die Einre
Richterschen Partei als fertig vollzogen angesehen w
kann. Nun stehen aber viele wohlmeinende Patrio
der echt deutschen Frage, welchem der vielen V
in Frankfurt, Berlin, Leipzig, Hamburg, Stuttgart, El
u. s. w. sie sich eigentlich anschliessen sollen. Und
muss den Einzelvereinen doch klar werden, dass n
einheitliche Organisation eine gewichtige Stütze für d
dem Unklaren zu grösserer Klarheit sich durchrin
Bestrebungen gewonnen werden kann, und dem
den Zustande der Zerrissenheit von vorhin baldmö
ein Ende zu machen ist. Bei gutem Willen und
sprechendem Entgegenkommen dürfte der Zusammens
so gar schwer nicht sein, zumal bei der Grösse
Landes und den vielartigen Anschauungen den Loka
einen ein grosser Spielraum für ihre Thätigkeit so
gelassen werden muss. Aber diese Vielfältigkeit ohne
bindende Einheit muss schon darum aufhören, damit
Reichsregierung ihre Thätigkeit nicht erschwert, und
Entschliessungen nicht von zu viel unvermittelten Wü
durchkreuzt oder verdunkelt werden.

Aus Briefen deutscher Kapitäne.

XII.

Odessa.

Die Stadt ist etwa 80 Jahre alt, bietet an Seh
würdigkeiten so zu sagen nichts, dagegen viel
Sonnenlicht und recht viel Staub und dazu trotz
Mais eine unangenehme Kälte. Die Hafenanlage
gross, auch ganz gut und bequem, nur hat man es
zu weit bis zur Stadt und dabei soll man immer
steigen, bevor man oben ist. Die Stadt ist
furchtbar weitläufig gebaut, dass man ohne Dros
kaum über die Strasse kommen kann. Die Strasse

gut gepflastert mit Kopfsteinen, welche von England hierher gebracht sind; sie sind durchweg ein halb Mal breiter als der Jungfernstieg in Hamburg, vom Wasser bis zu den Häusern gerechnet, und an jeder Seite mit 2 bis 3 Reihen Akazien bepflanzt, welches sich jetzt um so hübscher machte, als alle Strassen sich auf amerikanische Art rechtwinklig schneiden. Die Häuser sind aber meistens nur einstöckig, zuweilen zweistöckig; sehr selten sieht man ein dreistöckiges Haus. Es liegt dies glücklicher Weise am Stein, der mehr Druck nicht vertragen kann. Soll ein Haus gebaut werden, so treibt man an der Baustelle einen Schacht, schneidet die Quadern unten aus, trocknet und verbaut sie. Es ist ein ungemein poröser weicher Sandstein, der wie ein Schwamm alle Nässe aufnimmt. Einen hübschen Blick hat man vom Boulevard, auf welchem kürzlich der General X. ermordet wurde, über die Rhede und den Hafen; ausserdem ist noch ein Sommerlokal an der Küste ca. 5 Sm. von hier, damit sind aber die Sehenswürdigkeiten erschöpft. Im Uebrigen ist es russisch hier wie an der Ostsee; der Rubel gilt nichts, ist aber von Jedermann begehrt. Bei der Promenade auf dem Boulevard wird Alles gezeigt, was ein Jeder und namentlich eine Jede besitzt, und im Uebrigen sich möglichst frei und ungenirt bewegt und unterhalten. Wer die Russen in Wiesbaden gesehen hat, kennt sie erst halb; hier wo Russen und Russinnen ganz unter sich sind, nehmen sie erst recht es nicht so genau. Augenblicklich ist freilich das Leben und Treiben in den Gärten und auf den Promenaden noch ziemlich flau, da man lieber im Pelz geht als sich hinsetzt, und die Vegetation noch äusserst sparsam ist. Von Bäumen gedeiht hier nur die Akazie, das Gras ist hier lange nicht so gewöhnlich als bei uns und ist schon wieder gelblich angehaucht; dazu ist Alles und Jedes mit dem dicksten Staub bedeckt; fährt man einige Stunden herum, so kann man schon ein Gewächshaus in seiner Kehle anlegen. M. war auch an Land, hält aber auch nicht viel davon, wie ich nach seiner schnellen Rückkehr schliesse. Der Pontus Euxinus verdient übrigens seinen deutschen Namen nicht; er ist durchaus nicht schwarz, sondern eher blau und wo es flacher wird, grünlich. Die Winterstürme und die zarten Griechen und Römer haben es ihm wohl angethan, dass er den bösen Beinamen bekam.

Uebersicht

sämtlicher auf das Seerecht bezüglichen Entscheidungen der deutschen und fremden Gerichtshöfe, Reskripte etc. der betreffenden Behörden etc., einschliesslich der Literatur der dahin bezüglichen Schriften, Abhandlungen, Aufsätze etc.

2. Lotsen-Verhältnis.

a) Das Schiff unter der Leitung eines Zwangslotsen.

a) Das englische Recht befolgt in der Lehre von dem principal u. agent den Satz: „No one shall be chargeable with the act of another, who is not an agent of his own choice." Dem entsprechend befreit § 388 der *Schiffahrtsakte von 1854* den Rheder (zugleich den Schiffer) von der Verantwortlichkeit für Schäden, welche durch Unfähigkeit oder Versehen eines *Zwangslotsen* innerhalb des Bezirks, in welchem der Lotsenzwang besteht, veranlasst werden. Bei der Anwendung dieser Vorschrift wird festgehalten, dass die Befreiung des Rheders nur dann eintritt, wenn dem Zwangslotsen allein die Entstehung des Schadens beizumessen ist. Mitschuld von Personen der Besatzung hebt die Wirkung des § 388 auf. Der Rheder, welcher sich vorkommenden Falles auf denselben zu seiner Entlastung beruft, hat zu beweisen, dass den Lotsen allein die Schuld des Schadens trifft. — Es handelte sich hier um die Frage, ob für die Fahrt auf der Themse zwischen Gravesend und London Lotsenzwang bestehe. Der Richter bejahte zwar dies, nachdem vom Admiralty Court darüber Beweis erhoben war, erklärte aber die Frage für so zweifelhaft, dass er die Kosten kompensirte. — Während im § 388 a. a. O. die Befreiung von der Verantwortlichkeit des Rheders für Schaden, welche durch einen Zwangslotsen verursacht werden, allgemein ausgesprochen wird, hat Art. 740 des *deutschen Handelsgesetzbuchs* diesen Punkt nur in Bezug auf Fälle stattgehabter *Schiffskollisionen* berührt und ihn hierbei in Uebereinstimmung mit dem englischen Recht behandelt; doch würde man irren, wenn man hieraus in Beziehung auf *Nicht*-Kollisionsfälle eine Abweichung des deutschen Rechts von dem englischen folgern wollte; denn der angezogene Artikel enthält nur eine einzelne Anwendung der auch für die deutsche Gesetzgebung wirksamen Erwägung, dass für den Schiffer und die Schiffsmannschaft (abgesehen von ausserordentlichen Fällen wie Trunkenheit etc. des Lotsen) eine Notwendigkeit besteht, die Anordnungen des Lotsen anzuwenden. In der Befolgung solcher Anordnungen kann somit „*kein Verschulden des Art. 451*" liegen und, insofern es sich um die Verantwortlichkeit des Rheders ex recepto (Aufnahme von Sachen) — Art. 607 — handelt, ist den Weisungen des Zwangslotsen die den Rheder befreiende Eigenschaft der „höheren Gewalt" beizulegen. (Das. S. 343 ff.)

b) Infolge einer auf der Themse stattgehabten Kollision mehrerer Schiffe kam es zur Entscheidung, ob § 388 der Schiffahrtsakte von 1854, welcher den Rheder eines unter der Leitung eines Zwangslotsen stehenden Schiffes von der Verantwortlichkeit für Schäden, die durch Anordnungen des Lotsen herbeigeführt wurden, befreit, auch zu Gunsten des Eigentümers eines mitbeteiligt gewesenen *Schleppschiffes*, welches das gelotsete Schiff bugsirte, und dessen Führer den Weisungen des Lotsen folgte, zur Anwendung komme. Dies wurde verneint aus folgenden *Gründen*: „Diese Verneinung ergiebt sich aus einer Berücksichtigung der Verschiedenheit der Verhältnisse, in denen das geschleppte Schiff bezl. zu dem Schleppschiffe und zu dem Lotsen steht. Der Grund der Befreiung des Rheders von der Verantwortlichkeit für den durch einen Zwangslotsen veranlassten Schaden besteht darin, dass dieser kein Angestellter des ersteren, sondern eine demselben durch das Gesetz aufgenötigte Hülfsperson ist, deren er sich bedienen *muss, er mag* wollen oder nicht. Anders verhält sich seine Beziehung zu dem Schleppschiffe. Dieses ist von ihm beliebig ausgewählt und angenommen, um ihm für die beabsichtigte Fahrt zu dienen. Zwar besteht in Fällen der Benutzung eines Schleppschiffs zwischen dem Eigentümer und dem Rheder des geschleppten Schiffes ein dahingehendes Vertragsverhältnis, dass der Führer des ersteren den ihm von dem Schiffe aus gegebenen, von den Lotsen herrührenden Weisungen folgen muss; allein hieraus können keine Rechtsfolgen im Verhältnis des Schleppschiffes zu dritten Personen hergeleitet werden. Auch passt die ratio der Befreiung des Rheders im Verhältnis zu den Handlungen des Zwangslotsen nicht auf dasjenige des Schleppschiffes zu Dritten. Wenn gesagt worden ist, dass das Schleppschiff und das geschleppte Schiff gewissermaassen nur als *ein* Schiff zu betrachten seien, so ist dies nur uneigentlich zu verstehen; das erstere hat einen besonderen Vertrag und eine eigene, von derjenigen des geschleppten Schiffes verschiedene Verantwortlichkeit." (Das. S. 345 f.)

XIV. Besondere Bestimmungen.

Instandhaltung der Anlagen in einem Hafen.

Dadurch, dass von den einen öffentlichen Hafen benutzenden Schiffen ein Hafengeld erhoben wird, entsteht kein Vertragsverhältnis zwischen den Rhedern und dem Eigentümer des Hafens (Staat), kraft dessen letzterer verpflichtet ist, in dem Hafen die Schiffahrts-Anstalten im gehörigen Stande zu erhalten.

Aus den *Entscheidungsgründen*: „Am 11. März 1879 wurde in den im Winterlager zu Neufahrwasser befindlichen Schiffen des Klägers „St. Paulus", „Friedrich der Grosse" und „Karl Link" das erste dadurch von seinen Befestigungen gelöst, dass infolge eines starken Nordweststurmes eine Kette von einem Haltepfahle abschlippte und zwei andere Haltepfähle, an denen das Schiff befestigt war, zerbrachen. Der „St. Paulus" trieb zunächst auf den „Friedrich der Grosse", welcher sich ebenfalls von der Befestigung loslöste, indem ein Haltepfahl, an welchem er befestigt war, ebenfalls zerbrach. Der „St. Paulus" stiess mit dem „Friedrich der Grosse" und dem „Karl Link" zusammen, der „Friedrich der Grosse" trieb auch auf die Brig „Franziska" auf. — Der Kläger verlangt nun vom Beklagten, dem Preussischen Fiskus, als Eigentümer des Hafens Neufahrwasser, Ersatz des bei dieser Gelegenheit an seinen Schiffen entstandenen Schadens, indem er behauptet, die Ursache davon, dass sich die Schiffe von ihren Befestigungen am Lande losgerissen hätten, liege in der schlechten Beschaffenheit der vom Beklagten in Stand zu haltenden Haltepfähle. — Der Beklagte hat den Anspruch bestritten. — Das Berufungsgericht hat, abweichend von der ersten Instanz, die Klage abgewiesen, indem es ausführte: „Es könne hier eine Verpflichtung des Beklagten, für das Verschulden seiner Beamten zu haften, nach dem Allg. S.-R. als begründet nicht angesehen werden; auch sei ein Vertrag oder vertragsähnliches Verhältnis durch das Anlegen der Schiffe im Hafen gegen Zahlung des vorschriftsmässigen Hafengeldes nicht begründet worden, eine privatrechtliche Verpflichtung des Fiskus, die Häfen zu unterhalten, besteht ferner nicht, seine hierauf gehende Verpflichtung sei vielmehr eine öffentlich-rechtliche, deren Erfüllung eine Privatperson nicht verlangen könne; es sei aber auch der ursächliche Zusammenhang zwischen der mangelhaften Beschaffenheit der Pfähle und den Beschädigungen nicht nachgewiesen." — Diese Ausführungen wurden von dem Revisionskläger angegriffen. — Soweit es sich um die Frage handelt, ob ein Vertrag zwischen dem Kläger und dem Beklagten abgeschlossen worden ist, muss den Ausführungen des Berufungsrichters im Wesentlichen beigetreten werden. Von dem Kläger wird nicht behauptet, dass eine besondere Vereinbarung in Betreff des Anlegens der Schiffe zwischen ihm und dem Beklagten getroffen worden ist, der Vertrag soll vielmehr dadurch zu Stande gekommen sein, dass der Kläger die Schiffe im Hafen Neufahrwasser angelegt und dem Fiskus das vorgeschriebene Hafengeld entrichtet hat. Der Hafen Neufahrwasser gehört zu den für den allgemeinen Gebrauch bestimmten Seehafen, wenn derselbe gleich im Eigentum des Staates steht (§ 80, II. 15 A. S.-R.). Dadurch, dass der Kläger kraft des allgemeinen Gebrauchsrechts den Hafen für seine Schiffe benutzt hat, kann eine Verpflichtung des Staates nicht begründet werden. Allerdings wird eine Hafengeld erhoben in der Weise, dass derjenige, welcher den Hafen benutzt, diese Abgabe zu entrichten hat. Nach Art. 54 der Reichs-Verfassung ist eine solche Abgabe bestimmt, einen Ersatz für die zur Unterhaltung und Herstellung der Schiffahrtsanstalten erforderlichen Kosten zu gewähren. Aus dem Umstande, dass der Staat die Abgabe angeordnet hat und erhebt, lässt sich aber nicht folgern, dass er eine vertragsmässige Verpflichtung in Betreff der Beschaffenheit der im Hafen vorhandenen, für die Schiffahrt bestimmten Anstalten hat übernehmen wollen. Das Hafengeld wird vielmehr, wie andere Abgaben, auf Grund einer gesetzlichen Anordnung erhoben. Wenn auch der Staat nach der Reichsverfassung insofern in der Bestimmung desselben beschränkt ist, dass der Gesamtbetrag der Abgabe die zur Unterhaltung und gewöhnlichen Herstellung der Schiffahrtsanstalten in dem Hafen erforderlichen Kosten nicht übersteigen darf, so wird doch hierdurch der Charakter des Hafengeldes nicht geändert; es bleibt eine auf Grund des Gesetzes zu entrichtende Abgabe und kann nicht als vertragsmässige Leistung angesehen werden. — Hiernach fehlt es an einem Grunde für die Annahme, dass der Beklagte dem Kläger gegenüber vertragsmässig die Verpflichtung übernommen habe, für die Sicherheit der Schiffe des letzteren in dem Hafen, soweit es dabei auf die von demselben zu benutzenden Schiffahrtsanstalten ankomme, zu sorgen". ... — Weiter ist ausgeführt, dass der Anspruch, soweit er auf ein ausserkontraktliches Verschulden gestützt werde, sich dadurch erledige, dass nach der Feststellung des Berufungsrichters der ursächliche Zusammenhang zwischen der schlechten Beschaffenheit der Pfähle und dem entstandenen Schaden nicht nachgewiesen sei, dass es demgemäss eines Eingehens auf die Frage, ob der Beklagte haftpflichtig sein würde, wenn ein solcher Zusammenhang vorhanden wäre, nicht bedürfe. (Erk. des V. Civilsenats des Reichsgerichts vom 16. December 1882. Entscheid. Bd. IX. S. 243 ff.)

Tit. X. Schiffsgläubiger.

Die Verjährung der persönlichen Klage des Schiffsgläubigers gegen den Rheder wird durch die Ausübung des gesetzlichen Pfandrechts unterbrochen.

Nachdem eine Heuerforderung zunächst auf Grund des Art. 757 Nr. 4 H.-G.-B.'s gegen den Korrespondentrheder rechtskräftig geltend gemacht worden, aber beim Verkauf des Schiffs ungedeckt geblieben war, klagte der Gläubiger dieselbe gegen einen der Rheder auf Grund dessen persönlicher Haftung nach § 68 der Seemanns-Ordnung vom 27. December 1872 ein. Die Einrede der Verjährung wurde mit folgender *Begründung* abgewiesen: „Der Sinn des Art. 907 H.-G.-B.'s in dem Worte: „zugleich" geht nach Ausweis der darauf bezüglichen Kommissionsberatung (Protok. S. 2966, 2967) dahin, dass die persönlichen Ansprüche der Schiffsgläubiger in derselben Zeit wie ihr Pfandrecht, nicht früher, verjähren sollen. Insoweit nun das der Rhederei gemeinsam zustehende Seevermögen für die vorliegende Heuerforderung haftete, ist die Verjährung durch die Prozessführung gegen den Korrespondentrheder im Jahre 1877 rechtzeitig unterbrochen, da dieser insoweit zur Vertretung der Rheder nach Art. 460, Abs. 1 u. 3 H.-G.-B.'s jedenfalls legitimirt war. Diese Prozessführung hat die rechtskräftige Verurteilung der Rhederei zur Zahlung des gesamten Heuerbetrages, dessen auf den Schiffsanteil des Beklagten entfallende Quote jetzt in Frage steht, zur Folge gehabt. Der durch das Judikat festgestellte Anspruch unterliegt aber nur der dreissigjährigen Verjährung, eine Verjährung des Heueranspruchs in seiner dinglichen Richtung ist daher nicht eingetreten und kann mithin aus diesem Gesichtspunkte der Art. 907 H.-G.-B.'s der gegenwärtigen persönlichen Klage nicht entgegengehalten werden. Zu dem gleichen praktischen Ergebnis gelangt man dann, wenn man auf Grund der Fassung der Art. 906 u. 907 und deren Gegenüberstellung davon ausgeht, dass die kurze Verjährungsfrist des Art. 906 direkt nur für die dinglichen Ansprüche der Schiffsgläubiger als *solcher*, auf welche der allegirte Art. 757 sich bezieht, geordnet ist und ein positiver Ausspruch rücksichtlich des Erlöschens der persönlichen Ansprüche nur insofern vorliegt, dass diese nach Verjährung der ersteren nicht weiter verfolgbar sind. (Erk. des Oberlandesgerichts zu Rostock vom 12. November 1882; Seuffert, Archiv. N. F. Bd. IX, S. 70 f.)

Verschiedenes.

Anti-Torpedoboote. Seitdem alle grossen Seemächte auf den Bau von Torpedobooten im Laufe der letzten Jahre sich geworfen haben in der Ansicht, dass in ihnen die beste Schutzwehr gegen die Panzerschiffe liege, haben die Techniker sich schon wieder damit beschäftigt, Schiffe zu konstruiren, um diese neuen Feinde zu zerstören. Unter den mancherlei Erfindungen und Plänen ist ein Vorschlag eines italienischen Ingenieurs (Cuniberti) interessant, welcher folgendes System proponirt: Es werden Torpedojagdboote mit ausserordentlicher Fahrgeschwindigkeit und weittragenden Geschützen konstruirt, mit dem Zweck, die Torpedoschiffe in den Grund zu bohren. Um die notwendige ausserordentliche Geschwindigkeit zu erreichen, schlägt der Genannte eine Schiffslänge von 47 Metern und 400 Tonnen Deplacement vor mit Maschinen, welche die ungeheure Leistung von 8400 Pferdekräften haben und dem zwei Schrauben mit 310 Umdrehungen in der Minute eine Geschwindigkeit von 22 Knoten (etwa 34 Kilometer) in der Stunde erreichen lassen. Der Rumpf ist von Stahl und hat vorn einen Sporn, stark genug um ein Torpedoboot in den Grund zu bohren. Das Deck erhält Stahlplatten von 5 Centimeter Stärke, um den Maschinen- und Munitions-raum sicher zu stellen. Auf dem Vorderteil des Schiffes steht eine 37 Millimeter Revolverkanone von bedeutender Tragfähigkeit und auf dem Hinterdeck eine 24 Tonnen-Pivot-Kanone. Ausserdem soll das Schiff noch ausgerüstet werden mit in 3 Etagen aufgestellten Revolverkanonen, und an der Spitze des Mastes eine mächtige, den Horizont bestreichende elektrische Lampe führen. Das Schiff soll 900 Seemeilen vom eigenen Kohlenvorrat bei höchster Geschwindigkeit gehen. F.

Nachschrift der Red. Aber wenn der kleine flinke Torpeder nun den grossen Anti-Torpeder „annimmt", d. h. ihn mit seinem Torpedo zu rennen sucht — Anrennen und angerannt werden wechselt oft binnen einer Sekunde und kommt auf die Frage der raschesten Lenkbarkeit bei der kleinern Dimension zurück — was dann?

Zur Geschichte des Thermometers schreibt Herr Buys Ballot, Professor an der Universität und Direktor des meteorologischen Instituts zu Utrecht: Ross v. Swinden (derselbe, welcher so grosse Verdienste um die Herstellung der Länge des Meter hat) schrieb 1778 in der Correspondance de l'Académie de Science à Paris eine Abhandlung über das Thermometer, in der er alle früheren Formen und die verschiedensten Graduirungen desselben anführte, und am Schlusse eine vergleichende Tabelle von 27 verschiedenen Skalen sehr alter Thermometer und als Supplement die einiger neueren gibt. Nur über das Thermometer von Drebbel (einer derer, die sich am frühesten ein solches Instrument anfertigten) ist er sehr kurz; er sagt nur, das Thermometer von Drebbel ruhe auf demselben Prinzip wie das anderer (es war ein Sympiezometer). ck.

Die Kohlenausfuhrfrage und ihre Vorbedingungen sind Gegenstand einer eingehenden Besprechung am 30. Juni zu Bremen gewesen, wo sich Sachverständige aus Westfalen und den Nordseehäfen zusammen gefunden hatten. Allgemein wurde es für notwendig erachtet, nach Art der englischen Kohlenausfuhr-Gesellschaften eine ähnliche deutsche Gesellschaft ins Leben zu rufen, um eine zuverlässige Grundlage für die fernerhin zu unternehmenden Schritte zu erhalten, eine Reihe thatsächlicher Erhebungen anzustellen und geeignete Kräfte willig zu machen, welche die in Betracht kommenden Verhältnisse an den überseeischen Plätzen zu studieren haben. Die hierzu erforderlichen Geldmittel glaubte die Kommission durch freiwillige Zeichnungen seitens hervorragender Interessenten und Freunde der Angelegenheit beschaffen zu können. Eingehend erörtert wurde von der Kommission noch die *Eisenbahntariffrage*, sowie die *Frage der Verladungseinrichtungen in den Häfen*, und beschlossen, dieserhalb eine Eingabe an den königlich preussischen Herrn Minister der öffentlichen Arbeiten zu richten. Mit der Geschäftsleitung wurden die Bremischen Mitglieder der Kommission beauftragt. Die nächste Sitzung der Kommission wird voraussichtlich in der zweiten Hälfte des Monats September in Bochum stattfinden.

Die schnellsten transatlantischen Dampfer sind jetzt die „Eider" des Norddeutschen Lloyd in Bremen, die „Oregon" der Guion-Linie und die „America" der National-Linie in Liverpool, welche alle drei die Ueberfahrt binnen 7 Tagen zu leisten vermögen. Die „America" ist das neueste dieser drei Schiffe, hat 480' Länge, 51' 3" Breite, 38' 6" Tiefe und ungefähr 6500 Tons Reg. Eine angenehme Aenderung in der äussern Erscheinung ist der bei den meisten Norddeutschen Lloyddampfern ebenfalls vorkommende überhängende Bugspriet gegenüber den sonst so beliebten gerade aufstehend oder gar oben eingezogenen Vordersteven. Die „America" ist ganz von Stahl gebaut.

Das **wissenschaftliche Budget der vereinigten Staaten von Nordamerika** zeigt, welche Summen die eigentümliche Verwaltungsform jenes grossen Landes und seine isolirte Lage zur Verfügung der Wissenschaften zu stellen erlaubt. Wir finden da ausgeworfen: 3472154 ℳ für den meteorologischen Dienst, 598000 ℳ für das Nationalmuseum, 1970800 ℳ für die geologische Erforschung des Landes, 160000 ℳ allein für den Yellowstone Nationalpark, 2000000 ℳ für die grosse Ausstellung in Neworleans, 978000 ℳ für die Fischereikommission, 2005880 ℳ für die Küstenaufnahme, 400000 ℳ für die Volkszählung u. s. w.

Vor kurzem erst wurde von **Brockhaus' Conversations-Lexikon**, dreizehnte Auflage, der siebente Band vollendet, und jetzt liegen bereits zwei Drittel des achten Bandes, das 106.—115. Heft, vor. Der Text wird darin mit gewohnter Vollständigkeit und präciser, fachkundigster Darstellung bis zum Artikel Gustav III. fortgeführt. Unter den zahlreichen Abbildungen und Karten fesselt den Blick vor allen die farbige Doppeltafel Giftpflanzen, ein Chromobild, das die natürliche Färbung der Gewächse, ihrer Stengel, Blätter und Blüten, mit überraschender Treue wiedergibt und dem Werke wahrhaft zur Zierde gereicht. Wie bei dieser Tafel kommt der Farbendruck ausser bei sämmtlichen Landkarten überhaupt da zur Anwendung, wo das Colorit für anschauliche Darstellung der Gegenstände erforderlich oder für die Hervorhebung unterscheidender Merkmale von besonderer Wichtigkeit ist. Wir erwähnen bei dieser Gelegenheit noch, dass die Verlagshandlung, vielfach geäusserten Wünschen entsprechend, eine neue unveränderte Lieferungsausgabe der 13. Auflage veranstaltet, von der jede Woche ein Doppelheft erscheinen soll. Es ist dadurch wieder die Möglichkeit geboten, mittels einer wöchentlichen kleinen Zahlung in den Besitz des ganzen umfangreichen Werks zu gelangen.

Der Leuchtturmdienst der Ver. Staaten. Es ist wohlthuend, wenn man von irgend einem Zweige der Verwaltung seines Landes nur Gutes berichten kann. Zu diesen rühmlichen Ausnahmen gehört z. B. der Lebensrettungsdienst an den Küsten, zu ihnen gehört auch der Leuchtturmdienst, dessen jüngster Jahresbericht soeben von dem „Lighthouse Board" eingereicht worden ist.

Im letzten Fiskaljahre sind etwas über ℳ 8000000 für den Leuchtturmdienst bewilligt worden, und diese verhältnissmässig so unbedeutende Summe hat mehr Nutzen gebracht, als die vielen Millionen, welche z. B. für die Flotte bewilligt worden sind. Das Geld ist in sparsamer und verständiger Weise verausgabt worden.

Die Ver. Staaten haben gegenwärtig 755 Leuchttürme, Leuchthäuser und regelmässige Feuersignale an den Meeresküsten und an den Ufern der grossen Seen, sowie 972 Lichter an den westlichen Strömen. Die Letzteren befinden sich nicht in „Leuchttürmen", wie manche Leute naiver Weise zu glauben scheinen, sondern bestehen einfach aus Laternen, die an einem Baume aufgehängt werden, ein Geschäft, mit dem gewöhnlich der nächste Farmer betraut ist. Ausserdem giebt es 29 Feuerschiffe, die im Meere auf gefährlichen Stellen festgeankert sind, wo es unmöglich ist, ein Fundament für einen Leuchtturm zu legen.

Die Küsten des Meeres, der Seen und der Flüsse sind in fünfzehn Distrikte getheilt: jedem ist ein Marineoffizier als Inspector und ein Armeeoffizier als Ingenieur zugeteilt. Der erste Distrikt umfasst die Küsten von Maine und New Hampshire, der zweite erstreckt sich von Cape Cod bis zur Grenze von Connecticut, der dritte von dort bis Squan Inlet, mit Einschluss des Hudson und des Champlain-Sees, der vierte bis zur Küste von Virginia und so weiter bis zum neunten, der an der Mündung des Rio Grande endet. Der zehnte und elfte liegen an den Ufern der grossen Seen, der zwölfte und dreizehnte an der Küste des Stillen Oceans. Der vierzehnte umfasst das Ufergebiet des Ohio und der fünfzehnte das des Mississippi und Missouri. Die Leuchttürme, Feuerschiffe und sonstigen Leuchtsignale verteilen sich auf die verschiedenen Gewässer folgendermassen:

Atlantische Küste und Champlain See	Meilen	463
Golf von Mexiko	„	70
Die grossen Seen	„	192
Pacificküste	„	55
Die grossen Flüsse	„	972
Im Ganzen	Meilen	1753

Jeder Distrikt hat eine oder mehrere Stationen, in denen die nötigen Ausrüstungsgegenstände hergestellt oder vorrätig gehalten werden. Die wichtigste dieser Stationen befindet sich auf Staten Island. Sie enthält ein vorzüglich eingerichtetes Laboratorium, in welchem Probeversuche mit Oelen jeder Art angestellt werden, ferner ein Departement für elektrische Beleuchtung, welches in der sorgfältigsten Weise Experimente in Bezug auf die Frage anstellt, ob nicht alle Oellampen der Leuchttürme an den Meeres- und Seeküsten durch elektrische Lichter ersetzt werden sollten.

Das Oel aus animalischen Stoffen (lard oil) wird nur noch in wenigen Leuchthäusern ersten Ranges benutzt und wird auch aus diesen verschwinden, sobald neue Apparate für dieselben beschafft worden sind. Mineralisches Oel ist an seine Stelle getreten. Die Station auf Staten Island enthält eine grosse Werkstätte, in welcher Lampen angefertigt und reparirt werden.

Vielleicht der interessanteste von allen Leuchttürmen des Landes ist der auf der grössten der Farallone-Inseln im pacifischen Ocean. Die kleine Inselgruppe besteht aus nackten, wild zerklüfteten Klippen, die ziemlich hoch über den Meeresspiegel emporragen und ungefähr 20 Meilen westlich vom Goldenen Thore, der Einfahrt in die Bay von San Francisco, gelegen sind. Sie werden von zehntausenden von Möven bewohnt, die dort in den Felsspalten nisten, sowie von Seelöwen und Seehunden. Die blauen schwarzgefleckten Möveneier werden in den Restaurants von San Francisco massenhaft gegessen; gebraten schmecken sie nicht schlecht, während sie gekocht stets einen Fischgeschmack haben. Auf der höchsten Klippe jener Farallone-Inseln, auf der merkwürdiger Weise ein Quell vortrefflichen süssen Wassers aus einer Felsritze hervorsprudelt, erhebt sich ein schlanker, stattlicher Leuchtturm, der auch bei Tage dem Schiffer ein bei klarem Wetter weithin sichtbares Orientirungszeichen ist.

Einzelne der Feuerschiffe sind an Plätzen festgeankert, wo sie sich fast beständig in der grössten Gefahr befinden. Das am meisten vom Lande entfernte ankert auf den Davis New South Shoals, 27 Meilen von der Küste von Nantucket. Dort ist die Meeresströmung so stark und der Wogenandrang so gewaltig, dass das Schiff von Zeit zu Zeit von seiner Station fortgetrieben wird: während des verflossenen Jahres einmal bis nach Block Island. Auch das Trinity Shoal-Feuerschiff, welches vor der Hauptmündung des Mississippi stationirt ist, wurde letzten September von seinen Ankern losgerissen und musste zwei Tage im Golfe kreuzen, ehe es wieder an den Ort seiner Bestimmung zurückgebracht werden konnte. Das Handkerchief-Feuerschiff in Vineyard Sound ist im letzten Jahre zweimal von Schiffen angerannt worden und hielt sich nur mit Mühe über dem Wasser. Dass der Dienst auf solchen Schiffen ein höchst mühevoller und gefährlicher ist, liegt auf der Hand.

Der „Lighthouse Board" hat zugleich die Aufsicht über andere Signale, die teils im Nebel den Seefahrer warnen, teils ihm bei Tage den Weg weisen. Es gibt 352 unbeleuchtete Signal-Vorrichtungen am Ufer, die als Wegweiser bei Tage dienen, 66 Nebelpfeifen oder Nebelhörner, welche durch Dampf in Thätigkeit gesetzt werden, 33 sogenannte automatische Bojen (sie sind so konstruirt, dass die Bewegung durch den Wellenschlag ihnen einen pfeifenden Ton entlockt), 23 Glocken-Bojen und 3500 gewöhnliche Bojen, die einfach die Fahrstrasse andeuten. Alle diese Bojen müssen beständig untersucht und reparirt werden, viele werden beim Beginn des Winters entfernt und erst im Frühjahre wieder an Ort und Stelle gebracht. Diese Arbeiten werden von kleinen Dampfern verrichtet, welche an der Pacific-Küste von San Diego bis Cap Flatterry und an der atlantischen Küste von Point Isabel am Golfe bis zum West Quoddy Leuchtturm an der canadischen Grenze beständig in Thätigkeit sind. Sie bilden eine Flotte von 30 Schiffen. Im Ganzen beschäftigt der Leuchtturmdienst 2600 Mann, von denen beinahe 2000 Leuchtturmwärter sind.

Der Zuckerkönig. In diesem Jahre läuft der Freihandels-Vertrag ab, den die Vereinigten Staaten mit dem Königreiche Hawaii abgeschlossen haben, und im Kongresse ist bereits der Antrag gestellt worden, dass derselbe nicht erneuert werde. Zahlreiche Petitionen unterstützen diesen Antrag, und eine mächtige Lobby, welche die Interessen der Zuckerpflanzer und Zuckerfabrikanten des Südens und Ostens vertritt, bietet in der Bundeshauptstadt ihren ganzen Einfluss auf, um die Erneuerung des Vertrages zu verhindern. Ein einzelner Mann steht ihnen gegenüber, der Mann, welcher den Vertrag mit Hawaii in's Leben rief: Claus Spreckels, der Zuckerkönig.

Vor ungefähr 30 Jahren kam ein hannöverischer Bauernjunge nach Kalifornien, angelockt durch Schilderungen des Goldlandes, welche Ausgewanderte aus seiner Gegend nach Hause gesandt hatten. Er hatte nur nothdürftig Lesen und Schreiben gelernt, auch nur wenige Dollars in der Tasche, aber er besass einen höchst ausgeprägten Geschäftssinn, eine unerschütterliche Energie und echt plattdeutsche Zähigkeit und Ausdauer. Claus Spreckels — so hiess der junge Einwanderer — arbeitete anfangs, wie alle „älteren Kalifornier“, bald in diesem, bald in jenem Geschäftszweige, bis er schliesslich Eigentümer einer „Grocery“ wurde. In dieser Stellung erwarb er zuerst einiges Vermögen, und durch glückliche Grundeigentumskäufe wurde er schnell ein reicher Mann. In Verbindung mit mehreren anderen Kapitalisten gründete er dann eine grosse Zuckerraffinerie, deren Fabrikate nach und nach den Zucker der östlichen Fabrikanten von den meisten Märkten der Pacificküste vertrieben. Mit der Zeit wurde Spreckels der alleinige Eigentümer der Raffinerie, und schon vor zehn Jahren galt er für den Besitzer von mehreren Millionen.

Es muss ihm zur Ehre nachgesagt werden, dass er trotz seines Reichtums niemals den Shoddy hervorkehrt. Er verleugnet seine Nationalität nicht, sondern ist stolz auf sie. Er spricht, obwohl des Englischen vollständig mächtig, am liebsten Plattdeutsch, auch ist er für seine alten Freunde und Bekannten stets zu finden, gleichviel ob sie arm oder reich sind.

Der Rohzucker, den die Spreckels'schen Raffinerieen verarbeiteten, wurde von den Sandwichinseln eingeführt, und durch häufige Reisen nach den Inseln erlangte Spreckels eine genaue Bekanntschaft mit ihren wirtschaftlichen Verhältnissen. Vor 8 bis 9 Jahren fing er an, dort Grundeigentum zu erwerben, gegenwärtig gehören ihm die ergiebigsten Zuckerplantagen auf Hawaii, Oahu und Maui, ist er der grösste Grundeigentümer der Inseln und der Besitzer eines mit fürstlicher Pracht eingerichteten Pala[illegible] in Honolulu. Er wurde König Kalakaua's wärmster Fre[illegible] und Berater, wird mit Orden und Auszeichnungen [illegible] demselben überhäuft, wofür Seine Majestät gelegentl[illegible] kleine „Pumps“ bei „Sir Claus“ anlegt. Nachdem Spreck[illegible] schon längere Zeit Besitzer zahlreicher Segelschiffe gewe[illegible] war, die zwischen Honolulu und San Francisco fahren, [illegible] er neuerdings eine Dampferlinie zwischen beiden Häfe[illegible] Leben gerufen, für welche 7 grosse Dampfer bestimmt [illegible]

Durch den Abschluss des Freihandelsvertrages [illegible] Hawaii wurde Spreckels Werk gekrönt. Die zollfreie Ein[illegible] des Zuckers von Hawaii nach San Francisco setzte ih[illegible] den Stand, ein unumschränktes Monopol des Zuckerhan[illegible] auf dem ganzen Gebiete westlich von den Felsengeb[illegible] zu erwerben, und Schritt für Schritt drängt er die Zuck[illegible] fabrikanten des Ostens zurück. Die Eigentümer der Cen[illegible] Pacific und der Southern Pacific Bahn sind seine tre[illegible] Verbündeten: während sie ihm billige Frachten für [illegible] Transport von Zucker nach Osten zugestehen, mache[illegible] jeden Versuch einer Konkurrenz durch hohe Fracht[illegible] für den Transport nach Westen unmöglich.

Die Bevölkerung der Pacificküste hat durch den [illegible] trag allerdings keinen billigeren Zucker erhalten. [illegible] muss für ihren Zucker bezahlen, was Claus Spreckels [illegible] vorschreibt, und der Zucker ist in San Francisco [illegible] als in St. Louis. Dagegen wird in Kalifornien allge[illegible] zugestanden, dass der Vertrag auch viele Vorteile f[illegible] Pacificküste gehabt hat. Die Ausfuhr nach den hawaiis[illegible] Inseln hat sich fast verzehnfacht und hat zahlreiche In[illegible] striezweige Californiens bedeutend gehoben.

Vielfach ist behauptet worden, dass nach San Fr[illegible] cisco von Honolulu grosse Massen von Zucker geb[illegible] würden, der gar nicht auf den Sandwichinseln, sonder[illegible] andern Ländern producirt worden sei. Aber diese Be[illegible] hauptung ist ein handgreiflicher Unsinn, denn heutz[illegible] fährt kein Schiff in der Welt umher, von dem man [illegible] genau weiss, woher es kommt, wohin es segelt, w[illegible] gehört, und womit es befrachtet ist. Jeder Versuch, [illegible] erst nach Honolulu und von dort nach amerikanischen [illegible] zu bringen, würde sofort entdeckt werden.

Verlag von M. W. Silomon in Bremen. Druck von Aug. Meyer & Dieckmann, Hamburg, Alterwall 44.

Seebilder.

Von Hamburg nach Konstantinopel.

Zweiter Brief d. d. 19. Mai 1884.

Von Malta bis Konstantinopel. (Schluss.)

Der Hafen von Valetta ist ein Musterhafen, wie ihn die Natur nur schaffen kann; der Eingang in den Handels- und Kriegshafen ist nur 500 Meter breit, erweitert sich aber alsbald auf die vierfache Breite und darüber und dann zweigen sich drei Nebenhafen ab, von denen die beiden ersten meist von Kriegsschiffen besucht werden. Ueber den Batterien des Hafeneinganges erhebt sich links das sehr stattliche Hospital, neben welchem ein alter Dreidecker als Hospitalschiff dient, rechts weiter zurück das Observatorium mit der Signalstation, eine brillante Aussicht über die Insel, das tiefblaue Meer und die hellgrünen Gewässer des Küstensaums und der Hafen gewährend, die wir später genossen, nachdem wir erst das Gouvernementsgebäude mit seinen reichen Sammlungen an Waffen aller Art und den alten Freibriefen und Urkunden der Malteser- und Johanniterorden aus Carl's V. Zeit und früher, nebst den Porträts der Grossmeister pflichtmässig bewundert hatten. Vorerst wurde aber unsere Aufmerksamkeit von einer ganzen Schaar hochschnabeliger Boote, eins noch bunter als das andere, aber immer geschmackvoll und gefällig angestrichen, in Anspruch genommen. Die Insassen bildeten die im Voraus signalisirten Gauner- und Räuberbanden von Schiffshändlern, Wasserverkäufern, Kohlenhändlern, Raritäten- und Obstverkäufern aller Art, alle höchst freundlich und gewinnend uns ihre Geschäfte und Namen zurufend — mein Name ist „Joseph“, ich heisse „Joseph senior“, „Kapitän, mein Name ist Frank, ich kenne Sie ja schon lange“ u. s. w. Die reine Rotte Cora, wie sie im Buche steht. Das Winken und Zurufen war so afrikanisch, dass ich unwillkürlich an Stanley, Johnstone und den Congo denken musste, und bloss noch den Zuruf „Mbote“, „Mbote“ vermisste. Aber die Hafenpolizei ist streng, kein Boot durfte an Bord legen, kein Mensch übersteigen; obgleich die Antwort auf die Frage „where you come from, Captain“? mit dem offenbare Genugthuung und lebhafte zufriedene Gestikulation veranlassenden „from Hamburg Sir!“ an den Oberlotsen beantwortet war, musste doch erst der Hafenkapitän in seiner gemessenen würdevollen Weise Einsicht in unsere Papiere nehmen und damit den Bann lösen, der uns von dieser Menschheit ringsum trennte. Nicht einmal die vom Agenten in der Hand hochgehaltenen Briefe durften vorher abgegeben werden, so sehr uns auch nach Nachrichten von zu Haus verlangte. Wird nämlich ein Schiff „wegen unreinen Gesundheitpasses“ als verdächtig angesehen, so darf es nicht in den Haupthafen legen, sondern wird in den rechts davon sich in's Land streckenden Quarantänehafen geschickt, vor dessen Eingang ein eisernes Dampferwrack von jeweiliger gefährlicher Einfahrt Zeugnis ablegte. Zwischen diesen beiden tief einschneidenden Buchten liegt ein hoher Bergrücken und auf ihm die eigentliche Stadt Valetta, welche also nach beiden Seiten nach dem Meere resp. dessen Häfen abfällt. Die Strassen der Stadt sind also teils Parallelstrassen zu diesen Häfen und verlaufen als solche ziemlich eben und sind breite, vielfach mit Holz gepflasterte Strassen mit 4—5stöckigen Häusern, teils schmale Querstrassen, die mit mehr oder weniger flachen Treppenstufen über den Höhenrücken von einem Hafen zum andern führen und die Hauptstrassen alle rechtwinklig durchschneiden. Ausserdem liegen stadtische Häuser um alle Nebenhäfen des Haupthafens, so dass das Ganze einen sehr stattlichen sauberen Anblick gewährt, ein Eindruck, der auch beim Eintritt in die innere Stadt eher erhöht als abgeschwächt wird.

Die Schiffe im Hafen liegen alle mit dem Vorderteil nach der Fahrseite vor Anker, und mit dem Hinterteil durch Taue am Lande befestigt. Dies soll die in allen italienischen Häfen übliche Art der Festmachung sein, da die Schiffe wegen der häufig in die Häfen setzenden Dünung nicht an den Quai's festgelegt werden dürfen. Man lässt also mitten im Fahrwasser den Anker fallen, stoppt das Schiff, indem man es gegen die Kette sich stemmen lässt und dreht gleichzeitig das Achterteil mit der Schraube herum; für den Rest der Drehung muss das Ruder sorgen. Dampfer liegen vorn im Eingange, weil sie nach 3—5 Stunden weiter gehen; Segler liegen im innersten Teile des Hafens, und machen sich dort sicherer und leichter fest. Mit den Kohlen- und Wasseragenten wurde sofort ausgemacht, dass wir um 3 Uhr wieder nach See wollten, so hatten wir nur drei Stunden für den Besuch der Stadt, die zunächst zur Beordnung der Schiffspapiere, dann aber auch noch zum Ankauf von Gemüsen, Fleisch, Fischen, Früchten zu benutzen waren, landesübliche Raritäten wie rote Korallen, Filigranarbeiten, Spitzen u. s. w. nicht ausgeschlossen.

Es war wenig Leben in der Stadt, teils wegen der Tageszeit, teils weil wenig Schiffe im Hafen lagen; für den, der zum ersten Male eine italienisch-afrikanische Seestadt betrat, allerdings noch genug zu schauen. Der Aufstieg von der breiten Marina an den hohen Festungsmauern entlang die Steinstufen hinan und an Hunderten unbeschäftigt im Schatten platt auf den Steinen ausgestreckter Hafenarbeiter vorbei, die Strassen mit ihren kleinen 3—4sitzigen einspännigen leichten Droschken, die Kutscher in Hemdsärmeln mit der runden Wollmütze und Quast auf dem Kopf, der Mischmasch der sich drängenden Rassen, langsame Türken mit ihren vielfarbigen Anzügen, noch gravitätischer die Beduinen im weissen Burnus und blossen Beinen, die hässlichen kleinen Frauen mit schwarzen gestreiften Schürzen über den Köpfen zum Schutz gegen die Sonne, die einheimischen Männer mit ihrem schlanken, gewandten Oberkörper über den meist entschieden zu kurzen Beinen, die überall in allen möglichen Körperlagen herumlungernden Gruppen von Faullenzern mit ihren vierzehntägigen bis vierwöchentlichen Bärten, unter Orangenbäumen mit Früchten und Blüthen in jeder Stellung, oft krumm in die um die Stämme ausgehobenen Vertiefungen gelagert, ohne nach dem Aufstehen es für nötig zu erachten, sich den weissen Staub und Schlamm abzuklopfen, aber Alles ruhig plaudernd ohne Lärm oder Geschrei und stets den Neugierigen vergnügt und höflich zunickend, dann im Kaffeehause alsbald von einem echten Hindu mit anscheinend echten ostindischen Taschentüchern, Halstüchern, echten Kaschmirshawls, Tischdecken, Kleidern überfallen und zu 30 pCt. noch reichlich teuer einkaufend; die wundervollen Aussichten von den höchstgelegenen Batterien mit ihren 21-cm-Kanonen und 40-cm-Haubitzen und endlosen Kugel- und Bombenhaufen mitten zwischen prächtigen schwebenden Gärten mit den dunkelsten Geranien, bunten Phlox etc. etc., endlich der tolle Lärm, als wir um 3 Uhr wieder die Marina mit dem inzwischen eröffneten Fischmarkt erreichten, wo aber ausser schwersten, dicksten Makrelen, einigen Thunfischen und Körben mit Sardinen nichts zu holen war für die um 6 Uhr stattfindende Mittagsmahlzeit — nun interessant war das Alles im höchsten Grade, aber wir freuten uns doch, gegen 4 Uhr aus dem tollen Trubel heraus und wieder in unserem gemütlichen Stillleben auf offener See zu sein, und zwei Stunden lang die unter reichlichen Wassergüssen erfolgende fortschreitende Reinigung unseres Schiffes von Kohlenschmutz und den zahllosen schwarzen Hand- und Fussstapfen zu verfolgen, mit denen unsere weissen Boote und sonstige empfänglichen Stellen unseres Decks beklext waren. Eine Heerde Affen hätte kaum rühriger wirtschaften können.

Darum genug von diesem ersten Anblick italienischen häuslichen Treibens. Erwähnt mag noch werden die haushohe Araucaria im Garten des Gouvernementspalastes und ein ausgehender Frachtdampfer, der mit einer nie für möglich gehaltenen Schlagseite nach See hinausging. Der Mann hatte gelöscht und nun keine Zeit gefunden, sein Schiff in Ordnung zu bringen; er ginge bloss nach Sicilien oder dem Festlande neue Ladung zu suchen, dann würde er sein Schiff wieder auf ebenen Kiel bringen. Kaum glaublich und doch absolut wahr.

Die beiden folgenden Tage des 14 und 15. Mai, mit Ostkurs auf Kap Matapan zugebracht, verflossen desto ruhiger und friedlicher. Das Wetter war schön, der Himmel anfänglich bedeckt, wodurch die steigende Hitze gemildert wurde; doch erhob sich Nachmittags wieder nördlicher Wind, der sich bald wieder als derselbe Passatwind erwies, den wir auf der Höhe von Algier gehabt hatten. Als wir später in Lee der italischen Halbinsel und von Sicilien gekommen waren, war er abgeflaut, erhob sich aber jetzt wieder, als wir uns dem Eingang der Adria näherten, und stand die Nacht hindurch ganz leidlich durch, so dass wir ihn zu einer sehr günstigen Fahrt benutzten, zu welcher die neuen Wales-Kohlen das übrige beitrugen, welche das Gemengsel verschiedener Kohlensorten der Ostküste Englands und Schottlands jetzt ersetzten. Die See war schlicht, aber wenig belebt von Schiffen und noch weniger von Getier. Nur einige Delphine tollten kurze Zeit vor dem Bug, sich vor Behagen rundum wälzend, vorwärts in die Höhe und in die Tiefe schiessend, sich unter und über einander verschlingend, und das Alles ohne dass man trotz gespanntester Aufmerksamkeit eine Spur von Bewegung mit dem kurzen kräftigen Schwanze, geschweige denn mit den dicken fleischigen Seiten- oder Rückenflossen gewahren konnte. Diese Delphine trugen vier Farben, vom lichten Weiss am Bauch durch zwei Segmente von verschiedenem von einander längs den Seiten scharf abgegrenzten Grauweiss bis zu dem gelbbraunen Rücken. Aber keine Schildkröte, so sehnlich auch nach ihnen ausgeschaut wurde, nicht einmal ein „altes Barrel“ liess sich blicken; kein Meerleuchten ausser einigen Spuren in nächster Nähe des Schiffes; nur zwei wilde Turteltauben gaben uns das Geleite, Nahrung nicht verschmähend, wohl aber die Gefangenschaft mit der sie bedroht wurden. Das Meer war „noch blauer als blau“, wie Jan Maat sich ausdrückte, aber die fehlende Dünung wurde missfällig bemerkt; der richtige Matrose der langen Fahrt mag wohl die See, aber nicht *den* See, wenn er auch salziger als die Ostsee ist.

Auch am zweiten Tage hielt der günstige Wind erst noch eine Weile an, legte sich aber je mehr wir südlich von dem alten Messenien der griechischen Halbinsel kamen, welches wir an den darüber gelagerten Wolken schon Vormittags deutlich erkannten. Nachmittags passirten wir bei günstigster Beleuchtung auf einige Meilen Distanz das südlichste Kap Matapan und dann zwischen der Insel Cerigo und dem Festland durchgehend auch Kap Malea unter gleich günstigen Umständen. Nördlich hob sich der 7800 Fuss hohe Taygetos, jetzt Eliasberg, aus dem Lacedaemonien und Messenien trennenden Gebirge bis in die Wolken und südöstlich sahen wir bald darauf die vielen Schneekuppen des hohen Gebirges des westlichen Kreta im Abendsonnenglanze. Die Bergketten der beiden griechischen Halbinseln und von Cerigo lagen wie aufgeschlagene Landkarten vor uns. Aber sie sind doch nicht so kahl und öde, als sie sich aus der Ferne präsentirten. Erst sieht man allerdings nur schroffe nackte Felsen und glaubt nicht recht, dass die dunkleren Stellen etwas anderes als Schatten bedeuten; kommt man näher, so erkennt man doch allmälig niederes Gebüsch, grossen Regenschirmen gleichende Pinien, Dörfer und einzelne Häuser und sodann, wo der Boden es gestattet, Ackerbau und allerhand Kulturen, wahrscheinlich Korinthen und Wein. Manche mauerartige Streifen durchziehen die Abhänge; einige mögen Grenzen bedeuten, andere sind sicher Wasserleitungen, welche das kostbare Nass zu und von Sammelbecken führen, die überall erkennbar waren, wo nur der Boden terrassirt war. Besonders die Nordostseite von Cerigo und die Westseite der Malea-Halbinsel sind gut angebaut. An letzterer lagen dicht bei einander 4 Dörfer auf der halben Höhe des Gebirges und ein Schifferdorf unmittelbar am Meere. Dort liegt eine weite Ebene, welche den Hintergrund der letzten Bucht zwischen den Hirschinseln (mit einiger Phantasie erkennt man lagernde Hirsche oben auf den Bergrücken der Inseln, die in alten Zeiten mit dem Festlande zusammenhingen) und Kap Malea ausfüllt und wahrscheinlich die Ausfuhrprodukte dieser 4 so auffällig nahe zusammengerückten Dörfer liefern. Die Meerenge war belebt von einer ganzen Flotte verschieden grosser griechischer Schiffe, von der stattlichen Bark bis zum offenen grosse Oelkrüge fahrenden Fährschiff herunter. Ihre dicken Padrones, die stattlichen Steuerleute und zahlreichen handfesten Matrosen werden sich sicherlich lange über uns unterhalten haben, da der Kapitän die schönen Sonnenpeilungen und den absolut bekannten Schiffsort dazu benutzte, das Schiff ganz herum zu schwaien und den Kompass in allen Lagen durchzuprobiren. Da wir jetzt nach achttägigem östlichen Kurs wieder und zwar verschiedene nördliche Kurse zwischen den griechischen Inseln hindurch zu steuern haben, so thut Vorsicht doppelt nötig. Mit einer halben Stunde Zeitverlust, die das ganze Manöver kaum kostete, erspart sich der Kapitän leicht peinliches stundenlanges Warten, wenn er zur Nachtzeit durch enge Passagen hindurchsteuern soll, und wegen Unsicherheit über die Deviation seines Kompasses nun nicht eher auf sie zuzusetzen wagen darf, bis ihm das Tageslicht die Auffindung des richtigen Weges erleichtert. Die Sache wird doppelt schwierig, wenn, wie in diesem Fall, die Karten, die Segelanweisungen, die Leuchtfeuerbücher widersprechende Mitteilungen über Existenz und Art der nächsten zu erwartenden Feuer bringen. Die zunächst zu passirenden niedrigen Klippen Karavi liegen 28 Meilen nordöstlich von Kap Malea und die höhere Klippe Belo Pulo mit einem Drehfeuer 10 Meilen nordwestlich davon; zwischen ihnen geht unser gerader Kurs durch. Das Feuer auf Kap Malea stand gar nicht im Leuchtfeuerbuch, das auf Belo Pulo ist ihm zufolge erst im Bau, die Karten weisen sie auf, und in Wirklichkeit brennen beide. Es war schon dunkler Abend, als wir Belo Pulo dwars ab an Backbord bekamen und nun für's Erste wieder freie Bahn bis zu den nächsten Cycladen hatten. Wir konnten in voller Fahrt durchhalten, so dass wir um 4 Uhr mit Sonnenaufgang schon vor Kap Sunium, der Südspitze von Attika waren.

Die Umschiffung von Kap Malea gestaltete sich zu einem der Glanzpunkte der ganzen Fahrt. Malea selber ist ein trostlos kahler Steinhaufen, von röthlichem Glimmer- oder Kalk- und Thonschiefer, dessen Schichten wie über einer grossen unterseeischen Blase gewölbt nach Ost und West unter steilem Böschungswinkel zum Meere abfallen. Ein einsames Gehöft, auf einem steil abstürzenden kleinen Felsrücken vor einer flachen Regenschlucht inmitten eines sorgfältig terrassirten und mit Korn bebauten Grundstücks steht in der Steinwüste und schaut mit seinem weissen runden Kuppeldach weit auf's Meer hinaus; rechts daneben noch weiter abwärts steht ein ebenfalls blendend weisses Tempelchen oder Häuschen. Welcher Einsiedler da wohnen mag! Der Feuerturm steht in weiterer Entfernung nach Südosten davon ohne Zusammenhang mit ihm, da die Hänge viel zu schroff und steil sind. Nachdem wir die Ecke passirt waren und den neuen Kurs Norden auf setzten, bot sich uns ein unvergesslicher Anblick. So mancher Verehrer Griechenlands hat von griechischen Landschaften gelesen, so mancher Reisende Rottmann's griechische Landschaftsbilder in der Pynakothek zu München bewundert, vielleicht die „blauen Berge" Griechenlands zweifelnd angestaunt, aber wer hat sie in Wirklichkeit gesehen, und hat mit dem Entzücken wie wir an den fünf bis sechs sich hinter einander auftürmenden Bergreihen gehangen, welche da vor uns allmälig bis zur blauen Ferne verschwanden, während unmittelbar links neben uns die unseren Augen entrückte Sonne den Kamm der Kap Malea-Bergkette mit rosigem nachher gelbem Schein säumte und die malerischen Umrisse derselben scharf gegen einen klaren Abendhimmel abhob. Das war ein griechisches Bild, wie man es [illegible] wohl in kühner Phantasie gedacht hatte, jetzt aber zur Wirklichkeit geworden vor sich sah. Einer der vielen glücklichen Momente unserer Fahrt schenkte uns auch diesen Willkommen der griechischen Berge. Kein Wunder, dass wir sie mehr und mehr lieb gewannen, und uns besonders am andern Morgen, als die Cycladen-Gruppe ringsum von lachendem Morgensonnenschein übergossen vor uns lag, in ihre zahllosen Rücken [illegible] den schattigen Thalhängen zu beiden Seiten vertieften [illegible] vielgerühmte Vielgliedrigkeit der griechischen Berge [illegible] lernten. Cheos bot uns ein solches Bild reich [illegible] Berglandschaft, dem die weisse Stadt auf halber Berghöhe [illegible] Innern als wohlthuender Ruhepunkt diente.

Ich war natürlich früh drei Uhr schon wieder auf der Brücke, als die rosenfingrige Eos sich gerade voraus eben [illegible] hatte, und durch das silberne Mondlicht die ersten [illegible] roten Streiflichter warf. Links von uns lag St. Georgio, [illegible] von uns Cheos, dann klärte sich links Attika mit seiner [illegible] spitze, dem weltberühmten Kap Sunium ab, auf dessen [illegible] die weissen Säulen der Tempelruine der Athena hell [illegible] inzwischen aufgegangenen Sonne beschienen wurden, [illegible] wir in feurig flüssiger Eisenglut vorbeidampften. Weiter [illegible] uns erkannten wir auch Euboea mit der 4500 Fuss hohen [illegible] gezackten Spitze des Ochagebirges, darüber hinaus weiter [illegible] lich die Schneespitzen des 6000 Fuss hohen Delphberges, [illegible] noch weiter nach Westen den 4000 Fuss hohen Parnes [illegible] dicht bei uns den massigen Rücken des Hymettos der [illegible] Halbinsel, welcher nach dieser Seite die lange schmale [illegible] Makronisi vorgelagert ist. Viele Fischer- und Handelsschiffe, auch Dampfer mit starker Passagier- und Frachtladung [illegible] das Bild; zwei amerikanische Fregatten, die „Lancaster" [illegible] Commodoreschiff und die „Quinnebaug" glitten hart an uns [illegible] bei, den gebotenen seemännischen Gruss in gleicher Weise mit Hand und Hut erwidernd. Die Bergwerke von Laurion hatten ihre Lage schon früher durch ihre dicken hohen Schornsteine verraten; allmälig begann der aufsteigende Rauch zu verkünden, dass auch für ihre Leute der Arbeitstag [illegible] fangen. Immer dichter schliesst der Kreis der Inseln [illegible] uns, nur recht voraus bleibt die Oeffnung frei, durch [illegible] wir zwischen Euboea und Andros hindurch den Ausgang [illegible] diesem wundervollen Berg- und Insel-Panorama leider [illegible] müssen. Ein Trost bleibt, dass die Rückreise [illegible] wenig Tagen desselben Weges und dann ins Allerheiligste der griechischen Welt, nach Athen und Attika selbst [illegible] wird. Um so freudiger wird jetzt der landschaftliche [illegible] genossen, den das herrliche Wetter, klarer Himmel, [illegible] gekräuselte See und leichter Wind von vorne nach [illegible] tungen bis zu einem vollendet schönen machen. Die [illegible] bei Tag wie bei Nacht, sind obendrein wie nach Vereinbarung gewählt, so dass man beinahe an geheime Kunst denken [illegible] wenn nicht der stets auf Volldampf lautende Telegraph, die eifrige Benutzung jedes günstigen Windes den [illegible] geschickter Veranstaltung ausschlösse, und nicht stets [illegible] langen laut würde, morgen in der Frühe den Hellespont „beholen", damit die Dardanellenfahrt ohne Aufenthalt [illegible] und durchgeführt werden könne. Die Ebene von Marathon kennt man deutlich, wenn man unter Euboea hinläuft [illegible] sieht von hier so recht ein, warum die Perser vor dieser [illegible] Einsattelung des Gebirges und an dieser flachen [illegible] dem einzigen Hafen des östlichen Attika, landeten, [illegible] eher am leichtesten nach Athen hinüber zu kommen [illegible] Ebenso war es wohl psychologisch richtig, dass Miltiades [illegible] angriff, wo den Persern noch ein Rückzug auf die Schiffe [illegible] blieb. Im Vorüberfahren sahen wir übrigens noch aus [illegible] Schneelöchern des Ocha-Berges auf Euboea den [illegible] weissen Schnee hervorschimmern, ein Beweis, dass es hier [illegible] jüngst winterlich genug gewesen sein muss. Seine [illegible] Felsspitzen lassen deutlich das jährliche Schneegebiet [illegible] unterhalb dessen stellenweise dichter Wald sich erhebt [illegible] abfliessenden Schmelz- und Tageswasser haben unten an [illegible] viele freundlich einladende Strandflächen mit gelbem [illegible] schaffen, über denen anmutige Thäler mit vielen [illegible] und Olivengruppen, Weinpflanzungen und Orangenbäumen [illegible] erheben. Das Gestein ist schieferig, vielfach grau gefärbt [illegible] grössere Waldflächen so selten vorkommen, so treten die [illegible] nigfaltigen Formen der Berge desto malerischer hervor. [illegible] die Bauernwohnungen an der SO-Seite von Euboea [illegible] als viereckige Steinhütten mit flachem strauch- und [illegible] deckten Dach, mehr lang als breit, eigentlich kaum etwas anderes als Erdhöhlen, anscheinend nur ein Gelass für [illegible] haltend. Auf der gegenüber liegenden Insel Andros [illegible] aller Boden sorgfältig verteilt und angebaut zu sein; dort [illegible] sogar noch ein Bach frei zum Meere sich seinen Weg [illegible] so wohlbewässert sind die Abhänge. Nur auf Kees [illegible] eine ziemlich grosse viereckige Stadt auf halber Berghöhe; die Sicherheit der Person und des Eigentums mag [illegible] langen Türkenherrschaft und der Piratenwirtschaft solche [illegible] sicht geboten haben; auf Andros verriet nur an einer [illegible] dichter Rauch die Lage eines Dorfes.

Nachem wir endlich die lange Südostfront von Euboea umfahren hatten und in das freiere ägäische Meer ein[illegible] spurten wir bald wieder den über die freie Meeresfl[illegible] streichenden frischen Nordostwind, welchen die beim Segelfestmachen beschäftigten amerikanischen Fregatten während der Nacht hatten benutzen können. So wie man in Lee des hohen Landes, selbst in grosser Entfernung von ihm hinlaufend, sich befindet, stumpft der frische Wind ab und man hat mit umlaufenden schlaffen Winden zu thun, welche uns gestern lästig genug geworden waren. Wehte der Wind heute auch fast aus der Richtung nach welcher wir hinstrebten, so war er doch nur so stark, um angenehme kleine Wellen zu erzeugen, und frische Kühlung an Bord zu bringen. Die Luft war wolkenleer über der See, über Land standen die weissen Cumuluswolken rings umher. Der Delph-Berg auf Euboea wurde jetzt zum Hauptaussichtspunkt; in langen Streifen, getrennt durch schwarze Felsrücken, lagen Schneefelder in den Schluchten herunter, breite Streifen auf dem Hauptstock des Berges, schmälere zu beiden Seiten; anfangs als der Berg noch spitzzulaufend erschien, glichen sie konvergirenden Kegelmantelsektoren, erst später rangirten sie sich parallel neben einander, wie ein gestreiftes Tuch die Berglehne bedeckend. Von den übrigen Inseln Skyros, Chios, Mytilene blieben wir zu weit entfernt, Tenedos wurde in der Nacht passirt, als wir unter Führung seines Feuerturms den Eingang in die Dardanellen suchten.

Vielen Stoff zur Unterhaltung boten die griechischen Fahrzeuge mit ihren charakteristischen Unterscheidungen in Bauart und Besegelung. Die grösseren Schiffe, die Barken und Briggs, Schunerbriggs, Schunerbarken etc. sind ziemlich auf unsere herkömmliche Weise gebaut, doch vorwiegend mit plattem, breitem Heck; höchst auffällig ist das häufige Fehlen der Marsen und Sahlingen, da die Griechen es lieben, die Masten wie aus einem Stück zu konstruiren und die obern Raaen und Raasegel alle auf die unterste herunter zu fieren und dort festzumachen. Dann sieht der obere Teil der Masten für unsere Augen ungewöhnlich kahl aus. Sehr beliebt sind die Schrägsegel, ganz natürlich, wegen des häufigen Kreuzens. Entschieden schöner aber als unsere kleinen Fahrzeuge sind die griechischen kleinen Schiffe oder Schaluppen, nach unserer Art zu reden. Der Rumpf vorn und achter spitz und erhöht zulaufend mit tiefem festen aber von einer Monkey-Reling überhöhtem Bord in der Mitte erinnert an die schönen Formen der alten Galeeren, und nimmt sich mit seinen zwei gleich hohen Masten, mit den stark nach der Luvseite ausgeholten Raasegeln und der von dem ebenfalls nach Luv aussteckendem Bugspriet fahrenden Stagfock gar elegant aus. Die Fahrzeuge segeln und kreuzen gut und können Riemen noch immer zu Hülfe genommen werden. Ist doch das schlichte Wasser des ägäischen Meeres für Ruderfahrt wie geschaffen, und begreift sich die lange Herrschaft der Trireme und Galeere sofort, wenn man dieses Meer und seine Steilküsten überschaut. Es mag ja bösartig genug zu Zeiten werden können, aber es beruhigt sich doch eher wieder als der Ocean mit seiner schweren Dünung und der Atmosphäre über demselben. Jedenfalls machen aber auch die griechischen Fahrzeuge den Eindruck grosser Seefähigkeit und Wehrbarkeit. Und zuletzt sei in ehrendster Anerkennung des geschmackvollen, gefälligen, heitern Farbenanstrichs gedacht, worin sie nur an den Italienern ihres Gleichen finden. Der Rumpf unten schlossenweiss, dann die schön geschwungenen ein bis zwei schwarzen Gänge rund um das ganze Schiff von vorn bis achter, mit dieser oder jener Uebergangsfarbe zwischen ihnen, die leichten, weissen, schön gefüllten Segel darüber — das Herz lacht Einem, wenn man dieses augenberückende Aeussere sieht.

Der Sonnenuntergang brachte uns noch eine sehr willkommene Ueberraschung. Aus dem strahlenden Abendrot des nordwestlichen Himmels trat hervor eine domartige von einer kleinen Spitze überragte Masse, welche sich nach Vergleichung der Karte als der Berg Athos erwies, welcher zuweilen selbst von der asiatischen Küste der Dardanellen aus 80 Seemeilen Entfernung sichtbar ist. Wir waren noch südlich der Insel Mitylene aber nicht minder weit von ihm entfernt. Das Bild des 7000 Fuss hohen Berges war klar und scharf, vom Licht der Abendsonne übergossen verglich ihn der Kapitän mit dem allerdings noch 3000 Fuss höhern Aetna, den er auch einst in der Morgenbeleuchtung von Patras auf Catania zusteuernd aus gleicher Entfernung erblickt: nur ragten die Seiten des Aetna nicht domartig, konvex, sondern mehr konkav aufstrebend zu der entschiedener hervortretenden vulkanischen Spitze herauf. Jedenfalls war uns diese Erinnerung an das sturmreiche den homerischen und spätern Helden des Altertums so oft verderbliche Vorgebirge höchst willkommen. Die beiden westlicheren Halbinseln waren weniger gut, doch immerhin erkennbar.

Nachts 12 Uhr hatten wir das niedrige, nur mit einer höheren Spitze am östlichen Ende hervorragende Tenedos und sein schönes weisses Feuer passirt, entdeckten das vor den Untiefen von Yenischehr warnende rote Feuer der Insel Gadero in der Strasse zwischen Tenedos und dem Festlande und liefen bald in Sicht des weissen Drehfeuers von Kap Hellas, der äussersten Spitze der thracischen Halbinsel am nördlichen Eingange der Dardanellen. Der Kapitän liess den alten Kurs NNO¼O bis 2 Uhr festhalten, bis Hellas Feuer Ost zu Nord peilte und steuerte dann direkt auf Kap Hellas zu, um mit Tagesanbruch in dem Eingange der Strasse zu sein. So geschah es auch, Dank unserer ausreichenden Kompassregulirung am Tage vorher: wir passirten die verfallenen alten steinernen runden Forts mit der Wasserbatterie am Rande des Meeres und die neuen Erdverschanzungen von Sedil Bahr, welche Oberst Tott 1854 angelegt, in einer halben, und die gegenüberliegenden Forts von Kum Kaleh, welche die asiatische Seite des Eingangs schirmen, in 1½ Seemeilen Distanz, gerade bei Sonnenaufgang. Da lag an Kum Kaleh vorbei die niedrige Ebene von Troja einige Meilen landeinwärts von den mit Mühe entdeckten Mündungen des Skamander (türk. Mendere), der hier sich eine Anzahl Ausflüsse in die Anfänge des Hellespont während so vieler Jahrtausende gesucht hat. Ein höheres Plateau bildete den Hintergrund, den Vordergrund ein langer breiter grüner Strand, rechts von dem Städtchen Kum Kaleh mit seinen zahlreichen, Martello-Türmen gleichenden Windmühlen, links von einem wieder näher an den Hellespont herantretenden Höhenzuge begrenzt, auf dem weiter landeinwärts Troja lag. Hier spielte die Liebestragödie der Hero und des Leander; hier hatte Alexander seinen Speer in das zu erobernde Land geschleudert und war dann in voller Rüstung an's Land gesprungen, um beim Grabe des Achilleus den Göttern zu opfern, während der getreue Feldherr Parmenio seine tapfern Schaaren auf einer Brücke zwischen Sestos und Abydos oberhalb der Engen überführte, da wo auch Xerxes mit seinem Millionenheer übergesetzt war; und hier hatten die Griechenstämme zehn lange Jahre hindurch mit den Troern um den Besitz von Priams Feste in erbittertem Streite gerungen. Aber ein Frachtdampfer ist ein erbarmungsloses lediglich um sein Weiterkommen besorgtes Wesen, ihn stoppt man selbst nicht mit den schönsten Versen eines Homer oder den herrlichen Gesängen unseres Schiller oder des Sängers von Childe Harold. Volle Kraft vorwärts heisst es, in den wolkenreichen Morgen und sich immer stärker aufmachenden Wind, den sog. etesischen hinein, der uns in der Strasse gehörig packen sollte.

Der allgemeine Charakter der beiden Ufer ist unschwer wieder zu geben. Die europäische Seite wird von steilen 3—500 Fuss hohen Kalkbergen gebildet, welche erst, nachdem die erste Hälfte der Strasse zurückgelegt ist, mehr abflachen und einer sorgfältigen Kultur Raum geben, welche das asiatische Ufer trotz der höheren Berge im Binnenlande von Anfang bis Ende der Strasse vorteilhaft auszeichnet. Auf der zweiten Hälfte erinnern grössere Schläge an den Hügeln hinauf an den heimischen Betrieb des Ackerbaues, mögen die Produkte auch verschieden genug sein.

Die ganze Dardanellenstrasse zerfällt in drei sich von selbst ergebende Abschnitte. Der erste ziemlich breite ist 16 Seemeilen (à ¼ Wegstunde = 6000 Fuss) lang und streicht in ostnordöstlicher Richtung von dem Eingange der Strasse bis zu der Stelle der grössten Verengung derselben; das nördliche Ufer fast ganz gerade verlaufend mit einigen Einbuchtungen des Kalkgebirges, wo kleine Bäche zu grünen Thälern Veranlassung bieten, die Uferberge bewachsen mit Krüppelholz, wo es Platz zum Wachsen findet zwischen den vielen von Sträflingen betriebenen Steinbrüchen; das südliche Ufer besteht aus einer grossen und einer kleineren Ausbuchtung mit zwischenliegender Verengung, durch welche die Eingangsbreite der Strasse von 2 auf 4, und von 1.5 zu 2.1 Seemeilen verändert wird. Der eigentliche Eingang der Strasse ist mit 2 roten Feuern bei Kum Kaleh (an der asiatischen) und mit 2 grünen Feuern bei Sedil Bahr (an der europäischen Seite) bezeichnet; an der rechts folgenden Verengung steht ein kleines Feuer auf den Trümmern einer alten Batterie. Die alttürkischen Forts bestehen aus runden Türmen von crenelirten Mauern umgeben und aus gerade verlaufenden Batterien mit ziemlich engen Schiessscharten in den dicken Mauern, einige Fuss über dem Meere, welche den Schuss zwischen Wind und Wasser liefern sollten.

Der zweite Abschnitt ist die drei Seemeilen lange Strecke der grössten Engen; da er mit seiner NzW-Richtung einen starken Winkel zu dem ersten und letzten Abschnitt bildet, so könnte man ihn das Dwasgatt der Dardanellen nennen, wenn man ihn nach dem Namen einer Strecke der Wesermündung bezeichnen wollte. Hier verengt sich die Strasse auf 0.7 Seemeilen, d. h. die knapp anderthalbfache Breite des Rheins bei Bonn, bis 1 Seemeile beim Feuerturm des Kap Abydos. Die grösste Enge beherrschen die Forts Kili Bahr auf der europäischen und Tschanak Kaleh auf der asiatischen Seite, beide wieder aus denselben alten und neuen Befestigungen und grossen Kasernen auf letzterer Seite bestehend. Tschanak Kaleh mit seinen grossen Häusern an der Wasserfronte wie Brunshausen an der Elbe aussehend, ist die Stelle, wo der Kapitän an Land befohlen wird, seinen Gesundheitspass abzugeben. Das offizielle Boot mit drei Ruderern in türkischer Tracht und zwei Beamten in europäischer Tracht ist natürlich von einem andern Boot mit Waterclerks aus Konstantinopel begleitet, die schon hier unter lärmendem Geschrei die Dienste ihrer Häuser anbieten. Der Kapitän lässt sein Boot wegfieren, vier Mann springen mit ihm herein und fort geht's unter Führung des offiziellen Bootes dem durch zwei Flaggen bezeichneten Wachthause zu. Er wird bedeutet rechts von der Landungsbrücke anzusteigen, die Bootsleute müssen auf den Riemen sitzen bleiben; dann wird er in ein von Rauch erfülltes

Zimmer gewiesen, wo ihm mit langer eiserner Zange von unsichtbarer Hand seine Gesundheitspässe, unsere Malteser und Hamburger, abgefordert werden, und dann erst darf er wieder andern Menschen sich nähern. In einem andern Zimmer zum Sitzen eingeladen werden ihm von zwei Beamten die üblichen Fragen: woher, wohin, Ladung, Mannschaft etc. vorgelegt und dann die Erlaubnis, bis Konstantinopel weiter zu fahren, erteilt. Inzwischen ist aber die andere Bande von der Strasse auch eingedrungen, einer derselben übergiebt einen Brief des Agenten in Konstantinopel, aber trotzdem wird der unglückliche Kapitän bald hierher bald dahin gezerrt, dieses oder jenes Anerbieten anzuhören, bis ein paar vor die zudringlichen unverschämten Mäuler gehaltene Ellenbogen dieselben versperren, selbst den nachsichtigen Türken die Geduld reisst und in einem Augenblick viribus unitis die ganze Bande an die Luft gesetzt ist. Dann hinten hinaus ins Boot zurück, doch nicht, ohne dass ein blinder Passagier nachspringt, und wieder an Bord des inzwischen mit „langsam“ den Strom stoppenden Schiffes, wo dem Passagier, der sich vergebens als Lotse oder Dragoman aufspielen will, das Deck für die nächsten zwanzig Stunden als Aufenthalt angewiesen wird — bei eigener Beköstigung, die indessen von der deutschen Gutmütigkeit nicht allzu streng genommen wird. Die ganze Geschichte hat etwa zweidrittel Stunden Zeit erfordert und sofort geht es weiter an verschiedenen Batterien und hohen Erdforts vorbei, welche die Strandwerke vor einem Angriff von Land her schützen sollen, bis zu den letzten Forts Nagara Kalessi an der asiatischen und Bojali Kalessi an der europäischen Seite, welche den Abschluss der Festungswerke der also hauptsächlich auf die drei Seemeilen langen Engen beschränkten Dardanellen bilden. Bei Tschanak Kalessi sieht man noch den alten Ruinenhügel des assyrischen Statthalters Dardanus, der dort seinen Lug ins Meer hatte und den Dardanellen seinen Namen gegeben hat; Nagara Kalessi liegt auf der Stelle des alten Abydos und ist mit seinem platten Erdhügel zugleich der Abschluss der Landbefestigungen. Hier tritt das asiatische Ufer stark zurück, so dass man diese Landbefestigungen (eine Hügelkette mit zwei stark hervortretenden, oben abgeplatteten höhern Hügeln von zwei Meilen Länge) von der Rückseite einsehen kann. Da der Hellespont sich hier stark erweitert und zu einem Drittel seiner Breite seicht wird, zugleich die scharfe Strömung der Engen hier noch wenig merkbar ist, so war hier die von Natur gegebene Stelle zum Brückenbau, sowohl für Xerxes als für Alexander.

Abydos gegenüber liegt Kap Sestos und damit beginnt der dritte ziemlich gleichmässig zwei Meilen breite Abschnitt des Hellespont bis Gallipoli, 18 Seemeilen oder bis zum eigentlichen Schlusskap Eski Fanar 19 Seemeilen lang, wo dann das Marmora-Meer sich auszubreiten anfängt. Die Strömung, welche im engen zweiten Abschnitt wohl die Geschwindigkeit der Strömung des mittlern Rheins erreicht, läuft hier nur noch eine Seemeile per Stunde, so dass Schiffe bei jedem Winde aufkreuzen können, weshalb auch diese Strecke das belebteste Seebild bot, wo oft fünf Schiffe gleich nacheinander wendeten und zum neuen Kurse sich anschickten, fast immer Briggs oder Schunerbriggs, welche beiden Formen im Mittelmeer bevorzugt werden. Die Breite des Fahrwassers wechselt von 3 zu 2 und 3 Seemeilen; fast überall dürfen Schiffe bis in die Nähe des Ufers fahren; bei der Biegung um Kap Negara Abydos streckt sich indessen eine lange, von vier Bojen am Ende bezeichnete Landspitze hinaus, hinter welcher ein Wachtschiff liegt, welches von den wieder abwärts kommenden Schiffen die Papiere mit den nötigen Visa's zurückverlangt. Da die Bergzüge wie schon oben bemerkt zurücktreten, so geben sie grössern Raum für ausgedehnte Ackerwirtschaft; die kleinen Flüsse verlaufen mit ihren trompetenartig ausweitenden Thälern in freie Grasflächen, auf denen endlich ein lange vergeblich gesuchter Nachfolger des „göttlichen Sauhirten“ mit einer sehr zahlreichen Schaar Rindvieh, schwarzen und weissen Schafen, Ziegen, Schweinen und Pferden entdeckt wurde. Die Berge sind schön gerundet und bis oben hinauf unter dem Pfluge. Am altbekannten Aegos Potamos sah die Landschaft geradezu wie die Umgegend von Göttingen aus; auf den in grosse Schläge eingeteilten Bergzügen lag, als wenn's Grohnde wäre, das griechische Städtchen Galata mit seinen grossen viereckigen Häusern und niedrigen roten Dächern, welche den althannoverschen Amtmannswohnungen ähnlich sehen, selbst die „drei Gleichen“ fehlten nicht, in täuschender Nachahmung die kahlen Vorberge mit ihrem üppigen Waldwuchse überragend. Doch ist der eigentliche Wald mehr an der asiatischen Seite vertreten, auf welcher zuweilen recht hochgewachsene Bestände aufragen; in den Feldern und bebauten Aeckern stehen einzelne Fruchtbäume ganz wie an der Bergstrasse. Die Häusermasse des vom Wasser stattlich genug aussehenden Gallipoli bildet den Schlussstein der hochinteressanten Wasserfahrt, welche im Ganzen mit ihrer kaum 40 Seemeilen Länge bei der teilweisen starken Strömung und den Aufenthalt einbegriffen bis nach 10 Uhr Morgens dauerte. Das bis dahin nach einem nächtlichen Gewitter über der macedonischen und asiatischen Küste meist trübe wolkige Wetter wurde gegen Mittag heiterer, wenn auch der Wind im freien Mamora-Meer nicht mehr so kräftig, aber desto kälter uns entgegen wehte. Bald sahen wir rechts das hohe steile Kap Kara Buga, hinter welchem der Granikus sich ins Meer ergiesst und vor uns die mächtig hohe Marmora-Insel; die Ufer treten dagegen mehr und mehr zurück und lassen [illegible] noch ihre steilen Abstürze im Glanze der Nachmittagssonne erkennen. Wie gern wir diese über das noch 80 Seemeilen entfernte Stambol ihr Licht ergiessen sähen, vermögen wir kaum zu sagen; da dies indessen der erste „Fehlgriff“ auf der [illegible] wöchentlichen Reise ist, so wollen wir uns darüber beruhigen, dass wir zur Nachtzeit dort ankommen und hoffen, dass die Rückreise uns auch dies berühmteste Panorama bescheren möge. Vorläufig gab es genug zu sehen und zu bewundern in den wahrhaft riesig ausgedehnten Marmorbrüchen der Marmara-Inseln, welche seit alten Zeiten ein wertvolles Baumaterial [illegible] alle Küstenstädte des nach ihnen benannten Meeres hergegeben haben.

Die Wirklichkeit gestaltete sich späterhin anders und [illegible] als wegen des gegen Abend eintretenden Nebels erwartet werden durfte. In Folge des Nebels kam kein Lotse heraus, wir mussten unter Stephano-Feuer längere Zeit mit halbem Dampf [illegible] hergehen, bis bei Tagesanbruch mit Volldampf gegen eine [illegible] schwarze, hinter der Stadt hoch erhobene Nebelbank angegangen wurde. Dieselbe wurde indessen von der Sonne allmälig zerstreut, die dann auch die empfindliche Kälte linderte und [illegible] konnten wir bald vom Thor der sieben Thürme bis zur Seraispitze und Skutari hinüber die ganze Pracht dieses doch [illegible] alle Vorstellung imposanten Anblicks des terrassenartig [illegible] steigenden Häusermeeres und des vielen und verschiedenen Baumgrüns dazwischen mit den hoch darüber ragenden [illegible] Kuppeln der Aja Sophia und Sultan Achmed Moschee [illegible] der Suleiman und Sultanin Valide Moschee in der Mitte [illegible] der Moscheen Sultan Mahomed und Selim links mit den [illegible] reichen Minarets geniessen. Beim Näherkommen vom Lotsen [illegible] der Skutari-Seite ausserhalb der schweren Strömung [illegible] und dicht unter dem Leanderthurm verankert, sahen wir [illegible] von uns das alte ziemlich verfallene, viele Gärten einschliessende Serail, gerade aus die unendlich langen neuen [illegible] Paläste des Sultans unmittelbar am Bosporus, über ihnen [illegible] in Pera die stattlich dominirende Wohnung des deutschen [illegible] schafters mit schwarzem Cypressenwald dahinter, nach [illegible] herunter den dicken Thurm von Galata, die Geschützgiesserei von Tophane am Bosporus und dann den Mastenwald [illegible] dene Horn hinauf, ein fabelhaft reiches und buntes Bild [illegible] weitere Ausführung indessen von geschicktern Federn [illegible] nommen werden möge. Um 9 Uhr fahren wir an Land [illegible] des Sonntags die Schiffspapiere zu ordnen, und [illegible] aufregender Bootfahrt durch den schweren Strom bald [illegible] des orientalischen Werkeltagslebens mit allen seinen [illegible] raschungen und Enthüllungen, mit Deutsch, Englisch [illegible] zösisch uns unsern Weg bahnend.

Germanischer Lloyd.

Deutsche Handels-Marine: Seeunfälle vom Monat Ju[illegible] soweit solche bis zum 15. Juli 1881 im Central-Bureau [illegible] Germanischen Lloyd gemeldet und bekannt geworden [illegible]

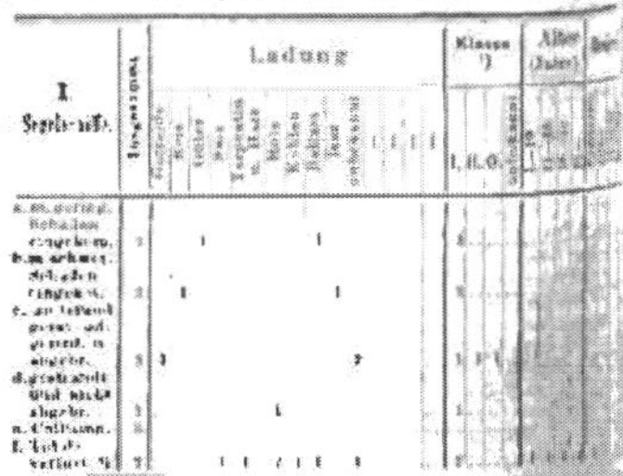

I. Segelschiffe		Ladung	Klasse ¹)	Alter (Jahre)
[illegible]	[illegible]	[illegible]	[illegible]	[illegible]

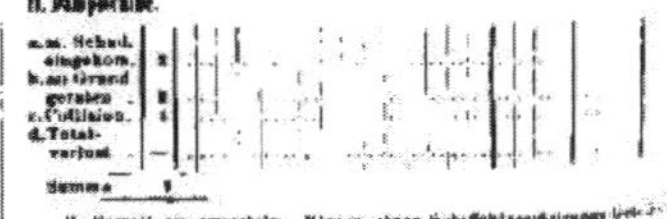

II. Dampfschiffe.

a. m. Schad. eingekom.	2
b. auf Grund geraten	2
c. Collision	1
d. Total-verlust	—
Summa	5

¹) Soweit zu ermitteln. Klasse einer Schiffsklassifikations-[illegible] O. = keine Klasse. Umgekommene Seeleute: [illegible]

²) Tonnengehalt von 7 Schiffen 4131 Tons.

BERLIN, d. 15. Juli 1881.

Verlag von H. W. Silomon in Bremen. Druck von Aug. Meyer & Dieckmann. Hamburg, Alterwall 23.

HANSA

Redigirt und herausgegeben
von
W. von Freeden, BONN, Thomastrasse 4.
Telegramm-Adresse:
Freeden Bonn,
oder
Hansa Alterwall 28 Hamburg.

Verlag von M. W. Sliemann in Bremen.
Die „Hansa" erscheint jeden 2ten Sonntag.
Bestellungen auf die „Hansa" nehmen alle Buchhandlungen, sowie alle Postämter und Zeitungsexpeditionen entgegen, dergl. die Redaktion in Bonn, Thomastrasse 4, die Verlagshandlung in Bremen, Obernstrasse 44 und die Druckerei in Hamburg, Alterwall 28. Sendungen für die Redaktion oder Expedition werden an den letztgenannten drei Stellen angenommen. Abonnement jederzeit, frühere Nummern werden nachgeliefert.

Abonnementspreis:
vierteljährlich für Hamburg 2½ ℳ,
für auswärts 3 ℳ = 3 sh. Sterl.
Einzelne Nummern 50 ₰ = 6 d.

Wegen Inserate, welche mit 30 ₰ die Petitzeile oder deren Raum berechnet werden, beliebe man sich an die Verlagshandlung in Bremen oder die Expedition in Hamburg oder die Redaktion in Bonn zu wenden.

Frühere, komplete, gebundene Jahrgänge von 1873 1874, 1876, 1877, 1878, 1879, 1880, 1881, 1883 sind durch alle Buchhandlungen, sowie durch die Redaktion, die Druckerei und die Verlagshandlung zu beziehen.
Preis ℳ 8; für letzten und vorletzten Jahrgang ℳ 6.

Zeitschrift für Seewesen.

No. 16. HAMBURG, Sonntag, den 10. August 1884. 21. Jahrgang.

Inhalt:

Beiträge zur Geschichte und zum Verständnis des Fernrohrs.

Nach *W. F.*

Um das Jahr 1608, dem eigentlichen Jahr der Entdeckung des sog. Fernrohrs, lag die Idee, durch Zusammensetzung von Glaslinsen Instrumente herzustellen, mit denen man schärfer, deutlicher als mit dem blossen Auge in die Ferne sehen könnte, so zu sagen in der Luft. Von vielen Seiten waren vorbereitende Versuche angestellt, wie wir das in unserm Jahrhundert bei so vielen Erfindungen gesehen haben, bis endlich der Zufall einen Glücklichen besonders begünstigte, diesmal den Brillenschleifer Lippershey zu Middelburg bei dem jetzigen bekanntern Hafenort Vlissingen, dem es gelang vermittelst zweier vor einander gehaltener Glaslinsen den Hahn auf dem Kirchturmdache seines Heimatsorts vergrössert und mehr genähert zu erblicken. Das war der nachweisbare Ausgangspunkt der folgenreichsten Entdeckung des siebzehnten Jahrhunderts.

Es ist zweifelhaft ob den Alten die vergrössernde Wirkung von Glaslinsen oder Glasprismen oder selbst von den Hohlspiegeln bekannt gewesen ist, welche 200 Jahre vor dem Beginn der christlichen Zeitrechnung der bekannte Mathematiker Archimedes angewandt haben soll, um seine Vaterstadt Syrakus gegen die Angriffe der Römer zu verteidigen. Wenigstens verraten die Beobachtungen von Claudius Ptolemaeus nichts davon, obwohl er als der berühmteste Astronom seiner Zeit im Besitz aller Hülfsmittel der grossen Sternwarte zu Alexandrien um die Mitte des zweiten Jahrhunderts nach Christo sicher darum gewusst haben müsste.

Auch Roger Baco's, des Engländers, entzückende Bilder von der Beflügelung des menschlichen Geistes durch den von ihm nicht näher beschriebenen Apparat sind nur kühne Träume, so neu und sinnreich auch seine Ansichten über optische Fragen z. B. Strahlenbrechung, Perspektive, die scheinbare Grösse der Gegenstände, die Vergrösserung der Scheiben von Sonne und Mond in der Nähe des Horizonts für seine Zeit — er lebte im Anfange des dreizehnten Jahrhunderts — auch gewesen sein mögen.

Doch kannte man im Altertum und auch später im Mittelalter das eine Grundprinzip der Vergrösserung, welches wir jetzt das *Objektiv-Element* nennen könnten, und welches von uns in unsern jetzigen optischen Instrumenten (Mikroskop und Fernrohr) mit dem *Okular-Element* zu gesteigerter Gesamtwirkung verbunden wird.

a. Das *Okular-Element.*

Jeder leuchtende Punkt bildet auf der Netzhaut einen Bildpunkt und das scharfe Sehen vieler leuchtenden Punkte z. B. einer Fläche beruht auf der gehörigen Fernhaltung der einzelnen Bildpunkte von einander, damit sie sich nicht decken und so die Umrisse verwischt werden. Die Bildpunkte bleiben sich aber desto ferner, je grösser der Winkel ist, unter welchem die Lichtstrahlen von dem gesehenen Gegenstande ins Auge treten, sei es nun dass entweder der wirkliche Abstand der Punkte so sehr gross ist, oder dieselben dem Auge so überaus nahe gebracht sind. Jedenfalls beruht die Vergrösserungs-Wirkung lediglich auf der Vergrösserung des Abstandes der Bildpunkte auf der Netzhaut. Wir können diese Wirkung mittelst unwillkürlicher Erfahrung durch Annäherung der Gegenstände ans Auge erreichen, das hat aber seine Grenze, weil die Bilder wieder undeutlich werden sobald diese Grenze überschritten wird.

Nun giebt es aber ein einfaches Hülfsmittel, welches verhindert, dass die Bilder im Auge wieder undeutlich werden, und das besteht darin, dass wir die Lichtstrahlen, Lichtwellen oder kurz das Licht, welches von dem leuchtenden Gegenstande ausgeht, durch ein Blatt festen Papiers z. B. ein Kartenblatt mit feiner Oeffnung durchgehen lassen: wir schränken dadurch die freie Oeffnung des Auges und den von ihr bedingten Querschnitt des die Bilder erzeugenden Lichtbündels erheblich ein und bewirken so, dass die sonst eintretende Ausbreitung der Bildpunkte zu Bildflächen aufgehoben wird. Dieses Loch im Papierblatt wirkt wie ein Vergrösserungsglas oder eine Loupe, indem es in der Unterstützung des Auges dasselbe leistet, nur dass die Bilder nicht so hell sind als bei der Loupe, welcher die ganze Augenöffnung dargeboten wird.

Es ist sehr wohl möglich dass die Alten, welche gern die Himmelskörper durch feine Oeffnungen betrachteten, auch diese vergrössernde Wirkung des Sehens durch feine Oeffnungen kannten und zur Ablesung der Kreisteilung bei ihren Winkelmessungen benutzten.

Soviel in aller Kürze über das *Okular-Element* des Fernrohrs.

b. Das *Objektiv-Element*.

Dasselbe hat zum Ziel, die wirklichen Abstände der einzelnen Bildpunkte, welche auf der Netzhaut durch das Anblicken leuchtender Punkte sich bilden, zu vergrössern. Man sieht z. B. nach der Sonne. Ihr Bild ist so gross wie das einer 2 Millimeter grossen Scheibe von Papier, welche in 200 mm Entfernung vom Auge gehalten wird, wie man sich leicht dadurch überzeugen kann, dass mit einem solchen Scheibchen, welches in 200 mm d. h. der Entfernung des deutlichen Sehens vor dem Auge gehalten wird, sich unter Anwendung eines dunklen das Sonnenlicht schwächenden Blendglases die Sonne sich decken lässt. Nun lasse man ihr Licht durch eine feine Oeffnung wie oben in eine dunkle Kammer (camera obscura) treten, und fange ihr Bild auf einem mattgeschliffenen Glase auf, dann erhält man in 2 m Entfernung von der Oeffnung ein 20 mm grosses Bild von ihr, und wenn man dasselbe aus 200 mm Entfernung, d. h. der Entfernung des deutlichen Sehens betrachtet, so erscheint die Sonne schon zehnmal so gross als direkt gesehen. Mit andern Worten, es ist die Vergrösserung gleich dem Quotient aus der Entfernung des Camera-Bildes von der Lichtöffnung durch die Entfernung, aus welcher man mit blossen Auge betrachtet. Betrachtet man jenes 20 mm grosse, also auf das Zehnfache vergrösserte Bild nicht mit blossem Auge sondern durch die feine Oeffnung eines Kartenblatts, so tritt dadurch eine neue Vergrösserung hinzu und die Kombination des Okular-Elements mit dem Objektiv-Element macht das Fernrohr.

Mit diesen einfachen Mitteln d. h. den zwei feinen Oeffnungen kann man und hat man wirklich bedeutungsvolle astronomische Beobachtungen angestellt: man hat mit ihnen die Durchgangszeit der Sonne durch die Mittagslinie (bei 2 m Abstand des Camera-Bildes von der feinen Oeffnung bewegt sich das Sonnenbild in 1 Sekunde Zeit durch ¼ Millimeter Raum) vermittelst der sog. Gnomonen gemessen, ebenso die Mittagshöhe der Sonne und damit die geographische Breite des Beobachtungsorts, ferner die Neigung der Erdbahn gegen den Erdäquator u. s. w. Von der Oeffnung des Gnomon hing ein Lot auf den Fussboden herab und nun mass man die Entfernung des Mittelpunkts des Bildes von dem Fusspunkt des Lots. Auf diese Weise haben chinesische Astronomen schon 1100 Jahre vor Christo den Winkel der Erdbahn mit dem Erdäquator ebenso genau bestimmt als Tycho de Brahe in Kopenhagen und Hevel in Königsberg es kurze Zeit vor der Erfindung des Fernrohrs mit ihren weit grössern Instrumenten vermochten. In Syene in Oberägypten, welches 2000 Jahre vor Christo fast unter dem Wendekreis des Krebses lag, benutzte man einen tiefen Brunnen zur Messung des Abstandes, um welchen die Sonne bei ihrem höchsten jährlichen und täglichen Stande von dem Scheitelpunkt von Syene entfernt blieb, indem man durch eine feine Oeffnung im Brunnendeckel Licht auf den Boden fallen liess und die Entfernung dieses Sonnenbildes von dem Fusspunkt des durch die Oeffnung herabgelassenen Lotes mass. Die Araber wie Ulug Beigli in Samarkand benutzten noch ums Jahr 14.. Schattensäulen von 60 m Höhe zur Sonnenbeobachtung, wie Paolo Toscanelli im 15. Jahrhundert zu gleichem Zweck sich des Doms von Florenz bediente: in der Nähe des Gipfels der Kuppel waren die bilderzeugende Oeffnung und das 90 m tiefe Lot angebracht, und mass er nun die Entfernung des Fusspunkts des Lots von der Mitte des Sonnenbildes auf dem Boden.

Der ostfriesische Pastor Johann Fabricius w.. der Erste, welcher die Bildfläche der Sonne auf einen .. Details z. B. Flecken oder Fackeln untersuchte u.. Messungen anstellte, welche ihn zuerst zur Kenntnis der Axendrehung der Sonne führten. Er lebte .. Anfange des siebzehnten Jahrhunderts zu Oste.. der Nähe von Norden.

c. Das *Fernrohr*.

Man hatte jetzt nur noch zwei Schritte zu .. und das Fernrohr war fertig. Zuerst musste die Oeffnung erweitert und eine Linse hineingesetzt werden, damit die vielen durchgehenden Lichtstrahlen konvergirend gemacht und hiedurch deren Wirkung gleich der eines Brennglases konzentrirt wurde .. durch klarere, deutlichere Bilder auf der matten F.. entstanden. Sodann aber musste diese matte Zwischenwand der camera obscura, die Quelle so vieler Undeutlichkeit entfernt und das in der Luft in der .. Brennebene der Linse entstehende Bildchen di.. entweder mit unbewaffnetem Auge oder mit e.. starken Brille oder Loupe betrachtet werden.

Das Fernrohr war nun fertig, sobald man .. vordere oder Objektiv-Linse nebst ihrer Brennebene mit der Loupe oder Okular-Linse zu einem fe.. System verband. Das ist durch einen Zufall geschehen, der die letzte Hand an die Herstellung des Fernrohrs gelegt hat. Die häufigste Form, in welcher .. uns jetzt entgegen tritt, ist die des Doppelrohrs .. sog. Operngückers; dieselbe wurde schon dem Er.. der zu liefern auferlegt. Denn von Lippershey, w.. cher nur ein Rohr geschaffen hatte, verlangten .. Spitzen der Kommunalverwaltung, welche die Bedeutung seiner Erfindung recht wohl würdigten, s.. damals, er solle erst sein Instrument für beide Augen herrichten, bis er eine Belohnung für seine Erfindung bekäme. Mit beiden Dingen hat es aber in Middelburg gute Wege gehabt, die Geschichte weiss nichts weiter von Lippershey und fernern Verbesserungen oder gar astronomischen Beobachtungen zu bericht..

Anders ging es in Italien, wo Galilei, der Astronom und Mathematiker von Padua, sich sofort .. Instrument nach der Linsenkombination von Lippershey herstellte, und nun mit der ihm eigenen Frische und Genialität das neue Hülfsmittel .. Forschung ausnutzte. Er liess die Edlen von Venedig von der Höhe des Domes von San Marco di.. ankommenden Kriegs- und Handelsschiffe w.. nehmen, lange bevor sie dem unbewaffneten Au..

erkennbar waren, er erkannte die Sichelgestalten der Venus und des Merkur, welche er nach Art der Mondphasen erklärte, er entdeckte die 4 Trabanten des Jupiter, löste die Milchstrasse in Sternhaufen auf, erklärte die Schatten der Mondberge und begab sich wie Fabricius daran, die Gestalt und die Bewegung der Sonnenflecken zu erörtern u. s. f.

Und doch waren es noch recht unvollkommene Instrumente, diese niederländischen oder galileischen Fernröhre von 20—30maliger Vergrösserung, kleinem Gesichtsfelde, und überall wenig zu Messungen geeignet. Da entdeckte Keppler statt der zufälligen Kombination der Linsen das mathematische richtige Prinzip des Fernrohrs, indem er die obengenannten Vergrösserungswirkungen näher studirte und schuf so das zu feinen Messungen befähigte Keppler'sche Fernrohr. Aber Keppler hat doch die Hauptpunkte seiner Theorie der Planetenbewegungen z. B. die Ellipsengestalt der Planetenbahnen aus der Nachlassenschaft von Tycho de Brahe ermittelt, welcher selber die Erfindung des Fernrohrs nicht mehr erlebte. Tycho de Brahe beobachtete mit unbewaffnetem Auge nach Art der Griechen und Araber, hat aber mit unendlichem Fleisse alle Beobachtungen alter und seiner Zeit verbunden. Auch Newtons Lehre vom Schwerpunkt des Sonnensystems in der Sonne und damit die Erklärung der Kepplerschen Gesetze geschah noch fast ohne Mitwirkung des Fernrohrs, auf Grund des Schatzes mehrtausendjähriger Beobachtungen mit unbewaffnetem Auge; dem Ausbau von Newtons Lehre kam aber das Fernrohr zu Gute. Keppler selbst hat nicht mit seinem Fernrohr beobachtet, da er darüber wegstarb in den Drangsalen des dreissigjährigen Krieges; doch ging die Weiterentwickelung seines Instruments in seinem Sinne vor sich und teilen sich in den Ruhm die Italiener wie Campani, Holländer wie Huyghens, Deutsche wie Hevel in Königsberg und Franzosen wie Cassini in Paris.

Huyghens und Hevel arbeiteten mit den längsten (20 m langen) Instrumenten aller Zeiten, mit welchen sie namentlich die Gestalt und Oberfläche des Mondes und der Planeten durchforschten, und schafften dadurch der Lehre des Kopernikus allgemeinern Anhang. Hevels machina coelestis enthält Bilder dieser riesigen Instrumente. Die grossen Dimensionen aber waren damals nötig teils wegen der Unvollkommenheit der Linsenschleifung und der Gläser selbst, teils und hauptsächlich um der Farbenzerstreuung und den dadurch bewirkten farbigen Rändern der Bilder entgegen zu arbeiten, da nur bei sehr grossen Brennweiten der Objektive die Bilder genügend rein waren, um stärkere Vergrösserungen zuzulassen.

Da Newton und seine Gläubigen annahmen, dass diese störenden Umstände überhaupt nicht zu beseitigen seien, so warf er sich auf die Konstruktion der Spiegelteleskope. Da kam Euler und berechnete die Bedingungen der Aufhebung der Farbenzerstreuung durch Linsen, und zeigte die Wege zur Vervollkommnung der dioptrischen Fernröhre. Dann schuf der Optiker Dollond die achromatischen Fernröhre mit Linsen aus zwei verschiedenen Glassorten und verkürzte dadurch die Fernröhre wieder. Nun begann der Wetteifer zwischen den Verfertigern der englischen Spiegelteleskope nach Wilhelm Herschel und der deutschen achromatischen Linsenfernröhre, welche nach Humboldt jetzt erst ihre »raumdurchdringende Kraft« zu entfalten begannen. Doch gab es auch Ausnahmen in Deutschland, indem z. B. Schroeter in Lilienthal mit Spiegelteleskopen beobachtete. Aber mit dem Anfange des neunzehnten Jahrhunderts stand Deutschland allen Ländern voran in der Herstellung von Linsenfernröhren und München wurde durch Frauenhofer, welcher eine verbesserte Methode zur Herstellung des Glases erfand, die erste Stadt und der Ursprungsort der berühmtesten Instrumente der Welt, bis seit etwa 20 Jahren Paris, Birmingham sich als Nebenbuhler erwiesen. England hängt aber auch noch an den Spiegelteleskopen, deren es Instrumente mit Spiegeln von 2 m Durchmesser herstellt; daneben hat Clark in Boston Linsen von 70—80 cm Durchmesser geschaffen. Alle Nationen wetteifern um den Besitz der kostbarsten und feinsten Instrumente; unter allen Sternwarten hat die neue Strassburger Warte die besten Instrumente von 50 cm Oeffnung, welche das optische Institut von Merz & Frauenhofer in München gebaut hat.

Inklinationsbeobachtungen im Dienste praktischer Seeschiffahrt.

Ueber dieses Thema hielt Herr Kapt. A. Schück jüngst einen Vortrag im naturwissenschaftlichen Verein von Hamburg-Altona, dessen Inhalt wir nach dem Bericht im „Correspondenten" nebst einigen Verbesserungen des Redners hier folgen lassen.

Nach einem Hinweis darauf, dass schon vor ungefähr 300 Jahren, bald nach der Konstruktion des Inklinatoriums durch Norman, Gilbert die Inklinationsbeobachtungen als Mittel der Ortsbestimmung vorgeschlagen habe und dasselbe von Alex. v. Humboldt in neuerer Zeit für die Westküste Süd-Amerikas geschehen sei, betonte der Vortragende, dass Arago in der Sitzung des französischen Abgeordnetenhauses vom 5. Juni 1837 (in welcher Arago höchst energisch *gegen* die Absicht auftrat, Dumont d'Urville einen Versuch machen zu lassen möglichst weit nach dem Südpol hin vorzudringen) die Resultate der Hydrographie als überaus nutzbringend für die Navigation darstellte, aber zugleich auf eine unglaubliche Antipathie gegen wissenschaftliche Bestrebungen der Seefahrer bei der Verwaltung des Seewesens hinwies, wodurch sich allerdings tüchtige Seefahrer in ihren wissenschaftlichen Arbeiten nicht haben beirren lassen. „Von allen nautischen Instrumenten — fährt Arago fort — ist es der Kompass, welcher die grössten Dienste leistet, wenngleich er heutigen Tags fast ausschliesslich als Orientirungsmittel verwendet wird, aber der Tag wird kommen, wo man ihn von einem anderen Gesichtspunkte betrachtet und die Inklinationsboussole nutzbringend für die Navigation verwertet." Diese Prophezeiung habe sich noch nicht erfüllt und Arago's Tadel über die im allgemeinen untergeordnete Benutzung des Kompasses sei auch heute noch auszusprechen. Viele der Kapitäne deren Glück alle Fehler verdeckte und die infolge dessen von dem Rheder — der absolut einen Kapitän nur nach dessen Glück und Geschäftsgewandheit beurteilen könne — als tüchtige Leute geschätzt würden, haben aus Bequemlichkeit, aber Sparsamkeit vorschützend, statt die Missweisung zu beobachten sich mit Karten der Missweisung begnügt, die nur in einzelnen Fällen und dazu noch in unregelmässigen Zwischenräumen unter den ungünstigsten Umständen beobachtet und oft nur berechnet worden sei; sie stellten für Navigationszwecke so gut wie gar keine Forderungen und benutzten Kompasse, deren schlechte Konstruktion jeder Beschreibung spotte. Den Kapitänen hölzerner Schiffe sei infolge dessen die Beschaffung guter Kompasse, die sich zur Beobachtung der Missweisung eignen, sehr erschwert, weshalb solche Schiffe häufig versegelt werden, woran dann die Strömungen schuld sein sollen. Wenn auch eine grosse Zahl der eisernen Schiffe etwas besser ausgerüstet sei, so besitzen doch viele unter ihnen Kompasse mit Schattenstiften, bei denen Beobachtungsfehler von 2—4° keine Seltenheit und solche von doppeltem Betrage nicht ausgeschlossen seien. Dazu komme noch, dass häufig auf diesen Schiffen beim Uebergang von einem Kurs zum andern eine erneute Beobachtung nicht vorgenommen werden könne, was um so schlimmer sei, als die von hoher See vorliegenden Missweisungen — mit alleiniger Ausnahme von denen arktischer Gewässer —

30 bis 40 Jahre alt seien. Zu den ersten derartigen, speziell zum Nutzen der Seefahrt herausgegebenen deutschen Karten haben die Beobachtungen des „Challenger" gar keine und die der „Gazelle" eine sehr untergeordnete Verwendung gefunden; auch die der „Hertha" seien nicht erwähnt, ebensowenig solche von aus Holz gebauten deutschen Kriegsschiffen, obgleich man annehmen dürfe, dass auch auf diesen Beobachtungen der Deklination angestellt werden, ebenso hätten unter den auf deutschen Handelsschiffen gemachten Beobachtungen recht brauchbare gefunden werden können (nach dem Literatur-Nachweis fehlen die Beobachtungen der U. S. Exploring-Expedition und die von Vincendon Dumoulin unter Dumont d'Urville ebenfalls). — Sabine habe 1849 gezeigt, dass in hohen geographischen Breiten die beobachtete Missweisung von der durch Gauss berechneten bis zu 18° abweiche; wenn auch derartige Unterschiede zwischen beobachteter und berechneter oder richtiger geschätzter Missweisung sich jetzt kaum finden würden, so dürfte man doch an den meisten Orten des Meeres solche erwarten, die gross genug seien, um die Navigation unsicher zu machen. Noch im Jahre 1877 habe Prof. Lamont in München dem Vortragenden Auskunft über Aeusserungen des Magnetismus auf dem indischen Ocean verweigert, weil wir von diesen und ihren Aenderungen nur wenig wüssten; so lange aber diese Grössen unbekannt seien, lasse sich Deviation aus ihnen nicht bestimmen. Noch geringer zeige sich unser Wissen in Bezug auf Inklination und magnetische Intensität, nur wenig sei für Erlangung und Vermehrung dieser Kenntnisse gethan worden. Ob es gelingen wird, mit Hülfe der Inklination die geographische Breite auf Schiffen annäherungsweise, in der einen oder anderen Gegend zu bestimmen, kann nach der Ansicht des Vortragenden so lange nicht beurteilt werden, als Beobachtungen und Kenntnisse der sie begleitenden Umstände fehlen, aber es stehe ausser allem Zweifel, dass die Deviation sicherer, wenn auch immer nur zum Notbehelf berechnet, und dadurch ein eisernes Schiff besser als bisher navigirt werden könne, wenn nicht nur Missweisung, sondern auch Inklination und Intensität bekannt wären. Wenn auch schon Hudson im 17. Jahrhundert Inklinationsbeobachtungen angestellt habe, so scheinen bis jetzt auf See angestellte aus neuerer Zeit nur vorzuliegen: die der französischen Schiffe „Uranie" und „Physicienne" (aus den Jahren 1817—1823), der britischen „Erebus" und „Terror" (1839—1843), der gleichfalls britischen „Pagoda" (1845), der U. S. Exploring-Expedition und von Vincendon Dumoulin auf der „Astrolabe" unter Dumont d'Urville 1838—1840, sowie der schwedischen „Eugenie" 1851—1858. Die Nadeln auf „Uranie" und „Physicienne" sind so schwer und ihre Reibung auf den Axen so stark gewesen, dass die Inklination nur durch Schwingungen in Bögen von 10 bis 12 Grad bestimmt werden konnte, ausserdem bezeichnet Freycinet selbst viele Beobachtungen mit passabel oder mittelmässig, also als wertlos. Ueber die Beobachtungen auf „Terror" und „Erebus" schreibe Ross, dass sie bis auf wenige Minuten übereinstimmen; dagegen sei dem Vortragenden vom Beobachter des „Challenger", Kapt. z. See Mac Lear mitgeteilt worden, dass die einzelnen Beobachtungen mit einem Instrument gleicher Konstruktion differirten, im günstigen Falle um ½—1 Grad, im ungünstigen bedeutend mehr. Auf der „Eugenie" habe man nicht den Einfluss des Schiffseisens auf die Inklinationsnadel bestimmt, sondern nur die unzulässige Annahme gemacht, dass er gleich demjenigen auf ein anderes an anderer Stelle aufgestelltes Instrument sei (ob auf allen Schiffen der U. S. Exploring-Expedition die Inklination in der Kajüte und dem Messraum oder wo und wie sonst beobachtet wurde, ebenso wie und wo V. Dumoulin beobachtete konnte ich bis jetzt nicht ersehen, da mir nicht alle Teile der betreffenden Werke zugänglich sind). Bogenlange Berechnungen der sog. Koefficienten der Deviation auf Grund von derartigen trügerischen und ungenügenden Beobachtungen, wie sie sich im Archiv der Seewarte und in den Annalen der Hydrographie 1877 finden, seien nutzlos. Diesem Mangel abzuhelfen, seien die Nächstbeteiligten sicherlich auch die Berufensten. Schon seit mehr als 25 Jahren hat der Vortragende beabsichtigt, Beobachtungen der Inklination und Intensität auf See anzustellen und durch gütige Bewilligung der hiesigen Bürgermeister Dr. Kellinghusen-Stiftung von Carl Bamberg ein Instrument angefertigt erhalten, das von Krüss und Plath für Beobachtungen auf See geeignet gemacht wurde. Auch die Axen der Nadel mussten hier besser polirt und dünner gemacht werden, aber trotz der Reduktion auf die zulässige Minimalstärke zeigten sie noch nicht Uebereinstimmung in den Intensitätsbeobachtungen. An acht (jetzt zehn) Orten des Elbufers, stromabwärts bis Krautsand hat Redner die Inklination beobachtet und dabei grössere Werte gefunden, als man nach der letzten Veröffentlichung erwarten sollte. Es wurden jedes Mal 16 Ablesungen vorgenommen, da der Kreis Ost und West beobachtet, die Nadel umgelegt und ummagnetisirt und das obere wie untere Ende abgelesen wurde. Uebrigens stimme die neueste Karte der sog. magnetischen Konstanten der Nordsee bei Cuxhaven und Kiel nicht mit den Zahlenangaben. Der Vortragende hatte damals noch nicht Zeit gefunden die gleichzeitig angestellten Beobachtungen der Missweisung und der Schwingungen einer Horizontalnadel mit genügender Sicherheit zu berechnen. Ehe das genannte Instrument definitiv in Gebrauch auf hoher See genommen wird, wünscht es der Vortragende auf einer Reise in der Nordsee zu probiren. Wie Redner sein Möglichstes thue für das Zustandekommen der Beobachtungen im Polarklima, habe er auch auf die Notwendigkeit von Beobachtungen an Bord von Handelsschiffen hingewiesen; wenn nur auf 5 bis 10 Schiffen jeder den Verkehr auf See vermittelnden Nationen derartige Beobachtungen angestellt würden, so würde man in kurzer Zeit ein Material erhalten, auf das hin die Phantasie der jetzigen Karten der Wirklichkeit bedeutend genähert würde. Bei der grossen Bereitwilligkeit zu meteorologischen Beobachtungen, die unsere deutschen Seefahrer zeigen, ist anzunehmen, dass auch unter ihnen sich mehr als anderwärts Personen zu genauen magnetischen Beobachtungen bereit finden. Es muss aber besser als bei meteorologischen Beobachtungen für gute Aufstellung und Benutzung der Instrumente gesorgt werden, denn dies geschieht (wie auch nicht anders erwartet werden konnte) seit 9 Jahren in so geringem Maasse, dass infolge hiervon viele meteorologische Beobachtungen gar keinen Wert haben.

Die Schulden Europas

wurden in einer statistischen Schrift von L. Appleton für das Jahr 1881 also angegeben:

		Staatsschuld (£ St.)	Zinsen (£ St.)
1.	Frankreich	937 515 280	49 413 583
2.	Grossbritannien	768 703 692	28 583 808
3.	Spanien!	500 949 714	11 666 171
4.	Russland	446 018 128	27 618 373
5.	Oestrr.-Ungarn	445 494 850	21 373 063
6.	Italien	390 304 530	19 515 226
7.	Deutsche Staaten	259 032 123	11 558 317
8.	Türkei!	245 200 000	12 237 599
9.	Portugal!	83 138 222	2 733 922
10.	Holland!	79 547 654	2 369 663
11.	Belgien!	70 393 457	3 521 304
12.	Rumänien!!	24 399 689	2 194 361
13.	Deutsches Reich	21 956 052	535 625
14.	Griechenland!	17 514 510	875 725
15.	Schweden	12 792 637	599 938
16.	Dänemark	9 629 256	510 818
17.	Norwegen	5 082 777	363 705
18.	Serbien	4 000 000	107 444
19.	Schweiz	1 344 000	55 755
20.	Luxenburg	526 800	24 000
21.	Montenegro	— —	— —
	Zusammen	£ St 4 323 572 271	195 858 297

Die deutschen Staaten unter No. 7 rangiren aber also:

		Staatsschuld (£ St.)	Zinsen (£ St.)
1.	Preussen	98 750 516	5 001 805
2.	Baiern!	66 833 133	2 291 331
3.	Sachsen	33 479 171	1 509 686
4.	Württemberg	17 826 230	967 816
5.	Baden	16 753 152	554 889
6.	Hamburg	6 263 926	335 500
7.	Braunschweig!	4 207 632	229 636
8.	Bremen	4 050 503	202 525
9.	Mecklenburg	2 813 370	105 000
10.	Hessen	1 879 532	42 942!
11.	Oldenburg	1 840 506	92 865!!
12.	Elsass-Lothringen	1 252 040	62 602
13.	Lübeck	1 190 245	59 012
14.	Anhalt	597 233	28 967
15.	Sachsen-Cob.-Gotha	580 614	29 008
16.	Sachsen-Weimar	336 116	16 803
17.	Schwarzb. Sonderhausen	180 216	9 010
18.	— Rudolstadt	154 000	7 700
19.	Reuss ä. Linie	100 027	5 000
20.	— j. „	65 475	3 278
21.	Schaumb. Lippe	58 486	2 942

Preussen wenig mehr Schulden als Portugal, und nur ½mal mehr als Baiern; Hamburg mehr Schulden als Norwegen, Bremen mehr als Serbien und mit Braunschweig gleich schwer belastet. Und Spanien mit doppelt soviel Schulden als alle deutschen Staaten zusammen. Endlich, die Zahlen von Holland, Belgien, Rumänien und Griechenland!!

Zum Einbiegen des Windes nach dem Centrum von Cyclonen

schreibt Herr Prof. Buys Ballot: „Schon 1852 in der Vorrede zu meiner Uebersetzung von Sedgewicks Werkchen (über Orkane) sagte ich auf das Bestimmteste, dass der Winkel, den die Windrichtung mit der Verbindungslinie des Beobachtungsortes und des sog. Centrums (dem Radius der Cyclone) macht, nicht immer 90° beträgt und man dies beachten solle.

Wie kann es auch anders sein. Die erste Bewegung der Luftteilchen ist nach dem Centrum hin, der Linie der grössten Barometerdifferenz (Neigung) entsprechend; dann werden die Luftteilchen durch die Rotationsgeschwindigkeit abgebogen, und da sie immer mehr zum Centrum hingebogen werden, laufen sie wie ich auseinandersetzte wie Kometen um dasselbe herum. Es hängt nun von dem Verhältnisse dieser Impulse ab, ob die Luftteilchen eine Kreis- oder eine Spiralbahn durchlaufen werden. Nur wenn dicht am Centrum die von den verschiedensten Himmelsgegenden ankommenden Teilchen einander begegnen, müssen sie in ein mobiles Gleichgewicht kommen und immermehr einer Kreisbahn folgen, wie es die Theorie von Ferrel nachher gegeben hat. In einigem Abstande vom Centrum werden sie im allgemeinen keine Kreisbahn durchlaufen; vergl. die Abhandlung von Clement Ley, Scott Met. Journ. IV, in der er von verschiedener Neigung in den verschiedenen Teilen spricht und dadurch auch teilweise die Richtung bestimmen lässt, in welcher die ganze Cyclone weiter fortrücken wird.

Ich selbst sprach auch immer davon, dass man in jedem Punkte eines Cyclonengebietes das Streichen und Rollen der Luftlagen studiren und genau die Form der Depression beachten solle.

Ein Luftteilchen in grossem Abstande weiss nicht, wo das Centrum liegt, sondern fühlt nur den Druck, der verschieden ist mit dem auf dem benachbarten Teilchen; so erlangt es eine grosse Geschwindigkeit in gewisser Richtung, welche wieder von mehr nach dem Centrum hin liegenden Teilchen modifizirt wird. In jedem Abstande bekommt es nach der Form der Depression eine andere Richtung, im allgemeinen hohl, konkav, nach dem Centrum hin, keineswegs immer senkrecht auf die Richtung nach dem Mittelpunkt."

Unabhängig von Theorien, aber gestützt auf Zusammenstellung und Vergleich von Schiffsbeobachtungen hatte ich 1876 bei der Versammlung deutscher Naturforscher und Aerzte in Hamburg ausgesprochen: Man schreibt dem sog. Cyclonencentrum zu grossen Einfluss auf die Windrichtung zu; diese ebenso wie Windstärke sind in viel grösserem Maasse von der Verteilung des Luftdrucks abhängig. — Der Herr, welcher bald nachher einen Aufsatz und Zeichnungen in den Annalen der maritimen Meteorologie veröffentlichte, welche meinem Vortrage und einigen meiner Zeichnungen sehr ähnlich waren, nicht aber den Meldrumschen denen sie ähnlich sein sollten, scheint die p. p. Uebersetzung von Prof. Buys Ballot gekannt zu haben, denn die Figuren waren dieser entsprechend variirt; sie sind vor Kurzem in den Mitteilungen aus dem Gebiete des Seewesens wiederholt. *A. Schück.*

Uebersicht

sämtlicher auf das Seerecht bezüglichen Entscheidungen der deutschen und fremden Gerichtshöfe, Reskripte etc. der betreffenden Behörden etc., einschliesslich der Literatur der dahin bezüglichen Schriften, Abhandlungen, Aufsätze etc.

Titel XI.

Seeversicherung.

Verzögerung der Reise.

Aus den *Entscheidungsgründen:* „Eine ungebührliche Verzögerung des Antritts oder der Vollendung der Reise im Sinne des Art. 818 H.-G.-B. ist nicht nur dann nicht anzunehmen, wenn dieselbe nur unerheblich ist, sondern auch dann nicht, wenn die Verzögerung durch genügende Gründe gerechtfertigt werden kann; und um dieselbe als durch einen Notfall verursacht zu betrachten, ist nicht erforderlich, dass eine absolute Unmöglichkeit, die Verzögerung zu vermeiden, vorgelegen habe." (Erk. des Ober-Landesger. zu Hamburg vom 29. Septbr. 1882. Seuffert, Archiv N. F. Bd. VIII, S. 207.)

Titel XI.

Versicherung gegen die Gefahren der Seeschiffahrt.

a. Allgemeine Grundsätze.

Nichterhöhung der Taxwerte in der Seeversicherung im Schadenfalle.

Ist bei der Seeversicherung durch Vereinbarung der Parteien ohne weiteren Beweis der Versicherungswert auf eine bestimmte Summe (Taxe) festgesetzt, so steht dem Versicherer die Befugnis nicht zu, behufs Berechnung des von ihm bei einem Partialverlust zu zahlenden Betrages eine Erhöhung der Taxe zu verlangen, selbst wenn er beweist, dass dieselbe den wahren Wert des versicherten Gegenstandes nicht erreicht.

„Die Hamburg-Amerikanische Packetfahrt-Aktiengesellschaft in Hamburg nahm auf Grund der Hamburger Allgemeinen Seeversicherungsbedingungen von 1867 Versicherung auf das zu 1 000 000 ℳ auf Grundlage gegenseitiger Vereinbarung ohne weiteren Beweis taxirte Kasko ihres Dampfbootes „Gellert". Die Norddeutsche Versicherungsgesellschaft in Hamburg zeichnete hiervon 630 000 ℳ. Nachdem von einem durch Havarie erlittenen Schaden laut Dispache ein Beitrag von 11 370 ℳ auf das versicherte Kasko entfallen war, wollte bei Berechnung des von den Versicherern zu ersetzenden Schadens die Hamburg-Amerikanische Packetfahrt-Aktiengesellschaft den taxirten Wert des Schiffes mit 1 000 000 ℳ, die Norddeutsche Versicherungsgesellschaft dagegen den laut der Dispache zu 1 271 000 ℳ abgeschätzten wirklichen Wert desselben zum Grunde legen. Demgemäss verlangte die Packetfahrt-Aktiengesellschaft von den Versicherern den vollen Belauf von 11 370 ℳ und von der Norddeutschen Versicherungsgesellschaft den ihrer Beteiligung an der Versicherung entsprechenden Anteil dieses Betrages in Höhe von 7 163 ℳ. Die Norddeutsche Versicherungsgesellschaft dagegen behauptete, dass, da bezüglich eines Teiles des Werts des Schiffes eine Selbstversicherung vorliege, die Versicherer nur nach Verhältnis der Versicherungssumme zum Versicherungswerte, mithin in Höhe von 8930 ℳ für den Schaden haften, und war nur bereit, den ihrer Beteiligung an der Versicherung entsprechenden Anteil dieses Betrages in Höhe von 5695,90 ℳ zu zahlen. Die Packetfahrt-Aktiengesellschaft klagte hierauf gegen die Norddeutsche Versicherungsgesellschaft den streitigen Restbetrag von 1537 ℳ ein und erstritt in der Berufungsinstanz ein obsiegendes Urteil. Die von der Versicherungsgesellschaft eingelegte Revision wurde vom Reichsgericht aus folgenden *Gründen* zurückgewiesen: „Art. 797 Abs. 2 H.-G.-B. erklärt den Versicherer für befugt, eine Herabsetzung der Taxe zu fordern, wenn er beweist, dass dieselbe wesentlich übersetzt sei, legt demselben aber nicht die Befugnis bei, eine

Erhöhung der Taxe zu fordern, wenn er beweiset, dass dieselbe den wahren Versicherungswert nicht erreicht. Stellte diese Vorschrift sich als Anwendung des Grundsatzes dar, dass dem Versicherer freistehe, eine vereinbarte Taxe durch den Nachweis, dass sie dem wahren Werte des versicherten Gegenstandes nicht entspreche, zu beseitigen und den wahren Versicherungswert an deren Stelle zu setzen, so würde der Einwand der zu niedrigen Taxe allerdings darauf gestützt werden können. Es ergiebt sich aber aus der Entstehungsgeschichte des Art. 797, dass die Bestimmung des Abs. 2 desselben, nicht als eine Anwendung des vorgedachten Grundsatzes angesehen, sondern auf die Regel, dass die Versicherungssumme den Versicherungswert nicht übersteigen kann, zurückgeführt wurde. Aus dieser im Wesen der Versicherung begründeten und deshalb durch Privatwillkür nicht auszuschliessenden Regel wurde die Folgerung gezogen, dass eine Ueberversicherung auch nicht in der Weise bewirkt werden kann, dass ein den wahren Wert des versicherten Gegenstandes übersteigender Versicherungswert vereinbart wird. Erscheint demnach die Bestimmung des Art. 797, Abs. 2 als Anwendung des im Art. 790 enthaltenen Grundsatzes, so kann von Anwendung derselben auf den Fall der Vereinbarung eines hinter dem wahren Werthe zurückbleibenden Versicherungswertes keine Rede sein, da eine solche Vereinbarung dem Wesen der Versicherung nicht widerstreitet und die Schranken erlaubter Privatwillkür nicht überschreitet. Verwerflich ist auch die Ansicht, der Vereinbarung der Taxe in der Police sei die Bedeutung beizumessen, dass die Taxe nur bis zum Beweise eines anderen Werts als Versicherungswert gelten solle. Nach dieser Auffassung würde die Vereinbarung der Taxe nur ein beiderseitiges Anerkenntnis enthalten, dass der Taxbetrag dem wahren Wert des versicherten Gegenstandes entspreche, welches Anerkenntnis nach allgemeinen Rechtsgrundsätzen den Gegenbeweis nicht ausschlösse. Die Bedeutung der Taxe würde sich nach dieser Auffassung darauf beschränken, die dem Versicherten bezüglich des Wertes des versicherten Gegenstandes obliegende Beweislast auf den Versicherer zu übertragen, welcher den Beweis der Unrichtigkeit der Taxe sowohl in der Richtung dass sie zu hoch, wie, dass sie zu niedrig sei, führen könnte, je nachdem er auf die eine oder die andere Behauptung einen Anspruch oder eine Verteidigung gründet. Wenn nun auch eine Vereinbarung dieses Inhaltes möglich ist, so ist doch der Taxe in Seeversicherungspolicen im Zweifel die Bedeutung einer solchen Vereinbarung nicht beizulegen. Die Taxe wird vereinbart, um durch Abschneidung der gerade bei den Gegenständen der Seeversicherung besonders schwierigen, zeitraubenden und kostspieligen Ermittelung über den Versicherungswert eine im beiderseitigen Interesse des Versicherten und Versicherers liegende rasche und glatte Erledigung der Schadenvergütigung herbeizuführen. Dieser Zweck wird nicht schon durch eine blosse Umkehr der Beweislast, sondern nur durch die gänzliche Ausschliessung von Beweis- und Gegenbeweiserhebungen erreicht. Demgemäss legt Art. 797 a. a. O. der Taxe die Bedeutung bei, dass sie „*unter den Parteien für den Versicherungswert massgebend ist.*" Sie wird also nicht bloss vorläufig bis zur Einbringung des Gegenbeweises, sondern schlechthin für massgebend erklärt. Das einzige Mittel zur Beseitigung der Taxe ist die Anfechtung des Vertrages, sei es durch Anfechtung des ganzen Versicherungsvertrages wegen Betrugs oder aus anderen Gründen, oder durch Anfechtung der Versicherung, soweit sie eine Ueberversicherung enthält, auf Grund des Art. 790 H.-G.-B., welche jedoch nach Art. 797 Abs. 2 nur im Falle einer wesentlichen Ueberversicherung stattfindet. Auf die blosse Thatsache aber, dass die Taxe den wahren Wert des versicherten Gegenstandes nicht erreicht, kann eine Anfechtung des Vertrages nicht gegründet werden." (Erk. des I. Civilsen. des Reichsgerichts vom 24. November 1883.)

Nautische Literatur.

Stand des schwimmenden Flottenmaterials der Seemächte am Ende des Jahres 1883 nach dem „Almanach für die K. K. Kriegs-Marine 1884" (Pola).

Argentinien.

2 Panzerschiffe (davon 1 im Bau), 2 Monitore, 3 Kanonenboote für den Kreuzerdienst (davon 1 im Bau), 4 Kanonenboote, Typ Rendel, für die lokale Küstenverteidigung, 1 Torpedoschiff (Raddampfer), 4 Torpedoboote I. Klasse für Fischtorpedos, 4 Spierentorpedoboote, 7 Schraubendampfer, 6 Raddampfer, 1 Segelkorvette, 4 Kutter.

Brasilien.

I. *Seegehendes Flottenmaterial*: 4 Panzerschiffe, 2 Kreuzer I. Klasse, 3 Kreuzer II. Klasse, 7 Schulschiffe, 5 Schlepp- und Transportdampfer.

Ferner teils im Bau, teils projektirt: 1 Panzerschiff, 2 Kreuzer mit Panzerdeck und Panzergürtel, 2 eintürmige Monitore, 20 Torpedoboote von vier verschiedenen Klassen.

II. *Küstenverteidigungs-, Stations- und Flussfahrzeuge*: 4 schwimmende Batterien (gepanzert), 3 Stationsschiffe, 20 Fluss- und Flottillenfahrzeuge.

Ferner teils im Bau, teils projektirt: 2 Kanonenboote für Küstenverteidigung und für Operationen in den grossen Flüssen, 6 Kanonenboote für Fluss- und Hafenverteidigung, 4 Kanonenboote für seichtere Flüsse und Spezialdienste.

Chile.

3 Panzerschiffe, 1 Rammkreuzer von 17 Meilen Geschwindigkeit, 3 Schraubenkorvetten, 8 Schraubenkanonenboote, [illegible] dampfer, 1 Schulschiff, 4 konvertirte Kauffahrer, 1 Transportschiff, 3 Hulks, 11 Torpedoboote.

China.

I. *Schiffe für den Pei-ho und für die Nordküste* [illegible] 3 Rammkreuzer (Typ Elswick) von 15, bez. 16 Meilen Geschwindigkeit (wovon einer beim „Vulkan" zu Bredow bei Stettin gebaut), 18 Kanonenboote (Typ Rendel) für die Küstenverteidigung.

II. *Flotte von Futschao*: 2 Panzerschiffe (davon 1 im Bau), 2 Kreuzer (davon 1 im Bau), 5 Schraubenkanonenboote, [illegible] Transportschiffe (Typ Indre der französischen Marine), 3 [illegible] Flottillen-Avisos.

III. *Flotte von Shanghai*: 2 Fregatten, 1 Panzerkanonenboot, 6 schwimmende Batterien, 4 Transportdampfer.

IV. *Flotte von Canton*: 13 Kanonenboote, 3 Zollkreuzer, 2 neue Glattdeckskorvetten (bei Howaldt in Kiel gebaut).

Ausserdem: 2 Panzerkorvetten (beim „Vulkan" zu Bredow bei Stettin gebaut), 11 Torpedoboote.

Dänemark.

2 alte Panzerfregatten, 5 Panzerbatterien, 3 Torpedoschiffe (davon 1 im Bau), 2 alte Fregatten, 1 neue gedeckte Korvette (Fyen), 2 alte Glattdeckskorvetten, 5 Schraubenschoner, [illegible] Schraubenkanonenboote verschiedener Grösse für die Küstenverteidigung (davon 1 im Bau), 1 Torpedofahrzeug, 1 Torpedotransportschiff, 6 Torpedoboote, 2 Raddampfer (davon 1 königl. Yacht), 1 Segelbrigg, 2 Segelkutter, 1 Exerzier- und Kasernschiff, 1 Hulk, 1 Hakendampfer, 2 Lastboote, 1 Transport[illegible].

Deutschland.

I. *Schlachtschiffe*: 7 Panzerfregatten, 6 Panzerkorvetten (davon 1 im Bau).

II. *Küstenverteidigungsfahrzeuge*: 1 Panzerfahrzeug, [illegible] Panzerkanonenboote (davon 2 im Bau), 11 Torpedoboote, [illegible] Minenleger, 1 ungepanzertes Kanonenboot II. Klasse.

III. *Kreuzer*: 11 gedeckte Korvetten (davon 1 im Bau), [illegible] Glattdeckskorvetten (davon 3 im Bau), 5 Kanonenboote der Albatross-Klasse, 5 Kanonenboote I. Klasse.

IV. *Avisos*: 4 Schrauben-, 4 Räder-Avisos (davon 1 kaiserliche Yacht).

V. 2 Transportfahrzeuge.

VI. *Schulschiffe*: 1 Artillerieschiff, 2 Tender desselben, [illegible] Segelfregatte, 2 gedeckte Korvetten, 2 Glattdeckskorvetten, [illegible] Segelbriggs.

VII. *Fahrzeuge zum Hafendienst*: 11 Schleppdampfer, [illegible] Lotsenfahrzeuge, 6 Feuerschiffe (davon 2 im Bau).

Egypten.

2 Fregatten, 1 Korvette, 1 Radyacht, 1 Schrauben[illegible], 2 Transportschiffe, 4 Schraubenavisos, 1 Schleppdampfer.

England.

A. Panzerschiffe.

I. *Schlachtschiffe*: 6 Barbetteturmschiffe (davon [illegible]), 18 Drehturmschiffe, 17 Batterieschiffe vom neueren Typ, [illegible] Batterieschiffe vom alten Typ: zusammen 50 seegehende Panzerschiffe.

II. *Küstenverteidiger*: 1 Rammschiff, 4 Brustwehr[illegible], 6 Panzerfahrzeuge alten Typs.

B. Ungepanzerte Schiffe.

I. *Kreuzer**): 3 Fregatten, 3 gedeckte Korvetten, [illegible] Glattdeckskorvetten (davon 1 im Bau), 2 Rapid-Avisos („Iris" und „Mercury") von 18 Meilen Geschwindigkeit, 4 neue Kreuzer II. Klasse, 27 Sloops (davon 1 im Bau), 48 Gun vessels (davon 4 im Bau), 35 Gun boats.

II. *Flussfahrzeuge für China*: 12 Gun boats.

III. *Küstenverteidiger*: 28 Gun boats, Typ Rendel.

IV. *Altes Material*: 7 Linienschiffe, 6 Fregatten, [illegible] Korvetten, 1 Sloop, 2 Gun vessels, 10 Gun boats.

V. *Avisos, Yachten und Raddampfer*: 5 Radyachten, 2 Schraubenyachten, 2 Radavisos, 13 Raddampfer.

VI. *Vermessungsschiffe*: 2

VII. *Transportschiffe*: 5 grosse Truppentransportschiffe für Indien, 4 kleinere Truppentransportschiffe, 4 Material[illegible] Truppentransportschiffe, 1 Geleitschiff, 1 Schleppdampfer für den Dienst mit den Truppentransportschiffen für Indien.

VIII. *Segelschiffe*: 2 Korvetten, 5 Briggs, 4 Schoner.

IX. *Hafen- und Werftdampfer*: 21 Radschleppdampfer, 3 Zwillingsschraubendampfer, 6 Wassercisternen, 3 Material[illegible] transportdampfer, 1 Wasser- und Lebensmittel-Depotschiff, [illegible] Schraubenschleppdampfer, 1 Dampfbarke, 1 Dampfleichter, [illegible] Kanonenboot, 1 Dampfyacht.

X. *Stationäre Schulschiffe*: 1 für die Marineakademie, [illegible] Artillerieschiffe, 1 Torpedoschiff, 5 Schiffsjungenschiffe, [illegible] die Marine-Reserve.

XI. *Küstenwachkreuzer*: 28.

*) Von den Dampfern der Handelsmarine sind 20 [illegible] der Admiralität tauglich erklärt worden, im Kriegsfalle als *Auxiliarkreuzer* zu dienen. Diese Schiffe werden im Bedarfsfalle mit den altmodischen 64-pfd. Vorderladern armirt [illegible]

Ausserdem: 11 Schiffe, welche als Hafen-Flaggschiffe, achtschiffe, Depotschiffe, Kasernenschiffe u. s. w. dienen und 7 Segelschiffe und Hulks aller Grössen und Gattungen, welche teilweise als Depot-, Ueberwachungs- und Kasernenschiffe enen und teilweise als Kohlenhulks, Hospitalschiffe u. s. w. erwendung finden.

C. Torpedofahrzeuge.

3 Rammschiffe (davon 2 im Bau), 1 Torpedo-Instruktionsschiff, 1 Torpedo-Depotschiff, ca. 80 Torpedoboote I. Klasse, a. 70 Torpedoboote II. Klasse.

D. Schiffe der Kolonial-Regierungen.

Indien: 2 Brustwehrmonitore, 2 Truppentransportschiffe, Vermessungsschiff, 11 Flottillendampfer, 5 Flussdampfer, 1 chraubenkanonenboot, 1 Schleppdampfer, 1 Segelschiff.

Australien: 1 Brustwehrmonitor, 1 Schraubenkorvette, 2 orpedoboote, 2 Kanonenboote für Victoria, 1 Kreuzer, Typ Jlswick, für Südaustralien, 2 Kanonenboote für Queensland, 1 anonenboot für Melbourne, 1 Aux.-Küstenverteidiger für Natal, Torpedofahrzeug und 2 Torpedoboote für Victoria, 4 Torpedoboote für Neuseeland, 1 Torpedoboot für Tasmanien, 2 Torpedoboote für Queensland.

Frankreich.

I. *Seegehende Panzerschiffe*: 19 Barbetteturmschiffe (davon im Bau), 4 Drehturmschiffe, 13 Batterieschiffe vom neueren Typ, 14 Batterieschiffe vom alten Typ, zusammen: 50 seegehende Panzerschiffe.

II. *Gepanzerte Küstenverteidiger* (Garde-côtes): 4 Drehturmfahrzeuge, 1 Barbettefahrzeug, 1 Monitor, 4 Panzerkanonenboote I. Klasse (im Bau), 4 Panzerkanonenboote II. Klasse im Bau).

III. *Torpedofahrzeuge*: 4 Torpilleurs-éclaireurs (im Bau), Torpilleurs-avisos (im Bau), ca. 10 Torpilleurs garde-côtes, a. 60 Torpilleurs-vedettes.

IV. *Kreuzer*: 7 Kreuzer I. Klasse vom neuen Typ (davon im Bau), 5 Kreuzer I. Klasse vom alten Typ, 19 Kreuzer II. Klasse, 21 Kreuzer III. Klasse (davon 1 im Bau), 19 Avisos davon 3 im Bau), 23 Kanonenboote I. Klasse neuen Typs (davon 5 im Bau) 5 Kanonenboote II. Klasse alten Typs.

V. *Flottillen-Avisos**): 13 Schrauben-Avisos, 26 Rad-Avisos.

VI. *Schrauben-Kanonenschaluppen*: 30 (davon 6 im Bau).

VII. *Transportschiffe*: 40 (davon 7 im Bau).

VIII. *Segelschiffe*: 4 Transport-Linienschiffe, 4 Fregatten davon 2 im Bau), 3 Korvetten (davon 2 im Bau), 1 Vollschiff, Brigg, 4 Schoner, 2 Kutter, 2 Fahrzeuge zur Instruktion der Lotsen-Applikanten, 19 Fischerei-Ueberwachungsfahrzeuge.

IX. *Stationäre Schulschiffe*: 1 Linienschiff mit 3 Tendern für die Marineakademie, 1 Artillerieschiff, 3 Torpedo- und Seeminenschulschiffe, 2 Schiffsjungenschiffe, 8 Matrosenschulschiffe, . Maschinistenschulschiff.

X. *Schiffe, welche noch provisorisch Dienste leisten*: 9 Schraubenfregatten, 2 Schraubenkorvetten, 6 Schraubentransportschiffe, 3 Radkorvetten, 2 Radavisos, 1 Rad-Flottillenfahrzeug, Segelfregatten, 2 Kutter, 1 Segeltransportfahrzeug, 9 Fischereiwachfahrzeuge.

XI. *Servitutschiffe*: 1 Werkstättenschiff, 27 Schleppdampfer, Schraubencisternen, 6 Schraubenleichter.

Ausserdem: ca. 200 Segelschiffe und Holks aller Grössen und Gattungen, welche teilweise als Depôt-, Ueberwachungs- und Kasernenschiffe dienen, und teilweise als Kohlenhulks, Hospitalschiffe etc. Verwendung finden.

Griechenland.

1 alte Panzerkorvette, 1 Panzerkanonenboot, 1 alte gedeckte Korvette, 1 moderne Glattdeckskorvette von 15 Meilen Geschwindigkeit, 2 Kanonenboote, Typ Rendel, für die Küstenverteidigung, 1 Königliche Yacht, 6 Schraubenkanonenboote, 1 Torpedodepôtschiff, ca. 20 Torpedoboote, 3 Minenleger, 1 Schoner, 1 Peniche, 2 Transportdampfer, 4 eiserne zerlegbare Kanonenboote, 2 Segelschoner, 2 Kutter, 2 Hulks.

Haiti.

Schraubendampfer.

*) Die Flottillen-Avisos dienen für den Strompolizeidienst in den Kolonien.

(Schluss folgt.)

Verschiedenes.

Tunnelbauten einst und jetzt. Welche Fortschritte in dem Bau der Riesentunnel gemacht sind, die jetzt durch die drei grossen Berge Mont-Cenis, St. Gotthard und den Arlberg vollendet sind, ergiebt sich aus der nachstehenden Tabelle, in welcher A die ganze Länge der Tunnel in Metern, B die Anzahl Jahre, bis die von beiden Seiten begonnenen Arbeiten in der Mitte zusammentrafen, C den mittleren täglichen Fortgang der Arbeit in Metern und D die Kosten der Arbeit für den laufenden Meter in Mark bedeuten.

	A	B	C	D
Mont-Cenis	12 233	13.1	2.35	492.8
St. Gotthard	14 912	7.4	5.50	292.0
Arlberg	10 260	3.4	8.30	226.0 (?)

Bei dem letzten Bau haben die Unternehmer die Prämie von 1600 Mark per Tag für 420 Tage verdient, da sie um so lange früher als vereinbart fertig wurden.

Die „Elder“, der neue Dampfer des N. D. Lloyd, ist bei John Elder & Co. gebaut und misst 460′ in Länge, bei 47′ Breite und 36′ 3″ Tiefe, sie hat Raum für 170 Passagiere erster, 160 zweiter und 1100 dritter Klasse, oder 5250 Tons gr. Reg. Die Probefahrt in schwerer See ergab 17.1 Knoten ausgehend und 17.8 Knoten zurück, bei im höchsten Fall 66 Umdrehungen in der Minute und 6970 I. P. K.

Der **Maschinenbau am Clyde** zeichnete sich im verflossenen Jahr 1883 aus durch die grosse Zahl schwerer Schiffsmaschinen, indem nicht weniger als 18 Schiffsdampfmaschinen, deren indizirte Pferdekräfte von 4000 bis hinauf zu 12000 reichten, darunter nur eine der letztern für Kriegsschiffe (Francesco Morosini der ital. Flotte). Zusammen hielten diese 18 Maschinen ca. 100 000 I. P. K., durchschnittlich 5532 I. P. K. Daran schlossen sich 25 Maschinen von 2000 bis 3800 I. P. K., zusammen von 65000, durchschnittlich von 2 600 I. P. K. Diese beiden Klassen von Maschinen umfassen so ziemlich die Hälfte der ganzen fertig gestellten Ingenieurarbeit, da die ganze Summe der Pferdekräfte sich auf 320 000 belief; davon kam 1/6 allein auf die Firma J. Elder & Co. Beschränken wir uns auf diejenigen Firmen, welche die Maschinen selber für ihre Schiffe bauen, so finden wir beteiligt:

John Elder & Co.	bei 13	Dampfern	mit 55 995	ind. P. K.
Rob. Napier & Sons	„ 6	„	„ 28 774	„
W. Denny & Brothers	„ 10	„	„ 23 200	„
A. Stephen & Sons	„ 11	„	„ 19 160	„
J. & G. Thomson	„ 6	„	„ 16 260	„
Caird & Co.	„ 7	„	„ 13 500	„
Barclay, Curle & Co.	„ 7	„	„ 12 210	„
Scott & Co.	„ 9	„	„ 11 540	„
A. & J. Inglis	„ 8	„	„ 11 150	„
London & Glasgow Co.	„ 9	„	„ 10 120	„
D. & W. Henderson & Co.	„ 8	„	„ 10 004	„

mit Weglassung der Firmen, welche unter 10 000 I. P. K. fertig stellten.

Im **Februar** 1884 liefen am **Clyde vom Stapel** 20 Schiffe von 29 537 Tons d. h. 4013 T. weniger als im Februar 1883. Darunter befanden sich die „Ems“ des N.-D. Lloyd von 5250 T. und 6000 P.-K., die „Massilia“ von 5000 T. und 5100 P.-K. für die P. & O. Linie und die „Mexico“ von 4150 T. und 5000 P.-K. für die Mexikanische transatlantische Gesellschaft. Damals befanden sich noch 116 Schiffe im Bau; mit dem „absoluten Stillstand“ hat es also noch gute Wege.

Carson's Vorrichtung zum Ausheben von Gräben zur Anlage von Gas-, Wasser-, Kanalisations- etc. Röhren in Städten bezweckt die fast ungehinderte Fortdauer des Verkehrs selbst in schmalen Strassen, sie besteht aus einer provisorischen Eisenbahnanlage längs der auszuhebenden Strecke, auf welcher sich ein festes Gitterwerk erhebt, innerhalb dessen alle Arbeiten vorgenommen werden, so dass der übrige Teil der Strasse völlig unberührt bleibt. An der Decke dieses Gitterwerks sind nämlich Leitstangen und sonstige Führungen angebracht, durch welche vermittelst einer Lokomobile am Ende des Gitterwerks eine Anzahl Eimer hin und her bewegt werden, welche von Arbeitern an Ort und Stelle gefüllt, am andern Ende entleert und nun leer zurückgeschickt werden, bis der Schacht ausgehoben ist. Dann dienen dieselben Eimer zur Anfuhr von Steinen, Kalk und sonstigen Materialien die verwandt werden, worauf der Graben wieder zugeworfen wird aus denselben Eimern und nun die ganze Eisenbahnanlage weiter fortgeschoben wird. Die Vorrichtung von Carson ist in Amerika schon seit mehreren Jahren eingeführt und beliebt geworden und hält jetzt auch ihren Einzug in London, von wo sie sich wohl auch nach dem Kontinent verbreiten wird, wo die Störungen des Strassenverkehrs durch neue Anlagen und Reparaturen auch anfangen unerträglich zu werden. Vergl. Eng. No. 951 vom März 21. 1884. S. 246.

Die **Baku-Petroleum-Werke der Gebrüder Nobel** werden in Engeneering No. 952, 953 vom 28. März und 4. April ausführlich geschildert und bietet die Rhede des Etablissements mit ihren vielen Schiffen sowie die sehr ausgedehnten Baulichkeiten selber einen höchst stattlichen Anblick, wie man sich ihn nach den blossen Zeitungsnachrichten über die Petroleum-Verschiffungen von Baku schwerlich vorstellt. Das Wunderbarste dabei scheint dem Darsteller zu sein, dass eine deutsche Firma diese Gruben erschlossen hat.

Eine **Schiffseisenbahn über die Landenge von Suez** wird von den Londoner Ingenieuren Clark und Standfield vorgeschlagen. Die Schiffe sollen in hydraulischen Hebemaschinen gehoben und gesenkt werden; sie stehen in ihnen auf und zwischen Luftkissen eigener Konstruktion, die sich leicht jeder Schiffsform anpassen und werden dann von bis 20 Lokomotiven auf 5 neben einander liegenden Eisenbahnen befördert, von denen unter dem Kiel zwei ganz nahe zusammenliegen. Vorausgesetzt wird die Anlage besonderer Häfen an jedem Ende, von denen aus die Schiffe dann hinauf und hinunter befördert werden. Die Zeichnungen sehen anschaulich genug aus. Kapt. Eads soll übrigens an der Tehuantepec-Bahn im stillen weiter schaffen trotz Lesseps. Letzterer hat kürzlich eine Gen.-Versammlung seiner Aktionäre abgehalten und entgegen den düstern Gerüchten über den schlechten Fortgang der Arbeiten Alles in so rosigem Lichte dargestellt, dass er sogar an dem Eröffnungstermin des 1. Jan. 1889 festhält.

Pidgin-Englisch und Tschau-Tschau (Chow-chow.) Bereits im Jahrgang 1880, S. 228 brachten wir eine kurze Notiz über diese chinesisch-englische Umgangssprache, welche wir jetzt nach einem Werke von W. Joest, ein Kölner, über Ost- und Nordasien vervollständigen können. Auch nach Joest ist die Form „Pigeon English" nicht richtig; das Wort heisst Pidgin oder Pidjin, dass aus dem englischen „business" korrumpiert ist. „Pigeon" ist schon wegen seiner Nebenbedeutung verwerflich. Pidgin-Englisch ist *nicht* die Lingua franca des östlichen Asien, sondern nur in China und auch dort wieder hauptsächlich in den südlichen Häfen gebräuchlich, in Tientsin z. B. sind die meisten Kommis etc. verpflichtet, chinesisch zu lernen, da die Chefs der Handlungshäuser zu der Ansicht gekommen sind, dass sie sich besser stehen, wenn sie den jungen Leuten ihres Komptoirs Musse, Gelegenheit und die Mittel geben, selbst chinesisch zu lernen, als durch Vermittlung des Komprador, — dessen Existenz wiederum nur da möglich ist, wo Pidgin-Englisch, diese einfältigste aller Sprachen, wirklich Verkehrssprache ist — tagaus tagein betrogen zu werden. In Japan wird beinahe nie Pidgin-English gesprochen, der Japaner spricht entweder gar kein englisch (resp. deutsch oder französisch) oder er bemüht sich, die fremde Sprache möglichst korrekt zu sprechen. Die Schiffshändler etc. der japanischen Vertragshäfen sprechen darum meist ein viel besseres Englisch als die Kapitäne, Steuerleute etc. nicht englischer oder amerikanischer Schiffe, mit denen sie in Berührung kommen. Die Etymologie des Wortes „chow-chow" ist nicht bekannt. Ich glaube allerdings auch, dass es aus irgend einem südchinesischen Dialekt stammt, indes wird auch das von den Sinologen in China bestritten. Dem sogenannten Mandarin-Chinesisch ist chow-chow, ebenso wie das bekannte „chin-chin" nicht entnommen. Die mit Zucker eingemachte Ingwerwurzel wird in Ostasien und China *nicht* chow-chow, sondern Ginjee oder Gindja genannt. Chow-chow sind in Rohrzucker eingekochte Früchte der verschiedensten Art: Scheibchen von Citronen, Orangeschalen, Zuckerrohr etc.

Der Baumwollenbau in den Ver. Staaten. Nur sehr Wenige haben einen richtigen Begriff, zu welchem Umfange der Baumwollenbau in einer ganz geringen Anzahl der Vereinigten Staaten gestiegen ist und welchen Einfluss sie in diesem Produkte über die ganze übrige Welt haben. Noch Wenigere unter den Pflanzern selbst haben eine Idee, wie vorteilhaft man diesen Bau betreiben könnte, wenn man den Pflanzern einfach mit etwas Erfahrung an die Hand ginge. Bei keinem andern Anbau lohnen sich Zeit, Arbeit und Kapital so gut. In Frucht- und Milchprodukten hat Amerika in fast allen Ländern Konkurrenten. Die Baumwolle aber ist, obgleich sie für einen namhaften Teil des Menschengeschlechtes nächst der Nahrung das wichtigste Bedürfnis bildet, auf eine ganz kleine Zone südlich des 37. Breitengrades beschränkt und dazu gedeiht sie nur auf einem kleinen Striche dieser Zone, wie sie soll.

Gegenwärtig beläuft sich der jährliche Baumwollenertrag auf der Erde auf ungefähr 850 000 Ballen von je 450 Pfund oder im Ganzen auf 3 825 000 000 Pfund. An dieser Produktion beteiligen sich die einzelnen Staaten nach Prozenten wie folgt:

Die Ver. Staaten mit...	78	Proz.
Ost-Indien..............	15	„
Egypten.................	5	„
Brasilien...............	2	„

d. h. die Vereinigten Staaten produziren allein ungefähr vier Fünftel des gesamten Baumwollenertrages, oder gegen 3½ Pfund amer. Baumwolle ist 1 Pfund anderswo gewachsen. Die vier vorausgegangenen Erndten lieferten in Amerika einen Ertrag von zusammen 22 877 000 Ballen mit einem Durchschnittsgewicht von 460 Pfund; der durchschnittliche jährliche Ertrag bezifferte sich demnach auf 5 719 250 Ballen oder 2 635 135 750 Pfund. Nach dem Durchschnittspreis von annähernd 11¼ c. auf dem Newyorker Markt beziffert sich so der jährliche Wert auf ungefähr 1 200 Mill. Mark.

Verlag von M. W. Silomon in Bremen. Druck von Aug. Meyer & Dieckmann, Hamburg. Alterwall 84.

Beilage zur HANSA No. 16. 1884.

Land- und Seebilder.

Von Konstantinopel nach Triest.

Es war eigentlich nicht meine Absicht, auch die Rückreise vom Orient zu schildern, wie ich die Ausreise geschildert hatte; über Konstantinopel giebt es unzählige Reisewerke bis zu dem jüngst erschienenen „Orient" von Schweiger-Lerchenfeld oder gar dem englischen Murray herunter — Baedeker hat sich noch nicht über Griechenland hinausgewagt, — welche alle weit eingehender sich über Land und Leute verbreiten, als mir hier der Raum gestattet. Und weil es nicht in meinem Plane lag über Konstantinopel zu schreiben, so habe ich mir auch keine Notizen gemacht, sondern die sechs Tage des dortigen Aufenthalts lediglich dazu benutzt, zu schauen, gleichviel ob es verdaut wurde oder nicht. Es werden darum die nachfolgenden Aufzeichnungen, die ich nach meinem Gedächtnis wiedergebe, auch der ursprünglichen Frische der unmittelbar vorbergegangenen Anschauung entbehren, und wenn vielleicht ein besonderer Anziehungsgrund für meine Freunde nunmehr fehlt, welche die Ausfahrt nach ihrer Behauptung mit so vielem Interesse gelesen haben, so wollen sie es den Umständen zu gute halten, wenn sie durch die Schilderung des Aufenthalts in Konstantinopel und der Rückreise sich weniger befriedigt fühlen sollten. Auf alle Fälle aber verspreche ich ihnen, wie bisher nur eigene Anschauungen und Erfahrungen wiederzugeben und die ganze Literatur bei Seite zu lassen.

Ich beginne damit, eine eigentümliche Sprechweise zu berichtigen. Ich glaube man hört nirgends weniger von Konstantinopel reden, als in Konstantinopel selber; dort spricht man wohl von Istambul, Pera, Galata, Top-hane, Skutari, Kadiköe etc. etc., aber von Konstantinopel" spricht man nicht. Konstantinopel ist mit Metternich zu reden ein geographischer Begriff, welcher alle diese in sich völlig verschiedenenen Stadtteile und Städte umfasst und wer also dort verkehrt, wird sich bestimmter ausdrücken müssen, um verstanden zu werden. Deshalb sagte mir auch der Korrespondent der „Kölnischen Zeitung", dessen Rat ich gleich den ersten Morgen meines Alleinseins einholte, wenn sie etwas Neues sehen wollen, so verkehren Sie viel in Stambul; hier in Pera ist Alles europäisch." Istambul oder kurz gesprochen Stambul ist die eigentliche Türkenstadt, das alte Byzanz, und liegt auf der Halbinsel, welche innerhalb der von den Türken 1453 erstürmten Mauern, die in nördlicher Richtung 1½ Stunden weit vom Marmora-Meer über den leicht erhobenen Landrücken der Halbinsel bis zum goldenen Horn sich hinziehen, von dieser 1½ Stunden breiten Basis sich, stets schmäler werdend, bis zur Serailspitze am Bosporus etwa 2 Stunden weit in westlicher Richtung erstreckt. Mit ihren terrassenförmig auf- und absteigenden Häusermassen, die von den hohen Moscheen, Minarets, Türmen, Regierungsgebäuden vielfach überragt und von dunklen und hellen Baumgruppen angenehm belebt werden, bildet es den ersten und Hauptteil der landschaftlichen Ueberraschungen, welche Konstantinopel als Ganzes dem Fremden bringt, der sich von Süden der Stadt nähert. Das goldene Horn ist ein reichlich 2 Stunden langer an der Mündung etwa 600 m breiter Meerbusen, der in seinem obersten Teil zwei Bäche, die sog. „süssen Wasser" aufnimmt und Stambul nördlich begrenzt, welches südlich an's Marmora-Meer stösst. Das goldene Horn ist ein vorzüglicher Hafen, welcher die grössten Flotten aufnehmen kann und mit den unzähligen ihn befahrenden grossen und kleinen Fahrzeugen ein ungemein belebtes Hafenbild abgiebt. Zwei Schiffbrücken verbinden nun die abgeschlossene Türkenstadt Stambul mit den vielen Vorstädten am nördlichen Ufer des goldenen Horns und den westlichen Gestaden des Nord-Süd laufenden Bosporus. Die eine Schiffbrücke liegt etwas unterhalb der Stelle des goldenen Horns, wo die türkische Kriegsflotte verankert lag; von da bis zur zweiten bedeutenderen Schiffbrücke ankern die meisten Handelsschiffe d. h. die Segler, während die Dampfer fast alle unterhalb dieser zweiten Schiffbrücke in der Mündung des goldenen Horns oder im Bosporus ankern. Kommt man über diese untere recht breite Schiffbrücke von Stambul herüber, so betritt man zunächst die Vorstadt Galata, die recht eigentliche Handelsstadt der Europäer, Griechen, Armenier etc. mit ihrem grossartigen Menschengewühl in den schmalen meist unglaublich schlecht gepflasterten Strassen; geht man weiter nach rechts den Bosporus entlang, so gelangt man nach Tophane, der Arsenalstadt mit den grossen Geschützgiessereien unmittelbar am Wasser, und vielen Kasernen gegenüber und dann noch weiter zu einer Anzahl minder wichtiger Vorstädte, welche dem Wanderer die Grenze des Stadtbezirkes von Konstantinopel aufzufinden, erschweren. Dort liegen in einer Flucht längs dem Ufer des Bosporus die hellweissgelben neuen Paläste der Sultane, von denen der erste, Dolmag-Badsche mit seinem grossen goldenen zum Bosporus führenden Parktore mitten im hohen, langen Gitter des Vorgartens ganz besonders auffällt. Der jetzige Sultan wohnt indessen nicht inmitten dieser mehr als orientalischen Pracht, sondern hoch oben darüber im Yildiz-Kiosk auf einem Bergrücken, der bis Galata allmälig abfällt. Galata, Tophane u. s. w. nehmen das niedrige Ufergelände und das gleich hinter ihm aufsteigende Terrain ein; auf dem Abhang liegt in der Mitte der dicke, hohe Venetianerturm von Galata, welcher eine prächtige Aussicht über das ganze Stadtpanorama gewährt. Oben auf dem Bergrücken hinter Galata liegt die Frankenstadt Pera mit den Hotels, Theatern und sonstigen Erkennungszeichen westeuropäischer Lebensformen. Den Verkehr zwischen Galata und Pera vermitteln in gerader Richtung die unterirdische Eisenbahn des Baron Erlanger, deren Züge alle 10 Minuten auf und niederfahren' und die Pferdebahn, welche von der Nähe der untern Schiffbrücke in mit 4 Pferden bespannten Wagen nach Pera hinauffährt, während in der Ebene unten nach rechts zweispännige Wagen nach Tophane und weiter den Bosporus hinauffahren. Die Pferdebahn nach Pera hinauf diente mir als nie versagendes Orientirungsmittel nach Pera und darüber hinaus weiter ins Land hinein. Dann liegen von den bekanntern mehr genannten Stadtgebieten Konstantinopels noch Skutari jenseits des Bosporus an dessen östlichem Ufer, dem goldenen Horn gerade gegenüber und weiter unterhalb Skutari, mehr Stambul gegenüber Kadiköe, die „Richterstadt", das alte Chalcedon der Griechen, welches ins freie Marmora-Meer und auf die Prinzeninseln in demselben hinausschaut. Auf den Höhen hinter diesen beiden Städten liegt eine sehr in die Augen fallende Kaserne, welche im Krimkriege von den Engländern als Lazaret für ihre Kranken und Verwundeten gebaut wurde und jetzt mit türkischen Truppen belegt ist. Hinter Skutari ragt ein hoher schwarzer Cypressenwald hervor, welcher die Hauptbegräbnisstätte Stambuls anzeigt; vier andere solcher Friedhöfe liegen ausserhalb der oben erwähnten Landgrenzen oder Mauern Stambuls.

Soviel über die Topographie des weitläufigen von über einer Million Menschen bewohnten Häusermeeres, welches zusammen von uns Konstantinopel genannt wird. Kommt man zu Schiff von Süden heran, und fährt wie wir vom Ankerplatze des Schiffes nach dem rundgeschweiften Landungsplatz von Galata, so sieht man, sobald man die Nordspitze des Serails passirt hat und über den Gefahren der Vorüberfahrt an dieser Ecke, an welcher sich der schwere Strom des Bosporus brüllend bricht, nicht vergessen hat, den Blick rund um sich zu werfen, über von Schiffen und Fahrzeugen aller Art belebte Meeresteile und Hafen hinweg, rund um sich Häuser und Städte terrassenförmig aufsteigen und bis zum Horizont ein wahres Häusermeer sich ausdehnen — ein Panorama von überwältigender Grossartigkeit und reichster Abwechselung von Stadt, Wald und Gebirge mit dem Meer im Vordergrunde.

Wir landeten, wie im vorigen Briefe bemerkt, am Sonntag Morgen um 9 Uhr in Galata, nachdem wir im Vorbeifahren an der Ecke des Serails gehörig getauft waren von dem wütenden sich dort brechenden Strome. Ein Teil desselben gabelt ins goldene Horn hinein und soll in seinem Rundlauf durch dasselbe allen Schlamm hinausbefördern, den die süssen Wasser und der Schmutz der grossen Stadt in ihm hinuntersenden, während der andere Arm des Stromes sich ins Marmora-Meer ergiesst. Die Strömung des Bosporus ist fast überall eine starke, vom Schwarzen Meere südwärts zum Marmora-Meer gerichtete, deren Fortsetzung wir in den Dardanellen genügsam gespürt hatten.

Beim Landen in Galata fällt Einem sofort der Mangel eines jeden Landungskai, jeder Marina, jedes offenen freien Platzes auf: die Häuser stehen hart am oder selbst im Wasser, welches dort am Ufer noch mindestens 10 — 14 Fuss tief ist, und nun landet man an irgend einem Steg oder schmalen Pier und läuft landwärts. Die Zollbehörde und der Hafenmeister hausen in gleich unbeschreiblich schmutzigen, niedrigen, winkligen, verfallenden Räumen, die man Häuser nicht wohl nennen kann, sind aber gleich liberal, da unser Gesundheitspass keinen Stein des Anstosses bot, und so hatten wir alsbald die Freiheit zu gehen, wobei der Lotse in dessen Boot wir an Land gesetzt waren die unbedingt erforderliche Führung übernahm. Ueber Höfe, durch Häuser, Gänge, Gartenstückchen ging der Weg zum Comptoir des Herrn Helbing, an welchen das Schiff addressirt war und dessen freundlichen Entgegenkommen wir die erste Orientirung und die erste Unterkunft für das Gepäck verdankten. Die Schiffspapiere wurden beordnet, dann der Weg zum Konsul angetreten, welcher uns auch trotz des Sonntags auf das freundlichste empfing und nun die drei Stunden, welche uns bis zur Abfertigung zu unserer freien Verfügung standen, zu einem Gange mitten ins türkische Leben hinein benutzt, bei welchem ein junger Neffe des Herrn Helbing die höchst willkommene Führung übernahm. Der Weg geht zur Aja Sophia, von da zum grossen Bazar, so war die beiderseitig festgestellte Verabredung; der Kapitain sollte in den wenigen Stunden, welche wir noch zusammen bleiben konnten, wenigstens einen Einblick in die türkische Welt thun, dann wollten wir bei Giani an der Brücke zu Mittag essen, bis die Zeit zur Abfahrt da sei; der Lotse verabschiedete sich mit dem Versprechen am Platze zu sein, was der Biedermann auch pünktlich einhielt.

Da gab es nun auf den dreihundert Schritten bis zur untern Schiffbrücke freilich schon soviel zu sehen, dass wir uns nur widerstrebend vorwärts bewegten durch die vor den Kaffeehäusern hockenden ihre Nargilehs rauchenden Türken hindurch, über und an den zahllosen Hunden vorbei, Augen und Ohren offen, um nicht von den des Weges daherstürmenden Lastträgern gestossen und überlaufen zu werden, von einem Geldwechsler mit seinem Nähtisch-artigen mit einer Glasplatte verschlossenen Wechslertisch zum andern und um die Wette von ihnen übervorteilt, wenn nicht unser junger Begleiter Einspruch that — das Kleingeld ist sehr rar und thut man wohl, sich täglich mit dem nötigen Vorrat zu versehen, daher an belebten Stellen wie hier fast in oder vor jedem Hause ein Wechsler haust — so kamen wir endlich zur Brücke und wieder hinaus in die freie Luft, nachdem wir einige Para Brückengeld geopfert. Die türkische Silbermünze ist der Medschidieh oder Thaler, gleich 20 Piaster, im Wert etwa von 4 Mark, und deshalb an Grösse zwischen unserm Thaler und dem Fünffrankenstück in der Mitte stehend. Der Piaster ist etwa 20 Pf. nach unserm Gelde; 110 Piaster sollen 1 £ sein, also das 20 Frankstück etwa 88 Piaster halten; beim Wechseln erhielt man für ein 20 Frankestück 4 Medschidieh und dann noch eine fragliche Anzahl Piaster. Der Piaster zerfällt in 40 Para, also ist ein Para etwa soviel als unser halber Pfennig. An der Brücke legen alle Dampfer an, welche den Bosporus befahren oder den Verkehr mit den Prinzeninseln unterhalten, welche als Sommeraufenthalt von Geschäftsleuten und sonstigen Einwohnern benutzt werden. Die Inseln liegen 2 Stunden von der Brücke entfernt im Marmora-Meer, wo man ihre hochaufragenden Berge stets über Chalcedon hinaus mit unzähligen Villen geziert liegen sieht. Die Dampfer unterscheiden sich durch graue, weisse, rote Flaggen; etwas französisch oder englisch versteht man gewöhnlich an den auf vorliegenden Hulks befindlichen Billetschaltern und sind die Preise merkwürdig niedrig.

Dann kamen wir nach Stambul. Links von der Brücke eine Art freier Landungsplatz mit Haufen von Früchten, Getreide, Wagen, Droschken, Reitpferden und Menschen, gegenüber eine Menge fliegender Restaurants und die Pferdebahn, welche an den Moscheen vorüber längs der Marmoraseite von Stambul in halber Höhe aufwärts fährt. Auch den Bahnhof der Eisenbahn des famosen Baron Hirsch sieht man links nahe dem Wasser liegen; sie fährt um die Serailspitze hart an der Wassermauer des Marmora-Meeres nach den sieben Türmen am Ende der Stadtmauer, dann weiter nach Adrianopel etc.

Wir zogen vor zu Fuss durch die Stadt zu wandern, besonders weil die Strassen hier breit, gut gepflastert und die Bürgersteige ebenfalls gut gangbar waren, liessen das Serail mit seinen verfallenden Mauern links, das neue imposante Gebäude der hohen Pforte oder das Ministerium des Auswärtigen rechts liegen und standen bald vor dem mächtigen Bau der Aja Sophia, deren sehr bescheidenen für die Franken bestimmten Eingang wir nach einigen Herumfragen endlich entdeckten. Empfangen von drei langen Tempelwächtern erhielten wir nur gegen Erlegung dreier Medschidiehs, also 12 Mark, die Erlaubnis zum Eintritt; das Geld werde für die Unterhaltung der Kirche verwandt, so sagte man uns. Die Herren standen in einem weiten Durchgange auf Matten, während wir auf der blossen Flur ankamen, die durch eine in die Kante gestellte starke Holzbohle von den Matten abgeschieden war. Dann musterte einer von ihnen mit flüchtigem Blick unsere Füsse und beordnete zwei Paar kleine, und ein Paar grosse Pantoffeln. Ein Diener brachte sie, liess sich erst von jedem fünf Piaster also 1 Mark geben und dann durften wir auf Pantoffeln eintreten, ohne wie die Türken thaten die Stiefeln auszuziehen. Darauf bemächtigte sich unser ein Führer, natürlich gegen neuen Backschisch und so konnten wir endlich eintreten. Die ganze Moschee ist nun fast nichts weiter als der einzige Raum unter der Kuppel, welche 25 m unten weit sich 67 m über dem Boden erheben soll. Sie wird von vier mächtigen Pfeilern getragen, an welche sich acht niedrigere Kuppeln anschliessen, so dass die mittlere Hauptkuppel schliesslich aus diesen Seitenkuppeln hervorzugehen scheint. Der ganze Raum innerhalb der vier Pfeiler und der anschliessenden Gänge ist bis auf einige Betstühle, von denen der mit goldenem Gitter verdeckte der Familie des Sultans der grösste ist, völlig frei, mit Strohmatten belegt und sitzen die Gläubigen hie oder da ihr Gebet verrichtend beliebig auf den Matten herum. Eine Menge höchst einfacher aus kreisförmigen Ringen bestehender mit Oellampen besetzter Kronleuchter hängen an Stricken von der Decke herunter bis höchstens 3 m vom Fussboden. An den Wänden Proben der kostbarsten Gesteinsarten regellos durch einander. Das Ganze macht einen allerdings gewaltigen und interessanten Eindruck, entbehrt aber der Sauberkeit und Frische, welche gute Unterhaltung verrät. Unser Führer machte uns dann mit den Einzelheiten bekannt, den berühmten acht mächtigen Porphyrsäulen, welche aus dem Tempel von Baalbeck, und den acht grünen Säulen, welche aus dem Dianentempel zu Ephesus stammen sollen. Auch den Beilhieb zeigte er, welchen einer der mit Sultan Mohammed II. eingedrungenen Krieger in seinem Fanatismus gegen eine der Säulen geführt habe, um das Zeichen zur Zerstörung des Griechentempels zu geben; Sultan Mohammed soll ihn dafür mit einem Schwertstreich niedergestreckt haben. Uns schien der Beilhieb reichlich hoch geführt zu sein; vielleicht hat die Narbe das Schicksal bekannter Hochwassermarken der Flüsse geteilt, welche der hönern Bohen wegen allmälig höher gelegt sind. Auch die sog. Koranecke, wo der Koran in besonderm mit vielen Inschriften versehenen Schrein aufbewahrt wird, zeigte er uns; der Platz wurde von jüngeren Andächtigen besonders bevorzugt. Die Wände sind sonst kahl bis auf die in goldener Schrift auf grünem Grunde um die Kuppel sich schräg herum ziehenden Namen und Sprüche der ersten Kalifen. Als wir die Seitentreppen nach dem obern Rundgange emporgestiegen waren, welcher den Raum ausserhalb des innern Kuppelraums überdacht und rund um den quadratisch angelegten Bau herumführt, gesellte sich noch ein „Gelehrter", von unserm durch mehrfache Fragen in die Enge getriebenen Führer herbeigeholt, zu uns, welcher sich nicht scheute gelegentlich halbe Hände voll Mosaiksteine aus den Wänden zu kratzen und uns für ein Backschisch anzubieten, auch auf die Stellen aufmerksam machte, von denen der türkische Gebrauch die Abbildungen menschlicher Figuren entfernt hatte. Auf diesem Rundgange nisteten eine Menge Tauben, die frei ein und aus flogen durch Maueröffnungen, welche statt Fenster dienten. Auf einer geneigten Ebene, die sich spiralförmig um einen innern Kern zog, gelangten wir wieder hinunter und nach Abwehr neuer endloser Backschisch-Gesuche wieder ins Freie.

Dann ging es nach dem „grossen Bazar" welcher nun schon mehr im Innern Stambuls liegt und erst nach vielen Irrgängen durch enge schmutzige Gassen erreicht wurde. Der Bazar ist ein Gewirr von engen und engsten Budengassen, auf und nieder, gerade und krumm wie es trifft, in welchen die Genossen des gleichen Handwerks oder Geschäfts zusammen hausen, so dass man nur seinen Wunsch zu erkennen zu geben hat, um sofort nach einem bestimmten Quartier gewiesen zu werden. Die Anpreisungen geschehen mit höchster Naivetät; wollte Einer etwas kaufen und feilschte darum, so wurden die Andern hierher und dahin von andern, meist Buben, gezupft, „bitte nur anzusehen, Sie brauchen nichts zu kaufen, aber wir haben das ja viel besser" u. s. w. Wir machten uns bald wieder hinaus, da die Zeit drängte und die Hälfte der Buden wegen des Sonntags geschlossen war. Der Türkensonntag (Freitag), der Judenschabbes (Samstag) und unser oder der Griechensonntag sind die stillen Tage im Bazar.

Bei alledem langten wir ganz befriedigt über den ersten Ausflug ins Türkenland bei Giani an, wo Hr. Helbing unserer schon wartete und liessen uns die Landeskost, Macaroni und nachher Hammelkoteletten nebst einigen Flaschen vino nero gut schmecken. Dann kam der Abschied, nachdem für M. noch ein Korb mit Erdbeeren und Kirschen, den neuesten Früchten der Jahreszeit, vom Papa eingekauft waren, als Entschädigung dafür, dass er sich die Türkenhauptstadt nur aus der Entfernung angeschaut hatte; an Bord war er schon mit einem Fez und türkischem Rauchzeug versehen. Als der Kapitän zwischen den Schiffen der Rhede verschwunden war, liess Hr. Helbing es sich natürlich nicht nehmen, mich zunächst noch in den deutschen Klub Teutonia einzuführen, der sich in Pera ein hübsches eigenes Heim gekauft hatte, und dann bis zum Hotel de Pesth, von Ungarn gehalten, zu geleiten, wo ich für 5 Franken täglich ein grosses Zimmer vorn heraus erworben hatte. Dann verabschiedete sich der freundliche Herr, da er um 4½ Uhr nach den Prinzeninseln zur Familie hinaus musste und ich war vorläufig allein im fremden Lande, und hatte während der üblichen Installation Musse, mir meinen Feldzugsplan zurechtzulegen.

Eine Orientirungsfahrt mit der Pferdebahn die grosse Strasse von Pera hinauf war das erste Resultat der Ueberlegung. Die ganze lange Gasse hat durchweg abendländischen Charakter, höchstens dass die Kaffeehäuser nach der Strasse hin ganz offen sind, wie man das vielfach schon in Holland und Belgien sieht. Sonst Alles wie bei uns, einzelne Botschafterhotels wie von England, Russland mit den falschen oder ächten Tscherkessen als Thorwächtern, unterbrechen die stete Folge der Läden im untern Stock, unter zwei weitern Stockwerken, die als Familienwohnungen dienen. Die Masse sonntäglicher Spaziergänger auf der Strasse verriet deutlich, welcher Rasse sie angehörten. Man hört Deutsch, Französisch, Englisch, Italienisch, Griechisch, Russisch und dann die verschiedenen Dialekte des Morgenlandes fortwährend durch einander. Verlegen braucht man nie zu sein. Man fragt in dem Tramwagen, ob nicht einer der Herren französisch spricht, und sofort melden sich mehrere und verständigen den Schaffner wohin man fahren will, da die Preise sich nach den Entfernungen richten. Ich fuhr bis über die grossen Kasernen an einer Menge Kaffeegärten vorbei, und stieg endlich aus, weil die Bahn kein Ende nehmen wollte, trotzdem links die Häuser allmälig aufhörten. Die Gegend war landschaftlich hübsch, und gab es eine gute Fernsicht, doch man sah weder den Bosporus rechts noch das goldene Horn links. In den Gärten rauchten die Männer ihre Tschibuks (Pfeife mit rundem platten Kopf, geradem Rohr und Bernsteinspitze) oder Nargilehs (die bekannte Wasserpfeife); das Glasgefäss stammt aus Böhmen, das biegsame Schlangenrohr sahen wir im Bazar und sonst an der Strasse anfertigen und mit der Metallschnur einfassen, Spitze ebenfalls von Bernstein, dick, rund, das Ganze erfordert gute Lungen zum Ziehen resp. Rauchen) und tranken Kaffee oder Bier dazu, die Frauen naschten Back- und Zuckerwaaren, welche überall längs der Strasse in offenen Ständen und Tischen angeboten wurden. Da die Kleidung durchweg europäisch war, so erinnerten bloss einige ächte Sonntags-Esel- und Maultierreiter an die Fremde. Auf dem Rückwege zu Fuss traf ich noch den uns schon bekannten Schiffshändler Herrn Mussich (in Firma L. Mussich & Co. aus Galata, Nachbar von Hrn. Helbing und allen Kapitänen bestens zu empfehlen) der mit der Braut und deren Familie auch sich draussen ergangen hatte, und in seiner unveränderten Liebenswürdigkeit sich erbot, am andern Morgen 9 Uhr meine Briefe mit zur deutschen Post zu nehmen, deren Lage mir noch unbekannt war. Er zeigte mir auch die Apotheke della Souda, woselbst ich andern Tages Empfehlungen abzugeben hatte und trug viel dazu bei, mir das Gefühl der Vereinsamung am ersten Abend zu benehmen, wogegen freilich auch die von allen Deutschen besuchte Bierhalle von Jani nahe beim Hotel de Pesth erfolgreich ankämpfte.

Die Nachtruhe, zum ersten Mal seit drei Wochen in einem richtigen Bett, auf welche ich mich so sehr gefreut hatte, wurde freilich empfindlich gestört durch drei nach einander folgende laute Hundegefechte auf der Strasse. Diese Bestien, kleiner als Wölfe, aber nach Gebiss und Farbe ihnen äusserst ähnlich, wenn auch von Körperbau nicht so gestreckt als Meister Isegrim, lungern den ganzen Tag auf den Strassen umher, liegen allen und jeden im Wege, stehen selbst vor den freilich seltenen Wagen nicht auf, (weshalb der fünfte Hund auf einem Beine lahmt), während der Einheimische rücksichtsvoll um sie herum geht, und leben von den Abfällen, welche auf die Strassen hinausgeworfen werden, dem Inhalt der Kehrichtkasten und von den gelegentlichen Gaben der Anwohner ihres Reviers und der Vorübergehenden. Des Abends suchen sie ihr Lager in einem der vielen Winkel des Trottoirs, an denen Konstantinopel so reich wie etwa Bonn ist, schleppen dahin alle Papierfetzen und Lumpen der Strasse zusammen und schlafen dort vereinigt weiter, als Familien- oder Bekanntengruppe, während andere einsame Junggesellen längs der Hausmauer oder Gosse ihr Quartier sich bereiten. Dort tritt nun in der dunklen Nacht leicht ein Nachtschwärmer auf sie oder versucht sie durch Stockschläge zu veranlassen den Weg frei zu geben, und der Spektakel ist fertig: in das laute Gekläff der zuerst Betroffenen stimmt die ganze Meute — ich zählte aus meinem Fenster am andern Morgen 25 Bestien, die in der Nähe unseres Hotels und der gegenüber liegenden vielbesuchten Restauration St. Petersburg leben — alsbald ein, sich giftig und bissig gegen den Ruhestörer wendend und ihn durch ihr ganzes Revier geleitend, bis sie an der Grenze umkehren und nun die dort hausende neue Gesellschaft den Lärm fortsetzt. Man sollte es nicht für möglich halten, dass solche Störungen geduldet werden, aber nach fünf Tagen war ich selber schon daran gewöhnt. Der Kehrichtmann am andern Morgen jagt die widerwillig Gehorchenden mit dem Besen von ihrem weichen Lager, dann liegen sie Tag über auf dem Pflaster, bis sie wieder einen Fetzen Papier erwischen, für welchen sie entschiedene Liebhaberei verraten.

Der Morgen beginnt früh mit der Sonne. Von halb fünf Uhr an ziehen in ununterbrochener Reihe die sämtlichen Händler vorbei, welche für die Haushaltungsbedürfnisse zu sorgen haben und mit prächtig lauten, wohlklingenden Stimmen ihre Verkaufsartikel anbieten, Gemüse, Eier, Butter, Mehl, Milch, Rosinen, Früchte, Matten, Wasser, Fleisch, Besen und Stöcke dazu u. s. w. u. s. w.; da von Schlafen keine Rede war, so setzte ich mich ins Fenster im Ausbau meines Zimmers und schaute mir das fremdartige Treiben an. Artischoken und grosse Bohnen waren die bevorzugten Gemüse der Jahreszeit und werden in unglaublich grossen Körben von einem Menschen vorbeigetragen, der noch dazu in der Hand Wagschale und Gewichte trug; angerufen stellt er sich mit dem Rücken gegen das Fenster, hinter dessen Gitter seine Kundschaft sitzt; die Frau nimmt eine Anzahl Artischoken heraus, der Preis wird vereinbart, er empfängt sein Geld in der rückwärts gehobenen Hand, und geht weiter ohne seine Kunden gesehen zu haben. Die Bohnen werden nach dem Gewicht verkauft, wobei der Verkäufer den mächtigen Korb absetzt und Angesichts des Käufers wägt. Allerliebst ist die Sitte, alles Gemüse oben mit Blumen, Mohn, Kornblumen, Rosen zuzudecken und so das einfache Grün zu beleben. Hat doch auch der ärmste Lastträger oder Dienstmann auf seiner bierbraunen Jacke und Hose eine Masse schwarzer Litzen und Besatz aufgenäht, ein buntes Tuch um Hals oder Gürtel geschlagen und erscheint so mindestens in 5—6 Farben. Farbig ist Alles im Orient und bunt muss es sein; wie schon Mynheer sagt, bunt is mooi. Die Artischoken waren ein sehr beliebtes häufiges Gericht, man bekommt aber nur den untern Teil der Frucht, den Stuhl, auf dem Tisch zu sehen, und wird derselbe mit gestoftem Fleisch aufgetragen, welches ganz vorzüglich schmeckt. Weniger gefiel mir der Endivien ähnliche spitzköpfige Salat, dessen lange Blätter, von unten angefangen, aber von den Packträgern und gemeinem Volk nebst etwas Brot als leckeres Frühstück verzehrt wurden. An den festen Gemüseläden hatte der Kopf vielleicht eben vorher als Giesskanne gedient, den der Besitzer voll Wasser giesst und damit die Strasse vor seinem Stande besprengt hatte. An Früchten kamen eben und noch sehr teuer, herrliche Erdbeeren und Kirschen zum Verkauf, sie wurden in ½ Fass hohen, ½ Fass weiten Henkelkörben zu einem Medschidjeh und darüber verkauft, nach einigen Tagen aber schon erheblich billiger. Esel werden auch zum Transport von Esswaaren verwandt, auch zum Wasser, welches aber auch in spitzzulaufenden Lederschläuchen mit Krahn am Ende von Hausirern abgegeben wird; Fleisch wird entweder auf der Holzmolle, sehr häufig aber in zwei zu jeder Seite eines Esels herunterhängenden Fliegenschränken feilgeboten, in welchen je 2, selbst 3 Hämmel herunterhängen, und von denen man sich ein beliebiges Stück abhauen lässt, welches dann auf der stets bereit gehaltenen Wagschale gewogen wird. Zwischen allem Getümmel und Gerufe werden dann von 6 Uhr ab die Strassen gekehrt, um 7 bis 7½ Uhr erscheinen die Schulkinder und von 8—9 Uhr ziehen die Geschäfts- und Kaufleute nach Galata hinunter, ruhig, würdig einhergehend, trotz Ende Mai noch Alle im Paletot. Den Fez sieht man nur selten in dieser Gegend, in Stambul dagegen allgemein.

Da Frachtwagen teils wegen des schlechten Pflasters, teils wegen der steilen Abhänge zum Wasser nicht fortkommen, und der Wagenverkehr sich nur auf die Droschken in Pera beschränkt, so sieht man desto mehr Lastträger auf den Strassen. Ich habe nie grössere Leistungen von dieser Menschenklasse gesehen als hier; wollte man nach ihnen auf das Ganze schliessen, so würden diejenigen sehr Unrecht haben, welche die Türken als eine entnervte verweichlichte Rasse schildern. Dass die türkischen Soldaten ein vortreffliches Kriegsmaterial bilden ist freilich bekannt genug; wenn auch ihr Aeusseres nicht sehr stramm ist, so sind es doch meist grosse stattliche Leute; auf dem Pferde muss man sie freilich nicht hängen sehen mit ihrem Fez auf dem Kopfe, und dem herumfliegenden Krummsäbel an der Seite, das sieht gar drollig aus und ihre Musik — ich sah am Freitag ein Bataillon zum Selamlik über die Brücke marschiren in leidlich guter Haltung — ist ein klimperndes Geklingel ohne Bass und Tiefe, bloss aus Holzbläsern mit Triangel und Becken bestehend, ohne den Schellenbaum und die in unsern Vorstellungen üblichen Erfordernisse der sog. Janitscharen- oder Blechmusik. Doch zurück zu den Lastträgern, sie sind es wert, dass man ihnen einige Worte widmet, wäre es auch nur, um ihren faulen ohnmächtigen Kollegen des Westens einen Spiegel vorzuhalten. Ein mit Leder oder Zeug überzogener Holzklotz von der Form eines umgekehrten T auf dem Rücken getragen und mit einem starken Lederriemen um den Hals befestigt, scheint ihnen grosse Dienste beim Tragen von Lasten zu leisten; in Zeiten der Musse dient er als Sitzbock. Aber auf diesem Klotz schleppt der Mann Cubikmeter grosse Kisten mit Kleidungsstücken und sonstigen Waaren; unsere schwersten Reisekoffer sind ihm das reine Kinderspiel. Ich sah einmal fünf Mann sich abmühen, eine etwa ½ m dicke und 1½ m lange Rolle Sohlleder auf Brusthöhe zu heben; als sie sie endlich soweit hatten, schob sich einer von ihnen darunter, trug die Rolle, dass ihm die Kniee schlotterten, ging aber an beiden Seiten vor dem Umfallen gestützt damit weiter und trug die Rolle — 2 Treppen hoch aufs Lager. Mag sich Jeder denken, was die Rolle gewogen haben mag, ich schätzte sie auf 5 Centner. Drei Mann sah ich einen grossen Flügel die Strasse entlang tragen im guten Schritt. Dann unten in Galata die Leute mit ihren langen eschenen Tragstöcken von etwa 3—4 m in Länge, in der Mitte 10 cm dick, nach den Enden verjüngt und am äussersten Ende einen dicken Knopf von demselben Holz. Alles natürlich ohne Ast und aus demselben Stück. An diesen Stäben schleppen sie zu 2 Mann schwere Kisten, Säcke etc. im Geschwindschritt und Tritt, dass Alles vor ihrem Ruf schleunigst ausweicht; schwerere Sachen, Maschinenteile, grosse mehrere Cubikmeter haltende Kisten tragen sie an Stricken mit 2, 3, 4 Stäben und 4, 6, 8 Mann frei auf der Schulter die Strassen entlang. Und der Mann lebt vielleicht jetzt von Brod und Salat, trinkt keinen Schnaps, kein Bier, sondern Wasser und raucht zufrieden sein Nargileh, wozu er sich vielleicht eine Tasse Kaffee gönnt.

Verlockend sehen die türkischen Restaurationen, die man in Stambul so häufig an den Strassen sieht, freilich nicht aus. Wohl 10—15 Schüsseln stehen da über dem Feuer; in ihnen brodelt in meist reichlicher dunkelbrauner Brühe unnennbares klein geschnittenes Fleisch, dem ungarischen Gulyasch ähnlich, ebenso Fische in Oel, seltener ganze Bratenstücke. In den nach der Strasse zu völlig offenen Lokalen sammelt sich gegen Mittags 12 Uhr, was auf der Strasse seinen Unterhalt sucht. Eine nachahmenswerte Zubereitung fiel mir auf. Ein aufrechtstehendes Blechgefäss von etwa 30 cm Höhe, 15 cm Breite und 8 cm Tiefe trägt in 1—2 Stockwerken glühende Holzkohlen, und ist die mit einem Rande versehene Bodenplatte tellerartig nach vorn erweitert, so dass auf einem verdickten Centrum eine dünne Stange, die oben durch eine Oeffnung der erweiterten Deckplatte führt, sich drehen kann. Die Stange wird mit Fleischstückchen vollgespickt und brät nun dieses Fleisch wie am Bratspiess, den wir uns immer wagerecht denken, hier aber senkrecht gedreht wird, in kurzer Frist zu einem sehr schmackhaften Gericht, da der Koch den abträufelnden Fleischsaft wieder übergiesst. Die fortwährende Drehung wird mit der Hand bewirkt, wahrscheinlich aber auch wohl mit einer Feder oder Schnur, was ich leider nicht mehr weiss. Der Apparat ist aber zu empfehlen. — —

Der Montag verfloss unter Besuchen am Comptoir des Herrn Helbing, von dem ich die glückliche Abfahrt und Durchschiffung des Bosporus unseres Dampfers erfuhr, beim Korrespondenten der Kölnischen Zeitung, welcher eben reisemüde und erkältet von einer Tour durch das gelobte Land und Syrien zurückgekehrt war, beim Kaiserlichen Botschafter und bei einem Freunde eines rheinischen Bekannten, Herrn Fayk Pascha Exc., Chef des ganzen Apothekerwesens der Armee; beiden letztgenannten Herren schulde ich vielen, aufrichtigen Dank für die freundliche Unterstützung, mit welcher sie bei meinem kurzen Aufenthalte in Konstantinopel meinen Wünschen entgegengekommen sind. Excellenz Fayk Pascha führte mich persönlich am Dienstag und Mittwoch durch die meisten kulturhistorisch und wirtschaftlich interessanten Punkte der weitläufigen Stadt und so besuchten wir nach einander den alten Rennplatz, den Atmeidam, oder Hippodrom des Severus und Konstantin, den Obelisk Theodosius II, die kahle Säule des Konstantinos Porphyrogenetos, und die merkwürdige Schlangensäule, welche ursprünglich nach dem Siege von Plataeae die Griechen in Delphi errichtet hatten, schenkten uns die verschiedenen Moscheen, da wir die Aja Sophia schon gesehen hatten, traten dagegen in das palastähnliche Seraskeriat oder Kriegsministerium, leider zu früh am Morgen, sodass die Bureaus noch nicht geöffnet waren und besahen uns das Innere von Stambul mit seinen verschiedenen Werkstätten, in denen mit vielfach sehr primitiven Hülfsmitteln doch allerlei kunstreiche Arbeit geleistet wurde, wanderten dann ins Serail und in das neubegründete Antiken-Kabinet, dessen liebenswürdiger Vorstand freilich die spärlichen Geldmittel und die ebenfalls gleich geringe Ausbeute an noch vorhandenen Schätzen des Altertums bedauerte, welche im Laufe der Jahrhunderte meist in alle vier Winde verstreut worden sind. Dann ging es an der Münze und verschiedenen Kiosken des Serails und einer Art Seminar oder medizinischen Schule vorbei zum Dampfer, um eine kleine Tour über den Bosporus nach dem schräg gegenüber liegenden Beyler-Beg zu machen, woselbst der Pascha ein Lazaret inspiziren wollte, während ich unter Führung des Oberarztes das köstliche Schloss des Sultans durchwanderte, welches nach Aller Aussage der wahre Edelstein unter den vielen Kaiserlichen Schlössern am Bosporus ist und einen allerdings uns ungewohnten orientalischen Reichtum und farbenbunte Pracht mit feinstem Geschmack ohne alle Ueberladung wie in Dolmagbadsche herrschen soll, verbindet. Beyler-Beg ist darum auch der Pallast der hohen Gäste des Sultans, so kurz vorher des Kronprinzen Rudolf und Gemahlin von Oesterreich und verdient diese Auszeichnung gewiss nach jeder Beziehung. In den terrassenförmig aufsteigenden, mit Palmen und vielen sonstigen Exoten geschmückten Gärten war oben sogar ein Löwenzwinger, der einen sehr grimmen Insassen beherbergte. Dann ging es noch zum schönen Brunnen an der Geschützgiesserei von Top-hane und den steilen Hang hinan an einer ganzen Reihe von Gesandtenhôtels, welche von da eine prachtvolle Aussicht über den Bosporus geniessen, durch Handwerkerquartiere unter andern an einem in Wien und Paris dekorirten Pfeifenmacher vorbei und schliesslich durch das Quartier der Lumpensammler hindurch. In Konstantinopel scheinen sich alle Lumpen von ganz Europa ein letztes Stelldichein zu geben, bis sie in die Papiermühle oder den Wolf wandern, um ein neues Leben zu beginnen; man erkennt ganz deutlich den vorsündflutlichen Londoner, Pariser, Berliner Schnitt an den abgetragenen Röcken, welche hier dem Untergange schliesslich und unrettbar verfallen, da der Türke nie ans Ausbessern denkt. Ueberall begegnet dem Wanderer derselbe gemeinsame Charakterzug im Kleinen wie im Grossen; man schafft wirklich gute, selbst kostbare und kostbarste Sachen an, aber damit ist's auch gethan; die unterhaltende, ausbessernde Hand fehlt überall und daher treten Einem auch an jeder Stelle die Spuren des Verfalls an Gebäuden wie an Institutionen, an Menschen wie Tieren entgegen. Nur die Natur ist hier schön wie immer, das sollte ich erst recht andern Tags erfahren, als ich eine Dampferfahrt den Bosporus am linken Ufer hinauf, und per Kajik und zu Fuss herunter machte. Ueber die französische Oper am Abend gehen wir am besten schweigend hinweg.

Am folgenden Morgen, Mittwochen den 21. Mai, war es so kühl, dass ich zur Dampferfahrt den Paletot mitnahm, so lästig er später auch zu werden versprach; nur ein Engländer war mit mir oben auf der Plattform der Radkasten. Der Fahrpreis ist spottbillig, und das trotz der herrlichsten aller Aussichten. Davon sehen freilich die Deckgäste so gut wie nichts, da über das ganze Deck und zu beiden Seiten Sonnensegel ausgespannt werden; der hinterste Teil des Achterdecks ist der für die Frauen zurückbehaltene Platz, die Männer richten sich davor ein, so gut wie Jeder kann, Alles kunterbunt durch einander. Der Steuermann sieht von seinem erhöhten aber auch rings von Leinewand umhüllten Platz durch zwei kleine Fensterchen nach vorn, nach dem Kapitän auf dem Radkasten, der ihn von da durch Handbewegung lenkt, Alles in sehr ruhiger, fast unmerkbarer Weise, so dass ich Anfangs gar nicht wusste, wie eigentlich Richtung und Fortgang angedeutet wurden. In kurzen Pausen von 30—60 Minuten fahren die Schiffe von der untern Schiffsbrücke, die Galata und Stambul verbindet, den ganzen Tag Bosporus hinauf und hinunter, bald am westlichen Ufer bleibend, bald an dem einen Ufer hinauf, am andern hinunter, dann auch wieder den Bosporus so und so oft von einem Ufer zum andern kreuzend. Darnach wählt man sich sein Schiff. Ich fuhr am europäischen Ufer hinauf, in hoch gespannter Erwartung, die doch weit, weit übertroffen wurde von dem auf der zweieinhalbstündigen Fahrt Gesehenen. Der Bosporus führt seinen Namen der ersten Wasserstrasse der Welt mit vollem Recht. Ein stattlicher Strom von ½ bis 2 Seemeilen Breite, ab und zu sich seeartig bis zu 3 Seemeilen erweiternd, sehr tief, belebt von Schiffen jeder Grösse, die bald mühsam gegen den schweren Strom ankämpfen, der sich laut brüllend und heftig tobend an den vorspringenden Ecken bricht, bald ihn zu raschester Fahrt nach dem Marmora-Meer benutzen, verlangt seine Befahrung unbedingt die Beihülfe eines Lotsen, wenn man ihn in kürzester Frist durchmessen und sich vor Havarien bewahren will. Das Wasser ist überall so tief und die Ufer auch hier wie in ganz Konstantinopel so bis zum Wasserrande bebaut, dass schon oft in der Wendung zaudernde Schiffe mit dem Klüverbaum durch die Fenster der Häuser geraten sein sollen. Stellenweise giebt es einen Leinpfad, wo Menschen kleinere Gefährte um die schlimmsten Ecken schleppen, und dieser Leinpfad läuft über Wasser hin, weil das Ufer bebaut ist. Keine Idee von Kai ausser in Therapia, Bujukdere und wenigen andern Orten, sonst alles regellose Willkür. Die grössern Schiffe warten hinter schützenden Ecken auf guten Wind, da aufzukreuzen nicht angängig ist. Die Berge treten überall bis nahe ans Ufer und lassen selten grössern Platz für die Ortschaften; diese bilden deshalb meist ununterbrochen fortlaufende Häuserreihen längs dem Wasser, hinter denen sich die sorgfältig angebauten oder bewaldeten Berge erheben. Wüchse goldiger Wein und ständen alte Ritterburgen hoch und hehr auf ihnen, so flösse die Romantik des Rheins und der brausende Verkehr der abendländischen und morgenländischen Welt in ein nicht zu übertreffendes Gesamtbild zusammen; dass nicht alle Poesie fehlt, möge man aus dem Verzeichnis der Oerter ersehen, an welche der Dampfer nach und nach vorüberfährt oder landet. Die Uebersetzung verdanke ich dem Murray, welcher für heute mein Begleiter war. Zuerst gehts durch den Wald von Masten und Schloten zur Rhede von Galata, dem „Aufenthalt der Geier"; dann kommt Top-hane „die Artilleriewerkstatt", an der ich gestern vorübergegangen war trotz des freundlichen Paschas Einladung, weil ich Jahre vorher Woolwich gesehen hatte, als das englische Kriegsministerium den Meteorologen-Kongress zu London zur Besichtigung eingeladen hatte und nun in rascher Folge uns die Herstellung der Woolwich Infants (35 Tons Geschütze) der Lafettenräder, die Füllung der Granaten etc. etc. gezeigt wurde. An Top-hane schliesst sich Funduklu „das Haselnussdorf", dann Dolmabadsche „der überfüllte Garten" samt den 4 überfüllten prächtigen Kaiserlichen Schlössern aus weissem Marmor hinter den vergoldeten Gittern und dem mächtigen goldigen Gitterthor an der Wasserfront, aber fast alle Fenster gerade so wie die der ärmlichsten Häuser in Stambul mit den schräg kreuzweise gestellten Holzgittern versehen, wie man sie in den Mainzer Gartenpavillons aus gerissenem Holze sieht. Folgen Ortakeui „das mittlere Dorf", Bebek „der Säugling" und Rumeli Hissar „das europäische Schloss", ein Fort mit verfallenem runden Turm, an der engsten Stelle des Bosporus, gegenüber Anatoli Hissar dem „asiatischen Schloss", Befestigungen die schon vor der Einnahme von Byzanz von den vordringenden Türken zur Sperre der Meerenge angelegt wurden. Hier rast der Strom fürchterlich durch die Enge, so dass der Kajikführer namentlich beim Landen sehr auf der Hut sein muss. Dann folgen Balta Liman „der Axenhafen" und Jenikeui „das neue Dorf" wo der Bosporus sich seeartig zur Beikos-Bai erweitert, und Ausblicke auf eine Reihe Schlösser vermögender Paschas am asiatischen Ufer eröffnet, während am europäischen Ufer das Gebirge etwas zurücktritt und Therapia dem „Ort der Heilung" und Bujukdere dem „grossen Fluss" weiten Raum zur Ausbreitung bietet. Auch gegenüber Bujukdere ist der Bosporus wohl 2—3 Seemeilen breit; es ist ausgezeichnet durch eine breite wohlgeebnete, mit Bäumen bepflanzte Marina, hinter welcher sich eine ganze Reihe von Palästen erhebt, in welchen die Gesandten und Botschafter die heissen Sommermonate zuzubringen pflegen. Schon von Therapia ab spürt man um eine Ecke kommend deutlich den frischen Hauch vom Pontus her, von dem man noch drei Dörfer weit entfernt ist. Doch hielt unser Dampfer schon beim nächsten Dorf Jenimahale dem „neuen Viertel"; andere Dampfer sollen auch bis Rumili Kawak der „europäischen Pappel" und Bujuk Liman dem „grossen Hafen" fahren, wo es an grossen Batterien und schönen Leuchttürmen vorbei ins schwarze Meer geht. Hier erreichen die Berge der asiatischen Seite, die durchweg höher sind als die der europäischen Seite, die ansehnliche Höhe von 4000 Fuss ganz nahe an der Wasserstrasse und blicken mit ihren dunkeln Waldungen gar drohend auf den Bosporus herunter.

(Schluss folgt.)

Verlag von M. W. Sillomon in Bremen. Druck von Aug. Meyer & Dieckmann. Hamburg, Alterwall [illegible].

HANSA

Redigirt und herausgegeben
von
W. von Freeden, BONN, Thomasstrasse 9.
Telegramm-Adressen:
Freeden Bonn.
oder
Hansa Alterwall 23 Hamburg.

Verlag von H. W. Silomon in Bremen.
Die „Hansa" erscheint jeden 2ten Sonntag.
Bestellungen auf die „Hansa" nehmen alle Buchhandlungen, sowie alle Postämter und Zeitungsexpeditionen entgegen, desgl. die Redaktion in Bonn, Thomasstrasse 9, die Verlagshandlung in Bremen, Obernstrasse 41 und die Druckerei in Hamburg, Alterwall 23. Sendungen für die Redaktion oder Expedition werden an den letztgenannten drei Stellen angenommen. Abonnement jederzeit, frühere Nummern werden nachgeliefert.

Abonnementspreis:
vierteljährlich für Hamburg 2½ ℳ,
für auswärts 3 ℳ = 3 sh. Sterl.
Einzelne Nummern 60 ₰ = 6 d.

Wegen Inserate, welche mit 35 ₰ die Petitzeile oder deren Raum berechnet werden, beliebe man sich an die Verlagshandlung in Bremen oder die Expedition in Hamburg oder die Redaktion in Bonn zu wenden.

Frühere, komplete, gebundene Jahrgänge von 1872 1874, 1875, 1877, 1878, 1879, 1880, 1881, 1883 sind durch alle Buchhandlungen, sowie durch die Redaktion, die Druckerei und die Verlagshandlung zu beziehen.
Preis ℳ 8; für letzten und vorletzten Jahrgang ℳ 8.

Zeitschrift für Seewesen.

No. 17. HAMBURG, Sonntag, den 24. August 1884. 21. Jahrgang.

Inhalt:

Zur Surtaxe d'entrepôt.

Als kurz vor dem Schluss des letzten Reichstags einige fünfzig Hamburger Firmen eine Eingabe an den Reichskanzler richteten, er möge die s. Z. gerade von Hamburg und Bremen recht bitter bekämpfte Surtaxe d'entrepôt einführen, erwartete man dass der Wortlaut der Eingabe der überraschten Handelswelt die Gründe für dies mindestens auffällige Vorgehen Hamburger Kaufleute klarlegen würde. Die Unterzeichner hielten es aber für angemessener den Wortlaut der Eingabe und ihre Motive nicht zu veröffentlichen, und so hätte man vielleicht noch lange vor einem Rätsel gestanden, wenn nicht die sattsam bekannten Einrichtungen der Hamburger Börse dafür gesorgt hätten, dass dies Dunkel bald aufgehellt wurde. Heute zweifelt kein Mensch mehr daran, dass die unbequeme Konkurrenz Havre's als Kaffeemarkt den davon betroffenen Hamburger Firmen den Antrag eingegeben hat. Havre hat sich im letzten Jahrzehnt zu einem Weltmarkt für Baumwolle und Kaffee gemacht wie es Bremen für Taback und Reis, Hamburg für amerikanische Kaffee's und sonstige Kolonialen, Amsterdam, Rotterdam für ostindische Kaffee's und Zinn, Liverpool für Baumwolle und Gummi etc. etc. schon längst waren. Daran ist also nichts Besonderes, Ungewohntes wahrzunehmen, die allgemeine Konkurrenz, das Schiboleth unserer freihändlerischen Hanseaten, bringt das naturgemäss mit sich.

Ferner zeigt das Beispiel der Hamb.-Amerikanischen Packetschiffahrt, dass wer stillsteht zurückgeht, und man nirgends weniger ungestraft auf seinen Lorbeeren *ausruhen* darf als im Weltverkehr. Es scheint aber nach den statistischen Berichten über Hamburgs Verkehr, speziell über den Verkehr in Kaffee's, durchaus nicht als ob Hamburg hier die Hände in den Schooss gelegt und nicht intime Fühlung mit den Bedürfnissen seiner Abnehmer und Kunden behalten hat. Denn wenn

im Jahre	1843	die Kaffeeeinfuhr	34.3	Mill. Kilo
« «	1853	« «	44.5	« «
« «	1863	« «	42.7	« «
« «	1873	« «	61.0	« «
« «	1883	« «	114.2	« «

in Hamburg betrug, so drücken diese Zahlen unwiderleglich aus, dass ein gewisses Gedeihen den Handel in diesem Artikel begleitet hat. Dabei verschlägt es wohl wenig, wenn dieselben Ausweise bekunden dass

im Jahre	1881	die Kaffeeeinfuhr	116.9	Mill. Kilo
« «	1882	« «	111.2	« «
« «	1883	« «	114.2	« «

im Werte von bezw. 145.5, 111.5, 114.4 Mill. Mark betragen hat, da solche Schwankungen in der Warenmenge sich wohl stets wiederholen, und das allgemeine Sinken der Kaffeepreise nach einer Zeit künstlicher Steigerung um 20% nicht zu verwundern ist. Endlich ist zu bedenken, dass von den Einfuhren des letzten Jahres 75 Mill. Kilo direkt auf eigenen Schiffen vom Ursprungsort eingeführt und nur 21 Mill. Kilo vom fremden Mittelsplatz, der Rest über Altona oder per Bahn eingeführt wurden. Es beträfe die Klage der Hamburger Firmen also nur ⅙ bis ⅕ der Gesamteinfuhr, und diese auch von zufälligen Ereignissen abhängige Menge kaum unmöglich als triftiger Grund für eine Aenderung in der Gesetzgebung angeführt werden, welche nach andern Richtungen verfolgt, die weitgreifendsten unglückseeligen Folgen nach sich ziehen würde.

Die Besteuerung des indirekten Bezuges von Waren, die mit der Lagerzuschlagssteuer oder der Surtaxe d'entrepôt ausgesprochen wird, trifft den ganzen Handel mit Waren, welche statt vom Ursprungsorte von einem Zwischenplatze bezogen werden, welcher neben reichlicher Auswahl bequeme und billige Beförderungsmittel sowohl der Zufuhr als der Abfuhr besitzt. Als solche Plätze gelten die grossen oben genannten Seeplätze am Ocean, Kanal und der Nordsee in ihren besondern Spezialitäten und über allen London als Einfuhrplatz sowohl wie besonders als der grosse Geld- und Wechselmarkt der Welt. Nun darf man sich nicht verhehlen, dass für das westliche und südliche Deutschland, für Köln als Platz für Kolonialen, für Mannheim als Platz für Getreide, Amsterdam und Rotterdam, Antwerpen und Havre ungleich günstiger liegen als Hamburg und Bremen. Würde der Süden und Westen Deutschlands durch einen Zuschlagszoll auf den Bezug von Waren von fremden Zwischenplätzen gezwungen, den Bedarf in Hamburg und Bremen zu decken, so würden die letztern Städte allerdings einen vorübergehenden Nutzen davon haben. Der Westen und Süden Deutschlands würde aber dauernd geschädigt werden, in seiner Konsumtionskraft erhebliche Einbusse erleiden und dadurch auch wieder den Nutzen der Hansestädte zu einem eiteln Blendwerk machen, das in sich selbst nach einigen Jahren zusammenfiele. Von dem Auslande würde wohl zunächst Holland am meisten betroffen. An sich wäre daran nichts gelegen, denn dieser Staat hat sich seit jeher so unnütz gereizt, kurzsichtig und kleinlich gegen uns gezeigt, dass kein Deutscher ein Interesse daran haben wird, ihm solchen »Nasenstüber« zu ersparen. Die Frage wäre nur, ob dann nicht Holland unter dem Zwang der Umstände das thäte, was es längst als fernsichtiger, schwächerer Nachbar hätte thun sollen, seine Gesetzgebung zu unsern Gunsten etwas umzuformen, oder gar auf einen holländisch-deutschen Handelsvertrag einzugehen, der ihm die Rechte der meistbegünstigten Nation sicherte gegen Zugeständnisse seiner Seits, die längst von dieser Seite und Stelle her verlautbart sind, und deshalb hier nicht wiederholt werden brauchen. Dann wäre aber dem ganzen Gesetz über Zuschlagszölle die Spitze abgebrochen, der inzwischen in die neuen Wege gelenkte Verkehr könnte freilich die alten wieder aufsuchen, würde aber dabei wahrscheinlich die Erfahrung machen, dass die verlornen Stellungen nur schwer, vielleicht nie wieder eingenommen werden könnten.

Wir glauben es liesse sich leicht in Zahlen ausrechnen, dass die Unkosten dieser Handels- und Verkehrsstörung weit grösser sein würden, als die Kosten einer Kanalanlage vom Herzen Westfalens zu unsern Nordseehäfen, und dass ein noch billigeres Mittel, Holländische Eifersucht und Eigennutz lahm zu legen, im Anschluss Hollands selber liegt. Wir empfehlen dieses Ceterum censeo zu geeigneter Erwägung.

Verbesserungen in der Ausrüstung der Dampfer.

Besondere *Verbesserungen im Schiffsmaschinenbau* haben im verflossenen Jahr 83 nicht stattgefunden ausser in einzelnen Details. Die *dreifache Expansionsmaschine* wird am Clyde von R. Napier & Sons und W. Denny & Co. gebaut. Der zur Verwendung zu stellende Dampfdruck ist schon auf 150 # per Quadratzoll engl. gesteigert, und steigt in den Compoundmaschinen immer höher; doch gebraucht z. B. die „Oregon" (siehe uns No. 15, S. 127) wirklich nur Dampf von 110 # Druck. und das soll der höchste durchschnittlich gebrauchte Dampfdruck sein. Hatte man freilich schon bei 90 # Druck die äusserste Grenze zu erreichen geglaubt, so hat die Cunard-Linie für ihre zwei neuen Dampfer „Umbria" und „Etruria" auch 110 # verlangt.

Eiserne *Dampfkessel* für Seedampfer gehören am Clyde so ziemlich der Vergangenheit an — der Stahl hat sie verdrängt, wozu die Nähe der Stahlwerke bei den Hauptfirmen der Clyde allerdings viel beiträgt, ebenso wie dass die gewellten Oefen von Fox sich immer mehr ausbreiten; nicht weniger als 56 dieser Oefen sind allein voriges Jahr am Clyde zur Verwendung gelangt, bei Maschinen von zusammen 176 000 I. P.-K., und auf Schiffen von 167 000 Tons gr. Reg.

Der *Kohlenverbrauch* ist auf der von Elder & Co. gebauten „Fulda" des N.-D. Lloyd zu Bremen auf den niedrigsten Betrag von 1.6 # Kohlen per ind. Pferdekraft und Stunde heruntergedrückt. Dies gilt natürlich mit Ausnahme der dreifachen Expansionsmaschinen von Napier und Denny, welche nur 1.3 # gebrauchen.

Die Schrauben werden vielfach schon von Manganbronze gemacht, und alte Schrauben selbst dagegen ausgetauscht. Doch halten die grössern Kosten der Manganbronze-Schrauben noch manche Schiffseigentümer an den gusseisernen fest, sowie auch Stahlschrauben häufig gegossen werden. Zum Schutz der eisernen Schrauben ist jetzt ein Zinnüberzug beliebt geworden, welcher zugleich sehr hübsch aussieht. Der Hansa-Dampfer „Nierstein" von Bremen steht in allen diesen Hinsichten an der Spitze der neuen Einrichtungen, er hat dreifache Expansionsmaschinen, verbraucht auffallend wenig Kohlen und führt verzinnte Schrauben.

Das *Gewicht der Maschinen und Kessel* im Vergleich zu den indizirten Pferdekräften der Maschinen unterliegt noch einer schwierigen Untersuchung. Bloss von den Maschinen, Kesseln und deren Inhalt, fertig für Seegebrauch der Brasilianischen Panzercorvette „Rachuelo" weiss man dass sie 1200 Tons wiegen; da die Maschinen 10 000 P.-K. indiziren, so giebt das ein Gewicht von 0.12 Tons per I. P.-K. d. h. 30 % weniger schwer, als John Elder & Co. gewöhnlich bauen.

Dampfsteuerung wird allgemein gefordert; eine Clyde-Firma Bow, M'Lachlan & Co. lieferte allein 40 Apparate für Clyde-Schiffe von 45 000 Tons Reg., dazu 13 andere Apparate für auswärtige Schiffe von 12 000 T. R. Im Ganzen wurden vor. Jahr 182 Dampfer mit Dampfsteuerung versehen, alte wie neue Schiffe, von zusammen 201 000 T. R.

Von Thomsons *Marine-Kompassen* sind schon über 1000 in Gebrauch, im letzten Jahr wurden ca. 200 geliefert, 76 allein in Schiffe die auf der Clyde gebaut wurden. Dazu lieferte Thomson ca. 150 *Tiefseelotapparate*; Thomson erweist sich mehr und mehr als ein wahrer Wohlthäter der Menschheit, speziell der seefahrenden.

Ebenso macht die *elektrische Beleuchtung* der Dampfer grosse Fortschritte und beschäftigt eine Menge Menschen.

Die stille Pause welche jetzt im Schiffbau eingetreten ist, wird von den leitenden Firmen zur *Vergrösserung ihrer Werften und Werkstätten* benutzt, was wenigstens als Zeichen guten Muts gelten kann, dass bessere Zeiten wiederkehren werden.

Zwei *Firmen* am Clyde haben im Laufe des Jahres 1883 ihre Arbeiten *eingestellt*.

Das Umfallen der „Daphne" beim Ablauf hat zu einer Untersuchung geführt, die freilich Niemanden schuldig befunden, aber doch dahin geführt hat, dass notwendige Vorsichtsmassregeln eingeführt sind, deren Vernachlässigung kriminelle Bestrafung bei eintretendem Unfall nach sich ziehen würde.

Aus Briefen deutscher Kapitäne.

XIII.

Bemerkungen über die Insel Krakatoa (Sunda-Strasse).

Durch das furchtbare Erdbeben, welches die Sunda-Strasse und Westküste von Java im vorigen Jahre (1883) heimsuchte und durch die grossartige Eruption des Vulkans der Insel Krakatoa ist das Aussehen dieser Insel gänzlich verändert. Ihr Umfang ist um mehr als die Hälfte reduzirt und der in den früheren Karten verzeichnete *nördliche* hohe Pik ist gänzlich verschwunden, der südliche mehr als 600 Meter hohe Pik steht jedoch noch in seiner angegebenen Position.

Ende März dieses Jahres (1884) segelten wir in einem Abstande von 9—10 Seemeilen südlich von Krakatoa vorbei. Als der oben erwähnte südliche, jetzt einzige Pik von Krakatoa NNO½O missw. peilte, erschien der hohe Pik der Insel Bezee NNO peilend just frei von dem jetzt noch verbliebenen westlichen Teile von Krakatoa und in der Mitte von diesem und einem mässig hohen nach West zu liegenden Eilande, das ich für *Verlaten*-Eiland der Karten ansehe. Westlich in obiger Peilung des Piks von Krakatoa (NNO½O) zeigt sich über dem vom Pik nach West hin abfallenden Lande dieser Insel ein schwarzer Hügel, der die Form eines runden Filzhutes hat, wahrscheinlich „the polished hat“ der Karte.

Aus Obigem ergiebt sich, dass der ganze NW- und West-Teil mit dem zweiten hohen nördlichen Pik in der Richtung von NNO½O und SSW½W die Insel durchschneidend aus einem Standpunkte von circa 10 Sm. südlich von Krakatoa gesehen, so dass Pik von Bezee NNO peilt, gesunken und spurlos verschwunden ist!!

Nach Aussagen von bei Anjer an Bord kommenden Malayen (Lotsen und Compradors) sollen sich jetzt, wo früher der nördliche Pik von Krakatoa sich fast 600 Meter in die Luft erhob, 200 Meter Wassertiefe befinden.

Die ganze Sundastrasse trieb noch voll von grossen und kleinen Feldern von vulkanischer Asche und ausgeworfenem Bimstein von der Grösse einer gewöhnlichen Erbse oder Bohne bis zur Faust- und Kopfgrösse. Westlich steuernd fanden wir noch westlich von der Keeling-Insel mehr oder weniger grössere Felder dieses Bimsteins, und selbst noch in 20° 50′ S u. 72° O L. passirten wir noch häufig mehr oder weniger grosse Stücke Bimstein, die aber schon mit Langhalsen bewachsen und jedenfalls durch die westliche Driftströmung des indischen Oceans bis hieher getrieben waren.

A. L.

Aus Briefen deutscher Kapitäne.

XIV.

Das Peilen der Schiffspumpen.

In den „Regeln für Führung des Schiffsjournals“, H.-G.-B. Art. 487, al. 4, ist vorgeschrieben, täglich den Wasserstand bei den Pumpen anzuführen. Mit andern Worten „die Pumpen sollen täglich gepeilt und angegeben werden, wieviel Zoll Wasser sich im Schiffsraume befinden. Es würde hiernach wohl kaum genügen, dass im Journal die Bemerkung gemacht würde „Pumpen lenz“ oder „pumpten lenz“. Dass es aber in See bei mässigem Stampfen oder Schlingern des Schiffes sehr schwierig ist, einen genauen Wasserstand im Schiff zu peilen, und bei schwerem Wetter und heftigem Ueberholen oder Schlingern fast unmöglich ist genau in Zollen anzugeben, wieviel Wasser sich im Schiff befindet, wird mir jeder Seemann wohl zugeben. Es liegt dies auch in der Natur der Sache. Das Peilen der Pumpen kann, wenn man keine besondere Röhre hat, nur dadurch geschehen, dass man aus einer der Pumpen den Eimer heraus nimmt und durch diese mittelst des Peilstockes den Wasserstand ermittelt. Liegt nun aber, was auf See wohl selten eintrifft, das Schiff nicht absolut still und gerade, so wird das Ergebnis des Peilens stets ein unrichtiges sein. Peilt man die Leepumpe, so ist das Resultat zu gross, während, wird die Luvpumpe gepeilt, das Resultat zu klein ist. Dasselbe wird der Fall sein, falls das Schiff eine besondere eiserne Röhre zum Peilen hat. Dieselbe kann immer nur gerade wie die Pumpen an einer Seite des Kielschweins stehen und muss deshalb bald luvwärts, bald leewärts sich befinden, je nachdem das Schiff sich nach der einen oder andern Seite hinneigt. Tritt schlecht Wetter ein und arbeitet, stampft oder schlingert das Schiff in der hohen See schwer, so wird das Wasser im Raume naturgemäss hin- und hergespült und durch die heftigen Bewegungen des Schiffes bald in die enge, höchstens 1 bis 1½ Zoll weite Röhre hinein, bald heraus getrieben und ist es demnach unmöglich anzugeben, wieviel Wasser sich im Raum befindet. Ich selbst habe häufig viertel Stunden lang gepeilt und gepeilt und jedesmal ein anderes Resultat erhalten. Welchen Wasserstand soll man unter solchen Umständen ins Journal notiren? Das Beste ist und bleibt immer die Pumpen selber häufig zuzustellen und lenz zu pumpen. Trotzdem erfüllt man den Buchstaben des Gesetzes nicht und dies kann und hat bereits Anlass gegeben, dass bei Seeunfällen der Reichskommissar erklärt hat, das Journal sei nicht ordnungsmässig geführt. Um diesem Vorwurf vorzubeugen, bitte ich den Herrn Redakteur der „Hansa“ und Herren Schiffskapitäne ihre geschätzten Ansichten in der „Hansa“ hierüber zu publiziren.

A.

Englische Seeräuber in der Nordsee.

Es scheint in der That ein solcher Fall vorzuliegen. Englische Fischerfahrzeuge sollen zu vier vereinigt über einen deutschen „Handelskutter“ hergefallen sein und ihn vollständig ausgeplündert haben. Der „Handelskutter“ habe den Fischern Proviant und „sonstige Bedürfnisse“ zuführen wollen und sei beim „ehrlichen Handeln“ von der Uebermacht überwältigt, seiner Waaren und sogar seiner Schiffsausrüstungsgegenstände wie Barometer, Uhr, Messer, Gabeln, Löffel beraubt worden.

Wir sind darauf vorbereitet, dass die Engländer vielleicht sittliche Entrüstung über die „verbotene Praktik des *Bumsschiffes*“ vorschützen werden, und würde es zunächst Sache des Richters sein, darüber zu erkennen, ob der Geestemünder Kutter auf verbotenen Wegen sich befunden habe. Es steht aber nirgends im Gesetze vorgeschrieben oder als erlaubt angedeutet, dass die Fischer selber eine Polizei, und noch dazu eine eigennützige ausüben dürfen, und jedenfalls ist und bleibt der Raub *neutraler* Gegenstände nichts weiter und anders als Seeraub, gegen welche das Aufknüpfen an die Raanock als *äusserste* Strafe in alten Zeiten zulässig war. Hoffentlich gelingt es bald den deutschen Kanonenböten, welche auf Suche nach den bekannten Schiffen ausgesandt sind, die Schuldigen dingfest zu machen und nach Geestemünde zur Aburteilung zu bringen, jedenfalls bleibt es Pflicht der englischen Regierung, sobald dieselben in englischen Häfen binnen kommen, sich der Personen zu versichern. Da die Namen aus den Musterungsrollen der bekannten Schiffe hervorgehen, so kann die Identifizirung der Personen keine grossen Schwierigkeiten machen, selbst wenn die Schuldigen nach anderen Schiffen sich haben auswechseln lassen, um ihre Spuren zu verbergen. Der englischen Regierung muss, so unbequem der Fall auch sein mag, wie jeder andern Regierung eines civilisirten Volkes daran liegen, solches mittelalterliches Unwesen in der Nordsee nicht wieder aufkommen zu lassen.

Aus Briefen deutscher Kapitäne.

XV.

Bemerkungen über Zebu (Cebu)

Februar 1884.

Der Hafen von Zebu — Hauptstadt der zu den Philippinen gehörenden Insel gleichen Namens — wird durch einen sehr schmalen Meeresarm, der die Insel Mactan von Zebu trennt, gebildet. Derselbe hat eine nördliche und eine südliche Einfahrt; beide sind sehr schmal und eng, vorzüglich die nördliche, so dass an ein Kreuzen in derselben mit einem Rasschiff von aber 2—300 Tons nicht zu denken ist, dagegen wird es kaum Schwierigkeit machen, selbst mit einem grösseren Schiffe durch die südliche Einfahrt ein- oder auszukreuzen.

Für die Einfahrten giebt es fest angestellte Regierungslotsen, die sich im NO-Monsun bei dem Feuerturm an der nördlichen Einfahrt und im SW-Monsun bei den Baken Norma und Lipata der südlichen Einfahrt aufhalten sollen. Als ich von Manila kommend gegen 4½ U. Nachmittags den Feuerturm bei dem nördlichen Fahrwasser passirte, war jedoch kein Lotse (vielleicht weil Sonntag?) in Sicht; da ich aber eine gute spanische Spezialkarte hatte und ausserdem auch das Fahrwasser an beiden Seiten gut durch Bojen gekennzeichnet ist, so setzte ich zu und erhielt auch noch kurz vor Dunkelwerden, nicht weit von dem alten Turme Mandaui, einen Lotsen. Hier ist die engste Stelle dieses Fahrwassers, kaum breit genug dass ein grösseres Schiff vor Anker liegend schwaien kann. Trotzdem wir jetzt die Strömung gegen erhielten, brachte uns doch noch eine leichte Landbriese nach einem sicheren Ankerplatze. Im NO-Monsun ist der Ankerplatz SW vom Fort in 16—20 m Tiefe. Man vertaut das Schiff mit je 60 Meter Kette. Es lauft hier regelmässig Ebbe und Flut, doch fällt Hoch- und Niedrigwasser nie mit dem Wechsel der Strömung zusammen. Ausserdem scheinen auf den Ankerplätzen der grösseren Schiffe verschiedene Gegenströme (Wirbelströme, Nehrungen (eddies) vorhanden zu sein, denn die Schiffe liegen sehr unruhig, gieren hin und her und kaum hat man seine Ketten bei Tage geklart, so findet man schon am nächsten Morgen wieder einen halben oder Rundschlag darin. Man thut am besten, falls ein Rundschlag bereits in der Kette ist, dass man beide Ketten gut zusammen sorrt und dann der einen reichlich Lose giebt, damit das Schiff, wie vor einem Murringe liegt. Welche ungeheure Kraft beim Schwaien des Schiffes auf die zu steif stehenden Ketten ausgeübt wird, beweist, dass von unserer Steuerbord-Kette, die ziemlich steif stand, ein Glied derselben von 2 Zoll Dicke abgedreht wurde und brach!! Wären die Ketten nicht zusammen gesorrt gewesen, wir hätten Anker und Kette verloren. Löschen und Laden geschieht mittelst Leichter. Es befinden sich zwar 3 Werfte (Brücken) hier, doch wird nur das eine östlichst gelegene manchmal von Dampfschiffen und von mit Ladungen Reis oder Salz kommenden Segelschiffen benutzt. Zu diesem Zwecke sind südlich des Steigers (der Brücke, Werft) zwei eiserne Festmacherbojen gelegt, um den Schiffen das An- und Abholen zu erleichtern. Gewöhnlich verdingt man das Löschen und Laden an Stauer. Im Februar 84 bezahlte ich für Ballast zu löschen und wegzubringen 45 cs. die Tonne, Zucker über zu nehmen und zu stauen 10 cs. die Tonne und für Hanf 4 cs. den Ballen oder 40 \$ per 1000 Ballen. Die Schrauben zum Stauen des Hanfes hat das Schiff zu liefern; man leiht solche von dem Agenten des Schiffes zu 75 cs. per Tag das Stück. Garnirungsmatten kosteten 10 \$ das 100 und Bambus desgleichen 10 \$ per 100. Für frisch Fleisch wurde 10 cs. und für Speck 11 cs. per spanisch Pfund bezahlt. Eier 2 cs. das Stück. Kartoffeln sehr teuer 6 \$ der Pickul, dagegen waren prächtige Yambs zu anfangs 2½ \$ und später zu 2 \$ der Pickul reichlich zu haben. Schiffsbedürfnisse, als Segeltuch, Oel, Farbe, Tauwerk etc. sind durchschnittlich nichts teurer als in Manila bei einem Deutschen Namens Jährling zu kaufen. Mehl und Reis preiswürdig, dagegen Hartbrot, das natürlich erst gebacken werden muss, musste von einem Norweger Kapitän mit 8 cs. per # bezahlt werden.

Hartes Nutzholz gut und preiswürdig. Kalfaterung kann durch Eingeborne bewerkstelligt werden. Schmiedearbeit, falls nicht zu grossartig, kann man durch Chinesen oder Eingeborne anfertigen lassen.

Für frisch Wasser soll man, wie ich erfuhr, 1 \$ per Fass bezahlen. Wir holten alle unser Trinkwasser selber; teils aus dem Brunnen beim Fort, teils aus dem bei der St. Nicholas Kirche; letzteres Wasser ist jedenfalls das Beste von Beiden. Alles in Allem ist Zebu kein teurer Platz; die Hafenunkosten belaufen sich incl. Kanal-, Feuer-, Hafen- und Bakengelder auf 10 cs. die Register-Tonne. Lotsgeld ein- und ausgehend je 1 \$ 75 cs. per span. Fuss (11 engl = 12 span.) Für Ein- und Ausklariren zahlte ich 15 \$ an die Agenten und chargirten mir dieselben für jeden Brief nach Europa oder Amerika 50, sage fünfzig Cents!! Es scheint hier Usanz zu sein, dass die Agenten sich 2½ % an Schiffsunkosten (disbursement) berechnen, selbst wenn der Kapitän sein eigenes Geld mitbringt und nur mit grosser Mühe und fester Erklärung, dass ich protestiren würde, gelang es mir, dass ich nicht auch 2½ % auf meine hier zu zahlenden Befrachtungs- und Adresskommission, welche Posten ich selber baar bezahlte, noch zu zahlen hatte. Mein Ablader und Agent war zu gleicher Zeit auch deutscher Konsul.

Die Zollhaus-Reglements sind sehr streng und sehe man ja zu, dass die Proviantliste, die man einkommend mit dem Manifeste einzuliefern hat, gehörig in Ordnung ist, man vergesse weder Hunde noch Katzen noch Schweine, wenn an Bord, aufzuführen. Nichts darf ohne Erlaubnisschein von oder an Bord oder nach einem andern Schiffe gebracht werden. Selbst um 1000 Cigarren oder etwas Kaffee an Bord zu nehmen bedarf es eines Permit (hier Gier genannt). Kosten hat man für einen solchen Gier nicht. Sobald man zu Anker gekommen ist und die Zollhausvisite an Bord gewesen ist, erhält man 2 Soldaten (Karabineros) an Bord — wie in Manila; — bis das Schiff weggeht, hat man dieselben zu beköstigen.

Gesundheitspass, falls man von irgend einem Hafen ausser denen der Philippinen kommt, ist unbedingt notwendig und ebenso ein vom spanischen Konsul certifizirtes Manifest. Während unseres Aufenthaltes hatten alle Schiffe gleich uns einen Doktor engagirt; wir bezahlten ihm für unsern ganzen Aufenthalt hieselbst 30 \$, doch hat das Schiff ein Boot zu senden, falls es seiner Hülfe bedürftig ist.

A. L.

Nautische Literatur.

Stand des schwimmenden Flottenmaterials der Seemächte am Ende des Jahres 1883 nach dem „Almanach für die K. K. Kriegs-Marine 1884" (Pola).

Schluss.

Italien.

I. *Schiffe I. Klasse*: 5 Barbetteturmschiffe (davon 3 im Bau*), 2 Drehturmschiffe neuen Typs, 7 Breitseitschiffe alten Typs, 1 Drehturmschiff alten Typs.

II. *Schiffe II. Klasse*: 2 Panzerkorvetten alten Typs, 1 Panzerkanonenboot alten Typs, 4 Rammkreuzer von 17 Meilen Geschwindigkeit im Bau, 4 Kreuzer neuen Typs von 15 Meilen Geschwindigkeit (davon einer gleichzeitig Königsyacht), 3 Korvetten alten Typs.

III. *Schiffe III. Klasse*: 5 Schraubenavisos (davon 2 von 16 Meilen Geschwindigkeit), 2 Radavisos, 1 Torpedoschiff, 1 grosses Torpedodepôtschiff im Bau, 1 Remorqueuraviso im Bau, 6 Barbettekanonenboote (davon 4 im Bau), 2 Kanonenboote, Typ Rendel, für die Küstenverteidigung.

IV. *Transport- und Servituteschiffe*: 2 Transportschiffe I. Klasse, 3 Transportschiffe II. Klasse, 1 Vermessungsschiff, 5 Transportschiffe III. Klasse, 4 Wasserfahrzeuge, 1 Torpedo-Transportschiff.

V. *Schulschiffe*: 1 Artillerieschiff, 1 Seekadettenschulschiff, 1 Torpedoschulschiff.

VI. *Fahrzeuge zum Hafendienst*: 7 Schraubendampfer, 4 Raddampfer, 6 Lagunenboote, 13 Schuten, 3 Lastboote, 7 Bagger, 1 Bombenfahrzeug.

VII. *Torpedoboote*: 40 Torpedoboote I. Klasse (davon 18 im Bau), 21 Torpedoboote II. Klasse.

Japan.

1 Breitseitpanzerschiff, 2 gepanzerte Kreuzer, 1 alte Panzerkorvette, 1 altes gepanzertes Rammschiff, 1 moderner Rammkreuzer von 17 Meilen Geschwindigkeit, 5 Schraubenkorvetten, 4 Schraubenavisos, 1 Radaviso, 6 Schraubenkanonenboote, 2 Dampfyachten, 6 Transportschiffe, 6 Torpedoboote.

Mexiko.

2 Schraubenavisos, 4 kleine Kanonenboote.

---

*) Nach dem Stapellauf der in Venedig und Castellamare im Bau befindlichen Panzerschiffe wird auf den genannten Werften je ein Panzerschiff Typ Italia auf Stapel gelegt werden.

Niederlande.

A. *Schiffe zur Verteidigung der Küsten, Durchfahrten, Rheden und Flüsse.*

I. *Panzerschiffe*: 4 Rammschiffe, 7 Ramm-Monitore, 5 Monitore, 5 Flusskanonenboote.

II. *Ungepanzerte Schiffe*: 30 Kanonenboote Typ Rendel, 1 altes Kanonenboot, 2 Torpedoboote I. Klasse, 20 Torpedoboote II. Klasse.

B. *Schiffe für den allgemeinen Dienst.*

I. *Panzerschiffe*: 2 Turmschiffe.

II. *Ungepanzerte Schiffe*: 7 Kreuzer I. Klasse neuen Typs (davon 2 im Bau), 3 Kreuzer I. Klasse alten Typs, 2 Kreuzer II. Klasse, 1 Kreuzer III. Klasse, 5 Kreuzer IV. Klasse, 1 Raddampfer (Königsyacht), 1 Transportdampfer im Bau, 3 Segelschuner.

C. *Zu besonderen Diensten verwendete Schiffe.*

I. *Wachtschiffe*: 2 Fregatten, 1 Korvette, 1 Schraubendampfer, 2 Kanonenboote.

II. *Schul- und Exerzierfahrzeuge*: 3 Fregatten, 2 Korvetten, 1 Schunerbrigg, 3 Briggs, 2 Kanonenboote, 1 Schraubendampfer (Artillerieschiff), 1 schwimmende Batterie, 1 Kasernenschiff.

Schiffe der indischen Kriegsmarine.

14 Schraubenkanonenboote (Kreuzer IV. Klasse), 1 Schraubendampfer, 13 Raddampfer, 1 Vermessungsschiff, 1 alte Fregatte, 1 Korvette, 1 altes Kanonenboot.

Norwegen.

4 Monitore, 2 alte Schraubenfregatten, 2 alte Schraubenkorvetten, 2 Kanonenboote I. Klasse, 9 Kanonenboote II. Klasse, 15 Kanonenboote III. Klasse (ehemal. Ruderkanonenschaluppen), 1 Segelkorvette, 1 Segelbrigg, 1 Torpedofahrzeug, 4 Torpedoboote, 1 Raddampfer, 1 Schraubentransportschiff, 1 Segeltransportschiff, 1 Segelyacht, 1 Exerzierschiff, 1 Kasernenschiff. Ferner 4 Kanonenboote ohne Einteilung, 29 Ruderkanonenschaluppen, 35 Ruderkanonenjollen.

Oesterreich.

1 Barbetteturmschiff im Bau, 8 gepanzerte Kasemattschiffe, 2 alte Panzerfregatten, 2 Fregatten, 3 gedeckte Korvetten, 5 Glattdeckskorvetten, 4 Torpedoschiffe (davon 1 im Bau), 7 Kanonenboote, 5 Raddampfer (davon 1 Kaiseryacht), 6 Transport- und Servitutschiffe, 14 Torpedoboote (davon 6 erster Klasse), 2 Donaumonitore, 5 Schulschiffe, 10 Tender, 10 Hulks.

Peru.

1 Fregatte (Schulschiff), 7 Dampfer.

Portugal.

1 Panzerkorvette, 6 Schraubenkorvetten (davon 1 im Bau), 10 Schraubenkanonenboote, 2 Torpedofahrzeuge, 5 Schraubendampfer, 1 Raddampfer, 2 Transportschiffe, 12 Segelschiffe, 1 Schleppdampfer.

Rumänien.

1 Radaviso, 1 Radyacht, 2 Schraubenkanonenboote, 1 Schraubendampfer (seegehendes Schulschiff), 1 Torpedoschiff, 3 Kanonenschaluppen, 2 Torpedoboote II. Klasse, 7 Dampfbarkassen für den Strompolizeidienst.

Russland.

Ostseeflotte.

I. *Panzerschiffe*: 1 Drehturmschiff neuen Typs, 4 Drehturmschiffe alten Typs, 7 gepanzerte Kreuzer neuen Typs (davon 2 im Bau), 6 Batterieschiffe alten Typs, 13 Monitore für die Küstenverteidigung.

II. *Torpedofahrzeuge*. 1 Torpedoschiff, ca. 110 Torpedoboote verschiedener Systeme.

III. *Kreuzer*: 2 Rammkreuzer von 15 Meilen Geschwindigkeit im Bau, 12 Klipper neuen Typs (davon 3 ehemalige Handelsdampfer), 3 Klipper alten Typs, 1 Schraubenfregatte, 5 Schraubenkorvetten.

IV. *Kanonenboote für die lokale Küstenverteidigung*: 14 Kanonenboote (Typ Rendel) neuen Typs, 7 Kanonenboote alten Typs.

V. *Yachten*: 3 Radyachten, 3 Schraubenyachten, 13 Segelyachten.

VI. *Transport- und Servitutschiffe*: 3 Radfregatten, 2 Seedampfer, 2 Transportschiffe (davon 1 im Bau), 6 Dampfschuner.

Ausserdem: 19 Schraubendampfer, 10 Raddampfer, 5 Feuerschiffe, 27 Dampffahrzeuge für den Hafendienst, 8 Dampfer für den Leuchtfeuer- und Betonnungsdienst, 11 Segelschiffe (davon 1 Segelkorvette für die Marineakademie im Bau).

Flotte des schwarzen Meeres.

I. *Panzerschiffe*: 3 Barbetteturmschiffe im Bau, 2 Popoffkas (kreisrunde Fahrzeuge) für die Küstenverteidigung, 2 Kanonenboote.

II. *Torpedofahrzeuge*: 5 Torpedofahrzeuge, 18 Torpedoboote.

III. *Ungepanzerte Schiffe*: 3 Glattdeckskorvetten alten Typs, 1 Schraubendampfer, 2 Seeraddampfer, 1 Schraubenyacht, 1 Radyacht, 14 Schraubenschuner, 15 Dampfer.

Ausserdem: 6 Dampfer, 1 Dampfboot, 2 Barken, 2 Tender, 5 Feuerschiffe, 8 Dampfer der freiwilligen Flotte, 3 Auxiliarkreuzer.

Flottille in Sibirien.

1 Klipper, 3 Transportschiffe, 5 Kanonenboote, 3 Schraubenschuner, 1 Seeraddampfer, 1 Dampfer, 6 Dampfboote, 1 Brigg, 2 Segelschuner, 1 Schleppdampfer, 2 Leichter, 2 Kanonenboote im Bau.

Flottille im Kaspi-See.

3 Kanonenboote, 1 Schraubenschuner, 5 Dampfer, 2 Segelschuner, 8 Transportfahrzeuge, 3 Segelboote, 3 Feuerschiffe.

Flottille im Aralsee.

(Die Auflösung dieser Flottille wurde bereits angeordnet.)

2 Schraubenschuner, 5 Raddampfer, 2 Schraubendampfer.

Schweden.

I. *Panzerschiffe*: 1 Turmschiff im Bau, 4 Monitore, 11 Panzerkanonenboote (davon 1 im Bau).

II. *Ungepanzerte Schiffe*: 1 Schraubenlinienschiff (stationäres Schulschiff), 1 Schraubenfregatte, 4 Schraubenkorvetten (davon 1 im Bau), 1 Radkorvette, 9 Schraubenkanonenboote I. Klasse, 9 Schraubenkanonenboote II. Klasse, 1 Torpedofahrzeug, 9 Torpedoboote, 1 Torpedoschulschiff, 3 Dampfminenleger, 1 Raddampfer (Königsyacht), 3 Transportdampfer, 4 Dampfschaluppen, 1 Dampffähre.

III. *Segelschiffe*: 1 Linienschiff, 5 Korvetten, 6 Briggs.

Ausserdem: 2 Vermessungsschiffe, 2 Lotsendampfer.

Siam.

2 Schraubenkorvetten, 1 Brigg, 3 Kanonenboote I. Klasse, 4 Kanonenboote II. Klasse, 2 Yachten, 2 Raddampfer.

Spanien.

I. *Schiffe I. Ranges*: 5 alte Panzerfregatten, 8 alte Schraubenfregatten (davon 3 Schulschiffe), 6 neue Kreuzer I. Klasse (davon 3 im Bau) 1 alte Radfregatte.

II. *Schiffe II. Ranges*: 4 neue Kreuzer III. Klasse, 6 Schraubenkorvetten, 4 Radkorvetten, 2 Transportschiffe.

III. *Schiffe III. Ranges*: 1 Monitor, 1 schwimmende Batterie, 2 Schraubenavisos, 11 Schraubenschuner, 5 Raddampfer, 1 Transportdampfer, 4 Schraubenkanonenboote I. Klasse im Bau, 10 Schraubenkanonenboote II. Klasse (davon 2 im Bau).

Fahrzeuge: 46 Schraubenkanonenboote III. Klasse, 1 Raddampfer, 11 Kanonenschaluppen, 4 Torpedoboote.

Ausserdem: 6 Schleppdampfer, 3 Segelkorvetten, 5 Pailebotes, 5 Hulks, 1 Fregatte (Marineakademie), 22 Dampfer und 50 Segelfahrzeuge zum Küstenpolizeidienst.

Türkei.

I. *Panzerschiffe*: 7 grössere und 7 kleinere Breitseitschiffe, 1 Turmschiff für die Küstenverteidigung, 2 Flussmonitore, 1 Kanonenboot.

II. *Ungepanzerte Schiffe*: 3 Fregatten, 6 Korvetten, 5 Sloops, 7 Radyachten, 12 Radavisos, 2 Schraubenkanonenboote, 5 Schraubenflottillenavisos (davon 1 im Bau), 5 Radflottillenavisos, 1 Schraubenschuner, 6 Radtransportdampfer, 3 Schraubentransportdampfer.

Ausserdem: 20 Servitutsdampfer, ca. 50 Segelschiffe.

Uruguay.

1 Schraubenkanonenboot im Bau.

Vereinigte Staaten von Nordamerika.

I. *Gepanzerte Küstenverteidiger und Torpedoschiffe*: 19 Monitore, 2 Torpedorammschiffe.

II. *Ungepanzerte Schiffe*: 5 Kreuzer I. Ranges alten Typs, 1 Kreuzer II. Ranges neuen Typs, 9 Kreuzer II. Ranges alten Typs, 13 Kreuzer III. Ranges neuen Typs, 6 Kreuzer III. Ranges alten Typs, 4 Raddampfer, 2 Kanonenboote.

III. *Altes Material*: 1 Schiff I. Ranges, 1 Schiff II. Ranges.

IV. *Hafen- und Werftfahrzeuge*: 16 Schraubendampfer.

V. *Segelschiffe*: 14.

VI. *Vermessungsschiffe*: 9 Dampfer, 6 Segelschuner.

VII. *Deckpanzerschiffe im Bau*: 1 gedeckter Kreuzer, 2 Glattdeckskreuzer, 1 Aviso.

F. K.

***Handbuch zur Vorbereitung auf die Prüfung der Seedampfschiffsmaschinisten erster, zweiter und dritter Klasse.** Von G. A. Ammann. Mit 54 Tafeln. Kiel, Verlag von Lipsius & Tischer. 1885.*

Auf Grund des Gesetzes über den Gewerbebetrieb der Maschinisten auf Seedampfern vom 11. Juni 1878 in Verbindung mit § 31 der Gewerbeordnung hatte der Bundesrat gewisse „Vorschriften über den Nachweis der Befähigung und über das Verfahren bei den Prüfungen der Maschinisten auf deutschen Seedampfschiffen“ am 30. Juni 1879 erlassen. Diesen Vorschriften und ihren Anforderungen haben sich alle nach dem 1. Jan. 1880 in den Dienst der Kauffahrtei-Dampfschiffahrt getretene Maschinisten unterwerfen müssen, und gemäss ihrer Kenntnisnachweise Zeugnisse dritter Klasse (Berechtigung zur Fahrt auf Schleppern und Seedampfern bis zu 50 Sm. Entfernung von der Küste), zweiter Klasse (Fahrt zwischen europäischen Häfen und Häfen des mittelländischen, schwarzen und asowschen Meeres), der ersten Klasse (Fahrt auf allen Meeren) sich erworben. Es ist an sich klar, dass hiebei viele Schwierigkeiten von Bewerbern zu überwinden waren, die zum weitaus grössten Teile in ihrer früheren Lebensstellung einfache Schlosser mit der herkömmlichen Vorbildung der Volksschule gewesen waren. Es ist mithin von vorn herein anzuerkennen, dass das Unternehmen Ammann's, dieser Klasse von Leuten mit einem für ihre Bedürfnisse abgegrenzten Handbuch entgegenzukommen, ein nützliches und verdienstliches ist. Die Form der Lösung ist nichts weniger als eine steife, doctrinäre, die den Inhalt der grossen Lehrbücher in knappem Auszuge wiedergiebt, sondern die lebendige, spannende, die Gewandtheit der Rede wie die Verarbeitung des stofflichen Materials übende Form der Katechese mit dem äussern Anschein einer wirklichen Prüfung. Da der Verfasser sich seit mehreren Jahren der Vorbereitung der Maschinisten auf das Examen widmet, so lag ihm diese Form nahe und wenn auch in Betreff des Inhalts des gebotenen Prüfungsstoffes die Voraussetzung gerechtfertigt ist, dass in jeder Prüfung nur ein bescheidener Teil der hier vorgetragenen Materialien behandelt wird, so ist andererseits doch Gewähr geleistet, dass über diese Grenzen hinaus sich die Ansprüche an die Prüflinge nicht bewegen. Zugleich gestattet diese gewählte Form der Frage und Antwort, die in streng systematischer Folge vom Leichten zum Schweren aufsteigt, das Buch als Anleitung zur Wiederholung im Selbstunterricht zu benutzen, da die Fragen und Antworten sich durch Klarheit und Deutlichkeit der Sprache auszeichnen. Aus diesem Grunde glauben wir das äusserlich auch sehr gut ausgestattete Werk auch gebildeten Laien als Nachschlagebuch empfehlen zu sollen, da die Einteilung des Stoffes in Technisches, Physikalisches, Mathematisches, Mechanisches die Orientirung und die saubern Figuren das Verständnis erleichtern. Eine kurzgefasste englische Formenlehre und technisches deutsch-englisches Wörterbuch, Aufgaben zur Prüfung in zweiter und erster Klasse sowie eine Anzahl Tabellen, worunter vierstellige logarithmische, erhöhen die Brauchbarkeit des Buches und geben weitere Vorstellung von der geschickten Abrundung des praktischen Vademecums.

***L'Année maritime**, Revue des événements qui se sont accomplis dans les marines française et étrangères. VII. Année. Paris, Challamel aîné; Prix 3 fr. 50 cm. 1884.*

Das aus bescheidenen Anfängen jetzt zu dem Umfang eines stattlichen Bandes von 462 Seiten angewachsene Jahrbuch der Marine unterscheidet sich dadurch wesentlich von den gleichartigen Werken anderer Nationen, dass es sehr wenig statistisches Material wenigstens nicht in der Form der vielfach so gefürchteten Tabellen bringt, dagegen sich in Aufsätzen über die stattgehabten Ereignisse der hohen Politik (über welche der Ministerialsekretär a. D. der Marine, Henry Durassier, wieder ähnlich indessen doch gegen die deutsche Politik in etwas mehr anerkennender Weise als im vorigen Jahrgang berichtet), die Werftthätigkeit der verschiedenen Marinen, der Maschinentechnik, die Fortschritte im Artillerie- und Befestigungswesen, endlich über die Wirkungen der französischen Prämiengesetze für Kauffahrer ergeht. Wir werden auf letztere in einem besonderen Artikel zurückkommen.

***Die öffentlichen Lagerhäuser mit Warrant-Ausgabe** und die Elevatoren in ihrer Bedeutung für Russland und namentlich Riga. Von Ernst Thilo, Advokat. Leipzig. Verlag von Friedr. Wilh. Grunow. 1884.*

Der Leser würde irren, wenn er glaubte, dass wir es in dem stattlichen Grossoctav-Bande von 356 Seiten lediglich mit russischen, speciell rigaschen Einrichtungen zu thun hätten. Vielmehr behandelt der Verfasser in den verschiedenen Feuilleton-Artikeln der „Zeitung für Stadt und Land“, aus deren lebendiger Darstellung das ganze Werk hauptsächlich zusammengestellt ist, die Systeme der Warrants oder Waarenscheine und der Elevatoren oder Silos sowohl von der historischen genetischen Seite, wie sie sich in England, Amerika im freien Style und in Frankreich, Deutschland im mehr büreaukratischen Style entwickelt haben und zeigt dann an der Hand der allseitig gewonnenen Ergebnisse, was speciell Russland und Riga in dieser Beziehung notthut. Eine genaue Kunde der Ein- und Ausfuhrthätigkeit Riga's und des Berufes dieser Stadt als zweitgrössten russischen Ostseehafens nebst einer tüchtigen Kenntnis der Handelsverhältnisse Russlands im Gegensatz zu denen der näheren und ferneren europäischen Seehandelsstaaten bilden den breiten Untergrund, auf denen der Verfasser seine beachtenswerten Vorschläge aufbaut. Das Buch liest sich angenehm trotz des durchweg belehrenden Inhalts, und wird nicht bloss diejenigen interessiren, welche von früher her Land und Leute kennen, sondern auch Ausländer, welche aus dem Werke für die eigene Heimat lernen wollen.

***„Ahoi“**, Zeitschrift für deutsche Segler. Von G. v. Glasenapp. Band I, No. 1 und 2. October- und Novemberheft 1884. Oct. Verlag des „Ahoi“ Berlin W. Kurfürstenstr. 9.*

Von dieser von uns bereits in No. 8 signalisirten neuen Zeitschrift für den Segelsport ist kürzlich das erste sehr umfangreiche Heft von 240 Seiten erschienen. Durchweg lebendig, anregend geschrieben enthält dieser erste Band eine bunte Reihenfolge von eigenen und aus andern Zeitschriften übernommenen Artikeln und grössere und kleinere Mitteilungen aus dem Gebiete des Segelsports, der Fischerei, des Rettungswesens, der Kriegsmarine, des Dampfer-, Kanoe-, Rudersports, der Schiffstechnik, nautischen Literatur und Journalistik, Regattas u. s. w. so dass Jeder wohl zunächst etwas für seinen besonderen Geschmack findet. Die Hebung der deutschen Fischerei liegt dem Herausgeber ganz besonders am Herzen, namentlich der staatlichen Vernachlässigung dieses Industriezweiges vorzubeugen, bevor es zu spät ist und derselbe ganz am Boden liegt. Denn „dann wird kein Geld, keine Anstrengung mehr helfen, weil Berufsklassen sich nicht durch Geld oder irgend ein Mittel plötzlich schaffen lassen. Sie wollen vielmehr systematisch in historischer und traditioneller Entwickelung gestützt und gefördert sein.“

„Hierauf aufmerksam zu machen, hier die Hebel anzusetzen, so lange es noch Zeit ist — **dies ist das Ziel des Journals, welches ich unter dem Namen „Ahoi“ ins Leben rufe** — Alles andere ist nur ein „Mittel zu diesem Zwecke“.“ S. 55.

Das Ziel des neuen Journals ist also nicht bloss Belebung des Segelsports, soviel Raum demselben auch gewidmet ist, sondern ein ernster Zweck liegt im Hintergrunde.

Wir wünschen dem Herausgeber alles erdenkliche Glück zu seinen Bestrebungen, glauben aber kaum, dass er zu seinem Zweck die von ihm im 1. Bande verwandten opulenten Mittel stets zur Verwendung haben wird, würden vielmehr eine Massigung in dem Umfang des Gebotenen für ökonomisch richtiger halten, ohne dass das Ganze darunter leiden brauchte.

***Vom Ocean zu Ocean.** Eine Schilderung des Weltmeeres und seines Lebens. Von Amand v. Schweiger-Lerchenfeld. Mit 12 Farbendruckbildern, 200 Holzschnitt-Originalillustrationen, 14 colorirten Karten und 30 Plänen im Texte. In 30 Lieferungen bis Ende 1884 vollständig. Preis à 30 kr. = 60 Pf. = 80 Cts. = 36 Kop. Auch in drei Abtheilungsbänden nach und nach zu beziehen, deren erster schon ausgegeben. (A. Hartleben's Verlag in Wien.)*

Dieses ausgezeichnete Werk, dessen Vorzüge wir bereits unseren Lesern mitgeteilt haben, hat einen tüchtigen Schritt nach vorwärts gemacht. In den eben zur Ausgabe gelangten Lieferungen 6—10 erhalten wir einen anschaulichen, von vielen Details unterstützten Gesammtüberblick auf die Gestaltung der Küsten und die mannigfachen Veränderungen, denen sie unterworfen sind. Selten ist ein so reichhaltiges Material, kritisch gesichtet und mit fachmännischem Verständnisse geordnet, über jene Erscheinungen geboten worden, welche sich auf die seltsamen periodischen Hebungs- und Senkungsvorgänge der Küsten beziehen. Der streng naturwissenschaftliche Zug, der durch alle Auseinandersetzungen des Autors geht, verleiht der Lectüre einen besonderen Reiz. Dies gilt in vielleicht noch höherem Masse bei jenem Abschnitte, welcher sich mit den „Inseln und Inselbildungen“ beschäftigt. Alles Interessante und Wissenswerte findet der Leser hier in plastischer Anschaulichkeit vereint. Wir möchten als besonders gelungen die „Korallenbildungen“ und die Vulcaninseln hervorheben, deren Schilderung durch treffliche Bilder und Karten noch wesentlich unterstützt wird. In einem weiteren Abschnitte kommt der Verfasser auf die einzelnen Oceane in ihren topographischen Verhältnissen zu sprechen. Die Schilderung hat hier die Form eines Reise-Itinerars, so dass der Leser im Geiste die in hohem Grade anziehende Fahrt längs den Küsten der Festlandsmassen unternimmt. Dabei bleibt die Schilderung nicht blos auf die Topographie beschränkt. Wo sich der Anlass ergiebt, entrollt der Verfasser farbige Bilder von der betreffenden Uferscenerie und fügt anderes Detail hinzu, das durch die zwanglose Art, in welcher es geschieht, den Leser gar nicht ahnen lässt, welcher riesigen Summe von Studien es bedurfte, um an jedem Punkte der weitgedehnten Küstenstrecken vollständig orientirt zu sein. Das Werk hat demnach Alles gehalten, was es in seinem Prospecte versprach.

Verschiedenes.

Nasenstüber für Bamberger und Genossen. Durch die Zeitungen laufen Nachrichten, dass ein Teil der Samoa-Inseln jetzt in den Besitz englischer Kaufleute übergegangen ist, nachdem früher alle Schiffer-Inseln auf den Verkehr mit J. C. Godeffroy und seinen Nachfolgern angewiesen waren. Ohne Bambergers, in den Thatsachen ungenaue, in den Motiven und Ausführungen völlig verfehlte Angriffe auf die Beteiligung des Reichs an der Erwerbung der Inseln, würde diese unsern Handel doch jedenfalls schädigende Entfremdung sicher nicht stattgefunden haben. Die Annexion Neuguineas durch Australien wirft weiteres Licht auf die patriotische Beredsamkeit der Deutschfreisinnigen Partei.

Die 13. Auflage von Brockhaus' Conversations-Lexikon hat mit dem jüngst zum Schluss gelangten achten Bande die erste Hälfte vollendet und füllt nun schon eine ansehnliche Reihe des modernen Eichenholzregals, das, von einer leipziger Kunsttischlerei eigens dazu angefertigt, durch jede Buchhandlung beschafft werden kann. Gleich seinen Vorgängern weist auch der achte Band wieder eine beinahe das Doppelte erreichende Vermehrung der Artikel auf: er enthält deren 4782 gegen 2689 in der 12. Auflage. Wie sehr aber die so viel grössere Menge von Stichwörtern das schnelle Auffinden des Gesuchten erleichtert, das hob vor kurzem der gemüthvolle steirische Poet P. K. Rosegger in einer launigen Idylle „Der Lexikon-Schmied“ hervor, die er über diese neue Auflage des Lexikon durch seine Zeitschrift „Heimgarten“ veröffentlichte. „Andere

Leute" schreibt er, „haben ganze Kisten voll von Büchern, und wenn sie schnell etwas wissen wollen und Nachfrage halten bei ihren papierenen Zeitgenossen, so finden sie das Gesuchte nicht. Hat man das Lexikon im Kasten, alsogleich ruft der richtige Buchstabe heraus: Da bin ich; ich weiss es — und antwortet dir kurz und deutlich auf deine Frage." Solche Stoffe übrigens, die ihrer Natur nach eine unzerlegte Darstellung verlangen, wie Goethe, Griechenland, Grossbritannien, Hamburg, Hannover, Hebräer, finden wir auf bisher gewohnte Weise in längern, erschöpfenden und in sich abgerundeten Artikeln behandelt. Mit Illustrationen, sowohl mit Holzschnittfiguren im Text wie mit separaten Bildertafeln und geographischen Karten, ist der Band wieder reich ausgestattet. Ueberraschend schön präsentiren sich die beiden in splendidem Farbendruck ausgeführten Doppeltafeln mit Abbildungen der Giftpflanzen; gleichfalls auf zwei Doppeltafeln sind die Handfeuerwaffen und ihre verschiedene Construction dargestellt; 9 Tafeln bringen noch viele andere naturgeschichtliche, technische und kunstgewerbliche Gegenstände zur Anschauung. Unter den 5 Karten gewährt die von Hamburg und Umgegend, welche das Gebiet des künftigen Freihafens in genauer farbiger Einrahmung zeigt, ganz besonderes Interesse. Angesichts so gediegener Leistungen kann man nur wünschen, dass auch die zweite Hälfte des Werks, binnen nicht zu langer Zeit glücklich vollendet, und das sie der vorliegenden ersten Hälfte in jeder Hinsicht ebenbürtig sein möge.

Ein **neues Nebelhorn** ist das von Bryceson in Islington, London, welches einen beliebig andauernden Ton gibt statt des der Zeit nach beschränkten Tons der gewöhnlichen Nebelhörner. Holmes' Gesellschaft zum Schutz des Lebens der Seeleute hat neulich mit diesem Horn Versuche angestellt, welche die Behauptung des Erfinders bestätigen und ergeben dass gegen einen starken Wind die Schallweite des Horns 3/4, mit demselben Winde 3/4 Meilen betrag. Es gewährt daneben den grossen Vorteil, das man durch Regulirung der Dauer des Tons es zur Signalisirung der Signal-Buchstaben nach Art des Morse'schen Telegraphen-Alphabets benutzen kann. Bekanntlich hat Sir W. Thomson schon vor Jahren vorgeschlagen, dass Feuertürme ihre Ortsnamen hinausblitzen sollten. Aehnlich könnten sie bei Nebelwetter durch ein Bryceson's Nebelhorn ihre Namen hinaus tönen lassen und dadurch eine leichte und sichere Orientirung des Schiffes ermöglichen.

Der **Kohlenverbrauch der Lokomotiven** wird gewöhnlich bedeutend höher angenommen als der der Schiffsdampfmaschinen. Allerdings ist letzterer durch die allgemeine Anwendung der Compound-Cylinder und Oberflächen-Condenser von 4½ und 3¼ ℔ allmälig auf 2½ ℔ und darunter herabgedrückt für die indizierte Pferdekraft und Stunde, aber so sehr erheblich grösser ist der Kohlenverbrauch der Lokomotiven jetzt auch nicht, wenn die Kohlen selber nur gut sind und die Feuerung mit der gehörigen Aufmerksamkeit geschieht. Aus höchst vorsichtigen genauen Versuchen des Ingenieurs der Paris-Lyon-Eisenbahn, Georges Marie, welche er in einem Vortrage vor dem Verein britischer Ingenieure kürzlich schilderte, ist als Resultat zu entnehmen, dass unter ebengenannten Voraussetzungen der Kohlenverbrauch guter Lokomotiven 3,35 ℔ beträgt, wenn die Pferdekraft durch die am Umring des Triebrades geleistete Arbeit gemessen wird, und nur 2,91 ℔ beträgt, wenn dieselbe durch die Indikator-Diagramme gemessen wird. Der Unterschied zwischen beiden Maschinenklassen wird noch kleiner, wenn man bedenkt dass die eine Klasse ohne, die andere mit Condenser arbeitet.

Die Kriegsflotte der Ver. Staaten. In den *siebenzig* Jahren von 1791 bis 1861 hat Amerika im Ganzen $ 336 000 000 für die Flotte ausgegeben und waren damals die Ver. Staaten eine *achtunggebietende* Seemacht. Nach dem Bürgerkriege, mit einer vollständig ausgerüsteten Flotte von 600 Schiffen, ist von 1866 bis 1883 die Kleinigkeit von $ 385 000 000, also in siebzehn Jahren 50 Millionen mehr als in den siebenzig vor dem Kriege, für den Flottenbau bewilligt und haben dafür die Amerikaner kaum *ein seetüchtiges* Schiff, geschweige denn ein modernen Ansprüchen genügendes Kriegsfahrzeug aufzuweisen. Herr Robeson allein verputzte in den acht Jahren seiner Verwaltung $ 172 000 000. Am Geldbewilligen liegt es wahrlich nicht, wenn die Ver. Staaten heute keine Flotte haben.

Sammelbecken für den Mississippi. Ueber den hirnverbrannten Plan, die Wassermenge des Mississippi, sowohl bei starken Regengüssen, wie bei grosser Dürre mittelst grosser Sammelbecken zu regeln, sagt nun auch die „Cincinnati Commercial Gazette":

„Der St. Lorenz-Fluss wird in dieser Weise geregelt. Aber wir wissen nicht, wo sich für den Mississippi das Land für solche Sammelbecken, wie sie der St. Lorenz-Fluss hat, finden soll. Der Superior-, Michigan-, Huron-, Erie- und Ontario-See sind die Sammelbecken, welche die Wassermasse des St. Lorenz-Flusses regeln. Der Mississippi würde noch grössere Sammelbecken brauchen. Wir glauben, die Staaten Missouri und Kentucky würden Einwand dagegen erheben, wenn man sie zum Besten der Zuckerpflanzungen in Louisiana und der Fischereien im See Pontchartrain abgraben und in Seen verwandeln wollte."

Der **Seekanal von Liverpool nach Manchester** wird vorläufig nicht ausgeführt werden, nachdem der Ausschuss des Unterhauses die betreffende Vorlage einstimmig abgelehnt hat.

Der **diesjährige Häringsfang** lässt sich so gut an, dass an allen Plätzen die Preise der Häringe erheblich gewichen sind. Die Emder Gesellschaft hat diesmal eine rühmliche Stellung eingenommen, sowohl was die Grösse des Fanges als die Beschleunigung der Anbringung desselben an den Markt anbetrifft, in welcher Rücksicht sie die Holländer übertroffen hat, die ihren Jagerhäring noch per Segelschiff nach Rotterdam schaffen. Daher lautet der Geschäftsbericht um so hoffnungsreicher, als eine lästige Bedingung wegen der Regierungs-Subvention durchzubringen war, die dafür auf fernere 5 Jahre zins- und amortisationsfrei der Gesellschaft belassen bleibt.

Die **überseeische Auswanderung** aus dem Deutschen Reich über deutsche Häfen und Antwerpen betrug im ersten Halbjahr 1884 (1. Januar bis Ende Juni) 90 301 Personen, d. i. 3844 Personen weniger als im gleichen Zeitraum des Vorjahres. Noch viel weiter bleibt die Zahl hinter der des Jahres 1882, wo 117 801, und des Jahres 1881, wo 126 139 Auswanderer im ersten Halbjahr gezählt wurden, zurück.

Elektrische Simplex-Klingel. Von der Firma Albert Friedländer, Berlin, Zimmerstrasse 33, ist eine patentirte elektrische „Simplex"-Klingel (vergl. uns. No. 12) in den Verkehr gebracht, welche sich durch ihre überaus einfache Verwendbarkeit als Haustelegraph auszeichnet. In ihrer äussern Form unterscheiden sie sich als die runde und eckige Simplex-Klingel. Bei beiden sonst gleichen Formen befindet sich das Element direkt unter der Glocke und besteht aus einer kleinen hermetisch verkapselten Chlorsilberbatterie, welche länger als ein Jahr konstant bleibt, dann mit Leichtigkeit herausgenommen und erneuert werden kann; durch diese Einrichtung wird der umständlichen Aufstellung der bei elektrischen Haustelegraphen gewöhnlich erforderlichen grossen Batterien vorgebeugt.

Die Leitungsdrähte werden an den Klemmschrauben der Klingel befestigt, während die andern beiden Drahtenden auf beliebige Entfernung verlegt, in den Druckknopf auslaufen. Die in die Klemmen resp. unter den Druckknopf zu führenden Drahtenden müssen vorher von der isolirenden Umwickelung befreit sein, so dass der reine Metalldraht hervortritt. Es wird gewöhnlich 0,7 bis 0,8 starker Leitungsdraht verwendet. Von einer Klingel können Drähte nach mehreren Druckknöpfen in verschiedenen Richtungen abgezweigt werden, ebenso von einem Druckknopf nach mehreren Klingeln. Der Preis beträgt 20 oder 16 ℳ, je nach der Grösse und der Länge des beigegebenen Leitungsdrahts von 40 resp. 20 Metern.

Amerikanische Nordpolfahrer nach der Fahrt. Heroismus wird nicht belohnt, es sei denn, dass der „Heros", der Held, todt ist. Man hat De Long und seine verunglückten Genossen auf der Polarfahrt mit allen erdenklichen Ehren begraben, von den Ueberlebenden aber hört man jetzt Folgendes: Rindermann arbeitet im Brooklyner Schiffsbauhof für einen Tagelohn von $ 2; Nares, sein Gefährte auf der berühmten Rückreise, ist schlechtbezahlter Clerk in einem Newyorker Wholesale-Haus; Lauterbach endlich musste kürzlich seinen Pelzrock, den er auf der Polar-Expedition trug, verloosen, um sich die nötigsten Lebensbedürfnisse kaufen zu können. Von dem Kannibalismus der Gefährten Greeley's auf der letzten Nordfahrt wollen wir lieber schweigen; um solche Erfahrungen möchte man auf alle solche Expeditionen verzichten.

Geldverkehr zwischen Nord-Amerika und Europa. Folgende Tabelle, welche die Zahl der zwischen den Ver. Staaten und einigen andern Ländern gewechselten Geldanweisungen, sowie die Beträge angiebt, ist von Interesse:

	Anzahl.	Betrag.
Gesandt nach Grossbritannien	212 519	$ 3 080 133,86
Empfangen von »	27 701	845 772.12
Gesandt nach Deutschland	130 666	2 295 689 02
Empfangen von »	88 680	1 167 822 45
Gesandt nach Frankreich	4 893	112 633 25
Empfangen von »	2 873	61 678.48
Gesandt nach Italien	20 627	559 945.35
Empfangen von »	813	22 681.54
Gesandt nach der Schweiz	12 451	256 023.28
Empfangen von der »	4 353	125 871.00

Nach Grossbritannien (und Irland) wird also von Amerika 5¼ mal so viel Geld durch Postanweisungen gesandt, als von dort empfangen wird. Nach Deutschland wird doppelt so viel gesandt, als von dort empfangen wird. Aehnlich ist das Verhältnis mit Frankreich und der Schweiz. Nach Italien wird aber mittelst Postanweisungen mehr als 21 mal so viel Geld gesandt, als von dort kommt. Das mittelst Postanweisungen geschickte Geld repräsentirt im Wesentlichen den Verkehr zwischen Verwandten, ohne dass hiebei auf die von den Auswanderern selber mitgenommenen Vermögen Rücksicht genommen ist, welche sicherlich viel bedeutender als die Baarsendungen nach dort und nach hier sind.

Die **notorisch unbehagliche Lage der Hamburg-Amerikanischen Paketfahrt-Actiengesellschaft** wird durch nichts deutlicher blosgelegt als durch die in neuerer Zeit kursirenden Gerüchte, dass sich eine neue Konkurrenz-Gesellschaft gegen die alte Hamburg-Amerikanische Paketfahrt bilden werde, unterstützt von Hamburger, Berliner und Frankfurter Firmen. Die neue Linie will nach dem Vorgange des Norddeutschen Lloyd in Bremen lediglich Schnelldampfer einstellen, wie die Botschaft lautet. Wenn man auch in Hamburg an dem Zustandekommen dieser Linie zweifelt, so ist der Plan doch schon von langer Hand vorbereitet. Der Rheder Woermann teilte vor einigen Wochen in einer Bürgerschaftssitzung, wo es sich um die Vertiefung der Hamburger Häfen handelte, mit, dass sich die Hamburg-Amerikanische Paketfahrt auf einem Ausfluge nach Bremen habe überzeugen müssen, dass Hamburg heute in Bezug auf Schnelldampfer nicht dasselbe leisten könne, wie Bremen, einfach aus dem Grunde(?), weil die Tiefenverhältnisse der Weser und der Weserhäfen ganz andere seien, wie diejenigen der Elbe und der Elbhäfen. Wie der Plan der neuen Konkurrenzlinie auch immerhin liegen mag, die Kardinalfrage für Hamburg bleibt immer die Vertiefung der Unterelbe, weil die Erhaltung der Tiefenverhältnisse der Elbe selbstverständlich eine der Hauptbedingungen des Hamburger Handels und Aufgabe des Hamburger Staates ist. Ob eine Gesellschaft, die lediglich Schnelldampfer nach New-York entsenden wollte, lebensfähig ist, darf man mit Recht bezweifeln. Was die alte Paketfahrt nicht möglich gemacht hat, wird auch eine neue Linie nicht in's Leben setzen können. Immerhin wäre es aber zweckmässig, wenn etwas jugendliches Blut in die alte Paketfahrt eingeimpft würde, die noch immer an dem alten Ruhm vergangener Zeiten zehrt. An die Spitze dieses Unternehmens sollte eine erfahrene thatkräftige Leitung gestellt werden. Dass der *Packetfahrt die Postbeförderung verloren gegangen ist*, lag doch nur darin, dass man mit Bremen nicht konkurriren konnte. **Stillstand ist Rückgang.**

Herabsetzung von Tonnen- u. Lotsengeldern in N.-Amerika. Soeben vernehme ich beim Einklariren in Newyork, dass seit dem 1. Juli d. J. die Tonnengelder in Amerika jetzt auf 6 cs. per Ton reduzirt sind. Doch muss für jede Reise dieses Tonnengeld entrichtet werden, während früher 30 cs. per Ton per Jahr bezahlt wurde. Dies ist für Segelschiffe ein grosser Vorteil, für Dampferlinien aber nicht, sie haben nur den Vorteil, dass wenn sie auch 20 Mal in einem Jahre nach Amerika kommen, sie nur für 5 Mal, also im Ganzen dann 30 cs. per Tonne bezahlen. Lotsengeld ist auch 25 % ermässigt worden. *A. L.*

Verlag von H. W. Silomon in Bremen. Druck von Aug. Meyer & Dieckmann, Hamburg, Alterwall 16.

Land- und Seebilder.

Von Konstantinopel nach Triest.

(Schluss.)

Welcher Art dafür die Gegend ist, errät man alsbald aus den Namen der Ortschaften, die von Norden nach Süden also heissen: Anatoli Kawak die „asiatische Pappel“, Hunkiar Iskelessi „Sultans Landungsplatz“, Jalikessi „das Villendorf“, Beikos „des Bey's Palast“, Sultanieh „Sultans Dorf“, Injirkeui „das Feigendorf“, Kunlijuh „das blutige Dorf“ (von den Kämpfen der Saracenen mit den Griechen um Byzanz) und Anatoli Hissar wie schon oben bemerkt, an der schmalsten Stelle des Bosporus, wo er wenig breiter als der Rhein bei Bonn sein mag. Die ganze Strecke ist so lieblich als grossartig zugleich; dabei ist die asiatische Seite stärker bewaldet, so dass man das etwas zurückliegende Feigendorf kaum aus dem umgebenden Walde erkennt. Unterhalb Anatoli Hissar liegt Kandilli, „das illuminirte Dorf“, hinter welchem ein mehr als tausend Fuss hoher ziemlich steiler kegelförmiger Berg Kandilli aufragt, den oben ein von Weitem sichtbarer Kreis von Pinien krönt, welche ihm ein sehr malerisches Ansehen geben. Der Fusssteig, den man vom Bosporus deutlich erkannte, war im Dorfe schwer zu finden; der Sprache unkundig wies ich hinauf und ebenso stereotyp wiesen mich die Leute längs dem Ufer weiter abwärts, bis ich ungeduldig einen Holzhacker, längs dessen Hause ich einen Fussweg bemerkte, fragte ob es da hinauf ginge. Er hielt dann die Hand senkrecht, woraus ich schloss, dass es hier freilich recht steil bergan ginge, was sich auch bestätigte. Noch mehrmals angerufen und abwärts gewiesen gelangte ich endlich mit Hülfe lebhafter Handgeberden und noch eifrigeren Steigens aus den Gärten ins Freie, kam an einer reizenden Gruppe Frauen und Kinder vorbei, welche unter einigen schattigen Bäumen ebenfalls die schöne Luft und herrliche Aussicht genossen und stand bald oben, inmitten der ruinenhaften Fundamente eines Tempels oder sonstigen Baues in Kreuzesform, von dem sich eine entzückende Aussicht den Bosporus hinunter und hinauf, nach dem jenseits liegenden jetzigen Kaiserlichen Schloss Yildiz und ins hintere asiatische Festland bot. Alles schön angeschaut, die Felder mit schon reifender Frucht, Gerste, Weizen, Roggen, Hafer bedeckt, Dörfer in der Ferne, ein türkischer Wachtposten, der ein Fernrohr anbot, und einige Signalkanonen in der Nähe. Unterhalb Kandilli war eine der vielen Kasernen, die um die Hauptstadt herum angelegt sind, wo die Truppen jedenfalls gesünder wohnen und leichter einzuüben sind, als in der dumpfen engen Stadt. Bergab laufend kam ich quer durch die ganze Anlage hin, ohne dass mich Jemand störte, suchte und fand auch bald eine Sammlung von Kajikführern, die mich für 3 Francs nach Galata rudern wollten. Da mir das reichlich erschien, so nahm ich das Anerbieten eines andern an, der eine Hand mit nur einem Finger emporstreckte und mir alsbald beim Einschiffen half. Die Kajiks sind lange schmale, unten runde Fahrzeuge ohne Kiel, wie aus einem einzigen Baumstamm geschnitzt, mit Matten und Decken auf dem Boden, auf denen der Türke sich mit untergeschlagenen Knieen setzt, während wir eine niedrige Bank mit Lehne benutzen. Die Fahrt ist sicher, sobald man vorsichtig einsteigt und sich dann absolut ruhig verhält. So hatte ich es kurz vorher, in der schwersten Strömung von Rumeli Hissar nach Anatoli Hissar übersetzend, selbst erfahren; so sah ich es zwei Tage später in der starken Dünung und heftigem Winde bei der Einschiffung auf dem österreichischen Dampfer, wo mir mitunter wirklich angst wurde ob auch Alles gut gehen würde. Gerudert werden die Fahrzeuge mit leichten aber starken Eschenriemen, die an der Hand stark verdickt sind als Gegengewicht gegen das Blatt und durch einen ledernen Stropp statt mit Dollen fahren, welcher vor Beginn der Fahrt mit Fett aus einem kleinen Hörnchen eingefettet wird. Wir landeten glücklich in Galata und nun gab es eine Betrugsscene so lächerlicher Art, dass mir etwas fehlen würde, wenn ich sie nicht erlebt hätte. Als ich dem Burschen nämlich seinen Franken gab meinte der Schlauberger, das wäre für die rechte Hand die er dort in Kandilli erhoben hätte, aber er habe auch mit der linken Hand gerudert und der gebühre der gleiche Lohn. Da die schnell gebildete Corona von unklassifizirbaren „Delftspuckern“, wie man diese Sorte in Emden nennt, das Begehr des Fährmanns für ganz gerechtfertigt erklärte und ich einen schönen Tag verlebt hatte, so machte ich auch gute Miene zum bösen Spiel, lachte zu Aller Freude herzlich mit, gab dem Spitzbuben noch einen Franken und wurde ob dieses artigen Benehmens mit grösster Freundlichkeit zur Strasse geleitet, freilich nicht ohne den freiwilligen Führer mit einigen Paras abzulohnen, worauf nochmals beifälliges Gemurmel aus dem ganzen Kreise mir nachfolgte. Mit Freundlichkeit und Heiterkeit kommt man bei diesen halben Naturkindern immer am weitesten, das habe ich mehr als einmal erprobt. Kommt es mal ernster, wie es auf der Rückreise in Griechenland und Italien zwei Mal geschah, so habe ich als das probateste Mittel, mir Ansehen und Recht zu verschaffen, die Anwendung des Plattdeutschen erkannt; plötzlich aus Englisch oder besser Französisch ins Plattdeutsche verfallend und die „Männer von Athen“ durch einige derbe plattdeutsche Worte: ji verd. Schwienh— wat meen ji woll u. s. w. ersetzend, verblüffte und konsternirte ich die Gesellschaft derartig, dass sie „paff“ dastanden und dem Fremden die Gasse liessen. In Konstantinopel muss man nur so artig, ruhig und gemessen wie die Türken selber sein, und Alles geht gut.

Auf dem Rückwege erfuhr ich in dem Comptoir des Herrn Helbing die glückliche Ankunft unsers Dampfers in Odessa, und empfing im Hôtel die Karte unsers Botschafters, die am Morgen von einem Kawass gebracht sei und leider auch die betrübende Nachricht, dass vor einer Stunde S. Excellenz selber vorgefahren sei, um mir eine Mitteilung zu machen, die mir jetzt aber später schriftlich zugehen würde. Wirklich empfing ich noch denselben Abend eine Zuschrift des Herrn Kommandanten S. M. Aviso „Loreley“, Herrn R., dass ich mich am nächsten Morgen gegen 11 Uhr an Bord S. M. Schiff einfinden möchte, um von da aus mit mehreren andern hier anwesenden Deutschen den alten Serail und namentlich die Schatzkammer des Sultans zu besuchen, wozu uns der Kaiserliche Botschafter die allerhöchste Erlaubnis verschafft habe. Der Jubel und der Neid „bei den Andern“ war nicht gering; kaum dass es noch gelang mit zwei Bekannten eine weitere Verabredung zu treffen, dass wir uns um drei Uhr Nachmittags an der Bahnstation des Serail treffen wollten, um mit der Bahn nach den „Sieben Türmen“ zu fahren, von da den Landweg um die alte Mauer zu machen und dann über Ejub Moschee per Kajik das ganze goldene Horn herunter an der türkischen Flotte vorbei nach Galata zurückzufahren. Das Programm war allerdings gross, wurde aber doch mit frischem Mute und in stets wachsender Stimmung durchgeführt.

Das Hauptthor des Serails Babi Humajun, den herrlichen Brunnen Achmeds III., den Janitscharenhof, die Münze und das Museum der Altertümer, ursprünglich eine Kirche der heil. Irene, hatte ich schon mit S. Exc. Fayk Pascha besucht; jetzt ging es weiter durch ein phantastisch verziertes Thor Babi Selam in einen grossen Hof, wo in einem von starker Hecke umgebenen Garten die 60 Wittwen des verstorbenen Sultans mit ihren Kindern und Wächtern die frische Luft genossen. Durch ein drittes Thor Babi Seadat oder die „Pforte der Glückseligkeit“ tritt man dann in den innersten Hof, an den rechts liegenden zahlreichen Küchen des Serails vorbei, deren Schornsteine grosse Aehnlichkeit mit den domartigen gewölbten Feuerstellen der Porcellanfabriken haben, und erblickt vor sich verschiedene seltsame mehr oder minder prächtige Kioske und andere mehr abendländisch aussehende Gebäude. Vom Thronsaal gingen wir zur Bibliothek des Sultans, deren durch vor Alter gebräunte Pergament-Umhüllungen geschützte anscheinend aus losen Blättern bestehende Bücherschätze uns Allen freilich wohl weniger verständlich waren als einige mit den Bildern der früheren Sultane und Fürsten Europas geschmückte Bände und die 17 Codices aus der Bibliothek des Königs Matthias Corvinus von Ungarn, welche von den Türken früher aus Buda-Pesth als gute Beute heimgeschleppt waren. Dann ging es zum Kiosk von Bagdad, einem achteckigen Bau, inwendig ganz mit persischem Porcellan ausgelegt und von einem mit zart roten Arabesken und Goldmosaik geschmückten Dom überragt — ein reizender Pavillon ohne Frage. In einem prächtig über dem Ausgang des Bosporus ins Marmora-Meer gelegenen mehr europäischen Bau, der mir schon bei der Einfahrt in den Bosporus aufgefallen war und von dessen Terrasse ich mir gewünscht hatte, die über Alles herrliche Aussicht zu geniessen, wurden uns Kaffee und Cigaretten gereicht, und muss ich hier wiederum bekennen, dass eine solche kleine Tasse türkischen Kaffees — nicht so einer, wie er in den Kaffeehäusern angeboten wird — allerdings ein merkwürdig erfrischendes und dabei nach keiner Richtung belästigendes Getränk ist, das wiederholt meinen vollen Beifall gefunden hat. Der Zimmerschmuck bestand aus allerhand orientalischen eingelegten Kostbarkeiten, Kästchen, Tischen, Lackarbeiten, eine noch prächtiger als die andere, höchst künstlichen Arbeiten in Perlmutter an Uhren, Spiegeln etc., die Zimmermalerei in hellen heitern Farben, dem Sommeraufenthalt angemessen lebhaft, im angenehmen wohlthuenden geraden Gegensatz gegen die düstere mittelalterliche Mode, welche jetzt leider bei uns sich einnistet und Alles „braun in braun“ oder „dunkelbierfarben“ erscheinen lässt, dass man Abends trotz fünfzig Gasflammen kaum lesen und sehen kann. Endlich kamen wir zur pièce de résistance, der Schatzkammer selber, einem äusserlich unansehnlichen Bau mit niedrigem von mehreren eisernen Thüren verschlossenen Thorwege, vor deren Schlössern mächtige Siegel hingen, deren Fäden mit der Scheere zerschnitten oder mit der Hand von einem würdigen alten Schatzkämmerer zerrissen wurden, bevor er jede Thür mit einem mächtigen Schlüssel öffnete. Zu beiden Seiten von unserer etwa 25 Köpfe zählenden Gesellschaft sammelten sich wohl 30 junge Leute von 20—30 Jahren, die wahrscheinlich uns auf die Finger zu sehen hatten, sich aber auch als Dolmetscher und Erklärer auswiesen. Es gab in den freilich wohlverschlossenen Glasschränken gar viel verführerische Dinge zu sehen. Zuerst der rote Thronsessel mit den ca. 5000 erbsengrossen Perlen, welcher auch zur Ausstellung nach Wien gesandt war, ein persisches Beutestück wie es hiess, dann ein Teppich mit Perlen so gross wie Sperlingseier, Kissen, Helme, Pferdegeschirr, Säbel, darunter einer mit fünfzehn Diamanten wie Mannsdaumen so dick, Tassen aus einem Türkis, Degengriffe von einem Stück Topas, die Sultanswiege, die Staatsanzüge sämtlicher früherer Sultane, die kostbaren Uhren und Glocken, ein ganzer Toilettentisch von Lapis Lazuli, dann die Schalen mit Diamanten, Smaragden, Rubinen, Türkisen, eine ganze grosse Salatschüssel mit „des perles non travaillés", wie der Kawass erklärend bemerkte, endlich eine recht reichhaltige Münzsammlung — kurz da waren Werte aufgehäuft, die sichere Deckung für einen grossen Teil der türkischen Staatsschuld bieten würden, wenn sie mal dazu benutzt werden sollten. Jedenfalls hatten wir wohl Alle das Gefühl, dass es mit den Finanzen eines Reiches so ganz schlecht nicht stehen sollte, welches noch solche halb baare Reserven hat, wenn auch wir unsere nutzbringenden Domänen und unsere ganze geregelte Finanz- und Staatsverwaltung für alle diese und noch mehr todte Schätze nicht hergeben würden.

Aber eine grossartige Erinnerung bleibt es doch, einmal im Leben solche Herrlichkeiten bewundert und angestaunt zu haben, und darum nochmals wärmsten Dank für die hohe Fürsprache, welche dem bescheidenen Reisenden den seltenen Genuss verschafft hat. Non cuivis licet adire Corinthum und dass unsere Gesellschaft anscheinend aus lauter deutschen Herren und Damen bestand, mag noch schliesslich zur Signatura temporis erwähnt werden.

Gegen drei Uhr ging die Besichtigung zu Ende, und da die übrige Gesellschaft noch Beyler Beg, was ich schon gesehen hatte und Dolmagbadsche, was ich mir schenken wollte, zu besuchen wünschte, so verabschiedete ich mich von dem freundlichen Kommandanten und eilte zum Bahnhof, um nach den „Sieben Türmen" zu fahren. Die Fahrt geht um das Serail, dessen Baulichkeiten durch den grossen Brand von 1865 stark mitgenommen wurden, dessen Mauerumfang indessen immerhin noch 3 Meilen betragen soll, unmittelbar am Strande des Marmora-Meeres hin, von dem uns nur eine sehr verfallene Mauer trennt, an 5—6 Stationen hart an ganz Stambul vorbei zu der die „Sieben Türme" benannten Bastille des Osmanen-Reichs, in welches z. Z. die Botschafter der Mächte eingesperrt wurden, mit welchen die Pforte in Krieg geriet. Jetzt ist das Meiste des weitläuftigen Baues verfallen; man klettert auf ziemlich gefährlicher Mauertreppe an der Innenseite auf die Hauptmauer, von der man eine interessante Aussicht ins Land nach dem zwei Stunden entfernten St. Stefano hat, bis wohin die Russen im letzten Türkenkriege gedrungen waren; der wüste Schutthaufen des Innern bedeckt zahllose Gräuel der barbarischen alttürkischen Herrschaft.

Der nun folgende Fussmarsch aussen längs den alten Byzantiner Mauern herum war ein höchst romantischer. Die dreifachen durchweg sehr zerfallenen und mit Epheu und sonstigem Gebüsch überwachsenen Mauern mit den zahllosen runden und eckigen Türmen, den vielen Rissen, Sprüngen und Breschen in ihnen, die trotz ihrer kolossalen bis 20' betragenden Dicke und etwa 40' Höhe doch bei dem Thor Top-Kapussi fast der Erde gleich gemacht waren, so dass die Türken hier geradewegs in die dem Verderben geweihte Stadt eindringen konnten; die 4 grossen einer Wüstenei sonder Gleichen von Brennesseln und Unkraut aller Art gleichenden Friedhöfe mit ihren unten zugespitzten daher nach allen Richtungen geneigten Grabsteinen, der Gemüsebau in den Gräben mit ihrer peinlich sorgfältigen alttestamentlichen Bewässerung und der moderne Ackerbau im freien Felde zur Linken, die seltsamen Menschen- und Tiergruppen an den Kaffeehäusern und Einkehren vor den spärlichen engen Thoren, wo ich auch meinen einzigen Nargileh mit einer sehr fraglichen Tasse Kaffee versuchte, die Verfehlung des richtigen Weges und die schliessliche Orientirung nach dem Lauf des fliessenden Wassers, endlich der Jahrmarkt mit dem wirklichen kindischen Tand am Ende des Weges vor dem goldenen Horn — das Alles bot immer neuen Stoff zu Vergleichungen und Rückblicken aller Art, dass die Zeit darüber wie im Fluge hinging und der Abstecher nach der Ejub-Moschee und die Rückfahrt durch das goldene Horn erst mit sinkendem Tageslicht durchgeführt werden konnten. Hochinteressant war die Vorüberfahrt bei der türkischen Kriegsflotte, welche dort völlig frei im goldenen Horn oberhalb der zweiten Brücke verankert liegt, ohne alle die im Abendland üblichen Absperrungen und Hemmnisse des Zuganges. Hier lagen 15—18 Panzerschiffe und eine Menge Fregatten, Korvetten, Radyachten, Transportschiffe, Radavisos, Kanonenboote u. s. w. frei vor Anker, den Bug nach dem Horn, das Heck nach dem Lande hin, auf welchem die Werkstätten ebenso frei sichtbar waren; ein alter Offizier wurde eben von 8 kräftigen Matrosen nach der Brücke gerudert, die ihre Ruder gut zu führen verstanden.

Der Abend vereinigte mehrere der Herren, welche ebenfalls die Schatzkammer etc. besichtigt hatten, bei Jani und wurde meine Ansicht von dem Schlossjuwel Beyler-Beg allseitig bestätigt; wenn auch die Pracht in Dolmagbadsche eine unvergleichlich grössere gewesen, so sei der Gesamteindruck von Beyler-Beg doch entschieden wohlthuender. Grosse Ueberraschung und Heiterkeit erregte der Spezialbericht von dem „Pommer", der meine Reisekasse so wider alles Wissen gehütet hatte; wenn jemals, so konnte der sprichwortlich glückliche Reisende hier sein „nicht schuldig" betonen. Die Geschichte hatte aber das Gute, dass ich am andern Tage noch den Selamlik d. h. den feierlichen Ritt des Sultans zur Moschee sehen lernte, ohne die Begleitung und doch unter stiller Führung des „teuren" Kawass.

Drei Stunden später sollte ich an Bord der „Vesta", eines grossen mit 1500 Tons Getreide von Odessa passirenden Dampfers des österreichischen Lloyd mich nach Triest einschiffen.

Wem diese meine anspruchslosen Skizzen aus der türkischen Hauptstadt nicht genügen sollten, dem kann ich nicht helfen; ich glaube so ziemlich geschildert zu haben was ich gesehen habe. Bei dem kurzen Aufenthalt von 6 Tagen ist man hauptsächlich auf die Strasse angewiesen; was dort vorgeht habe ich anzudeuten versucht, zu eingehendern Betrachtungen hatte und habe ich keine Zeit. Dass von dem Familienleben ich nichts habe sehen können bedauert Niemand mehr als ich, aber man sieht in den Geschäftsstrassen fast nur Männer, und überall wenig Frauen und Kinder. Der bekannte Schleier verhüllte aber fast nur abschreckende Hässlichkeiten, bei den wenigen passabeln und einzelnen hübschen Gesichtern war der Schleier so dünn als möglich. Die Frauengewänder sind nach unsern Begriffen nachlässig, salopp; es scheinen mehr übergeworfene Tücher, mehr mantelartige als eigentliche Kleider zu sein, der Stoff sehr oft von leichter Seide, Farben blau, rot, weiss. Turbane sieht man selten, der hässliche ungesunde Fez regiert bei den Männern. Aus den Frauengemächern der Häuser verriet manches fröhliche Kindergelächter untermischt mit den Stimmen der Erwachsenen dem Vorübergehenden, dass dort nicht die ernste gemessene Stimmung herrscht, welche der Türke auf der Strasse zur Schau trägt, und die namentlich alle wie auf Verabredung dem Franken zeigen, der nur einen Augenblick länger als mit flüchtigem Blick den Schleier einer vorübergehenden Frau zu durchdringen sucht; sofort richten sich ein Duzend drohende Blicke auf den vielleicht ganz harmlos dreinschauenden Giaur. Aber selbst zu so vorübergehender Betrachtung bietet sich die Gelegenheit nicht häufig; hatte doch erst vor Kurzem die Polizei, gestützt auf eine passende Koranstelle, den türkischen Frauen verboten, irgend welche Läden oder selbst den Bazar zu besuchen.

Konstantinopel steht in dem Ruf eine teure Stadt zu sein. Meine Erfahrungen reichen nicht soweit. Meine Hôtelrechnung mag einen Anhaltspunkt geben, und sich zugleich durch ihren Lakonismus empfehlen. Sie lautete wie folgt:

5 Tage à 5 frcs.	frcs.	25.—
1 Kerzen	„	—.50
Consommation (Kaffee) (beiläufig sehr gut mit Brod, Butter, Eier, Fleisch.)	„	9.20
	frcs.	34.70
Restaurant (Frühstück um 12 Uhr wenn ich da war, Mittag um 6 Uhr, 4 Mal, immer mit ungarischem Wein (nach Belieben)	„	20.—
	frcs.	54.70

d. h. 10⅞ frcs. per Tag, kann man nicht teuer nennen. Eher war das Wiener Bier mit —.40 cm per kleines Glas teuer zu nennen; dafür konnte man in der vorzüglichen Wirtschaft bei Jani aber sein Essen auch ganz so bestellen, wie man es zu haben wünschte, und wurde man darüber im Einzelnen ausgefragt, um pünktlichster Ausführung gewärtig zu sein. Dazu war die ganze Einrichtung höchst nobel, überall weisser Marmor, die Bodenplatten mit grobem Sägemehl bestreut, sehr weich anzufühlen und leisen Schritt vermittelnd — darum die Preise wieder nicht übertrieben. Wer im Laden und Bazar Einkäufe macht, richte sich auf 20% der Forderung ein; damit kann man in Pera bei Europäern freilich bös reinfallen; der Türke und Grieche nimmt solche Gebote nur scheinbar übel; hinter her sieht man ihn doch lachen. Abendliche Erholung bot lediglich eine mässige französische Operngesellschaft.

Aber ich darf von Konstantinopel nicht scheiden, ohne der deutschen Post und ihrer liebenswürdigen Vertreter zu gedenken. Es kamen Briefe an mich direkt zum Hôtel de Pesth, aber auch durch Vermittelung des Herrn Helbing, und einen dicken eingeschriebenen Brief nebst Reisebericht und sonstiger literarischer Ausbeute der Herreise hatte Herr L. Mussich für mich auf der Post abgegeben. Alsbald erschien ein Bote bei mir mit der Anfrage, ob ich vielleicht mehrere Adressen aufgegeben habe, die Post wünsche es zu wissen, damit sie meine Briefe so rasch als möglich in meine Hände liefern könne. Leider verfehlten der Herr Postdirektor und ich uns mehrere Male, und so habe ich die persönliche Bekanntschaft des übrigens von allen Seiten höchst rühmlich genannten Beamten nicht machen können.

Wie gesagt, um drei Uhr sollte sich eingeschifft werden. Es wehte eine steife Briese, so dass die Wellen im Bosporus hoch gingen und ich ein europäisches Boot dem Kajik vorzog. Aber welche Formalitäten hat man durchzumachen! Zuerst der Gesundheitsschein. Das einzige Mal, wo ich auf der ganzen Reise um meinen Pass gefragt wurde, konnte ich ihn natürlich nicht finden, weil er im Koffer verpackt war; dafür bekam ich à force de deux francs einen Zettel von der Grösse von zwei Quadratzoll, worauf bescheinigt war dass ich gesund sei. Das geschah 100 Schritt vom Bureau des Lloyd, von wo ich weggerudert war. Dann kam die Zollbehörde auf dem Wasser. Bevor der Beamte jedoch aus seinem Kajik überkletterte, hatte ich einem der Bootführer schon 3 Franken à discrétion gegeben; während er dem die Kofferschnallen öffnenden Beamten half, praktisirte er ihm diese Beschwichtigungsgründe zwischen die Finger und die freie Praktika stellte sich schneller ein.

als die Schlüssel gebraucht werden konnten. Wozu dieser Zollmann überhaupt sich einstellte, ausser ad hoc, nämlich wegen der 3 fr., mögen die Götter wissen. Auch beim Hafenmeister sollte ich mich abmelden; ich glaube es war eine Spitzbüberei meiner Bootsleute, welche mich mit einzelnen Franken so wohl versehen sahen. Statt dessen ging es mit einem plattdeutschen Donnerwetter an Bord. Nahe bei uns lag ein 3500 Tonner, angelnen, eben angekommen, um sich zu zeigen, und von der Gesellschaft des österr. Lloyd für die Passagierfahrt durch den Suezkanal gebaut, ein sehr schmuckes Schiff.

Auch unsere „Vesta", welche 9 Monate in Ostindien zugebracht hatte und jetzt auf Umwegen nach Triest zurückkehrte, erwies sich als ein sehr praktisch eingerichtetes, bequemes Seeschiff; sein würdiger Kapitän, Herr Novara, und der jugendlich schöne Vizekapitän, Herr Calabrese, waren so kundige Seeleute als liebenswürdige Gesellschafter. Das Schiff hatte auf dem Hauptdeck drei grosse Aufbauten, die grösste hinten, den grossen Esssalon zwischen den Schlafkojen vorn und den Räumen des „Cameriote" und der „Cameriota" nebst Kellnern ganz hinten enthaltend. Bis zum mittlern Aufbau, wo die Küchen etc. sich befanden, war freier Deckraum um die grosse Luke für die vielen Deckgäste, die dort mit Sack und Pack, Betten und Kisten sich so gut als möglich einrichteten, was bei dem trockenen Wetter auch leidlich ging; die Gesellschaft fuhr bis Athen und Corfu mit. Dann kam der vordere Aufbau mit dem Navigationszimmer und den Räumen der Offiziere und ganz vorn der Mannschaften, ausnahmslos stattlichen ältern Leuten, die offenbar schon lange zum Inventar der Gesellschaft gehörten. Der Kapitän wohnte im vordern Teil des hintersten Aufbaues. Die zweite Kajüte war unter der ersten und bestand lediglich aus Schlafgemächern, da die Passagiere der zweiten Kajüte zu den Mahlzeiten nach dem Hauptsalon heraufkommen. Morgens 7—8 Uhr gab es Kaffee oder Thee nach Belieben mit etwas Weissbrod, 10—11 Uhr ein sehr solides Frühstück, einem Mittagessen gleich zu achten, und um 6 Uhr das noch opulentere eigentliche Mittagessen mit Kaffee, und um 9 Uhr Thee mit Milch oder Rum. Die Zubereitung der Speisen war eine vorzügliche; das vom Nordländer gefürchtete Oel wurde schon am zweiten Tage von ihm gesucht, und wird jetzt noch alle Tage vermisst; Angebot und Verbrauch an Früchten, Apfelsinen, Citronen, Datteln, Orangen, prächtigsten Erdbeeren etc. ein ungewohnt grosser. Die Natur bietet dort ja vieles, aber ich glaube dass unsere Transatlanten von hier noch manches annehmen könnten. Von Weinen wurden Dalmatiner, Ungarischer und namentlich Oesterreicher bevorzugt; Moselweine waren nicht vorhanden, dagegen gutes Bier zum Nachttrunk, dessen Vorrat aber unter den wiederholten Angriffen eines alten Hallenser Theologen, der jetzt als 25jähriger Teppichhändler von Persien nach der schweizerischen Heimat zurückkehrte und viele alte Erinnerungen hinüber rettete, sich rasch verringerte, wozu freilich auch andere Personen ihr Teil beitrugen. Die Kajütengesellschaft bestand fast nur aus Deutschen, so dass bald ein gemütlicher Ton Platz griff, welcher bis ans Ende der 6tägigen Reise seine Herrschaft behauptete. Zwei englische Jünglinge, welche das Deck zu lauten forcirten Marschübungen zu benutzen wünschten, wurden bald darüber belehrt, dass jede gesellschaftliche Rücksichtslosigkeit ihre Grenzen habe und — finde.

Dank der Unpünktlichkeit vieler Passagiere und mancherlei Umständen — im Zwischendeck hatten wir eine grosse Anzahl Ochsen für Athen übergenommen und wurde das Futter für dieselben erst später nachgeliefert, — wie sie die Abreise eines grossen, zahlreich bevölkerten Schiffes stets zu begleiten pflegen, ging es erst nach 5 Uhr Abends Anker auf, und da punkt 6 Uhr zu Tisch geläutet wurde, so war der Abschied von dem grossen Städtepanorama ein etwas rascher und gezwungener. Desto ungezwungener ging es bei Tische zu, wo bald eine erste Bekanntschaft gemacht wurde, wozu die Liebenswürdigkeit des alten Kapitäns und seines jungen Stellvertreters das ihrige beitrugen. Als wir zurück an Deck kamen, um die Tasse Kaffee oben einzunehmen, lag die Stadt schon in nebelgrauer Ferne hinter uns, das niedrige Land bei St. Stefano schon im Verschwinden. Am andern Morgen früh waren wir vor den Dardanellen, passirten dieselben ohne Aufenthalt, da die österreichischen Postdampfer das Vorrecht geniessen, ihre Papiere schon in Galata umzutauschen und fuhren früh Vormittags in das ägäische Meer ein, diesmal unsern Kurs längs dem Festlande nehmend, so dass wir jetzt Tenedos rechts und die troische Ebene nebst den aufsteigenden Bergen links von uns hatten und nun den berühmten homerischen Berg Ida leicht auffinden konnten. Dann verliessen wir die festländische Küste, liessen Mytilene links liegen und bekamen von Mittags an im freien ägäischen Meere einen solchen derben Nordoster, dass unser grosses Schiff vielfach in dem kurzen krappen Seegange Wasser übernahm und ich, trotzdem die Gesellschaft sich mehr und mehr lichtete, doch den gottlosen Wunsch in mir spürte, nur eine Stunde gegen Wind und Seegang anzukämpfen statt vor ihnen zu lenzen, um zu sehen wie sich dann das Schiff verhalten würde. Wir sahen den schönen, klaren, langen Tag auch nicht ein einziges Schiff, zum Zeichen, wie sie alle irgendwo untergekrochen waren um Schutz zu finden. So war es kein Wunder, dass wir schon am Abend die Berge von Euboea auftauchen sahen, in aller Frühe den Sonntag Morgen, Mai 25, Kap Sunium umfuhren und um 6 Uhr früh die Anker im Hafen des Piraeus fallen liessen nach genau 36stündiger Fahrt vom Bosporus. Da standen wir gewissermassen plötzlich vor dem klassischen Lande, links das hohe Salamis, dahinter Aegina, Alles scheinbar sehr nahe, weil die Berge so hoch aufragen und fortwährend den Eindruck eines nach allen Seiten geschlossenen Meeres unterhalten und vor uns die im Morgennebel nur mühsam erkannten athenischen Berge, unter denen die Stadt selbst ziemlich tief verborgen liegt.

Wir hatten uns zu fünf verabredet zusammen zu bleiben. Der grössern Unabhängigkeit zu Liebe wurde auf die Fahrt mit der Eisenbahn verzichtet, ein Wagen zu 15 Fr. gemietet, der uns laut sicherer Verabredung nach Athen, durch Athen und zurück zum Piraeus fahren sollte, bis wir um 4—6 Uhr Abends weiter führen. Zunächst setzte unser vortrefflicher Rosselenker uns auf halbem Wege vor einer Schenke ab, weil die Gäule trinken mussten. —

In Wirklichkeit bekamen sie nichts, wir aber Gelegenheit, mit dem vino resinato eine ganz oberflächliche Bekanntschaft zu machen, da der Wirt den fast unberührten Wein und noch 2 Franken dazu zurückerhielt. Solcher auf Pech gelagerter Wein ist für den Fremden geradezu ungeniessbar; probirt man ihn dennoch, so wird man mit empfindlichem Kitzel im Schlunde bestraft. Die Gaunerei hatte übrigens als Warnung ihr Gutes; Wirt und Kutscher spielten unter einer Decke und waren wir so auf weitere Schelmerei vorbereitet. Die Strasse vom Piraeus nach Athen soll längs den alten von Themistokles gebauten Mauern hinlaufen, von denen aber fast keine Spuren mehr vorhanden sind; sie war sehr staubreich, mit vielen Löchern und zwei ziemlich tiefen Gräben zu beiden Seiten versehen. Das Land war schon abgeerndtet, und die Frucht meist schon unter Dach, der Boden steinhart ausgetrocknet, und bleibt derselbe so liegen bis die Herbstregen eine neue Bestellung einleiten. Weiter von der Strasse ab liegen ununterbrochene Olivenwälder und Weinpflanzungen, dahinter links die Berge von Megara, gerade aus der schroffe Lykabettus hinter der Stadt, während rechts sich allmählig die Sternwarte auf einsamer Höhe, der Areopagos, die Akropolis und der Hymettus entwickeln, die Stimmung immer höher und höher hebend. Bald sind wir an dem Fahrwege, der nach der Sternwarte und zur Akropolis seitwärts führt, aber trotz aller Mahnungen fährt unser Automedon gerade aus in die Stadt hinein. Nun, er will uns das moderne Athen im Sonntagsstaat zeigen, was ihm auch die lange, gerade Hermesstrasse entlang fahrend vollauf gelingt; wir freuen uns in dem lebhaften, schmucken Menschengewimmel doch auch wieder Frauen und Kinder zu sehen, was von Stambul her uns schon ungewohnt war.

Da plötzlich am Konstitutionsplatz hält der Kutscher, einem „Kollegen" winkend, der freundlich grinsend heranfährt, die Herrschaften weiter zu fahren; unser Kutscher erklärt, weiter fahre er nicht, sondern sein „Kollege". Sie werden solche Gaunerei schon öfter gemeinschaftlich ausgeübt haben, da vielen Reisenden die Zeit zur Besichtigung Athens und seiner Alterthümer knapp zugemessen und deshalb nichts unliebsamer ist, als erzwungener Aufenthalt. Bei uns kamen die Burschen aber an die rechten. Freilich wurde einem Vorschlage zur Polizei zu fahren mit höhnischem Lächeln zugestimmt, da natürlich am Sonntag Morgens 8 Uhr früh ausser dem Kastellan Niemand dort war. Es gab neues Geplänkel hin und her, wobei eine plattdeutsche Rede mit der freien Uebersetzung Themistokleischer Eingangsworte „Ihr Männer von Athen" mit „Ji Spitzboven van Athen" an das zahlreich versammelte Volk in seinem grössern Teil geradezu verblüffend, dann aber bei den gelegentlichen Zwischenworten „briganie tutte" mit verständnisvollem Gelächter aufgenommen wurde. Dann liessen wir die ganze Gesellschaft stehen, ohne uns um den kontraktbrüchigen Kutscher irgendwie zu kümmern, kamen aber doch gegen Mittag wieder zur Polizei, wo der Chef uns nach allerhand ergötzlichem Dollmetschen durch einen französischen Friseur erklären liess, wir hatten völlig Recht, dass wir dem kontraktbrüchigen Kutscher nichts bezahlt hätten, er würde ihn ausserdem noch in Strafe nehmen etc. Dass wir mit hochachtungsvollem Respekt von dem weisen Kadi Abschied nahmen, versteht sich von selbst. Man muss sich im Orient nur nicht verblüffen oder imponiren lassen, sondern dies Geschäft selbst besorgen, so kommt man gut durch.

Dass der Zwischenfall indessen doch die Stimmung etwas beeinträchtigte beim Besuch des Bacchustheaters und des Odeon von Herodes Atticus, wer wollte es leugnen! Doch freute es uns, auf einer spätern Wanderung durch das Thal des Ilyssos Baches hinter dem königlichen Garten, als wir zum Stadium, dem alten Schauplatze des Rennspiels etc. hinauswanderten in den dortigen öffentlichen Gärten ganz ähnliche völlig offene Schaubühnen unter freiem Himmel zu entdecken, wie sie 2000 Jahre früher zu Füssen der Akropolis von Athen besucht waren. Die Natur ist die gleiche geblieben und die Menschen, obgleich andern Stammes, wenigstens gemischt mit andern Rassen, haben sich ihr anbequemt. Dann ging es zwischen zwei Mauern von riesigen Cactus und Aloen mit 15—18' hohen Blütenschäften, aber noch nicht mit aufgebrochenen Blüten wie 8 Tage später an der Riviera, zu den Propylaeen hinauf in das Schuttfeld hinein, auf dem einst rechts das gewaltige Viereck des Parthenon, mit seinen 1½ Meter dicken, cannelirten Säulen von pentelischem Marmor jetzt Alles in Trümmern, links das köstlich liebliche Erechtheion mit seinen noch wohl erhaltenen herrlichen Karyatiden, und so viele andere Tempel, Denkmäler, Säulen etc. standen, Alles auf der Krone des Felsens, umgürtet von den zum Teil noch erhaltenen Mauern des Themistokles.

Der Blick streift von der Höhe der Akropolis über das an ihm nördlich belegene Alt- und Neu-Athen, nach Westen zum Theseustempel und dem Kirchhof mit den Ausgrabungen die wir später besuchten, über die neue Sternwarte, die Hügel des Areopag, des Philopappos hinüber nach dem wohlerhaltenen Triumphbogen Hadrians und den mächtigen Säulen des Tempels des Olympischen Jupiter, in deren Schatten jetzt Müssiggänger lungern und Soldaten gedrillt werden, bis die so erinnerungsreichen hohen Berge des Hymettos und Lykabettos das gewaltige Panorama abschliessen. Die Zeit verfloss im Fluge und hätte nicht die merkwürdig blendende Sonne dem weitern Streifen endlich ein Ziel gesetzt, so würden wir schwerlich um 6 Uhr Abends wieder im Piraeus gewesen sein. Aber die Augen schmerzten allmälig immer mehr, dass selbst der wohlthuende Schatten der mit wunderbarer Kunst in der Farbenabstufung systematisch hinter einander sich erhebenden Alleen des Parks auf dem Konstitutionsplatz vor dem schmucklosen Königsschloss nicht genügende Linderung brachte. Das Hafengetriebe aber im Piraeus, wo die früher erwähnten amerikanischen Kriegsschiffe neben französischen und englischen Kriegsfahrzeugen und eine Menge grosser und kleiner Kauffahrer lagen, bot trotz vielseitigen Yachtsports nicht viel Verlockendes. Doch wurde die Abfahrt um 6 Uhr Abends als eine harte Notwendigkeit empfunden, die Mahlzeit unsers würdigen Camerlote im Sturmschritt eingenommen und alsbald wieder auf Deck sich niedergelassen, um noch einmal die Schönheiten dieser unvergleichlichen Bucht von Salamis mit ihren ruhmreichen Erinnerungen aus dem Vollen zu geniessen.

Alles hier niederzuschreiben was uns bewegte würde um so vermessener sein, als berufenere Federn längst vor uns die Eindrücke ausführlicher und eingehender beschrieben haben.

Am andern Morgen früh passirten wir Kap Malea, selbst Kap Matapan, bevor die bequemern Reisegenossen nach dem ermüdenden Tagwerk und der späten Nachfeier ihr Lager verlassen hatten; selbst das Dritte Kap Gallo mit seinen mächtigen Steilwänden wurde von einzelnen verpasst. Hart unter Land hin führte unser Kurs uns dicht an der Bucht von Navarino vorbei, in welcher, von einer Insel geschützt, die türkische Flotte gründlich von der vereinten englisch-französisch-russischen Flotte vernichtet und dem Unabhängigkeitskriege der Griechen 1827 ein Ende gemacht wurde. Wie in alten Zeiten auf des weisen Nestors Reich, so schaute auch jetzt der schneebedeckte Taygetos-Berg auf diese ganze Küste herunter und dient dem Seefahrer weit, weit hin als unschätzbare Landmarke. Wenn wir auch uns allmälig weiter vom Lande entfernten, so erkannte man doch deutlich, dass das Land wohlbebaut war, so weit das vielfach steile hohe Gebirge es gestattete.

Der Himmel war den ganzen Tag über von sprichwörtlicher Klarheit, bloss über Land hingen Wolken, der Horizont im Süden, Westen, Norden war völlig rein. Einzig nach Westen hing eine vereinzelte Wolke in fester Lage unverändert und gab dadurch Veranlassung zu einer interessanten Debatte über ihre Herkunft. Meine Behauptung, unter ihr liegt der Aetna, und sie zeigt die Richtung in welcher wir diesen höchsten Berg des Mittelmeeres zu suchen haben, begegnete anfänglich ungläubigem Lächeln selbst bis in die höchsten Kreise hinauf. Indessen hatten die Erfahrungen auf der Ausreise mich gelehrt, dass gerade solches vereinzeltes Gewölk das Anzeichen von darunter liegenden Bergen sei, dass ich trotz der grossen Entfernung von etwa 240 Seemeilen doch schliesslich mit meiner Ansicht durchdrang. Die Formel „es thut mir leid Ihnen gestehen zu müssen, dass nach sorgfältiger Erwägung aller Umstände — Sie recht haben", in welche der ritterliche Reisekollege Herr v. R. das Zugeständnis einwickelte, bewies dass es Kampf gekostet aber die Ueberzeugung der Richtigkeit der kühnen Behauptung durchgedrungen war. Leider gab die Freude wenig Trost gegenüber dem Unglück, dass wir nun die erste jonische Insel Zante, la fiore di Levante (die Blume der Levante) im Abenddunkel und die weitern Inseln bei nächtlicher Weile passiren mussten, so dass ich, trotzdem ich einen grossen Teil der Nacht an Deck war wenig anderes zu bewundern Gelegenheit hatte als die Sicherheit und Unverfrorenheit, mit welcher unser Dampfer durch zu Zeiten sehr enge Passagen und Durchfahrten mit vollem Dampf hindurchgesteuert wurde, bis wir an Trevesa, dem historisch berühmten Actium vorbei, wieder ins offene Meer gelangten. Der Dienst, davon musste sich Jeder immer mehr überzeugen, war musterhaft geregelt und fungirte die lebende wie leblose Schiffsmaschinerie mit einer geräuschlosen Pünktlichkeit und Sicherheit, welche alle Anerkennung verdient. Das Ganze des Dienstes hat vielleicht stellenweise einen leicht militärischen Anstrich, ist aber doch so durch und durch kauffahrteimässig bürgerlich, dass die hie und da hervortretende besonders noble Auffassung der gegenseitigen Grenzen doppelt wohlthuend wirkt. Man steht hier einem alteingeführten Dienstgetriebe gegenüber; in welchem die in diesem Dienste gross gewordenen Männer jeder für sich das volle Gefühl der Verantwortung in sich tragen und unbeirrt durch verführerische Ideen der Neuzeit praktisch zur Schau tragen. Gar stattlich machte es sich, als wir einige Tage später in Triest den Kapitän das von vier Matrosen im Gala-Anzuge gerudrrte, hinten mit Flaggen und Teppichen geschmückte Boot besteigen sahen, um selber seine Post und Briefe der Direktion zu überbringen; nicht der Kapitän selber, sondern sein Stellvertreter führte die Rudertaue, der Kapitän sass ruhig neben dem letztern. Man fühlt sich so wohl und behäbig, wenn man auch unter so vielen und so verschiedenen Köpfen die stille Ordnung des geregelten Dienstes und Jeden jederzeit an seinem Platze wahrnimmt.

Was wir in der Nacht an historischen Erinnerungen und landschaftlichen Genüssen entbehrt hatten, sollte uns zum Teil am nächsten Tage ersetzt werden, als wir statt des in der Nacht passirten sagenumwobenen Eilandes des göttlichen Dulders Odysseus und seiner standhaften Gattin Penelope, Ithaka, das reiche und schöne Corfu, das alte Kerkyra, sich aus den Wellen erheben sahen und bald auf der Rhede von Corfu vor Anker kamen, dicht neben dem englischen Turmschiff „Inflexible" welches dort auf den Lorbeeren der Beschiessung Alexandriens ausruhte, in Wirklichkeit aber mehr Thränen der Reue darüber zu verraten schien, dass England so kleinmütig vor den Brandreden einiger griechischen Advokaten die schönen jonischen Inseln geopfert und an Griechenland übergeben hatte, ohne sonderlichen Dank dafür zu ernten. Die Griechen sind nach wie vor misstrauisch gegen das seemächtige Inselreich und die Engländer, die früher schaarenweise auf den jonischen Inseln den Winter zubrachten und auf den gegenüber liegenden albanesischen Bergen jagten, ziehen sich schmollend von ihnen zurück, weil sie nicht mehr die erste Rolle auf ihnen spielen. Wir erfuhren dies und manches Andere, da eine sehr willkommene Auswechselung unserer letzten Stambuler Deckgäste gegen angesehene Kajütspassagiere in Corfu stattfand, und so unsere Hinterdeckgesellschaft angenehm aufgefrischt wurde. Dass der Juni und die Sommermonate in Corfu recht heiss werden, erfuhren wir auf unserer mehrstündigen Rundfahrt nach der „Kanone" zur Genüge. Ein Glück dass ortskundige Leute uns in dem unverschämten Feilschen mit Boots- und Droschkenführern zur Seite standen und die italienische Sprache schon besser verstanden wurde als in Athen. Aber die Fahrt durch die wirklich tropischen Wälder mit all den unzähligen Bekannten und Unbekannten war entzückend schön, die Krone von allem die alten Olivenwälder durch ihre Absonderlichkeit und der königliche Garten um das Schloss Monrepos durch die Fülle und Auswahl der fremden Bäume, unter denen eine riesige Pelcumia jonica neben dem Schloss durch ihre Blütenpracht besonders auffiel und gegen ihre Umgebung von riesigen Eriodendren, Dracaenen, Bombax, Costus, Amomum etc. etc. vorteilhaft sich heraushob. Leider rief ein Missverständnis über die eigentliche Abfahrtszeit uns früher an Bord als nötig war und so sagten wir dem lieblichen Eiland und seinem überreichen Obstmarkt früher Lebewohl als nötig, freilich nicht ohne uns mit einem grossen Korb vollreifer Apfelsinen, Kirschen, japanischer Mispeln, einer köstlich süssen, saftreichen, gelben Frucht von der Grösse eines kleinen Apfels, und — das Beste kommt zuletzt — über alles herrlicher Walderdbeeren zu versehen. Sie dienten uns teilweise am Abend, als Alles wieder im gewohnten ruhigen Gange und die Engen zwischen Inseln und Festland mit ihren interessanten Ausblicken in das letztere passirt waren und wir nun für einige Tage in die offene See hinaussteuerten, zu einer prächtigen Bowle, nachdem die Schwierigkeit des Ersatzes von Moselwein durch guten Vöslauer mit einigen geheimen kleinsten Zuthaten glücklich gelöst war, und das neugestärkte vaterländische Gefühl mächtig emporwallte.

So blieb die Stimmung auch die folgenden Tage hindurch stets eine gehobene, zumal die Schiffsführung es sich nicht nehmen liess, für stets neue Anregung dadurch zu sorgen, dass wir die historisch oder landschaftlich merkwürdigen oder sehenswerten Punkte in ziemlicher Nähe passirten. Anfangs folgt der Kurs nach dem hohen albanesischen Küstengebirge, den Tschika Bergen, dann an Durazzo und Dulcigno vorbei empfindet man es mehr und mehr als eine Oede, dass das Land so niedrig wird, bis die höhern Gipfel der dalmatinischen Inseln, gegenüber dem langgestreckten Lesina das schlachtberühmte Lissa mit seinen vielen nautischen Anstalten und sorgfältigem Weinbau die schmerzlich entbehrten und fast zur Gewohnheit gewordenen Ansichten der hohen griechischen Inseln zurückrufen. Dann aber wird es immer flacher, nur ein ca. [illegible]' hoher Berg des Küstengebirges der Dinarer-Alpen fesselt den Blick der Vorüberfahrenden auf längere Zeit. Dann am Quarnero vorbei, in dem es nach Fiume hinaufgeht, taucht Pola, der österreichische Kriegshafen, mit seinen soliden Befestigungen und reichen Denkmälern der Vergangenheit auf, dann folgt die flach wellenförmige wein- und fruchtreiche sorgfältig kultivirte istrische Halbinsel mit ihren verkehrreichen Seestädten Rovigno, besonders Pirano das salzberühmte, das von Schiffswerften und Maschinenbauanstalten strotzende Capo d'Istria, ebenfalls durch starke Salzgewinnung ausgezeichnet, bis sich endlich die jetzige Herrscherin der Adria, das malerisch am Berge aufsteigende Triest zeigt mit seinem Feuerturm, Hafendämmen und dem stattlichen Mastenwalde im Vordergrunde, hinter welchem der Palast der Direktion des österreichischen Lloyd sofort die Blicke fesselte. — Damit war die Seereise beendet. Ein warmer Abschied von einem Teil der liebgewonnenen Reisegefährten und dem herrlichen Schiff und seinen Führern, ein leider misslungener Versuch diese Empfindungen auch an höherer Stelle kundzugeben, und dann noch eine kleine Woche in Venedig, Mailand, Genua und der Riviera geschwelgt, und aus dem farbenreichen Süden führte uns das Dunkel des Gottbardt-Tunnel in den so — „einförmig grünen" Norden.

Verlag von H. W. Silomon in Bremen. Druck von Aug. Meyer & Dieckmann. Hamburg, Alterwall 2c.

HANSA

Redigirt und herausgegeben
von
W. von Freeden, BONN, Thomastrasse 1.
Telegramm-Adresse:
Freeden Bonn,
oder
Hansa Alterwall 28 Hamburg.

Verlag von *M. W. Silomon* in Bremen.
Die „*Hansa*" erscheint jeden 2ten Sonntag.
Bestellungen auf die „*Hansa*" nehmen alle Buchhandlungen, sowie alle Postämter und Zeitungsexpeditionen entgegen, desgl. die Redaktion in Bonn, Thomastrasse 1, die Verlagshandlung in Bremen, Obernstrasse 44 und die Druckerei in Hamburg, Alterwall 28. Sendungen für die Redaktion oder Expedition werden an den letztgenannten drei Stellen angenommen. **Abonnement** jederzeit, frühere Nummern werden nachgeliefert.

Abonnementspreis:
vierteljährlich für Hamburg 2½ ℳ,
für auswärts 3 ℳ = 3 sh. Sterl.
Einzelne Nummern 60 ₰ = 6 d.

Wegen **Inserate**, welche mit 30 ₰ die Petitzeile oder deren Raum berechnet werden, beliebe man sich an die Verlagshandlung in Bremen oder die Expedition in Hamburg oder die Redaktion in Bonn zu wenden.

Frühere, komplete, gebundene Jahrgänge v. 1873 1874, 1876, 1877, 1878, 1879, 1880, 1881, 1882, 1883 sind durch alle Buchhandlungen, sowie durch die Redaktion, die Druckerei und die Verlagshandlung zu beziehen.
Preis ℳ 6; für letzten und vorletzten Jahrgang ℳ 8.

Zeitschrift für Seewesen.

No. **18.** HAMBURG, Sonntag, den 7. September 1884. **21.** Jahrgang.

Inhalt:

Deutsche Kolonien.

I.

Die lebhaften Besprechungen deutscher Blätter über die verschiedenen Erwerbungen auswärtigen deutschen Besitzes in Lüderitzland und am Kamerun verraten so unzweideutig das *Lebens*interesse der Nation an der Ausbreitung seiner Herrschaft in fremden Weltteilen, dass es völlig unnötig ist, den sog. freisinnigen Blättern gegenüber noch ein Wort darüber zu verlieren. Der Zug der europäischen Völker geht wie in den Zeiten welche der Entdeckung Amerikas nachfolgten auf Ausdehnung der Gewalt über bisher herrenlose Gebiete und deren Einbeziehung in den Kreis der eigenen Industrie, welche dort neue Absatzgebiete für ihren überquellenden Reichtum und Verwendung suchenden Ueberfluss zu finden hofft. Es ist den europäischen Festlandsvölkern im eigenen Hause zu eng geworden, die übergrosse Kapitalkraft an einer, die stets zunehmende Bevölkerung an anderer Stelle fordern gebieterisch Ablenkung nach Gebieten, welche Mangel an *Menschen* wie an *Geld* haben.

Es ist nun freilich unverkennbar dass Deutschland, dem Rufe seines grossen Kanzlers folgend, bislang nicht gerade die richtigen Ziele für die Bestrebungen gefunden hat, welche auch uns zur Lebensaufgabe geworden sind. Wenn Deutschland sich berufen und genötigt sieht sich Kolonialbesitz zuzulegen, so sollte man erwarten, dass es zunächst seine Bestrebungen nach der Richtung einsetzt, dass es für seinen *Ueberschuss an Menschen-Material* solche Verwendung suche, dass dasselbe nicht ferner wie bei der Auswanderung in die Vereinigten Staaten von Nordamerika dem Heimatlande völlig verloren geht, sondern in einem erkennbaren Zusammenhange mit dem Mutterlande bleibe. Unsere *Kapitalkraft* ist noch nicht derartig zur Auswanderung in die Fremde gezwungen, dass nicht noch genug Gelegenheit zur Verwendung innerhalb unserer Grenzen übrig geblieben wäre. Ein Blick auf die beiden Erwerbungen in Central- und Südafrika zeigt aber, dass in beiden mehr das deutsche Kapital als die deutsche Auswanderung sich beteiligen wird.

Nicht allein dass Herr Lüderitz durch die Zeitungen erklären lässt, dass er allen Wünschen nach Auswanderung in sein neuerworbenes Gebiet als vorläufig unausführbar entgegen treten müsse, zeigt die Liste der vorerst dorthin entsandten Beamten, dass es sich, wie wir schon von Anfang an behauptet haben, bei der Erwerbung dieses Gebietes lediglich um eine Spekulation im Bergwerksbetriebe handle, speziell um Aufschliessung der dort vermuteten Schätze an Kupfer, und vielleicht noch andern Edelmetallen, als allgemeiner Ersatz für die niederdrückende Konkurrenz der übrigen Teilnehmer an den Huelva-Werken im südlichen Spanien. Für die Kolonisation wird Lüderitzland erst dann wichtig werden, wenn das wüste ca. 100 Km. breite Küstengebiet durch Anlage artesischer Brunnen kulturfähig, und durch Anlage von Eisenbahnen und Strassen bewohnbar geworden sein wird. Bis dahin ist ein Massendurchzug von Einwanderern in das schon jetzt angebaute Hinterland ein Ding der Unmöglichkeit. Man soll den Durchzug ins Hinterland nicht mit dem alten Ueberlandwege vom Missouri nach Kalifornien vergleichen. Auf demselben konnten die Pioniere sich in den westlichen Staaten der Union mit allen Bedarfsartikeln für den langen Landweg versehen; in der Walfisch-Bai fehlt alles und kann man es von Europa dahin nicht mitnehmen, weil der Schiffsraum zu kostbar für solche Transporte ist. Die amerikanischen Pioniere fanden fast überall etwas Lebensmittel und wenigstens Wasser vor; hinter der Walfisch-Bai liegt eine absolute Sandwüste u. s. f. Sollen wir unsere Meinung ganz sagen, so wird die Erwerbung von Lüderitzland für deutsche Einwanderung und Kolonisation erst dann von Bedeutung, wenn die Einwanderer ohne grosse Schäden und Beschwerden das Binnenland erreichen, sich an die Transvaalstaaten nach Süden, die noch unabhängigen Negerreiche im Norden anlehnen und dort so zahlreich und mächtig werden, dass die Durchquerung und demnächstige Ausbreitung über das ganze südliche Afrika nur noch als Frage der Zeit betrachtet werden kann. Von dieser hohen Aussichtswarte angesehen hat Herr Lüderitz alle unsere Sympathien für sein Unternehmen und wollen wir hoffen, dass innerhalb der ersten zwanzig Jahre die Bahn soweit freigelegt werden kann.

Den Erwerbungen am Kamerun stehen wir mit sehr geteilten Empfindungen gegenüber. Die Kamerun*küste* ist die ungesundeste aller Küsten Afrikas und das dortige äquatoriale Klima für Deutsche durchaus unerträglich. Wer dort bisher Handel getrieben hat, that es von Schiffen aus, welche in offener Rhede verankert waren, fern von den Küsten- und Flusssümpfen mit ihren verderblichen tötlichen Fiebern. So urteilt jeder Kundige in Hamburg und wer den dort Lebenden nicht glauben will, braucht sich bloss einmal die Gesichter der Schiffsmannschaften und Kaufleute anzusehen, wenn sie von dieser Fieberküste heimkehren. Es berührte uns deshalb geradezu tragisch, als uns dieser Tage ein — *Extrablatt* in die Hände kam, wodurch eine angesehene Provinzialzeitung die weitere Erwerbung von Balimba und Batonga südlich des Kamerun-Gebietes besonders ankündigte. Das ist eine reine Kapitalangelegenheit deutscher Kaufleute, bei welcher von deutscher Kolonisation auch in ferner Zeit nicht die Rede sein kann. Die Küste ist für unsere Konstitution unbewohnbar und das hinterliegende Hochland ist gerade die Gegend des undurchdringlichen äquatorialen Waldes, welcher sich von dort über Tausende von Meilen ins Innere von Afrika erstreckt. Dort hausen die menschenähnlichen Affen und weiteres Waldgetier, welches von unzugänglichen Schlupfwinkeln aus jeden Versuch zur Aufräumung und Bebauung des Bodens aufs energischste bekämpft und dabei von dem auf dem üppigen Boden wuchernden Pflanzenwuchs aufs kräftigste unterstützt wird. So verdienstlich also das Unternehmen des Dr. Nachtigal sonst auch sein mag, da er wenigstens den Anfang mit der Erwerbung auswärtigen Besitzes macht und so das Eis bricht, welches die Herzen der der See abgewandten Binnenländer bisher umkrustete, so bleibt für die Verwendung unseres Ueberschusses an Menschen-Material dort nicht oder sehr wenig gesorgt.

Nach unserer festen Meinung ist in Afrika das *Kongogebiet* die einzige äquatoriale Gegend, nach welcher allenfalls die deutsche Einwanderung zu lenken wäre. Wir werden in einem folgenden Artikel das Klima desselben und seine Bodenbeschaffenheit nach den Worten eines Reisenden schildern, welcher ein Jahr lang an den Ufern dieses Stromes zubrachte, und damit die Wege anderer Afrika-Reisenden verlassen, welche z. B. Angra Pequeña schildern, ohne es je gesehen zu haben, ohne überhaupt in Südafrika gewesen zu sein. Unser Gewährsmann wird sich in nächster Zeit selber beim deutschen Publikum einführen, da das Erscheinen seines Reisewerkes in deutscher Uebersetzung zur Michaelismesse von der Verlagshandlung F. A. Brockhaus bereits angekündigt ist.

(Fortsetzung folgt.)

Aus dem Bericht der Handelskammer zu Bremen für das Jahr 1883.

Das verflossene Jahr ist für den *Bremischen Handel* kaum als ein günstiges zu bezeichnen. Wenn auch in einzelnen Artikeln die Preise sich befestigten, so hat doch im Allgemeinen der Charakter des Marktes in niedrigen Preisen bestanden. Die Geschäftsergebnisse sind entsprechend nur teilweise befriedigende gewesen.

Der Umfang des Verkehrs hat im verflossenen Jahre eine Zunahme aufzuweisen. Wie weit dieselbe den Rückgang der Jahre 1881 und 1882 begleicht, wird sich erst an der Hand der Statistik feststellen lassen.

Stellt man die Entwickelung des Bremischen Handels seit dem Jahre 1880 derjenigen gegenüber, welche die hauptsächlichsten Konkurrenzplätze Bremens an Rhein und Elbe in derselben Zeit zu verzeichnen haben, so wird man trotz der Zunahme des Bremischen Verkehrs im letzten Jahre einen Stillstand der diesseitigen Entwickelung nicht verkennen können. Der Grund dieses Zurückbleibens des Bremischen Handels ist nach Ansicht der Handelskammer in erster Linie in dem grossartigen Aufschwung zu suchen, welchen der *Rhein*- und *Elbetransport* grade in den letzten Jahren erfahren hat, ein Aufschwung, welcher den Häfen an Rhein und Elbe ebenso zu Statten kam, wie er den Häfen, welche lediglich auf Eisenbahnen angewiesen sind, Abbruch that, sodann aber auch, soweit die belgisch-holländischen Häfen in Frage kommen, in der überaus weitgehenden Unterstützung, welche diesen Häfen Seitens der *belgisch-holländischen Eisenbahnverwaltungen* zu Teil geworden ist.

Hat bei dieser Lage der Dinge der Bremische Handel ein ganz hervorragendes Interesse daran, in gleicher Weise wie jene Konkurrenzhäfen überleistungsfähige Wasserstrassen zu verfügen, so hat leider das verflossene Jahr für die verschiedenen Wasserbauprojekte, welche für Bremen von Bedeutung sind, nur insoweit eine greifbare Förderung gebracht, als Bremen selbstthätig vorgehen konnte.

Erfreulicheres als über den Handel lässt sich glücklicher Weise über die *Bremische Rhederei* und den *Bremischen Schiffsbau* sagen. Auch im verflossenen Jahre hat sich die Bremische Flotte, besonders den Zuwachs an Dampfern betreffend, durchaus günstig entwickelt. Ebenso waren die Werfte an der Weser vollauf beschäftigt. Auf einer derselben ist zu Ende des Jahres ein Dampfer von 3000 Tons Tragfähigkeit vom Stapel gelassen. Es ist dies der erste Dampfer dieser Grösse, der an der Weser gebaut worden ist.

In naher Verbindung mit der Förderung der Seeschiffahrt steht der Plan, die Weser weiter als über die Weserhäfen Bremerhaven-Geestemünde und Brake hinaus für die grosse Fahrt zugängig zu machen. Zu dem Ende ist ein Projekt der Korrektion der Unterweser ausgearbeitet, nach welchem die Weser bis Brake und Elsfleth für Schiffe von 8.3 bezw. 7.3 m Tiefgang, mithin für die grössten Seeschiffe, bis Vegesack für Schiffe von 5.5 m, bis Bremen für solche von 5 m Tiefgang fahrbar gemacht, und die Kosten durch eine Abgabe auf die Schiffe, eine Beisteuer Bremens von 12 Mill. Mark und einen Restbeitrag von 18 Mill. Mark des Reiches gedeckt werden sollten. Einem Protest der Unterweserstädte gegen diese Pläne steht gegenüber eine Zustimmung der Oberweserstädte, deren Schiffe dann meist nur bis Bremen gehen würden und sich die lästige und gefährliche Fahrt im Flutgebiet der Weser oder die Umladung in Leichter sparen würden. Eine Entscheidung ist noch nach keiner Richtung erzielt, da die noch nicht erledigte Zollanschlussfrage auch diese Pläne notwendig in der Schwebe halten muss. Um doch etwas Besserung für die direkte Bremer Seeschiffahrt zu erzielen, hat Bremen begonnen, die »lange Bucht« mit einem Kostenaufwand von 2½ Mill. Mark durchzustechen, und dadurch den Flutlauf um 1010 m abzukürzen. Das Werk soll 1885 vollendet sein. Wie der Seeverkehr die geringen Veränderungen und Verbesserungen des Fahrwassers bis Bremen sich bereits thatsächlich zu Nutzen gemacht hat, ergiebt sich aus dem Registertonnengehalt der an der Stadt Bremen angekommenen Seeschiffe, welche

von 1862—1866	durchschnittlich	42 007	R.-T.
„ 1867—1871	„	38 702	„
„ 1872—1876	„	46 114	„
„ 1877—1881	„	51 114	„
1882	„	71 098	„
1883	„	95 422	„

betragen hat. In diesen selben letzten Jahren hat auch der Schiffsverkehr der Unterweserhäfen, Geestemünde allerdings ausgenommen, erheblich sich vergrössert, ist also durch die Vertiefung der Weser bis Bremen nicht in Nachteil geraten.

Die Frage anlangend, wie sich im Jahre 1883 die für *Bremische Rechnung* auf der Weser *eingegangenen Seeschiffe* auf die einzelnen Häfen verteilen, so entfallen davon nach den über die ersten elf Monate des Jahres vorliegenden Zahlen auf

Bremerhaven	1147	Schiffe	mit	801 919	Reg.-To.
Geestemünde	277	„	„	153 476	„
Stadt Bremen	1039	„	„	89 752	„
Nordenhamm	72	„	„	75 868	„
Brake	118	„	„	85 887	„
Vegesack	67	„	„	4 779	„

Da die neuen eisernen Schiffe vielfach mit doppelten Böden nach dem Bracketsystem gebaut werden, der von den beiden Böden umschlossene Raum aber weder zur Aufnahme von Ladung noch Ballast benutzt werden kann, so ist von der Reichsregierung eine authentische Auslegung des § 7 der deutschen Schiffsvermessungsordnung erstrebt worden, dahin lautend, dass bei solchen Schiffen die ganz nach dem Bracketsystem gebaut sind als Raumtiefe der Abstand gelten soll von einem Drittel der Decksbalkenbucht unter dem Vermessungsdeck bis zur Innenfläche der Plattform des Bracket und dass diejenigen Schiffe, welche nur teilweise doppelte Böden führen, nur für diesen Teil nach obiger Bracketformel zu messen sind. Dieselbe Vermessungsart soll nun auch für die nach verwandten Systemen wie dem Zellular-, Longitudinalsystem etc. gebauten Schiffe angestrebt werden.

Wünschenswert bleibt als letztes Ziel aller dieser besondern Bestimmungen eine allgemein gleichmässige Vermessung des Nettoraumgehalts in Aussicht zu nehmen, damit die ewigen Neuvermessungen in fremden Ländern aufhören. Freilich setzt eine solche allgemein gültige Uebereinkunft eine allgemein gleiche Vertrauenswürdigkeit der Vermesser voraus, und mag deshalb noch lange ein frommer Wunsch bleiben.

Eine für die Rhederei und zwar sowohl für die Fluss- als auch die See-Rhederei sehr wichtige Materie, nämlich die *Schaffung eines ergiebigen Realkredits*, ist an die Handelskammer in Form verschiedener im Auftrage des Bremischen Anwaltsvereins von Rechtsanwalt Dr. J. Stachow ausgearbeiteter Gesetzentwürfe für das Bremische Staatsgebiet herangetreten. Dieselben behandeln die Register für Flussschiffe, die gesetzlichen Pfandrechte an Flussschiffen, die Verpfändung von Schiffen und die Zwangsvollstreckung in Schiffe, sowie Abänderungen zur Handfestenordnung und zum Bremischen Einführungsgesetze zum Handelsgesetzbuche.

Nachdem die übrigen deutschen Gesetzgebungen gerade in den letzten Jahren diesen Stoff für ihre Gebiete bearbeitet haben, erscheint es in der That sehr wünschenswert, denselben auch für Bremen zu regeln. Die Handelskammer hat sich daher auch dem Senate gegenüber dahin geäussert, dass sie eine thunlichst rasche gesetzliche Regelung dieser Materie für geboten erachte.

Andererseits kann sie den Motiven zu den genannten Gesetzentwürfen nur beipflichten, wenn dieselben darauf hinweisen, wie es sich gerade hier um ein Gebiet handele, welches eine Inangriffnahme Seitens der deutschen Reichsgesetzgebung erheische, indem nur bei einer einheitlichen Gesetzgebung es gelingen werde, den hier in Frage kommenden, über die einzelnen Landesgrenzen vielfach hinausgreifenden Interessen in vollauf befriedigender Weise Rechnung zu tragen.

Die Frage der Abänderung der *Vorschriften über die Zulassung als Schiffer in der Küstenfahrt*, bezüglich deren bekanntlich die technische Kommission für Seeschiffahrt bereits im Jahre 1881 bestimmte Vorschläge gemacht hatte, ist nach dazwischen gepflogenen weiteren Erhebungen im verflossenen Jahre erneut Gegenstand der Beratung der technischen Kommission gewesen. Es handelte sich dabei speziell um eine anderweite Bestimmung des Begriffes der Küstenfahrt. Die Vorschläge der Kommission sind der Kammer zur Begutachtung mitgeteilt und von ihr als durchaus sachgemäss befürwortet worden.

Die im Jahre 1882 Seitens der Handelskammer für Bremen in Angriff genommene, aber nicht zum Abschluss gebrachte *Einführung gesetzlicher Löschfristen für Dampfer* ist im letzten Jahre dahin erledigt worden, dass die Antwerpener Löschfristen acceptirt worden sind. Gleichzeitig damit ist eine nicht unwesentliche Reduktion der Löschfristen für Segler angenommen worden.

Den *Bau eines Leuchtturms vor der Wesermündung* anlangend, so ist derselbe seit seiner Angriffnahme im Mai v. J. Seitens der Bauunternehmerin, der Aktiengesellschaft für Eisenindustrie und Brückenbau, vormals J. C. Harkort in Duisburg so weit gefördert worden, dass man ohne zu grosse Besorgnisse für die Sicherheit des Bauwerks den weiteren Gefahren des Winters entgegensehen kann. Leider mussten die Arbeiten infolge der wenig günstigen Witterungsverhältnisse häufig eingestellt werden, doch erscheint es zur Zeit nicht mehr fraglich, ob die Vollendung des Baues bis zu dem in Aussicht genommenen Termine — Oktober 1884 — gelingen wird, da der Winter von 1884 dem Bau ziemlich günstig war.

Dass die Bremer Handelskammer das Projekt des Baues eines Schiffahrtskanals von Dortmund über Henrichenburg, Münster, Bevergen, Neudörpen nach der untern Ems nach Kräften gefördert hat, darf als bekannt vorausgesetzt werden, sowie dass das Herrenhaus des preussischen Landtags sich gegen den Bau erklärt hat. Um die Pläne für die Zukunft zu verwerten, ist ein Zweigverein für Westdeutschland zu dem in Berlin residirenden Zentralverein für Hebung der deutschen Fluss- und Kanalschiffahrt gegründet worden, dem allein in Bremen 489 Mitglieder beigetreten sind. Ausserdem aber war zur Belebung der Ausfuhr deutscher Kohlen nach überseeischen Ländern die Bildung einer Aktiengesellschaft für die Ausfuhr deutscher Kohlen im Einverständnisse mit westfälischen Interessenten angeregt worden, deren Konstituirung indessen infolge des ablehnenden Beschlusses des Herrenhauses noch nicht erfolgt ist.

Bezüglich der Frage der Zulässigkeit einer Auslieferung des Frachtguts an einen Dritten ohne den Originalfrachtbrief bezw. die Bedürfnisfrage einer solchen Auslieferung sind, in Verfolg einer Requisition des Ministeriums der öffentlichen Arbeiten, die verschiedenen Bezirkseisenbahnräte um ihre Ansicht befragt worden. Die Antworten sind verschieden ausgefallen. Die Handelskammer ist in Hannover, Köln und Magdeburg für die Bejahung der Zulässigkeit, wie der Bedürfnisfrage eingetreten. In Hannover und Köln ist dementsprechend votirt worden; in Magdeburg ist die Haltung eine ablehnende gewesen.

Im Zusammenhang mit der vorstehenden Angelegenheit ist in Hannover und Köln die Frage der Einführung von Ladescheinen erörtert worden, ohne dass diese Erörterung jedoch zunächst zum Abschlusse gebracht wäre. Bei der Wichtigkeit der Frage wird dieselbe unzweifelhaft die Eisenbahnbezirksräte in nächster Zeit erneut beschäftigen. Die Handelskammer hat sich auf's Wärmste zu Gunsten der Einführung der Ladescheine ausgesprochen.

(Schluss folgt.)

Der jetzige Stand der Arbeiten am Panama-Kanal.*)

Am 23. Juli d. J. hat Lesseps vor der Generalversammlung der Aktionaire einen Bericht über die augenblickliche Lage der Gesellschaft erstattet, auf welchen wir um so lieber eingehen, als wir überzeugt sind, dass der Panama-Kanal die Revolution im Schiffbaugewerbe und der praktischen Seeschiffahrt besiegeln wird, welche der Suez-Kanal eingeleitet und gefördert hat. Ausserdem ist von Neidern und Schwarzsehern soviel Ungünstiges über den Stand der Arbeiten in die Welt geschickt worden, dass man wohl ein Recht hat auf das Urteil der kompetentesten Stelle zu hören, welche in dieser Angelegenheit das Wort nehmen darf. Wiederholen sich doch in dieser Beziehung ganz genau die missliebigen Berichte, welche den Bau des Suez-Kanals von Anfang bis zu Ende begleiteten, und ist nach dem Bericht von Lesseps nicht zu bezweifeln, dass er auch dies sein Werk zu Ende führen wird, trotz aller düstern Vorhersagungen.

Der Bericht an die Generalversammlung spendet zuerst der französischen Presse Lob, dass sie sich allen das Vertrauen untergrabenden Mitteilungen der ausländischen Presse gegenüber darauf beschränkt habe, die Unwahrscheinlichkeit oder die Nebenabsichten derselben aufzudecken, ohne weiter zu ihrer Verbreitung beizutragen. Das Vertrauen der Actionaire hat L. während der 30jährigen Vorarbeiten und Arbeiten am Suez-Kanal nicht verlassen; er glaubt daher ein Recht zu haben dasselbe auch für dies Unternehmen sich zu bewahren, und zwar dadurch, dass er ihnen wieder wie damals die volle Wahrheit und nichts als die volle Wahrheit vorführe, ihr, nämlich der Armee der kleinen Aktionaire, die gerade seine Stärke bilden, die sich nicht beunruhigen lassen sondern den Glauben festhalten soll, dass die Panama-Verheissungen sich erfüllen werden, wie die von Suez sich erfüllt haben. Es lässt sich eben mit mathematischer Sicherheit schon jetzt bestimmen, das der Kanal im Jahre 1888 vollendet werden wird.

Die Hälfte des Aktienkapitals die einberufen war, ist noch nicht ausgegeben, die andere Hälfte kann nur nach vorheriger Aufforderung 3 Monate dato einberufen werden. Von ihr und der bewilligten Anleihe von 300 Millionen, welche nicht ganz ausgegeben wurde, sind noch 120 Mill. im Reservefond. Die Gesellschaft wird überhaupt ihre Hülfsquellen nur nach Massgabe ihrer Bedürfnisse angreifen d. h. je nach dem Vorrücken der Arbeiten. Dieselben stehen unter der Leitung des Ingenieurs Dingler, welcher vom Februar 83 an 3 Monate auf dem Isthmus zubrachte und dann in Paris einen allseitig angenommenen Arbeitsplan entwarf, welcher trotz des Mehrs von zu bewältigender Arbeit eine geringere Zeit zur Vollendung in sichere Aussicht stellt. Bei allen diesen grossen Arbeiten ist der erste Anfang der schwierigste Teil. Ist man erst im Gange, so arbeiten die Maschinen regelmässig weiter, und vermehren erfahrungsmässig fortwährend ihre Ausbeute. Die ersten Erdmassen die bewegt werden, die ersten Cubikmeter sind die schwierigsten, die langsamsten und die kostspieligsten. Ebenso ist es beim Suez-Kanal gegangen, bei dessen Bau von den 75 Mill. zu bewegenden Cubikmeter 50 Millionen in den zwei letzten Jahren ausgehoben wurden, als die Unternehmer endlich in den Besitz geeigneter Apparate gelangt waren. Diese Erfahrungen kommen aber sämtlich dem Panama-Kanal zu Gute; wir haben dort in aller Sicherheit und Ruhe, ohne viel Tasten und Zagen alle Vorbereitungen jetzt beendet und werden deshalb auch den Kanal am festgesetzten Tage eröffnen können. Handelt es sich in Panama doch nur um eine einfache Ausgrabung; von den 110 Mill. Cubikmetern zu bewegenden Erdreich können 80 Mill. mit gewöhnlichen Baggermaschinen bewältigt werden d. h. auf die sparsamste und schnellste Weise. Darin sind die auszuwerfenden Häfen und die Ableitung des Chagresflusses mit 10 Mill. eingerechnet. Das Arbeitsmaterial ist nun so berechnet, dass diese Baggerarbeiten in 2 Jahren, die ganze Arbeit in 3 Jahren bewältigt werden kann. Würden also die Arbeiten im Trocknen auch erst mit dem 1. Jan. 1885 in Angriff genommen und die Baggerarbeiten mit dem 1. Jan. 1886, so würde doch mit 1888 der Kanal mit mathematischer Sicherheit zu vollenden sein, ohne über die vom Ingenieur zu erwartenden Leistungen hinaus zu gehen. Es arbeiteten im verflossenen Jahr 6200 Mann am Kanal, jetzt im Mai dieses Jahres aber 19000 Mann. Keine ausgesprochene Epidemie hat deren Arbeit gestört und hat die Sterblichkeit auf dem Isthmus nur wenig die Sterblichkeit in den Werkstätten Frankreichs übertroffen, Dank der sorgsamen Pflege und ausreichenden Heilmittel, welche die öffentliche Wohlthätigkeit und die Mittel der Gesellschaft gestattet haben anzuwenden. Das Glaubensbekenntnis spielt bei diesem Liebeswerk keine Rolle.

(Schluss folgt.)

---

*) Der Stand der **Panama-Kanal-Arbeiten** war in einem Artikel des Engineering vom 25 April d. J. also characterisirt worden. Es müsse im Ganzen an Arbeit geleistet werden:

1. Baggerarbeiten	26 913 000	Cub.-Met.
2. Wegschaffung von hartem und weichem Gestein	37 632 000	„ „
3. Erdarbeiten	41 295 000	„ „
davon sei bis jetzt geleistet		
ad 1.	432 000	Cub.-Met.
ad 2.	752 500	„ „
ad 3.	2 967 000	„ „

d. h. es sei von den Baggerarbeiten bis jetzt $^1/_{60}$, von den Felsenarbeiten $^1/_{50}$, und von den Erdarbeiten $^1/_{13}$ wirklich gethan. Die „Times" hatten auf Grund dieser Mitteilungen einen alarmirenden Artikel in die Welt gesandt, nach dem Modell ihrer frühern Berichte über den Suez-Kanal.

Von den 600 Mill. Francs Subsriptionen seien 300 Mill. auf Vorbereitungen und Pläne, 100 Mill. auf Ankauf und Ausbesserung der Eisenbahn verwandt, blieben 200 Mill. zur Ausführung des eigentlichen Werkes, welches bis 1888 fertig gestellt sein sollte. *Nach diesen englischen Quellen* war also anzunehmen, dass der Voranschlag in Zeit und Geld zu erhöhen sein wird; indessen das ging beim Suez-Kanal ebenso, und ist fast immer (vergl. uns. vor. Nummer über den Bau des Arlberg-Tunnels) bei grossen Arbeiten der Fall. Jedenfalls hat der Bericht von Lesseps diese englischen Berichte mehrfach im Auge gehabt.

Aus Briefen deutscher Kapitäne.

XVI.

Zebu (Filipinas) und Bemerkungen zur Reise von Iloilo nach Zebu, Mitte März 1884.

Bericht von Kapt. *C. H. F. Ringe*, deutsche Bark »Jupiter«, mitgeteilt durch *A. Schück*, Seeschiffer.

Bei Zebu sollen nach den neuesten Meldungen zwei Leuchtfeuer brennen, ein grünes, ein rotes, 6 Sm. weit sichtbar; wenn man solche Anzeige liest, glaubt man, dass sie schön brennen und gut auf sie gepasst wird; an Ort und Stelle bin ich zu anderer Ansicht gekommen. Von Iloilo und von Süden kommend, sah ich 23. März Abds. die Schiffe im Hafen von Z. ca. 7 Sm. entfernt; kreuzend war um 10 U. ca. 5 Sm. vom Hafen, doch konnten die Leuchten weder vom Deck noch von der Takelung aus bemerkt werden; am 24. Mgs. sah, dass das Schiff nicht weiter abgetrieben war, gleichzeitig sah ich auch die beiden erbärmlichen Lampen, deren Licht höchstens 3 Sm. sichtbar sein mag; ein ca. 3,7 m hoher Pfahl mit roter Leuchte steht auf dem Lipatariff, ein gleicher mit grüner Leuchte an der SW.-Kante des Gürtelriffs von Mactan-I.; von Wärterhäuschen etc. keine Spur. Vom Hafen aus kann man die Lichter nicht sehen: wer untersucht, ob die Leuchten Abends brennen bezw. angezündet werden oder ob der Wind sie löscht? Für von Süden kommende Segelschiffe sind sie im NO Monsun ohne Nutzen, denn wer will Nachts aufs Ungewisse in diese Sackgasse einfahren? Zwei Küstenfahrer, die sich Abends in unserer Nähe befanden, ankerten dann unter der Küste bei Taksay und gelangten am nächsten Morgen 11 U. nach Zebu, dem hiesigen Ankerplatz.

Der Hafen von Zebu ist sehr eng, der Grund an vielen Stellen felsig bezw. mit Korallenblöcken besäet, daher nicht besonders haltend; die mit uns hier liegende amerikan. Bark „Alice Reed" schleppte ihre Anker zusammen, so dass sie auf's neue mooren musste, ob durch Schuld des Lotsen oder durch Strömung, ist unbekannt. Schiffe, welche nach SW. hin nicht Schutz genug vom Riff haben, können in Taifunen auf den Strand bezw. das Korallenriff treiben und wrack werden. Im NO.-Monsun liegen die Schiffe hier ruhiger als in Manila und Iloilo, auch die Verbindung mit dem Lande ist leicht.

Die Preise von frischem Proviant sind in Zebu geringer als in Manila und Iloilo, auch Arbeitslohn ist 2—3 cts. p. ton billiger. Die Zollbeamten sind in diesen 3 Häfen ebenso wie in spanischen und ehemalig spanischen: will man Scherereien entgehen, so muss man Dollars springen lassen; zwei Karabiniers hat man als Ehrengarde an Bord, die beim Abschiede ein Geldgeschenk beanspruchen.

Es sind 3 Lotsen angestellt, einer für das nördliche, einer für das südliche Fahrwasser, einer vor der Stadt Zebu; den für ersteres erhält man nicht eher als bis man zwischen der Lipatabank und Mactan-I. ist. Am Ufer der Insel entlang sind Fischerstaken, an ihrem Ende und da wo am Ende der Bank die Laterne steht hat man einige Bambuspfähle mehr in den Grund gestossen, über sie ein Tuch als Schutz gegen die Sonne gespannt, unter dem der Lotse wartete bis das Schiff quer ab war, dann stieg er ins Boot und fuhr längsseit; er führt eine weisse Flagge mit P darin; verlassen darf man sich nicht auf ihn; eine italienische Bark (47 Tage von Saigon) wurde so nahe bei „Jupiter" gemoort, dass wir beim Schwaien unklar kommen können, deshalb musste ich sofort beim Hafenmeister Beschwerde führen und Protest notiren.

Zur Markirung des südlichen Fahrwassers sind einige Bojen ausgelegt, einkommend an Steuerbord rot und weiss, an Backbord (Zebu-Seite) schwarz und weiss: die erste schwarz-weiss sah ich unweit Talisay eben SW. der Einfahrt, die erste r. w. an der SW.-Spitze von Mactan-I. in 7,3 m. (4 Fd.) dicht am Riff, ihr gegenüber die zweite schw.-w. östlich von der Lipatabank; dann eine auf Canario-Klippe (neuerdings aufgefunden) auf derselben 3 F. = 0,9 m Wassertiefe, sie liegt ungefähr in der Mitte zwischen Lipatabank und dem alten Kastel; die letzte r. w. mit Stange und Ball liegt gegenüber der St. Nicolaus-Kirche dicht am Riff. Das nördliche Fahrwasser wird jedenfalls auch mit Zeichen belegt; die Baken, welche auf meiner Specialkarte (verb. Juli 1872!) angegeben sind, fehlen. Das p. p. alte Kastel ist etwas Mauerwerk, der Rest eines frühern Fort; an der Rückseite sah ich eine alte eiserne Kanone liegen.

Die Strömung im Hafen war vom 24.—30. mässig, vom 24.—28. war der Wind Mgs. Nlich, gegen Mittag und Nachmittag Olich, so dass man mit Flut einkommend, den Ankerplatz ohne Kreuzen erreichen konnte; am 29. und 30. war S. und SO, Mallung mit Itr. der Monsunwechsel macht sich bereits bemerkbar (Taifune sind in der China-SO. von 20° N. und in der Solo-See während des ganzen Jahres zu erwarten; denn dass mir vom Februar und Juli keine Berichte von solchen zu Hände kamen ist doch nur Zufall, am häufigsten müssen sie naturgemäs von August bis October sein. (A. S.)

„Jupiter" war von Hamburg aus befrachtet in zwei Häfen, Manila and/or Iloilo and/or Zebu zu laden; die Rhederei wollte sich nicht die Fracht um 1 $ p. t. kürzen lassen, deshalb musste nach Iloilo und Zebu versegeln; ich nahm für Reisedauer im Ganzen mindestens 14 Tage an und hatte 21. Von Manila nach Iloilo hatte bis zur Oton-Bank (ca. 8 Sm. von I.) 4 Tage, da wegen steifen Monsuns trotz wiederholter Versuche im schmalen Kanal nicht aufkreuzen konnte, so brauchte für diese kurze Strecke noch 4 Tage; in Iloilo konnte wegen einiger Feiertage nicht jeden Tag arbeiten.

Von Iloilo bis hier hatte gegen mein Erwarten ebenfalls 8 Tage; ich wählte den Weg Sl. um Negros, ich kann nicht beurteilen ob ich besser gethan hätte Wl. u. Nl. von Panay zu segeln; auf meinerseits gestellte Anfrage in Manila, Iloilo und hier konnte ich keine Auskunft über den besten Weg in dieser Jahreszeit (März) erhalten; die kleinen Küstenfahrer nehmen den Weg zwischen Panay und Negros; sie arbeiten sich mit der Gezeit auf, doch hielt ich dies für ein grösseres Schiff nicht ratsam. — Sollte ich die Reise nochmals zu machen haben, so würde den W- und N-Weg wählen, da die zwischen Tablas und Panay zu erwartende Wl. Strömung wohl zu überwinden ist und von dort aus Zebu in 2 Tagen erreicht werden müsste.

16. März 8 U. Morgens verliess Iloilo, am nächsten Mittag war 10 Sm. Wl. von Negros Südende, aber hier fing die Kreuzfahrt an; während der ersten beiden Tage fand noch nicht besondere Ursache zu Klagen, denn ich kam bis 19. Morgs. 4 U. zwischen Siquijor und Negros hindurch bis unweit Tanon-Str., Zebu Südende NNW¼W peilend; doch der Wind wurde nördlicher, beim Ueberfahren und mehrmaligem Wenden trieb „Jupiter" rasch zurück, ich versuchte dann ostwärts von Siquijor aufzukreuzen, was nach zweitägigem Bemühen gelang.

Das Fahrwasser zwischen Zebu und Bohol ist rein, aber der Wind war nicht O, sondern bei Tage NNO und NO, 23. Morgens fand unter Zebu für kurze Zeit leisen Zug von NNW und NzW, am 23. und 24. war der Wind Ol., so dass N und NNO anliegen konnte. Nachts raumte der Wind in der Nähe des Landes, bei Tage schralte er gewöhnlich beim Ueberfahren. Strömung habe wenig bemerkt, wenigstens ebensoviel Ebbe als Flut; letztere kommt von Süden; die britischen nach spanischen Aufnahmen gefertigten Admiralitätskarten fand ich richtig.

Germanischer Lloyd.

Deutsche Handels-Marine: Seeunfälle vom Monat Juli 1884, soweit solche bis zum 15. Aug. 1884 im Central-Bureau des Germanischen Lloyd gemeldet und bekannt geworden sind.

I. Segelschiffe.	Anzahl	Ladung: Zucker	Güter	Baumwolle	Kohlen	Steine	unbekannt	Klasse [1]: I.	II.	O.	unbekannt	Alter (Jahre): 1–10	11–15	16–20	21–	Rhederei: Preussen	Elbe	Weser	Mecklb.
a. m. gering. Schaden eingekom.	3				1		2	2		1									
b. m. schwer. Schaden eingekom.	1	1						1											
c. an Grund gerat. od. gestrd. u. abgebr.	5	1	1				1	2		3									
d. gestrandt und nicht abgebr.	—																		
e. Collision.	8																		
f. Totalverlust [2]	1						1	1				2							1
Summa	17																		

II. Dampfschiffe.	Anzahl	Ladung: Zucker	Güter	Baumwolle	Kohlen	Steine	unbekannt	Klasse [1]: I.	II.	O.	unbekannt	Alter (Jahre): 1–10	11–15	16–20	21–	Rhederei: Preussen	Elbe	Weser	Mecklb.
a. m. Schad. eingekom.	3																		
b. an Grund geraten	1																		
c. Collision.	2																		
d. Totalverlust [3]	5			1		1		4				3				3	1		
Summa	11																		

[1] Soweit zu ermitteln, Klasse einer Schiffsklassifikations-Gesellschaft. O. = keine Klasse. Umgekommene Seeleute: —.

[2] Tonnengehalt von 1 Schiff 318 Tons.

[3] Tonnengehalt von 5 Schiffen 1116 Tons.

BERLIN, d. 15. August 1884.

Nautische Literatur.

Zur Mechanik der Meeresströmungen an der Oberfläche der Oceane. Ein Vergleich der Theorie mit der Erfahrung von P. Hoffmann, Korvetten-Kapitän. Berlin 1884. E. S. Mittler & Sohn. 99 S. in 8°. Preis M 2.50.

Bekanntlich gab sich seiner Zeit Maury unendliche Mühe, bei der Erörterung der Ursachen, warum der Golfstrom nach dem Rundlauf im mexikanischen Golf durch die Strasse von Bemini sich in den atlantischen Ocean ergösse, die nächstliegende, den Wind, möglichst zu entkennen. Im Gegensatz zu Maury findet der Verfasser im Winde und seiner stossenden, treibenden Thätigkeit die *primäre* Ursache der Meeresströmungen, denen sich dann als weitere Erregungsmittel der Einfluss der *Konfiguration* der Meeresbecken, der *Erdrotation* und der Schwere zugesellen. Von dieser Grundlage aus werden sodann die Aequatorial-Strömungen und -Gegenströmungen betrachtet und als Ergebnisse festgestellt, dass erstere durch die fortgesetzte Einwirkung der Passate entstanden sind und desto mehr mit der Richtung der Passate übereinstimmen, je kräftiger und stetiger die Passate durchstehen, während die Gegenströmungen grossenteils durch Uebertritt des südlichen Aequatorialstroms in den nördlich vom Aequator belegenen Stillengürtel und Einwirkung der Erdrotation entstehen. Die Geschwindigkeit der Ost- wie der Weströmungen ist da am grössten, wo die Strömungen recht nahe zusammenliegen. Dabei haben sie eine Tendenz auf einander zu konvergiren, und wirkt die *vertikale* Grenzschicht zwischen beiden dann wie eine feste Wand einengend auf einen jeden von ihnen.

Bei den meridionalen von den äquatorialen sich abzweigenden Strömungen, unter denen der Golfstrom, der Kurosiwostrom, der brasilianische Strom, die Südströmungen im südlichen stillen Ocean, der Agulhasstrom und die Verzweigungen des Aequatorialstroms im indischen Ocean gesondert betrachtet werden, bewirkt die Rotation der Erde, dass sie auf der nördlichen Halbkugel nach rechts, auf der südlichen nach links abschwenken, wobei die Innenseite weniger bestimmt begrenzt auftritt, während die Aussenseite auch unter dem Einfluss kräftiger Polarströmungen dem Laufe der Küsten in scharfer Begrenzung folgt. Das Zusammenwirken der drei Faktoren, Winde, Küstengestaltung und Erdrotation bringt die Strömungszirkulation zwischen dem Aequator und 40° Breite zustande, wobei indessen eine Wechselwirkung der erstgenannten zwei Faktoren nicht ausgeschlossen ist. Eine Betrachtung der antarktischen und nordischen Strömungen und ein Anhang über besondere Strömungen schliessen diese interessante Arbeit ab, der wir viel sympathischer gegenüberstehen würden, wenn von den Fremdwörtern ein geringerer Gebrauch gemacht wäre. Wir sind selbst in dem Punkte ja nicht gerade „rigorös", aber unsere Leser werden mit uns übereinstimmen, dass z. B. die im Druck hervorgehobenen Textworte, ohne der Deutlichkeit zu schaden, durch „ursprüngliche", „Gestaltung", „Umdrehung", „senkrecht" u. s. w. hätten ersetzt werden können.

Illustrirter Führer durch Dalmatien längs der Küste von Albanien bis Korfu und nach den Jonischen Inseln. Mit 35 Illustrationen und 5 Karten. 10 Bogen. Octav. Bädeker-Einband 1 fl. 50 kr. = 2 M 70 Pf. Auch unter dem Titel: Hartleben's illustrirter Führer No. 13.

Als Fortsetzung des vor Kurzem in A. Hartleben's Verlag erschienenen und mit so vielem Beifalle aufgenommenen „Führers durch Triest und Umgebungen" ist soeben ein neues Werk — ein *„Führer durch Dalmatien"* — ausgegeben worden. Das räumliche Gebiet, welches dieser Führer umfasst, erstreckt sich übrigens nicht nur über Dalmatien, sondern behandelt den ganzen östlichen Küstensaum der Adria von Triest bis zum Syrius, die Insel Korfu und den jonischen Archipel. Mit grosser Sachlichkeit verfasst, von gediegenem stofflichen Inhalt, splendid in der Ausstattung, namentlich durch eine Fülle von Illustrationen und Karten, gestaltet sich dieser Führer zu einem trefflichen und unentbehrlichen Reisehandbuche. Obwohl Dalmatien räumlich so nahe an Mitteleuropa reicht, und die Provinz eines grossen Kulturstaates ist, fehlte es bisher gleichwohl an einer Publikation dieser Art. Sicher hat dieser Uebelstand mit beigetragen, dass Dalmatien und weite Strecken seines Hinterlandes von Touristen und Vergnügungsreisenden äusserst selten betreten wurden. Wer sich des vorliegenden trefflich zusammengestellten Führers bedient, bedarf gar keiner weiteren Reisedirective. Er findet alles und jedes, bis in's kleinste Detail behandelt, wie denn überhaupt das Werkchen eine Reichhaltigkeit des Inhaltes aufweist, die man nach den landläufigen Vorstellungen über Dalmatien nimmer vermutet haben würde. Den polyglotten Verhältnissen des behandelten Landgebietes entsprechend, ist dem Führer ein Vocabulaire beigegeben, das nicht weniger als vier Sprachen umfasst: Italienisch, Serbo-Kroatisch, Neu-Griechisch und Türkisch. Eine umfangreiche sachliche Einleitung, sowie viele praktische Reisewinke nebst einem ausführlichen Schema mit Routen-Kombinationen erhöhen den praktischen Wert des Buches.

Uebersicht

sämtlicher auf das Seerecht bezüglichen Entscheidungen der deutschen und fremden Gerichtshöfe, Reskripte etc. der betreffenden Behörden etc., einschliesslich der Literatur der dahin bezüglichen Schriften, Abhandlungen, Aufsätze etc.

Titel VIII. Havarie.

Einfluss der Nichtidentifizirbarkeit der Güter infolge Auslöschung der Marke durch einen Seeunfall auf das Rechtsverhältnis zwischen Schiffer und Ladungsempfänger.

Das Schiff *„Polynesia"* brachte eine für verschiedene Empfänger bestimmte Ladung Schmalz in Hamburg an, von welcher sechs Fässer infolge stürmischen Wetters trotz erwiesener guter Stauung arg beschädigt worden waren, so dass auch die Marken, durch welche die verschiedenen Partien gekennzeichnet waren, nicht mehr erkennbar waren und sich daher nicht bestimmen liess, zu welcher der verschiedenen Partien jedes einzelne Fass gehörte. Von den für die Beklagten bestimmten 100 Fässern fanden sich nur 99 mit erkennbarer Marke vor und da die Fasszahl der ganzen Ladung stimmte, so erschien es zweifellos, dass ein Fass dieser Partie unter den beschädigten 6 Fässern mit unkenntlicher Marke sich befand. Eins dieser Fässer wurde vom Schiffer den Beklagten angeboten. Diese verweigerten aber die Annahme und kürzten den Wert eines Fasses Schmalz mit 105 M von der Fracht. Die Klage auf Zahlung dieser streitigen Differenz wurde in I. Instanz abgewiesen, wogegen die II. Instanz der Klagebitte entsprach aus folgenden *Gründen:*

„Die Entscheidung über den von den Beklagten erhobenen Gegenanspruch hängt von der Beurteilung der Frage ab, welchen Einfluss auf die klägerische Ablieferungsverpflichtung es hatte, dass hinsichtlich sechs Fässer Schmalz durch Auseinanderfallen, bezw. Beschädigung der Fässer unerkennbar wurde, zu welcher Partie dieselben gehörten und welches derselben zu der beklagtischen Partie gehörte. Dass diese Unerkennbarkeit auf vom Kläger nicht zu vertretende Ereignisse der Reise zurückzuführen ist, kann nach der Verklarung, nach welcher die Reise besonders stürmisch war und das Schiff oft gewaltsam arbeitete und stampfte und nach den Attesten der Schifferalten, nach welchen die Güter gut gestaut, gelagert und garnirt waren, aber sämtliche Fässer durch schweres Arbeiten des Schiffs auf See aus ihrer Lage geraten waren, keinem Zweifel unterliegen. Wenn aber hiernach der Kläger durch von ihm nicht zu vertretende Ereignisse der Reise ausser Stand gesetzt werde, die für verschiedene Empfänger bestimmten Güter von einander zu unterscheiden, so kann er auch, soweit diese Unmöglichkeit eintrat, nicht für verpflichtet erachtet werden, einem jeden Empfänger das für ihn bestimmte Gut auszuliefern. Vielmehr tritt in einem solchen Falle der durch Ereignisse der Seefahrt bewirkten Nichtunterscheidbarkeit der für verschiedene Empfänger bestimmten Güter, durch welche diese Güter unentwirrbar vermischt worden sind, für den Empfänger die Verpflichtung ein, an Stelle der unmöglich gewordenen Lieferung des gerade für ihn bestimmten Gutes ein entsprechendes Quantum aus der durch jene Vermischung entstandenen Gesammtmasse anzunehmen. Die Beklagten konnten daher, und zwar einerlei, ob, wie dies bei vier Fässern geschehen zu sein scheint, auch eine Vermischung des Inhalts der Fässer stattfand, oder ob die Vermischung lediglich durch die Unnnterscheidbarkeit der Fässer nach den Marken und sonstigen Kennzeichen begründet ward, nur verlangen, dass ihnen aus der vorhandenen Gesammtmasse der 6 Fässer ein dem ihnen nicht gelieferten einen Fass entsprechendes Quantum geliefert werde. Sie konnten aber nicht, ohne Rücksicht auf jene Nichtunterscheidbarkeit und dem an dem Inhalte dieser Fässer eingetretenen Defekt Lieferung des identischen für sie bestimmten Fasses und in Ermangelung desselben Ersatz des Wertes dieses Fasses verlangen, wie ihrerseits geschehen ist. Dass den Beklagten aus jenen 6 Fässern ein gewisser Teil, nämlich ein Fass angeboten ist, ist ausser Streit; nach Aussage der Zeugen war dieses Fass bei seiner Ankunft noch etwa ¾ voll. Nun steht es freilich nicht fest, ob durch diese Anerbietung vollständig dem genügt werde, was die Beklagten event. beanspruchen konnten..... Indessen die Beklagten hätten doch jedenfalls nur einen Anspruch wegen dessen erheben können, was ihnen in Quanto zu wenig, oder, sofern die von ihnen zu empfangende Qualität eine bessere als die der anderen Empfänger, denen Fässer fehlten, gewesen wäre, unter Mitberücksichtigung dieser besseren Qualität zu wenig offerirt worden sein möchte. In solcher Weise ist aber von den Beklagten ein Anspruch überall nicht begründet worden." (Erk. des Ober-Landes-Gerichts zu Hamburg vom 10. December 1883. Seuffert, Archiv N. F. Bd. IX, S. 187 ff.)

Titel XI.

Versicherung gegen die Gefahren der Seeschiffahrt.

Begriff des „Sinkens", bezl. „Versinkens" bei einer mit der Klausel „frei von Beschädigung ausser im Strandungsfalle" geschlossenen Seeversicherung.

Aus den *Entscheidungsgründen*: „Die Versicherung, auf Grund deren die Beklagte von den Klägern wegen einer Beschädigung der versicherten Waare — Roggen und Gerste — in dem Kahne *„Zwei Gebrüder"* in Anspruch genommen wird, ist nach den revidirten Bremer Seeversicherungs-Bedingungen von 1875 mit der Klausel: *„frei von Beschädigung ausser im Strandungsfalle"* geschlossen und es ist zwischen den Parteien allein streitig, ob einer der nach dem zweiten Absatze des § 16 dieser Bedingungen der Strandung gleich zu achtenden Fälle vorliegt, nämlich Kentern, Versinken, Scheitern und Verbrennen des Schiffes, sowie Schaden am Schiffe durch Eis oder Kollision, wenn derselbe so bedeutend ist, dass sich die Beschädigung der Güter daraus erklären lässt. — Unstreitig ist nun der gedachte Kahn im Fahrwasser der Weser unweit Elsfleth auf einen harten Gegenstand gestossen und infolge dessen so stark leck geworden, dass es unmöglich war, das eindringende Wasser durch Pumpen zu bewältigen, weshalb der Schiffer, um einen Totalverlust zu verhüten, den Kahn sofort nach dem Ufer zu ins flachere Wasser dirigirte, dort auf den Grund setzte und mit Trossen am Lande befestigte. Bei der steigenden Flut wurde dann aber der Kahn dennoch so vollständig vom Wasser überspült, dass sogar das auf seinem Verdeck befindliche etwa 4 Fuss hohe Zelt noch einen Fuss hoch unter Wasser stand, was sich auch nach Ausführung der unter Anleitung des Agenten des Assekuradeurs zur Hebung des Schiffes mittelst zweier Leichter, an welche es befestigt wurde, vorgenommenen Massregeln bei jeder folgenden Flut wiederholte, während bei Ebbe gelöscht werden konnte. — In diesem Thatbestande findet der Berufungsrichter ein Versinken des Kahnes im Sinne jenes § 16. Der ihm dieserhalb von der Revisionsklägerin gemachte Vorwurf einer unrichtigen Auslegung und eines Verkennens des Begriffes *„Sinken"* und *„Versinken"* ist für unbegründet zu erachten. — Der Berufungsrichter geht mit Recht davon aus, dass die durch den 2. Absatz des § 16 der Bremer Seeversicherungsbedingungen von 1875 erfolgte Erweiterung der Haftpflicht des Assekuradeurs dem § 18 der älteren Bedingungen von 1854 gegenüber durch den Schlusssatz des ersten Absatzes des Art. 855 veranlasst sei, welcher im § 104 Abs. 2 der Allgem. Seeversicherungsbedingungen von 1867 und im § 16 Abs. 2 der Bremer Bedingungen von 1875 zwar nicht seinem ganzen Inhalte nach, aber doch zu einem erheblichen Teile, insbesondere auch hinsichtlich der Gleichstellung des Sinkens mit der Strandung von den Assekuradeuren adoptirt sei, wobei nachgewiesen wird, dass die Verschiedenheit des gesetzlich gebrauchten Ausdrucks *„Sinken"* und des Ausdrucks *„Versinken"* in den Bedingungen für den vorliegenden Rechtsstreit unerheblich sei, weil man sich Seitens der Versicherer durch diese Aenderung nur vor der Auslegung sichern wollte, dass es schon ein Sinken sei, wenn das Schiff infolge eines Leckes nur einen um wenige Fuss oder gar Zoll grösseren Tiefgang annehme, sich dann aber in diesem halte oder gehalten werde. Indem der Berufungsrichter dann ganz richtig erwägt, dass, soweit die fragliche Bestimmung der Bedingungen auf einer dem H.-G.-B. entnommenen Bestimmung beruhe, die der Auslegung dieses Gesetzes zum Grunde liegenden Interpretationsregeln anzuwenden seien, weist er zutreffend darauf hin, dass zur Begründung des Antrages, das Kentern, Scheitern und Sinken des Schiffes als der Strandung verwandte Fälle dieser gleichzustellen, das Beispiel eines vom Eise durchschnittenen und dann nahe der Küste im flachen Wasser gesunkenen Schiffes aufgestellt und hierin ein weit erheblicher Seeunfall als eine einfache Strandung gefunden ist. Hieraus folgert der Berufungsrichter mit Recht, dass die gesetzliche Gleichstellung des Sinkens mit der Strandung auf der auch im ersteren Fall anzunehmenden bedeutenden Verletzung des Schiffes beruht, welche zugleich mutmasslich oder leicht eine Beschädigung der in dem Schiffe verladenen Güter zur Folge hat. Ebenso richtig ist es aber auch, wenn der Berufungsrichter das Wesentliche des Sinkens oder Versinkens des Schiffes im Sinne des Gesetzes in dem (im vorliegenden Falle eingetretenen) Vorgange findet, dass das Schiff infolge seiner (durch das Eindringen des Wassers vermöge des entstandenen Leckes verursachten) allzugrossen Schwere seine Schwimmfähigkeit, d. h. die Fähigkeit von dem das Schiff umgebenden Wasser getragen zu werden, in dem Masse verliert, dass es mit dem ganzen Schiffsrumpfe einschliesslich des Verdecks unter die Oberfläche des Wassers gerät; denn gerade dieses *„Unter-Wasser-Geraten"* des ganzen Schiffsrumpfes, insbesondere des Verdeckes ist das mutmasslich auch die Beschädigung der Güter bewirkende Ereignis, während in dieser Beziehung der Umstand, ob auch die Masten mit unter dem Wasser verschwinden oder nicht, unerheblich zu sein pflegt. Ebenso unerheblich ist es, wenn, wie Beklagte behauptet, bei eingetretener Ebbe das Verdeck des Kahnes wieder über dem Wasserspiegel hervorragte, da dies nicht etwa durch die Fähigkeit des Schiffes, vom Wasser getragen zu werden, sondern nur durch die Unmöglichkeit, weiter in den Grund, auf welchen das Schiff gesetzt war, einzudringen und durch den zeitweiligen niedrigen Stand des das Schiff umgebenden und überfluthenden Wassers bewirkt wurde, wie denn auch die einmal eingetretene Beschädigung der Güter durch das Wasser, mit welchem der Schiffsraum sich vorher bereits angefüllt hatte, dadurch nicht beseitigt wurde. — Wenn die Revisionsklägerin noch hervorhebt, dass das Sinken des Schiffes als Totalverlust anzusehen sei, von einem solchen aber in einem Falle der vorliegenden Art keine Rede sein könne, so trifft auch dies nicht zu; denn das Sinken begründet keineswegs unter allen Umständen einen Totalverlust der Güter oder des Schiffes. Nach Art. 858 liegt ein solcher vielmehr nur dann vor, wenn dieselben unrettbar (d. h. ohne Aussicht auf Wiedererlangung) gesunken sind, weil erfahrungsmässig gesunkene Schiffe mitunter ohne unverhältnismässig grosse Kosten wieder gehoben werden können, dass diese Möglichkeit thatsächlich bei einem Schiffe, welches nur zur Zeit der Flut auch mit seinem Verdeck unter Wasser liegt, in der Regel eher vorhanden sein wird, als bei einem in tieferem Wasser gesunkenen und fortwährend unter Wasser bleibenden Schiffe, ist für den Begriff des Sinkens oder Versinkens an sich unerheblich."... (Erk. d. I. Civilsen. des Reichsgerichts vom 16. Novbr. 1883; Entscheid. Bd. X, S. 15 ff.)

Verschiedenes.

Deutsche Torpedoboote allen andern in Schnelligkeit überlegen. Dass unsere Marine-Industrie auf allen Gebieten den grossen Vorsprung speziell der englischen Industrie in raschen Sprüngen eingeholt hat, beweist nichts besser als der nachstehende Bericht der Köln. Zt. über die Probefahrten mit Torpedobooten, welche dieser Tage im Kieler Meerbusen angestellt wurden, wobei der Chef der Admiralität mit eigenen Augen sich von der Ueberlegenheit der bei *Schichau* in Elbing gebauten Boote überzeugt hat. „Der bisher berühmtesten Torpedobootsfirma *John Thornicroft* in London war der Auftrag eines vorzüglichsten Torpedoboots von unserer Admiralität unter der Zusicherung gemacht worden, dass sie für jede Leistung, welche ihr Musterboot mehr erweisen würde, als contractlich verlangt wird, eine besondere Prämie erhalten solle. Bei der Probefahrt auf der Themse machte dieses englische Boot eine Durchschnittsfahrt von 19,9 Knoten. Das Boot wurde darauf abgenommen, mit einer hohen Prämie bedacht und hierauf nach Kiel übergeführt. Das *Schichau*'sche

Boot hatte bei den amtlichen Abnahme-Probefahrten mit der Abnahme-Kommission an Bord und vollständig ausgerüstet zwischen Pillau und Neufahrwasser eine Durchschnittsfahrt von 21,26 Knoten ergeben und dann bei einer Windstärke 4,5 und bei starkem Seegange den Weg von Pillau nach Rixhöft und zurück, eine Strecke von 110 Meilen, in nur 5 Stunden 26 Minuten zurückgelegt, damit also schon eine Leistungsfähigkeit erwiesen, welche bisher nie erreicht worden ist. Einmal sind es die vorzüglich ökonomisch arbeitenden Maschinen und dann die ausgezeichneten Feuerungseinrichtungen, welche dem Schichau'schen Material zu diesem einzigen Erfolge verhelfen. Es besteht jetzt kein Zweifel mehr darüber, dass es dem deutschen Torpedobootsbau, obwohl er erst seit wenigen Jahren existirt, nunmehr gelungen ist, die englische weltberühmte Arbeit vollständig zu übertreffen. Die Maschine des Schichau'schen Bootes hat eine solche Sparsamkeit erwiesen, dass dasselbe mit 10 Knoten Fahrt 3500, mit 14,5 Knoten 2000 und endlich mit 20 Knoten in der Stunde noch eine Strecke von 500 Seemeilen ohne frische Kohlenübernahme abzulaufen vermag. Die hoch elegante und praktische Einrichtung dieses Bootes sticht höchst vorteilhaft gegen das Thornicroft ab. Die bequemen Mannschaftsräume, die sehr leicht zu handhabende Torpedolancireinrichtung sowie die leichte und sorgfältige Construction des sehr schöngeformten und haarscharf auslaufenden Schiffsrumpfes stempeln es offenkundig zu dem unerreichten Musterbau.

Englische Expresszüge. Ein englischer bekannter Eisenbahnschriftsteller E. Foxwell versteht unter einem Expresszug einen Eisenbahnzug, welcher, den nötigen Aufenthalt eingeschlossen, durchschnittlich 64 Kilometer und darüber in der Stunde zurücklegt. Solcher Züge lassen 14 Gesellschaften täglich 313 abgehen, von welcher Zahl nicht weniger als 52 zwischen Manchester und Liverpool, und 48 zwischen Manchester oder Liverpool und London fahren. Es sind also diese beiden Städte von Lancashire die Mittel- und Brennpunkte des Schnellverkehrs auf den englischen Bahnen. Auf einzelnen besonders günstigen Strecken, die durchaus eben und ohne Halteplätze sind, wird zeitweise die Geschwindigkeit natürlich noch erheblich gesteigert, wie auf der Strecke Swindon-Paddington der Linie Bristol-Paddington d. h. London, auf welcher beschränkte Strecken mit bis 85 Kilometer Geschwindigkeit zurückgelegt werden. Sonst aber erhebt sich die Geschwindigkeit selten um 4—5 Kilometer über die obengenannte Grenze von 64 Kilometer; so fährt der bekannte Expresszug London-Chatam-Dover mit nicht mehr als 69 Kilometer in der Stunde und führt dabei nur Wagen erster und zweiter Klasse.

Der Berlin-Kölner Expresszug, der Berlin 11 U. 41 M. Vormittags verlässt und um 9 U. 40 M. Abends in Köln anlangt, also gerade 10 Stunden Zeit gebraucht zu der 598 Kilometer langen Strecke, legt mithin 60 Kilometer in der Stunde zurück, hat dafür aber auch 14 Haltestellen, darunter eine von 20 Minuten in Hannover. Die 2 Stunden lange Strecke von Stendal bis Hannover wird dabei mit 75 Km. Geschwindigkeit zurückgelegt.

Der Dampfer „Oregon", 501', 54', 38', 7375 Tons gr. Reg., 2000 P.-K. n., der im vorigen Jahr für die Guion-Linie von John Elder & Co. in Glasgow gebaut wurde, ist, nachdem er einige sehr schnelle Reisen über den Ocean zurückgelegt hat, von der Cunard-Linie angekauft.

Die **Trümmer der alten im Jahre 1879 eingestürzten Taybrücke** standen und lagen seitdem im Fahrwasser des Flusses, nachdem die schlimmsten Hindernisse der Schifffahrt beseitigt waren. Die Stadt Perth hat seitdem einen Prozess gegen die Besitzer der alten und die Erbauer der neuen Brücke angestrengt, welche letztere die stehen gebliebenen Pfeiler der alten Brücke zum Neubau verwenden wollten oder schon verwandten, und hatte die Stadt Perth beantragt, dass der Fluss gänzlich von den Trümmern und Resten befreit werde. Dieser Tage ist in diesem Prozesse endgültig dahin erkannt, dass die Pfeiler, von denen der Oberbau völlig weggerissen ist, bis aufs Fundament müssen abgetragen werden, dass aber die stehengebliebenen Pfeiler, welche die Ingenieure zum Bau der neuen Brücke benutzen, ferner stehen bleiben dürfen, weil ihre Entfernung und der dadurch notwendig werdende Ersatz durch stehende oder schwimmende Gerüste die freie Schiffahrt auf dem Flusse nur noch mehr behindern würde.

Die **Nutzbarmachung der Wasserkraft der Rhone**, von welcher wir bereits in No. 2 d. J. berichteten, schreitet vor. Das Hauptwerk wird in Genf selber angelegt, wo eine Insel die Rhone bekanntlich in 2 Teile zerlegt. Die hydraulischen Maschinen sollen nun im linken Flussarm angelegt werden, welcher zu dem Ende durch 2 Dämme oben und unten von dem übrigen Strom abgetrennt ist. Die Dämme führen von der Insel zum Festlande und soll nächstens mit dem Auspumpen des abgeschnittenen Wassers begonnen werden.

Verlag von H. W. Silomon in Bremen. Druck von Aug. Meyer & Dieckmann. Hamburg. Alterwall 28.

HANSA

Redigirt und herausgegeben
von
W. von Freeden, BONN, Thomastrasse 4.
Telegramm-Adresse:
Freeden Bonn,
oder
Neuer Alterwall 20 Hamburg.

Verlag von H. W. Silomon in Bremen.
Die „Hansa" erscheint jeden 2ten Sonntag.
Bestellungen auf die „Hansa" nehmen alle Buchhandlungen, sowie alle Postämter und Zeitungsexpeditionen entgegen, desgl. die Redaktion in Bonn, Thomastrasse 4, die Verlagshandlung in Bremen, Obernstrasse 14 und die Druckerei in Hamburg, Alterwall 20. Sendungen für die Redaktion oder Expedition werden an den letztgenannten drei Stellen angenommen. **Abonnement** jederzeit, frühere Nummern werden nachgeliefert.

Abonnementspreis:
vierteljährlich für Hamburg 2½ ℳ,
für auswärts 3 ℳ = 3 sh. Sterl.
Einzelne Nummern 50 ₰ = 6 d.

Wegen Inserate, welche mit 25 ₰ die Petitzeile oder deren Raum berechnet werden, beliebe man sich an die Verlagshandlung in Bremen oder die Expedition in Hamburg oder die Redaktion in Bonn zu wenden.

Frühere, komplete, gebundene Jahrgänge v. 1872 1874, 1876, 1877, 1878, 1879, 1880, 1881, 1882, 1883 sind durch alle Buchhandlungen, sowie durch die Redaktion, die Druckerei und die Verlagshandlung zu beziehen.
Preis ℳ 8; für letzten und vorletzten Jahrgang ℳ 6.

Zeitschrift für Seewesen.

No. **19.** HAMBURG, Sonntag, den 21. September 1884. **21.** Jahrgang.

Inhalt:

Die Kollision des Lloyddampfers „Hohenstaufen" mit der Glattdecks-Korvette „Sophie"

am 3 September d. J. scheint so recht wieder die schlagende Richtigkeit unserer obersten Regel für die praktische Handhabung des Ausweichungsgesetzes auf See zu illustriren. Gleichviel welches Manöver er vorzunehmen hat, soll jeder Schiffsführer das Manöver, welches er ausführen will oder muss, voll und ganz, deutlich und entschieden ausführen und sich immer gegenwärtig halten, dass sein Manöver auch von seinem Gegner erkannt, aufgefasst und beurteilt werden muss, bevor es zum guten Ausgange führen kann. Es genügt nicht, dass er es andeutend oder halb ausführt, oder dass er von der genügenden Richtigkeit seines Thuns persönlich überzeugt ist, er muss auch für seinen Gegner überzeugend und bestimmend handeln. Die entschieden gefährlichsten und unter Umständen verdammungswürdigsten Manöver sind die tastend unsichern, halben; bei ihnen spielen Unentschlossenheit, Unerfahrenheit, Hochmut, **Bosheit, Rücksichtslosigkeit**, (die Engländer sind gross darin) eine verhängnisvolle und darum tadelnswerte Rolle. Man kann selbst unversehrt aus der seeamtlichen Untersuchung hervorgehen, wenn man schliesslich beweist, dass das Manöver für den Fall ausreichte, und doch die volle moralische und intellecktuelle Schuld an der Katastrophe aus der Verhandlung mit wegnehmen.

Der Hergang wird also erzählt. Am 3. Sept. c. kam der Dampfer »Hohenstaufen«, des Norddeutschen Lloyd, unter Führung des Kapt. Winter, Mittags bei klarem sichtigen Wetter und schlichter See aus der Weser, um mit 500 Auswanderern an Bord nach Baltimore zu fahren. — Auf WNW¼W-Kurs mit voller Dampfkraft vorwärts gehend erblickt er vor sich an Steuerbord eine Flottille von 3 Kriegsdampfern, welche auf SW-Kurs in Kiellinie und den vorgeschriebenen Abständen von 400 bis 500 m auf die Jade zusetzen; in grösserm Abstande dahinter kaum erkennbar eine zweite ebenso kursende Flottille. Da der »Hohenstaufen« die Kriegsflottillen an Steuerbord voraus hatte, so musste er laut Art. 16 sie klaren, wie? das war seine Sache. Er konnte vorüber gehen, er konnte durch eine der beiden Lücken hindurchschlüpfen, oder er konnte hintenum gehen; die zweite Abteilung war so weit entfernt, dass sie für sein Manöver nicht in Betracht kam. Das erste Manöver kann gefährlich werden, das zweite ist fast unter allen Umständen hochgefährlich, fast toll zu nennen, das dritte unter allen Umständen absolut sicher.

Ob Kapt. Winter erst beabsichtigte vor dem ersten Schiff »Baden« vorüber zu fahren, später die Idee hatte in der grössern Lücke von 500 m zwischen dem zweiten Schiff »Würtemberg« und dem dritten Schiff, der Glattdeckskorvette »Sophie«, zu passiren, wird die seeamtliche Untersuchung klar stellen; er *behauptet* jetzt die Absicht gehabt zu haben, hinter der »Sophie« herumzugehen. Hätte er diese Absicht von Anfang an in gehöriger Entfernung mit entschiedenem Backbord-Ruder kundgegeben, so leidet es keine Frage, dass die drei Kriegsschiffe, welche gesetzlich zu nichts anderm verbunden waren als Kurs zu halten, die gebundene Marschroute, wozu ihr Seemanöver sie ohnehin verpflichtete, ferner verfolgt hätten. Es muss indessen der »Hohenstaufen« inzwischen, ob infolge eines halben Manövers oder aus andern Umständen überlassen wir der seeamtlichen Untersuchung zu entscheiden, dem Geschwader sich so bedenklich genähert haben, dass der Kommandant der »Sophie« zu glauben anfangen konnte, der »Hohenstaufen« wolle sich zwischen der »Würtemberg« und der »Sophie« durchdrängeln. Ob das an sich vielleicht erlaubte Manöver gelang, war Sache seines Führers und der ihm anvertrauten 600 hülf- und machtlosen Menschenleben; vorsichtige Rheder würden, selbst wenn das Wagstück gelang, das Hazardspiel um Menschen und Eigentum mit sofortiger Entlassung gelohnt haben. Jedenfalls behauptet Kapt. Winter jetzt, er habe hinter der »Sophie« passiren wollen, und der Kommandant der »Sophie« scheint das Gegenteil geglaubt zu haben, da er um einer dann wohl unvermeidlichen Kollision vorzubeugen nach Art. 23 sich von dem Art. 16 lossagte, und sein Ruder Steuerbord legte, um seinen Kurs hinter dem »Hohenstaufen« zu bringen und das Auswandererschiff nicht mittschiffs einzurennen. Ueber die gegenseitige Berechtigung dieser Absichten und Deutungen kann nur die seegerichtliche Untersuchung entscheiden, wenn, worauf Alles ankommt, die gegenseitigen Entfernungen, Peilungen und Geschwindigkeiten klar gestellt werden; dazu werden die Aussagen der »Würtemberg«, welche mehr rechtwinklig in die Situation und Kurse der beiden Schiffe hineinsehen konnte, von grosser Bedeutung sein. Was nachher geschah ist für die rechtliche Beurteilung der nachher stattgefundenen Kollision ziemlich gleichgültig: beide Schiffe handelten in Voraussicht der unvermeidlich gewordenen Kollision nach besten Kräften rückwärts und mit verschiedener Ruderlage; schliesslich rannte der »Hohenstaufen« die »Sophie« an Backbord mittschiffs unter einem Winkel von 30°, sein Vordersteven (aus englischem Eisen) zersplitterte wie Glas, schnitt aber wie mit scharfem Messer in glattem Schnitt ein grosses Loch in die »Sophie«, so dass sie nur mit Mühe über Wasser zu halten war. Wären nicht auf beiden Schiffen die Schotten wasserdicht und gut verschlossen gewesen, so hätte die Wiederholung einer traurigen Katastrophe die Folge sein können. Jetzt sind glücklicher Weise nur kostspielige Materialreparaturen für beide Schiffe die Folge des unter allen Umständen vermeidlichen Zusammentreffens.

Es ist diese Kollision ein Fall, wo anfangs ein Schiff und nur das eine Schiff aktions*pflichtig* und aktions*frei* zugleich war; es ist ein trauriges Zeichen für deutsche Seemannschaft in verantwortlicher Stellung, wenn selbst dann es noch zu einer Kollision kommt, und das bei hellem Sonnenschein, ruhiger See und zwischen zwei völlig gut seemässig ausgerüsteten Schiffen. Alle wahren Freunde deutschen Seewesens werden mit Kummer und Scham des 3. September 1884 gedenken, der noch so schülerhafte Leistung hervorbringen konnte. So urteilen wir über die Kollision an sich; die Abwägung der *juridischen* Schuld kann nur unter Berücksichtigung der gegenseitigen Entfernungen, Peilungen und Geschwindigkeiten vorgenommen werden.

Deutsche Kolonien.

II.

Klima des westlichen Kongogebiets.*)

(Schluss.)

Das Klima des westlichen Kongogebiets ist natürlich verschieden, indem es, je nach den vom Strome durchflossenen Gegenden, bald gesunder bald heisser wird; im ganzen darf man es aber als entschieden besser bezeichnen, als das der Gegenden am Niger oder an der Goldküste. Das durchgängige Fehlen sumpfiger Striche an seinen Ufern ist zweifellos die Ursache der weniger bösartigen Fieber, und die regelmässigen kühlen Winde aus dem Südatlantic mässigen in hohem Grade die tropische Hitze. Der Strom ist vielleicht zwischen Boma und dem Meere am wenigsten gesund, ohne Frage infolge der Mangrove-Sümpfe, welche ununterbrochen die Ausweitung des Stromes bis zu seiner Mündung begleiten. Boma selber ist entschieden ungesund. Es ist der heisseste Ort am Kongo und von vielen Sümpfen umschlossen. Nach Vivi zu wird es merklich kühler wegen der grössern Meereshöhe; das Klima wird überhaupt gesunder, je höher man den Fluss hinaufgeht. Eine Beihülfe zur Gesundheit liefert das herrliche Trinkwasser, welches überall oberhalb Boma zu bekommen ist; nicht das Wasser des Kongo — welches obwohl gesund doch einen unangenehm süssen Geschmack hat — sondern das Wasser aus den unzähligen Rinnsalen und Flüsschen, welche überall herunter rieseln, sowohl in der trockenen als in der nassen Jahreszeit, das ganze Jahr hindurch. Deshalb ist Dysenterie fast unbekannt oberhalb Vivi. Die vorherrschende Krankheitsform ist das gewöhnliche afrikanische Fieber, welches den befällt welcher sich der Sonne zu sehr aussetzt oder sich nicht vor plötzlicher Abkühlung hütet. Die gefährlichste Krankheit ist das Gallenfieber, die „*febre perniciosa*“ der Portugiesen, das aber nur den ergreift, welcher seine Gesundheit vorher beharrlich vernachlässigt hat. Jenseits des Stanley-Pool kann ich die Temperatur nur angenehm nennen. Sie schwankt an einem Orte, wie z. B. Msuata, zwischen 31° C. am Mittag im Schatten und 16° C. um 2 Uhr morgens, und zwar sowohl in der heissen als in der regnerischen Jahreszeit. Die höchste jemals von mir zu Vivi beobachtete Temperatur betrug 36,5° C. im Schatten an einem sehr heissen Tage. Es ist recht wohl möglich, während der Mitte des Tages sich im Freien aufzuhalten, ohne die Hitze unangenehm zu vermerken, wenn man sich nur mit einem Helm und Sonnenschirm ausrüstet; sieht man aber, wie ich es gesehen habe, junge, eben von Europa angekommene Leute sich der Mittagssonne aussetzen mit nichts anderm als ihrer Hausmütze auf dem Kopf, so darf man sich nicht wundern, wenn gelegentlich Leute am Sonnenstich sterben. Und dann schreiben die Verwandten dieser Opfer ihrer eigenen Unklugheit an die Zeitungen, namentlich die belgischen, und erzählen von dem grausamen afrikanischen Minotaurus und seinen Opfermahlen von weissem Fleisch! Die Sache ist einfach die, dass unter einer tropischen Sonne viel grössere Klugheit und Sorgfalt dazu gehört, seine Lebensweise den äussern Bedingungen gemäss zu reguliren, als in den gemässigten Zonen, in welchen die Wirkung weniger schnell der Ursache zu folgen pflegt. In den heissen Gegenden, besonders in den Ländern, welche heiss und feucht zugleich sind, wirken die Einflüsse der Natur etwas plötzlich und heftig. Alles ist „forcirt“ und drängt eilends zur Krisis. Was in Europa eine blosse Unvorsichtigkeit sein würde, die nur dann ernste Folgen haben könnte, wenn man sie öfter beginge, wird unter einer afrikanischen Sonne eine ernste Gefahr. Man überisst sich z. B. (eine ebenso gewöhnliche als entschuldbare Extravaganz, weil das Klima so oft einen heftigen unnatürlichen Appetit hervorruft), und anstatt mit einem gewöhnlichen Anfall von Indigestion davonzukommen, wird der Betreffende von einem scharfen Anfall von Gallenfieber niedergeworfen, vielleicht treten, bevor er selber oder seine Gefährten Zeit haben, die rasche Ausdehnung der Krankheit zu hemmen, andere Verwickelungen hinzu, und in 2—3 Tagen

*) *Anm.* Wir bringen hier aus einem nächstens bei F. A. Brockhaus in deutscher Uebersetzung erscheinenden bedeutsamen englischen Reisewerke: the River Congo by H. H. Johnston F. Z. S., F. R. G. S. eine Schilderung des Klimas und der Fauna und Flora des westlichen der Einwanderung zunächst sich bietenden Flussgebiets, wie der Reisende es nach 16 monatlichem Aufenthalt an der Küste und im Binnenlande bis Bolobo aufwärts erkannt hat. Johnston trennt das Stromgebiet in drei Teile: von See bis zu den ersten Wasserfällen oberhalb Boma und Vivi 230 km, die Stromstrecke der Wasserfälle 400 km bis Stanley-Pool, und die freie Schiffahrt gewährende Strecke von Stanley-Pool oder Leopoldville bis Bolobo 240 km.

ist der Tod da. Dennoch kann man sich am Kongo einer ausgezeichneten Gesundheit erfreuen, wenn man nur stets daran denkt, in allen Dingen Maass zu halten. Geniesst alles was angenehm und unschädlich ist, aber missbraucht keine Art des Genusses. Esst, trinkt, seid lustig und denkt daran, dass magere Zurückhaltung ebenso schädlich ist, als lärmendes Uebermaass. Jedermann urteile nach sich selber und folge stillschweigend innerhalb der gebührenden Grenzen den Befehlen seines Magens — d. h. wenn er keinen Grund hat zu glauben, er sei durch ungesunde Gelüste gereizt. Spürt man ein grosses Verlangen nach eingekochten Früchten und Süssigkeiten, so nehme man davon, bis ein gewisses Gefühl der Sättigung die erste Gier abgestumpft hat, denn wahrscheinlich ist dieses Verlangen nach Süssigkeiten durch einen Mangel an Zucker im Körpersystem hervorgerufen. Den Alkohol vermeide man so viel als möglich. Es ist schier ein Fall, in welchem Enthaltsamkeit zu entschuldigen ist, denn Wein und Cognac sind in Afrika gefährliche Zugaben zur Mahlzeit eines gesunden Menschen. Andererseits ist der Branntwein einfach unschätzbar als Stärkungsmittel, wenn man wegen Fieber oder aus anderer Veranlassung sich schwach fühlt. Bier erwies sich nach meiner eigenen Erfahrung wohlthuend und angenehm, andere Personen zogen sich dadurch Gallenleiden zu. Man wasche sich lieber in warmem als in kaltem Wasser, kleide sich warm und schlafe gut zugedeckt, befriedige alle vernünftigen und natürlichen Wünsche und man wird das Leben am Kongo sowohl gesund als genussreich finden.

Der grosse Uebelstand des Klimas liegt in der ungemeinen Feuchtigkeit. Selbst in der trockenen Jahreszeit schwebt viel Wasserdampf in der Luft, denn obgleich kein eigentlicher Regen fällt, so werden die Morgen und Abende doch eingeleitet durch dichte weisse Nebel, welche niedrig ziehenden Wolken gleichen und unaufhörlich wie mit einem Sprühregen aus der klammfeuchten Luft alles und jedes mit schwerem Thau bedecken. Das ist der „Cacimbo" der portugiesischen Kolonien und was man an der Guinea-Küste „Smokes" oder Räuchern nennt. Diese Morgen- und Abendnebel sind die charakteristischen Kennzeichen des Anfangs und Schlusses der Regenzeit; während der Regenmonate selber verschwinden sie, weil dann der Anfang und das Ende des Tages gewöhnlich hell und klar ist.

Die relative Länge der Regenzeit verändert sich in dem Maasse, als man von der Mündung des Kongo sich dem Aequator nähert. In der Nähe des Meeres giebt es nur vier Regenmonate — November, December, Februar und März, mit einer zwischenliegenden Trockenpause im Monat Januar; aber beim Hinauffahren auf dem Flusse bemerkt man fortschreitende Veränderungen, und am Stanley-Pool beginnen die Regen schon im October und dauern bis zum 20. Mai, sodass nur vier Monate für die trockene Jahreszeit übrig bleiben. Die Pause im Januar, die sogenannte „kleine Trockenheit" oder „little dries" wie der Engländer sagt, fällt hier weg. Noch höher den Fluss hinauf in der Nähe der Linie soll es nach Aussage der Eingeborenen im Juni, August und September häufig regnen, sodass man dort von einem wirklich äquatorialen Klima reden darf, in welchem der Regen selten fehlt, welches daher, wie ich zu Bolobo gefunden, die Region des ununterbrochenen Waldes bildet. Dass dieser Waldgürtel sich nicht über ganz Afrika erstreckt, rührt daher, weil überall, wo eine beständig trockene Jahreszeit von 4, 5 bis 6 Monaten herrscht, das lange Gras Gelegenheit findet, völlig an der Sonne zu verdorren und die Eingeborenen dann leichter die grossen Buschfeuer veranstalten können, die ihnen so viel Freude machen, indem sie ihnen den Boden für ihre Anpflanzungen säubern und gleichzeitig den Wald von den Hügeln fegen. In den Aequatorialgegenden mit beständiger Feuchtigkeit ist dies nicht ausführbar, weshalb die dortige Waldgegend mit ihrer eigentümlichen Tier- und Vogelwelt eine Lage der Dinge unterhält, die vermutlich vor der Ankunft des Menschen sich weiter über Afrika ausdehnte, oder besser gesagt vor der Zeit, als der Mensch zuerst begann, seine steigende Unzufriedenheit mit den Anordnungen der Natur zu verlautbaren und das Gesetz in die eigene Hand zu nehmen. Ich bin fest überzeugt, dass das Baumleben des Menschengeschlechts sehr weit in seiner Entwickelung zurückdatirt, und dass wir gleich unsern Vettern, den Pavianen, zur Zeit als wir noch blosse Affen waren, begonnen hatten, Felsen und Höhlen*) und die zum Ausguck geeigneten Höcker im offenen Lande dem dichten Walde vorzuziehen, in welchem unsere niedriger stehenden Verwandten, die Gorillas und Orang-Utangs, sich noch in einsamer Scheu verstecken. In der Regel ist der Mensch ein Feind des Waldes und hat sich stets bestrebt, die zukünftige Quelle seines Brennmaterials einzudämmen, aber vielleicht hat er unbewussterweise recht daran gethan. Das offene Land ist viel gesunder und heller als die düstern geheimnisvollen Tiefen des Waldes, und die höhern Formen der Säugetiere — die den meisten Verstand und die grösste Verbreitung haben — scheinen aus dem luftigen Hochlande und dem wellenförmigen Flachlande hervorgegangen zu sein.

Man kann sich nur mit Mühe vergegenwärtigen, wie winterlich die Tropenländer in der trockenen Jahreszeit aussehen. Viel mehr Bäume welken in Afrika ab, als wir uns in unsern angelernten Vorstellungen von einem schönen tropischen Lande einbilden, in welchem ewiges Grün herrscht und die Vegetation aus einer unbestimmten Mischung schlanker Palmen mit Wedeln gleich Straussfedern und aus wuchernden Bananen besteht, die ihr blütenreiches Laub über die Massen ungestalteter Schlingpflanzen erheben. Nichtsdestoweniger hat, nachdem ein Monat seit dem letzten Regen verflossen ist, das Aussehen eines afrikanischen Bergabhanges vieles von der freudlosen Oede des Winters an sich. Die vorher imposanten Affenbrotbäume, deren Laubmassen damals so prächtig aussahen, sind verkümmert zu einem Labyrinth laubloser Zweige; der Boden ist mit einem braunen Teppich von abgefallenen Blättern bedeckt; wenn auch viele Bäume ihre Blätter behalten, so setzen sie keine neuen Schüsse an und welken und verdorren in der heissen Sonne; hier und da zeigt ein immergrüner Strauch nach Art unserer Stechpalme oder des Eibenbaums den fast herzlosen Gegensatz seines dunkeln kalten Grüns gegen seine verblassten verwitterten Genossen, und ganz nahebei erblickt man vielleicht ein weisses Skelet, welches vor kurzem noch ein buschiger Baum war. Die schlanken Gräser, vordem mit schimmernden Blüten geputzt, zeigen jetzt nichts als gelbe Halme und runzelige Samenhülsen, in welchen vielleicht noch ein farbiger Punkt in den roten und gelben Samenkörnern schlummert, die aus den braunen Schoten hervorblicken. Die vielen winzigen Blümchen, die Moose und Schwämme sind kaum aufzufinden; bloss einige abstossende Pflanzen — Gewächse mit fleischigen verstümmelten Gliedmaassen, unnatürlich verschwollen, verdreht und mit bösartigen Stacheln bedeckt — drängen sich unangenehm vor, da sie vor unsern Augen nicht länger verdeckt werden durch die schönen und zarten kriechenden Farren und klimmenden Bärlappgewächse, sondern vielmehr unverändert oder in gedeihlichem Wachstum vor uns zu stehen scheinen, während alles andere verblasst und abgestorben ist. Auf den grossen Wiesen, durch welche der Fussweg sich schlängelt, sind die wallenden Gräser niedergelegt und an ihrer Stelle erblickt man die traurigen Streifen schwarzer Asche, wo die Buschfeuer gerade darüber weggefegt sind.

Aber die trockene Jahreszeit ist doch nicht so sehr der Tod als vielmehr die Zeit der Erholung. Sie ist eine kurze Pause — ein Schlaf, in welchem die verausgabten Kräfte der Natur wieder einmal gesammelt werden. Gerade wie die Erde gegen die Zeit der Sonnenwende sich aus der Zucht der Sonne wie ein ruheloses Kind herauswindet, um nachher der Freiheit müde sich langsam wieder zur nüchternen Winterreise einfangen zu lassen, so bedürfen

*) Die Menschen der frühern Steinzeit wohnten stets in Höhlen.

ihre zarten Kinder, wenn sie in all der üppigen Fülle des Frühlings und Sommers herumgetollt haben, der Ruhe in den schlaffen Monaten, um ihre Kräfte wiederherzustellen. Die Vögel legen ihre schönen Kleider ab, weil die „Saison" vorüber ist, und gehen „aufs Land" im schlichten Rock des Alltagsanzuges. Der Wittwervogel besonders, welcher den ganzen Sommer hindurch den richtigen Don Juan spielte und verliebt bis über die Ohren mit seinen langen Federn vor den Augen seiner Freundinnen herumprunkte, in einer Weise, welche wirklich ihrer Tugend verderblich werden konnte, hat jetzt seinen fröhlichen Blick verloren und nimmt das Wesen eines Cynikers an, welcher der übermässigen Liebe und leichten Eroberungen satt ist; er legt seine schöne Haltung und reiche Tracht ab und dafür ein Kostüm an, welches durchaus einfach und selbst schäbig genannt werden darf. Auch er muss sparen wegen früherer Verschwendung, aber er thut es auch in der Voraussicht „auf bessere Zeiten" nachher.

Ob der Kreislauf des Lebens einen Anfang hatte und ein Ende haben wird, wissen wir nicht; für unsere begrenzte Wahrnehmung scheint er freilich ohne Ende zu sein. Nach dem Leben folgt der Tod, d. h. die Unthätigkeit, und aus ihm entspringt wieder neues Leben. Die perennirenden Gewächse, erschöpft von der letzten Entfaltung ihrer Kraft, sterben ab bis auf ihre Wurzeln, aber wenn die zurückkehrenden Regen wieder einmal den trockenen zerklüfteten Boden erweichen und abkühlen, so wachsen die glänzenden jungen Schüsse aus dem alten Stock hervor, um von neuem zu blühen und ein neues Leben zu beginnen. Und wenn die einjährigen Pflanzen absterben, haben sie nicht rund um sich herum ihre Samenkörner ausgestreut, aus denen hundert Kinder erstehen, die den Stammbaum fortführen und ihr Geschlecht fortpflanzen? Wenn es so einen Winter in Afrika giebt, so giebt es auch einen Frühling, voll von Hoffnungen und Versprechungen und lieblicher Thätigkeit. Die ersten Regen sind selten heftig und von längerer Dauer, aber sie durchfeuchten den Boden wirksam und machen die ausgetrockneten Bäche fliessen und die Flüsse anschwellen. Dann blühen Myriaden von Blumen auf, die traurigsten, trockensten Büsche zeigen sich in ungewohnter Weichheit; tückische Euphorbien, stachlichte Akazien, apoplektische Affenbrotbäume verraten, dass einige poetische Gefühle unter ihrem absterbenden Aeussern schlummern, und machen ihnen Luft in unschuldigen und wohlriechenden Blüten. Ein Reichtum von Farben erfüllt die Wälder, die Ebenen, die Sümpfe und selbst die kahlsten Felsen und Berge. Schlanke Orchideen wachsen empor an der Wasserkante, stolz auf ihre unvergleichliche Schönheit. Cannas und Cardamumpflanzen leuchten auf von allen feuchten fetten Lichtungen. Die grössten Bäume — ernst, nüchtern und geschäftsmässig aussehend während der übrigen Zeit des Jahres — entfalten eine 14tägige Blütenpracht in solch plötzlicher unvorbereiteter Weise, als ob sie sich ihrer Schwäche schämten. Selbst die Gräser versuchen es, etwas augenfällig hübsch zu blühen; und weil sie sich keiner Blütenkelche rühmen können, so zeigen sie doch wie zur Entschuldigung ihre dunkeln Staubfäden. Die Vögel bauen. Die Webervögel hängen ihre schwebenden Nester an alle Grashalme, welche die Bäche einfassen. Die gemeinen schwerfälligen Fischadler putzen ihren schmutzigen hässlichen Horst auf und beginnen und schliessen bald nachher eine seelenlose Brautwerbung; die „verliebten Tauben" lassen ihr krankhaft sentimentales Krueu auf jedem schattigen Baume hören, und strahlend schöne praktisch denkende Papageienpaare sieht man geschäftig um alle Löcher hohler Bäume fliegen, welche sich zu Brutplätzen eignen dürften.

In dieser Jahreszeit bringen die Eingeborenen viele junge Tiere zum Verkauf — vielleicht die Jungen eines schwarzrückigen Schakals oder die süssen kleinen Kitzen einer Genettkatze. In den ruhigen Flussstrecken kann man eines stillen Abends das weibliche Flusspferd langsam das Wasser verlassen sehen, gefolgt von ihrem schönen fahlen Jungen; sie beabsichtigen am Lande zu schlafen zu grösserer Sicherheit vor den hässlichen tückischen Krokodilen, deren Junge nebenbei gesagt gerade aus dem Ei schlüpfen und nun Spiessruthen laufen müssen, nicht bloss zwischen ihren natürlichen Feinden den Störchen, Ibissen und Ichneumons, sondern auch, so leid es mir auch thut sagen zu müssen, vor ihren unnatürlichen Vätern, welche eine grosse Familie nicht lieben.

Auf diese Art rückt das Frühjahr vor, bis es Sommer wird, und damit beginnen einige wenige kurze Wochen köstlicher Eintönigkeit, wenn der Regen abnimmt und die Natur in süsser Zufriedenheit auf dem Gipfel ihrer Schönheit stille steht. Aber auf die Zufriedenheit folgt ein Ausbruch lärmender Excesse. Die Luft ist beladen mit Feuchtigkeit. Die Stürme beginnen wieder mit einer Heftigkeit und Wut, welche ihnen vorher nicht inne wohnten. Der Donner rollt, der Wind heult und der Regen strömt herab in ungeordneten Fluten, welche nicht mehr der durstigen Welt in milder Weise eine Erfrischung bieten, sondern rücksichtslos die gebrechlichen Schönheiten zerstören. Gegen die übereinandergehäuften dunkeln Wolkenbänke leuchten die Blitzstrahlen in stillem feurigem Zorn auf, oder fahren, zu heftigerem Grimm erregt, im Zickzack über die Berge und verbreiten plötzliches Verderben. Zwischen diese stürmischen Ausbrüche fallen Zwischenräume thränenvoller Reue. Die abgeschlagenen Blüten liegen auf der Erde, Zweige und Blätter bedecken den regennarbigen Strand, der Himmel ist von blasser abgestorbener Bläue und die Natur, einem leidenschaftlichen Weibe gleichend, scheint ihre Heftigkeit bereuen zu wollen und stammelt vielleicht durch die Stimme eines kleinen piependen Vogels, dass sie die Scene der Unordnung bereue. Aber sie wird wieder aufgeregt durch die brennende Sonne, welche stets die heisse Luft mit dem Fieber unbefriedigten Verlangens erfüllt. Lüsternheit bemächtigt sich aller Wesen. Die Krokodile verraten ihre seltsame Liebeswerbung durch heisern nächtlichen Ruf. Die schwerfälligen Flusspferde verfolgen mit Sonnenuntergang ihre Genossinnen unter verliebtem Grunzen, indem sie durch das hohe schlanke Gras krachend vorwärtsstürmen. Selbst das Gras, welches einst, als der Regen erst kam, ein zartes grünes und furchtsames Hälmchen war, das über die Asche der Vorfahren wegkroch, ist jetzt mit seinen starken knotigen Stengeln und Rasirmesser gleichen Blättern ein unverschämtes Hemmnis geworden, welches uns seine vielen Blumenkelche in's Gesicht schleudert, der rechte gemein stolze Emporkömmling. Die Menschen sogar nehmen teil an dieser allgemeinen Orgie. Die Ernte wird eingeheimst, das Zuckerrohr geschnitten, und aus seinem Saft ein berauschendes Getränk gemacht, welches mancher wilden Ausschweifung zur Ursache und Entschuldigung dient. Es wird Zeit, dass die Natur dem Lärm ein Ende macht; die verderbte Welt muss durch Feuer gereinigt werden. Der Regen hört auf, der Boden trocknet ab, der Bach schrumpft zusammen. Untergetauchte Inseln erscheinen wieder, abgeschnittene Tümpel stagniren. Die immer scheinende Sonne bereitet hurtig die feurige Reinigung vor. Eines Tages wirft ein Eingeborener einen Feuerbrand in das verwelkte Kraut. Der Wind erhebt sich, ein grausiger Feuerschein läuft vor ihm her, fegt rasch über die Hügel, so reissend schnell, dass, während er das Gras zu Zunder verbrennt, er die Bäume kaum ansengt. Mit der zunehmenden Dürre nimmt das Leben wieder die alte Nüchternheit an. Die männlichen Flusspferde thun sich in Rudeln von Junggesellen zusammen, fern von ihren einstigen Geliebten, welche im Vorgefühl zukünftiger Mutterfreuden ein ruhiges und regelmässiges Leben führen. Die Tauben lassen nach mit dem Krueu und widmen sich gefrässig den Mahlzeiten, welche die vielen, jetzt weit und breit auf dem Boden verstreuten Sämereien ihnen bieten. Die Affenbrotbäume werfen ihre Blätter ab, und alles tritt wiederum in den winterlichen Stand der Ruhe und Erholung.

Die Tier- und Pflanzenwelt des Kongolandes zwischen den fast im Herzen des Kontinents liegenden Stanley-Fällen und der Küste sind keineswegs gleichförmig, sondern zerfallen vielmehr in drei getrennte Regionen, welche durch den Charakter der vom Kongo durchströmten Gegenden bestimmt worden.

Die erste Region, wie man sie nennen kann, erstreckt sich von den Küsten des Oceans etwa 130 km ins Binnenland und gehört zu dem sumpfigen Waldgürtel, welcher von Cabeça da Cobra, 90 km südlich der Kongomündung, längs der westlichen Seeküste Afrikas sich bis zum Gambiafluss in Ober-Guinea erstreckt. Dieses sumpfige Gebiet, in welchem Säugetiere und Vögel sich mehr durch ihre absonderliche Grösse als durch den Reichtum der Arten auszeichnen, herrscht längs des untern Flusses ununterbrochen vor von der Küste bis nach Punta da Lenha, welches ungefähr 90 km vom Meere entfernt liegt, und erstreckt sich mit etwas verändertem Charakter bis Boma und darüber hinaus; dort geht es unmerklich in die nächste oder Katarakten-Region über, welche aus nichts anderm besteht als dem Gebiet der parallelen Bergketten, die sich vom obern Ogowe gerade den Kontinent hinunter bis ins südliche Angola erstrecken, und das mittlere Hochland oder Becken des tropischen Afrika von dem Streifen niedrigen Küstenlandes längs des Meeresufers trennen. In diesem gebirgigen Distrikt, welcher einige Kilometer jenseits Boma beginnt und alle Wasserfälle oder Stromschnellen des Kongo bis zum Stanley-Pool in sich begreift, haben Fauna und Flora einen allgemeinern Typus als in der ersten und dritten Region und mehr Aehnlichkeit mit der Tier- und Pflanzenwelt von Angola und Unter-Guinea. Zuletzt verschwindet der Einfluss dieser etwas dürftigen Region mit ihren felsigen Hügeln und steinigen Dämmen vor dem üppigen Reichtum des mittlern Hochlandes und treten am Stanley-Pool schon neue charakteristische Formen des centralen äquatorialen Afrika auf; und so schnell vollzieht sich der Uebergang, dass das obere Ende des Stanley-Pfuhls in seiner Naturgeschichte, besonders in seiner Pflanzenwelt, mehr den Gegenden am Uëlle und dem westlichen Gebiete des Tanganjika-Sees gleicht, als dem 32 km entfernten Landstrich, welcher an dem untern Ende des Pfuhls beim ersten Wasserfall anfängt. Obgleich ich selbst nicht weiter als bis 2° 30′ südl. Br. vorgedrungen bin, so bin ich doch durch Vergleichung meiner Wahrnehmungen mit denen von Stanley am obern Kongo und von Schweinfurth am Uëlle zu dem Schlusse gekommen, dass in dem ganzen vom Kongo durchflossenen Becken zwischen dem Stanley-Pool und den Stanley-Wasserfällen es keinen merklichen Unterschied in der Fauna und Flora giebt, dass sogar in diesem weiten Ländergebiet die Formen der lebenden Welt sich mehr gleichen als in den Gegenden der Wasserfälle und der Küste.

Aus dem Bericht der Handelskammer zu Bremen für das Jahr 1883.

(Schluss.)

Einem zweiten Bericht der Handelskammer entnehmen wir nachstehende statistische Mitteilungen über den *Schiffahrtsverkehr und die Rhederei Bremens.*

1. Seeschiffahrt.

Es kamen an:

	zusammen			darunter			Procent v. Gesamt-Tonnengehalt
1883	2869 Schiffe	1 258 529	R.-T.	886 Dampfer	827 300	R.-T.	= 65,[illegible] %
1882	2708 "	1 129 517	"	776 "	682 602	"	= 60,[illegible] %
1881	2862 "	1 150 117	"	708 "	680 475	"	= 59,[illegible] %
1880	2937 "	1 169 466	"	687 "	608 782	"	= 52,[illegible] %
1879	2821 "	1 083 441	"	653 "	557 627	"	= 51,[illegible] %

Es gingen ab:

	zusammen			darunter			Procent v. Gesamt-Tonnengehalt
1883	3133 Schiffe	1 266 945	R.-T.	882 Dampfer	819 266	R.-T.	= 64,[illegible] %
1882	2951 "	1 111 526	"	773 "	677 579	"	= 60,[illegible] %
1881	3124 "	1 164 011	"	709 "	674 987	"	= 57,[illegible] %
1880	3243 "	1 176 122	"	672 "	614 532	"	= 52,[illegible] %
1879	3017 "	1 077 900	"	657 "	557 932	"	= 51,[illegible] %

Die Zahl der 1883 für bremische Rechnung angekommenen 2869 Schiffe von 1 258 529 Reg.-Tonnen, verteilt sich auf die verschiedenen Löschplätze an der Weser wie folgt:

Es kamen an in					Procent des Tonnengehalts
Bremerhaven	1223	Schiffe von	873 604	R.-T.	= 69,[illegible] %
Vegesack	73	" "	5 497	"	= 0,[illegible] %
Bremen	1078	" "	95 281	"	= 7,[illegible] %
Bremischen Häfen	2374	Schiffe von	974 192	R.-T.	= 77,[illegible] %
Geestemünde	294	" "	168 644	"	= 13,[illegible] %
Brake	128	" "	38 945	"	= 3,[illegible] %
Nordenhamm	73	" "	76 748	"	= 6,[illegible] %

Die Zahl und Ladungsfähigkeit der Seeschiffe der Weserflotte betrug

	Bremische		Oldenburgische		Preussische		Zusammen	
Ende	Schiffe	R.-T.	Schiffe	R.-T.	Schiffe	R.-T.	Schiffe	R.-T.
1883	356	307 559	180	74 769	46	36 308	582	418 636
1882	344	299 397	179	69 961	46	35 891	569	405 249
1881	326	290 098	180	66 410	44	32 837	550	379 336
1880	324	270 209	179	62 085	47	33 183	550	365 477
1879	320	260 769	181	59 114	56	37 367	557	357 250

Bauart und Grösse der einzelnen Schiffsgattungen der Bremer Seeflotte.

	1883		1882		1881		1880		1879	
	Schiffe	R.-T.	Schiffe	R.-T.	Schiffe	R.-T.	Schiffe	R.-T.	Schiffe	R.-T.
Dampfschiffe	99	89048	81	75702	68	60676	68	58686	67	59462
Vollschiffe	81	103792	82	103865	81	99202	76	91029	69	79969
Barken	123	104209	135	111040	140	113824	145	114719	160	115247
Briggs	2	584	4	1143	3	891	4	1140	3	884
And. Schiffe	51	9928	42	7641	34	5435	31	4655	91	6207
Zusammen	356	307559	344	299397	326	290098	324	270209	320	260769

Die See-Dampferflotte des Norddeutschen Lloyd betrug am Ende des Jahres 1883:

	Anzahl d. Dampfer	Pferdekraft	Reg.-Tons Brutto	Reg.-Tons Netto
für die transatlantische Fahrt	28	19 632	83 939	54 686
" " europäische Fahrt	7	1 325	6 281	4 887
Zusammen	35	20 957	90 220	59 573
gegen Ende 1882	33	18 907	83 530	55 172
" " 1881	32	18 232	81 811	53 037
" " 1879 und 1880	35	17 225	79 916	52 290
" " 1877 " 1878	37	18 075	83 598	54 765

Die See-Dampferflotte der Dampfschiffahrts-Gesellschaft Neptun bestand:

Ende 1883 aus 17 Schiff. v. 3740 P. K. u. 8448 R.-T. Br. 6559 R.-T. N.
" 1882 " 11 " " 3230 " " 6924 " " 5298 " "
" 1881 " 13 " " 3030 " " 6728 " " 5136 " "

Die See-Dampferflotte der Dampfschiffahrts-Gesellschaft Hansa bestand:

Ende 1883 aus 12 Schiff. v. 6630 P.-K. u. 14161 R.-T. B. 10526 R.-T. N.
" 1882 " 8 " " 4900 " " 11351 " " 8429 " "

Die *Bemannung* der Bremischen Seeschiffe am 1. Jan. 1883, mit Ausnahme von 53 Schiffen, welche noch nicht gemustert hatten, und von 28 Schiffen, welche ohne Besatzung still lagen, betrug 275 Kapitäne, 300 Obersteuerleute, 140 Untersteuerleute, 156 Bootsleute, 288 Zimmerleute, 280 Köche, 2134 Matrosen, 438 Leichtmatrosen, 289 Jungen, 428 Aufwärter, 26 Aufwärterinnen, 29 Proviant- und Zahlmeister, 24 Aerzte, 229 Maschinisten, 438 Heizer, 253 Kohlenzieher, zusammen 5718 Mann.

Die Zahl der Seeleute, welche die *Seefahrtsschule* besuchten, betrug:

im Jahre	1883	1882	1881	1880	1879	
	79	86	71	90	82	
Das Examen bestanden	19	20	19	28	34	Kapitäne,
	45	44	47	52	51	Steuerleute.

An Stelle der früher von Bremen erhobenen Seeschiffahrtsabgabe wird seit dem 1. Juli 1877 ein durch Vertrag zwischen Preussen, Oldenburg und Bremen zum Zweck der Unterhaltung der Schiffahrtszeichen auf der Unterweser festgesetztes *Feuer- und Bakengeld* erhoben. Dasselbe beträgt von dem über 200 Kubikmeter hinausgehenden Nettoraumgehalt jedes Schiffs 10 Pfennige für das Kubikmeter.

Der *Nationalität* nach zahlten diese Abgabe im Jahre 1883:

Nationalität	Dampfer Zahl	Dampfer Raumgehalt cbm	Dampfer Abgabebetrag ℳ	Pf.	Segelschiffe Zahl	Segelschiffe Raumgehalt cbm	Segelschiffe Abgabebetrag ℳ	Pf.	Zusammen Schiffe Zahl	Zusammen Schiffe Raumgehalt cbm	Zusammen Schiffe Abgabebetrag ℳ	Pf.	Gleich Prozent
Deutsche	669	1 670 803	153 587	20	899	895 761	71 065	90	1568	2 566 564	224 653	10	67,[illegible]
Englische	302	726 487	66 608	70	83	153 124	13 672	30	385	879 611	80 281	—	24,[illegible]
Norwegische	48	52 375	4 277	60	76	109 003	9 380	30	124	161 378	13 657	90	4,[illegible]
Italienische	—	—	—	—	18	35 490	3 180	—	18	35 490	3 180	—	0,[illegible]
Amerikanische	—	—	—	—	7	20 579	1 917	90	7	20 579	1 917	90	0,[illegible]
Dänische	3	8 876	827	60	12	8 704	630	40	15	17 580	1 458	—	0,[illegible]
Schwedische	2	1 222	83	20	17	16 886	1 348	60	19	18 108	1 430	80	0,[illegible]
Französische	9	14 454	1 266	40	1	1 236	103	60	10	15 690	1 369	—	0,[illegible]
Russische	2	3 078	267	80	10	11 824	982	40	12	14 902	1 250	20	0,[illegible]
Holländische	12	9 121	672	10	24	8 742	394	30	36	17 863	1 066	40	0,[illegible]
Spanische	2	4 164	376	40	10	7 453	545	30	12	11 617	921	70	0,[illegible]
Belgische	—	—	—	—	2	6 598	619	80	2	6 598	619	80	0,[illegible]
Griechische	1	2 899	269	90	—	—	—	—	1	2 899	269	90	0,[illegible]
Hawaiische	—	—	—	—	1	2 203	200	30	1	2 203	200	30	0,[illegible]
Oesterreich-Ungarische	—	—	—	—	1	1 161	96	10	1	1 161	96	10	0,[illegible]
	1050	2 493 479	228 244	80	1161	1 278 704	104 136	20	2211	3 772 243	332 381	—	100 %

Diese Abgabe lieferte von Dampfern ℳ 228 244.80, von Seglern ℳ 104 136.20, zusammen ℳ 332 381.— *Einnahme*.

Dagegen betrug die *Ausgabe*:

Für Verwaltung	ℳ 2 024.93
„ Tonnen und Baken	„ 45 245.21
„ Leuchtschiffe und Leuchtturm	„ 76 271.54
„ Kirchturm etc. auf Wangerooge	„ 6 000.—
„ Ausserordentliche Ausgaben	„ 3 270.42
	ℳ 132 812.10

Man kann mithin nicht länger sagen, dass diese Abgaben nicht eine Einnahmequelle bilden.

An *Seeversicherungen* wurden abgeschlossen:

	von Bremischen Kompagnien ℳ		von Agenturen fremder Gesellschaften ℳ		Zusammen ℳ
1883	134 702 700	= 34,[illegible] %	259 544 600	= 65,[illegible] %	394 247 300
1882	104 402 000	= 28,[illegible] „	267 543 000	= 71,[illegible] „	371 945 000
1881	108 177 500	= 27,[illegible] „	282 220 700	= 72,[illegible] „	390 398 200
1880	100 965 500	= 25,[illegible] „	300 197 900	= 74,[illegible] „	401 164 400
1879	75 926 700	= 21,[illegible] „	271 732 300	= 78,[illegible] „	347 659 000

Die *Seemannskasse* hatte in den letzten 5 Jahren an

	Einnahmen	Ausgaben	Kapitalbestand
1883	62 720 ℳ	63 836 ℳ	1 424 492 ℳ
1882	62 384 „	64 758 „	1 431 410 „
1881	58 022 „	62 719 „	1 433 983 „
1880	55 980 „	62 618 „	1 438 080 „
1879	61 000 „	59 802 „	1 444 818 „

Auswandererbeförderung. Zahl der seit 1832 über Bremen beförderten Auswanderer.

1832..	10 344	1845..	31 823	1858..	23 177	1871..	60 516
1833..	8 691	1846..	32 872	1859..	22 011	1872..	80 418
1834..	13 066	1847..	33 682	1860..	30 296	1873..	63 241
1835..	6 185	1848..	29 947	1861..	16 540	1874..	30 633
1836..	14 137	1849..	28 629	1862..	15 187	1875..	24 503
1837..	15 067	1850..	25 776	1863..	18 175	1876..	21 605
1838..	9 312	1851..	37 493	1864..	27 701	1877..	19 179
1839..	12 412	1852..	58 551	1865..	44 666	1878..	21 483
1840..	12 806	1853..	58 111	1866..	61 877	1879..	26 654
1841..	9 594	1854..	76 875	1867..	73 971	1880..	80 330
1842..	13 619	1855..	31 550	1868..	66 433	1881..	123 767
1843..	9 927	1856..	36 517	1869..	63 619	1882..	114 955
1844..	10 857	1857..	49 448	1870..	46 761	1883..	109 881

d. h. seit dem Jahre 1832: 1 972 583 Personen in 8774 Schiffen.

2. Flussschiffahrt.

Der Bestand der Flussschiffe auf der *Unterweser* war:

	bremische Schiffe	R.-T.	oldenburgische Schiffe	R.-T.	preussische Schiffe	R.-T.	Total Schiffe	R.-T.
1883	85	8 762	100	4 433	41	2 316	226	15 511
1882	83	8 598	124	5 449	48	2 583	255	16 625
1881	89	8 873	122	5 207	47	2 456	258	16 536
1880	101	10 323	128	5 362	50	2 525	279	18 210
1879	103	10 660	118	4 943	49	2 350	270	17 953

Flussschiffahrt auf der Unterweser.

	In Bremen kamen an				Von Bremen gingen ab			
1883	5583	Schiffe	423 717	R.-T.	5552	Schiffe	426 708	R.-T.
1882	4949	„	377 363	„	4859	„	375 105	„
1881	5117	„	377 980	„	5112	„	383 309	„
1880	5441	„	378 727	„	5384	„	380 758	„
1879	4580	„	331 620	„	4641	„	336 222	„

Von der *Oberweser* kamen in Bremen an

1883	515	Schiffe	54 970	R.-T. und	316	Flösse	10 068	R.-T.
1882	475	„	52 086	„ „	302	„	8 993	„
1881	527	„	55 667	„ „	361	„	10 281	„
1880	543	„	56 703	„ „	365	„	9 427	„
1879	558	„	58 729	„ „	281	„	6 964	„

Nach der Oberweser gingen von Bremen ab

1883	509	Schiffe von	56 429	R.-T.
1882	461	„ „	51 026	„
1881	519	„ „	54 885	„
1880	563	„ „	60 465	„
1879	547	„ „	57 930	„

Den Verkehr Bremens auf der Oberweser anlangend, betrug

	die Einfuhr Schiff und Floss Ctr.	ℳ	die Ausfuhr Ctr.	ℳ	zusammen Ctr.	ℳ
1883	1 694 116	2 581 457	826 974	9 765 803	2 521 090	12 347 260
1882	1 566 161	2 317 553	889 913	8 946 790	2 456 074	11 263 343
1881	1 771 949	2 374 708	858 048	8 315 286	2 630 997	10 689 994
1880	1 587 020	2 273 857	1 097 472	9 778 642	2 684 492	12 052 499
1879	1 648 757	1 160 435	1 094 446	10 647 117	2 743 203	12 807 552

Der jetzige Stand der Arbeiten am Panama-Kanal.

(Schluss.)

Gegenüber den Befürchtungen, dass die Nord-Amerikaner auf Grund ihrer Monroe-Doctrin dem Unternehmen Schwierigkeiten bereiten würden, bemerkt L. dass sie im Gegenteil ganz von dieser Ansicht zurückgekommen seien und dagegen der Staat Columbien der Gesellschaft 500 Mill. Hektaren Land zugesichert habe als disponibles Eigentum, von denen 150 Mill. nach Vollendung des ersten Drittels der Arbeit angewiesen werden sollen. Die Eisenbahn endlich verspreche eine Dividende von 83 bis 88 fr., nach 78 fr. in 83, 65 fr. in 82. Dieser Besitz an Land wird sich um so wertvoller erweisen, als die Auswahl des Grundbesitzes ganz von der Gesellschaft abhängig gemacht ist und der Grunderwerb zugleich den Erwerb sämtlicher Minen auf demselben einschliesst. Es liegt in diesem Besitz also eine bedeutende hypothekarische Sicherheit für das Auslagekapital der Aktionaire. Die Eisenbahn aber leistet dem Unternehmen ganz unschätzbare Dienste und da sie zugleich die für den Ankauf ausgeworfenen Gelder leidlich verzinst, so ist auch von dieser Seite keinerlei Befürchtung gerechtfertigt.

Dieser Bericht von Lesseps wird von den geheimen und offenen Gegnern des Kanalwerkes natürlich als zu günstig angegriffen werden; wir haben indessen geglaubt, es dem Unternehmer schuldig zu sein, auch ihn ausfürlich zu Worte kommen zu lassen. Er hat jedenfalls das unverminderte Prestige für sich, den Suez-Kanal fertig gestellt zu haben; dass die Aktien desselben teilweise in britischen Besitz übergegangen sind, hat vorläufig geringe Bedeutung, da ihr Stimmrecht noch auf Jahre ruht. Ueber die politische Zukunft des Kanals wird wohl erst entschieden werden, wenn die Franzosen durch ihn von Tonking-China zurückkehren und massenhaft im Kanal erscheinen. Ob sich dann ein zweiter Freycinet findet, der die günstige Gelegenheit nicht zu benutzen versteht, bleibt abzuwarten. Für uns hat der Krieg im Osten stets etwas von Maskerade an sich gehabt.

Verkehr deutscher Schiffe im Jahre 1883 in nachfolgenden Häfen.

Amoy. Die Zahl der deutschen Schiffe, welche während des betr. Jahres Amoy besuchten, betrug nach Abrechnung der Doppelfahrten 45, mit einem Gesamtgehalt von 18 460 T. und zwar 39 Segelschiffe von 12 852 T.
und 6 Dampfschiffe „ 5 608 „

Hiogo-Osaka. Im Jahre 1883 sind 18 deutsche Schiffe (11 Segelschiffe und 7 Dampfschiffe) von zusammen 12 564 Reg.-To. hier eingegangen, darunter 1 Segelschiff in Ballast; 16 Schiffe gingen in demselben Jahre wieder aus, darunter 3 Segelschiffe in Ballast.

Tschinkiang. Im abgelaufenen Jahre verkehrten hier in Ein- und Ausgang 23 deutsche Fahrzeuge (20 Segelschiffe und 3 Dampfschiffe) von zusammen 6 711 Reg.-To. In Ballast kamen von ihnen 3 (1 Segelschiff und 2 Dampfschiffe) und ging aus 1 Segelschiff.

Canton. Im Jahre 1883 klarirten in Canton-Whampoa von deutschen Fahrzeugen ein und aus:

18 Dampfschiffe von 10 605 Reg.-To.
14 Segelschiffe „ 5 853 „
zusammen 32 Schiffe von 16 458 Reg.-To.

In Ballast kamen 9 Fahrzeuge (3 Dampfschiffe und 6 Segelschiffe) und teilweise in Ballast 3 Segelschiffe. In Ballast liefen aus 8 Fahrzeuge (6 Dampfschiffe und 2 Segelschiffe).

Futschau. Während des Jahres 1883 verkehrten in diesem Hafen eingehend 10 deutsche Fahrzeuge (9 Segelschiffe und 1 Dampfschiff), darunter 3 Segelschiffe in Ballast. Von diesen Fahrzeugen gingen im Laufe des Jahres 9 (8 Segelschiffe und das Dampfschiff), sämtlich beladen wieder aus. Am Jahresschluss verblieb 1 Segelschiff im Hafen.

Hongkong. Während des abgelaufenen Jahres liefen 319 deutsche Fahrzeuge hier ein und zwar 186 Dampfschiffe und 133 Segelschiffe. 24 (12 Dampfschiffe und 12 Segelschiffe) kamen in Ballast an, 5 (2 Dampfschiffe und 3 Segelschiffe) teilweise in Ballast. 1 Segelschiff wurde für deutsche Rechnung angekauft. Von diesen 320 Schiffen zusammen gingen in demselben Jahre 306 wieder aus, nämlich 184 Dampfschiffe und 122 Segelschiffe, darunter in Ballast 134 (68 Dampfschiffe und 66 Segelschiffe) und teilweise in Ballast 18 (16 Segelschiffe und 2 Dampfschiffe). 3 deutsche Segelschiffe wurden verkauft und wechselten die Flagge. Am Jahresschluss waren 11 deutsche Schiffe (9 Segelschiffe und 2 Dampfschiffe) anwesend.

Havre. Im Jahre 1883 sind 85 deutsche Schiffe (33 Dampfschiffe und 52 Segelschiffe) hier eingegangen, darunter 1 Dampfschiff infolge von Havarie und weitere 5 Dampfschiffe in Ballast. 1 Segelschiff wurde für deutsche Rechnung angekauft. Von diesen 86 Fahrzeugen zusammen sind im Berichtjahre 82 wieder ausgegangen, darunter 42 (10 Dampfschiffe und 32 Segelschiffe) in Ballast. Am Jahresschlusse waren 4 Segelschiffe anwesend, von denen 3 Anfang Januar wieder ausgingen, darunter 1 in Ballast.

Amsterdam. Während des Jahres 1883 sind hier 97 deutsche Schiffe von zusammen 34 142 Reg.-To. eingegangen, davon waren 51 Dampfschiffe und 46 Segelschiffe; 1 Segelschiff kam leer ein. Durch Kauf gelangten unter die deutsche Flagge 2 Segelschiffe von zusammen 1428 Reg.-To. Von diesen 99 Schiffen zusammen sind im Berichtsjahre 85 (49 Dampfschiffe und 36 Segelschiffe) ausgegangen, darunter 43 (22 Dampfschiffe und 21 Segelschiffe) in Ballast. Am Jahresschlusse waren 14 Fahrzeuge (12 Segelschiffe und 2 Dampfschiffe) anwesend.

Rio Grande do Sul. Während des abgelaufenen Jahres sind 89 deutsche Fahrzeuge (Segelschiffe) hier eingegangen, darunter 3 in Ballast. In demselben Jahre sind davon wieder ausgegangen 77, darunter 11 in Ballast, 1 leer und 4 mit dem Rest ihrer Ladung.

Von deutschen Häfen direkt liefen hier und in Porto Alegre 11 nichtdeutsche und ferner 15 deutsche Schiffe ein, sämtlich von Hamburg mit Stückgütern kommend. Nach Hamburg direkt klarirten 4 Schiffe, und zwar 3 deutsche Schiffe und 1 dänisches Schiff aus, sämtlich mit künstlichem Guano beladen.

Newcastle. 45 deutsche Schiffe (25 Dampf- und 20 Segelschiffe) von zusammen 33 681 Reg.-To. sind im Jahre 1883 hier eingelaufen, darunter nur 1 Segelschiff mit Ladung (Kohle), die übrigen in Ballast. Von jenen Fahrzeugen sind in demselben Jahre 44 (25 Dampfschiffe und 19 Segelschiffe) wieder ausgegangen, darunter 1 Segelschiff in Ballast; die übrigen nahmen Kohle in Ladung. Der direkte Verkehr mit London hat grosse Ausdehnung gewonnen und wird jetzt durch Dampfschiffe und Segelschiffe der besten und grössten Klassen vermittelt.

—6—

Verschiedenes.

Schnelldampfer fahren jetzt schon so viele über den Atlantic, dass es kaum noch der Mühe lohnt, unter den verschiedenen „allerschnellsten" Ueberfahrten kritisch herumzustöbern. Die „6 Tage Ueberfahrt" ist noch immer nicht erreicht; die schnellsten Fahrten schwanken zwischen 6½—7 Tagen zwischen Newyork und Queenstown. Aber bemerkenswert bleibt dabei ein Tag, an welchem die „Oregon" kürzlich 440 Meilen zurückgelegter Distanz geloggt haben soll, das macht 18.3 Meilen durchschnittlich gelaufenen Weges.

Indizirte Pferdekräfte als Massstab zur Beurteilung der Stärke von Schiffsdampfmaschinen. Gut Ding will Weile haben! Unsere Leser werden sich erinnern, wie oft und scharf wir es in der *amtlichen Liste der Schiffe der deutschen Handelsmarine* gerügt haben, dass daselbst die Stärke der Schiffsdampfmaschinen lediglich durch die Angabe der nominellen Pferdekräfte characterisirt wurde, und verlangt, dass sie durch Angabe der effektiven Pferdekräfte ersetzt würden. Wir erlangten endlich wenigstens soviel, dass neben den nominellen die effektiven Pferdekräfte ebenfalls genannt wurden. Dabei blieb freilich viel Konfusion zurück, die allerdings nicht lediglich dem Autor der Liste zur Last gelegt werden durfte, weil die Schiffsbaumeister selber häufig unklare Angaben machten. Nachdem nun die Anwendung des Mittel- und Hochdrucks bei den Schiffsdampfmaschinen bewirkt hat, dass die nominellen Pferdestärken ihre Bedeutung als Masseinheit gänzlich, die Angabe der effektiven Pferdestärken von der sicherern Angabe der indizirten Pferdekräfte als Mass der wirklichen Nutzleistung der Maschine überholt ist, hat jetzt der Reichskanzler eine Vorlage an den Bundesrat ausarbeiten lassen, nach welchem die Maschinenkraft der Schiffsdampfmaschinen künftighin nur nach **indizirten Pferdekräften** aufzuführen ist.

Die **Dampfyacht „Lady Torfrida"**, welche auf den Werften von John Elder & Co. für den wohlbekannten Inhaber der Firma, Mr. William Pearce, kürzlich fertig gestellt wurde, dürfte eins der elegantesten und schönsten Yachten Englands sein. Die Dimensionen sind 200′ 6″, 25′ 7″, 15′ 7″; Tonnengehalt 610 To. Compound-Maschinen mit Oberflächen-Condensation von 175 P.K. n. und 1020 P.K. i., bei einem Dampfdruck von 110 ℔

per Qu.-Zoll und einem Vacuum von 28½ Zoll, Geschwindigkeit bis 15 Sm., gewöhnlich 13½ Sm. pr. Stunde. 3 Cylinder, ein Hochdruckcylinder von 24" Durchmesser zwischen 2 Niederdruckcylindern von 34" Durchmesser mit 2' 6" Hub. Stellung umgekehrt; Condenser darunter von 1978 Quadratfuss Oberfläche mit einer Luftpumpe von 20" Durchmesser und 17" Hub mit $^1/_{10}$ Inhalt der beiden vereinigten Niederdruckcylinder. Die Schraube ist von solider Manganbronce, 11' Durchmesser und 14' 6" Steigung. Die Röhrenkessel haben 1887 Q.-F. Heizfläche. Das ganze Schiff ist von Stahl, die eisernen Hütten auf Deck sind mit Teakholz bekleidet. Das ganze Schiffspersonal wohnt hinter dem Maschinenraum, der Besitzer nebst Frau, Gästen und Bedienung vor demselben; nur das Rauchzimmer befindet sich hinter der Maschinenhütte an Deck. Das Schiff führt 2 hohe Pfahlmasten, der Rumpf ist klippermässig scharf gebaut. Die innere Einrichtung zeigt eine verschwenderische Fülle von Badezimmern und sonstigem Bedarf.

Zwei grosse Segelschiffe von 2 300 und 2 150 Tons liefen im Juni am Clyde zu Wasser; die Dampfer waren meist unter 2000 Tons gross, nur ein Dampfer der P. & O.-Gesellschaft erreichte 5000 To. Zahlreiche Hochöfen in Derbyshire und Yorkshire wurden ausgeblasen. Dagegen haben die Lokomotivenbauer vollauf zu thun.

Selbstleuchtende Seetonnen werden jetzt mehr und mehr längs der Amerikanischen Küsten ausgelegt. Sie enthalten einen Kasten von Schmiedeeisen der mit Gas gefüllt ist, welches mit einem Druck von 15 Atmosphären verdichtet wurde und 3 Monate lang das erforderliche Brennmaterial liefert. Ein Uhrwerk regulirt die Brennzeiten; Wächter an Land geben Acht, dass keine Störung unbemerkt bleibt. Das System soll sich schon bewährt haben.

Die **unterirdische Bandbahn** Londons soll um einen Bogen nach dem Nordosten, Whitechapel, erweitert werden. Für Paris plant man ebenfalls ein grosses unterirdisches Eisenbahnsystem.

Entwickelung der holländischen Fischerei. Von dem Professor Buys-Ballot ist soeben eine interessante Uebersicht über die *Entwickelung der niederländischen Fischerei* seit dem Jahre 1857, in welchem dieselbe durch ein neues Fischereigesetz vollständige Handelsfreiheit erhielt, veröffentlicht worden. Aus derselben entnehmen wir zunächst, dass die Fischer während der ersten zehn Jahre nach Erlass des Gesetzes fortfuhren, in der von den Vätern ererbten Manier weiter zu fischen, und erst im Jahre 1866 der erste Logger in See ging, worauf man von diesem Zeitpunkte an einen Blick dafür bekam, was durch derartige Fahrzeuge erzielt zu werden vermag. Die Fischerflotte, die im Jahre 1856 nur 82 Fahrzeuge zählte, beziffert sich augenblicklich auf 169 neue, zweckmässig eingerichtete Fahrzeuge, deren frühere Vorgänger, die alten Fischerböte, sämmtlich verschwunden sind. Auch bezüglich der Küstenfischerei ist, wie der Augenschein lehrt, ein bedeutender Fortschritt zu verzeichnen. Aus Mangel an guten Häfen musste man sich bei derselben bisher mit flachbodenen Fahrzeugen behelfen, die für die Zeit, wo man sie nicht braucht, aufs Land gezogen werden. Im Jahre 1856 bestand die gesammte Heringsflottille Hollands aus 82 Schiffen und 147 Böten, zusammen also aus 229 Fahrzeugen; augenblicklich aber zählt dieselbe 436 Fahrzeuge, nämlich 169 Kutter und 267 Böte, eine Ziffer die sich derjenigen der zu Anfang des 17. Jahrhunderts vorhandenen holländischen Heringsflottille nähert. Die Zufuhr von Heringen ist jetzt ungemein viel grösser, als vor 25 Jahren, dagegen hat die Herstellung geräucherter Heringe eine Abnahme erfahren. Die holländischen Fischer erbeuten jetzt etwa 235 Mill. Heringe gegen 48½ Mill. im Jahre 1857. Die Ausfuhr von gesalzenen Heringen ist ebenfalls stark gewachsen; dieselbe beträgt 158 299 Tonnen (1883) gegen 16 400 (1857), der Wert des erstgenannten Fanges beziffert sich auf etwa 84—88 Mill. ℳ. Sehr erschwert wird die weitere Entwickelung der holländischen Fischerei durch den Mangel an tüchtigen Kräften, auf deren Beschaffung man jetzt mit allen Kräften hinarbeitet.

Verlag von H. W. Silomon in Bremen. Druck von Aug. Meyer & Dieckmann. Hamburg. Alterwall 18.

HANSA

Redigirt und herausgegeben von
W. von Freeden, BONN, Thomasstrasse 9.
Telegramm-Adresse:
Freeden Bonn,
oder
Hansa Alterwall 28 Hamburg.

Verlag von *H. W. Silomon* in Bremen.
Die „*Hansa*" erscheint jeden 2ten Sonntag.
Bestellungen auf die „*Hansa*" nehmen alle Buchhandlungen, sowie alle Postämter und Zeitungsexpeditionen entgegen, desgl. die Redaktion in Bonn, Thomasstrasse 9, die Verlagshandlung in Bremen, Obernstrasse 44 und die Druckerei in Hamburg, Alterwall 28. Sendungen für die Redaktion oder Expedition werden an den letztgenannten drei Stellen angenommen. **Abonnement** jederzeit, frühere Nummern werden nachgeliefert.

Abonnementspreis:
vierteljährlich für Hamburg 2½ ℳ,
für auswärts 3 ℳ = 3 sh. Sterl.
Einzelne Nummern 60 ₰ = 6 d.

Wegen **Inserate**, welche mit 30 ₰ die Petitzeile oder deren Raum berechnet werden, beliebe man sich an die Verlagshandlung in Bremen oder die Expedition in Hamburg oder die Redaktion in Bonn zu wenden.

Frühere, komplete, gebundene Jahrgänge v. 1872, 1874, 1876, 1877, 1878, 1879, 1880, 1881, 1882, 1883 sind durch alle Buchhandlungen, sowie durch die Redaktion, die Druckerei und die Verlagshandlung zu beziehen.
Preis ℳ 8; für letzten und vorletzten Jahrgang ℳ 8.

Zeitschrift für Seewesen.

No. **20.** HAMBURG, Sonntag, den 5. October 1884. **21.** Jahrgang.

Inhalt:

Die Kollision des Lloyddampfers „Hohenstaufen" mit der Glattdecks-Korvette „Sophie"

II.

Der »V. Z.« ist ein Bericht zugegangen, welcher von einem (fremden?) Fachmanne herrühren soll, der sich an Bord des »Hohenstaufen« befand. Derselbe lautet:

Gestatten Sie einem Seemanne, der Augenzeuge der Vorkommnisse vor, während und nach der Kollision des »Hohenstaufen« mit der »Sophie« gewesen ist, zuerst den Ausdruck des Erstaunens über die wortreichen, aber vielfach irrigen Darstellungen des Sachverhalts und dann zur Verhütung falscher Beurteilung die klare und wahre Darlegung seiner objektiven Beobachtungen. Der »Hohenstaufen« setzte am 3. September 30 Minuten nach 1 Uhr Nachmittags in der Nähe der Schlüsseltonne den Lotsen ab und mit WNW¾W-Kurs seine Reise fort. Das Schiff war kaum auf Kurs gekommen, als an Steuerbord voraus zunächst zwei Schiffe des deutschen Geschwaders bemerkt wurden, die mit etwa SW-Kurs in Kiellinie fuhren. Am »Hohenstaufen« hielt man ein Vorübergehen für unthunlich oder doch für nicht ganz gefahrlos und legte das Ruder backbord; der »Hohenstaufen« fiel merklich steuerbord ab; die beiden zuerst bemerkten Schiffe waren hinreichend geklart. Jetzt bemerkte man, allerdings in viel grösserem Abstand, noch ein drittes Schiff, das anscheinend auch in der Kiellinie der beiden ersteren fuhr und, um nun auch dieses Schiff mehr als genügend zu klaren, liess der »Hohenstaufen« das Ruder hartbackbord legen. Die vollständige Korrektheit dieser Manöver ist unbestreitbar; jeder Schein einer Kollisionsgefahr war dadurch hinreichend vermieden und hätte das dritte Schiff — es war die Korvette »Sophie« — wie es sein Recht, aber auch seine Pflicht war, ruhig Kurs gehalten, so wäre eine Kollision unmöglich gewesen. Niemand konnte das anders erwarten und ich wünschte, Sie wären Zeuge gewesen des Erstaunens, als man an Bord des »Hohenstaufen« bemerkte, dass die »Sophie« plötzlich und merklich nach backbord abfiel, also steuerbord Ruder gegeben hatte! Dieses vollständig unerklärliche Rudermanöver der »Sophie« rückte die Gefahr einer Kollision in drohende Nähe und zwar musste nach Lage der Sache die »Sophie« den »Hohenstaufen« an Backbord treffen in einer Weise, welche eine wahrhaft grauenhafte Katastrophe hätte heraufbeschwören müssen. Es ist nun ungemein leicht zu sagen: »Der »Hohenstaufen« hatte richtig manövrirt, die schwere Schuld für das mögliche Kommende würde auf die »Sophie« gefallen sein;« ich habe auch so gedacht, aber nur einen Augenblick. Eingedenk der 600 Menschenleben, welche der »Hohenstaufen« an Bord hatte, erschien es der Führung desselben als eine nicht abzuweisende Pflicht, das Aeusserste zur Rettung von Schiff und Menschenleben zu thun, und legte das Ruder hart steuerbord. Es würde mit hoher Wahrscheinlichkeit auch jetzt noch Alles klar gegangen sein, hätte die »Sophie«, welche inzwischen bis auf eine halbe Seemeile etwa 3 Strich an Steuerbord voraus sich genähert hatte, nicht abermals ihr Ruder verlegt hätte, um auf ihren früheren Kurs zurückzufallen, den sie niemals hätte verlassen dürfen. Jetzt erst war der Zusammenstoss unvermeidlich; am »Hohenstaufen« wurde die Maschine auf »volle Kraft zurück« gesetzt, das Ruder aber sehr vernünftiger Weise nicht abermals verlegt, weil sonst der Zusammenstoss Steven auf Steven erfolgt und sehr wahrscheinlich viel verderblicher geworden wäre. Der Zusammenstoss erfolgte in einer für den »Hohenstaufen«, der 600 Menschen an Bord hatte, gottlob mildesten Weise. Das ist der Sachverhalt klar und wahr, wie ich ihn beobachtet habe, und nun denken Sie sich mein Erstaunen, als ich gestern und heute die verschiedenen Berichte in den Zeitungen lese. Wer die wirklichen Vorkommnisse beachtet, wird zum mindesten (?) keinen Vorwurf gegen die Führung des »Hohenstaufen« erheben; am allerwenigsten aber die Meistbeteiligten, die Passagiere, welche der Führung und dem guten Eisen des »Hohenstaufen« das Leben verdanken. Zum Lobe habe ich keinen Raum; ich halte es damit, dass man mindestens stets seine Pflicht thun muss und zu den Feiglingen gerechnet werden würde, wenn in der Stunde der Gefahr Besonnenheit und Mut fehlte. — Nun, die sämtlichen Verhandlungen werden die Thatsachen ja bald klarlegen; diese Zeilen sollen nur verhüten, dass sich durch falsche Darstellungen hier und da Vorurteile einnisten, welche schwer wieder zu verwischen sind. Zum Schluss noch eine Mahnung zunächst an die Schiffsführer. Die sämtlichen Verhandlungen lehren uns, dass neun Zehntel aller Zusammenstösse vermieden würden, wenn beiderseits nur das gethan würde, was die Vorschriften gebieten, und Alles unterlassen, was sie nicht gebieten. Wer davon abweicht, zuerst abweicht, bringt Unsicherheit und Verwirrung in die Lage; ihn trifft die erste Schuld.«

Voraussichtlich wird übrigens die Tragödie einen komischen Abschluss erhalten. Nach der Stimmung an der Weser zu urteilen, wird das Seeamt zu Bremerhaven der »Sophie« die Schuld an der Kollision beimessen, und in Wilhelmshaven wird man wohl ebenso sicher den »Hohenstaufen« schuldig finden. Nun erkennt das eine Seegericht das andere nicht an, geht also der wirklich Schuldige frei aus? Das ist eine von den Kriegsmarinen selbstgeschaffene Lage, deren Ausnahmestellung sich selbst bestraft, und zwar wie man in civilisirten Staaten dazu nur sagen kann: »Von Rechts wegen!« Vergl. S. 178.

Bestand der deutschen Kauffahrteiflotte am 1. Januar 1884.

Am 1. Januar 1884 bestand die deutsche Kauffahrteiflotte aus 3712 Segelschiffen von 894 778 Reg.-To. Netto-Raumgehalt mit 26 937 Mann Besatzung und aus 603 Dampfschiffen von 374 699 Reg.-To. Netto-Raumgehalt mit 12 678 Mann Besatzung, zusammen aus 4315 registrirten Seeschiffen mit 1 269 477 Reg.-To. Netto-Raumgehalt und 39 615 Mann Besatzung. Diese Flotte zerfiel der *Gattung* (Bauart und Takelung) nach in:

a. *Segelschiffe*	Anzahl	Reg.-To.	Mann Bes.
Vollschiffe (darunter 1 viermastiges Schiff)	152	177 231	3 109
Barken	843	443 341	11 312
Schunerbarken	16	4 367	156
Dreimastige Schuner	118	33 748	1 094
Briggs	340	83 562	3 178
Schunerbriggs, Brigantinen	168	34 592	1 280
Schuner	371	38 460	1 990
Schunergalioten, Galeassen und Galioten	269	22 311	1 227
Gaffelschuner und Schmacken	66	4 186	281
Andere zweimastige Schiffe	620	25 403	1 710
Einmastige Schiffe	722	27 628	1 641
Zusammen Segelschiffe	3712	894 778	26 937
b. *Dampfschiffe*			
Räderdampfschiffe	44	4 684	383
Schraubendampfschiffe	559	370 015	12 295
Zusammen Dampfschiffe	603	374 699	12 678

Nach *Grössenklassen* unterschieden gab es am 1. Januar 1884 24 Dampf- und 4 Segelschiffe von mehr als 2000 Reg.-To.; den grössten Raumgehalt hatte davon 1 Dampfschiff von 2937 Reg.-Tons; es gehörten zur Grössenklasse

von 1400—2000	Reg.-Tons	75	Schiffe
„ 1000—1400	„	194	„
„ 600—1000	„	467	„
„ 300—600	„	644	„
„ 200—300	„	604	„
„ 100—200	„	486	„
„ 50—100	„	467	„
„ 30—50	„	623	„
unter 30	„	727	„

In Bezug auf das *Alter* der am 1. Januar 1884 vorhandenen deutschen Seeschiffe lassen sich folgende Zahlenverhältnisse aufstellen:

Es gab	Dampf- Schiffe	Segel- Schiffe	Reg. Tons
unter 1 Jahr alte Schiffe	84	59	72 192
1 bis unter 3 Jahre	141	92	151 260
3 „ „ 5 „	64	127	59 962
5 „ „ 7 „	46	218	79 515
7 „ „ 10 „	51	384	144 566
10 „ „ 15 „	111	508	201 757
15 „ „ 20 „	58	684	232 248
20 „ „ 30 „	39	1089	250 974
30 „ „ 40 „	9	895	57 602
40 „ „ 50 „	—	158	15 956
von 50 Jahren und darüber	—	34	2 762
Erbauungsjahr unbekannt	1	17	685

Von den Schiffen, die ein höheres Alter als 50 Jahre hatten, waren 26 Schiffe von 50 bis unter 60, 5 Schiffe von 60 bis unter 70, 2 Schiffe von 70 bis unter 80 und 1 Schiff von 90 bis unter 100 Jahren.

Als *Hauptmaterial*, aus dem die Schiffe gebaut sind, diente

Eisen	bei 581	Dampf-,	164	Segelschiffen
Hartes Holz	„ 13	„	3462	„
Weiches Holz	„ —	„	21	„
Hartes und weiches Holz	„ —	„	66	„
Hartes Holz und Eisen	„ —	„	8	„
Unbekannt war das Material	„ —	„	1	„

Chronometer führten am 1. Januar 1884 im Ganzen 1742 Schiffe, darunter 323 Dampfschiffe. Die Gesamtzahl der an Bord befindlichen Chronometer betrug 1851, da 109 Schiffe 2 Chronometer führten.

Heimatshäfen der Seeschiffe am 1. Januar 1884. Die Zahl der Heimatshäfen der gesamten deutschen Kauffahrteiflotte betrug 265, von denen 58 auf das Ostsee- und 207 auf das Nordseegebiet fallen.

Heimatshäfen in	Anzahl d. Häfen	Dampf- Schiffe	Segel- Schiffe	Reg.-To.
Prov. Ostpreussen	3	22	69	32 178
„ Westpreussen	2	24	86	48 608
„ Pommern	21	81	786	150 090
Grossh. Mecklenb.-Schwerin	2	15	680	109 176
Freie Stadt Lübeck	1	30	12	11 177
Prov. Schleswig-Holstein, Ostküste	29	131	195	80 516
zus. Ostseegebiet	58	303	1428	434 448
Prov. Schleswig-Holstein, Westküste	64	11	376	38 285
Freie Stadt Hamburg	2	176	305	307 044
„ „ Bremen	2	98	257	306 592
Grossherzogtum Oldenburg	23	4	341	83 216
Prov. Hannover	116	11	1005	102 802
zus. Nordseegebiet	207	300	2284	835 029

Veränderungen im Bestande der Seeschiffe im Jahre 1883.

	Dampf- Schiffe	Segel- Schiffe	mit R.-T.
1. *Abgang.*			
a) An Schiffen sind:			
1. abgewrackt (abgebrochen)	1	9	978
2. verunglückt	13	116	40 394
3. verschollen	4	32	11 349
4. kondemnirt	—	20	6 099
5. verbrannt	—	3	1 766
6. als Seeschiff ausser Verwendung getreten	2	8	258
7. verkauft nach deutsch. Staaten	2	51	13 781
„ „ ausserdeutschen Staaten	3	77	24 824
8. aus unbekannter Ursache ausgeschieden	—	1	302
b) Die Ladefähigkeit wurde durch bauliche Veränderungen bezw. neue Vermessungen geringer um	—	—	670
Gesamter Abgang	25	317	95 490

	Dampf-	Segel- Schiffe	mit R. T.
2. *Zugang.*			
a) An Schiffen sind:			
1. neu gebaut in			
deutschen Staaten	92	59	74 469
ausserdeutschen Staaten ...	9	1	15 599
2. als Seeschiff in Verwendung genommen	1	5	194
3. als Wrack angekauft und aufgebaut	—	3	425
4. irrtümlich gestrichen gewesen	1	1	126
5. angekauft aus			
deutschen Staaten	2	48	11 936
ausserdeutschen Staaten...	8	57	39 077
b) Die Ladefähigkeit hat gewonnen durch bauliche Veränderungen bezw. neue Vermessungen um	—	—	492
Gesamter Zugang ...	114	174	141 320
3. *Vergleichung.*			
Bestand am 1. Januar 1883......	515	3855	1 226 650
Mehr ab- als zugegangen........	—	143	—
Mehr zu- als abgegangen	88	—	42 827
Mithin Bestand am 1. Jan. 1884..	603	3712	1 269 477

Hiernach ergiebt sich für das deutsche Reich eine Verringerung der Schiffe um 55, dagegen eine Vermehrung des gesamten Raumgehalts um 42 827 Reg.-Tons.

—s—

Die russische Petroleum-Industrie in Baku

hatte sich lange Jahre in den Händen kleiner Firmen befunden, welche für den Bedarf der nächsten Umgebung in jener kostspieligen beschränkten Weise sorgten, welche den Betrieb eines Handwerks von dem der Grossindustrie überall unterscheidet. Als daher vor mehreren Jahren die Gebrüder Nobel mit verbesserten Bohrmaschinen die Ausbeute an rohem Oel, mit verbesserten Raffinationsmethoden die Ausbeute an reinem Oel ins Ungemessene steigerten, und statt an der Versendung dieser Massen-Fabrikate durch Fässer festzuhalten, Dampfer und Eisenbahnwaggons mit mächtigen Zisternen ausrüsteten, um so den Transport zu bewältigen, indem sie ihn beschleunigten, vereinfachten und billiger machten, da war es freilich sowohl um manche Nebenindustrien geschehen als auch um das Gedeihen vieler alter konkurrirender Firmen selber. Die nachstehende Tabelle zeigt die Ausbeute vor und nach der Teilnahme der Gebrüder Nobel und lässt das Schicksal und die Zukunft der ganzen Industrie vorhersehen, wenn wir noch hinzufügen, dass Gebrüder Nobel höchst wahrscheinlich ihre Ausbeute in 1884 auf 232 000 Tons raffinirtes Oel steigern werden. Es betrug nämlich die Ausbeute an russischem raffinirten Petroleum in Tons à 1000 Kilo

Jahre	Gebr. Nobel	Alle andern Firmen	Zusammen
1872		16 400	16 400
73		24 500	24 500
74		23 600	23 600
75		32 600	32 600
76	100	57 000	57 100
77	2 500	75 100	77 600
78	4 550	93 000	97 550
79	9 000	101 000	110 000
80	24 000	126 000	150 000
81	50 000	133 000	183 000
82	72 000	130 000	202 000
83	106 000	100 000	206 000
Zusammen	268 150	912 200	1 180 350

Die rapid steigende Ausbeute hat übrigens nichts Bedenken Erregendes, da die Quellen von Baku recht wohl die ganze Welt mit Oel versorgen könnten, während sich naturgemäss der Absatz bis jetzt auf die *östlichen* Staaten beschränkt, wohin ihnen die amerikanische Konkurrenz nicht zu folgen vermag. Ausser nach dem Hauptgebiet Russland, wo in den Jahren des teuren Petroleums z. B. nur 40 Mill. Liter verbraucht wurden, während 1883 Russland allein 180 Mill. Liter verbrauchte, gehören die Mittelmeerländer bis zum Meridian von Algier, sowohl nördlich als südlich des Meeres, ferner die durch den Suez-Kanal schneller erreichbaren ostindischen Länder, Festland wie Inseln, China, Japan, Australien mit seinen Inseln zur Versorgungssphäre der Baku-Quellen. Dies ergiebt sich schon jetzt ziemlich deutlich erkennbar aus den verhältnismässig geringen Bezügen von amerikanischem Oel, welches jene Länder in 1882 einführten. Dieselben beliefen sich in diesem Jahre für

Oesterreich (Triest und Fiume) ...	auf	42 592	Tons
Italien	„	52 340	„
Algerien	„	4 908	„
Malta	„	775	„
Griechenland	„	9 920	„
Konstantinopel	„	9 612	„
Andere türkische Häfen	„	13 829	„
Egypten	„	10 181	„
Gibraltar	„	4 276	„
Afrikanische Küste	„	11 718	„
Britisch Ostindien	„	93 967	„
China	„	82 410	„
Japan	„	55 717	„
Bangkok	„	1 230	„
Indischer Archipel	„	44 763	„
Australien und Neuseeland	„	47 173	„
	Zusammen	478 706	Tons à 7 Barrel.

Wie hoch wird sich z. B. der Verbrauch von Britisch Indien mit seinen 250 Mill. Einwohnern steigern, wenn wir den obengenannten Mehrverbrauch Russlands an billigerem Leuchtmaterial zum Vergleich heranziehen.

In Russland ist der Preis des Petroleums hauptsächlich ermässigt durch die bessern Methoden der Raffination, ganz besonders aber durch den verbesserten Eisenbahntransport auf der Transkaukasischen und den nördlichern Linien. Auf erstgenannter Bahn allein wurden 1883 versandt

In Barrels..........	26 145 608	Liter
„ Zisternen-Waggons	18 815 954	„
Zusammen....	44 961 562	Liter.

Der Rest von 136 Mill. Liter fand seinen Weg nach Russland hinein zunächst per Dampfer von Baku nach Odessa und andern Häfen.

Die Ausfuhr an Oelen von Baku nach *fremden* Häfen betrug von Mai 1883 bis zum 1. Januar 1884

an raffinirtem Petroleum	15 103 311	Liter
„ rohem Schmieröl....	1 882 815	„
„ gereinigtem „	3 546 950	„

Dieser Export wie überhaupt die Ausfuhr von Poti und Batum ist seit Beginn dieses Jahres in rapidem Steigen. Ganz besonders zeigt sich dies auch in südöstlicher Richtung auf dem Ueberlandwege nach Persien und Indien.

Aus alledem geht hervor, dass in dieser Industrie die Kapitalkraft des westlichen Europa noch ungemessene Verwendung findet, sowohl in der Bohrung nach rohem Oel, als ganz besonders in der Reinigung desselben, da die Versendung rohen Oels aus naheliegenden Gründen mehr und mehr eingeschränkt wird.

Aus Briefen deutscher Kapitäne.

XVII.

Von Amoy über Taiwanfu nach Chefoo im Januar und März 1884.

Am 30. December um 6 Uhr Vormittags bei mässiger NOlicher Briese wurden Segel gesetzt um nach Taiwanfu zu laufen, und um 8 U. Vm. Tsingsen-Feuerturm passirt. Leichte S und Wliche Winde hatten in den letzten Tagen in Amoy geherrscht, erst am 29. Dec. Abends setzte der NO mit mässiger Briese ein; es war also vorauszusetzen, dass es draussen im Kanal wehte, was sich auch im Laufe des Tages bestätigte. Gleich nachdem Tsingsen passirt war, frischte die Briese auf, war um 10 U. Vm. dwars von Chapel-Insel NO Stärke 7 und um 5 U. Nm. längsseite der Pescadores NOzO 8. Um 6 U. Nm peilte ich Junk-Insel in N, drehte aber um 10 U. Nm. bei, weil das Wetter sehr diesig war und ich deshalb befürchtete das Feuer von Taiwanfu nicht ausmachen zu können, wie sich auch am nächsten Morgen bestätigte, da ich die Küste erst auf 4 Sm. Distanz erkannte. Um 6 U. Vm. wurde wieder abgehalten und um 10 U. Vm. auf der Rhede von Taiwanfu geankert. — Das Barometer, welches am 30 Dec. 9 U. Vm. (Chapel-Insel) 30,70 stand, fiel regelmässig bis Taiwanfu und stand um 9 U. Nm am 31. Dec. 30,49. Die Temperatur stieg von 62° F. bis 67° F. In Taiwanfu, wo das Schiff bis zum 10. Jan. blieb, herrschten leichte Nliche Winde und schönes Wetter vor, nur am 8. Januar nahm der Wind zu bis Stärke 7. Die Barometerstände änderten sich wenig und folgten regelmässig den täglichen Schwankungen, selbst beim Zunehmen des Windes am 8. Januar hielten sie sich innerhalb 30,32 bis 30,62. Die Temperatur schwankte zwischen 65° und 72° F. Die Gezeiten waren schwach und war das Einsetzen der Flut sehr häufig nicht zu erkennen. — Am 10. Jan. Abends gingen wir unter Segel nach Chefoo und passirten um 3 U. Nm. am 11. Jan. mit einer mässigen ONOlichen Briese die Südspitze von Formosa. An der SW-Küste wurde starke Stromkabbelung angetroffen, aber wenig Strom. Nachdem die Südspitze passirt war drehte der Wind nach NO, frischte rasch bis zur Stärke 7 auf, flaute aber nach ein paar Stunden bis Stärke 4 wieder ab. Es lief wenig Strom, so dass das Schiff am 12. Jan. Mittags noch auf der Breite der Südspitze stand und am 13. Mittags erst auf der Höhe von Samasana war; hier wurde schwere Stromkabbelung angetroffen und machte der Kuro-Siwo sich auch mehr fühlbar. Das Barometer hielt sich bis zum 14. Jan. auf etwa 23° N u. 122° O innerhalb der täglichen Schwankungen mit regelmässigem Gange bei mässigem Nlichen Winde und regnerischem Wetter, fing aber am Nachmittag des 14. an, einen unregelmässigen Gang anzunehmen. Am Morgen des 15. frischte der NOliche Wind bei klarem Wetter bis zur Stärke 7 auf und drehte sich bis zum 16. Jan. durch O und S bis SW, Stärke 2—4. Um 10 U. Nm. am 16. schoss der Wind in einer steifen Regenbö von SW bis NNO aus, nahm rasch zu und wehte bis zum Mittag des 18. aus NzO mit Stärke 9. Das Barometer, welches um 9 U. Nm. am 15. Jan. 30,57 stand, fiel bis um 9 U. Nm. des 16. bis 30,41, fing dann aber nach dem Einsetzen der NNOlichen Bö rasch zu steigen an, so dass es um Mitternacht 30,47 und um 10 U. Vm. des 18. Jan. 30,66 stand. Nach Mittag am 18. flaute der Wind rasch ab und hielt sich bis zum Mittag des 21. zwischen N und NO, Stärke 4—5, nach Mittag dieses Tages drehte er sich bis zum 23. Mittags bis SW, Stärke 2—4 (30° 30′ N u. 121° 40′ O) und schoss dann um 2 U. Nm. nach NNW aus, Stärke 4. Die Barometerstände vom 18. bis 22. Jan. änderten wenig und stand das Barometer um 10 U. Vm. am 22. Jan. 30,60, es fing jetzt aber an regelmässig zu fallen und stand am 23. Jan. um 3 U. Nm. beim Ausschiessen des Windes nach NNW 30,31, stieg dann aber ebenso regelmässig wieder, bei leichten NNWlichen Winden, bis zum 25. Jan. 10 U. Vm. als es seinen höchsten Stand mit 30,55 erreichte, und stand am 26. Jan. um 10 U. Vm. 30,47; gleichzeitig war die leichte unbeständige Briese bis NOzN aufgeräumt. Das Schiff stand am Mittag des 26. auf etwa 32° N u. 125° O. Wetter und Barometer blieben am 27. unverändert: Stand um 10 U. Vm. 30,47, dann fing es an regelmässig zu fallen und stand am 28. Jan. 3 U. Nm. 30,19, während der Zeit war der leichte unbeständige Wind bis SWzW gekrimpt und wieder bis 3 U. Nm. bis N zurückgegangen, frischte nun aber bis Stärke 8 mit Hagel- und Schneeböen auf, wobei das Barometer rasch stieg und um 10 U. Vm. am 29. Jan. seinen höchsten Stand mit 30,55 erreichte; nach Mittag nahm der Wind ebenso rasch ab wie er zugenommen hatte und drehte sich beim Abflauen nach NOzN. — NNOliche Winde mit Stärke 4 und regelmässigem Gange des Barometers herrschten bis zum Morgen des 31. Jan. Stand um Mitternacht 30,48, als das Barometer nach Mitternacht anfing rasch zu steigen; gleichzeitig krimpte der zunehmende Wind bis NWzN und wehte nach Mittag mit Stärke 9 und schweren Hagelböen bis zum Vormittag des 2. Februar. Mittlerweile hatte das Barometer um 10 U. Vm. am 2. Febr. mit 30,78 seinen höchsten Stand erreicht, ging nun aber regelmässig wieder herunter bis zu 30,31 um 10 U. Vm. am 5. Febr., um nun ebenso regelmässig wieder zu steigen bis 30,70 um 8 U. Nm. am 7. Febr., als das Schiff in Chefoo zu Anker lag. — Der Wind hielt sich vom 2. Febr. ab zwischen NWzN und NNO, Stärke 3—6, mit mässigen Hagel- und Schneeböen; erst am Abend des 6. Febr. frischte der Nliche Wind bis zur Stärke 8 auf, flaute aber bei Tagwerden am 7. Febr. bis zur Stärke 4 wieder ab. Das Schiff stand am Abend des 6. im Feuerkreise von Chefoo, da aber das Feuer nicht zu erkennen war, weil es über Land schneite, so wurde das Schiff während der Nacht unter ziemlichem Segeldruck gehalten, weil ich befürchtete, durch Beidrehen in der hohen kurzen See auf die Klippen geworfen zu werden. Es war eine böse Nacht, das Wasser welches überkam war gleich zu Eis gefroren und war das Deck, das stehende und laufende Gut bis zur Höhe der Fockraa beim Tagwerden eine solide Eismasse, sowie das Schiff auch manövrirunfähig. Obgleich vom Lande nichts zu sehen war versuchte ich doch, nachdem das laufende Gut etwas vom Eise befreit war, binnen zu laufen, denn eine solche Nacht wie die letzte, konnte ich mit meiner chinesischen Bemannung nicht wieder durchmachen. — Nordklippe kam während 5 Minuten auf 3 Sm. Abstand in Sicht, war dann aber in dem Schneetreiben wieder weg, aber diese 5 Minuten hatten genügt, ich wusste wo ich war und 2 Stunden später lag das Schiff in Chefoo am Anker.

Von etwa 35° N und 124° O an wurde die Decktemperatur um 6 U. Vm. und 6 U. Nm. beobachtet; dieselbe hielt sich bis zum 6. Febr. Abends vor Chefoo zwischen 34 und 36° F., fiel aber während der Nacht um 10° und war um 6 U. Vm. am 7. Febr. 24°. In Chefoo vom 7. bis 20. Febr. schwankte dieselbe zwischen 22 und 39° F.

Am 17. März ging das Schiff vom Inner- nach dem Aussenhafen von Amoy, um dieselbe Reise wieder zu machen.

Leichte Sliche Winde hatten in den letzten Tagen geherrscht und war der NO erst am Morgen des 17. eingesetzt. Alle Anzeichen sprachen dafür, dass es im Kanal wehte, ich blieb deshalb liegen und ging erst am 18. Morgens um 5 U. unter Segel, passirte um 6 U. Tsingseu, hatte um 5 U. Nm. Junk-Insel in N und lag um 10 U. Abends in Taiwanfu am Anker. — Der Wind, welcher beim Ankerlichten ONO 3 gewesen war, frischte beim gleichzeitigen Drehen desselben nach NO, nachdem Chapel-Insel passirt war, bis Stärke 6 auf und war längsseite der Pescadores NOzN 7, flaute aber beim Anlaufen der Formosa-Küste bis 4 ab. An der chinesischen Küste herrschte Staubregen vor, an der Formosa-Küste bedeckte Luft, aber feuersichtig. — Das Barometer, welches um 10 U. Nm. am 17. März 30,32 und um 10 U. Vm. am 18. März noch 30,32 stand, fiel im Laufe des Tages regelmässig bis 10 U. Nm. bis 30,23 und hielten sich die Stände bei regelmässigen Schwankungen bis zum 22. März innerhalb 30,17 und 30,27 bei leichten nördlichen Winden und schönem Wetter. — Die Temperatur stieg beim Hinüberlaufen nach Formosa von 62 bis 66° F. und schwankte in Taiwanfu zwischen 66 und 80° F. — Am 23. März früh 2 U. wurden Segel gesetzt für Chefoo. Der Wind war NNOlich, Stärke 4, und drehte sich im Laufe des Tages bis NNW 5, ging aber wieder, nachdem um 7 U. Nm. die Südspitze von Formosa passirt war, bis NO zurück und frischte gleichzeitig mit Böen und Regen bis Stärke 6 auf. — An der SW-Küste von Formosa wurden leichte Stromkabbelungen mit leichter Slicher Versetzung angetroffen und machte sich der Kuro-Siwo nach Passiren der Südspitze sehr stark fühlbar. — Das Barometer, welches um 10 U. Vm. am 23. März 30,23 stand, hatte diesen Stand auch noch am 24. März um 10 U. Vm., stieg nun aber stetig im nächsten Etmale bis um 10 U. Vm. bis 30,31, inzwischen war der Wind nach N mit Böen und Regen zurückgegangen, Stärke 7, flaute aber nach Mitternacht des 25. März rasch ab. Drehte sich dabei im Laufe des Etmals durch S und W, und wehte um Mittag des 26. März von N mit Stärke 3, bei bedeckter Luft und Regenschauern. Diese Stärke behielt der NOliche Wind auch am 27. und frischte gegen Abend dieses Tages bis Stärke 9 und 10 mit schweren Böen und Regen auf und blieb so bis Mitternacht des 29. März. — Das Barometer fiel von 10 U. Vm. am 25. März stetig weg und erreichte um 5 U. Nm. am 26. März seinen niedrigsten Stand mit 30,10, denselben Stand etwa hatte es 27. März um 3 U. Nm., es fing jetzt aber an beim Auffrischen der NOlichen Briese erst langsam und von 6 U. Nm. an sehr rasch zu steigen, so dass es um Mitternacht 30,32 und um 10 U. Nm. am 28. März 30,46 stand, um wieder beim Abflauen der NOlichen Briese bis Stärke 2 stetig weg zu fallen; es stand um 9 U. Vm. am 30 März 30,34, während der Wind sich bis zu OzN gedreht hatte, dabei auffrischte und Abends um 7 U. mit Stärke 9, um 10 U. mit Stärke 10 in schweren Böen mit Regen wehte. Beim Auffrischen der Briese am Vormittag nahm das Barometer einen unregelmässigen Gang an, stand um 10 U. Nm. noch 30,22 als es schon mit Stärke 10 wehte, um Mitternacht 30,07 und um 7 U. Vm. des 31. März 30,00, erreichte seinen niedrigsten Stand um 1 U. Nm. mit 29,98 als der NOzOliche Wind schon bis zu Stärke 6 abgeflaut war, nach 1 U. Nm. fing das Barometer an fortwährend unregelmässig zu steigen, gleichzeitig krimpte der Wind bis NW und frischte dabei am Morgen des 1. April bis zur Stärke 9 bei bedeckter Luft auf, flaute nach Mitternacht des 2. April allmälig beim Drehen des Windes nach N wieder ab und war um Mittag des 3. April NO, Stärke 1. Das Barometer erreichte seinen höchsten Stand um 10 U. Vm des 2. April mit 30,52 und hatte diesen Stand auch noch um 9 U. Vm. am 3. April. Das Schiff stand um Mittag auf etwa 31° N u. 126° O. — Nach Mittag drehte sich der flaue NO bis SO, frischte dabei auf mit Regen bis Stärke 6, flaute nach Mittag des 4. April bis 1 ab und drehte sich dabei durch S und W bis NW und war um Mittag des 5. April NW 4. Das Barometer war von 9 U. Vm. am 3. April regelmässig gefallen und erreichte um 7 U. Vm. am 5. April seinen niedrigsten Stand mit 29,99, fing jetzt aber an, nachdem der Wind bis NW gegangen war, stetig zu steigen und stand am 6. April um 10 U. Vm. 30,40. Bis zum 9. April als das Schiff in Chefoo zu Anker lag, änderten sich die Barometerstände wenig und folgten den regelmässigen täglichen Schwankungen. — Nach Mittag des 5. April drehte sich der NWliche Wind bis N, frischte dabei bis Stärke 7 auf, flaute aber im Laufe des Etmals nachdem der Wind bis NNO gegangen war, bis Stärke 4 wieder ab. Richtung und Stärke des Windes blieben unverändert am 6. April. Nach Mittag des 7. fing der Wind an mit Stärke 3 zu krimpen, war am Morgen des 8. April SWzS 6 und lief nach Mittag bis NW 2 wieder zurück, krimpte während der Nacht durch S bis SO und frischte am Morgen des 9. April bis Stärke 6 auf, ging aber um 2 U. Nm., nachdem Shantung-Feuerturm passirt war, in derselben Stärke auf S zurück. Um Mitternacht ankerte das Schiff in Chefoo.

Die Barometer- und Thermometerstände sind für den Stand verbessert.

Die Versetzungen, welche während der beiden Reisen angetroffen wurden, waren wie folgt:

Dat.	Breite N	Länge O	Wind	Seegang	Strom rw.	Stärke
30. Dec. 8 U. Vm. bis	Chapel-Insel					
Mittag	24° 2'	118° 38'	NO 6	NO 7	kein Strom	
bis 6 U. Nm.	Junk-Insel bis Taiwanfu		NNO 8 Nlich 6-4	NO 7 N 7	SSO kein Strom	24
Jan. bis 11.	22° 5'	120° 34'	N bis O 4-6	NW 4 SO 7	" "	
7 U. Nm.	Südspitze	Formosa	NO 5	SO 5	" "	
12.	22° 5'	121° 7'	NO 5-7	N 5 SO 3	Sehr wenig Strom keine 5 Sm.	
13.	22° 44'	121° 36'	N bis ONO 4-5	N 5 SO 5	N	12
14.	23° 20'	121° 55'	NOl. 2-3	N 5	N	23
15.	24° 0'	122° 20'	NNO 1-7	OSO 5	N1½O	26
16.	25° 18'	122° 39'	NOzO 7-6 Slich 3	N 7 OSO 6	N1½O	48
17.	26° 24'	123° 18'	NzO 8	NNO 6 OSO 4	N3O	42
18.	26° 0'	124° 30'	NzO 9	N 8 O 7	S	14
19.	26° 17'	124° 35'	NOzN 6-3	N 6 O 8	S5½O	20
20.	26° 48'	124° 53'	NNO 4	N 6 O 4	N6½O	10
21.	27° 18'	124° 40'	NzO 8-5	NNO 7 O 5	N2O	22
22.	29° 22'	124° 41'	ONO 2	N 6 O 5		
23.	30° 25'	124° 46'	S 4	SSO 4 N 5	N3½O	9
24.	31° 41'	125° 43'	Slich 4	SSO 4 NW 4	S3½O	47
25.	31° 36'	125° 28'	SWzN 2 NNW bis 2-3	NO 4 NW 4		
26.	31° 59'	125° 12'	NOzO	NO 4		
27.	32° 16'	125° 52'	NNO bis NW 6-8	NO 6 NW 6		
28.	33° 19'	125° 27'	NW bis SWzW 3	SN SW 4	N6O	10
29.	33° 33'	124° 31'	NzW 6-8	NW 7 N 7	N4O	13
30.	34° 3'	124° 8'	NNO 8-4	N 7 O 5		
31.	34° 34'	123° 22'	N 5	N 6	kein Strom	
Febr. 1.	35° 9'	124° 36'	NNW 9	N 8		
2.	36° 6'	124° 2'	NNW 4	N 8	N6½W	12
3.	36° 9'	124° 47'	NNW 4-5	N 8 WNW 6	kein Strom	
4.	36° 44'	123° 18'	NzO 6-7	NNO 6		
5.	37° 38'	124° 3'	NW 4-5	N 6		
6.	37° 45'	123° 24'	NW 4	W 4		
7.	Chefoo		N 7-8	NW 6 N 7		
18. März 8 U. Vm. bis	Chapel-Insel					
4 U. Nm.	23° 20'	119° 16'	NO 6-7	NNO 7	N	11
bis 8 U. Nm.	Längsseite der Pescadoren		NO 7	NNO 7	kein Strom	
bis 10 U. Nm.	Taiwanfu bis		NNO 7-4	N 8		
23. März	22° 13'	120° 14'	NNO 5	N 4	" "	
3 U. Nm.	Südspitze Formosa		NW 5	NW 4 SSW 4		
24. März	22° 38'	121° 35'	NzO 6	OzN 7 N 7	N½O	37
25.	23° 28'	122° 50'	N 4-7	O 7 N 7	N	38
26.	25° 7'	122° 22'	SSO N 3	N 6 SO 4	N1½O	57
27.	25° 57'	123° 28'	NOzN 3	N 4	N4½O	45
28.	26° 31'	122° 55'	NOzN 9-10	N 8 O 7	N4½O	17
29.	26° 22'	124° 3'	NOzN 9-3	N 8 O 8	N3½O	13
30.	28° 7'	123° 55'	OzN 4	N 4 O 4 NNO 7	N2O	19

Dat.	Breite N	Länge O	Wind	Seegang	Strom rw.	Stärke
31. Mrz	29° 47'	123° 28'	ONO 9-10 NzO 7-9	OSO 6 NNO 6	N2O	19
April 1.	30° 10'	124° 41'	NW 7-9	NW 8		
2.	30° 20'	125° 40'	NWzN 7-9	NNO 8 NW 6	S5¼W	11
3.	30° 43'	126° 1'	NNO 3	NO 4 NW 4	kein Strom	
4.	32° 7'	124° 57'	SOzO 3	SO 5	N3½O	15
5.	33° 9'	124° 43'	OSO bis 2-4 NW	O 5 SO 7		
6.	34° 9'	124° 6'	NW bis 6-7 NO	NW 6 SO 6	kein Strom	
7.	34° 30'	123° 25'	NzO 4-5	O 4		
8.	36° 15'	123° 33'	N bis 5-6 WSW	WSW 4	N6O	9
9.	Chefoo		NW bis 4-6 SO	SSW 4	kein Strom	

E. K.

Die Schiffahrt in der Mündung des Amur

ist in diesem Jahre sehr gefährlich für die Schiffe gewesen, da nach einander 4 Dampfer, „Appin“, „Augustus“, „Nierstein“ und „Doris“ dort festgefahren und mehr oder weniger havarirt sind. Da es sich herausstellte, dass dort mehrfach Anker und Ketten nebst Schiffsschrauben verloren gegangen waren, so wurde endlich auf diese höchst gefährlichen Gegenstände gefahndet. Ein uns gütigst mitgeteiltes, an ein grosses Hamburger Exporthaus gerichtetes Telegramm berichtet darüber wörtlich also: Nicolajewsk 10. Septbr. „Kapt. Freeden fand und hob OSO von Usiut Mitte Fahrwassers innerhalb Landmarken, Gegenwart Behörde, Kronsanker nebst Kette, stark verrostet, Fundstücke bei uns deponirt, Anzeichen dass weitere Anker dort liegen, setzen unsererseits Bemühungen fort, solche zu heben, namentlich einen, wovon gestern dreissig Faden Kette fischten“. Der Chef der Firma fügt noch hinzu: „durch dieses Aufsuchen des Ankers, welcher ohne Zweifel Veranlassung sämmtlicher in letzter Zeit vorgekommener Schiffsunfälle (siehe oben) gewesen ist, hat Herr Kapt. v. Freeden sich ein grosses Verdienst um die Schiffahrt erworben. Nach heute (Septbr. 15) empfangener Depesche ist der Schaden des „Nierstein“ (Verlust der Schraube) reparirt und Kapt. v. Fr. mit ihm nach Nagasaki abgefahren“.

Die Kollision des „Hohenstaufen“ und der „Sophie“.

III.

In Wilhelmshaven soll laut W. Z. „die Untersuchung der Kollision der Glattdecks-Korvette „Sophie“ bereits beendet sein. — Es sind in derselben etwa 80 Zeugen, teils eidlich, vernommen worden, und das Ergebnis ist für Korvettenkapitän Stubenrauch so günstig ausgefallen, dass die Admiralität davon Abstand genommen hat, denselben vor ein Kriegsgericht zu stellen. Dagegen ist der Norddeutsche Lloyd aufgefordert worden, die Pflicht zum Ersatze des der „Sophie“ durch den „Hohenstaufen“ zugefügten Schadens anzuerkennen. Im Weigerungsfalle werde die Admiralität gegen den Norddeutschen Lloyd auf civilgerichtlichem Wege vorgehen.“ Wie man sagt, wird der Schaden auf 70 000 ℳ angeschlagen. Der Termin der seeamtlichen Untersuchung ist noch nicht angesetzt. Mit der Civilklage gegen den Lloyd wäre dann die Anerkennung des seeamtlichen Spruchs in die richtigen Wege geleitet, und damit das Prinzip anerkannt.

Das neue Amerikanische (U. S.) Schiffahrts-Gesetz,

welches am 26. Juni 1884 angenommen und am 1. Juli 1884 in Kraft trat unter dem Titel:

An act to remove certain burdens on the American Merchant Marine and encourage the American foreign carrying trade and for other purposes

soll, wie der Titel deutlich angiebt, gewisse Belästigungen, unter denen die Amerikanische Handelsflotte leidet, wegräumen, und zu gleicher Zeit dieselbe zu der fremden Fahrt u. s. w. ermutigen.

Also auch in Amerika scheint man zur Einsicht gelangt zu sein, dass es notwendig ist, die einheimische Schiffahrt durch Hinwegräumung von auf ihr lastenden Bedrückungen und Hindernissen zu heben und die Rheder zu ermutigen, wieder Teil zu nehmen an der überseeischen grossen Fahrt, aus welcher die amerikanische Handelsflotte ja fast verdrängt ist.

Dieses Ziel zu erreichen, schafft das Gesetz mehrfache Erleichterung in Abgaben u. s. w. worunter die Abschaffung des jährlich zu bezahlenden Tonnengeldes von 30 cs. pr. Ton Register und Ermässigung desselben auf 3 cs. pr. Ton für jede Einklarirung eines Schiffes in einen Hafen der Union kommend von fremden Plätzen in Nord-Amerika, Central-Amerika, Westindische, Bahama-, Bermuda oder Hawaii-Inseln, doch nie mehr als 15 cs. im Ganzen für ein Jahr, käme das Schiff auch noch so oft in regelmässiger Fahrt an und 6 cs. pr. Register-Ton, doch nie mehr als 30 cs. pr. Jahr für eine jede solche Einklarirung eines Schiffes von jedem andern fremden Hafen als obengenannte einkommend, eine grosse Erleichterung der Abgaben, vorzüglich der Segelflotte gewährt. Diese Verminderung der Tonnengelder hat natürlich auf Schiffe aller Nationen ihre Anwendung. Da die anderen Erleichterungen und Aufhebungen von auf amerikanischen Schiffen haftenden Abgaben auf uns Deutsche keinen Bezug haben, so übergehe ich dieselben.

Das neue Gesetz dient aber fast zu gleicher Zeit einer Veränderung resp. Erweiterung der amerikanischen Seemannsordnung und da § 10 des *Gesetzes* merkwürdigerweise auch für fremde Schiffe — *also* auch für uns Deutsche — in Kraft treten soll resp. in Kraft getreten ist, so gebe ich denselben hiermit in möglichst getreuer, wenn auch etwas freier Uebersetzung. Die Sect. 10 lautet also:

Handgeld nicht an Seeleute zu zahlen. Auszuzahlende Gelder an Frau oder Mutter.

„Die Auszahlung von Handgeldern in irgend welchem Falle an irgend einen Seemann als Vorschuss auf seine Heuer, ehe er den Hafen verlässt wo er geheuert worden und ehe er dieselbe verdient hat, oder an irgend eine andere Person, oder irgend welche Bezahlung für das Heuern von Seeleuten an irgend Jemand Anderes als den durch den Kongress angestellten und dazu solche Bezahlung einzukassiren autorisirten Beamten, soll ungesetzlich sein und wird hiemit verboten.

Irgend Jemand der solches Hand- oder Heuergeld bezahlt, wird als eines Vergehens schuldig angesehen werden und falls er schuldig befunden wird, soll er mit einer Geldstrafe von nicht weniger als der vierfachen Summe solcher bezahlten Hand- oder Heuergelder bestraft werden; auch kann das Gericht ihn ausserdem mit einer Gefängnisstrafe bis zu 6 Monat bestrafen.

Mit Ausnahme der in diesem Gesetze erwähnten und vorgesehenen Fälle, soll das so bezahlte Hand- oder Heuergeld in keinem Falle, das Schiff, den Führer oder den Rheder desselben von der vollen Bezahlung der wirklich verdienten Gage befreien, noch zur Verteidigung in einer Anklage, einem Gesuche oder Prozesse, solche verdiente Heuer zu erhalten, gelten.

Auf Wallfischfänger hat jedoch dieses Gesetz keinen Bezug. Ferner soll es gesetzlich jedem Seemann erlaubt sein, in seinem Heuerkontrakt seiner Frau, Mutter oder anderen Verwandten, doch keiner anderen Person oder Gesellschaft die Auszahlung eines Teils seiner zu verdienenden Gage zuzusichern.“*)

*) *Anm. d. Red.* Die Newyorker „Nautical Gazette“ vom 11. Septbr. weiss schon zu berichten, wie sich ein englischer Schiffsführer dem Gesetz gegenüber geholfen hat. Er stellt

Irgend Jemand, der fälschlich solche Verwandtschaft mit einem Seemanne angiebt, um solche stipulirten Gelder ausbezahlt zu erhalten, soll nach Gutdünken des Gerichts mit einer Geldbusse bis zu $ 500 oder mit Gefängniss bis zu 6 Monaten bestraft werden.

Dieses Gesetz soll eben so wohl auf *fremde Schiffe* als auf Vereinigte Staaten Schiffe Bezug haben (mit andern Worten: fremde Schiffe, die in Amerikanischen Häfen U. S. Leute anmustern sind diesem Gesetze unterworfen und haben sich darnach zu richten!!) und *jedem fremden Schiffe*, dessen Führer, Rheder, Konsignatär oder Agent, der gegen dieses Gesetz gehandelt hat, zu seiner Verletzung beigetragen oder nachsichtig (connived at) gegen die Verletzung desselben gewesen ist, soll die Ausklarirung aus irgend einem Hafen der Vereinigten Staaten verweigert werden."

Zufolge dieses Artikels erbarmt sich die Amerikanische Regierung des armen Jan Maat und trägt dafür Sorge oder besser, will dafür Sorge tragen, dass derselbe nicht mehr um sein Handgeld so betrogen werden soll, wie früher durch die Schlafbaase und ferner auch nicht mehr Heuergeld an irgend Jemand bezahlen soll, als an den von der Regierung dazu befugten und angestellten Beamten (Heuerbaas??). Um nun dieses Ziel zu erreichen, darf weder ein amerikanisches noch deutsches oder fremdes Schiff an anzumusternde Seeleute Handgeld oder Vorschuss bezahlen bei angeführter gesetzlicher Strafe. Alles gut und wohl, und wäre dies recht schön, wenn das Gesetz nur durchgeführt werden könnte. Wer aber Jan Maat, ganz gleichgültig, welcher Nation er angehört, kennt, wird mir beipflichten, dass das ganze Wesen desselben sich ändern muss, ehe es soweit kommen wird, um nach See gehen zu können ohne *Vorschuss* oder *Handgeld* zu erhalten. (Selbstverständlich giebt es Ausnahmen, doch diese sind verschwindend gering und können garnicht in Betracht kommen.) Angenommen selbst, die Seeleute wollten ohne Vorschuss nach See gehen, so würden die Schlafbaase sich doch unbedingt dagegen sträuben, denn diese Herren leben ja nur von diesen so erhaltenen Vorschussgeldern der Seeleute, und wovon sollten ferner die Letzteren ihre Schulden für Kost und Logis bezahlen, falls sie keinen Vorschuss erhielten; »von der auf letzter Reise verdienten Gage« wird man sagen, doch wo ist die? Teils ist die Reise zu kurz gewesen, also wenig oder gar nichts verdient worden, teils, wie bei langen Reisen, bereits grösstenteils aufgenommen, und wenn schliesslich noch eine kleine Summe ausbezahlt erhalten wird, so wird diese teils zum Einkauf von Zeug benutzt oder aber, was doch fast grösstenteils der Fall ist, verjubelt und Jan Maat sitzt da ohne einen Pfennig Geld und sucht nur wieder wegzukommen und Handgeld zu erhalten. Er hat also ohne Handgeld nichts um seine Schulden in der Schlafstelle zu bezahlen, und der Wirt lässt ihn ohne die Bezahlung derselben nicht weg. Was soll nun jetzt ein Kapitän anfangen, der Leute haben muss, der nach dem Gesetze kein Handgeld oder Vorschuss bezahlen darf, Niemand aber heuern kann, ohne Vorschuss zu zahlen; womit der geheuerte Seemann seine Schulden bezahlen kann? (Vergl. Anm.)

Das erste Schiff, welches unter diesem Gesetze zu leiden hatte, war der grosse amerikanische Dreimaster »Lincoln«; das Schiff lag volle 8 Tage seefertig und konnte keine Leute erhalten, weil kein Vorschuss gegeben werden darf. Auf welche Weise schliesslich es arrangirt wurde, dass es doch Leute erhielt, habe ich nicht erfahren können. Jedenfalls hilft man sich, als Fremder wenigstens, indem man das Gesetz umgeht, d. h. man handelt nicht gegen das Gesetz, sondern sucht es auf andere Weise zu arrangiren, dass Jan Maat's Schulden bezahlt werden und er an Bord kommt, ohne Vorschuss erhalten zu haben. Hier möchte ich mir die Frage erlauben, ob ich als Deutscher auf einem deutschen Schiffe verpflichtet bin, mich einem amerikanischen Gesetze, das Bezug auf amerikan. Seemannsordnung hat, zu unterwerfen, so lange unsere deutsche Regierung nicht ihre Zustimmung dazu gegeben hat? Ich glaube durchaus nicht, und ebenso wenig werden sich fremde Nationen dem unterwerfen.

Sect. 11 des Gesetzes verpflichtet jedes amerikanische Schiff, eine sogenannte slop-chest — Zeugkiste — die alles enthalten soll, was ein Seemann auf einer längern Reise nötig hat an Zeug, Schuh und Stiefel, Oelzeug, Decken und Talsack — für jeden Seemann an Bord zu haben und soll der Kapitän verpflichtet sein, von Zeit zu Zeit hiervon den benötigten Personen zu verkaufen zu einem Preise, der nur 10% höher als der en gros Einkaufspreis ist, und falls ein amerikanisches Schiff ohne eine solche slop-chest nach See gehen will, soll der Rheder desselben mit einer Geldbusse bis zur Höhe von 500 Dollars bestraft werden. Welche herrliche Sache für Jan Maat!! Schade, dass nicht auch fremde Schiffe diesem Gesetze unterworfen sind. Wie angenehm wäre es für einen Seemann, der in Amerika geheuert wird und in einem amerikanischen Hafen an Bord kommt, wenn er dieses ausführen könnte, ohne ein Stückchen Kleidung, Unter-, Ober- und Oelzeug, Bettzeug und Fussbekleidung nötig zu haben, er könnte dann jeden Pfennig verjubeln, an Bord gehen, und dort vom Kopf bis Fuss von Polizeiwegen bekleidet werden und dafür kaum so viel zahlen, als er an Detaillisten zu bezahlen hätte. Er nimmt dann so viel Zeug als möglich — er behauptet er habe es nötig, — setzt sich in Schulden mehr als seine verdiente Gage beträgt, läuft im ersten besten Hafen weg und der Rheder hat das Nachsehen.

Solche Gesetze sollen die Schiffahrt heben! Wir freilich, wir praktischen Seeleute oder besser Schiffer können mit unserem beschränkten Verstande nicht einsehen, was dem Seemannsstande not thut. *A. L.*

von ihm sogenannte Anteilscheine (allotment-notes) aus, durch welche er sich verpflichtet, den Schein 10 Tage nach seiner Abfahrt von einem Verwandten oder Freund des anzuwerbenden Matrosen einzulösen. Der Schlafbaas und Heuerbaas wissen natürlich um dieses Auskunftsmittel und sind damit einverstanden, da sie ihre Forderung so gedeckt bekommen. Jedem an Bord kommenden Matrosen wird ein solcher Anteilschein gegeben; er ist aber wertlos, wenn des Empfängers Name sich nicht auf der Liste der Mannschaft befindet, welche der Kapitän dem Lotsen behändigt, sobald derselbe das Schiff verlässt. Der „Anteilschein" dient nur für den ersten Monat der Reise.

Germanischer Lloyd.

Deutsche Handels-Marine: Seeunfälle vom Monat Aug. 1884, soweit solche bis zum 15. Septbr. 1884 im Central-Bureau des Germanischen Lloyd gemeldet und bekannt geworden sind.

I. Segelschiffe.	Insgesammt	Ladung	Klasse [*]	Alter (Jahre)	Rhederei
a. m. gering. Schaden eingekom.	2	2	2		
b. m. schwer. Schaden eingekom.	2	1	2		
c. an Grund gerat. od. gestrd. u. abgebr.	4	2 1 1 1	4		
d. gestrandt und nicht abgebr.	—				
e. Collision.	5				
f. Totalverlust [**]	5	2 1 2	5	1 1 2	3 2
Summa	18				

II. Dampfschiffe.	Insgesammt
a. m. Schad. eingekom.	2
b. an Grund geraten	4
c. Collision.	3
d. Totalverlust	—
Summa	9

[*] Soweit zu ermitteln, Klasse einer Schiffsklassifikations-Gesellschaft. O. = keine Klasse. Umgekommene Seeleute 2.

[**] Tonnengehalt von 5 Schiffen 1785 Tons. BERLIN, d. 15. Sept. 1884

Verschiedenes.

Wetterbeobachtungen vom 6./8. Septbr. d. J. In den letzten Tagen der vorvorigen Woche d. h. vom 6./8. Septr. soll es in der Nordsee stark geweht haben, zuerst vor der Ems, dann weiter östlich, am Sonntage und in der Nacht von Sonntag auf Montag am stärksten: vor der Elbe ist ein Finkenwärder Fischerewer, wahrscheinlich beim Reffen der Segel umgeschlagen und die Leute, Vater mit seinen beiden Söhnen ertrunken. In Hamburg hat es am Sonnabend stark geregnet und gewittert. Sonntag gegen Abend, kam eine starke Bogenbö mit dickem sich durcheinander wälzenden Gewölk, wie ich es selten gesehen habe. Noch seltener ist das bei ihr bemerkbare „nach oben" Regnen oder Abstäuben von Wasserteilen aus dem oberen Teil der vorderen Wolken, was diesmal besonders auffällig wurde, weil die Sonne noch über dem Horizont in genügender Höhe stand, um diesen Teil der Wolken zu streifen, über den unteren Wolken aber andere dunkle ziemlich still standen, so dass die abstäubenden Wasserteile in Regenbogen-Farben glänzten. Der Wind muss wol über den Wolken noch stärker gewesen sein und die Wasserteile von den Wolken abgerissen haben. Eine Zeitlang wehte es hier in der Nacht von Sonntag 7. — Montag 8. ausserordentlich stark zwischen 2 und 4 Uhr Morgens; dagegen haben wir seit den letzten Tagen nach 9 Uhr Morgens hier eine Hitze wie im Juli; das gute Wetter scheint eben kein Ende nehmen zu wollen.

Die Sommerwärme des Atlantic ist im Laufe des Golfstroms ungewöhnlich hoch gewesen. Das Met. Office in London hat aus der Vergleichung von 28 Logbüchern mit den bekannten Karten der Oberflächentemperatur des Atlantic gefunden, dass zwischen 45° und 55° Breite und 0° bis 35° W die See im Juni durchweg 3° zu warm war; im Juli betrug der Unterschied in der östlichen Hälfte jenes Gebiets noch 1½°, im August noch 1° über dem Mittel.

Hinweis. Der Gesammtauflage unserer heutigen Nummer liegt ein Prospekt des Praktischen Wochenblattes für alle Hausfrauen *„Fürs Haus"* bei, welchen wir der Beachtung aller Hausfrauen nachdrücklich empfehlen. Das praktische Wochenblatt für Hausfrauen „Fürs Haus" gestaltet sich mehr und mehr zu einem Sprechsaal der deutschredenden Frauen aller Länder. Freund und Feind einer Sache kommen hier über die verschiedensten Gegenstände des häuslichen Lebens zum Worte. Von der Küche und Wäschebehandlung an bis zu den feineren Genüssen des Familienlebens, der geselligen Unterhaltung, dem Zimmerschmuck, der Gesundheitspflege, den Sorgen der Kindererziehung, der Hebung der Dienstboten etc. etc. wird hier die ganze Hauswirtschaft besprochen. Es ist in diesem Blatte jeder Hausfrau Gelegenheit geboten ihre Erfahrungen zum allgemeinen Besten zu veröffentlichen und mit denen anderer Hausfrauen in Nord und Süd, Ost und West auszutauschen. Man findet hier keine von Gelehrsamkeit überladenen Fachaufsätze und hochtönende Phrasen. Dagegen werden in „Fürs Haus" ernste, das tägliche Leben, seine Freuden und Leiden berührenden Fragen in einfacher, gemeinverständlicher Weise durch die Mitwirkung des eigenen Leserkreises erörtert, indem die Redaktion Jedermann zum Worte lässt und keineswegs die eigene Meinung als die allein massgebende und unfehlbare den Lesern aufdrängt. Die erstaunliche Verbreitung dieses Blattes, in nicht weniger als 40 000 Exemplaren, trotz der kurzen Zeit seines Bestehens, ist daher sehr erklärlich und um so mehr als der Preis für ein Vierteljahr nur 1 ℳ beträgt. Alle Postämter und Buchhandlungen nehmen Bestellungen an, welche wir jetzt zum Quartalwechsel dringend anraten. Es wird Niemand bereuen, sich dieses schöne und praktische Blatt angeschafft zu haben.

Verlag von M. W. Sileman in Bremen. Druck von Aug. Meyer & Dieckmann, Hamburg. Alterwall 55.

HANSA

Redigirt und herausgegeben
von
W. von Freeden, BONN, Thomastrasse 9.
Telegramm-Adresse:
Freeden Bonn.
oder
[illegible] Alterwall 28 Hamburg.

Verlag von *H. W. [illegible]* in Bremen.
Die „*Hansa*" erscheint jeden [illegible] Sonntag. Bestellungen auf die „*Hansa*" nehmen alle Buchhandlungen, sowie alle Postämter und Zeitungsexpeditionen entgegen, desgl. die Redaktion in Bonn, Thomastrasse 9, die Verlagshandlung in Bremen, [illegible] und die Druckerei in Hamburg, Alterwall [illegible]. Sendungen für die Redaktion oder Expedition werden an den letztgenannten drei Stellen angenommen. Abonnement jederzeit, frühere Nummern werden nachgeliefert.

Abonnementspreis:
vierteljährlich für Hamburg 2½ ℳ,
für auswärts 3 ℳ = 3 sh. Sterl.
Einzelne Nummern 60 ₰ = 6 d.

Wegen Inserate, welche mit [illegible] ₰ die Petitzeile oder deren Raum berechnet werden, beliebe man sich an die Verlagshandlung in Bremen oder die Expedition in Hamburg oder die Redaktion in Bonn zu wenden.

Frühere, komplete, gebundene Jahrgänge v. 1872, 1874, 1876, 1877, 1878, 1879, 1880, 1881, 1882, 1883 sind durch alle Buchhandlungen, sowie durch die Redaktion, die Druckerei und die Verlagshandlung zu beziehen.
Preis ℳ [illegible]; für letzten und vorletzten Jahrgang ℳ [illegible].

Zeitschrift für Seewesen.

No. 21. HAMBURG, Sonntag, den 19. October 1884. 21. Jahrgang.

Inhalt:

Zur Entdeckungsgeschichte des Congostromes.

Tuckey's Reise 1816.

Von den drei grössten Strömen des „dunkeln Weltteils" Nil, Niger und Congo hat jeder seine besondere Entdeckungsgeschichte. Seit Jahrtausenden waren vom *Nil* die vielen Flussläufe seines Mündungsdelta, seine periodischen starken Anschwellungen, ausserdem lange Strecken seines obern Laufes bekannt, und doch sind erst in unserm Jahrhundert die eigentlichen Nilquellen in den grossen mittelafrikanischen Binnenseen und damit zugleich die Gründe jenes regelmässigen mächtigen Steigens seiner Gewässer zweifellos klar ermittelt worden. Vom *Niger*, den man anfänglich, d. h. im Mittelalter, für einen westlichen Nilarm hielt, wusste man lange Zeit vorher die Quellen und einen Teil des mittlern Stromlaufs, bevor man seine Mündung finden und enträtseln konnte. Der Niger hat mit dem Orinoco das gemein, dass seine Quelle verhältnismässig ziemlich nahe der Mündung liegt. Wie dieser entspringt er an der der Küste abgewandten Seite eines mässig hohen Gebirges, fliesst aus Senegambien von 9° N kommend erst in nördlicher Richtung und macht dann wie der Orinoco einen gewaltigen Bogen nach Osten, indem er nahe bei der Wüstenstadt Timbuktu, dem altberühmten Kreuzungspunkt vieler Karavanen-Wege durch die Sahara-Wüste, vorbeifliesst, und dadurch als östlicher Strom nach dem Innern Afrikas bekannt wurde, in welchem man zunächst einen Seitenarm des Nil vermutete. Diese Annahme zerfiel aber vor den Wahrnehmungen der immer weiter südlich vordringenden Erforscher des Nil, welchen kein so bedeutender von Westen kommender Nebenfluss des Hauptstromes bekannt war und vor den Forschungen der Wüstenreisenden selber, welche vergeblich im eigentlichsten Innern Afrikas nach einem östlich strömenden Gewässer forschten. Von dem Umstande, dass der Niger in südöstlicher dann aber südwestlicher Richtung das ganze Küstengebirge im Norden des nach Osten gewendeten Küstenlandes von Afrika, der Hauptsache nach Guinea genannt, umfliesst, und in südwestlicher Richtung schliesslich dieses sog. Konggebirge durchbrechend in einem mächtigen Delta, dem Nildelta ähnlich, sich in den Meerbusen von Guinea ergiesst, hatte man noch im Anfange dieses Jahrhunderts kaum eine Ahnung, hielt vielmehr dafür, dass dieses Delta von mehreren Flüssen gebildet werde, welche dem *südlichen* Abhange dieses Konggebirges entströmten. Nur ein *deutscher* Reisender, Reichard, äusserte 1802 seine Zweifel gegen die damals beliebten Ansichten über den Lauf des Niger und behauptete schon damals, das Delta im Busen von Guinea sei die wirkliche Mündungsstelle des Niger.

Es kann nicht auffällig erscheinen, dass unter allen Nationen das vorzugsweise seefahrende englische Volk sich anfangs dieses Jahrhunderts eingehender als andere mit der Frage beschäftigte, welches der wirkliche Stromlauf und die wahrhaftige Mündung des Niger sei. Die vielen Unterbrechungen des englisch-europäischen Seeverkehrs infolge der unaufhörlichen Kriege mit der französischen Republik, dem dortigen Direktorium und endlich die absolute Unterbindung des festländischen Handels durch die Kontinentalsperre mussten die Augen des Inselvolks nach den andern Weltteilen lenken, in welchen es schon so grosse Besitzungen erworben hatte, und jährlich neue dazu eroberte. Aber es bleibt doch charakteristisch, dass schon während dieser Kämpfe und später im Frühjahre 1816, ein halbes Jahr nach dem letzten Riesenkampfe bei Waterloo, die englische Admiralität den Entschluss fasste, zwei Expeditionen auszurüsten, welche die Nigerfrage teils durch Befahrung des Niger selber und zwar stromabwärts von Timbuktu, teils durch Befahrung des *Congo* und zwar stromaufwärts vom Meere aus, lösen sollten. Die erstere, schon einige Jahre früher, 1805, zur Ausführung gelangt scheiterte kläglich, indem der berühmte Führer derselben, der am Niger bereits vielgewanderte Schotte Mungo Park, in einem Gefecht mit den Eingeborenen bei dem Versuch, sich durch Schwimmen zu retten, im Niger ertrank und seine Leute und Tagebücher zerstreut wurden. Die andere Expedition wurde 1816 einem in Australischen und Ostindischen Gewässern rühmlichst bekannt gewordenen Seeoffizier, Namens Tuckey, anvertraut, zur Entschädigung gewissermassen für die Leiden und Zurücksetzungen einer neunjährigen Kriegsgefangenschaft in Frankreich, da Napoleon den tüchtigen Offizier auszuwechseln nicht hatte bewogen werden können. Wie man in England darauf verfiel, den *Congo* zur Lösung der Nigerfrage heranzuziehen, bedarf näherer Auseinandersetzung.

Schon seit dem Ende des fünfzehnten Jahrhunderts, als die Portugiesen auf Anregung ihres Königs João II. mit der Umschiffung Afrikas und der Auffindung des Seeweges nach Ostindien, halb unbewusst halb bewusst, beschäftigt waren, wurde die Mündung eines neuen Riesenstromes bekannt, dessen Gewässer noch neun Seemeilen im offenen Meere ihre westliche Strömung und ihre Süsse bewahrten. Zaire oder Seire d. h. Meer, grosser Fluss war der einheimische Name des 1484 von Diego Cão zuerst befahrenen gewaltigen Stromes; zum Zeichen der Besitznahme baute der Entdecker auf der südlichen Landspitze der meilenbreiten Mündung einen Steinhaufen, Pedrão genannt, auf, woher dies Kap noch jetzt Kap Pedrão genannt wird. Da die Schiffahrt auf dem Strom wegen der schweren bis 6—7 Sm. in der Stunde betragenden Strömung beschwerlich, und weiter hinauf wegen störender Wasserfälle für jedes Schiff unmöglich war, so darf es nicht Wunder nehmen, dass von See aus der Congo zur Erforschung des Binnenlandes nicht benutzt wurde. Rätselhaft bleibt es freilich, dass die *portugiesischen Missionare*, welche volle 3 Jahrhunderte von der Mündung aus in das Innere vorzudringen suchten, auch nicht die leiseste Kunde über das der Küste entlegenere Binnenland und die Gegenden am obern Lauf des ohne Zweifel grossartigen Stromes herbeigeschafft haben. Hundert Meilen von der Mündung hörte bis zu Anfang dieses Jahrhunderts alle sichere Kunde auf, und war der freien Vermutung unbeschränkter Raum gelassen.

In England hatte sich nun bei dem Publikum sowohl als bei den leitenden Marinebehörden trotz Reichards entgegenstehender Behauptung die Ansicht verbreitet, dass höchst wahrscheinlich der Niger und der Congo ein und derselbe Fluss seien. Die dagegen erhobenen direkten Einwendungen, dass 1. das Konggebirge sich zu weit ostwärts erstrecke, als dass es dem Niger gestatten könne, einen südlichen Lauf anzunehmen, dass 2. dann der Fluss die ungewöhnliche Länge von 4000 Meilen haben müsse, während der Amazonenstrom nur 3500 Meilen lang sei und 3. dass keinerlei Spuren muhamedanischer Gebräuche und Sitten dem vermuteten Strome bis an seine Mündung gefolgt seien, wurden ebenso wie Reichards Hinweis auf das Delta als das Nigerdelta kurz abgethan. Die östliche Erstreckung des Konggebirges war noch nicht erwiesen, Sklavenhändler aus dem Innern, die an die Beninküste herunterkamen berichteten nur von ebenem Lande, welches sie weit und breit durchzogen hatten, dagegen wohl von Flüssen geringerer Bedeutung, welche sie hatten übersetzen müssen. Und dann ist es ja gar nicht unmöglich, dass der Niger das Konggebirge durchbreche, denn auch der Indus, Sutletsch, Bramaputra brechen sich ihren Weg durch das Himmalayagebirge, wie der Missouri das Felsengebirge, Delaware, Potomac, Susquehanna die Alleghanis, die Elbe das Erzgebirge durchbreche. Die Wirklichkeit war freilich damals unbekannt, dass der Niger wirklich das Konggebirge durchbricht und zwar in seinem untern mehr südlichen bis südwestlichen Lauf; das grosse Delta im Golf von Benin mit den hervorragenden Oeffnungen des Rio del Rey, Formosa u. a. m. hielt man für eben so viel Mündungen besonderer Flüsse, welche vom südlichen Abhange des Konggebirges sich in den Golf von Guinea ergössen. Die ad 2 herausgerechnete übergrosse Länge des Stromes war allerdings bedenklich. Die nächstliegende Folgerung war, dass dann die Quellen sehr hoch liegen mussten, damit das nötige Gefälle entstehen konnte. Nun ist das Konggebirge höchstens 2500—3000′ hoch, aber diese Höhe genügt schon um einem Flusse von 4000 Meilen Länge ein Gefälle von 9 Zoll auf jede Meile zu geben, und wenn auch die Quelle nicht auf dem höchsten Punkt des Gebirges zu suchen ist, so genügt die halbe Berghöhe schon, um dem Niger eine gleiche Stromgeschwindigkeit resp. durchschnittliches Gefälle zu geben wie z. B. dem Ganges oder dem Marañon, welche auch nur 4 Zoll durchschnittliches Gefälle haben und doch mit 3 resp. 6 Meilen Geschwindigkeit je nach der trockenen oder nassen Jahreszeit daherfliessen. Ein bemerkenswerter Unterschied zwischen den erstgenannten Strömen und dem Congo besteht freilich darin, dass der Unterschied ihrer Wasserhöhen in den verschiedenen Jahreszeiten bis zu 30 Fuss beträgt, während der Congo nur 9 Fuss jährlichen Höhenunterschied in dem bekanntern untern Stromlauf aufweist und dabei doch die enorme Stromgeschwindigkeit von 6 bis 7 Sm. bis ans Meer entfaltet. Aber gerade dieser Umstand leitet darauf hin anzunehmen, dass er an verschiedenen tropischen Regen Anteil hat und deshalb teilweise in der nördlichen Hemisphäre fliessen muss, eine Behauptung, deren Richtigkeit nunmehr durch Stanley's Reise in der That dargethan ist. Somit wiesen alle diese Umstände, wie auch schliesslich die bislang bekannt gewordenen ziemlich gleichen Temperaturen des Niger wie des Congo darauf hin, dass recht wohl die Annahme, dass Niger und Congo identisch seien, mit guten geographischen Gründen vertreten werden konnte. Die anthropologische Inkongruenz, dass von den am Niger bei Timbuktu hausenden muhamedanischen Stämmen keinerlei Spuren am untern Congo vorkommen, lässt sich allerdings ziemlich einfach entkräften durch die bedeutende Länge der zwischenliegenden Stromstrecke, den Mangel an grössern Gemeinwesen oder Staaten im Innern Afrikas (dessen Bevölkerung vielmehr in viele kleine stets mit einander im Kriege lebende Stämme zerfällt), und durch die daraus sich notwendig ergebende Schwierigkeit, ja Unmöglichkeit, grössere Reisen auf dem Strome zu unternehmen.

Genug aus allen diesen Gründen fasste die englische Admiralität, nachdem die Expedition von Mungo Park auf ihrer Thalfahrt auf dem Niger elend verschollen war, den Entschluss, die Frage der Identität des Niger und des Congo von letzterm Strome aus durch eine Bergfahrt von dessen Mündung aus zu lösen. Man verhehlte sich durchaus nicht die Schwierigkeiten des Unternehmens, teils wegen der Hindernisse des gewaltigen Stromes, teils wegen der Zweifel, zu denen an sich eine Bergfahrt Veranlassung giebt. Nicht umsonst hiess er bei den Eingeborenen der Zaire oder Seire d. h. der grosse Fluss; dieser Name ist beiläufig wie der Nil in Egypten, der Ganges in Ostindien ein nomen appellativum, nicht ein Eigenname wie der jetzt übliche Name Congo, den er von dem grossen *Congostaate* im Süden des untern Flusslaufs erhielt, dessen Hauptstadt das portugiesische São Salvador ist. Schon Lopez erwähnt, dass er seine Strömung noch 20 Leguas weit auf See wahrgenommen habe, wie auch Diego Cão, der eigentliche Entdecker, auf die 9 Leguas von der Küste beobachtete Strömung aufmerksam geworden und dann auf das Land zugesegelt war und so die Strömung als Flussströmung erkannt hatte. Lopez beobachtete auch die schwimmenden Inseln mit Gebüsch und hohen Bäumen darauf in offener See, welche der Strom noch heutzutage stellenweise vom Ufer fortreisst und mit sich führt, zur grossen Verwunderung Kapt. Irby's, der auf seiner Fregatte „Amelia" 2 Jahre vor Tuckey nur 48—50 Sm. stromaufwärts gegen den 6—7 Sm. starken Strom gelangen konnte und von diesen schwimmenden Inseln mehr als einmal getäuscht und erschreckt wurde. Derselbe Schiffsführer hatte 12 Sm. vor der Mündung in offener See auf 15 Faden Wassertiefe verankert noch 4 Sm. Strom und völlig süsses Wasser beobachtet, während jene grossen schwimmenden Inseln mit ihrem Bestand an Bäumen und Gebüschen an ihm vorbeizogen. Dasselbe hatte Kapt

Srobell von der „Thais" berichtet und der Kartenzeichner Maxwell hatte mitten im Fahrkanal der Mündung mit 100 Faden Leine keinen Grund gefunden und erst 25 Sm. höher hinauf, wo der bis dahin baiartige Strom mehr den Charakter eines Flusses annimmt mit 100 Faden Leine Grund gelotet; 50 Sm. aufwärts kamen dann unzählige Inseln, welche Maxwell, unbekannt mit ihrer steten Veränderlichkeit, sorgfältig kartirte, mit 90 Sm. folge dann ein Fahrkanal von 1,5 Sm. Breite und 50 bis 30 Faden Tiefe und so ginge es fort bis zu der Stelle, wo jetzt Boma oder Embomma liegt, die Hauptstation für den damaligen Sklavenhandel. Der Strom sei dann noch 60 bis 70 Sm. weiter schiffbar, doch erschwerten rätselhafte Sprudel und Wirbel die Befahrung durch Segelschiffe aufhöchste, bis endlich der erste Wasserfall von Yellala, die Gadda Enzaddi (Enzaddi der dortige Flussname bei den Eingeborenen) jede Weiterfahrt mit Schiffen durchaus unmöglich mache.

Das war der Stand der Kenntnisse über den Strom selber, als Tuckey den Oberbefehl über die Expedition erhielt, welche jenseits dieses Wasserfalls von Yellala und anderer folgenden Wasserfälle, welche man höher aufwärts vermutete, zu Lande vordringen sollte, bis die ruhiger gewordenen Gewässer des Stromes eine Weiterfahrt in Kanoes der Eingeborenen oder mit eigenen Booten gestatten würden. Tuckey nahm zu dem Ende mehrere kleinere und einige grössere Boote von 35' Länge und 6' Breite mit, welche er mit der Längsseite an einander koppeln und dann mit Segel oder Riemen fortbewegen wollte. Der Plan, als Hauptschiff ihm ein Dampfboot mitzugeben, scheiterte an einem „Missverständnis", da die bei Watt und Boulton bestellte Maschine schliesslich nicht in das Schiff passte, und als das Hemmnis überwunden war, dem Schiff nur 4 Sm. Geschwindigkeit geben konnte. So blieb es denn bei dem Kriegsschuner „Congo" als Commodoreschiff, dem eine Bark „Dorothee" zum Transport der vielen Boote, Ausrüstungsgegenstände und Geschenke aller Art als Handelsartikel und des Hauptteils der aus 56 Personen bestehenden Expeditionsgesellschaft beigegeben wurde. Kommandeur des Ganzen war wie gesagt Schiffslieutenant Tuckey als Commodore; unter ihm fungirten Lieutenant Hawkey, Fitzmaurice als Kapitän und Surveyor, 2 Steuerleute, 1 Zahlmeister, 1 Arzt, 8 Deckoffiziere, 1 Zimmerleute, 2 Schmiede, 11 Matrosen, 12 Marinesoldaten mit 2 Unteroffizieren, im Ganzen 40 Personen; dazu kamen als wissenschaftlicher Stab 1 Botaniker und Geologe, 1 Sammler und Custos, 1 vergleichender Anatom, 1 Freiwilliger „für Alles", 1 Gärtner und 2 Eingeborene als Dolmetscher, sodass eine Gesamtzahl von 56 Personen herauskam, von denen 21 auf dem „Congo", 35 auf der „Dorothee" untergebracht wurden.

Obgleich die englische Admiralität mit ihrem damaligen Chef Melville das grösste Vertrauen in die beiden eigentlichen Spitzen der Expedition, den Commodore Tuckey und den Botaniker und Geologen Smith, einen geb. Norweger und Freund unsers Leop. v. Buch, setzte, so bestand Tuckey doch darauf, dass ihm eine besondere „Instruktion" mit auf den Weg gegeben wurde, „damit er sich in seinem Gewissen beruhigt sehe, wenn er Alles gethan hätte was verlangt wurde." Diese am 7. Februar 1816 durch die Lords der Admiralität Melville, Geo. J. Hope und H. Paulet erlassene und von John Barrow unterzeichnete Instruktion ist ein getreues Spiegelbild der hier geschilderten damals verbreiteten Anschauungen über die Niger-Congo-Frage und der Erwartungen, welche man an die Forschungsreise knüpfte. Sie sieht es zunächst als geradezu ungehörig und mit dem Stande unserer übrigen Kunde von dem Weltteil Afrika als unverträglich an, dass man einen Fluss mit fast beständigem Hochwasser und solcher gewaltigen Strömung und Wassertiefe nur 200, eigentlich nur 130 Sm. stromaufwärts kenne. Dieses Dunkel, in welches der Strom und seine Anwohner trotz der dreihundertjährigen Bekanntschaft mit den Portugiesen gehüllt sei, müsse durchaus endlich gelichtet werden. Deshalb wird die Frage der Identität des Niger mit dem Congo, wenn auch ihre Klarstellung eine der Hauptaufgaben der Expedition blieb, durchaus nicht als die alleinige hingestellt, sondern die Erforschung der klimatischen, geologischen, hydrographischen, landwirtschaftlichen, ethnographischen etc. Verhältnisse den Gelehrten und Offizieren gleichmässig zur Pflicht gemacht. Die eigentümlichen Schwierigkeiten der Bergfahrt auf einem unbekannten Strom und die Gefahr der Verirrung in unwichtigere Nebenläufe — man denke nur an den Zusammenfluss des Inn und der Donau bei Passau, wo offenbar der Inn als der breitere und zu Zeiten wasserreichere Stromarm sich mit dem von Alters her als solchen anerkannten Hauptstrom, der Donau, vereinigt und bei einer ersten Bergfahrt eines Entdeckers die grössten Bedenken rechtfertigen würde, welcher Arm als der Hauptstrom zu betrachten sei — werden vollauf gewürdigt und dem Führer Tuckey detaillirte Vorschriften mitgegeben. Die Admiralität geht von der Ansicht aus, dass der von Nord bis Nordost kommende Wasserlauf durchwegs im Anfange als der Hauptstrom zu verfolgen sei; dabei sei genaues Augenmerk zu halten auf etwaige bedeutende Zuflüsse von NW her, und stets zu untersuchen, ob unter einer von NW erfolgenden Zuströmung der Niger zu vermuten sei. Daneben wünscht die Admiralität ausführliche Auskunft über von NO, Ost und Süd kommende Zuflüsse, über die beiden ersten in Bezug auf die auch aufgestellte Behauptung, dass der Congo aus einem *grossen Binnensee im Norden der Linie* entspringe, und über von Süden kommende Zuflüsse ihrer allgemeinern Bedeutung wegen, doch ohne dieserhalb besondere Anforderungen an das Expeditionskorps zu stellen, da man den darauf bezüglichen Fragen vom Kaplande aus näher treten könne. Man sieht aus Allem, dass man damals keine Ahnung davon hatte, dass der Congo gerade vom Süden her den 530 Q.-M. grossen in 30° Ostlänge und 12° Südbreite belegenen Bangweolo-See durchläuft, bis zum Aequator eine durchweg nördliche Richtung verfolgt, dann bis ca. 2° N und 22° O nordwestlich fliesst, und von da bis zu seiner Mündung in 6° S und 12° O eine durchgehends südwestliche Richtung behauptet, und dabei von Süden her, von links, mehr und bedeutendere Zuflüsse aufnimmt als von Osten oder Norden her. (Vergl. unsere sehr eingehende Darstellung aller dieser Verhältnisse im Jahrgang v. 1878, No. 2, 3 u. ff.)

Trotzdem nun Alles aufs Beste gerüstet und vorbereitet war, und alle Welt mit grossen Hoffnungen dem Verlaufe der Expedition entgegensah, ist gleichwohl ihr Ausgang ein sehr dürftiger und noch dazu tragischer und trauriger gewesen. Die Schiffe kamen am 28. Februar in See und erreichten erst am 6. Juli nach 122 tägiger Reise die Mündung des Congo; da die Bark „Dorothee", obgleich sie in See schneller segelte als der „Congo" und letztern deshalb oft ins Schlepptau genommen hatte, den Strom nicht stoppen konnte, so blieb sie unten liegen und kam der „Congo" endlich am 5. Aug. an eine gute Ankerstelle gleich unterhalb Embomma. Von dort wurde in den kleinen und doppelten Schiffsbooten eine Fahrt stromaufwärts unternommen, welche aber nur bis zu der Stelle, welche jetzt wie es scheint der „Höllenkessel" genannt wird, fortgesetzt werden konnte, da es unmöglich schien die Boote über die furchtbaren Wirbel und Strudel dieser Stelle hinweg zu bringen. Eine Landreise bis zu den nicht weit entfernten Wasserfällen von Yellala und der Anblick der winzigen Wassermenge, welche hier ca. 35 Fuss im geneigten Sturze abwärts fällt, im Vergleich zu der Tiefe und Gewalt der Strömung, welche im Höllenkessel so ungestüm und mächtig zu Tage tritt, erweckte in Tuckey die wohl nicht unbegründete Ueberzeugung, dass ein sehr grosser Teil der Wassermassen des Stromes sich unterirdisch durch die Schiefergesteinmassen seinen Weg bahnt und dort unten im Höllenkessel zu Tage tritt. Vom 21. Aug. bis zum 10. September sind nun von hier aus mehrere Versuche gemacht, in nordöstlicher Richtung längs des Stromes oder seitwärts weiter als vom Strom vorzudringen — alle ohne nennenswerten Erfolg. Die Schwierigkeit unter dem faulen Volk der Eingeborenen sich ausdauernde zuverlässige Träger zu verschaffen (weshalb Stanley, Johnston u. A. dazu nur die Krujungen der Küste und die weit zuverlässigern stärkern Sansibarer verwandten), durchaus ungenügende Kenntnis des afrikanischen Klimas und der Art in ihm seine Gesundheit zu bewahren, die Unmöglichkeit der Verpflegung grösserer Menschenmassen während der trockenen Jahreszeit, wo die Eingeborenen sich kaum unter vielen Entbehrungen durchschlagen, der Mangel an Kanoes oberhalb der untern Wasserfälle, die zunehmende Erschöpfung der Mannschaften und Führer infolge der so gefährlichen kalten Biwacks in um 15—20° kühlerer Nacht nach Tagmärschen in brennender Mittagshitze, die durch die laxen Vorstellungen der Eingeborenen, welche die eigenen Weiber und Töchter als Handelsware ansehen, geförderten Ausschweifungen aller Art — Alles wirkte zusammen, um die Leistungen der Expedition bald aufs geringste Mass zurückzuführen und durch Fieber, körperliche Erschöpfung und die Unmöglichkeit das vorgesteckte Ziel zu erreichen die schleunige Rückkehr zu den Schiffen zu erzwingen. Eine Anzahl Todesfälle war schon früher vorgekommen; jetzt aber in der Ruhe nach der Reise hielt der Tod so reiche Erndte, dass der Befehlshaber Tuckey, Lieutenant Hawkey, der Zahlmeister, der Botaniker und Geologe Prof. Smith, der Sammler, der Anatom und der Freiwillige, also der ganze wissenschaftliche Stab nebst 10 Mannschaften binnen kurzer Zeit starben, und ihnen auf der baldigst angetretenen Rückfahrt noch weitere drei nachfolgten. Im Ganzen starben 21 Mann von 56 und hat dieser höchst traurige Ausgang der Expedition viel dazu beigetragen das Congoklima allgemein in Verruf zu bringen und von einer Wiederholung des Versuchs abzuschrecken.

Die Nigerfrage blieb ungelöst, bis 1830 die Gebrüder Lander die Bergfahrt von See bis Mara ausführten, bis wohin Mungo Park und andere spätere Reisende, worunter Barth, gekommen waren und nachher kamen; die Congofrage hat bekanntlich Stanley im Jahre 1876 durch seine berühmte Thalfahrt von Nyangwe westlich des Tanganjika See's bis Boma gelöst. An seinen Nachfolgern ist es, das angefangene Werk mit bessern Erfahrungen und Mitteln als der unglückliche Tuckey aufzuwenden hatte, fortzusetzen, und Meile für Meile den Stromlauf und die angrenzenden Länder nach rechts und links der Kultur und Kolonisation aufzuschliessen.

Möge unserm Vaterlande es beschieden werden, dabei in gebührender Weise mitzuwirken; hier winken grosse Ziele und Erfolge!

Der Seeverkehr in den deutschen Hafenplätzen in den Jahren 1873 bis 1882 einschl.

Ueber den Seeverkehr der zu Handelszwecken in den deutschen Hafenplätzen in den 10 Jahren von 1873—1882 ein- und ausgegangenen Schiffe bringt das Juliheft der Monatshefte zur Statistik des deutschen Reichs, 1884, vergleichende Zusammenstellungen, denen wir Folgendes entnehmen:

Die *Zahl* der angekommenen und abgegangenen Schiffe in den Jahren 1873 bis 1882 zeigt nur im Nordseegebiet eine Zunahme, im Ostseegebiet und dem ganzen deutschen Küstengebiet jedoch eine Abnahme, dagegen nach dem *Tonnengehalt* dieser Schiffe im Laufe der 10 Jahre sowohl für den Seeverkehr im Ganzen, als auch für denjenigen des Ostsee- und Nordseegebiets im Besonderen eine bedeutende Steigerung. Diese Zunahme der Ladefähigkeit der in den deutschen Häfen zu Handelszwecken verkehrenden Schiffe rührt lediglich von der erheblichen Vergrösserung des Dampfschiffsverkehrs her, während der Segelschiffsverkehr, den Verkehr des Jahres 1873 zugrunde gelegt, in den folgenden 9 Jahren bis 1882 um nahe 14 000 angekommene und abgegangene Schiffe mit rund 900 000 Reg.-To. abgenommen hat. Von dieser Abnahme des Segelschiffsverkehrs entfallen auf das Ostseegebiet nach Zahl der Schiffe 99 %, nach dem Tonnengehalt derselben 90 %, während das Nordseegebiet nur mit 1 % bezw. 9 % daran beteiligt ist.

Der Anteil, welchen Dampf- und Segelschiffe am Gesamtverkehr des Reichs, des Ostsee- und Nordseegebiets während der Jahre 1873 bis 1882 hatten, ist in nachfolgender Tabelle nach Zahl und Ladefähigkeit in Prozenten berechnet.

Jahre	Unter 100 verkehrenden Schiffen waren		Von je 100 Reg.-Tons der verkehrenden Schiffe kommen auf		Jahre	Unter 100 verkehrenden Schiffen waren		Von je 100 Reg.-Tons der verkehrenden Schiffe kommen auf	
	Segelschiffe	Dampfschiffe	Segelschiffe	Dampfschiffe		Segelschiffe	Dampfschiffe	Segelschiffe	Dampfschiffe
				Deutsches Reich:					
1873	81,6	18,4	47,8	52,1	1878	75,1	24,8	38,4	61,6
1874	80,4	20,6	43,3	56,7	1879	73,0	27,0	36,4	63,6
1875	80,0	20,0	43,4	56,6	1880	72,7	27,3	30,9	69,1
1876	78,6	21,4	43,7	56,3	1881	70,2	29,8	32,5	67,5
1877	76,2	23,8	40,8	59,2	1882	68,0	32,0	29,8	70,2
				Ostseegebiet:					
1873	82,3	17,7	56,4	43,6	1878	74,3	25,7	41,4	58,6
1874	80,7	19,3	51,0	49,0	1879	71,7	28,3	38,3	61,7
1875	81,4	18,6	52,6	47,4	1880	70,9	29,1	40,1	59,9
1876	80,7	19,3	52,8	47,2	1881	67,8	32,2	35,8	64,2
1877	77,0	23,0	44,7	55,3	1882	64,7	35,3	31,4	68,6
				Nordseegebiet:					
1873	80,1	19,9	40,6	59,4	1878	77,4	22,6	35,7	64,3
1874	78,7	21,3	36,9	63,1	1879	74,6	25,4	34,4	65,6
1875	77,4	22,6	35,6	64,4	1880	75,9	24,1	33,6	66,4
1876	75,4	24,6	36,5	63,5	1881	73,6	26,4	29,5	70,5
1877	74,4	25,6	36,4	63,6	1882	72,4	27,6	28,6	71,4

Die Prozentzahlen dieser Tabelle lassen deutlich eine allmähliche Verdrängung des Segelschiffsverkehrs durch den Dampfschiffsverkehr erkennen. Während im Jahre 1873 unter 100 im Gesamtverkehr des deutschen Reichs angekommenen und abgegangenen Schiffen sich 81,3 Segelschiffe und 16,8 Dampfer befanden, zählte man im Jahre 1882 unter derselben Anzahl von verkehrenden Schiffen nur noch 68 Segler, dagegen 32 Dampfer. Noch bedeutender erscheint diese Aenderung zu Gunsten der Dampfschiffe bei Berücksichtigung des Tonnengehalts der verkehrenden Schiffe. Denn, während im Jahre 1873 von 100 Reg.-Tons aller ein- und ausgelaufenen Schiffe etwa 48 der Segler- und 52 der Dampferflotte angehörten, war im letzten Jahre des Dezenniums der Anteil der ersteren bis auf etwa 30 Reg.-Tons von 100 gesunken, derjenige der letzteren dagegen bis auf über 70 Reg.-Tons gestiegen.

Die durchschnittliche Ladefähigkeit der am Seeverkehr des deutschen Reichs beteiligt gewesenen Segel- und Dampfschiffe, sowie der Seeschiffe überhaupt hat sich im Laufe der 10 Jahre nur unwesentlich verändert.

Was den Seeverkehr des deutschen Reichs nach den Ländern der Herkunft und Bestimmung anbetrifft, so sind im Verkehr *zwischen den deutschen Häfen unter sich* angekommen und abgegangen im Jahre 1873 44 037 Schiffe mit 1 955 861 Reg.-Tons, und darunter 4 138 Dampfer mit 591 085 Reg.-Tons Raumgehalt. Im Jahre 1882 hatte sich dieser Verkehr auf 59 476 Schiffe mit 2 869 710 Reg.-Tons, darunter 11 133 Dampfschiffe mit 1 568 987 Reg.-Tons gesteigert.

Im Verkehr zwischen deutschen und *ausserdeutschen europäischen* Hafenplätzen gingen in den ersteren ein und aus während des Jahres 1873 47 458 Schiffe mit 8 210 820 Reg.-Tons, darunter 12 365 Dampfschiffe mit 4 807 962 Reg.-Tons Raumgehalt; im Jahre 1882 dagegen 43 677 Schiffe mit 10 837 469 Reg.-To., darunter 19 124 Dampfer mit 8 479 076 Reg.-Tons.

Im *aussereuropäischen* Verkehr gingen in den deutschen Häfen ein und aus im Jahre 1873 3 192 Schiffe mit 2 174 894 Reg.-Tons Raumgehalt, darunter 586 Dampfschiffe mit 1 030 740 Reg.-Tons; im Jahre 1882 3 475 Schiffe mit 3 173 264 Reg.-Tons, darunter 1 015 Dampfer mit 1 706 923 Reg.-Tons Raumgehalt.

Bei dem Verkehr mit ausserdeutschen europäischen Häfen kommt in erster Linie derjenige mit den Häfen *Grossbritanniens* und *Irlands* in Betracht. Im Jahre 1873 entfielen der Zahl der Schiffe nach 34,7 % und nach dem Raumgehalt derselben 57,1 % des Gesamtverkehrs mit dem ausserdeutschen Europa auf die genannten Häfen; speziell vom Dampferverkehr 49,3 bezw. 55,8 %. Für das Jahr 1882 stellen sich diese Zahlen etwas niedriger, gleichwohl hat der Verkehr zwischen deutschen und grossbritannischen etc. Häfen im Laufe der 10 Jahre an sich zugenommen, da zwar die Zahl der betreffenden in deutschen Häfen ein- und ausgegangenen Schiffe von 16 455 im Jahre 1873 auf 13 959 im Jahre 1882 zurückgegangen ist, aber der Gesamttonnengehalt derselben von 4 724 495 Reg.-Tons im Jahre 1873 auf 6 098 881 Reg.-Tons im Jahre 1882, oder um 29,1 % zugenommen hat. Es hat jedoch nur der Dampferverkehr zwischen diesen Häfen im Laufe der 10 Jahre einen Aufschwung genommen, nicht allein dem Tonnengehalt nach, der sich von 3 167 405 Reg.-Tons im Jahre 1873 auf 5 099 257 Reg.-Tons im Jahre 1882, also um 61 % vermehrt hat, sondern auch der Schiffszahl nach, die von 6 097 auf 8 031 oder um 31,7 % gestiegen ist. Dagegen ist der Segelschiffsverkehr zwischen deutschen und grossbritannischen etc. Häfen der Schiffszahl nach von 10 358 im Jahre 1873 auf 5 928 im Jahre 1882 (um 42,8 %) und dem Tonnengehalt nach im Laufe dieser Jahre von 1 557 090 auf 999 624 Reg.-To. (um 35,8 %) zurückgegangen.

Gehoben hat sich des Weiteren im Laufe der 10 Jahre der Verkehr mit Dänemark, Schweden, dem europäischen Russland an der Ostsee und mit den Niederlanden, während der Verkehr zwischen deutschen Häfen und Norwegen recht erheblich zurückgegangen ist, nämlich von 4571 Schiffen mit 469 016 Reg.-Tons Raumgehalt im Jahre 1873 auf 2 181 Schiffe mit 393 474 Reg.-Tons im Jahre 1882, also um 52,3 bezw. 16,1 %.

Beim Verkehr mit aussereuropäischen Häfen kommt derjenige mit den Häfen der *Vereinigten Staaten von Amerika am atlantischen Meere* in erster Linie in Betracht, auf welchen im Jahre 1873 der Zahl der Schiffe nach 47,8 %, dem Tonnengehalt nach 67,7 % des betreffenden Gesamtverkehrs, im Jahre 1882 50,7 bezw. 62,8 % entfielen. Von und nach den genannten Häfen sind angekommen und abgegangen 1873 1 529 Schiffe mit 1 471 467 Reg.-Tons Raumgehalt, 1882 1 761 Schiffe mit 1 984 926 Reg.-Tons Raumgehalt, die Verkehrszunahme im Laufe der 10 Jahre hat daher betragen 15,3 bezw. 34,9 %.

Auch der Verkehr mit *Südamerika* ist nicht unerheblich und zum Teil recht im Steigen begriffen. Von und nach den Häfen von Chile und dem übrigen Südamerika am stillen Meer sind angekommen und abgegangen im Jahre 1873 164 Schiffe mit 83 960 Reg.-To. Raumgehalt, im Jahre 1882 dagegen 293 Schiffe mit 199 605 Reg.-To. Raumgehalt; der Verkehr mit den brasilianischen Häfen ist von 1873 bis 1882 der Zahl der Schiffe nach um eine Kleinigkeit zurückgegangen, hat sich aber dem Tonnengehalte nach von 106 439 auf 229 642 Reg.-Tons, also um 115,7 % gesteigert. Nur der Verkehr mit Südamerika am atlantischen Meere, nördlich von Brasilien, ist im Laufe der 10 Jahre sehr erheblich zurückgegangen, nämlich von 144 Schiffen mit 77 404 Reg.-Tons Raumgehalt auf 74 Schiffe mit 20 610 Reg.-Tons Raumgehalt, also um 48,6 bezw. 73,4 %.

Beträchtlich gehoben hat sich der *Dampfer*verkehr mit den *westindischen* Inseln, und zwar von 28 Dampfern mit 42 241 Reg.-Tons Raumgehalt im Jahre 1873 auf 64 Dampfer mit 85 114 Reg.-Tons Raumgehalt im Jahre 1882, wogegen der *Segelschiffs*verkehr mit diesen Inseln im Laufe der 10 Jahre von 259 Schiffen mit 61 494 Reg.-Tons Raumgehalt auf 153 Schiffe mit 47 080 Reg.-Tons Raumgehalt zurückgegangen ist.

Auch im Verkehr mit *Ostindien und den indischen Inseln* hat nur der Dampferverkehr einen Aufschwung genommen, nämlich von 17 Dampfern mit 14 844 Reg.-Tons Raumgehalt im Jahre 1873 auf 53 Dampfer mit 70 748 Reg.-Tons Raumgehalt im Jahre 1882.

In Bezug *auf den Seeverkehr des deutschen Reichs nach der Flagge der angekommenen und abgegangenen Schiffe* war begreiflicher Weise am Verkehr der deutschen Häfen unter sich ganz überwiegend die deutsche Flagge beteiligt. Am Verkehr der deutschen mit ausserdeutschen europäischen Häfen sind umgekehrt die Schiffe fremder Flagge vorwiegend beteiligt gewesen, ohne dass im Laufe der 10jährigen Periode in dem gegenseitigen Verhältnis eine wesentliche Veränderung vorgekommen wäre, da am Anfang wie am Ende der 10jährigen Periode die Ladefähigkeit der in diesem Verkehr sich bewegenden Schiffe etwa das Doppelte derjenigen der entsprechenden deutschen Schiffe betragen hat. Der Verkehr mit aussereuropäischen Häfen ist dagegen wieder mehr von Schiffen deutscher, als von solchen fremder Flagge unterhalten worden, und besonders ist der Dampfschiffsverkehr mit diesen Häfen in ganz überwiegender Weise der deutschen Flagge zugefallen. Doch zeigte sich in dieser Beziehung gegen Schluss der 10jährigen Periode eine nicht unerhebliche Veränderung zu Gunsten der fremden Flagge.

Der Gesamtraumgehalt der in deutschen Häfen angekommenen und abgegangenen, der *deutschen* Flagge angehörigen, Schiffe betrug im Jahre 1873 5 964 012 Reg.-Tons, im Jahre 1882 8 226 484 Reg.-Tons, der der *fremden* Flagge angehörigen Schiffe im Jahre 1873 6 377 563 Reg.-Tons und im Jahre 1882 8 653 999 Reg.-Tons; speziell bei den fremden Dampfschiffen hat der Gesamtraumgehalt von 3 823 886 Reg.-Tons im Jahre 1873 sich auf 6 603 040 Reg.-Tons im Jahre 1882 vergrössert.

Unter den Schiffen fremder Flagge, die in deutschen Häfen verkehren, nehmen die *britischen* Schiffe den ersten Platz ein; die Zahl derselben hat sich im Laufe der 10 Jahre wenig verändert, dagegen ist der Raumgehalt von 3 384 456 Reg.-Tons im Jahre 1873 auf 5 206 116 Reg.-Tons im Jahre 1882 heraufgegangen.

Die Zahl der in deutschen Häfen angekommenen und abgegangenen *dänischen* Schiffe hat im Laufe der 10 Jahre etwas abgenommen, nicht aber der Tonnengehalt derselben, der vielmehr eine kleine Zunahme erfahren hat. Eine stärkere Zunahme weist der Verkehr der *norwegischen* Schiffe auf, desgleichen der der *schwedischen* Schiffe, dagegen ist bei der *niederländischen* und *russischen* Flagge ein Rückgang im Verkehr mit den deutschen Häfen bemerklich.

Bemerkenswert ist noch die verhältnismässig sehr starke Zunahme des Verkehrs der *spanischen* Schiffe in den deutschen Häfen, besonders des Verkehrs spanischer Dampfschiffe (1873 angekommen und abgegangen 2 mit 1 176 Reg.-Tons Raumgehalt, 1882 96 mit 63 391 Reg.-Tons).

Bei dem Seeverkehr in den bedeutendsten deutschen Hafenplätzen kommt in erster Linie der Hafen von *Hamburg* in Betracht. Der Schiffsverkehr in diesem Hafen hat mit kaum nennenswerten Unterbrechungen von Jahr zu Jahr zugenommen und im Laufe der 10 Jahre eine sehr erhebliche Steigerung erfahren. Im Jahre 1873 sind angekommen und abgegangen im Ganzen 9 740 Schiffe mit 3 713 907 Reg.-Tons Raumgehalt und 1882 11 399 Schiffe mit 5 963 144 Reg.-Tons Raumgehalt; davon waren Dampfer im Jahre 1873 5 072 mit 2 790 801 Reg.-Tons Raumgehalt und 1882 7 171 mit 4 862 058 Reg.-Tons.

Der zweitbedeutendste deutsche Hafenplatz ist *Bremerhaven*. Der Seeverkehr dieses Hafens hat sich jedoch nicht in derselben Weise entwickelt wie der des vorgenannten, im Gegenteil hat derselbe nach dem Jahre 1874 an Umfang wesentlich eingebüsst und erst im Jahre 1879 den 1874 erreichten Stand überschritten. Im Jahre 1873 waren angekommen und abgegangen im Ganzen 2 807 Schiffe mit 1 416 420 Reg.-Tons Raumgehalt, 1878 2 668 Schiffe mit 1 452 346 Reg.-Tons Raumgehalt, (5,0 % weniger bezw. 2,5 % mehr) und 1882 2 496 Schiffe mit 1 617 541 Reg.-Tons Raumgehalt (gegen 1878 6,4 % weniger bezw.

11,4 % mehr, gegen 1873 11,1 weniger bezw. 14,8 % mehr).

Im Hafen von *Geestemünde* zeigt der Seeverkehr von einem Jahr zum andern verschiedene Schwankungen, hat jedoch im Laufe der 10jährigen Periode nicht unbedeutend an Umfang zugenommen. Der Dampferverkehr im Hafen von Geestemünde, der 1873 noch verhältnismässig unbedeutend war, ist von 290 in diesem Jahre angekommenen und abgegangenen Dampfern mit 57 281 Reg.-Tons Raumgehalt auf 418 Dampfer mit 212 025 Reg.-Tons Raumgehalt im Jahre 1882 gestiegen.

Unter den Ostseehäfen nimmt der Hafen von *Stettin* in Bezug auf den Umfang des Schiffsverkehrs die erste Stelle ein. Angekommen und abgegangen sind hier im Ganzen 1873 5082 Schiffe mit 1 020 108 Reg.-Tons Raumgehalt, 1882 6 515 Schiffe mit 1 431 861 Reg.-Tons Raumgehalt (28,2 bezw. 40,3 % mehr).

Im Hafen von *Neufahrwasser* sind angekommen und abgegangen überhaupt 1873 3 493 Schiffe mit 736 515 Reg.-Tons Raumgehalt, 1882 4 297 Schiffe mit 1 189 870 Reg.-Tons (23,0 bezw. 61,1 % mehr). Speziell der Dampferverkehr hat im Hafen von Neufahrwasser eine beinahe von Jahr zu Jahr sich steigernde, bedeutende Entwicklung genommen. Es sind nämlich in Neufahrwasser angekommen und abgegangen 1873 539 Dampfer mit 193 218 Reg.-Tons Raumgehalt, 1882 1 953 Dampfer mit 774 916 Reg.-Tons Raumgehalt (262,3 bezw. 301,0 % mehr).

Der Seeverkehr im Hafen von *Königsberg* hat sich in den Jahren 1877 und 1878 gegenüber den Vorjahren erheblich gesteigert, ist aber in den folgenden Jahren nicht unbedeutend zurückgegangen und erst im Jahre 1882 wieder annähernd auf den Stand vom Jahre 1878 gekommen. Derselbe bezifferte sich nach Ankunft und Abgang von Seeschiffen überhaupt 1873 auf 3 374 Schiffe mit 507 181 Reg.-Tons Raumgehalt, 1878 auf 5 055 Schiffe mit 841 719 Reg.-Tons und 1882 auf 4 038 Schiffe mit 829 685 Reg.-Tons Raumgehalt.

Einen erheblichen Aufschwung hat im Laufe der 10 Jahre der Seeverkehr im Hafen von *Kiel* genommen. Angekommen und abgegangen sind hier überhaupt 1873 6 588 Schiffe mit 441 659 Reg.-Tons Raumgehalt, 1882 6 463 Schiffe mit 787 578 Reg.-Tons Raumgehalt (nach dem Raumgehalt 78,3 % mehr). Der Anteil, den der Dampferverkehr im Kieler Hafen am gesamten Seeschiffsverkehr dieses Hafens hatte, belief sich 1873 auf etwa die Hälfte, 1882 auf mehr als 4/5 vom Tonnengehalt sämtlicher ein- und ausgegangenen Schiffe.

Der Seeverkehr im Hafen von *Lübeck* war während des grösseren Teils der 10jährigen Periode von erheblicherem Umfange, als der des benachbarten Kieler Hafens, ist jedoch in den Jahren 1880—1882 von dem letzteren überflügelt worden. 1873 sind im Lübecker Hafen angekommen und abgegangen überhaupt 5 615 Schiffe mit 588 296 Reg.-Tons Raumgehalt, 1882 4 326 Schiffe mit 745 136 Reg.-Tons Raumgehalt. Der Anteil des Dampferverkehrs am Seeverkehr überhaupt betrug im Lübecker Hafen 1873 etwas über die Hälfte, 1884 beinahe 3/4 dem Raumgehalte nach.*)

Im Hafen von *Swinemünde* sind angekommen und abgegangen überhaupt 1873 1 710 Schiffe mit 251 629 Reg.-Tons und 1882 966 Schiffe mit 414 153 Reg.-Tons Raumgehalt. Der Dampferverkehr belief sich 1873 auf 326 Dampfer mit 106 927 Reg.-Tons und 1882 auf 771 Dampfer mit 393 961 Reg.-Tons Raumgehalt.

Der Hafenverkehr in *Memel* hat sich im Laufe der 10 Jahre nach dem Tonnengehalt der ein- und ausgelaufenen Schiffe überhaupt nicht wesentlich verändert. Der Ein- und Ausgang belief sich 1873 auf 2 430 Schiffe mit 319 716 Reg.-Tons, 1882 auf 1 854 Schiffe mit 360 756 Reg.-Tons Raumgehalt (3,0 % mehr).

Der Seeverkehr im Hafen von *Pillau* ist vom Jahre 1876 bis zum Jahre 1882 etwas zurückgegangen. Angekommen und abgegangen sind überhaupt im ersteren Jahre 1 610 Schiffe mit 110 952 Reg.-Tons Raumgehalt, im letzteren 760 Schiffe mit 371 391 Reg.-Tons Raumgehalt (15,0 % dem Raumgehalt nach weniger). —s—

Aus Briefen deutscher Kapitäne.

XVIII.

(Von befreundeter Seite mitgeteilt.)

In Sicht von Algier, Mai 1. 1884.

So gross Ihre Korrespondenz auch sein mag, von diesem Orte haben Sie sicher noch keinen Brief erhalten. Um mich nicht mehr über den miserablen Wind zu ärgern, setze ich mich lieber hin um mit Ihnen ein Wort zu sprechen. Halb ist es auch Dankbarkeit dafür, dass Sie mir die Feuerbücher gesandt, besonders aber wollte ich Ihnen einige Mitteilungen machen, welche Sie vielleicht im Laufe der Zeit benutzen können. Es ist ein wahres Vergnügen, wenn man sieht wie ungemein Sie das Feuerbuch bei jeder neuen Ausgabe vervollkommnen und vervollständigen (mit Ausnahme des Geschäftsanzeigers meine ich) und alles Wissenswürdige aufnehmen: wie viel ist uns manchmal damit gedient, wenn wir wissen wie z. B. ein Feuerturm aussieht etc. Besonders im Adriatischen Meere beliebt man sehr häufig eine solche Form des Leuchtturms, dass man denselben kaum von andern Gebäuden unterscheidet, wenn man die bei uns gebräuchliche spezifische Form gewohnt ist. Die Notiz auf S. 164, bei Habibas, war mir auch sehr erwünscht, ich sah das Feuer noch 21 Sm. weit. Ueberhaupt finde ich, dass selbst Feuer 3—4. Ordnung, hier im Mittelmeer und im Adriatischen Meer fast immer so weit zu sehen sind, wie man, bei Berücksichtigung ihrer Höhe, von einem Feuer 1. oder 2. Ordnung erwarten könnte, weil die Luft meistens sehr rein; so z. B. Sasseno Seite 147 habe immer 25 Sm. gesehen, ebenfalls Saseno und Otranto weiter wie angegeben. Nun komme ich zu einigen Ausstellungen, die ich zu machen habe, und sollen Sie an ein paar kleinen Geschichten, die ich Ihnen erzählen will, sehen, wie unbedingt ich mich Ihrer Führung stets überlasse. Also wie ich zum erstenmal nach Triest bestimmt war, hatte ich ja natürlich keine Kenntnis des Landes, ausser was ich aus den Sailing directions entnehmen konnte, die entsetzlich dürftig und mager waren. Ich war vor der Strasse von Otranto, erhielt einen Südlichen Sturm mit dickem Wetter, es liess sich aber doch noch immer eine ganze Strecke sehen. Gegen Abend mussten Fano NOlich haben, und ich hielt nahe daran vorbei, um festes Besteck zu bekommen, weil Ludolphs Feuerbuch mir sagte, dass dort ein gutes Feuer zweiter Ordnung sei. Wir sahen gar nichts, und doch waren wir nahe genug gewesen, wie sich am nächsten Tage fand.

*) *Anm. d. Red.* Das Ueberraschende in dieser *äusserlich* richtigen Mitteilung hat uns veranlasst, der Sache etwas weiter nachzuspüren, und da sind wir zu folgender gegenteiligen Ansicht gelangt. Zugegeben dass die *Zahl* der Schiffe, welche alljährlich einkommend und ausgehend Kiel besuchen und deren *Tragfähigkeit* grösser ist als die Gesamtzahl der in Lübeck ankommenden und abgehenden Schiffe und deren Tragfähigkeit, so ist damit nur ausgesprochen, dass der *Schiffs*verkehr Kiels — infolge der regelmässigen Postfahrten Kiel-Korsör und ihrer Verdoppelung zu *Tag- und Nacht*fahrten seit 1882 — grösser sei als der von Lübeck. Daraus aber einen Schluss zu ziehen auf den *Warenverkehr* dieser Städte und somit auf die Bedeutung als *Handelsplätze* würde so verkehrt als möglich sein. Denn während die Postdampfer nur geringe Mengen Waren ausser ihren Passagieren befördern, sind die Frachtdampfer desto mehr die Träger von Gütern aller Art. Laut Ausweis der Handelskammerberichte sind ein- und ausgegangen im Jahre 1882

in Kiel 7 188 Schiffe von 2 316 728 Kbm Tragfähigkeit, welche Ladungen von im Ganzen 613 019 Kbm beförderten, dagegen

in Lübeck 4 338 Schiffe von 2 120 906 Kbm Tragfähigkeit, welche Ladungen von im Ganzen 1 454 895 Kbm beförderten.

also Kiel gegen Lübeck 2 850 Schiffe *mehr*

195 822 Kbm Tragfähigkeit *mehr*

841 876 Kbm beförderte Waren *weniger*.

Es übersteigt also der über Lübeck gehende Handelsverkehr zur See den von Kiel um ca. 240 %.

Zur Reduktion der Reg.-Tons auf Kubikmeter dienen folgende Verhältniszahlen:

1 Reg.-Ton = 100 engl. Cubikfuss = 2,83 Kubikmeter

1 Kubikmeter = 0,353 Reg.-Ton.

Dagegen hält 1 Fracht-Ton nur 40 engl. Cub.-Fuss = 1,13 Kbm.

Später sah ich, wie wir auf einer anderen Reise dort vorbei kamen, dass der Turm auf der Ostseite der hohen Insel, und das Feuer nur den Kanal von Corfu, aber nicht die Strasse von Otranto beleuchtete; bitte also um eine Bemerkung dieses Umstandes, da jetzt viele deutsche Schiffe hieher kommen. Jetzt, auf der Reise nach Triest, war ich Brione (Seite 139) passirt, und glaubte meines Schiffsorts sicher zu sein; es war aber sehr unsichtig und ich steuerte, bei östlichem Sturm, für Rovigno, um nicht zu weit vom Lande ab zu kommen und Schutz zu haben. Rovigno (San Giovanni) wollte gar nicht in Sicht kommen, wir erblickten aber ein rotes festes Feuer. Da St. Giovanni hell mit rotem Blink, wie ich wusste, oder wie im Buche bemerkt, festes Feuer und rotes Funkelfeuer werden sollte, so konnte ich nicht anders denken, als dass die Oesterreicher so gütig gewesen, das im Buch bemerkte *rote Feuer auf Cabula* anzuzünden, und dankte Ihnen, dass Sie dies schon im Buche bemerkt. Ich hatte nun meinen Kurs also westlicher zu nehmen, und fand mich am nächsten Morgen viel weiter vom Lande, als ich für möglich gehalten, konnte bloss eben Rovigno sehen, von dem ich während der Nacht nichts gesehen. Zufälligerweise bin ich auf der Rückreise nahe bei Rovigno wie es Abend wird, und denke in meinem Sinn: „wie mag das Feuer denn nun wohl eigentlich beschaffen sein?" und siehe da, ich habe dasselbe feste rote Feuer von *San Giovanni*, was ich für *Cabula* gehalten, und deshalb nicht hatte finden können. Durch eine Bora genötigt unter der Küste vor Anker zu gehen, nahm ich einen Lotsen, der mich bei Umago vor Anker brachte, war nur 2 Sm. vom Hafen, und suchte das grüne Hafenfeuer, fand es aber nicht. Der Lotse gehörte in Umago zu Hause, und teilte mir mit, dass es nicht *grün* sondern *hell* sei, und zeigte es mir auch. Ferner habe Ihnen noch mitzuteilen, dass das Feuerschiff von Grado noch nicht wieder ausgelegt ist, auch ist der Schraubenpfeilerturm noch nicht vorhanden; Mula di Muggia Bank wird durch 2 Doppelfeuer (ganz gewöhnliche aus 2 Wachttürmen) bezeichnet, die aber schlecht zu sehen sind. In Triest kann man so etwas gar nicht einmal erfahren.

Sie wissen ja, wie übel ich mit meinem Sextanten damals gefahren: jetzt habe mich noch nicht warnen lassen, gebe meinen Chronometer ans Land, bekomme denselben mit Stand und Gang zurück, vergleiche mit meinem anderen und finde 24 Minuten *(sage 24 Minuten)* Differenz, also 6 Grad! ist das nicht eine schöne Wirtschaft! hätte ich nun nicht 2 Chronometer gehabt und nicht sofort verglichen, da wären wir bei unsichtigem Wetter in eine nette Patsche geraten. Andere deutsche Zeitungen, wie die paar Blätter welche Ihnen sandte, giebt es in Triest nicht, auch keine guten in italienischer Sprache. Letztere sind nur radikale Parteiblätter. — Wollen Sie mir gütigst die Annalen in alter Weise einbinden lassen. „Hansa" habe auch in langer Zeit nicht erhalten, komme ja wohl hoffentlich bald einmal zu Hause, sonst wird man ganz fremd. —

Spanische Küste, Mai 3.

Endlich sind wir bei Spanien und man könnte vielleicht einen Brief loswerden, geschieht es, dann empfangen Sie besten Gruss von

Ihrem ergebenen *Th. M.*

Mai 9 erst bei Gibraltar.

Verschiedenes.

Verkehr deutscher Schiffe in Rotterdam im Jahre 1883. In den Hafen von Rotterdam sind im Jahre 1883 453 deutsche Schiffe eingelaufen, darunter 4 in Ballast und 2 leer. Von jenen Schiffen sind im Laufe des Jahres 449 wieder ausgegangen, davon 333 in Ballast und 1 leer. 1 Fahrzeug wurde verkauft und 1 ging in norwegischen Besitz über. Am Jahresschlusse waren 2 deutsche Fahrzeuge im Hafen, die in Winterlage verblieben. —z—

Der **Beitritt Englands zur Meterconvention** ist die erfreuliche Folge des Entgegenkommens der übrigen Staaten, vorausgesetzt dass der Meridian von Greenwich allgemein — Frankreich zögert freilich noch immer ebenfalls zuzustimmen — als der Ausgangsmeridian für alle astronomischen und geographischen Bestimmungen angenommen wird.

Eine grosse **Flutwelle** soll den **Hafen von Buenos-Ayres** unter grossem Verlust an Lichterfahrzeugen und Schiffen heimgesucht haben. Auch von grossartigen Ueberschwemmungen wird berichtet.

Reform des Schiffsvermessungsverfahrens im internationalen Sinne ist das Ziel eines von Rhederkreisen an den Handelsminister gerichteten Gesuches, nach welchem gewünscht wird, dahin zu wirken, dass das Schiffsvermessungsverfahren durch internationale Uebereinkunft gleichmässig geregelt und, bis dies geschehen, in Deutschland die Anwendung des englischen Verfahrens neben dem deutschen zugelassen werde. Während nach dem letzteren der wirkliche Inhalt der nicht zum Lade- oder Reisendenraum zu benutzenden Schiffsteile ermittelt und vom Bruttoraum abgezogen wird, bringt ersteres für Maschine, Kessel u. s. w. einen gewissen Procentsatz in Anrechnung, nach welchem sich regelmässig ein geringerer Nettoraumgehalt als nach dem deutschen Verfahren, ergiebt. Da fast alle Hafen-, Dock-, Lotsen- und sonstigen Schiffsabgaben nach dem Nettoraumgehalte bemessen werden, so sind die deutschen Schiffe erheblich im Nachteil und die denselben erwachsenden Mehrausgaben um so beschwerlicher, als auch im Rhedereibetriebe der Gewinn immer mehr abnimmt. Dazu komme, dass auch in andern Ländern, z. B. Frankreich, das englische Verfahren angewandt wird.

An **Bildungsanstalten der Marine** sind gegenwärtig folgende vorhanden: 1. die Marine-Akademie in Kiel, für Offiziere vom Lieutenant z. S. aufwärts, mit zweijährigem Kursus, welcher in diesem Jahre am 13. October begann; 2. die Marineschule in Kiel: a) für Offiziere behufs Vorbereitung zur Seeoffiziersberufsprüfung mit einjährigem Kursus; b) für Kadetten behufs Vorbereitung zur Seekadettenprüfung mit halbjährigem Kursus. Der Unterricht auf der Marineschule, welcher am 1. October begann, steht in enger Beziehung zu den Seekadettenschulschiffen, welche noch als Bildungsanstalten dienen können. An der Marine-Akademie und -Schule wird der berufstechnische Unterricht vom Marinepersonal erteilt. Für den allgemeinen wissenschaftlichen Unterricht sind Civillehrer und mehrere Docenten der Kieler Universität thätig. Mit diesen höheren Bildungsanstalten sind eine reichhaltige Modell- und Instrumentensammlung, ein physikalisches Kabinet und ein Laboratorium für Chemie und Electrotechnik verbunden. An sonstigen Marinebildungsanstalten sind zu nennen: 3. die Maschinisten- und Steuermannsschule; 4. die Torpedoschule; 5. die Zahlmeisterapplikantenschule. Diese drei Anstalten besitzen, wie Akademie und Schule, eine gemeinsame Direktion und sind zur Ausbildung des Unteroffizierpersonals für die einzelnen Deckoffizierbranchen bestimmt. 5. Das Schiffsjungeninstitut zu Friedrichsort zur elementaren Weiterbildung der Schiffsjungen, sechsmonatlicher Kursus; 7. die Divisionsschule bei jeder Matrosen- und Werftdivision zur elementaren Vorbildung des Unteroffizierpersonals für den späteren Besuch der Maschinisten-, Steuermanns- und Torpedoschule. Endlich existiren noch, analog den Verhältnissen in der Armee, bei den einzelnen Marineteilen die Mannschaftsschulen, beim Seebataillon die Bataillonsschule.

Der sechste Nachtrag zum Register des Germanischen Lloyd, welcher am 20. Septbr. 1884 abgeschlossen wurde, enthält 43 Berichte über neu klassifizirte Schiffe und 153 Berichte über Veränderungen etc., welche die Schiffe des Registers von 1884 betreffen.

Kanalprojekte in Deutschland. Schon vor längerer Zeit wurden im preussischen Verkehrsministerium die gesamten technischen Arbeiten für den *Nord-Ostsee-Kanal*, den *Rhein-Ems-Kanal* und für die Wasserstrasse aus den *oberschlesischen Montan-Revieren* nach der Ostsee einerseits und nach Berlin anderseits fertiggestellt, sodass binnen kurzem — vermutlich nach der Rückkehr des Finanzministers v. Scholz — die abschliessenden Verhandlungen mit dem Finanzministerium beginnen werden.

„**Das eiserne Jahrhundert**“ von A. v. Schweiger-Lerchenfeld. (Mit 200 Illustrationen und 20 Karten. Wien, A. Hartleben's Verlag. In 25 Lieferungen à 30 Kr. = 60 Pf.) Dieses hervorragende Werk, hat mit der nunmehr vorliegenden 17. Lieferung sämmtliche Erscheinungen auf dem Gebiete des Eisenbahnwesens abgeschlossen und fügt an jene Schilderung inhaltreiche und fesselnde Mittheilungen über das „Werden des Dampfbetriebes zur See“. Der Abschnitt „Eiserne Brautringe„, in welchem uns die grossen pacifischen (interoceanischen) Schienenwege Nord-Amerikas in Wort und Bild vorgeführt werden, liest sich wie eine fesselnde Reisebeschreibung, trotz des vorwiegend technischen Details. Man erkennt sofort, das man es hier mit civilisatorischen Werken der bedeutsamsten Art zu thun hat und bewundert die Routine des Autors, unser Interesse auf einem Gebiete gefangen zu halten, das für gewöhnlich nur auf rein fachmännische Weise behandelt wird. In dem Abschnitte die „Schienenwege in den Tropen“ behandelt das Werk ein Stück moderner Kulturgeschichte und zwar in einer Form, wie wir sie im Hinblicke auf die Sprödigkeit des Gegenstandes kaum für möglich gehalten hätten. Hieran schliesst mit weiterem kulturgeschichtlichen Horizont ein Abschnitt über „die Weltbahnen der Zukunft“, ein Stück Civilisation der Zukunft mit bedeutsamen Perspektiven: Die afrikanischen und asiatischen Zukunftsbahnen, sowie das grandiose Project des Kanal-Tunnels bilden hier die Hauptobjecte der von grosser Sachkenntniss zeugenden Schilderungen. Alle diese Abschnitte, sowie die mit seltener Sachkenntniss und Beherrschung des weiten Stoffgebietes geschriebenen einleitenden Kapitel über die „Schiffahrt“ sind reich mit instructiven Illustrationen und Karten versehen, die man um keinen Preis vermissen möchte. Was die Technik an Grossthaten leistet, ist bildlich dargestellt. Die nächsten Abschnitte werden die „Modernen Kriegsmittel“, „Das eiserne Gespinnst der Erde“ und die „Flugtechnik“, sowie die Dampfarbeit im Allgemeinen behandeln: ein reiches, vielgestaltiges Gebiet, von dessen gelungener plastischer Darstellung wir im Vorhinein überzeugt sind.

Navigationsschule.

Am 1. October cr. beginnt an der hiesigen Navigationsschule ein neuer Kursus für die Steuermannsklasse, wozu die Aufnahme-Prüfung am selben Tage im hiesigen Navigationsschullocale stattfinden wird.

Nach begonnenem Unterrichtskursus können während der ersten drei Monate aufnahmefähige Schüler noch nachträglich aufgenommen werden, später auch noch solche Schüler, welche einen gleichen Unterrichtskursus schon einmal durchgemacht haben oder nachweisen, dass sie mit den bis dahin durchgenommenen Unterrichtsgegenständen völlig vertraut sind.

Aufnahme in die Schifferklasse und in die Vorschule findet jederzeit statt.

Geestemünde, den 15. September 1884.

Das Kuratorium
Brandt.

Verlag von M. W. Silomon in Bremen. Druck von Aug. Meyer & Dieckmann, Hamburg. Alterwall 44.

HANSA

Redigirt und herausgegeben
von
W. von Freeden, BONN, Thomasstrasse 9.
Telegramm-Adresse:
Freeden Bonn,
oder
Hansa Alterwall 28 Hamburg.

Verlag von *H. W. Silomon* in Bremen
Die „*Hansa*" erscheint jeden Sonntag
Bestellungen auf die „*Hansa*" nehmen alle Buchhandlungen, sowie alle Postämter und Zeitungsexpeditionen entgegen, desgl. die Redaktion in Bonn, Thomasstrasse 9, die Verlagshandlung in Bremen, Obernstrasse 14 und die Druckerei in Hamburg, Alterwall 28. Sendungen für die Redaktion oder Expedition werden an den letztgenannten drei Stellen angenommen. **Abonnement** jederzeit, frühere Nummern werden nachgeliefert.

Abonnementspreis:
vierteljährlich für Hamburg 2½ ℳ,
für Auswärts 3 ℳ = 3 sh. Sterl.
Einzelne Nummern 60 ₰ = 6 d.

Wegen Inserate, welche mit 35 ₰ die Petitzeile oder deren Raum berechnet werden, beliebe man sich an die Verlagshandlung in Bremen oder die Expedition in Hamburg oder die Redaktion in Bonn zu wenden.

Frühere, komplete, gebundene Jahrgänge v. 1872, 1874, 1876, 1877, 1878, 1879, 1880, 1881, 1882, 1883 sind durch alle Buchhandlungen, sowie durch die Redaktion, die Druckerei und die Verlagshandlung zu beziehen.
Preis ℳ 6; für letzten und vorletzten Jahrgang ℳ 8.

Zeitschrift für Seewesen.

No. **22.** HAMBURG, Sonntag, den 2. November 1884. **21.** Jahrgang.

Inhalt:

Die Verordnung zur Verhütung des Zusammenstossens der Schiffe auf See

hat nach dem „Nautical Magazine", Septemberheft 1884, in Grossbritannien einige Aenderungen erhalten, die schon vom 1. September d. J. an in Kraft treten sollen, daher auch von deutschen Schiffen beachtet werden müssen, wenn diese sich innerhalb der „drei Meilen" Zone von Grossbritannien, wahrscheinlich auch von dessen Besitzungen und Kolonien befinden. Für die französische Marine ist sie schon publicirt.

Der **Artikel 8** ist geteilt in:

a) Ein Schiff, einerlei ob ein Dampfschiff oder Segelschiff, welches infolge eines Unfalles nicht manövrirfähig ist, muss führen:

bei Nacht: an derselben Stelle, an welcher Dampfschiffe die weisse Leuchte zu führen haben, — wenn es ein Dampfschiff ist, statt der weissen Leuchte, — drei rote Leuchten in kugelförmigen Laternen, jede von mindestens 25 Centimeter (10 Z. engl.) Durchmesser, senkrecht übereinander und nicht weniger als ein Meter (3 F. engl.) von einander entfernt; diese Leuchten müssen so beschaffen sein, dass sie bei dunkler Nacht und klarer Luft wenigstens zwei (See-) Meilen sichtbar sind;

bei Tage: vor dem Top des Fockmastes, aber nicht niedriger als dieser, drei schwarze Bälle oder ähnliche Körper, jeden von fünfundsechzig Centimeter (2 F. engl.) Durchmesser; senkrecht übereinander und nicht weniger als ein Meter (3 F. engl.) von einander entfernt.

b) Ein Schiff, einerlei ob Dampfschiff oder Segelschiff, welches ein Telegraphenkabel legt, aufnimmt oder anfischt, muss führen:

bei Nacht: an derselben Stelle, an welcher Dampfschiffe die weisse Leuchte zu führen haben, — wenn es ein Dampfschiff ist, statt der weissen Leuchte, — drei Leuchten in kugelförmigen Laternen, jede von mindestens 25 Centimeter (10 Z. engl.) Durchmesser, senkrecht übereinander und nicht weniger als zwei Meter (6 F. engl.) von einander entfernt; die oberste und die unterste dieser Leuchten soll rot, die mittelste weiss sein; diese Leuchten müssen so beschaffen sein, dass die roten Leuchten ebenso weit zu sehen sind, wie die weisse Leuchte;

bei Tage: vor dem Top des Fockmastes, aber nicht niedriger als dieser, drei Körper, jeden von fünfundsechzig Centimeter Durchmesser, senkrecht übereinander und nicht weniger als zwei Meter (6 F. engl.) von einander entfernt; der obere und der untere Körper muss (von allen Seiten gesehen) rautenförmig (doppelkegelförmig, schräg viereckig) und weiss sein.

c) Bei Nacht müssen die in diesem Artikel bezeichneten Schiffe, wenn sie keine Fahrt durchs Wasser machen, nicht führen: die Seitenleuchten, — wenn sie Fahrt durchs Wasser machen, müssen sie führen: die Seitenleuchten.

d) Die Leuchten und Körper, welche unter den in diesem Artikel bezeichneten Umständen zu zeigen befohlen ist, müssen von anderen Schiffen als derartige Signale beachtet und befolgt werden, dass das Schiff, welches sie zeigt, nicht manövrirfähig und deswegen nicht imstande ist, auszuweichen.

Die Signale, welche von in Not befindlichen Schiffen gegeben werden sollen, wenn letztere Hilfe verlangen, sind im Artikel 27 enthalten.

Artikel 10:

Offene Boote und Fischerfahrzeuge von weniger als 20 Tons Register Netto-Tragfähigkeit, die Fahrt durchs Wasser und ihre Netze, Korren, Scharrnetze (Schrapnetze, Kratzeisen mit Netzen) oder Leinen nicht im Wasser haben, sind nicht verpflichtet, die farbigen Seitenleuchten zu führen, statt derselben muss jedes solches Boot und Fahrzeug gebrauchsfähig und gebrauchsfertig (zur Hand) haben: eine Leuchte in einer Laterne, welch letztere an einer Seite ein grünes Glas, an der anderen Seite ein rotes Glas hat. Sobald das Boot oder Fischerfahrzeug sich anderen Fahrzeugen (Booten, Schiffen) nähert und/oder andere Fahrzeuge (Boote, Schiffe) sich dem betreffenden Boote oder Fischerfahrzeuge nähern, muss diese Laterne mit ihrer Leuchte zeitig genug, um Zusammenstossen zu verhüten, in solcher Weise gezeigt werden, dass der grüne Leuchtschein nicht von Backbordseite, der rote Leuchtschein nicht von Steuerbordseite her gesehen werden kann.

Der folgende Teil dieses Artikels gilt nur für Fischerfahrzeuge und Boote, die sich in den Meeresteilen befinden, welche an die nördlich von Kap Finisterre gelegenen Küsten Europa's grenzen.

a) Alle Fischerfahrzeuge und Fischerboote von 20 Tons und darüber Register-Netto-Tragfähigkeit, wenn sie Fahrt durchs Wasser machen, aber nicht die in den folgenden Anordnungen dieses Artikels genannten Leuchten führen dürfen, müssen führen und zeigen: dieselben Leuchten wie andere Schiffe in Fahrt.

b) Alle Fahrzeuge, welche beim Fischen mit Treibnetzen beschäftigt sind, müssen führen: zwei weisse Leuchten, an der Stelle des Fahrzeuges, von der aus sie am besten gesehen werden können. Diese Leuchten müssen so angebracht sein:

1. dass ihre senkrechte Entfernung von einander nicht weniger als zwei Meter (6 F. engl.) und nicht mehr als drei Meter (10 F. engl.) ist,

2. dass die wagerechte Entfernung derselben von einander parallel zur Kiellinie, aber nicht weniger als 1,53 Meter (5 F. engl.) und nicht mehr als drei Meter (10 F. engl.) ist.

Die untere dieser beiden Leuchten muss die am weitesten nach vorn angebrachte sein; beide müssen so beschaffen und in derart eingerichteten Laternen befindlich sein, dass sie rund herum (nach allen Kompass- oder Himmelsrichtungen) und in dunkler Nacht bei klarer Luft in einer Entfernung von wenigstens drei (See-) Meilen zu sehen sind.

c) Ein Fahrzeug, welches zum Fischen mit Leinen (Angelhaken an Leinen, Schnuren, Tauen) verwendet wird und diese Leinen ausgesteckt hat, muss dieselben Leuchten führen, wie ein Fahrzeug, welches beim Fischen mit Treibnetzen beschäftigt ist.

d) Wenn ein Fahrzeug während des Fischens dadurch zum Stillliegen gebracht wird, dass sein Fanggerät von einer Klippe (einem Steine) oder einem anderen Hindernis festgehalten wird, muss es dieselbe Leuchte zeigen und dasselbe Nebelsignal geben, wie ein am Anker liegendes Fahrzeug.

e) Fischerfahrzeuge und offene Boote, dürfen ausser den in diesem Artikel vorgeschriebenen Leuchten, noch jederzeit ein Flackerfeuer zeigen. Sämtliche Flackerfeuer, die ein Fahrzeug zeigt, während es mit der Kurre (Baumnetz), dem Scharrnetz oder irgend einer Art Schlepp(grund)netz fischt, welches kein Treibnetz ist, sollen vom Hinterende des Fahrzeuges aus gezeigt werden, ausgenommen wenn das Fahrzeug mit dem Hinterende an seiner Kurre, Scharr- oder Schlepp(grund)netz befestigt ist; in diesem Falle soll das Flackerfeuer vom Bug aus gezeigt werden.

f) Jedes Fischerfahrzeug und jedes offene Boot, welches in dem Zeitraum zwischen Sonnenuntergang und Sonnenaufgang am Anker liegt, muss eine weisse Leuchte zeigen, die rund herum (nach allen Himmelsrichtungen oder Kompassstrichen) in einer Entfernung von wenigstens einer (See) Meile sichtbar ist.

g) Bei Nebel, Mist (dunklem, nassem Nebel) oder bei Schneefall müssen alle beim Fischen beschäftigten Fischerfahrzeuge, — sowohl diejenigen, welche an ihren Treibnetzen liegen, als auch diejenigen, die mit der Kurre (Baumnetz), dem Scharrnetz oder irgend einer Art Schleppnetz fischen und die mit Leinen fischenden, — in Zwischenräumen von nicht mehr als zwei Minuten abwechselnd mit ihrem Nebelhorn einen Ton geben und ihre Glocke läuten.

Artikel 27. Not-Signale.

Es sind die bisherigen, nur würde ich von den Nachtsignalen 3) übersetzen:

Raketen oder Leuchtbomben, die Leuchtsterne beliebiger Farbe oder Art werfen und die man einzeln in kurzen Zwischenräumen steigen lässt.

Von den *Bemerkungen* mit denen Herr *Th. Gray*, einer der ersten Beamten des brit. Handelsamtes diese Verordnung bekannt macht, veröffentlicht das Nautical Magazine folgende.

Not-Signale. — Wenn der Schiffsführer jetzt ein Notsignal zeigt oder giebt, während er nur eines Lotsen bedarf, darf er nicht über diejenigen Beschwerde führen, welche veranlasst durch diese Signale, vom Land her kommen und Lohn für Hilfeleistung in Not beanspruchen. Andererseits, wenn sein Schiff in Not ist, und er Blaufeuer, Römische Lichter etc. als Signale benutzt, darf er sich nicht wundern, falls ihm keine Hilfe geleistet wird. Solche Dinge sind keine Notsignale.

Signale eines manövrirunfähigen Schiffes. — Diese Signale dürfen nicht mit Notsignalen verwechselt oder als solche benutzt werden. Diese Signale für „Manövrirunfähig!“ sollen benutzt werden um alle Schiffe, welche sie sehen, zu veranlassen, dem Schiffe das sie zeigt aus dem Wege zu fahren. Sobald der gerade Verantwortliche ein Schiff sieht, das diese Signale zeigt, sollte er weit entfernt von demselben bleiben; wenn das Schiff Hilfe braucht, wird es Notsignale zeigen. Es wird darüber geklagt, das fortwährend nach Schiffen hin gefahren wird, welche die Signale „manövrirunfähig“ zeigen und dass diese Schiffe von anderen, die ihnen Hilfe bringen wollen, gefährdet werden. Hoffentlich wird der gütige Leser wohl verstehen, dass es künftighin seine Pflicht ist, den Schiffen, die sie zeigen, aus dem Wege zu fahren.

„*Telegraphen-Kabel Schiffe*“. — Besondere Signale sind für Schiffe angeordnet, die bei Telegraphen-Kabeln beschäftigt sind (Art. 5 b); diese Signale werden ebenfalls zu dem Zweck gezeigt, andere Schiffe zu veranlassen, aus dem Wege zu bleiben.

„*Backbord- und Steuerbord-Ruder*“. — (Diese Bemerkung weist darauf hin dass man nicht überall „Backbord“ befehle, wenn das Schiff nach Steuerbord und „Steuerbord“ wenn es nach Backbord abbiegen soll, sondern dass man auch auf manchen Schiffen die Befehle der auszuführenden Handlung anpasse; deshalb sei jetzt der Befehl aus der Verordnung entfernt und die auszuführende Handlung vorgeschrieben.)

„*Mässige Geschwindigkeit*“. (Soweit Zusammenstossen in Betracht kommt, werde ich später meine Ansicht aussprechen.) In Zukunft wird auch der Schiffsführer Gefahr laufen sein Befähigungszeugnis zu verlieren, wenn sein Schiff bei einer Strandung während dicken Wetters mit einer Geschwindigkeit fuhr, die nach Ansicht des Seeamtes nicht „mässig“ war.

„*Leuchten der Treibnetzfischer*“. — — — In ihrem eignen Interesse sollen Fischer mit Treibnetzen bedenken: Wenn Ersatz für zerrissene Netze beansprucht wird, ist fortan einer der stärksten Einwürfe der, dass die in Art. 10 b. anbefohlenen „diagonal“ aufgestellten weissen Unterscheidungs-Leuchten nicht geführt worden sind.

„*Leuchten der Kurr- (Baum-, Grund-, Scharr- u. Schleppnetz-) Fischer*“. Mit Kurren u. s. w. fischende Segelfahrzeuge die in Fahrt sind, gleichgültig ob sie beim Fischen beschäftigt sind oder nicht, sollen nach dem Gesetz dieselben Seitenleuchten wie jedes andere Segelschiff zeigen und ebenso fischende Dampffahrzeuge die in Fahrt sind sollen ausserdem die Topleuchte wie jedes gewöhnliche Seedampfschiff führen. Aber diese Kurr- etc. Fischer, bieten gewöhnlich dem Gesetze Trotz; so lange sie beim Fischen beschäftigt sind, führen sie nur eine helle weisse Leuchte. Die Eigner, Schiffer und Mannschaft dieser Fahrzeuge wissen sehr wohl, dass die helle weisse Leuchte Unterscheidungszeichen ist für: ein Lotsenfahrzeug, ein am Anker liegendes Fahrzeug und ein überholt werdendes Schiff.

Der während der Wachtzeit Verantwortliche, sollte deswegen sobald er eine helle weisse Leuchte sieht, sehr vorsichtig in seinen Handlungen sein. Wenn er aus Mangel an gehörigem Ausguck oder bei Vernachlässigung rechtzeitig langsam zu fahren, zu stoppen oder, wenn nötig rückwärts zu fahren — mit einem Fischerfahrzeuge, das diese ungesetzmässige Leuchte führt, zusammenstösst, kann er als an dem Zusammenstossen schuldig verurteilt werden. Wenn er jedoch guten Ausguck gehalten und alles gethan hat, was vernünftigerweise von ihm erwartet werden kann; sein Fahrzeug aber doch mit einem in Fahrt seienden Kurr- etc. Fischerfahrzeuge zusammenstösst, weil er durch dessen weisse Leuchte veranlasst wurde zu denken, es sei ein am Anker liegendes oder ein Lotsenfahrzeug, — so trifft den Kurr- etc. Fischer die Schuld.

Das Handelsamt ist ängstlich darauf bedacht gewesen, dass beim Fischen beschäftigte Kurr- etc. Fischer eine Unterscheidungs-Leuchte führen sollen. Die Kurr- etc. Fischer erklären jedoch, sie wollen keine andere als eine einzige weisse Leuchte führen und da ihnen das Gesetz dies nicht erlaubt, sind sie in der Lage eines Menschen, der zum eignen Vorteil das Gesetz wissentlich und mit Vorsatz bricht, überdies thun sie es mit offnen Augen, voller Kenntnis der Folgen und ihrer Verantwortlichkeit. — Dies befreit aber durchaus nicht den während der Wache Verantwortlichen eines sich dem Fischerfahrzeuge nähernden Schiffes von der Pflicht, guten Ausguck zu halten und in jeder Weise alles zu thun was in seinen Kräften steht, Zusammenstossen zu verhüten.

„*Unerlaubte Leuchten und Schallsignale*“. Gegenwärtig werden viele Vorschläge für „Steuer-Signale“, „Steuer-Leuchten“ „Kompasskurs-Signale u. dgl. veröffentlicht. Führer und Wachführer von Schiffen mögen sich warnen lassen, dass sie sich ernste Unannehmlichkeiten zuziehen, wenn sie irgend welche in der Verordnung nicht vorgeschriebene Leuchten zeigen. Die Verordnung sagt deutlich: die in ihr genannten Leuchten „und keine anderen“ sollen geführt werden. — Ebenso lasse sich der geneigte Leser gesagt sein, dass, wenn er bei Nebel, Mist oder Schneefall die Nebelpfeife und das Nebelhorn gebraucht um irgend andere Schallsignale zu geben als die in Art. 12 oder Art. 10 g. (Fischerfahrzeuge) besonders genannten — und dann ein Zusammenstossen stattfindet, er für schuldig erkannt werden kann, von den Vorschriften abgewichen zu sein und das Zusammenstossen durch seine unrechte Handlungsweise oder sein Versehen herbeigeführt zu haben.

Diese Bemerkungen machen den von Herrn Gray sicherlich nicht beabsichtigten Eindruck, als wenn die Verordnung nicht zur Sicherung des Verkehrs auf See, sondern für Prozesse und zur Entziehung von Befähigungszeugnissen als Seeschiffer oder Steuermann zu fahren gegeben wäre. — Es sei gestattet, zunächst auf einen in der hier veröffentlichten Fassung enthaltenen „Blunder“ hinzuweisen.

Art. 5 b. schreibt die Grösse der Laternen, nicht aber die Sichtweite der Leuchten vor; so dass — während jedenfalls die in Art. 5 a. anbefohlene Sichtweite gemeint ist: nach dem Buchstaben des Gesetzes drei gleich weit leuchtende „Thranfunken“ genügen.

Zu welchem Zweck schreibt eine derartige Verordnung die Laternengrösse vor? Auf Sichtweite und Farbe der Leuchte kommt es an, die hat der Schiffsführer herzustellen und zu erhalten, das „wie“ ist seine Sache. Als Anhaltspunkte für Aufsichtsbeamte und Beteiligte ist es nützlich und dankenswert, wenn die Regierung Konstruktionen von Leuchtmitteln veröffentlicht, welche die anbefohlenen Bedingungen erfüllen, aber dafür, dass nicht etwa das Glas der Laterne wegen zu grosser Hitze springt oder dass alle Leuchtmittel durch Glas und ein Dach vor Regen und Wind geschützt werden, — dafür hat jeder Beteiligte selbst zu sorgen.

Leuchte schreibe ich, weil nach den Fällen haarsträubender Erkenntnisse bezw. Begründungen die mir vorgelegen haben, man sich darauf gefasst machen muss, dass nächstens behauptet wird: in der Verordnung sei stets von einem „Licht“ die Rede, also dürfen auch nur Lichte d. h. Kerzen verwendet werden. Das Gesetz meint natürlich eine Leuchtquelle, die bestimmte Sichtweite hat und nach bestimmten Richtungen hin Leuchtstrahlen aussendet. Unter Leuchten sind aber nicht zu verstehen Kajüts-, Kochhaus-, Logis- etc. Lampen, welche abgeblendet werden müssen, da nur obengenannte Lichtquellen gezeigt werden dürfen.

Die vorliegende britische Ausgabe spricht von Seedampfschiffen und Dampfschiffen; in der Kaiserl. Verordnung vom 7. Jan. 1880 ist kein derartiger Unterschied gemacht, hoffentlich wird es auch in der Verordnung nicht geschehen, welche die jetzt in England veröffentlichten Abänderungen anbefiehlt.

Art. 10 enthält in der ersten Zeile wieder etwas Unbestimmtes; es heisst: Offene Boote und Fischerfahrzeuge. Dadurch ist zweifelhaft, ob alle Arten Fischerfahrzeuge oder nur offene gemeint sind. Nach der Fassung von 5 f. „jedes Fischerfahrzeug und jedes offene Boot" ist anzunehmen, dass alle Arten Fischerfahrzeuge gemeint sind. Dies entspräche dem Geiste des Gesetzes; für die Erleichterung soll die Grösse entscheidend sein, nicht aber Nebenumstände, derentwegen man dem Fahrzeuge ein Deck giebt oder nicht.

Bei der Redaktion der deutschen Ausgabe werden hoffentlich die Redaktionsfehler der vorliegenden britischen vermieden. Art. 10 b, c, d sprechen nur von Fahrzeugen (vessels, eigentlich Gefässe, hier solche (Schiffe), die zum Transport über See von Waren und Personen bestimmt sind; Boote sind Fahrzeuge, da aber in den übrigen Teilen des Artikels Fahrzeuge und Boote unterschieden werden, sogar ein Unterschied zwischen offenen und gedeckten oder teilweise gedeckten Booten gedacht wird, so muss der Unterschied auch beibehalten werden. Der Sinn des Gesetzes ist: Fahrzeuge jeglicher Art, in sog. solche, die zum Fischfang benutzt werden. — Sollte es nicht möglich sein, in einer deutschen Verordnung etc. nur von Schiffen und Booten, event. auch von Fahrzeugen zu sprechen, dabei als Boote alle Fahrzeuge zu betrachten, deren grösster Teil ohne Deck ist?

Glücklicherweise ist „mist" in der noch jetzt gültigen Kais. Verordnung durch „dickes Wetter" ersetzt worden, sollte aber nicht noch ein bezeichnenderer Ausdruck zu finden sein? Die Meinung des Gesetzes ist doch: Sobald die Sichtweite durch atmosphärischen Niederschlag verringert wird, soll man den Gehörsinn dem Gesichtsinn zu Hülfe kommen lassen. Die Grenze ist durch die der farbigen Seitenleuchten und durch die Vorschrift gegeben, dass bei „schlecht sichtigem" Wetter mit mässiger Geschwindigkeit gefahren werden soll: eine Seemeile, d. h. wenn Dunst oder atmosphärischer Niederschlag die Sehweite bis auf 1 Seemeile verringert, sollten spätestens Schallsignale gegeben werden. Für die Glockenhändler und -Giesser (ob nur Englands) kommt jetzt eine vorübergehende „Besserung der Geschäftslage", denn alle Fischerfahrzeuge und beim Fischfang beschäftigten offenen Boote von 20 Tons und mehr Tragfähigkeit müssen sich jetzt mit einer „kräftig tönenden" Glocke versehen. Wie kräftig Glocke oder Nebelhorn sein sollen ist noch nicht gesagt, aber aus obiger Deduktion folgt die Bedingung: 1 Sm. bei Windstille hörbar.

Ein sehr grosser Uebelstand ist es, dass jetzt Kurr- etc. Fischer dieselben Leuchten führen, also auch dieselben Pflichten haben sollen, wie gewöhnliche Segel- und Dampfschiffe, die Fischer sich jedoch weigern es zu thun. Niemand darf zu Bruch oder Umgehung des Gesetzes ermutigen, aber nach Aussage von Dampfschiffführern, die Jahre lang wöchentlich zweimal durch die Fischerflotten der Nordsee fahren, weiss ich dass S. Maj. der Deutsche Kaiser die Fischer und Seefahrer für sich hatte, wenn Allerhöchst Dieselben ohne Rücksicht auf Grösse des Fahrzeuges für Treibnetz- und Angelfischer die beiden weissen „Diagonal"-Leuchten, für Kurr- und sonstige Grundfischer, die eine weisse Leuchte, aber rund herum (nach allen Kompass- oder Himmelsrichtungen) sichtbar, vorschrieben. Die Gefahr, Fischer zu schädigen, welche die Leuchten gewöhnlicher Segel- und Dampfschiffe zeigen, ist viel grösser, als die Gefahr, die entstehen kann, wenn ein zufällig „einsam und alleine" fischendes Fahrzeug für ein Lotsenfahrzeug oder für ein am Anker liegendes angesehen werden sollte; das überholt werdende zeigt eine weisse Leuchte nur nach hinten. Warum hat man den Lotsenfahrzeugen nicht lieber „bengalische Flammen" als Unterscheidungszeichen vorgeschrieben? deren Farbe auch als Unterscheidungszeichen für bestimmte Gegenden dienen kann; die „Fackel" könnte doch für Fischerfahrzeuge bleiben. Das mit der Kurre etc. fischende Fahrzeug ist hülfloser als ein am Anker treibendes oder das Telegraphenkabel legende, von ihm kann man nicht dieselben Manöver verlangen, wie von einem durch nichts behinderten; man verlangt sie aber, wenn es dieselben Leuchten führen soll wie dieses.

Was ist „mässige" Geschwindigkeit? Soweit mir bekannt, hat das Oberseeamt die Frage richtig entschieden: diejenige, bei der das betreffende Schiff in der halben Sichtweite zum Rückwärtsfahren gebracht werden kann. Dies ist die einzige, die Sicherheit des Verkehrs auf See herstellende Auslegung; denn man muss stets annehmen, dass das Schiff, mit dem zusammenzustossen die Gefahr entsteht, wenigstens gleiche Geschwindigkeit wie das eigene Schiff hat. Hinter Art. 13 als Art. 14 sollte Art. 18 gesetzt werden, um dem Seefahrer die Wichtigkeit desselben nahe zu legen und die unsinnige Auslegung eines ohne gehörige Ueberlegung urteilenden Richters zu verhindern: Art. 18 käme erst zur Geltung, wenn Rudermanöver unwirksam wären. An so etwas denkt die Verordnung nicht, sie schreibt *alle* Manöver *beim Entstehen* der Gefahr vor, weil sie ganz richtig voraussetzt, dass beim *Vorhandensein* der Gefahr das Zusammenstossen meistens nur abgeschwächt werden kann; da die Folgen einer unsichtigen, ungenügenden oder unzeitigen Handlung unabsehbar sind, muss jedes Gesetz rechtzeitiges, rasches Handeln mit *allen* zu Gebote stehenden Mitteln, hier Lenk- *und* Triebkraft verlangen. Die Idee, das Gesetz *rechtfertige* auseinanderfolgende Anwendung beider ist gefährlich, lächerlich. Etwas Anderes ist es, wenn man ein Rudermanöver vornimmt, um die Gefahr eines Zusammenstossens überhaupt nicht entstehen zu lassen.

Hier kann erwähnt werden, dass Art. 18 auch auf Segelschiffe ausgedehnt werden müsste. — Man fragt vielleicht, wie soll ein Segelschiff zum Rückwärtsfahren gebracht werden, wenn es backstags oder vor dem Wind mit 8—14 Sm. Geschwindigkeit fährt, oder sollen Segelschiffe eine, ihnen vielleicht seit Wochen zum ersten Male dargebotene Gelegenheit nicht ausnutzen? Ich denke, die Antwort ist sehr leicht: Es darf nicht gestattet sein, um für sich selbst Vorteile zu erzielen, Gut, Gesundheit und Leben Anderer zu schädigen; jeder ist gehalten, bei Uebernahme des Befähigungszeugnisses als Seeschiffer und Steuermann auch die Verpflichtung zu übernehmen, mit Hintansetzung des eignen und des Schiffsvorteils die Sicherheit des Verkehrs zu vermehren, — sie vermindern darf er nicht. Wenn ein Land-Fahrzeug mit grösstmöglicher Geschwindigkeit über einen belebten Platz fährt, wird sein Führer bestraft, auch wenn er keinen Schaden anrichtet, warum soll ein Seefahrzeug und sein Führer grössere Rechte haben? — Schreiber dieses und recht viele seiner Berufsgenossen sind nicht als Schlafmütze oder „Hangbax" über See gefahren, aber dadurch, dass sie und er bei unsichtigem Wetter und um Zusammenstossen zu vermeiden mit mässiger Geschwindigkeit fuhren, darauf hielten, stets Alles zum Beidrehen, Backbrassen etc. bereit zu haben und vom backstags Fahren in den Wind zu drehen, haben sie und hat er keine lange Reise gehabt.

In Bezug auf langsam Fahren bei schlecht sichtigem Wetter, wird es von den Seefahrern als Ungerechtigkeit ausgelegt, Schiffsführer zu bestrafen, die bei solcher Gelegenheit das Gesetz nicht befolgt hatten, während die Rheder — auch die Post — regelmässige, rasche Reisen verlangen. Damit ist nicht gesagt, dass Verletzung des Gesetzes verlangt wird; wenn ein Rheder seinen Kapitän entlässt, weil er unglücklicherweise häufig ungünstige Verhältnisse gefunden hat, welche dessen Reisen verzögerten, so handelt er, wie jeder andere, der Kapitalien in Umsatz bringt: von einem Manne, der kein Glück hat, sucht er sie baldmöglichst zurückzuziehen. Als schreiendes Beispiel ist genannt worden, ein Rheder habe dem Kapitän Vorwürfe gemacht, weil dessen Schiff eine Gezeit später in den Hafen gekommen als das gleichzeitig abgefahrene des Konkurrenten; auf die Entgegnung des Kapitäns, er hätte in dickem Nebel weder den Untergang seines, noch den anderer Schiffe riskiren wollen, habe der Rheder geantwortet: Wissen Sie nicht, dass das Schiff versichert ist? Der Rheder konnte seinen Mann oder besass wenig Weltklugheit. Derartige Leute wird es unter den Rhedern hoffentlich nur vereinzelt geben, indess kann man mir glauben: dadurch, dass ich aus dem Dienste eines *Rheders* ausschied, bei dem ich Gefahr lief, in ungehörige Verhältnisse verwickelt zu werden, habe ich keinen Schaden gehabt.

Infolge von Fragen und anderem nach Zusammenstossen von Schiffen Geschehenem benutze ich die Gelegenheit, hier vor der Annahme zu warnen, die ich in einer englischen Variation von Herrn Gray's Bemerkungen gefunden habe, dass nämlich raumer Wind erst achterlich von dwars beginnt und bis zwei Kompassstriche von hinten zu rechnen ist. Wie sich jemand die verschiedenen Lagen der Schiffe darstellt, um dem Gesetze zu genügen und sich auf Manöver vorzubereiten, das ist seine Sache; aber im Sinne des Gesetzes kann nur das Schiff als beim Winde segelnd betrachtet werden, das mit am Winde gestellten Segeln beim (am) Winde steuert; sowie es — selbst mit am Wind gestellten Segeln — Kurs steuert, hat es raumen Wind. „Vor dem Wind" kann nur Wind „platt" von hinten bezeichnen, denn für Gaffelschiffe ist es auf See schon gewagt, wenn der Wind auch nur einen Kompassstrich von einer Seite ist, mit nach beiden Seiten gestellten Segeln (wing-on-wing) zu fahren. — In der nächsten deutschen Ausgabe bleiben hoffentlich die Backbord- und Steuerbord-Halsen weg; wenn es heisst: beim Winde mit dem Wind an Backbord bezw. an Steuerbord fahrend, — ist jedes Missverständnis ausgeschlossen.

In der vorliegenden Ausgabe der britischen Verordnung ist wieder Unterschied zwischen meeting und crossing ships gemacht; in deutscher Sprache ist dies nicht nötig; wer bis in die erste Klasse einer Volksschule gekommen ist, soll gelernt haben zu begreifen, dass Schiffe nur auf zusammentreffenden oder auf parallelen Richtungen fahren können. Zusammenstossen kann nur entstehen, wenn sich Schiffe nähern, durch die Gefahren der Seefahrt auch auf parallelen Kursen (indem Schiffe durch Gieren und Scheeren „langseit klappen" d. h. aneinander geworfen werden). Es wäre daher gut, wenn in Art. 16 Abs. 1 und 2 zusammen gezogen würden, und die Redaktion von Art. 16 geringfügige Aenderung erführe.

Art. 15. Wenn zwei Dampfschiffe in gerade entgegengesetzter oder beinahe gerade entgegengesetzter Richtung sich so einander nähern, dass diese Schiffe, sofern sie ihren Kurs beibehalten, nicht frei von einander passiren, sondern Gefahr des Zusammenstossens entsteht, so muss u. s. w.

Dieser Artikel findet keine Anwendung wenn die Schiffe, sofern sie ihren Kurs beibehalten, frei von einander passiren, — er findet nur in solchen Fällen Anwendung, in denen bei Tage u. s. w.

Art. 16. Wenn zwei Dampfschiffe (auf anderen als in Art. 15 genannten Kursen) sich so einander nähern oder in solchen Richtungen fahren, dass Gefahr des Zusammenstossens entsteht u. s. w.

Bis ich nicht eines Besseren überzeugt bin, betrachte ich als „voraus“ jede Richtung „vorlich von dwars“; ich kann auch nicht einsehen, warum hinter Art. 14 d, e. Art. 16 u. 17 nicht in Parenthese gesetzt werden könnte: ausgenommen den in Art. 20 vorgesehenen Fall.

Bei Art. 17 bringt die vorliegende britische Ausgabe der p. p. Verordnung eine Klausel für die Themse, nach der — wenn aus Ursachen, welche die Führung des Dampfschiffes nicht beseitigen kann, es für das Dampfschiff gefährlich oder unthunlich ist, einem Segelschiff aus dem Wege zu fahren, das Segelschiff dem Dampfschiffe aus dem Wege fahren soll: „nachdem das Dampfschiff sein Unvermögen durch vier oder mehr Töne mit der Dampfpfeife, jeder von ungefähr 2 Sekunden Dauer angezeigt hat.“ — Bedenkt man: die Gefahr des Zusammenstossens entsteht, der Dampfschiffsführer überblickt die Lage und kommt zur Einsicht, er kann durch Rudermanöver das Zusammenstossen nicht vermeiden, sondern gefährdet dadurch Gut, Gesundheit und Leben von mehr Personen als auf seinem und dem entgegenkommenden Schiffe sind (die Gefahr ist schon da, also diese sind schon gefährdet) = 5 Sekunden wenigstens; er giebt die 4 Töne mit ebenso kurzen Pausen = 16 Sek. + 5 = 21 Sek., erst beim 4. Ton weiss das Segelschiff, was die Töne zu bedeuten haben und giebt Befehl: Hart — —, der mit seiner Ausführung auch 10—15 Sek. beansprucht = 30—36 Sek., da wird in den meisten Fällen das Zusammenstossen entschieden sein, ausgenommen das Dampfschiff hat gleichzeitig „volle Kraft rückwärts“ befohlen. — Wenn Dampfschiffsführer in Flüssen das Gesetz befolgten, stets rechtzeitig stoppten und rückwärtsfahren, hätten wir verschwindend wenig Fälle von Zusammenstossen. — Gleichzeitig mit Empfehlung dieses Themseartikels zur Annahme für die Elbe ist im vorigen Jahre hier der Grundsatz aufgestellt worden: der Sinn der p. p. Verordnung ist, dasjenige Schiff soll ausweichen, welches es am leichtesten kann!! Der Spruch, der diesen Unsinn enthält, bringt noch anderen; — indess ist zu berücksichtigen: einer der drei seefahrtskundigen (d. h. sein sollenden) Beisitzer war von jeher als kein guter Seemann bekannt, — selbst wenn man Glück gehabt hat und das handfeste derbe Aussehen besitzt, was für den Schiffskapitän eine Notwendigkeit sein soll, auch ein netter Mann beim Glase Bier oder Wein ist, braucht man nicht mit Sachkunde gesegnet zu sein, — aber ein Navigationslehrer sollte es sein.

Zu Art. 19 habe ich in No. 12 der „Hansa“ den Vorschlag gemacht, auch Glockensignale für am Anker liegende Schiffe freizustellen; ich wiederhole die privatim ausgesprochene Ansicht, dass solche Signale mehr Gewissensberuhigung für den Gesetzgeber sind, als praktischen Wert haben. Sie müssen gegeben werden, *ehe* die Gefahr entsteht, sonst verwirren sie und schaden. Es ist daher sehr richtig, wenn Art. 19 von in Sicht befindlichen Schiffen spricht, also von den Signalen erwartet, sie sollen nicht allein die Gefahr, sondern das Entstehen der Gefahr verhüten; das schliesst eigentlich ihre Benutzung bei unsichtigem Wetter aus, — man möchte sagen mit Recht, denn durch seine äusserst verschiedene Dichtigkeit bricht und lenkt atmosphärischer Niederschlag den Schall äusserst verschieden, abgesehen von dem Echo, das Schiffsteile veranlassen.

In Bezug auf Ueberholen mache ich einen Unterschied zwischen Art. 11 und Art. 20, soweit es die Frage betrifft: was ist ein überholendes Schiff? Nach Art. 11 ist es dasjenige Schiff, welches im dunkeln Kreisteile eines anderen Schiffes fährt und sich diesem nähert. In Bezug auf Art. 20 wird ein Schiff von einem anderen überholt, dessen Kurs oder Fahrrichtung mit der jenes einen kleineren Winkel als 8 Kompassstriche = 90° derart bildet, dass die Fahrrichtungen vor den Schiffen zusammenstossen — und welches schneller fährt als jenes, d. h. in derselben Zeit eine grössere Strecke fährt. — Das überholende Schiff wird in den überwiegend meisten Fällen von einer Gegend kommen, die hinter der Querlinie des überholt werdenden liegt, aber jenes kann sehr wohl auch von jenem aus in einer Stellung gesehen werden, die vor der Querlinie des überholt werdenden ist. Wenn nämlich das überholende zur hier in Betracht kommenden Zeit 2½ Kompassstriche oder 30° (in einzelnen Fällen 45° = 4½ Kompassstriche) und weniger, vor der Querlinie des überholt werdenden sich befindet und der Winkel den beide Kurslinien mit einander bilden zwischen 7½ und 5½ Kompassstrichen oder 89 u. 61°, beide inbegriffen liegt, naturgemäss derart, dass die Entfernung von ersterem bis zum Punkte des Zusammenstossens der Fahrrichtungen grösser ist als von letzterem. — Diese Kurswinkel können beide Schiffe kaum beurteilen; bei klarer Luft oder „gut sichtigem“ Wetter wird das überholt werdende Schiff sehen, dass das überholende weiter voraus kommt, das überholende wird sehen, dass das andere weiter nach hinten kommt; wenn der Unterschied in der beiderseitigen Geschwindigkeit gross ist, wird die Gefahr des Zusammenstossens um so grösser, je grösser der Winkel ist, — je kleiner der Unterschied der Geschwindigkeit bei kleinem Winkel oder kleinerem als 60° der Fahrrichtungen ist, um so länger scheint ein Schiff das andere (in derselben Peilungslinie oder Richtung) zu (be)halten. Sobald das überholende Schiff sich achterlich von dwars (von quer ab, hinter der Querlinie) von dem überholt werdenden befindet, besteht für dieses kein Zweifel über die Sachlage. — Diese Betrachtung ergiebt sich aus der, dass ein überholendes Schiff nicht nur 30 m und mehr in der Minute mehr zurücklegt (1 Sm. und mehr grössere Fahrt hat) als das überholt werdende, sondern schon 4 m in der Minute und weniger genügt, um als grössere Fahrgeschwindigkeit gelten zu müssen, — dass ferner ein Schiff das andere nicht eher überholt hat als bis es den Punkt oder die Gegend wo die Fahrrichtungen zusammenstossen, die Schiffe also zusammenstossen können, passirt ist; auch aus der Betrachtung des gleichseitigen bezw. gleichschenkligen Dreiecks und seines Ueberganges in ein ungleichseitiges durch Aenderung eines Winkels, aus der die Aenderung eines zweiten und zweier Seiten folgt bezw. vom gleichschenklig rechtwinkligen ausgehend durch Aenderung des rechten und eines der an der Hypothenuse liegenden, wobei der dritte Winkel konstant bleibt. — Bei unsichtigem Wetter ist keine Zeit, Ueberholen und Ueberholtwerden zu unterscheiden, — bei geringem Unterschiede der Geschwindigkeit ist es schwer. — Art. 16, 17 und 18 würden dann in Kraft treten, wenn nicht Art. 23 es ratsam machte, dass jedes Schiff seinen Kurs änderte und sich in parallele Lage mit dem andern brächte (eines vom anderen wegsteuerte, wie Kapt. Krabbe vom Perlbach'schen Dampfschiffe „Hamburg“ es bezeichnete — jedes an derjenigen Seite des anderen bliebe an der es sich gerade befindet, wie Dr. O. Hübener es nannte), natürlich mit gleichzeitiger Befolgung von Art. 18.

Ich bin leider nicht imstande, hier die wünschenswerten Zeichnungen zu veröffentlichen, aber ich weise darauf hin, dass nur der Versuch, die Schiffe in parallele Lage mit einander zu bringen eine Vorsichtsmassregel ist; der Versuch bei unvermeidlicher Gefahr die Schiffe in parallele Lage gegen einander zu bringen ist ein Wagnis. Es ist sehr wünschenswert, dass dieses von einander Wegsteuern im Gesetz zur Geltung käme.

Art. 21 ist eine der grössten Wohlthaten für die Seefahrt; es ist zu hoffen, dass man streng auf seine Befolgung sieht. Je grösser der Verkehr wird, um so mehr Fahrwasser wird man als „enges Fahrwasser“ betrachten müssen. *Leider* geben die Behörden in denjenigen Flüssen und engen Fahrwassern für die das Strassenrecht auf See gilt, durchaus nicht immer genügende Anhaltspunkte, um die Befolgung dieses Gesetzesteiles zu erleichtern. — Es ist manchmal scheinbar schwierig, zu entscheiden: Was ist die Mitte des Fahrwassers? aber fast immer bietet die Art und Weise des Verkehrs der Gegend Mittel, die Entscheidung der Sachlage entsprechend zu geben, die heutige Technik bietet bereits verhältnismässig billige Mittel, die Mitte eines Fahrwassers zu bezeichnen oder das Fahren an einer bestimmten Seite leicht zu machen.

Wenn in die neue Form der Verordnung Not-Signale aufgenommen werden, ist nicht einzusehen, warum dasselbe nicht auch mit den Lotsen- (Ruf-) Signalen geschieht.

Erschöpft wird ein derartiges Thema kaum; nach meiner Ueberzeugung ist Grundzug der Ausweichungsregeln: der Stärkere soll aus dem Wege des Schwächeren bleiben; ferner, dass Fahrwasser mit starkem Verkehr und häufigen atmosphärischen Niederschlägen Feld für Schnellfahrer nicht sind.

Hamburg, Septbr. 1884. *A. Schück*, Seeschiffer.

Die Schiffs-Unfälle an der deutschen Küste und die Verunglückungen (Totalverluste) deutscher Seeschiffe im Jahre 1883.

Nach der vom Kaiserl. statistischen Amt zusammengestellten Statistik der im Jahre 1883 in den deutschen Küstengewässern vorgekommenen *Schiffsunfälle* verunglückten daselbst und wurden beschädigt:

Durch folgende Ursachen	Schiffe überhaupt	Darunter Schiffe, deren Grösse bekannt war		Darunter Schiffe, deren Besatzung bekannt war	
		Schiffe	Reg.-Tons	Schiffe	Besatzung incl. Passagiere
Stranden	86	83	17 613	83	1 013
Kentern	7	6	448	6	26
Sinken	17	17	478	17	39
Kollisionen ...	116	86	39 217	81	1 154
Sonst. Unfälle .	63	52	12 187	63	383
zusammen	273	243	69 823	240	2 615
dagegen 1882..	272	251	60 262	247	3 026
1881..	262	237	53 414	242	1 864
1880..	271	233	43 676	236	1 620

Total verloren gingen infolge der Unfälle im Jahre 1883: 60 Schiffe (1882: 83, 1881: 101, 1880: 112) und zwar 33 der gestrandeten, 5 der gekenterten, 9 der gesunkenen, 6 der in Kollision geratenen und 7 der von anderen Unfällen betroffenen; gesunken und wieder gehoben wurden 16, schwer bezw. erheblich beschädigt und reparirt 15, beschädigt und reparirt 17, leicht beschädigt 42, leck geworden und reparirt 13, vom Strande abgebracht 49, davon 31 beschädigt, 18 unbeschädigt, in Sicherheit gebracht 9, davon 3 beschädigt, 6 unbeschädigt, unbeschädigt flott geworden 3, unbeschädigt blieben 47 Schiffe und bei 2 Schiffen blieb der Ausgang des Unfalls unbekannt.

Die *örtliche Verteilung* aller Schiffsunfälle überhaupt, mit den Totalverlusten darunter, wird durch nachstehende Zusammenstellung veranschaulicht:

Ort der Unfälle (Küstenstrecken)	Zahl der Unfälle Schiffe	Darunter Totalverluste Schiffe
Ostpreussen	3	3
Westpreussen	48	1
Pommern zw. Rixhöft und Grossborst	4	4
" " Grossborst und Arkona einschl. d. Oderreviers zwischen Stettin und Swinemünde	10	6
Pommern und Mecklenburg zwischen Arkona und Buk	12	2
Mecklenburg und Holstein, zwischen Buk und Dahmerhöft	8	—
Uebrige schleswig-holsteinische Ostküste, einschliessl. der Inseln Fehmarn und Alsen	11	4
zusammen Ostseegebiet	96	20
Schleswig-Holstein, Westküste, nördlich der Eidermündung	7	6
Schleswig-Holstein, Westküste, zwischen der Eidermündung und Neuwerk, einschl. des Elbreviers	131	14
Hannover und Oldenburg, zwischen Neuwerk und Wangeroog, einschl. des Weserreviers und der Jade	20	8
Ostfriesische Küste zwischen Wangeroog und der Emsmündung	19	12
zusammen Nordseegebiet	177	40

Mit einem *Verlust von Menschenleben* verknüpft waren 19 Unfälle; bei 9 derselben (2 Strandungen, 4 Fälle von Kentern, 3 von Sinken) verlor die gesamte Besatzung der betr. Schiffe, aus 27 Mann bestehend, ihr Leben; bei den übrigen 10 Unfällen (2 Strandungen, 2 Fälle von Kentern, 3 Kollisionen und 3 Unfälle anderer Art) gelang es nur einem Teil, 58 Personen, sich zu retten, der Rest der an Bord gewesenen Personen, aus 20 Mann bestehend, darunter 2 Passagiere, kam um.

Unfälle mit Gefahr für Menschenleben überhaupt kamen 49 vor; gerettet wurden, soweit bekannt, 322 Personen darunter 14 Passagiere; die Rettung geschah

bei 72 Pers. durch die eigenen Schiffsboote,
" 36 " " Selbsthülfe sonst,
" 15 " " Lotsen allein,
" 24 " " Strandbewohner (Fischer etc.),
" 56 " " passir. od. in der Nähe ankernde Schiffe,
" 81 " " Rettungsstationen,
38 " unversehrt geblieben bei Kesselexplosionen bezw. bei Feuer an Bord.

Der *Nationalität* nach wurden 177 deutsche und 96 fremde Schiffe von Unfällen betroffen. Die fremden Schiffe waren ihrer Flagge nach: 6 russische, 8 schwedische, 13 norwegische, 11 dänische, 42 britische, 7 niederländische, 3 französische, 1 italienisches, 2 österr.-ungarische, 1 nordamerikanisches und 2 Schiffe unbekannter Flagge.

Hinsichtlich ihrer *Gattung* (Takelung oder Bauart) zerfallen die verunglückten Schiffe in 88 Schrauben-, 7 Räderdampfer, 5 Vollschiffe, 20 Barken, 5 dreimastige Schuner, 9 Briggs, 24 Schunerbriggs und Schuner, 12 Galeassen und Galioten, 5 Gaffelschuner und Schmacken, 10 Kuffen, 32 Ever, 16 Tjalken, 34 Schaluppen, Jachten, Schniggen, Mutten etc., 5 Oder- und andere Flusskähne und von 1 Schiff blieb die Gattung unbekannt.

Der *Verwendung* nach waren es 242 Kauffahrteischiffe, 8 Fischerfahrzeuge, 7 Passagierdampfer, 11 Schleppdampfer, 2 Postdampfer, 1 Eisbrecher, 1 Lotsenfahrzeug, 1 Feuerschiff.

Der *Jahreszeit* nach kamen Unfälle vor:

im Januar ... 11,	im Mai 7,	im September . 15,
" Februar ... 8	" Juni 8,	" Oktober ... 41,
" März 18,	" Juli 9,	" November . 28,
" April 13,	" August 15,	" Dezember .. 50.

Der *Tageszeit* nach fanden statt während des Tages 77 Unfälle, während der Nacht 102; in 39 Fällen blieben Angaben über die Zeit des Unfalls aus.

Seeamtliche Untersuchungen zur Feststellung der Ursachen der Unfälle fanden bei 47 Strandungen, 4 Fällen von Kentern, 7 Fällen von Sinken, 15 Kollisionen und 13 Unfällen anderer Art, zusammen bei 86 aller im Jahre 1883 an der deutschen Küste vorgekommenen Schiffsunfälle statt. Die Ursachen der Unfälle waren nach diesen Entscheidungen a) menschliches Verschulden in 29 Fällen, b) unverschuldete Fügung in 55 Fällen, c) die Ursache des Unfalls nicht ermittelt in 2 Fällen.

Mit Bezug auf das *Ladungs-Verhältnis* waren von den verunglückten Schiffen 148 vollbeladen, 26 halb- bis vollbeladen, 3 weniger als halbbeladen, 23 in Ballast, 37 leer und von 36 Schiffen war das Ladungs-Verhältnis unbekannt.

Von den *Ladungen* gingen gänzlich verloren bezw. verdarben 26, grösstenteils verloren oder verdorben 7, teilweiser Verlust oder teilweise Beschädigung 34, grösstenteils beschädigt geborgen 5, beschädigt geborgen 1, grösstenteils geborgen 10, gänzlich geborgen 13, unbeschädigt blieben 93 Ladungen.

Von den *beladenen Schiffen* waren befrachtet mit schweren Gütern 110, und zwar 19 mit rollenden und 91 mit festen Ladungen, 29 mit leichten Gütern, 13 mit gemischten Gütern, und 37 mit Stückgütern ohne nähere Angabe.

Versichert waren von den 273 Schiffen, welche Unfälle erlitten haben 125, darunter 107 zu bekannten Beträgen von zusammen 5 470 025 ℳ., unversichert fuhren 27, und von 121 Schiffen blieb das Versicherungs-Verhältnis unbekannt.

Aus dem Nachweis der im Jahre 1883 als *verunglückt angezeigten deutschen Seeschiffe* geht hervor, dass zur amtlichen Kenntnis die Verunglückungen (Totalverluste) von 192 registrirten Seeschiffen mit 62 354 Reg.-Tons gelangten (1882: 216 Schiffe mit 67 491 Reg.-Tons), von denen 34 Schiffe mit 9 186 Reg.-Tons auf frühere Jahrgänge entfallen; ihrer Heimat nach gehörten davon 116 zu Preussen, 12 zu Mecklenburg, 12 zu Oldenburg, 2 zu Lübeck, 13 zu Bremen und 37 zu Hamburg. —s—

Zur Hebung unserer Seefischerei.

Ein sehr lesenswerter, ruhig gehaltener, informirender Artikel der Ostfr. Zeitung No. 216, in welchem der Verfasser (wahrscheinlich der Director der Emder Herings-Fischerei-Gesellschaft Kapt. Lindemann) zuerst die Angriffe zurückweist, welche ihm von unkundiger aber interessirter Seite über den Bezug der geölten Netze aus Holland (statt aus Deutschland, wo *sie nicht* trotz aller Bitten und Bestellungen *zu haben* sind) gemacht worden sind, verbreitet sich auch über die Mittel zur Hebung der deutschen Seefischerei und werden die Wünsche dort also zusammengefasst.

„Sobald nur der Zoll auf gesalzene Seefische in unserem Sinne auf 7 ℳ per Tonne erhöht würde, das Examen für Führer von Hochseefischerfahrzeugen wegfiele, Fischerfahrzeuge aus der Kategorie der Kauffahrteischiffe gestrichen würden, die deutsche Zollgesetzgebung dem Fischereibetriebe nicht mehr hindernd im Wege stände, der Herr Minister des Innern die Hochseefischerei von der Fluss- und Binnenfischerei trennte, und für die erstere eine Kommission ernennen würde, wie solche in Holland besteht, welche ihm alljährlich die Ergebnisse der Fischerei in jedem deutschen Hafen und die wünschenswerten Verbesserungen zur Hebung des Betriebes vorlegt und welche Unterbeamte hat, die hauptsächlich mit der Köhrung des „Fleisches für den armen Mann" sich befassen und den so geköhrten Tonnen mit gesalzenen Fischen einen offiziellen Stempel geben, ferner die Lootsengelder, An- und Abmusterungsgebühren und sonstige Abgaben für Fischerfahrzeuge auf ein Geringes zurückgeführt würden, eine specielle Gesetzgebung für die Bemannung von Hochseefischerfahrzeugen geschaffen würde, die deutschen Netzfabrikanten die Netze so anfertigten, wie sie verlangt werden, und der Zoll auf Netze, da die deutschen Netzfabrikanten ja so sehr gegen das Ausland konkurrenzfähig sind, in Wegfall käme, dann würden sehr bald Herings- und Kabliau-Fischereien an der Ems, Weser und Elbe entstehen, und würden, höchstwahrscheinlich, durch den Zoll gezwungen, holländische Hochseefischereien mit ihrem Betriebe nach Deutschland übersiedeln und diese uns billigere und bessere Lehrmeister für unsere Küstenbevölkerung auf dem Fischereigebiete werden, als „Regierungsbeamte mit Dampfern", die Ihr D.-Korrespondent in einem Artikel vorschlug.

Die Konkurrenz der verschiedenen Unternehmungen würde schon von selbst das Verteuern des „Fleisches für den armen Mann" verhindern.

Die Rhederei von Stettin.

Die verhältnismässig gute Rentabilität, deren sich die Dampfer in den letzten Jahren erfreuten, begünstigte überall den Bau zahlreicher neuer Dampfer, und es war schon lange vorauszusehen, dass eine Ueberproduktion unfehlbar eintreten müsse. Dieser Zeitpunkt ist jetzt leider eingetreten und die Kalamität macht sich um so fühlbarer, als es unter den gegenwärtigen Geschäftsverhältnissen an Ladung überhaupt sehr fehlt und daher, wenn solche einmal in grösserem Masse vorhanden, das Angebot so massenhaft auftritt, dass die Frachten dadurch auf das Aeusserste herabgedrückt werden. Es zeigte sich dies besonders im Frühjahr als es galt, den fehlenden Eisbedarf durch Bezüge aus Norwegen zu decken, bei welcher Gelegenheit die Raten durch übergrosse Konkurrenz derart herabgesetzt wurden, dass für die Rhedereien von diesem umfangreichen Verkehr kaum etwas übrig blieb.

Auch die Frachten für russisches Getreide setzten von vornherein sehr niedrig ein und haben jetzt einen Stand erreicht, der nur Verlust bringen kann, und da es sonst an lohnender Beschäftigung fehlt, haben mehrere Rhedereien sich genötigt gesehen, ihre Schiffe aufzulegen. Es braucht kaum erwähnt zu werden, dass die Segelschifffahrt, welche schon lange nicht mehr rentirt, sich unter diesen Umständen erst recht in sehr übler Lage befindet. Die Frachten für Holz, fast die einzige Ladung, welche den Seglern bisher hier verblieben war, aber denselben übrigens neuerdings durch die Dampfer auch schon streitig gemacht wird, waren denn auch vollständig ungenügend und nicht entfernt geeignet, Gewinn übrig zu lassen. Trotzdem gelang es nicht allen, im hiesigen Winterlager befindlich gewesenen Schiffen Ladung zu erhalten, einzelne waren vielmehr genötigt, in Ballast zu versegeln. —s—

Die Rhederei von Flensburg.

Das Rhedereigeschäft, welches schon im ersten Vierteljahr einen starken Rückgang zu verzeichnen hatte, hat auch in den nachfolgenden Monaten sich nicht zu erholen vermocht, so dass diese Branche des Flensburger Geschäftsverkehrs irgend welche nennenswerte Erfolge nicht aufzuweisen hat.

Nachdem im April die zahlreich aufgelegten Schiffe wieder in Fahrt gesetzt, gingen die an sich schon sehr mässigen Frachten bald noch weiter herunter, so dass manche Rhedereien, da infolge der flauen preussischen und russischen Getreidemärkte, es vielfach an Ladungen mangelte, sich gezwungen sahen, ihre Dampfer teilweise wieder aufzulegen.

Mit Holzfrachten sah es nicht besser aus; nachdem die Schiffahrt im Botten wieder eröffnet war, legten sowohl Dampfer wie Segler sich auf diese Fahrt, und wurden die im ganzen nur wenig am Markt befindlichen Holzladungen bald genommen, so dass es im Juni schwer hielt, solche zu erhalten.

Diese Flauheit erstreckt sich nicht allein über Ost- und Nordsee, sondern auch über das schwarze Meer, Mittelmeer, die ostindischen und chinesischen Gewässer, und ist es bei dem so überaus niedrigen Stande der Schiffsraten trotz der grössten Sparsamkeit den Rhedern nicht möglich gewesen, Ueberschüsse zu erzielen.

Unter solchen Verhältnissen ist auch hier dem Plane der Reichsregierung auf Errichtung überseeischer Postdampferlinien in Verbindung mit der Beschützung deutscher Kolonisationsbestrebungen allseitige und lebhafte Teilnahme entgegengebracht worden, weil man sich davon, und sicher nicht mit Unrecht, eine erhebliche Entwickelung der allgemeinen Erwerbsthätigkeit verspricht. Es bleibt im wirtschaftlichen Interesse dringend zu wünschen, dass diese Pläne in ihrem vollen Umfange zur Ausführung gelangen. —s—

Germanischer Lloyd.

Deutsche Handels-Marine; Seeunfälle vom Monat Sept. 1884, soweit solche bis zum 15. Octbr. 1884 im Central-Bureau des Germanischen Lloyd gemeldet und bekannt geworden sind.

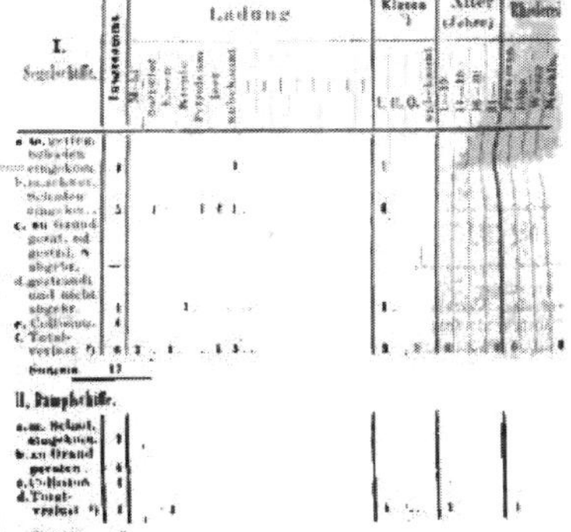

I. Segelschiffe.	Zusammen	Ladung	Klasse [1]	Alter (Jahre)	Rheder...
a. ... eingekom.	1	[illegible]	[illegible]	[illegible]	[illegible]
b. ... gesunken	5	[illegible]	[illegible]	[illegible]	[illegible]
c. an Grund gerat. od. gestrand. u. abgebr.	—				
d. gestrandet und nicht abgebr.	1	[illegible]	[illegible]	[illegible]	[illegible]
e. Collisionen	4	[illegible]	[illegible]	[illegible]	[illegible]
f. Totalverlust [2]	6	[illegible]	[illegible]	[illegible]	[illegible]
Summa	17				
II. Dampfschiffe.					
a. m. Mannsch. eingegangen	1	[illegible]			
b. an Grund geraten	4				
c. Collision	1				
d. Totalverlust [3]	[illegible]	[illegible]	[illegible]	[illegible]	[illegible]
Summa	9				

[1] Soweit zu ermitteln, Klasse einer Schiffsklassifizierungs-Gesellschaft. [illegible] = keine Klasse. [illegible] Seeleute. 1.

[2] Tonnengehalt von 6 Schiffen [illegible] Tons.

[3] Tonnengehalt von 1 Schiff [illegible] Tons.

BERLIN, d. 13. Octbr. 1884.

Nautische Literatur.

Das Reisen nach und in Nordamerika, den Tropenländern und der Wildniss, sowie die Tour um die Welt. Ein praktisches Handbuch mit einem Anhang: Wo bleiben die Verwandten? Von Heinrich Semler, San Francisco. Wismar, Hinstorff'sche Hofbuchhandlung. Verlags-Conto 1884.

Eines der interessantesten Reisehandbücher, welches Ref. jemals gelesen. Hier schildert ein welterfahrener Reisender, welcher so und soviel 100000 Kilometer auf die verschiedenartigste Weise, zu Schiff und zu Wagen, zu Pferde und zu Esel, auf Dromedar- und Maultierrücken, im Hundeschlitten und auf Eisenbahnen, in sibirischen Postkutschen, japanischen Jinrikischas und ostindischen Palankins in allen Klimaten, dem eisigen kanadischen der Hudsonsbai-Kompagnie als Jäger und dem tropischen von Centralamerika und Ostindien als wissenschaftlicher Botaniker und Zoologe in seinem vielgestaltigen Wanderleben zurückgelegt hat, was in jedem Fall die beste Ausrüstung für den Reisenden ist, wie er Land und Leuten.

der Lebensart der Einwohner und den Produkten des Landes, den Verkehrseinrichtungen zu Wasser und zu Lande, den „karrirten Globetrotters“ der grossen Dampferlinien und den gebildeten Kaufleuten als Reisegefährten gegenüber Stellung zu nehmen und sich, wie der Franzose sagt, aus der Affaire zu ziehen habe. Namentlich ist der Erhaltung der Gesundheit, der Kunst, mit geringsten Mitteln in der Wildniss, wie im überschwänglichen Luxus der Tropen-Faktoreien eine passende nicht ruinöse Lebensart einzuhalten, gebührender Raum gewidmet und diese Fürsorge auch auf die Behandlung Verwundeter, von Schlangenbissen etc. Heimgesuchter ausgedehnt. Alles aus der vollen Praxis heraus geschrieben, mit Erfahrungen an sich selbst und Anderen belegt, dabei höchst anschaulich geschildert, so dass man immer selber dabei zu sein und mitzureisen scheint. Auch der Kostenpunkt wird eingehend berührt, angemessene Voranschläge werden aufgestellt unter Zugrundelegung der verschiedenen Tarife, die durch vergleichende Mass- und Münztabellen unterstützt werden und dann noch eine ganz ausführliche Sammlung von guten Vorschlägen gegeben, wie man selber kochen, braten und sich eine schmackhafte Mahlzeit mit geringsten Mitteln zubereiten soll, wie man sein Freilager, auf deutsch Bivouac, einzurichten habe, um doch zu erquickendem Schlafe zu gelangen, wie Flüsse zu übersetzen sind u. s. w., u. s. w. Kurz jeder praktisch sinnende und denkende Leser wird wohl nach keiner Seite sich ratlos von dem Buche abwenden, dessen Durchlesung von Anfang bis Ende den Ref. in steter Spannung erhalten und dauernd befriedigt hat.

Anweisung zur Führung des Schiffstagebuches. Von Navigationslehrer Kruse. Zweite Auflage. Emden, Verlag von W. Haynel. 1884.

Es ist ein gutes Zeichen für die Brauchbarkeit dieses Buches, dass es in Zeit von drei Jahren seine zweite Auflage erlebt und der Verfasser sich darauf beschränken durfte, abgesehen von thunlichster Richtigstellung und Vervollständigung der Angaben es im wesentlichen unverändert wieder vorzuführen; doch ist ein ausführliches Sachregister beigefügt und die praktische Benutzung dadurch bedeutend erleichtert. Ein vollständig durchgeführtes Schiffstagebuch als Musterbeispiel soll in nächster Zeit nachfolgen.

Wir wiederholen die in Hansa 1881 ausgesprochenen Wünsche für die Verbreitung der hochverdienstlichen Arbeit, welche in derselben mustergültigen äussern Form wie anfangs hier wieder erschienen ist.

Uebersicht

sämtlicher auf das Seerecht bezüglichen Entscheidungen der deutschen und fremden Gerichtshöfe, Reskripte etc. der betreffenden Behörden etc., einschliesslich der Literatur der dahin bezüglichen Schriften, Abhandlungen, Aufsätze etc.

Titel XI. Versicherung gegen die Gefahren der Seeschiffahrt.

d. Umfang der Gefahr.

Bei einer Seeversicherung auf Güter für alle Gefahr hat der Versicherer auch den höheren Zoll zu ersetzen, welcher infolge der Verfügung einer kriegführenden Macht von den Gütern zu entrichten ist.

Aus den *Entscheidungsgründen:* „Wie unter den Parteien unstreitig ist, konnten vor dem Kriege zwischen Peru und Chile die für Bolivia bestimmten Waren auf Grund eines zwischen Peru und Bolivia bestehenden Handelsvertrages in den peruanischen Hafen Mollendo und Arika in der Weise eingeführt werden, dass der bolivianische Zoll dort von ihnen erhoben wurde und sie dann, ohne mit einem peruanischen Zoll belastet zu werden, frei durch Peru nach Bolivia befördert wurden. Infolge des zwischen Peru und Chile ausgebrochenen Krieges blockirten aber die Chilenen am Ende des Jahres 1879 Mollendo, setzten sich dann auch in den Besitz von Arika und hoben den gedachten Vertrag zwischen Peru und Bolivia thatsächlich dadurch auf, dass sie zwar den Transport der nach dem letzteren Lande bestimmten Waren über Arika zuliessen, aber bei deren Landung den peruanischen Zoll von denselben erhoben, was zur Folge hatte, dass bei der Einführung nach Bolivia auch noch der gleich hohe bolivianische Zoll dafür entrichtet werden musste. — Laut Police vom 29. Juni 1880 haben nun die Kläger für Rechnung, wen es angeht, auf Order von N. & Comp. in La Paz auf Manufaktur- und Wollwaren in Höhe von 22 500 ℳ für die Reise von Hamburg nach Mollendo und weiter nach La Paz in durchstehendem Risiko *„gegen alle Gefahr“* bei der beklagten Gesellschaft Versicherung genommen, wobei beiden Teilen bekannt war, dass Mollendo blockirt sei. Auch ist es unstreitig, dass schon beim Abschlusse der Versicherung die erwähnte Veränderung in den Zollverhältnissen eingetreten war. — Da bei der Ankunft des Schiffes vor Mollendo wegen Fortdauer der Blockade dieses Hafens durch die Chilenen die Waren dort nicht ausgeladen werden konnten, wurden sie nach Arika geschafft und von dort nach dem in Bolivia gelegenen Bestimmungsorte La Paz befördert. Für die hierdurch eingetretene erhebliche Vermehrung der Transportkosten hat die Beklagte den Klägern Ersatz geleistet. Dagegen verweigert sie die von den Klägern ebenfalls verlangte Erstattung derjenigen Mehrkosten, welche dadurch entstanden sein sollen, dass den Chilenen der peruanische Zoll hat bezahlt werden müssen, welcher von der peruanischen Regierung nicht gefordert sein würde. — Das Berufungsgericht hat in Uebereinstimmung mit dem ersten Rechtszuge auch diesen Anspruch den Klägern im Prinzip zugebilligt und das Reichsgericht darin die Verletzung einer Rechtsnorm nicht zu finden vermocht aus folgenden *Gründen:* „Der Grundsatz, dass bei der Seeversicherung wie bei allen Transportversicherungen der Versicherer, abgesehen von der eigentümlichen Natur oder der fehlerhaften Beschaffenheit des transportirten Gegenstandes selbst und abgesehen von einem eigenen Verschulden des Versicherten, alle Gefahren zu tragen hat, welchen Schiff oder Ladung während der Dauer der Versicherung ausgesetzt sind, soweit nicht durch Gesetz oder Vertrag bestimmte Gefahren ausgenommen sind, ist im Art. 824 H.-G.-B. und in dem hiermit im Wesentlichen übereinstimmenden § 69 der allg. Seeversicherungsbedingungen von 1867, welche der Police vorwiegend zum Grunde liegen, ausdrücklich anerkannt, wie denn auch aus den Beratungsprotokollen zum H.-G.-B. sich ergiebt, dass man die Haftpflicht des Versicherers zu beschränken abgesehen hat. Wenn die Beklagte darauf hinweist, dass man nach den Protokollen (S. 3305 f.) bei einer mit der Klausel *„Nur für Seegefahr“* (Art. 853 H.-G.-B.) geschlossenen Versicherung als Grundsatz angenommen habe, dass der Assekuradeur in diesem Falle nicht für denjenigen Schaden haften solle, welcher zunächst, d. h. unmittelbar, durch Kriegsgefahr entstanden sei, so beweist dies gerade, dass selbst bei dieser konventionellen Beschränkung der Haftung durch die Ausnahme der Kriegsgefahr im übrigen doch die gedachte Regel bestehen bleibt. Die Exemplifikation der zunächst durch Kriegsgefahr verursachten Schaden, für welche der Versicherer *„nur für Seegefahr“* nach Art. 853 H.-G.-B. und § 101 der allg. Bedingungen nicht haftet, ist schon deshalb nicht entscheidend, weil durch diese Aufzählung, wie auch durch den Zusatz *„insbesondere“* angedeutet wird, andere Fälle eines zunächst durch Kriegsgefahr verursachten Schadens nicht haben ausgeschlossen werden sollen. Ausserdem sind im vorliegenden Falle, wo von der sonst üblichen Klausel *„nur für Seegefahr“* abgesehen und gerade mit Rücksicht auf die herrschenden Kriegsverhältnisse die Versicherung übernommen ist, von der Beklagten auch die durch den Krieg nur mittelbar entstandenen Gefahren übernommen, so dass die Beklagte auch die Gefahr zu tragen hat, dass infolge der Kriegsverhältnisse die versicherten Waren ihren Bestimmungsort La Paz nur gegen Bezahlung höherer Zölle als der in Friedenszeiten zu zahlenden erreichen konnten. Da die Beklagte selbst angegeben hat, es sei zwar von ihr beim Abschlusse des Vertrages gehofft, dass bei Ankunft des Schiffes entweder der peruanisch-chilenische Krieg oder die Blockade von Mollendo beendigt sein würde, sie hätte sich aber für den entgegengesetzten Fall darauf gefasst machen müssen, die höheren Transportkosten über Arika den Klägern ersetzen zu müssen, liegt kein Grund vor, den hier in Frage stehenden Schaden, welcher ebenfalls durch den Krieg veranlasst ist, anders zu behandeln. Der Einwand der Beklagten, dass den Versicherer an und für sich die Zollverhältnisse nichts angingen und dass er es nur mit dem Transporte und dessen Erschwerungen, Verteuerungen und Behinderungen zu thun habe, nicht aber auch mit etwaigen handels- oder zollpolitischen Verfügungen der kriegführenden Mächte, ist unzutreffend. Denn durch die Zollbelastung wird der Warentransport in gleicher Weise erschwert bezw. verhindert, wie durch den infolge des Krieges einzuschlagenden Umweg über Arika. Richtig würde dieser Einwand nur sein, wenn Mollendo der Bestimmungsort der Waren gewesen wäre, denn dann hätte mit deren Ladung in Mollendo die Gefahr für den Versicherer überhaupt aufgehört. Ganz anders aber hier, wo die Beklagte alle Gefahr auch des Weitertransports nach La Paz übernommen hatte und erst bei der Ankunft der Waren in La Paz die Gefahr für sie endigte. Ob die Massregel der Chilenen als Auferlegung einer direkten Kriegskontribution aufzufassen ist oder nicht, ist rechtlich unerheblich, da sie auch im Verneinungsfalle den Charakter einer Kriegsmassregel an sich trägt und durch den Krieg, dessen Gefahren die Beklagte nach Art. 824 H.-G.-B. und § 69 der allg. Seeversicherungsbedingungen (No. 4) übernommen hatte, veranlasst ist. Auch fällt sie jedenfalls unter die dort erwähnten, vom Versicherer ebenfalls zu tragenden *„Verfügungen von hoher Hand,“* so dass sie sich in ihren rechtlichen Wirkungen für das vorliegende Vertragsverhältnis von einer teilweisen Konfiskation der Waren durch die Chilenen nicht unterscheidet. Da die hier in Rede stehende Zollbelastung nicht erst nach Ankunft der Waren an ihrem Bestimmungsort eingetreten ist, sondern sich auf deren versichertem Transporte ereignet und diesen über das gewöhnliche Mass verteuert hat, so kann auch nicht die Rede davon sein, dass hier lediglich eine ungünstige Handelsspekulation vorliege, welche gleich den Gefahren der Schwankungen des Marktes stets zu Lasten des Versicherten bleibe. — Dahingestellt kann bleiben die Frage, wie in den von der Beklagten supponirten Fällen zu entscheiden sein würde, wenn zur Zeit der Ankunft des Schiffes die Blockade von Mollendo wieder aufgehoben gewesen wäre und entweder die Chilenen diesen Platz besetzt und den peruanischen Zoll dort erhoben hätten oder die Peruaner selbst die Vergünstigung des freien Warentransits nach Bolivia noch nicht wieder eingeführt, sondern ihrerseits den Zoll von den Waren erhoben hätten. — Unerheblich würde es endlich auch sein, wenn das englische und nordamerikanische Recht von abweichenden Grundsätzen ausgehen sollte, wie Beklagte auszuführen sucht." (Erk. d. I. Civilsen. des Reichsgerichts vom 28. Mai 1883; Entscheid. Bd. X, S. 22 ff.)

Verschiedenes.

Als Unterlage für Teller, Flaschen etc. auf Seeschiffen wird jetzt immer häufiger ein an diese Gegenstände angeklebter Ring von Gutta-Percha benutzt, welcher verhindern soll, dass die Sachen bei Seegang vom Tische rutschen. Jeder Seefahrer, ob berufsmässiger oder gelegentlicher ist einerlei, erkennt die bis jetzt gebräuchlichen Rahmen als eine grosse Unbequemlichkeit an, welche durch Anwendung von Gutta-Percha-Unterlagen wenigstens für alle festen Speisen, oder wenn man die Teller, Flaschen, Gläser, Tassen nur halb füllt, auch für flüssige Nahrung in den meisten Fällen in Wegfall kommt. Die Neigung des Tisches, also auch des Schiffes, kann bis zu 50° betragen, wie durch Versuche festgestellt ist, ohne dass die mit Gutta-Percha-Unterlagen versehenen Gegenstände ins Rutschen kommen, so fest kleben die Sachen an ihre Unterlage fest. Diese Unterlagen sind nicht etwa massiv, sondern bestehen nur aus ringförmigen Stücken, welche an die betreffenden Gegenstände, wozu auch alle Waschtischutensilien gehören, befestigt werden. Sie bewahren ferner alle leicht zerbrechlichen irdenen oder gläsernen Sachen vor Bruch bei unvorsichtig heftigem Aufsetzen auf den Tisch und haben sich so nach allen Richtungen bis schon als sehr praktisch und nützlich erwiesen.

Verlag von H. W. Silomon in Bremen. Druck von Aug. Meyer & Dieckmann, Hamburg, Alterwall 58.

HANSA

Redigirt und herausgegeben
von
W. von Freeden, BONN, Thomasstrasse 8.
Telegramm-Adresse:
Freeden Bonn.
oder
Neuer Alterwall 28 Hamburg.
Verlag von M. W. Silomon in Bremen.
Die „Hansa“ erscheint jeden Sonntag.

Abonnementspreis:
vierteljährlich für Hamburg 2½ M.
für auswärts 3 M = 3 sh. Sterl.
Einzelne Nummern 30 ₰ = 6 d.

Zeitschrift für Seewesen.

No. 23. HAMBURG, Sonntag, den 16. November 1884. 21. Jahrgang.

Inhalt:

Aus dem Deutschen Nautischen Verein

Rundschreiben.

Kiel, d. 24. Octbr. 1884.

Auf dem 15. Vereinstage wurde beschlossen:

1. Dem Vorsitzenden die Aufstellung des Etats für das nächste Vereinsjahr zu überlassen;

2. Dem Vorsitzenden anheimzugeben, im nächsten Vereinsjahr 1,50 ℳ pro Kopf einzuziehen.

In Gemässheit des mir durch vorstehenden Beschluss gewordenen Mandats habe ich an der Hand der vorjährigen Jahresrechnung zunächst einen Voranschlag für das laufende Jahr aufgestellt. Derselbe folgt in der Anlage, die zugleich einen Abdruck der Jahresrechnung für 1883/84 enthält. Zu den Beiträgen der dem Vereinsverbande angehörigen Ortsvereine ist in dem Voranschlage als besondere Einnahme ein Zuschuss von Seiten der Schiffergesellschaft »Weser« zu Bremerhaven, sowie des Vereins deutscher Seeschiffer in Hamburg für die denselben übersandten Vereinsberichte, nach der Zahl der Exemplare berechnet, in Ansatz gebracht. —

Die Höhe der schon gemachten und noch zu erwartenden Ausgaben liess eine niedrigere Bemessung der Mitglieder-Beiträge als 1,50 ℳ pro Kopf unthunlich erscheinen. Namentlich hat der Druck des letzten Jahresberichts im laufenden Jahre wieder eine recht erhebliche Summe in Anspruch genommen, was sich dadurch erklärt, dass einerseits fast alle Vereine darauf Wert gelegt haben für jedes ihrer Mitglieder ein Exemplar der Berichte zu bekommen, andererseits dadurch, dass die Vorschläge des deutschen Nautischen Vereins inbetreff der Abänderung des Seeunfallgesetzes in so grosser Auflage gedruckt wurden, dass dieselben bei den zweifellos bevorstehenden Verhandlungen im Reichstage einer Anzahl von Reichstagsabgeordneten zugestellt werden können, was gewiss nur im Interesse der Sache sein dürfte.

Ich benutze diese Gelegenheit, um den Vereinsvorständen ans Herz zu legen, für eine Ausbreitung unserer Vereinsbestrebungen, namentlich für eine Vermehrung der Mitgliederzahl nach Kräften thätig sein zu wollen — auch schon deshalb, damit dauernd eine ordentliche Bilanz erzielt wird und nicht, wie 1882 geschehen, teilweise des Kassenstandes wegen, ein Vereinstag ausfallen muss.

Die Wichtigkeit einer Vertretung der nautischen Interessen tritt immer mehr zu Tage. Noch aber halten sich von dem gemeinsamen Vorgehen aus den Interessentenkreisen viele zurück, die sich wohl bei einer geeigneten Anregung gewinnen lassen. Andererseits giebt es auch eine Zahl von Küstenplätzen, in denen möglicher Weise ein nautischer Lokalverein errichtet werden könnte; vielleicht sind einzelne Vereine in der Lage, auch in dieser Beziehung eine Anregung bieten zu können. Unsere Thätigkeit wird an Bedeutung gewinnen, je grösser der Kreis ist, den der Deutsche Nautische Verein unmittelbar repräsentirt. —

Der Vorsitzende des
Deutschen Nautischen Vereins
Sartori.

Kiel, d. 31 Octbr. 1884.

I. Vom Nautischen Verein zu Vegesack ist nachstehender Beratungsgegenstand für die Tagesordnung des sechszehnten Vereinstages angemeldet worden:

„Der Herr Reichskanzler möge ersucht werden, bei der englischen Regierung Schritte dafür zu thun, dass dieselbe die Insel Fair Island befeuern und mit einem Nebelhorn versehen lasse"

und dafür Folgendes zur Begründung hervorgehoben:

Wie aus einem Schreiben des Herrn Residenten von Fair Island hervorgeht, ist dort selbst die Notwendigkeit einer Befeuerung jener für den Verkehr so wichtigen Insel anerkannt worden, und zwar aus dem Grunde, weil die Feuerkreise des Dennis Head Light auf N.-Rolandsha (Nordspitze von Schottland) und des Sumburgh Head Light auf den Orkney-Inseln sich nicht schneiden und bei dem unberechenbaren Laufe der stark setzenden Strömung namentlich zur Nachtzeit, Schiffe, trotzdem sie vorher gutes Besteck hatten, hier sehr leicht total versetzt werden.

Von Hamburg und Bremen kommende Schiffe, die nach Amerika gehen, sind nun bei Südsüdwest-Winden gezwungen, falls sie den Kanal nicht erreichen können, ihren Kurs nördlich um England zu nehmen, wobei sie den Weg an Fair Island vorbei suchen.

Frühere Verlüste an Schiffen und Mannschaften, sowie die neuerdings erfolgte Strandung der Bark »Marco Polo« aus Barth, bei der wieder einige Menschenleben zu Grunde gingen, haben die Notwendigkeit unseres Antrages klar genug erkennen lassen. Wir hegen die Ueberzeugung, dass die englische Regierung Anstalten zur Sicherung der genannten Fahrstrasse machen wird, wenn die deutsche Reichsregierung sich bereit finden lassen sollte, bezügliche Vorstellungen in geeigneter Weise an dieselbe gelangen zu lassen.«

II. In Bezug auf den von dem Nautischen Verein zu Hamburg gestellten Antrag, betreffend eine Klarstellung der Ausdrücke *„Bug"* und *„Hals" für die Lage beim Winde segelnder Schiffe* hat der Kieler Nautische Verein unterm 1. und 25. v. M. beschlossen, nachstehende im »Handbuch der Seemannschaft« von Franz Ulffers, Berlin 1872, Seite 248, gegebene Erklärung als zutreffend anzuerkennen:

»Das Segeln bei dem Winde wird entweder nach den Halsen, die ausgeholt sind, benannt, oder nach der Seite, gegen welche das Schiff unten drängt. Man sagt deshalb: Ein Schiff segelt mit Backbordhalsen, oder über Steuerbordbug und umgekehrt.«

Hierzu wurde noch folgende Resolution angenommen:

»Es ist wünschenswert, dass von massgebender Stelle dahin gewirkt werde, in Bezug auf die Lage beim Winde eine einheitliche Bezeichnung einzuführen.

Indem ich mir gestatte, von vorstehenden Beschlüssen Kenntnis zu geben, hoffe ich recht bald in den Besitz der Aeusserungen der übrigen Vereine über diese Frage, soweit dieselben nicht bereits geantwortet haben, zu gelangen. Ich werde alsdann umgehend eine Zusammenstellung aller zu Tage getretenen Ansichten bewirken. Auch anderen Anträgen sehe ich bei der nunmehr wieder beginnenden Thätigkeit der Nautischen Vereine zur Mitteilung an die anderen Vereine entgegen. —

Der Vorsitzende des
Deutschen Nautischen Vereins
Sartori

Rechnung für den Deutschen Nautischen Verein im Jahre 1883/84.

A. *Einnahme:*

1.	Kassenbestand	M.	674.60
2.	Jahresbeiträge der Einzelvereine (Barth, Berlin, Brake, Danzig, Greifswald, Hamburg, Kiel, Lübeck, Memel, Papenburg, Rendsburg, Rostock, Rügenwalde, Stettin, Stralsund, Vegesack, Wolgast), mit 1027 Mitgliedern	„	1188.50
	Zusammen	M.	1863.10

B. *Ausgabe:*

1.	Unkosten auf dem XIV. Vereinstage	M.	23.55
2.	Honorar des Stenographen	„	450.—
3.	Druckkosten für den stenograph. Bericht	„	760.—
4.	Bureaukosten, Schreibgebühren, Schreibmaterialien, Porto etc.	„	153.68
5.	Reisekosten des Schriftführers	„	150.—
	Zusammen	M.	1537.23

Voranschlag für den Deutschen Nautischen Verein im Jahre 1884/85.

A. *Einnahme:*

1.	Kassenbestand	M.	325.87
2.	Jahresbeiträge der Einzelvereine (Barth, Berlin, Brake, Danzig, Elsfleth, Greifswald, Hamburg [Nautischer Verein und Verein Hamburger Rheder], Kiel, Lübeck, Memel, Papenburg, Rendsburg, Rostock, Rügenwalde, Stettin, Stralsund, Vegesack, Wolgast), mit, soweit hier nach den letzten Ermittelungen bekannt, zus. 1183 Mitgl.	„	1774.50
3.	Beiträge des Vereins deutscher Seeschiffer in Hamburg u. des Schiffervereins „Weser" in Bremerhaven	„	37.—
	Zusammen	M.	2137.37

B. *Ausgabe:*

1.	Unkosten auf dem XV. Vereinstage, Lokalmiete, Vervielfältigung der Sitzungsprotokolle etc.	M.	65.93
2.	Honorar des Stenographen	„	450.—
3.	Druckkosten a) Stenograph. Bericht nebst Separatabdrücken der Vorschläge betr. das Seeunfallgesetz, b) Rundschreiben, Jahresbericht, Vorlagen u. Tagesordnung zum Vereinstage	„	937.—
4.	Bureaukosten, Schreibgebühren, Schreibmaterialien, Porto etc.	„	160.—
5.	Reisekosten des Schriftführers	„	150.—
6.	Kassenbehalt	„	154.44
	Zusammen	M.	2137.37

Die neue Postdampfschiffvorlage,

bezw. der Entwurf eines Gesetzes, betreffend die Verwendung von Geldmitteln aus Reichsfonds zur Einrichtung und Unterhaltung von Postdampfschiffsverbindungen mit überseeischen Ländern, ist den Mitgliedern des Bundesrats nunmehr zugegangen, und soll der Entwurf drei Paragraphen enthalten: Nach § 1 wird der Reichskanzler ermächtigt, die Einrichtung und Unterhaltung von regelmässigen Postdampfschiffsverbindungen zwischen Deutschland einerseits und Ostasien, sowie Australien und Afrika andererseits, auf eine Dauer bis zu *fünfzehn Jahren* an geeignete Unternehmer zu übertragen und in den hierüber abzuschliessenden Verträgen Beihülfen bis zum *Höchstbetrage von jährlich fünf Millionen vierhunderttausend Mark* aus Reichsmitteln zu bewilligen. § 2 lautet: Die im § 1 bezeichneten Verträge bedürfen zu ihrer Gültigkeit der Genehmigung des Bundesrats. Ueber den Inhalt der Verträge, sowie über die auf Grund derselben geleisteten Zahlungen ist dem Reichstag bei Vorlage des nächsten Reichshaushaltsetats Mitteilung zu machen. § 3 lautet: Die nach § 1 zahlbaren Beträge sind in den Reichshaushaltsetat einzustellen.

Es sind in Aussicht genommen:

I. *Für den Verkehr nach Ostasien:* a) eine Hauptlinie von der deutschen Küste nach Hongkong, über Rotterdam bezw. Antwerpen, Lissabon, Suez, Colombo, Singapore, b) eine Zweiglinie von Venedig oder Triest über Brindisi, bezw. von Genua über Neapel und Alexandrien, c) eine Zweiglinie zwischen Hongkong und Yokohama über Shanghai, Nagasaki und einen noch zu bezeichnenden Hafen in Korea.

II. *Für den Verkehr mit Australien:* a) eine Hauptlinie von der deutschen Küste nach Sidney über Suez, Adelaide und Melbourne, b) eine Zweiglinie von Sidney über Auckland, Tonga, Samoa-Inseln und Brisbane zurück nach Sidney.

III. *Für den Verkehr mit Britisch-Indien:* im Anschluss an die ostasiatische und die australische Hauptlinie eine Linie zwischen Aden und Bombay.

IV. *Für den Verkehr mit West- und Ostafrika:* eine Hauptlinie von der deutschen Küste nach Delagoa-Bay über Havre oder Cherbourg, Gorée, Angra Pequeña, Kapstadt, Natal, Mozambique, Zanzibar.

Im Anschluss an diese Linie wird eine Umgestaltung der schon jetzt bestehenden deutschen Dampferlinien nach der westafrikanischen Küste beabsichtigt, vermöge deren der Postdienst nach den westafrikanischen Plätzen regelmässig ausgeführt werden kann.

Zu einer möglichst eingehenden und überzeugenden Begründung der *Dampferunterstützungsvorlage* werden übrigens von der Reichsregierung grosse Anstrengungen gemacht. Es ist eine Art von Erhebungen im Gange, welche die Befragung sachverständiger Interessenten bezweckt und umfassendes gutachtliches Material in Aussicht stellt. Das eingeleitete Verfahren ist noch nicht beendet und allem Anscheine nach werden die Ergebnisse die hauptsächlichste Grundlage der Begründung bilden. Schon daraus erhellt, dass sich nähere Angaben über den Umfang der neuen Vorlage zur Zeit noch nicht machen lassen und dass sich ebensowenig jetzt schon sagen lässt, wie hoch sich die genaue Forderung von Geldmitteln an das Reich gestalten wird. —

Aus den Erläuterungen zur Dampfervorlage möchte der anderweit noch nicht mitgeteilte Hinweis auf die einschlägigen Verhältnisse anderer Staaten interessiren. Es heisst da: „Der Betrag, welchen *Grossbritannien* an Subventionen und Vergütungen für überseeische Postverbindungen aufwendet, hat für das Etat-jahr 1883/1884 die Höhe von 578 991 £ oder 11 564 982 ℳ erreicht. Ausserdem zahlen die australischen Kolonien Victoria, Queensland, Neu-Süd-Wales und Neu-Seeland jährlich 3 800 000 ℳ für diese Zwecke und daneben werden der grossbritannischen Verwaltung von einzelnen Kolonialverwaltungen alljährlich 1 600 000 ℳ für die Unterhaltung der asiatischen Linien erstattet. *Frankreich* verwendet jährlich an Subventionen für überseeische Postdampfer 25 374 629 Franken oder 20 299 703 ℳ und zahlt ausserdem an Schiffahrtsprämien für die Postbeförderung noch ungefähr 6 Mill. Mark. Auch die Postsubventionen anderer Staaten erreichen eine beträchtliche Höhe. So zahlt z. B. *Oesterreich-Ungarn* jährlich ungefähr 4 Millionen Mark, *Italien* gegen 7 Millionen, *Belgien* annähernd ½ Million und *Niederland* ½ Million Mark. *Deutschland* hingegen zahlt für die Leistungen der deutschen Schiffsunternehmungen im überseeischen Postbeförderungsdienst nur 320 000 ℳ jährlich, wovon allein auf den Norddeutschen Lloyd und die Hamburg-Amerikanische Packetfahrtaktiengesellschaft über 300 000 Mark entfallen.

Neben der Dampfervorlage wird noch eine Reihe anderer Ergebnisse der praktischen *Kolonialpolitik* des Fürsten Bismarck den Reichstag beschäftigen. Insbesondere soll auf Verstärkung der *Berufskonsulate* an einigen hervorragenden Handelspunkten Bedacht genommen werden. So sind wir heute mitzuteilen in der Lage, dass zunächst die Neuschaffung eines kaiserlich *deutschen Generalkonsulats in Kapstadt* für den Bereich der englischen Besitzungen in Südafrika in Aussicht genommen ist und dass die Mittel dafür vom künftigen Reichstag verlangt werden sollen. Man wird sich erinnern, dass die Frage über die Besetzung von Lüderitzland im Grundsatz schon seit Ende Juni dieses Jahres zwischen der deutschen und englischen Regierung endgültig gelöst ist, dass dagegen aus den seinerzeit abgeschlossenen Lüderitzschen Verträgen manche Unklarheiten sich mit Bezug auf etwaige früher schon erworbene Privatrechte von englischen Unternehmern herausgestellt haben. Der Kernpunkt der schwebenden Fragen wird sich wohl um die Guano-Inseln in der Bai von Angra Pequeña drehen, deren Eigentumsrecht Lüderitz beansprucht, während die Engländer es bestreiten. Auch hier wiederum hat Fürst Bismarck durch sofortiges Entgegenkommen auf die ihm vorgetragenen Wünsche bewiesen, wie sehr ihm daran liegt, bei den neuen Schritten, die er zur praktischen Bethätigung seiner Kolonialpolitik einzuschlagen hat, vor allem auf die freundschaftlichen Beziehungen anderer Mächte Bedacht zu nehmen und alles zu vermeiden, was den Anschein erwecken könnte, er wolle in angebliche wohlerworbene Rechte Dritter eingreifen. Wenn nicht alles täuscht, so werden wir schon in nächster Zeit bestimmten Anhalt haben, dieses Bestreben an einem weitern erfreulichen Fortschritte auf dem Wege gesunder Kolonialpolitik nachzuweisen.

K. Z.

Die Beraubung des deutschen Fischerfahrzeuges

von N. N. in Geestemünde (vergl. unsere No. 17 d. J.) stellt sich mehr und mehr als eine allerdings verstärkte Auflage jener auf dem Festlande sich öfter ereignenden Scenen dar, wo betrunkene Zechgenossen über die Bezahlung der Zeche mit dem Spender des berauschenden Nass in Streit geraten, und dann wohl auch weiter gehen, als die Veranlassung gerade entschuldigt. Es sind uns seitdem solche haarsträubende Berichte über den Unfug zugegangen, welcher mit dem Verkauf billiger Spirituosen in offener See getrieben wird, dass uns jedes Mitgefühl selbst mit geschädigten Landsleuten nachgerade verloren gegangen ist. Wie soll man auch anders, wenn man aus bester Quelle hören muss, dass ganze Rhedereien von Hochseefischern heimlich, ohne Wissen ihrer Leiter, mit Hunderten von grossen und kleinen Genevafässern nach See gegangen sind, um billigen festländischen Schnaps gegen Pfunde Sterling, Napoleons, oder gegen die den fremden Rhedern gehörenden Fische systematisch einzuhandeln, und ihr eigentliches ostensibles Geschäft, für welches sie von hiesigen Rhedern aber *bezahlt* werden, *nebenbei* zu betreiben. Wie Leute, die so zu Unterschleif verführen und selber Unterschleif begehen, noch die Stirn haben mögen, über gelegentliche Vergewaltigung Zetermordio zu schreien, und sich als die unschuldigen Lämmer hinzustellen, erscheint nachgerade unverständlich. Vor Jahr und Tag haben wir ein Stück Seepolizei geübt, als wir den schmachvollen Bettungsverträgen in Seenot den Garaus gemacht haben; es soll nicht an uns liegen, wenn wir auch dem illegalen Handel mit berauschenden Getränken in der Nordsee das Handwerk legen helfen. Man wolle diesen gewerbsmässigen Handel nur ja nicht mit dem von jeher üblichen Kauf von Fischen in eine Linie stellen, wenn ein gelegentlich vorüberfahrender Kauffahrer sich eine Mahlzeit frischer Fische ersteht und ohne Wechselgeld an Bord im Tausch eine oder mehrere Flaschen Spirituosen oder etwas Taback für die Erquickung von der alltäglichen Schiffskost dafür hingiebt. In diesem Fall findet ein kleines *zufälliges* beschränktes Tauschgeschäft statt; in jenem Fall sind die Schiffe die Schnapsschenken, die Schiffer die Wirte, die zudem regelmässigen Handel mit ihrer angebotenen Ware, welche sich obendrein nicht bloss auf Schnaps beschränkt, sondern noch viel verwerflichere Gegenstände umfasst, treiben. Solche Leute mögen zunächst die Folgen stehen, die ihr unlauteres Gewerbe mitunter nach sich zieht; gut wäre es aber, wenn in den Hafenstädten, von denen sie ausziehen, diesem Treiben schärfer auf die Finger gesehen würde.

Grossbritanniens Schiffbau und Schiffsverkehr im Jahre 1883.

Nach einer aufgestellten Berechnung repräsentiren die im Jahre 1883 hierlands gebauten Schiffe einen Wert von 19 Mill. £ und wurden dabei 62 000 Arbeiter auf den Werften beschäftigt. Es wurden von 124 Schiffbaufirmen 888 Schiffe mit einem Gehalte von 1 256 829 Tonnen fertig gestellt, was eine Zunahme gegen das Vorjahr von rund 50 000 Tonnen ergiebt.

In den letzten 3 Jahren wurden im Vereinigten Königreiche Schiffe von einem Gesamtgehalte von ca. 3 Mill. Tonnen konstruirt, welche ganz unzweifelhaft über den Bedarf hinausgehende Produktion denn auch für die Schiffbauer sowohl, als auch für die Rheder von höchst nachteiligen Folgen begleitet sein musste. Was die letzteren betrifft, so haben nur jene einen Gewinn aus ihren Schiffen realisiren können, welche noch zu Anfang des Jahres zu den damaligen Frachtsätzen Verträge auf lange Zeit hinaus abgeschlossen hatten. Denn im Laufe des Jahres wurden die Frachtsätze infolge der übermässigen Konkurrenz so niedrig, dass die Rheder kaum auf die effektiven Kosten kamen und jedenfalls nur ausnahmsweise an eine Verzinsung des investirten Kapitals zu denken war. Solche Resultate mussten natürlich die Kapitalisten davon abhalten, Gelder in diesem Erwerbszweige anzulegen, und wurden demgemäss die Bestellungen auf Schiffe und namentlich auf Dampfer immer spärlicher, so dass die meisten Werften, auf welchen während der letzten 3 Jahre, wie erwähnt, eine fieberhafte Thätigkeit geherrscht hatte, das Arbeitspersonal namhaft zu vermindern und gleichzeitig erhebliche Lohnherabsetzungen anzukündigen gezwungen waren. Diese Lohnverminderungen sollen es im Zusammenhange mit dem Billigerwerden von Eisen und Stahl ermöglichen, die Schiffe zu einem geringeren Preise herzustellen. Im Gegensatze zu dem schon seit einer Reihe von Jahren beobachteten Bestreben, die Segelschiffe durch Dampfer zu ersetzen, machten sich in den letzten Jahren die *Anfänge* einer entgegengesetzten Tendenz bemerkbar. Es wurden namentlich grosse *eiserne* Segler gebaut, für deren bessere Rentabilität die namentlich in den ersten zwölf Jahren geringen Reparatur- und Erhaltungskosten, sowie die Möglichkeit spricht, bei mangelnder Fracht die Regieauslagen sofort auf ein Kleinstes zu verringern. Der gegenwärtigen ganz ausserordentlichen Ueberproduktion an Dampfern steht eine ebenso rasche Abnahme der Segler gegenüber, und scheint es sohin nicht unwahrscheinlich, dass die Segelschiffe ganz gut eine Vermehrung ertragen könnten, ohne sich deshalb einen für die Rheder verderblichen Wettbewerb machen zu müssen, wie dies bezüglich der Dampfer im abgelaufenen Jahre der Fall war.

Die während des Jahres 1883 in dem Stande der grossbritannischen Handelsflotte vorgegangenen Veränderungen sind nachstehend ersichtlich.

In den Schiffsregistern eingetragen:

		Anzahl	Tonnen	Pferdekräfte
Dampfer,	eiserne	678	908 651	105 762
„	hölzerne	48	2 781	930
Segler,	eiserne	91	131 621	—
„	hölzerne	340	25 499	—
	Im Ganzen	1 157	1 068 552	106 692

In den Schiffsregistern gelöscht:

		Anzahl	Tonnen	Pferdekräfte
Dampfer,	eiserne	237	265 228	26 146
„	hölzerne	25	4 468	833
Segler,	eiserne	68	63 679	—
„	hölzerne	805	200 943	—
	Im Ganzen	1 135	534 318	26 979

Diese Uebersicht zeigt an eisernen Dampfern eine Zunahme von 441 Schiffen mit 638 423 Tonnen und 69 616 Pferdekräften, ferner eine Zunahme von hölzernen Dampfern um 23 Schiffe bei einer Abnahme im Gehalt von 1687 Tonnen. Bezüglich der Segler ergiebt sich eine Zunahme von 23 eisernen Schiffen mit 67 942 Tonnen, hingegen eine Abnahme von hölzernen Fahrzeugen um 465, welche einen Gehalt von 175 444 Tonnen repräsentiren.

Im abgelaufenen Jahre wurden 60 Schiffe mit einem Gehalte von 22 137 Tonnen von fremden Rhedern angekauft und 190 Fahrzeuge mit 138 535 Tonnen an Ausländer übertragen, wobei die hierlands auf Bestellung für das Ausland gebauten nicht mitgerechnet sind.

Im abgelaufenen Jahre sind in den Häfen des Königreichs 63 206 Schiffe mit einem Gehalte von 32 105 110 Tonnen eingelaufen, gegen 64 734 Schiffe mit 30 318 938 Tonnen des Vorjahrs, wobei die Küstenschiffahrt nicht einbegriffen ist. Auf die einzelnen Flaggen verteilt sich dieses Ergebnis in nachstehender Weise:

Flagge	1883		1882	
	Schiffe	Tonnen	Schiffe	Tonnen
Britische	39 904	23 230 544	39 339	21 516 630
Norwegische	6 112	2 026 493	6 183	1 963 148
Deutsche	4 461	1 876 898	4 719	1 738 548
Französische	3 685	980 144	4 024	987 211
Dänische	3 101	742 470	3 299	750 157
Schwedische	1 918	671 646	2 020	687 513
Holländische	1 277	690 213	1 322	624 198
Belgische	897	890 307	940	799 789
Russische	662	296 874	853	290 497
Italienische	733	484 291	837	473 937
Spanische	579	440 423	520	339 946
Oesterreichisch-ungarische	280	124 338	231	116 198
Amerikanische	215	283 947	271	369 922
Andere	143	62 692	176	107 291
Summa	63 206	32 105 110	64 734	30 318 938

Zeigt nun einerseits die Gesamtzahl der im Jahr 1883 eingelaufenen Schiffe im Vergleich zu 1882 eine Abnahme von 1528 Schiffen, so ergiebt sich andererseits eine Zunahme der Tragfähigkeit um nahezu 2 Mill. Tonnen, die fast ausschliesslich auf die britische Flagge entfällt. Beinahe der sämtliche fremde Schiffsverkehr zeigt eine Abnahme sowohl in der Schiffahrt als auch im Tonnengehalt. —r—

Deutscher Schiffsverkehr in den Vereinigten Staaten von Amerika,

die Häfen der Westküste ausgeschlossen, während der Jahre 1882 und 1883.

a. *Angekommen:*

	1882		1883	
	Schiffe	Tonnengehalt	Schiffe	Tonnengehalt
in Baltimore	64	137 810	74	157 794
„ Boston	17	9 326	9	4 123
„ Brunswick u. St. Simons	8	3 753	6	2 127
„ Charleston	19	8 840	23	10 807
„ Darien	30	14 030	23	11 192
„ Galveston	19	12 020	17	14 641
„ Mobile	1	364	3	1 485
„ New-Orleans	19	23 730	18	23 501
„ New-York	583	934 445	589	1 008 981
„ Norfolk	3	4 307	6	5 469
„ Pascagoula	3	1 938	6	3 876
„ Pensacola	7	4 082	7	5 884
„ Philadelphia u. Chester	20	15 197	29	26 772
„ Richmond	12	4 115	8	2 660
„ Savannah	23	13 722	34	18 059
„ St. Marys	1	469	—	—
„ Portland	4	1 961	5	2 364
„ Wilmington	50	17 763	47	17 644
Zusammen	833	1 207 856	844	1 315 298

b. *Abgegangen:*

	1882		1883	
aus oben angeführten Häfen im Ganzen	885	1 206 221	848	1 311 125

—r—

Verkehr deutscher Schiffe 1883.

Im Jahre 1883 liefen im Hafen von Niutschwang ein

189 Dampfsch. v. 121 988 T.,	dav. deutsche	25 Dampfsch. v.	17 907 T.
174 Segelsch. » 64 052 »	» »	89 Segelsch. »	33 338 »
zus. 326 Schiffe v. 186 040 T.,	» »	114 Schiffe von	51 245 T.

Also mehr als $^1/_3$ der Schiffe mit etwas weniger als $^1/_3$ des Tonnengehalts fuhren unter deutscher Flagge.

Saigon. Es kamen i. J. 1883 92 Dampfschiffe von 80 306 Reg.-To. und 7 Segelschiffe von 3 579 Reg.-To. unter deutscher Flagge an. Davon kamen mit Ladung 22 Dampfschiffe von Hongkong, 1 Dampfschiff von Singapore, 3 Segelschiffe von China, 1 Dampfschiff und 1 Segelschiff von Hamburg, 1 Segelschiff von Frankreich. In Ballast kamen an 42 Dampfschiffe von Hongkong, 1 Dampfschiff von China, 1 Dampfschiff und 1 Segelschiff von Annam, 10 Dampfschiffe von Singapore, 6 Dampfschiffe von Penang, 8 Dampfschiffe von den Philippinen.

Ferner kam 1 Segelschiff stark beschädigt an, welches Saigon als Nothafen anlief.

Abgegangen sind 8 Segelschiffe und 92 Dampfschiffe; davon mit Ladung 68 Dampfschiffe nach Hongkong, 4 Segelschiffe nach China, 8 Dampfschiffe und 2 Segelschiffe nach Singapore, 12 Dampfschiffe und 1 Segelschiff nach den Philippinen, 1 Dampfschiff nach Java, 1 Dampfschiff nach Annam. Ausser verschiedenen anderen Waren luden obige Schiffe 1 712 817 Pikuls Reis und Paddy, ungefähr ein Fünftel der Gesamtausfuhr.

In Ballast versegelten nach Rangoon 1 Segelschiff, nach Annam 2 Dampfschiffe.

Marseille. Bei Beginn des Jahres 1883 waren 3 deutsche Fahrzeuge von zusammen 1 269 Reg.-To. hier anwesend. Eingekommen sind im Laufe des Jahres 81 von zusammen 58 219 Reg.-To., davon 1 in Ballast. Ausgegangen sind von erwähnten Fahrzeugen 81 von zusammen 58 477 Reg.-To., unter diesen 17 in Ballast. Am Jahresschlusse verblieben 3 deutsche Schiffe von 1011 Reg.-To. im Hafen.

Lissabon. Während des abgelaufenen Jahres langten 79 deutsche Fahrzeuge hier an, darunter 5 in Ballast. 1 Fahrzeug hatte Havarie erlitten und wurde seeuntüchtig. Die übrigen 78 Fahrzeuge und ausserdem 2 Schiffe, welche zu Beginn des Jahres im Hafen verblieben waren, liefen in demselben Zeitraum wieder aus, darunter 3 in Ballast und 1 teilweise in Ballast.

Port Stanley (Falklandsinseln). Während des abgelaufenen Jahres sind 10 deutsche Schiffe von zusammen 11 151 Reg.-To. hier eingegangen, darunter 6 Dampfschiffe der Hamburger Kosmoslinie. Die Fahrzeuge führten sämtlich Ladung. 1 derselben kam, um Kohlen einzunehmen.

—s—

Verkehr des Suez-Kanals im Jahre 1883.

Nationalität der Schiffe	Schiffszahl	Tonnen Netto	Tonnen Brutto
Verein. Staaten von Amerika	1	788,670	1 141,290
Belgische	12	17 244,860	21 450,990
Britische	2537	4 486 068,590	6 154 930,277
Chinesische	1	2 289,990	3 097,990
Dänische	2	1 881,880	2 711,690
Deutsche	122	156 302,180	213 425,810
Französische	272	557 098,085	782 133,057
Italienische	63	131 953,690	195 101,646
Japanische	6	4 291,380	6 172,410
Niederländische	124	229 302,010	309 552,290
Oesterreich-Ungarische	67	98 684,230	136 586,358
Portugiesische	1	880,250	1 335,000
Russische	18	28 069,070	44 294,090
Schwedische u. Norwegische	19	25 400,420	34 386,220
Spanische	51	106 853,040	148 501,910
Türkische	12	9 675,780	14 458,490
Zusammen	3 307	5 776 823,345	8 051 307,259
gegen das Jahr 1882 mehr	109	702 029,460	929 181,614

Die Schiffe zerfallen in 114 Kriegsschiffe (darunter 2 deutsche) und Militärtransportschiffe, 588 Postdampfschiffe, 2597 Handelsdampfschiffe, 1 Segelschiff, 7 Jachten.

Von den 3 307 den Gesamtverkehr ausmachenden Schiffen kamen 1 663 aus dem Mittelmeer auf der Ausreise nach Osten und 1 644 aus dem Roten Meer auf der Heimreise.

Gesamt-Schiffsverkehr des Suez-Kanals seit der Eröffnung, 1870 bis Ende 1883.

Schiffszahl	Nationalität der Schiffe	Tonnenzahl	Erhobene Gebühren in Franken
13 093	Britische	27 650 470,424	344 885 689
1 482	Französische	2 819 581,178	34 477 620
792	Niederländische	1 385 562,286	17 923 286
780	Oesterreich-Ungarische	879 002,508	11 730 552
725	Italienische	880 771,309	11 194 961
538	Deutsche	585 649,668	7 110 015
338	Spanische	565 640,466	7 311 195
211	Aegyptische	132 526,146	1 684 966
191	Türkische	134 340,543	2 036 028
147	Russische	188 425,834	2 386 772
121	Norwegische	155 108,624	1 964 868
92	Dänische	92 582,470	1 248 642
54	Belgische	75 322,250	863 278
52	Portugiesische	37 376,118	481 241
29	Schwedische	23 528,732	310 757
18	der Ver. Staaten von Amerika	20 092,912	211 425
18	Japanische	18 493,560	162 623
11	Griechische	1 970,870	27 830
9	Chinesische	9 638,740	120 643
4	Zanzibarische	3 869,260	46 391
3	Liberianische	1 645,930	24 596
3	Birmanische	1 494,350	16 238
3	Sarawaksche	471,150	6 083
3	Siamesische	205,820	2 849
2	Hawaiische	1 224,240	26 300
2	Brasilianische	1 210,380	13 099
1	Peruanisches	1 299,340	18 770
1	Tunesisches	726,000	8 129
23 723		35 684 156,850	446 222 014

—s—

Dänemarks Handelsflotte im Jahre 1882.

Die Handelsflotte des Königreichs Dänemark bestand am 31. Dec. 1882 aus 2829 Segelschiffen von 186 153 Reg.-Tons Tragfähigkeit und 239 Dampfschiffen von 70 705 R.-T., zusammen 3068 Schiffen von 256 858 R.-T. Ausserdem befanden sich im Königreich etwa 10 900 Boote von und unter 4 R.-T.

Da die Handelsflotte am 31. Decb. 1881 aus 3083 Schiffen von 253 410 R.-T. bestand, so ist sie im Laufe des Jahres 1882 um 15 Schiffe vermindert, dagegen was die Tragfähigkeit betrifft, um 3449 Tonnen, d. h. um 1,4 % vermehrt worden. Die Verminderung in der Zahl der Schiffe fällt ausschliesslich auf die Segelschiffe. Ihre Zahl hat sich von 1881 auf 1882 um 28 vermindert, die Zahl der Dampfschiffe aber um 13 vermehrt. Die Vermehrung der Tragfähigkeit entfällt andererseits allein auf die Dampfschiffe. Ihre Registertragfähigkeit ist nämlich von 1881 auf 1882 um 9279 Tonnen oder um 15 % vermehrt, dagegen die Tragfähigkeit der Segelschiffe in demselben Zeitraum um 5526 Tonnen oder 30 % vermindert worden; die Tragfähigkeit der Segelschiffe ist seit dem Jahre 1876, wo sie auf ihrem Höhepunkte war, nämlich 210 703 R.-T., um 24 550 R.-T. zurückgegangen.

Am 31. März 1873 zählte die Handelsflotte 2629 Segelschiffe von 175 657 Reg.-T. Tragfähigkeit und 109 Dampfschiffe von 21 602 R.-T. In den letzten 10 Jahren ist sonach die Zahl der Segelschiffe um 200 gewachsen, eine Zunahme von nur 7,6 %, während die Zahl der Dampfschiffe um 130 gestiegen ist — eine Zunahme um etwa 119,2 %. Die Tragfähigkeit der Segelschiffe ist gleichzeitig um 6 %, die der Dampfschiffe um nicht weniger als 227,3 % gestiegen. Am 31. März 1873 war die Durchschnittstragfähigkeit der Segelschiffe 67 R.-T., die der Dampfschiffe 198 R.-T., am 31. December 1882 bezw. 66 und 296 R.-T. Hieraus geht hervor, dass ein steter Uebergang von Segel- zu Dampf- und von kleineren zu grösseren Schiffen stattfindet.

—s—

Uebersicht

sämtlicher auf das Seerecht bezüglichen Entscheidungen der deutschen und fremden Gerichtshöfe, Reskripte etc. der betreffenden Behörden etc., einschliesslich der Literatur der dahin bezüglichen Schriften, Abhandlungen, Aufsätze etc.

Titel XI. Versicherung gegen die Gefahren der Seeschiffahrt.

Bei der Seeversicherung braucht der Versicherer den vom Versicherten selbst verschuldeten Schaden, gleich viel, ob dabei den Versicherten ein grobes oder ein nur mässiges Verschulden trifft, nicht zu ersetzen, auch wenn der Versicherte zugleich der nautische Leiter des Schiffes ist.

Aus den *Entscheidungsgründen*: „Die Entscheidungsgründe des Ober-Landesgerichts scheinen zur Voraussetzung zu haben, dass nur ein grobes Verschulden des Versicherten den Anspruch gegen den Versicherer ausschliessen würde. Mag nun die zu Grunde liegende Unterscheidung gedacht sein, wie sie will, keinenfalls konnte einer Auffassung des § 70 No. 4 der Allgemeinen Seeversicherungs-Bedingungen von 1867 bezl. des Artikel 825 No. 4 H.-G.-B., welchem jene Bestimmung wörtlich entnommen ist, beigetreten werden, wonach dem Satze gegenüber, dass der vom Versicherten selbst verschuldete Schaden vom Versicherer nicht ersetzt zu werden brauche, *irgend eine* Unterscheidung statuirt würde. Nicht nur giebt der Wortlaut der in Rede stehenden Bestimmung zu einer solchen Unterscheidung nicht die mindeste Veranlassung, sondern es ist auch von jeher als ein Fundamentalsatz der Versicherung angesehen worden, dass dem Versicherer nur der für den Versicherten *zufällige* Schaden zur Last falle, und dass daher jeder durch Verschulden des letzteren verursachte Schaden nicht zu ersetzen sei. Auch ist nicht bekannt, dass der Ausdruck „*Verschulden*“ im Art. 825 No. 4 H.-G.-B. bisher jemals anders als von *jedem* Verschulden verstanden worden wäre. Wenn bei der Feuerversicherung vielfach die Haftung für den nachteiligen Erfolg eines nur geringen Verschuldens des Versicherten dem Versicherer aufgebürdet worden ist, teils durch besondere Vertragsbestimmungen, teils durch neue Gesetzgebungen, teils auch wohl mittelst Rechtsdeduktionen auf dem Boden des gemeinen Rechts, so hat man dies dabei doch stets als eine aus praktischen Gründen anzuerkennende Besonderheit gerade der Feuerversicherung angesehen. Das Allg. Preuss. Land-Recht befreit den Versicherer von der Vergütung jeden Schadens, welcher durch ein auch nur „*mässiges*“ Versehen des Versicherten verursacht ist und wendet dies im Teil II, Titel 8, §§ 2156, 2235 einfach auch auf die Feuerversicherung an..... Es scheint bei der Entscheidung des Ober-Landesgerichts der Gedanke mitgewirkt zu haben, es sei unbillig, dass der Versicherer dem *Schiffer als Versicherten* gegenüber, weil dieser zugleich nautischer Leiter ist, in gewissem Sinne günstiger gestellt sein sollte, als jedem anderen Versicherten gegenüber. Eine solche Betrachtung musste aber für ganz abwegig erklärt werden. Es wäre dabei übersehen, dass der Schiffer nach Art. 478 u. 479 Abs. 1 H.-G.-B. dem Rheder für *jedes* Verschulden schadenersatzpflichtig ist, und dass dieser Anspruch nach Art. 808 u. 826 H.-G.-B. mit der Bezahlung des Schadens gerade dann auf den Versicherer übergeht, wenn der Rheder nicht mit dem Schiffer identisch ist. In Wirklichkeit würde also gerade vom Standpunkte des Berufungsurteils aus der Versicherer dem Schiffer als dem Versicherten gegenüber nachteiliger gestellt sein als anderen Versicherten gegenüber.“ (Erk. des I. Civilsenats des Reichsgerichts vom 14. Mai 1884; Handels- u. Gewerbe-Zeitung 1884, No. 29.)

Titel V. Frachtgeschäft zu Beförderung von Gütern.

Vertragsmässige Abweichung von der Regel der Art. 621 u. 658 H.-G.-B.

Wenn das Konnossement für die Frachtberechnung lediglich auf die Charteparti verweiset, und letztere als Massstab der Berechnung nur das abgelieferte Quantum zu Grunde legt, so liegt eine vertragsmässige Abweichung von der Regel der Art. 621 u. 658 H.-G.-B. vor,

(dass die Massangabe des Konnossements schlechthin entscheidend sei.)

Aus den *Entscheidungsgründen*: „Die klägerische Revision erschien als begründet inbetreff derjenigen ℳ 984. 72 Pf., welche im Berufungsurteile auf die Berufung der Beklagten von der landgerichtlichen Verurteilungssumme deshalb abgesetzt sind, weil die Berechnung der Fracht für die behauenen Balken nicht nach abgeliefertem Masse, sondern nach dem im Konnossement angegebenen Masse zu geschehen habe. Allerdings ist es zweifellos, dass nach Art. 658 H.-G.-B. die Massangabe des Konnossements schlechthin entscheidend für die Berechnung der Fracht ist, falls nicht das Konnossement selbst eine abweichende Bestimmung enthält und dass die blosse Bezugnahme auf die Charterpartie trotz des Art. 658 Abs. 2 daselbst im Allgemeinen noch nicht für eine solche abweichende Bestimmung gelten kann. Dies leuchtet namentlich dann ein, wenn laut der Charterpartie die Fracht nach dem *eingenommenen* Quantum zu berechnen ist: mit dieser Bestimmung ist vollkommen vereinbar die weitere, aus dem Konnossement zu entnehmende, dass für die Berechnung der Fracht eben das und das Quantum schlechthin als das eingenommene gelten soll. In solchen Fällen ist auch demgemäss entschieden worden durch das vom Ober-Appell.-Gericht Lübecks gebilligte Urteil des Obergerichts zu Bremen vom J. 1869 und das Urteil des R.-O.-H.-Gerichts vom J. 1874. Ob das Gleiche jemals auch in einem Falle gilt, wo nach der Charterpartie das *abgelieferte* Quantum der Frachtberechnung zum Grunde gelegt werden soll, z. B. in einem Falle, wo bei einer nach deutschem Rechte zu beurteilenden Charterpartie nur auf Grund der im Art. 621 H.-G.-B. enthaltenen Auslegungsregel das abgelieferte Mass als entscheidend anzusehen wäre, kann hier dahingestellt bleiben. Jedenfalls aber muss notwendig der hier *vorliegende* Fall anders behandelt werden, wo das Konnossement für die Frachtberechnung lediglich auf die Charterpartie verweiset, letztere aber einen Massstab für *diese* Berechnung überhaupt nur unter der Voraussetzung an die Hand giebt, dass das abgelieferte Quantum zum Grunde gelegt werde, indem die Fracht bestimmt ist „*pr. load of 50 cubicfeet, calliper measure, as customary at port of Discharge.*“ In der Bezugnahme auf *diese* Klausel muss allerdings eine hinlänglich klar von der Regel des Art. 658 H.-G.-B. abweichende Bestimmung gefunden werden, so dass die dies verneinende Entscheidung des Ober-Landgerichts wegen Verletzung des angeführten Artikels der Aufhebung unterliegt. Ganz hinfällig ist nämlich die Einwendung der Beklagten, dass es sich bei Ermittelung der Bedeutung der Konnossementsklausel: „*Freight and all other conditions as per charterpartie*“ um eine thatsächliche Feststellung handelte, welche als solche der Nachprüfung des Revisionsgerichts entzogen sei. Diese Einwendung trifft schon deshalb gar nicht zu, weil hier nicht die Rechtsfolgen eines *Vertrages* zwischen den Kontrahenten in Frage stehen, für welche die aus den konkreten Umständen des Falles zu entnehmenden stillschweigenden Willenserklärungen der Letzteren zunächst massgebend sein könnten, sondern die Rechtsfolgen der *Ausstellung eines negotiabeln Papieres zwischen dem Aussteller und dem legitimirten dritten Inhaber*, welche ein für alle Mal, unabhängig von allen nicht aus der Urkunde selbst zu erkennenden begleitenden Umständen, objektiv rechtlich feststehen müssen.“ (Erk. d. I. Civilsenats des Reichsgerichts vom 2. April 1884. Braun u. Blum, Annal. Bd. X, S. 148 ff.)

Nautische Literatur.

Hilfsbuch für den Schiffbau von Hans Johow, dipl. Schiffbau-Ingenieur. Mit 96 Holzschnitten und 2 lithographirten Tafeln. Preis ℳ 16. Berlin, Verlag von Julius Springer 1884.

Es ist ein erfreuliches Zeichen von der gesunden Entwickelung des deutschen Schiffbaues, dass die theoretische Behandlung des Stoffes mit der vorzüglichen praktischen Ausführung in von aller Welt anerkannten Schiffsbauten gleichen Schritt zu halten sucht. Jeder Jahrgang unserer Zeitschrift legt Zeugnis ab von den verschiedenen literarischen Aufsätzen, mit denen Schiffbauingenieure der Handels- wie der Kriegsmarine dem vielseitigen Stoff beizukommen suchen, und bald diese bald jene Seite, bald den Schiffbau im Kleinen oder Grossen, bald den Maschinenbau, bald die Anforderungen für die Prüfungen behandeln. Mit einem sehr umfassenden, so zu sagen den Inhalt einer ganzen Anzahl von Kollegienheften in kräftig selbstständiger Durcharbeitung wiedergebenden Werke über den Schiff- und Maschinenbau haben wir es hier zu thun.

Das Hilfsbuch von Johow zerfällt in fünf Teile, einen mathematisch-physikalisch-mechanischen Teil mit einer Menge Tabellen bis S. 136, sodann den theoretischen Schiffbau bis S. 377, den praktischen Schiffbau bis S. 512, ferner einen den mechanischen Bewegungsapparat behandelnden Teil bis S. 584, woran das Werk mit einer Zusammenstellung der gesetzlichen Vorschriften über Bauart, Raumverteilung, Vermessung, Ausrüstung etc. der Seeschiffe abschliesst bis S. 642.

Da diese Hauptteile des Werkes aber in nicht weniger als in resp. 6, 14, 10, 4 und 4 Abschnitte mit einer ganzen Menge Unterabteilungen zerfallen, so ist es dankbar anzuerkennen, dass ein sehr spezielles Inhaltsverzeichnis und ausführliches Wortregister das Nachschlagen und die Orientirung erleichtert. S. 642—656. Es ist in dem engen Druck und gedrängten Raum eine so grossartige Menge Material untergebracht, dass wir darauf verzichten müssen mehr als die Ueberschriften der einzelnen Abschnitte hier anzuführen, um nur einigermassen einen Begriff von der Reichhaltigkeit des Werkes zu geben.

I. Teil. *Allgemeine Hilfsmittel.*

1. *Abschnitt.* Mathematik; a. Tabellen, b. Algebra, c. Planimetrie, Trigonometrie und Stereometrie — bis S. 59.
2. *Abschnitt.* Mass und Gewicht: a. das metrische Masssystem, b. die Seemeile, c. ausländische und frühere preussische Masse, d. spezielle Umwandlungstabellen, e. englisches Gewicht, f. engl. Vergleichswerte in metrische — bis S. 94.
3. *Abschnitt.* Materialien-Tabellen; a. spezifische Gewichte, b. allgemeine Gewichtstabellen für Walzeisen, c. deutsche Normalprofile, d. Metallbleche, e. diverse Gewichtstabellen, f. Formtabellen, g. Inhaltstabellen, h. Gütetabellen — b. S. 133.

4. *Abschnitt.* Zeichnerische Hilfsmittel; Konstruktion einiger häufig vorkommender Kurven (Navigationslehrern speziell empfohlen vom Ref.) — bis S. 141.
5. *Abschnitt.* Hilfswissenschaften: a. Mechanik, b. Festigkeitslehre, c. Hydraulik, d. Wärme, e. Chemie, f. Galvanismus — bis S. 182.
6. *Abschnitt.* Allgemeine Konstruktions-Elemente — bis S. 193.

II. Teil. *Schiffbau, theoretische Abteilung.*

Vorbemerkung — bis S. 196.
1. *Abschnitt.* Zusammenstellung der gebrauchten Zeichen — bis S. 199.
2. *Abschnitt.* Allgemeine Grundlagen der Schiffskonstruktion — bis S. 222.
3. *Abschnitt.* Methoden der Berechnung der Inhalte und Schwerpunkte ebener, von Kurven begränzter Flächen — bis S. 229.
4. *Abschnitt.* Inhalts- und Schwerpunkts-Kurven der Schiffe — bis S. 235.
5. *Abschnitt.* Tschebitscheff's Methode zur Berechnung krummlinig begränzter Flächen — bis S. 240.
6. *Abschnitt.* Stabilität. a. Theorie der Stabilität und zwar 1. statische, 2. dynamische Stabilität — bis S. 248; b. Praktische Berechnung der Metacentren am Konstruktionsriss — bis S. 256; c. Theorie der Inhalts- und Schwerpunktsbestimmung eines kreisförmigen Schiffsausschnitts mittelst Polarkoordinaten — bis S. 258; d. Praktische Berechnung der Stabilitäts-Kurve und der dynamischen Stabilität bei verschiedenen Neigungen — bis S. 271.
7. *Abschnitt.* Trim und Krängung — bis S. 277.
8. „ Die Normand'schen Annäherungsformeln, a. Verhältnisformeln, b. Lastigkeitsformeln — bis S. 294.
9. *Abschnitt.* Die Schwingungsbewegungen der Schiffe — bis S. 300.
10. *Abschnitt.* Wellentheorie — bis S. 304.
11. „ Besegelung — bis S. 321.
12. „ Das Ruder — bis S. 326.
13. „ Die Berechnung des Schiffswiderstandes — bis S. 365.
14. *Abschnitt.* Magnetismus und Kompass — bis S. 381.

III. Teil. *Schiffbau, praktische Abteilung.*

1. *Abschnitt.* Die Freibordhöhe, Freibordtabellen des Britischen Lloyd vom 10. Aug. 1883 und des Board of Trade — bis S. 397.
2. *Abschnitt.* Raumbedarf: a. für Frachtgut, b. für lebende Wesen, c. für Kriegsschiffe, d. für Maschinen, e. für das Schiffs-Inventar — bis S. 417.
3. *Abschnitt.* Die Takelung — bis S. 431.
4. *Abschnitt.* Das Inventar: a. Ruder und Spill, b. Anker und Ketten, c. Boote, d. Pumpen, e. sonstiges Inventar — bis S. 451.
5. *Abschnitt.* Schiffsartillerie: a. Munition, b. Ballistik, c. Geschütze und Laffetten verschiedener Konstruktion — bis S. 466.
6. *Abschnitt.* Besatzung, Passagiere, lebende Ladung, Proviant — bis S. 469.
7. *Abschnitt.* Gewichte ausgeführter Schiffe — bis S. 474.
8. „ Helling und Stapellauf — bis S. 481.
9. „ Verschiedene Ausführungsarbeiten: a. Nietung, b. Kalfaterung, c. Beschlag des Schiffsbodens, d. Docken — bis S. 491.
10. *Abschnitt.* Vorschriften der Kais. Marine, betr. Prüfung und Behandlung von Schiffbau-Material — bis S. 517.

IV. Teil. *Der mechanische Bewegungsapparat.*

1. *Abschnitt.* Die Schiffsmaschine: a. Allgemeines, b. Mass und Messung der Maschinenleistung, c. Grundlagen der Maschinen-Berechnung, d. Maschinen-Berechnung, e. Berechnung der hauptsächlichsten Konstruktions-Elemente der Schiffsmaschine — bis S. 549.
2. *Abschnitt.* Der Schiffskessel: a. Berechnung der Hauptverhältnisse, b. Regeln des Board of Trade über die Anfertigung von Schiffskesseln — bis S. 568.
3. *Abschnitt.* Propeller: a. Schrauben, b. Schaufelräder — bis S. 575.
4. *Abschnitt.* Probefahrten — bis S. 584.

V. Teil. *Gesetzliche Bestimmungen.*

1. *Abschnitt.* Gesetzliche Bestimmungen allgemeiner Natur — bis S. 595.
2. *Abschnitt.* Schiffs-Vermessung und Registrirung mit Anhang — bis S. 625.
3. *Abschnitt.* Vermessungs-Bestimmungen für Passagierdampfer — bis S. 635.
4. *Abschnitt.* Zusammenstellung d. Hamb., Brem. u. Amerik. Gesetze und Vorschriften für die Erbauung und Einrichtung von Auswanderer-Schiffen — bis S. 642.

Fügen wir noch hinzu, dass dem Allen eine *„Zeittafel"* voran geht, d. h. eine Zusammenstellung einer Anzahl für die Marine- und Schiffbau-Geschichte, sowie kulturhistorisch wichtiger Daten, so wird man uns Recht geben, dass hier auf knappem Raume, und zwar in äusserlich sehr ansprechender Form, äusserst viel geboten wird, und das Werk daher betreffenden Kreisen nur zu empfehlen ist.

Verschiedenes.

Der **telegraphische Wetterdienst** hat **in Japan** einen grossen Aufschwung genommen, seit die verheerenden beiden Taifune vom August vor. Jahres die Nützlichkeit der Sturmwarnungen praktisch veranschaulicht hatten: von einem täglichen Wettertelegramm ist man seit Anfang d. Jahres auf 3 gestiegen. Selbst Stürmen, welche mit einer Geschwindigkeit von 600 Sm. täglich vorrücken, kann man jetzt noch mit einer Warnung um mehrere Stunden voraneilen. Höchst wichtig wäre eine telegraphische Verbindung mit den Liukiu-Inseln, da die meisten Taifune von SW nach NO vorrücken, und in 90 unter 100 Fällen diese Inseln um einen Tag früher vom Sturm befallen werden als die japanischen Inseln selber. Japan liegt im allgemeinen recht günstig für die Telegraphie der Stürme und Sturmwarnungen überhaupt, da es, nicht wie das an der Frontseite des vom atlantischen Ocean heranziehenden Unwetters belegene Grossbritannien, die Stürme früher als das Festland spürt, sondern umgekehrt in den meisten Fällen vom Festlande von China, Corea und Sibirien rechtzeitige Warnung vor von dort heranziehenden Stürmen empfangen kann. Vergl. in nächster Nummer unsern Artikel über die Wettertelegraphie in Japan von E. Knipping.

Höchste Wasserstände des Rheins. Rheinreisende haben schon seit 30 bis 20 Jahren an fast allen Rheinstädten die Wahrnehmung machen können, dass man fortwährend darauf bedacht ist, zu Gunsten der Interessen des ungehinderten Verkehrs die schwerfälligen Schutzmauern niederzulegen, hinter welchen sich unsere Altväter gegen die Hochwasser des Stromes zu schützen liebten: dem ungehinderten Jahresverkehr wird die Sicherheit im Winter und Frühjahr geopfert. In Köln fällt diesem Streben jetzt das Rheingassenthor zum Opfer, und mit ihm an der Ostseite in beträchtlicher Höhe auf einer eisernen Tafel das für die alte Stadt Köln verhängnisvolle Datum „27. Februar 1784", zur Erinnerung an den Wasserstand des Rheins, wie er, soweit Nachrichten vorhanden sind, weder vorher noch glücklicherweise in den letzten hundert Jahren vorgekommen ist. — Da für viele unserer Leser eine Zusammenstellung aussergewöhnlicher Wasserstände nicht ohne Interesse ist, lassen wir eine solche aus den jüngsten drei Jahrhunderten hier folgen, wobei das Mass noch nach dem Kölner Pegel angegeben ist. Letzterer zeigte am 10. Mai 1595 33 Fuss 3 Zoll, am 20. Juni 1651 38 Fuss, am 12. März 1658 41 Fuss, am 30. Juni 1758 31 Fuss, am 27. Februar 1784 42 Fuss 6 Zoll, am 31. März 1845 31 Fuss 10 Zoll, am 5. Februar 1850 31 Fuss 7 Zoll, am 5. Februar 1862 28 Fuss 7 Zoll, am 14. März 1876 28 Fuss 1 Zoll. Des hohen Wasserstandes am 29. November 1882 mit 9,52 Meter oder ungefähr 30 Fuss 4 Zoll wird man sich noch erinnern.

Welt-Ausstellung in Antwerpen. Die Welt-Ausstellung in Antwerpen, welche am 2. Mai 1885 eröffnet werden wird, wird auf dem Terrain der Neustadt in der Nähe des Südbahnhofes und der Hafen-Anlagen errichtet und nimmt einen Flächenraum von ungefähr 220 000 Quadratmeter (22 Hectaren) einschliesslich eines Teiles der zur maritimen Ausstellung bestimmten „bassin de batelage" ein. Die Ausstellung wird also ganz in der Nähe der Schelde und den neuen Hafen-Anlagen errichtet, für welch' letztere die Belgische Regierung und die Stadt Antwerpen seit fünf Jahren mehr als 100 Millionen Frcs. verausgabt haben, und die in einer neuen 3500 Meter langen und 100 Meter breiten Quailinie am rechten Ufer des Flusses entlang führt.

Die Ausstellung wird: Unterrichtswesen — Freie Künste und Kunstgewerbe — Industrie — Seewesen und Handel — Fischerei und Fischzucht — Elektrizität — Acker- und Gartenbau umfassen.

Mit der Welt-Ausstellung wird eine Ausstellung von Kunstwerken verbunden werden, zu welcher die Societé Royal d'Encouragement des Beaux-Arts die Künstler aller Länder einladen wird.

Die Ausstellungs-Gebäude werden mit dem 31. December cr. fertig gestellt sein. Die Industrie-Hallen und Maschinen-Gallerie sind Eisenkonstruktionen, die Bedachung ist Zinkdach. — Der Hauptpalast ist von den drei grössten Hüttenwerken des Landes konstruirt, der Société métallurgique, der Société Rolin von Braine-le-Comte und der Société John Cockerill von Seraing.

Die deutsche Maschinen-Industrie wird auf der Antwerpener Ausstellung ganz hervorragend vertreten sein. Unter den Ausstellern befinden sich schon heute u. A. folgende Firmen: Aktiengesellschaft für Maschinenbau „Union" Essen; L. P. Hemmer-Aachen; A. Spengler-Stuttgart; Malmedie & Hiby-Düsseldorf; Mayer & Co.-Kalk; Emmericher Maschinenfabrik; J. Schumacher Wwe.-Köln; G. Brinkmann & Co.-Witten; Dreyer-Rosenkranz & Droop-Hannover; C. A. Arns-Remscheid; Gebr Seck-Dresden u. s. w. Das Kohlengebiet der Ruhr wird kollektiv ausstellen; auch ist die deutsche Möbel-Industrie durch sehr gute Firmen schon recht gut vertreten. Leider lässt das Kunstgewerbe und die Textil-Industrie noch empfindliche Lücken, wenigstens im Vergleich mit den herrlichen Ausstellungen, welche Oesterreich und Frankreich bereits auf diesen Gebieten angemeldet haben.

Die französische Regierung hat der Antwerpener Ausstellung eine Subvention von 750 000 Frcs. bewilligt. Frankreich hat einen Raum von 10 000 Quadratmetern fest belegt, weitere 5000 Quadratmeter vorläufig reserviren lassen. Ein Regierungs-Kommissar ist ernannt. Die Ausstellung der französischen Kolonien, welche eine ausserordentlich schöne werden wird, leitet der Unterstaatssekretär Faure.

Angra-Pequena, Camerun, das Congo-Gebiet sind die heute in den Vordergrund der Unterhaltung gedrängten Fragen. Es dürfte deshalb unsere Leser interessiren, dass die internationale Gesellschaft am Congo auf der Welt-Ausstellung Antwerpen afrikanische Produkte, Waren etc. mannigfacher Art zur Schau bringen wird. Dieselbe wird in drei Abteilungen, der wissenschaftlichen, der kommerziellen und Modell-Abteilung ausstellen, und eine vollständige Sammlung der Karten über die besetzten Gebiete am Congo, am Kwilu und an der Küste von Loango, mit Angabe der von den Forschern der Association gemachten Reisen auslegen. In den Parkanlagen der Ausstellung wird ein ganzes Negerdorf mit dem Palaste des Häuptlings, des grossen Zauberers und den Hütten der Eingeborenen erbaut werden. Für Alle, welche sich für das innere Leben Afrikas interessiren, wird diese Ausstellung gewiss von höchstem Interesse sein.

Die Belgische Regierung hat für die Antwerpener Welt-Ausstellung folgende Vertretungen ernannt:

Durch Königliches Dekret vom 17. Juli ist der Graf von Flandern (Bruder des Königs von Belgien) zum Ehrenpräsidenten sämtlicher Kommissionen, ferner der Graf d'Oultremont, früherer belgischer Ausstellungs-General-Kommissar auf den Ausstellungen von Philadelphia, Paris und Brüssel zum General-Kommissar der Regierung in Brüssel ernannt worden. Zu Präsidenten der belgischen Ausstellungs-Kommission wurden ernannt: der Handelsminister Beernaert und Herr Victor Lynen zu Antwerpen; zu Vicepräsidenten: der Oberbürgermeister von Antwerpen Leopold de Wael, das Mitglied der Repräsentantenkammer Eugen Meens und der Baron Eduard Nottebohm. Die Ausstellungs-Kommission zählt einige hundert Mitglieder und setzt sich aus den hervorragendsten Persönlichkeiten aller Kreise zusammen. In Deutschland haben sich drei Komités gebildet: 1. für Norddeutschland und Sachsen, 2. für die Rheinlande und Westfalen, 3. für Süddeutschland.

Aus Baensch' Zeit.-Korr. f. d. Antw. Ausstellung.

Verlag von H. W. Silomon in Bremen. Druck von Aug. Meyer & Dieckmann, Hamburg, Alterwall 16.

HANSA

Redigirt und herausgegeben
von
W. von Freeden, BONN, Thomastrasse 8.
Telegramm-Adresse:
Freeden Bonn,
oder
Hansa Alterwall 28 Hamburg.

Verlag von H. W. Silomon in Bremen.
Die „Hansa“ erscheint jeden [illegible] Sonntag.
Bestellungen auf die „Hansa“ nehmen alle Buchhandlungen, sowie alle Postämter und Zeitungsexpeditionen entgegen, desgl. die Redaktion in Bonn, Thomastrasse 8, die Verlagshandlung in Bremen, Obernstrasse [illegible] und die Druckerei in Hamburg, Alterwall 28. Sendungen für die Redaktion oder Expedition werden an den letztgenannten drei Stellen angenommen. Abonnement jederzeit, frühere Nummern werden nachgeliefert.

Abonnementspreis:
vierteljährlich für Hamburg 2½ ℳ,
für auswärts 3 ℳ = 3 sh. Sterl.
Einzelne Nummern 60 ₰ = 6 d.

Wegen Inserate, welche mit [illegible] ₰ die Petitzeile oder deren Raum berechnet werden, beliebe man sich an die Verlagshandlung in Bremen oder die Expedition in Hamburg oder die Redaktion in Bonn zu wenden.

Frühere, komplete, gebundene Jahrgänge v. 1873, 1874, 1876, 1877, 1878, 1879, 1880, 1881, 1882, 1883 sind durch alle Buchhandlungen, sowie durch die Redaktion, die Druckerei und die Verlagshandlung zu beziehen.
Preis ℳ [illegible]; für letzten und vorletzten Jahrgang ℳ [illegible].

Zeitschrift für Seewesen.

No. 24. HAMBURG, Sonntag, den 30. November 1884. 21. Jahrgang.

Inhalt:

Revision der Prüfungsvorschriften für Seeschiffer, mit besonderer Rücksicht auf die Hochseefischer.

I.

Sicherm Vernehmen nach liegt es in der Absicht der Reichsregierung, eine Neugestaltung der Vorschriften über den Nachweis der Befähigung zum Seeschiffer und Seesteuermann herbeizuführen. Wir können ihr nur besten Erfolg zu diesem Vorhaben wünschen. Seitdem jene Vorschriften zur allgemein gültigen Richtschnur erhoben sind, hat sich so Manches im Schiffahrtsbetriebe geändert und ist soviel völlig Neues hinzugetreten, dass jene Vorschriften, welche damals nur mit der denkbar schwächsten Majorität in der Kommission durchgegangen waren, jetzt in vieler Beziehung nicht mehr passen. Vielleicht dürfte es gerade darum auch angezeigt sein, auf die von der Minorität der Zeit geltend gemachten Gesichtspunkte noch einmal kurz zurückzukommen, da sich auf diese Weise vielleicht noch eher ein guter Uebergang vom Veralteten auf das Neuzugestaltende finden lässt.

Die Kommission, welcher 1869 die Abfassung eines neuen Gesetzentwurfs über den Nachweis der Befähigung der Seeschiffer u. s. w. aufgetragen war, hatte als Vorfrage die Wahl unter drei von grössern Schulgruppen vertretenen Standpunkten zu treffen. Die Elb-Schulen und ihre Anhänger in Ost und West kannten nur einen Schulkursus mit Eintrittsfreiheit zu jeder Zeit und infolge dieses Systems fast nur Einzelunterricht, selten unterbrochen durch allgemein(?) verständliche Vorträge des Lehrers. Alle übrigen Schulen hatten bereits zwei Lehrkurse eingeführt oder standen unmittelbar vor dieser Massregel und so wurde der Standpunkt der Elbschulen alsbald von ihnen selber als für die Zukunft unhaltbar anerkannt. Es bestand aber der wesentliche Unterschied zwischen den Weserschulen und ihren Anhängern im Westen gegenüber den, kurz gesagt, Ostseeschulen, dass man dort in dem ersten Lehrkursus nur *einen Teil* des ganzen Lehrstoffs bewältigte und die schwierigern Partien für den zweiten Lehrkursus aufsparte, während man an der Ostsee schon im ersten Lehrkursus so ziemlich das ganze Material, wenn auch vielfach nur, um dem nächsten *praktischen* Bedürfnis zu genügen, durcharbeitete, und für den zweiten Kursus dann eine mehr oder weniger umfangreiche Wiederholung des Ganzen nebst Ergänzung nach verschiedenen Richtungen sich vorbehielt. Da eine Entscheidung zu Gunsten des letztern Standpunkts vorerst nicht herbeigeführt werden konnte, so musste die Kommission ohne Entscheidung über diese wichtige Prinzipienfrage ihre Spezialarbeiten beginnen und hat fast das ganze Prüfungsgesetz fertig gestellt, bevor die Streitfrage in einem für den Standpunkt der Ostseeschulen günstigen Sinne entschieden wurde. Es ist deshalb nicht zu verwundern, wenn im Einzelnen das Prüfungsgesetz nicht so ganz einheitlich durchgearbeitet erscheint, und z. B. die Vorschrift, dass wenn ein Schiff zwei Steuerleute führt, einer derselben das Schifferexamen gemacht haben soll, mehrfach als Härte empfunden wird, und in der Praxis des Dienstes häufig zu unliebsamen Reibereien und eigensüchtigen Verdächtigungen führt.

— Indessen wir wollen auf diese einmal grundsätzlich entschiedene Frage, dass im ersten Kursus der Schüler schon mit allen im *praktischen* Dienst vorkommenden Rechenaufgaben bekannt gemacht werden soll, nicht weiter zurückkommen.

Aber was wir schon damals und seitdem wiederholt und auch in Zukunft, bis es abgestellt ist, als eine unnötige Belästigung des Schülers verworfen haben, das ist die im Verwaltungswege eingeführte Vorschrift, dass der erste Kursus 9 Monate und der zweite 5 Monate dauert. Die alten Weserschulen bewältigten ihre Aufgaben in zwei Kursen von je fünf Monaten; was dem jetzigen ersten Kursus aus dem damaligen Lehrstoff des zweiten Kursus zugelegt ist, lässt sich in 1 Monat völlig und gut bewältigen und so würden wir zur Erleichterung der Kasse der in dem wahrhaftig nicht sehr lohnenden Beruf beschäftigten jungen Leute es für durchaus richtig und ausführbar halten, wenn man einen ersten Kursus von 6 Monaten und einen zweiten Kursus von 4 Monaten einrichtete. Diese Termine bieten ausserdem den nicht gering zu schätzenden Vorteil, dass sie sich äusserst bequem in die Jahresrechnung einfügen und somit die praktisch jetzt vorhandenen wechselnden Termine der Schuleröffnung, welche an der Nordsee zu fortwährenden Anzeigen nötigen, oder die übergrossen Ferien, wie sie im Osten üblich sein sollen, wegfällig machen. Für die Reduktion des entschieden zu langen und kostspieligen ersten Kursus von 9 Monaten spricht auch der Umstand, dass viele Schulen schon jetzt viel spätern Eintritt als vorgeschrieben gestatten, wenn der Eintretende den Nachweis liefert, dass der Standpunkt seiner Kenntnisse ihn mit Aussicht auf Erfolg mitten in den Kursus hineinzuspringen gestattet. Dagegen legen andere Schulen wiederum viel Gewicht auf eine gleichmässige gemeinsame Durcharbeitung des ganzen Lernmaterials und verwerfen den verspäteten Eintritt entweder gänzlich oder gestatten ihn nur unter sehr erschwerenden Umständen. Alles dies beweist aber, dass der Kursus von 9 Monaten praktisch vom Uebel ist und sich nicht bewährt hat.

Nachdem die geplante »Neugestaltung der Vorschriften etc.« so in den 1869 beliebten äussern Anordnungen einen dankbaren und änderungsbedürftigen Stoff gefunden haben wird, darf sie ebenfalls nicht unterlassen, verschiedenen in der Schiffahrt eingetretenen Aenderungen Rechnung zu tragen. Das Prüfungsgesetz unterscheidet zwischen Küstenfahrt, kleiner Fahrt und grosser Fahrt. Diese Bestimmungen sind durch die Entwickelung der Dampfschiffahrt und deren Eintritt in das Frachtgeschäft nach allen Richtungen hin durchlöchert und bedürfen einer gründlichen Neugestaltung. Die 1869 noch blühende Küstenfahrt mit Segelschiffen und selbst die kleine Fahrt, die auf Ost- und Nordsee beschränkt war, sind von der überhandnehmenden Dampfschiffahrt so sehr in die Enge getrieben, dass Neubauten von dazu erforderlichen Schiffen fast nicht mehr vorkommen und die eigentlich notwendige Anwendung der bestehenden Vorschriften auf Dampfer erst recht nicht durchzuführen ist und praktisch von den Rhedereien immer überflüssiger gemacht wird. Ob es der Küstenfahrt helfen wird, wenn ihr Gebiet westlich bis zur Schelde, östlich bis zur Newa ausgedehnt wird, vermögen wir nicht zu entscheiden; es werden die Gutachten aus den betreffenden Kreisen darüber viel praktischere Winke geben als sich von vorn herein beurteilen lässt und ist demgemäss eine Befragung der Praktiker selber in diesem Fall durchaus angezeigt. Die kleine Fahrt auf die Beschiffung des Kanals und aller Küsten Grossbritanniens auszudehnen, dürfte selbst vom Standpunkt des alten Gesetzes keine Bedenken erregen, welches in der Forderung sauberer Loggerechnung als dem Hauptstück der für diese sog. kleine Fahrt erforderlichen Kenntnisse gipfelt. Auch die Bordeauxfahrt und die in neuerer Zeit emporgekommene Fahrt nach baskischen Häfen dürfte um so weniger beanstandet werden, als sie schon seit Beginn des Jahrhunderts und früher von kleinen Nord- und Ostseeschiffern geübt wurde, deren allgemeine und spezielle nautische Bildung gewiss nicht höher stand als die der jetziger Schiffer kleiner Fahrt. Die »Aussenmittagsbreite«, schon damals nur wenigen strebsamen Köpfen bekannt, galt als etwas Besonderes für diese Fahrt durch die »spanische See« und genügte dem Bedürfnis vollkommen. Nur verstehen wir nicht, wie man die kleine Fahrt bis Cadix ausdehnen will, ohne mit dem bestehenden Gesetz gründlich zu brechen und andererseits doch einen durchaus unerklärlichen Riegel vorzuschieben. Denn ohne über die Forderungen des Gesetzes uns weitläufiger zu verbreiten, weil der Widerspruch klar vorliegt, so möchten wir doch darüber belehrt werden, warum denn ein Schiffsführer, welchem die Fahrt bis Cadix gestattet bezw. zugetraut wird, nicht auch berechtigt sein soll, das mittelländische und schwarze Meer ebenfalls zu befahren. Gelegenheit auf dem Segelschiff bekommt er ohnehin nicht viel dazu, aber man wäre doch auch mit einem Schlage die hauptsächlichsten Folgewidrigkeiten los, welche sich aus der Zulassung der Dampferführer zu dieser Fahrt und dem in sich nicht gerechtfertigten Ausschluss der kleinen Seglerkapitäne von dieser Fahrt bislang fortwährend ergeben haben.

Der beschränkte Raum verbietet uns leider ausführlicher auf die Begründung dieser Ansprüche einzutreten und müssen wir leider aus gleichem Grunde es uns heute versagen, die Rücksichten in den Kreis dieser Betrachtungen hineinzuziehen, welche die erst nach Erlass jener Prüfungsvorschriften von 1869/70 wieder begründete *deutsche Hochseefischerei* auf's dringendste für sich fordert.

Wir werden dafür in nächster Nummer um so ausführlicher auf letztern Gegenstand zurückkommen.

Aus Briefen deutscher Kapitäne.

XIX.

Kapt. W. Willigerod's 100. Rundreise Bremen-Newyork-Bremen Dampfer „Eider."

Verliessen *Bremerhaven* am 4. Octb. 1884. Passirten die Weser-Aussentonne 3 U. 20 M. Nm.

Octbr. 5 50° 42' N. 0° 24 O. 357 Sm Frische NW.-Briese; alle Segel bei.

„ 6 Bis Nab Feuerschiff 53 Sm Passirten um 2 U. 50 M. Nab Feuerschiff. Distanz 410 Sm.

Reisedauer 1 Tag 0 Std. 0 Min. Um 4 U. 15 M. Nm. gingen von *Southampton-Rhede* weiter; passirten *6 U. 15 Min Nm. Needles Abfahrt.*

October		Sm.	
6.	49° 57' N. 8° 46' W.	290	Leichte NO. Briese, lebhafte See, bedeckt. Keine Beobacht.
7.	50° 19' N. 19° 12' W.	403	Leichte NO. Briese, ruhige See. Gute Beobachtung.
8.	50° 6' N. 29° 54' W.	412	Veränderlicher Wind, bedeckt. Keine Beobachtung.
9.	48° 54' N. 40° 2' W.	402	Stillte und leichter südlicher Wind, Regen. Keine Beob.
10.	46° 16' N. 49° 18' W.	406	Leichter südlicher Wind Nebelschauer. Keine Beob.
11.	43° 29' N. 57° 51' W.	401	Leichte westl. Briese, schönes Wetter. Gute Beobachtung
12.	41° 12' N. 66° 33' W.	410	Frische WSW. Briese, gutes Wetter. Gute Beobachtung.
13.	Bis Sandy-Hook-Fsch.	336	Um 9 U. 0 Min. Vm. passirten Sandy-Hook-Feuerschiff. Ende der Reise.

Distans 3060 Sm.!

Reisedauer 7 Tage 13 St. 45 Min.

Verliessen *Newyork am 22. Octbr. 1884*, passirten *Sandy-Hook-Feuerschiff um 9 U. 20 Min. Vm.*

October		Sm.	
23.	41° 32' N. 64° 50' W.	415	Leichte SSW. Briese, Regen. Keine Beobachtung.
24.	43° 25' N. 57° 18' W.	358	Leichter WSW.Wind, bed. hohe See. Keine Beobacht.
25.	45° 47' N. 49° 16' W.	371	Wind veränd. von SW.-NO. Hohe See. Keine Beobacht.
26.	47° 56' N. 40° 27' W.	394	Leichte ONO. Briese, Regen u. Nebelschauer. Keine Beob.
27.	49° 24' N. 30° 29' W.	406	Stürmisch.Wind aus SW., hohe See. Keine Beobachtung.
28.	49° 45' N. 20° 15' W.	401	Leichter NNW.Wind, Regen, grobe See. Gute Beobacht.
29.	49° 58' N. 9° 45' W.	407	Leichte NW. Briese, schönes Wetter. Gute Beobachtung.
30.	bis Needles	327	Um 7 U. 40 M. Vm. passirten Needles. Ende der Reise.

Distans 3063 Sm.!

Reisedauer 7 Tage 17 St. 20 Min.!

Um 9 U. 15 Min. gingen von *Southampton-Rhede* weiter, passirten *10 U. 40 Min. Nab Feuerschiff.*

Abfahrt am 30. Octb.

50° 29' N. B, 0° 27' W. L.	22 Sm.	Leichte SW.-Briese, gutes Wetter.
Oct. 31. bis Weser-Aussentonne	388 „	Leichter SW.-Wind, gutes Wetter.

Distanz 410 Sm.

Passirten 10 Uhr 30 Min. die Weser-Aussentonne.

Reisedauer 0 Tage, 23 Stunden 20 Min.!!

Nachschrift d. Red. Dieses Logbuch spricht für sich selbst, die Zahlen sind beredter als alle Worte. **Diese Unempfindlichkeit gegen die wechselnden Umstände auf dem Ocean ist bislang auf keiner Ueberfahrt erreicht,** von keinem Schiffe, von keinem Schiffsführer.

Aus Briefen deutscher Kapitäne.

XX.

Beitrag zur Fauna von Nord-Formosa*)

Nach *W. Hancock.*

Das Nordende von Formosa und vorwiegend der Tamsui-Bezirk ist grösstenteils von Wald entblösst; viele Tiere, die in den Urwäldern von Mittelformosa leben, findet man daher hier nicht. Man sagt, dass Bären in Mittel-Formosa häufig vorkommen sollen, die Wälder von Affen schwärmen und der Hirsch bei dem Wilden ein gewöhnliches Jagdtier ist. — In den Tamsui-Bergen ist das grösste Jagdtier das wilde Schwein, welches sehr häufig ist. Man findet sie in ausgetrockneten Bergbächen und Hohlwegen, wo sie in der üppigen dichten Vegetation des Tags über liegen und nur des Nachts aus ihren Verstecken hervorkommen. Fussspuren und aufgewühltes Erdreich zeigen gewöhnlich die Nähe ihres Lagerplatzes an; hin und wieder findet man Dachse und Marder und soll auch der Ameisenbär, wenn auch selten, hier vorkommen. — Nordformosa ist arm an Vögeln; Saatkrähen, Elstern, Dohlen, Staare habe ich nie gesehen, ebensowenig die weissbrüstige Krähe, die doch von Peking bis Hainan am festen Lande vorkommt. Die grossen Geier, welche man ebenfalls an der ganzen chinesischen Küste antrifft, sieht man selten. Die meisten dieser Vögel sah ich einst in einem der grossen Thortürme von Peking, dem Ch'ienmen-Turm, wo eine wahre Kolonie von Geiern sass. Abends, wenn Schwärme der Saatkrähen aus der Umgegend nach ihren Nestern in den Hainen der kaiserlichen Gärten flogen, war es interessant anzusehen, wie die Geier sich zusammen schaarten, gleichsam wie zur Abwehr der Saatkrähen. Diese Geier sind äusserst frech; ich sah in Peking in einer der belebtesten Strassen, wie einer dieser Vogel ein Stück Fleisch aus der Hand eines Kindes weg holte, welches auf der Strasse ging. — Alle Arten Möven sind selten in Tamsui, obgleich Tausende auf den Inseln eben nördlich von Formosa brüten. Nach einem schweren NOster sieht man viele Schnepfen und Regenpfeifer*); beobachtet man diese letzteren genauer, so scheint es, als wenn sie durch ihr Gehör die Würmer, von denen sie leben, in der Erde entdecken. — Die gewöhnlichen Vögel welche man hier findet sind der Drongo (Dicrurus macrocirus) und eine Art Würger (Shrike). Der erstere ist glänzend schwarz, hat einen langen, gespaltenen, aufwärts stehenden Schwanz und lässt Töne von sich hören, die wie das Reiben zweier Kieselsteine klingen. Er sitzt in der Regel auf einem freistehenden Baumzweig, hin und wieder auffliegend und dann Purzelbäume in der Luft schlagend; seine Nahrung sind Schmetterlinge und andere Insekten. Der Würger (oder Neuntödter) ist von braunroter und grauer Schattirung mit schwarzem Kopf; gleich den andern Arten der Würger, ahmt er die Stimmen anderer Vögel nach. An den Ufern der Flüsse und vorwiegend dort wo dieselben aus den Bergen treten, leben Schwärme kleiner Vögel, der Cotyle Sinensis, welche den europäischen Mauerschwalben ähnlich sind, sowie der Königsfischer und Klippen(Stein)drossel, welcher einen lieblichen Gesang hat. In Büschen und schattigen Plätzen begegnet man einem kleinen niedlichen Vogel, von dunkler grüner Farbe mit weissen Ringen rund um die Augen, dem Zosterops erythopleurus, dessen Lebensweise ganz die der gewöhnlichen Meise ist. Diese Vögel bauen sehr künstliche eirunde Nester aus den langen Stengeln des Berggrases und decken dieselben mit Bambusblättern zu, um den Regen abzuhalten. Nach einem schweren Taifun fand ich viele dieser Nester zur Erde geworfen, aber in den meisten, infolge ihrer Bauart, die Eier unversehrt vor. Der Paddivogel oder weisser Reiher scheint selten vorzukommen, jedoch findet man in den Bergen einige Habichtarten, so den Mäusefalken, Sperber, Wannenweher und eine Art kleinen Raubvogel, den Lerchenfalken in England gleichend.

Der zutraulichste Vogel ist hier auch die Hausschwalbe, die sich nur insofern von den europäischen unterscheidet, dass ihre Brust grau gesprenkelt ist, während ihre Lebensweise dieselbe ist; auch findet man in den Niederungen viele Lerchen, den europäischen in Gesang und Lebensweise ähnlich und nichts erinnert Einen mehr an die Heimat, als das trauliche Aus- und Einfliegen der Schwalben im Hause, sowie der Gesang der Lerchen. — Die hübsche Schlagschwanz Dohle, hauptsächlich in den Thälern von Chehkiang und den Wäldern von Chichtaissu bei Peking vorkommend, sowie die blaue Cynopolium cyaneus fehlen in Nordformosa, jedoch sah ich an der Kante des Urwaldes einen kleinen sehr hübschen blauen Vogel, den ich für Ruticilla fuliginosa nahm.

Die meisten Schmetterlinge, welche man hier antrifft, sind dieselben Arten welche auch in Hainan leben, es scheint, als wenn in Keelung mehr Schmetterlinge sind als in Tamsui. — Schlangen sind nicht so häufig, wie man voraussetzen sollte; eine Cobra Capella mass 3 Fuss 4 Zoll in Länge und war im Verhältnis zur Länge sehr dick und von einer dunkeln blauschwarzen Farbe; sie hält sich in flachen Löchern und unter Abfällen auf. Die Chinesen in Hainan nennen diese Cobra die Reislöffelschlange, weil der Kopf diese Form annimmt, wenn die Haut ausgespannt wird. Diese Cobra, welche ich untersuchte, scheint langsamer in ihren Bewegungen zu

*) *Anm. d. Red.* Da durch die politischen Ereignisse in dem Zwiste zwischen Frankreich und China Formosa jetzt eine grosse Rolle spielt, so glauben wir durch Veröffentlichung dieser freilich zu anderm Zweck abgefassten Schilderungen unsern Lesern einen Dienst zu erzeigen.

*) Der NO ist für Formosa der Wintermonsun; diese Vögel sind daher Zugvögel vom Norden Chinas und werden wohl noch mehr der nördlichen Zugvögel hier überwintern.

sein, als die andern Schlangen und ist wie bekannt äusserst giftig. Nächst ihr kommt eine schwarz und weiss gestreifte giftige Schlange; sie hält sich in ähnlichen Oertlichkeiten auf und wird wohl die Bungarus coeruleus sein, in Bengalen zu Hause gehörend. In den Rissen und Klüften der Gebirge lebt noch eine andere kleine, sehr giftige Art von stark erbsengrüner Farbe, etwa 18 Zoll lang; sie liegt in einer solchen Weise aufgerollt, dass man sie kaum bemerkt und muss man daher sehr vorsichtig sein beim Pflanzenpflücken. Die Anordnung der Giftzähne ist bei den verschiedenen Arten der Schlangen, die ich untersuchte, ganz gleich, d. h. es stehen an jeder Seite des Oberkiefers, mit einem kurzen und langen Zahn dahinter als Ergänzung zwei Zähne auf Drüsen oder Kissen. Drückt man die Giftzähne auf die Drüsen herunter, so wird das Gift durch die Zahnröhre gepresst und bleibt als Tropfen an den Spitzen der Zähne hängen. Ausser obigen Schlangen kommen noch verschiedene andere Arten vor. Eine ist glänzend schwarz, sehr klein, während eine andere Art, etwa 5 Fuss lang, mit länglichen schwarzen und gelben Streifen gezeichnet ist. Soweit wie mir bekannt leben in Nordformosa keine Pythons, aber in den schattigen Gebirgsklüften lebt eine bemerkenswerte hübsche Art Eidechse, etwa 5 Zoll lang und von dunkler Farbe mit hellen Streifen. Der Schwanz ist ganz rund, glänzend, von einer starken dunklen kobaltblauen Farbe und sehen sie wie kleine Schlangen aus. In den Häusern findet man eine kleine graue Eidechse, Chickchack genannt, so genannt von dem Geräusche, welches dieses Tier des Nachts macht und sich wie Chickchack anhört; sie ernähren sich von Fliegen, Moskitos und dergleichen Insekten. Es ist interessant diese Eidechsen zu beobachten wenn sie Kakerlaken angreifen; vorsichtig an ihr Opfer heranschleichend, ergreifen sie es mit einem schlängelnden Sprunge, nie ihr Ziel verfehlend und öfters von der Gewalt des Sprunges mit ihrer Beute zu Boden fallend und sich die Schwänze dabei abbrechend.

In Hainan (auf der Insel Hainan) leben auch zwei Arten sonderbarer Eidechsen; die eine Art ist von dunkler grauer Farbe, hellroter Kehle mit einem Kamm im Nacken und dicker Haut. Diese Eidechsen leben in der Schraubenfichte, wo man sie bei Sonnenaufgang auf den Aesten halbschlafend, mit ihren Schwänzen herunterhängend findet. Die Augen sind hervorstehend und die Weise wie sie dieselben verdrehen, so dass man das Weisse zu sehen bekommt, ohne ihren Kopf zu bewegen, giebt ihnen ein sehr possierliches Aussehen. Die andere Art ist 1½ Fuss lang, von gesprenkelter grauer Farbe und hellrot an den Seiten. Sie leben in sandigen Plätzen und sind hauptsächlich häufig in der Umgegend der Stadt Poochin. Diese Eidechsen laufen sehr rasch, mit dem Kopf erhoben, und wenn verfolgt, verdoppeln sie ihren Lauf, so dass sie schlecht zu fangen sind. Unter den Chinesen in Hainan besteht der Aberglaube, dass wenn eine dieser Eidechsen im Zimmer während einer schweren Geburt anwesend ist, dieselbe dann glücklich verläuft und werden zu diesem Zwecke einige dieser Tiere vermietet.

Hier findet man auch den Ameisenbär, welcher ungefähr 3 Fuss lang und mit einem richtigen Panzerfell, sowie grossen scharfen Klauen ausgerüstet ist. Auf dem Maungza Vulkan sind die Affen 2½ Fuss hoch, von grauer Farbe, im Süden von Hainan aber glänzend schwarz mit langen Armen und Beinen. Pythons sind in Hainan sehr häufig, gewöhnlich 15 bis 16 Fuss lang und so schwer, dass zwei Mann daran zu tragen haben. Die Häute benutzt man in ganz China um Guitarrensaiten daraus zu machen. Während ich in Hainan war, hatte ich zwei dieser Schlangen und bekam sie auf folgende Weise. Der europäische Kapitän eines chinesischen Zollkreuzers, hielt beide Tiere in einem grossen Kasten an Bord gefangen, eines schönen Tages war Eines von den Beiden verschwunden und konnte nirgends an Bord gefunden werden, man glaubte, dass es über Bord gegangen wäre; jedoch ein paar Tage später, als einer der Bemannung (Chinesen) nach oben geschickt wurde, um die Segel los zu machen, fand es sich dass die Schlange im Marssegel aufgerollt lag. Das Tier spuckte dem Matrosen ins Gesicht, infolge dessen der Mann vor Angst nahezu von oben fiel. Die Schlange wurde wieder eingefangen und in den Kasten gesetzt, aber die Bemannung schickte eine Abordnung an den Kapitän mit der Bitte, die Tiere von Bord zu schaffen; ich hörte den Vorfall am Lande und bat den Kapitän dieselben mir zu überlassen. — Ihre Nahrung bestand aus Hühnern und war ein Huhn für jedes Tier auf ein paar Wochen genügend. Setzte man ein Huhn in den Kasten, so schien es, als wenn dasselbe magnetisirt wurde und bewegte sich auch Stunden lang nicht, obgleich die Schlange das Huhn nicht angriff, so lange sie sich beobachtet glaubte. Diese Schlangen können sich sehr klein aufrollen und schlafen fortwährend, wenn sie gesättigt sind. — Die Insektenplage in Nord-Formosa ist nicht gross. Skorpionen fehlen, aber grosse Spinnen sind sehr häufig; die Tausendfüsse haben blaue Füsse und verschiedene Arten Ameisen sind vorhanden. Zuerst die weisse Ameise, deren schädliche Eigenschaft bekannt ist; dann die kleine schwarze Ameise, welche in Häusern und Bergthälern haust, sowie eine Bulldoggart Ameise, vorwiegend die Fugen der weichen flaumigen Blätter der Markpflanze bewohnend. Ich beobachtete einst das Begräbnis eines grossen Tausendfusses durch grosse schwarze Ameisen; der langgestreckte Körper wurde an beiden Seiten, frei von dem Grunde durch Ameisen getragen, vorne marschirten einige um den Weg frei zu halten und hinten kam der ganze Schwarm, in einer regelrechten Linie, die ganze Prozession war etwa 3 Fuss lang. — Kakerlaken sind nicht so häufig wie in Hainan, wo ich eines Nachts in meinem Zimmer durch einen Schwarm überrascht wurde, der einen solchen Spektakel machte, als wenn mit Erbsen geworfen wurde, so dass von Schlaf keine Rede mehr war. Sie fressen nicht allein alles was Leder ist, sondern auch alles Zeug, dessen sie habhaft werden können. Hier war es auch, wo während der Essenszeit des Abends ein Schwarm weisser Ameisen in's Zimmer kam, sämtliche Essschüsseln anfüllend und die Lampe auslöschend, so dass mir nichts weiter nachblieb als in's Bett zu flüchten. — Die Spinnen in Hainan sind gewöhnlich 6½ Zoll lang, vom Kopf bis zur Fussspitze, und kann man ihre Augen im Dunkeln ziemlich weit sehen, als hellglänzende kleine grüne Punkte. Sie tragen weisse Eiersäcke, einen Zoll lang, die etwa 500 Eier enthalten. In Hainan sind auch Tausendfüsse von 9 Zoll Länge und so dick wie ein Finger; in der Regel haben sie 48 Beine, jedes Bein an der Spitze bildet eine Klaue. Die Stärke und Wildheit dieser tropischen Ungetüme ist erstaunlich. Das einzige Mittel es zu halten ist, dass man das Tier in eine glacirte Waschschüssel setzt, denn an der glatten erhabenen Fläche kann es sich nicht mit den harten und scharfen Klauen halten. Findet es, dass es gefangen ist, so peitscht es vor Wut den Boden der Schüssel mit dem Schwanze, gerade wie ein Krebs es thut. Ich setzte einen Tausendfuss von 9 Zoll Länge mit einer Schlange von 16 Zoll zusammen. Der Tausendfuss beobachtete seinen Gegner eine kleine Weile und stürzte sich dann mit einem Sprunge auf die Schlange, sie mit einem Bisse tödtend. Während seine Vorderfüsse sich zusammenzogen schüttelte er die Schlange hin und her und sog ihr zugleich das Blut aus, was deutlich an dem Pochen seines Körpers zu sehen war. Wie ich ihn wegnahm, war an der Stelle wo er gesessen hatte ein Stück Fleisch rein aus der Schlange herausgebissen. Dieser Tausendfuss frass auch Schaffleisch und als eines Tages ein Skorpion bei ihm hereingesetzt wurde, tödtete er ihn gleich und verzehrte ihn bis auf Schwanz und Füsse. — In der Provinz Szechwan werden Tausendfüsse in grossen Brutanstalten vermittelst Hühnerfedern zu medizinischen Zwecke ausgebrütet*). Unter den Chinesen ist

*) Vorigen Jahr hatte ich etwa 50 Pikul gesalzene Skorpionen, von Chefoo nach Amoy, als Ladung im Schiffe. Man

der Glaube allgemein verbreitet, wenn ein fliegender Tausendfuss in den hohlen hölzernen Schlafkissen, welche die Chinesen gebrauchen, gesetzt wird, dieser das Nahen eines Räubers oder einer Schlange anzeigen soll; dieser fliegende Tausendfuss soll in einer der südlichen Provinzen des chinesischen Reiches vorkommen, was aber wohl eine Mythe sein wird.

Am Strande von Nordformosa kommt eine Art sonderbarer graufarbiger Krabben vor, mit grossen weissen Klauen, die aus der See kommen und Löcher im Sande machen. Die Augen sind vorstehend und weitsichtig, dazu sind die Tiere sehr scheu, so dass sie schlecht zu fangen sind; beim geringsten Geräusch gehen sie gleich zu Wasser, Kopf und Klauen in die Höhe gehoben; sie laufen sehr rasch sowohl vorwärts wie rückwärts. Ich nahm sie zuerst für Sandpfeifer, bis ich sie im Wasser untertauchen sah. — In den schlammigen Uferstrecken findet man den Springfisch; er hat die Farbe des Schlammes, ist 4 bis 5 Zoll lang und hat die Form eines Keiles; die Augen stehen dicht zusammen wie bei der Platteise. Ueberrascht man ihn, so macht er grosse Sprünge nicht allein im Schlamm sondern auch über ziemlich grosse Steine hinweg. Einer dieser Fische, den ich fangen wollte, sprang das steile Ufer eines Baches hinab, kreuzte ihn in Sprüngen anstatt zu schwimmen und kletterte dann das gegenüberliegende Ufer wieder hinau. Haifische, sowohl der gemeine wie der Hammerkopf, sind sehr häufig, ebenso fliegende Fische. Es ist gesagt worden, dass diese Fische nicht fliegen sondern springen: nach meiner Ansicht fliegen sie, denn ich habe gesehen, wie sie ihre Richtung veränderten*). Giftige Seeschlangen, die Hydoida, sieht man auch zuweilen, sie sind etwa 2 Fuss lang mit schwarzen und gelben Ringen.

Die Küste von Formosa ist reich an hübschen Muscheln. In Keelung findet man sowohl Schwämme wie Korallen, wahrscheinlich wegen der Nähe des Kuro-Siwo-Stromes; hier hat man auch einen Seeigel von dunkler purpurner Farbe, besetzt mit schwarzen 7-zölligen gegliederten Dornen. In Tamsui befinden sich grosse künstliche Austernbänke; wie in so vielen Fällen in China, dass die Gebräuche denjenigen in Europa und Amerika gerade entgegengesetzt sind, so ist es auch bei den Austern, welche man hier isst in den Monaten die kein R haben. *E. K.*

Aus Briefen deutscher Kapitäne.

XXI.

Von der chinesischen Küste.

Im Sommer 1881 wandten sich einige Kauffahrteikapitäne an unsern Gesandten, Baron von Brandt in Peking, mit einer Beschwerde über Lotsen und mangelhaftes Betonnungswesen von Newchwang. Wahrscheinlich infolge dieser Bittschrift, ging der „Wolf", Korv.-Kapt. Strauch, im October desselben Jahres sowie im Frühjahr 1882 mit einem Sekretär der Gesandschaft an Bord nach Newchwang, um die dortigen Verhältnisse zu untersuchen, das Revier aufzunehmen und wenn möglich die chinesische Lokalbehörde zu veranlassen, den Liau-Fluss besser zu betonnen. Infolge dieses Eingreifens von Korv.-Kapt. Strauch wurden denn auch in 1882 der Mittelgrund betonnt und sämtliche Kopffischstöcke mit roten resp. schwarzen Kugeln gemarkt. Eine sehr eingehende Segelanweisung, sowie Berichte über Betonnung und Eisverhältnisse erschienen ebenfalls 1882 von Korv.-Kapt. Strauch in den „Ann. d. Hydr." Seite 82 bis 88, die den nicht hoch genug anzuschlagenden Vorteil haben, dass sie deutsch geschrieben und nicht wie gewöhnlich, mit englischen Brocken verquickt sind. — In 1882 ging die chinesische Regierung zum europäischen Betonnungssystem über, schwarz und rot, und ist daher auch die Farbe und Form der Tonnen und Baken, wie sie Korv.-Kapt. Strauch gegeben hat, nicht mehr massgebend. Es ist einkommend: 1. Die Ansegelungstonne, eine schwarze spitze Tonne mit einem schwarzen abgeschnittenen Kegel als Toppzeichen. 2. Die Binnentonne, eine schwarze spitze Tonne mit einem schwarzen vierkantigen Toppzeichen. 3. Die Mittelgrundtonne, eine rote spitze Tonne mit einer schwarzen Kugel. 4. Bake V, rote Spiere mit zwei roten Kugeln. 5. Bake IV, rote Spiere mit einem vierseitigen roten Toppzeichen, welches in der Mitte einen horizontalen weissen Streifen hat. 6. Bake III steht an der Kante der Ostbank, rote Spiere mit einer roten Kugel. 7. Bake II steht an der SW-Kante der Batterie, rote Spiere mit zwei vierseitigen Toppzeichen, das untere weiss, das obere rot. 8. Bake I, schwarze Spiere mit einem vierseitigen schwarzen Toppzeichen. Zahlen habe ich nicht an den Baken und Tonnen bemerkt. Ausserdem werden im Frühjahr sämtliche Kopffischstöcke einkommend an Steuerbord mit roten, an Backbord mit schwarzen Kugeln versehen, die aber gewöhnlich schon in den ersten paar Wochen von den Junken zertrümmert werden.

Der Liau-Fluss hat in den letzten 20 Jahren, ober- und unterhalb von Sinkkao, oder Sochta, sein Bett sowie seine Tiefe sehr stark verändert, dagegen ist der Wasserstand auf der Barre so ziemlich derselbe geblieben. Früher konnte man mit 14 Fuss nach Newchwang kommen, etwa 16 Sm. oberhalb Sinkkao, jetzt aber können etwas tief gehende Leichterfahrzeuge nur mit der Flut nach diesem Platz gelangen. Diese Verflachung des Flusses kommt vom über Bord werfen des Ballastes der Junken her. Europäische Zollinspektoren in verschiedenen chinesischen Plätzen versuchten dieser Unsitte zu steuern, die chinesische Regierung sagt aber: es ist dieses in den letzten paar hundert Jahren gethan worden und wir sehen gar nicht ein weshalb es zu stoppen, wenn die europäischen Schiffe nicht mehr nach unseren Häfen kommen können, so bleiben sie einfach weg, denn wir wollen euch Europäer überhaupt hier gar nicht haben, wir dulden euch nur. Diese Unsitte wird also bestehen bleiben, bis dass das Land mal in andere Hände kommt.

1882 besuchten 137 Dampfer von 201 964 Reg.-To. und 177 Segelschiffe von 128 686 Reg.-To. Newchwang: von den Dampfern waren 73 englische mit 50 846 To. und 29 deutsche mit 21 394 To., von den Segelschiffen 54 englische mit 19 405 To. und 91 deutsche mit 33 525 To. Raumgehalt; zusammen also 127 englische Schiffe mit 70 251 To. und 120 deutsche mit 54 919 To. Raumgehalt. Von den 12 Lotsen die hier leben sind 3 Engländer, 3 Schweden, 2 Dänen und 4 Amerikaner, aber kein Deutscher; dies kommt daher, weil wir Deutschen hier früher vogelfrei waren und dies auch jetzt noch nicht viel besser ist, denn man bilde sich doch nicht ein, dass ein Engländer deutsche Interessen energisch vertreten wird.

Man kann mit ziemlicher Sicherheit annehmen, dass die 177 Segelschiffe sämtlich einen Lotsen nahmen und der Durchschnittstiefgang 10 Fuss einkommend und 14 Fuss ausgehend betrug, sowie dass die Dampfer zum mindesten ausgehend ebenfalls sich eines Lotsen bedienten und einen Durchschnittstiefgang von 16 Fuss hatten. Da nun das Lotsengeld für Segelschiffe 4 Taels und für Dampfer 3 Taels per Fuss beträgt, so wird der Verdienst eines Lotsen im Jahre 1882 „zum mindesten" 2000 Taels oder 2900 $, nach Newchwang Kurs, betragen haben. — Im Herbst 1881 wollten einige Herren in Newchwang mir erzählen, dass kein Deutscher dort Lotse werden könnte, ich wandte mich daher mit einem Gesuche an unsern Gesandten, um Anstellung von 6 deutschen Lotsen daselbst und dass die Prüfung in deutscher Sprache abgehalten würde. Anfang 1882 bekam ich Antwort von Peking, indem mir seine Excellenz Baron von Brandt mitteilte,

---

leutet dieselben in der Provinz Shantung in grossen künstlichen Brutanstalten aus, ebenfalls zu medizinischen Zwecken.

*) Natürlich fliegen sie und wahrscheinlich so lange bis die Flügel trocken sind. Ich selbst sah Fische von etwa ein Fuss Länge vom Schiffe aus, so weit fliegen, wie ich sie nur verfolgen konnte und kann vom Springen auf einer solchen Distanz keine Rede mehr sein. Im Sommer gehen diese Fische bis nach Chefoo in 38° N hinauf, wo sie massenhaft gefangen werden. D. Uebers.

dass für Anstellung deutscher Lotsen in Newchwang, beim Freiwerden der Stellen, gesorgt wäre; ich kann daher meinen Kollegen, die Lotsen werden wollen, nur raten nach Newchwang zu gehen, da voriges Jahr ein Engländer nach Hause gegangen ist und dieses Jahr ein Däne nach Hause gehen wird, also in 1884 nur 10 Lotsen dort sein werden und noch um so mehr, da 2000 Taels ein sehr guter und sicherer Verdienst und die Stellung jedenfalls besser ist, statt heutigen Tags als Kapitän zu fahren, mit 4 bis 500 Taels Verdienst per Jahr.

Hauptausfuhrprodukte von Newchwang sind Bohnen, Bohnenkuchen und Bohnenöl. Die Ausfuhr stellt sich an Pikuls in den folgenden Jahren also:

	1873	1882
Bohnen......	1 005 366	2 069 152
Bohnenkuchen	554 160	1 613 464
Bohnenöl	20 028	20 626

Die Ausfuhr von Bohnen und Bohnenkuchen hat sich also in 9 Jahren verdoppelt, während die Ausfuhr des Bohnenöls sich gleich geblieben ist.

Es herrschen hier an der Küste verschiedene Ansichten über die Zukunft der Dampfer und Segelschiffe. Die meisten glauben, dass die Segelschiffahrt ein überwundener Standpunkt ist, die andern, dass sie sich noch eine Zeitlang halten wird. Diese letztere ist auch meine Ansicht und warum, werde ich weiter unten auseinandersetzen.

Zwei grosse englische und eine chinesische Dampfergesellschaft beherrschen dieses Jahr den ganzen Frachtenmarkt an der Küste; Butterfield & Swire und Jardine Matheson & Co. in erster, die chinesische Gesellschaft in zweiter Linie. Durch ihre sinnlose Konkurrenz sind die Frachten so gedrückt, dass sie wohl nicht viel niedriger kommen können. 15 C. von Amoy, mit Umladung in Shanghai, nach Tientsin, 13 C. von Newchwang nach Swatow mit 10 Liegetagen und 17 C. von Newchwang nach Canton mit 12 Liegetagen für Dampfer, mit der Vergünstigung, dass die Befrachter ihre Ladungen 6—10 Tage in den Packhäusern der beiden englischen Gesellschaften in Shanghai, Swatow oder Hongkong ohne Extravergütung lagern können. — Das Traurige bei der ganzen Geschichte ist nur, dass nicht allein die beiden englischen Gesellschaften grosse Verluste haben, — das kann ihnen schliesslich niemand verwehren —, sondern dass auch die meisten der andern Schiffe, sowohl Dampfer wie Segelschiffe, mit wenig Verdienst oder sogar Verlust arbeiten. Ich habe dieses Jahr mit meinem Schiffe nur kleine Zinsen gehalten, nicht mehr, und bin einer von den wenigen Glücklichen, die noch am meisten verdient haben. — Die chinesische Gesellschaft wird sehr stark von der chinesischen Regierung unterstützt durch die Monopolbeförderung des Tributreises vom Jangtse-Kiang nach Tientsin. Sie bekommt für jeden Pikul Reis 65 Taelcent = etwa 90 Dollarcent und wird ausserdem, wenn nur eben möglich, auf alle Weise von den Mandarinen begünstigt. Nur diese grossartige Unterstützung ermöglicht es der Gesellschaft, dass sie überhaupt noch existirt. — So lange wie die Dampfer nicht unter denselben Bedingungen fahren können als die Segelschiffe, d. h. dass die Unkosten eines Dampfer „per Mount" nicht mehr betragen werden als die eines Segelschiffes derselben Grösse, also dass die Chinesen die Dampfer auch als Packhäuser benutzen können, so lange werden die Segelschiffe sich auch halten, und ich glaube dieser Zeitpunkt wird in den nächsten 5—10 Jahren noch nicht eintreten, ganz abgesehen davon, dass hierbei noch andere ausschlaggebende Faktoren mit ins Spiel kommen; dahin gehören 1. die allgemeinen chinesischen Handelsusanzen sowohl im Norden wie im Süden. So lange als die chinesischen Kaufleute in Newchwang aus den kleinen Booten längsseite kaufen und keine Aufkäufer in's Land schicken, um die Bohnen direkt aufzukaufen und am Lande aufzuspeichern, so lange müssen sie immer ein paar Cent mehr für den Pikul beim Dampfer bezahlen, als wie beim Segelschiff; das Umgekehrte ist in Hongkong-Amoy der Fall, so lange als sie noch die Bohnen direkt aus dem Schiffe verkaufen, müssen sie beim Dampfer den Pikul Bohnen um ein paar Cent billiger ablassen, wie beim Segelschiff, denn die Käufer wissen, dass ersteres keine oder wenige Liegetage hat; und bis die Chinesen soweit kommen, fliesst noch etwas Wasser den Berg hinab. Kommen jetzt 3 bis 4 Segelschiffe gleichzeitig in Amoy binnen, so ist gleich der Markt geworfen und dies wird, wenn Dampfer an Stelle der Segelschiffe treten sollten, noch in viel stärkerem Masse der Fall sein. 2. Der chinesische Kaufmann ist im hohen Grade konservativ; früher hat er kleine Junken gechartert, jetzt bezahlt er lieber ein paar Cent per Pikul mehr um nur ein seinen Geschäftsverhältnissen entsprechendes kleineres oder grösseres Schiff für sich zu haben, damit er, wie es vorwiegend in Amoy Sitte ist, einen Superkargo mitschicken kann, der auf die Ladung passt und den Agenten im Abladehafen überwacht, und besonders um die alleinige Disposition für die Dauer der Charter über das Schiff zu haben, während seine Geschäftsmittel nicht hinreichen würden, um unter gleichen Bedingungen einen grösseren Dampfer aufzunehmen. 3. Er will Zeit haben, um seine Ladung mit Ruhe ein- und verkaufen zu können. 4. Die Chinesen haben in den meisten Fällen mit Dampfercharters von Newchwang mit Bohnen noch immer verloren, viele der ersten chinesischen Firmen in Hongkong sind in den letzten Jahren zahlungsunfähig geworden; wenn auch wohl andere Ursachen dabei thätig gewesen sind, so haben doch auch anderseits die Dampfer ganz gewiss ihr Teil dazu beigetragen. 5. Das gegenseitige Misstrauen in kaufmännischen Beziehungen. Ein Chinese traut dem andern nicht weiter wie er ihn sieht und soweit nicht einmal. Daher hat es denn auch mit Errichtung chinesischer Zweigfirmen in europäischen oder amerikanischen Plätzen noch gute Wege. 6. Das sehr ausgebildete Aussaugungssystem der Mandarinen. Baut ein chinesischer Kaufmann sich Packhäuser und staut seine Waren darin auf, so ist es sehr leicht für einen Mandarin des Mannes Vermögen abzuschätzen und er wird dann auch darnach angezapft werden. — Es scheint, als wenn hier an der Küste innerhalb 5—6 Jahren ein Steigen und Fallen des Handels sowie des Frachtenmarktes stattfindet, deren Ursachen mir aber nicht bekannt sind. So war um den Vergleich beizubehalten 1871—72 Flut, bis 1876 Ebbe und die letzte Fluthöhe 1880 bis Mitte 81, von dieser Zeit trat Ebbe ein, die wahrscheinlich dieses Jahr ihren niedrigsten Stand erreicht hat und bin ich geneigt zu glauben, dass die Segelschiffe in den nächsten paar Jahren, wenn auch nicht ausgezeichnet doch immerhin so verdienen werden, dass sie bestehen können. (Schluss folgt.)

Uebersicht

sämtlicher auf das Seerecht bezüglichen Entscheidungen der deutschen und fremden Gerichtshöfe, Reskripte etc. der betreffenden Behörden etc., einschliesslich der Literatur der dahin bezüglichen Schriften, Abhandlungen, Aufsätze etc.

Titel XIII. Strafrecht.

Verhütung des Zusammenstossens der Schiffe auf See.

Nach Artikel 13 der Verordnung vom 7. Januar 1880 muss jedes Schiff, einerlei ob Segelschiff oder Dampfschiff, bei Nebel, dickem Wetter oder Schneefall mit mässiger Geschwindigkeit fahren. Bezüglich dieser Bestimmung ist die Fahrt derartig zu mässigen, um die durch den Nebel und die dabei obwaltenden besonderen Umstände hervorgerufene Gefahr eines Zusammenstosses mit anderen in der Fahrt begriffenen oder aus irgend einem Grunde zeitweilig manövrirunfähigen Schiffes thunlichst vermeiden zu können. Unter entsprechenden Umständen, also beispielsweise bei besonders dichtem Nebel wird der Schiffsführer die Fahrt auf ein Minimum reduziren müssen.

Entscheidungsgründe: „Aus den Ausführungen des Berufungsrichters ist nicht ersichtlich, dass derselbe, wie die Revision ihm vorwirft, bei Nebel eine solche Minderung der Fahrt verlange, dass beim Sichten auch eines in *voller Fahrt* befindlichen anderen Schiffes noch Zeit zum Ausweichen bleibe. Der Berufungsrichter spricht sich vielmehr nur dahin aus, dass die Fahrt *derartig* zu mässigen sei, um die durch den *Nebel* und die dabei obwaltenden besonderen Umstände hervorgerufene Gefahr eines Zusammenstosses mit anderen Schiffen thunlichst vermeiden zu können und diese Auslegung erscheint auch als ganz richtig, während der von der Beklagten angezogenen Auslegung in der Entscheidung des Ober-Seeamtes, nach welcher der Sinn des Artikels 13 *nur* der sein kann, dass bei Nebel ein Schiff mit einer so mässigen Geschwindigkeit fährt, dass diese beim Sichten eines anderen, *ebenfalls* mit mässiger Geschwindigkeit fahrenden Schiffes noch Zeit zum Ausweichen lässt, schon deshalb nicht beizutreten ist, weil auch auf *ankernde* oder aus irgend einem Grunde zeitweilig *manövrirunfähige* Schiffe Rücksicht genommen werden muss. Die allerdings im *allgemeinen* zutreffende Voraussetzung, dass des Nebels wegen auch andere in Fahrt begriffene Schiffe ihre Fahrt mässigen werden, steht daher der aus Artikel 13 a. a. O. zu entnehmenden Verpflichtung, die Fahrt des *eigenen* soweit zu mässigen, als dies den obwaltenden Umständen zufolge der Zweck, Kollisionen zu vermeiden, gebietet, keineswegs entgegen." (Erk. des I. Civilsenats des Reichsgerichts vom 24. September 1884.)

Titel XIII. Strafrecht.
Diebstahl. Gestrandetes Schiff.

Die rechtswidrige Zueignung von Sachen, welche sich auf einem gestrandeten, von der Besatzung verlassenen Schiffe befinden, begründet den Thatbestand des Diebstahls, nicht denjenigen der Unterschlagung.

Aus den *Entscheidungsgründen:* „In materieller Beziehung ist gegen die Angeklagten vom angefochtenen Urteile festgestellt worden, dass dieselben in gemeinschaftlicher Ausführung von dem gestrandeten und als Wrack von der Mannschaft verlassenen Schiffe *„Königin Elisabeth"* verschiedene dem Kapitän und Mitreeder eigentümlich gehörige bewegliche Gegenstände den Eigentümern in der Absicht rechtswidriger Zueignung weggenommen haben. Dabei ist die Einrede der Angeklagten, die Sachen seien ihnen geschenkt worden oder sie hätten Aeusserungen des Kapitäns im Sinne einer Schenkung verstanden, als unwahr abgewiesen. Die Revision behauptet, es läge nicht Diebstahl, sondern Unterschlagung vor. Insofern die Beschwerdeführer hiermit auf ihre ursprüngliche Einrede zurückzugreifen versuchen, wonach sie die fraglichen Gegenstände in der Absicht, dieselben zu *bergen* und nicht in diebischer Absicht von dem gestrandeten Schiffe an sich genommen haben, ist der Angriff verfehlt; denn es ist diese Einrede von der Instanz geprüft und aus rein thatsächlichen Gründen als unglaubhaft verworfen worden. Danach steht fest, dass die Wegnahme vom Schiffe nicht zum Zwecke des Bergens, sondern von vornherein in der Absicht rechtswidriger Zueignung geschehen ist und es muss jedes Ankämpfen gegen diese Thatsache für die Revisionsinstanz unbeachtet bleiben.

Mehr Gewicht könnte der Einrede insofern beigemessen werden, als durch dieselbe zugleich das Begriffsmerkmal des *„Wegnehmens"* an sich in Zweifel gezogen wird. Diesem möglichen Bedenken gegenüber kommt aber zunächst in Betracht, dass die Annahme einer Dereliktion der fraglichen Gegenstände abseiten der Eigentümer durch die Urteilsgründe ausdrücklich beseitigt worden ist, indem die letzteren für erwiesen erklären, die das Schiff verlassende Besatzung desselben habe *„die feste Absicht gehabt, die Sachen durchaus nicht den Wellen preiszugeben, sondern, sobald als irgend thunlich, von dem Wrack an das Land zu bringen."* Damit ist aber zu gleicher Zeit von der Vorinstanz festgestellt, dass so wenig das Eigentum wie der Gewahrsam an den fraglichen Gegenständen durch die Entfernung der Inhaber derselben vom Schiffe aufgegeben worden ist. Die Schiffsmannschaft brachte ihre durch die Strandung des Schiffes in Lebensgefahr versetzten Personen einstweilen in Sicherheit, behielt aber sowohl dem Willen wie der physischen Möglichkeit nach den Gewahrsam am Schiffskörper, seinem Inventar und sonstigen Inhalt bei. Die Möglichkeit der Rückkehr auf das Schiff von der nahen Küste aus und die erneuerte Aeusserung unmittelbarer thatsächlicher Herrschaft über dasselbe mochten unsicher und gefährdet sein; eine Unmöglichkeit, sich wieder in das körperliche Verhältnis unmittelbarer Gewalt über dieselben zu versetzen, lag für die bisherigen Inhaber bis zur Wegnahme der Sachen durch die Angeklagten nach dem Inhalte der Urteilsgründe nicht vor. Daraus ergiebt sich, dass bis zu jenem Vorgange ihr Gewahrsam an den Sachen fortgedauert hat. Auch der Umstand, dass bis zur Rückkehr der Schiffsbesatzung andere Personen das Wrack betreten und faktisch in Besitz nehmen konnten, änderte diese Rechtslage nicht. (Entscheid. des R.-G. in Strafs. Bd. II, S. 64.) Auf diesen Grundsätzen ruht auch das geltende Strandungsrecht.

Nach § 7 der deutschen Strandungs-Ordnung vom 17. Mai 1874 (R.-G.-Bl. S. 73) dürfen im Falle der Seenot *„wider den Willen des Schiffers keine Massregeln zum Zwecke der Bergung oder Hilfeleistung ergriffen werden." „Ist das Schiff von der Schiffsbesatzung verlassen"*, so bedarf es zum Betreten desselben mindestens der Erlaubnis des Strandvogts. Ebenso darf ganz allgemein nach § 12 a. a. O. „ohne Genehmigung des Schiffers nichts aus dem Schiffe fortgeschafft werden" und wird der Schiffer auch hier wieder durch den Strandvogt vertreten, sobald dieser die Leitung des Hilfeleistungs- und Bergungsverfahrens übernommen hat. Nach diesen Normen aber kann es nicht zweifelhaft sein, dass, wer von einem gestrandeten, von der Besatzung verlassenen Schiffe Gegenstände an sich nimmt, um sich dieselben rechtswidrig zuzueignen, im Sinne des § 242 R.-Str.-G.-B. einen Diebstahl an dem im fortdauernden Gewahrsam des Schiffers bezl. der Schiffsbesatzung befindlichen Sachen begeht." (Erk. des III. Strafsenats des Reichsgerichts vom 7. Februar 1884; Entscheid. Bd. X, S. 84 ff.)

Nautische Literatur.

Eines deutschen Matrosen Nordpolfahrten. Wilhelm Niedermann's Erinnerungen an die Nordpolexpeditionen der „Polaris" und „Jeannette". Herausgegeben von Karl Knortz. Zürich 1885. Preis 70 Pf.

Eine kleine Broschüre von 48 Seiten, in welcher der Herausgeber die Erzählungen veröffentlicht, welche ihm von dem Teilnehmer an beiden Fahrten der „Polaris" und „Jeannette" mitgeteilt wurden. Die Darstellung ist schlicht und einfach und trägt trotz mehrfacher persönlicher Anklagen den Charakter der Aufrichtigkeit und Wahrheit an sich. Der Standpunkt ist der eines wohlgebildeten Matrosen, der Sinn für die Aufgaben hat, welche Polarreisenden gestellt werden, ohne dass er näher auf deren Inhalt eingeht, und der mitmacht, weil er gerade keine andere Beschäftigung finden kann. Darum werden auch die grausigsten Schilderungen der Schrecken der langen Polarnächte, der polarischen Stürme, Strömungen und Fahrten im Treibeise mit einer geschäftsmässigen Ruhe erzählt, welche den Leser selber auch kühl und furchtlos erhält, wie der Erzählende selber ihnen ohne Zittern und Zagen entgegen gegangen und sich durch sie hindurchgeschlagen hat.

Praktische Anleitung zur Vorausbestimmung des Wetters für Landwirte, Forstleute, Touristen und überhaupt für Jeden, der sich für die Vorausbestimmung der Witterung interessirt. Allgemeinverständlich auf Grund der heutigen meteorologischen Wissenschaft und eigenen Erfahrungen dargestellt von Dr. Hermann J. Klein, Vorsteher der Wetterwarte der Kölnischen Zeitung. Preis 75 Pf. Leipzig und Prag, 1885.

Eine interessante und anschaulich geschriebene Broschüre von 60 Seiten, welche der für meteorologische Vorgänge sich Interessirende sicherlich nicht ohne Befriedigung aus der Hand legen wird; wahrscheinlich wird er noch öfters zur weiteren *Uebung* nach ihr zurückgreifen. Von der „ersten auf richtige Beobachtungen — an einem 32 Fuss langen Wasserbarometer — begründeten Wetterprognose des bekannten Magdeburger Bürgermeisters Otto v. Guerike, welcher aus dem tiefen Stande seines Barometers am 9. Decbr. 1660 einen schweren auch wirklich eingetroffenen Sturm voraussagte," bis auf den Utrechter Professor Buys-Ballot, welcher das Gesetz aufstellte, „dass wenn man auf unserer Erdhälfte dem Winde den Rücken dreht, man den Ort des niedrigsten Luftdrucks zur Linken und etwas nach vorn hat" und damit die Cyclonentheorie der Tropen auf unsere Breiten übertrug, hat es 200 Jahre gedauert, und wiederum sind zwanzig Jahre verflossen, bis der Verfasser an der Hand zahlreicher Beobachtungen der Bewegungen der Cirruswolken folgende Gesetze als Grundlage seiner praktischen Wetterprognose formulirte:

1. Cirruswolken, welche aus einer Richtung zwischen NO. und SO. heranziehen, haben in den meisten Fällen keine Bedeutung als Regenbringer. Im Gegenteil folgt bei Bewegung aus Ost meist schönes Wetter.

2. Cirruswolken, welche aus einer Richtung zwischen SW. und NW. heranziehen, haben durchschnittlich unter 10 Fällen 8 Mal Regen innerhalb der nächsten 24 Stunden im Gefolge.

3. Je zahlreicher und verschiedenartiger die Gestalten der sichtbaren Cirruswolken sind, um so sicherer ist auf Regen zu rechnen.

4. Cirruswolken, die so rasch aus NW. ziehen, dass man ihre Bewegung leicht und sicher erkennen kann, haben unter 10 Fällen 9 Mal Regen innerhalb 24 Stunden im Gefolge. Fällt das Barometer während dessen und treten die rasch aus NW. ziehenden Cirren in Gestalt von zerzausten und gebogenen Fäden oder als Locke mit einem Häufchen an der Spitze auf, so kann man mit grösserer Sicherheit auf Regen innerhalb längstens 24 Stunden rechnen.

Die Hervorhebung des *Regens* als meteorologisches Ereignis der nächsten Zukunft characterisirt den Uebergang von der einfachen *gelegentlichen Sturm*prognose auf die allgemeine *tägliche Wetter*prognose und wird in den folgenden Kapiteln nun eingehend, selbst in praktischen Beispielen vorgeführt, welche Uebungsbeispiele der Praxis selber entnommen sind. Ein Schlusswort behandelt die atmosphärischen Zustände und Vorgänge, auf welche man bei Aufstellung einer lokalen Prognose besonders zu achten hat und hilft den didaktischen Zweck der interessanten kleinen Schrift vervollständigen. Die ganze Arbeit verrät das Streben, die *tägliche Wetter*prognose, welche dem Binnenländer entschieden wichtiger ist als die für Küsten und Schiffe bedeutsame *Sturm*prognose, von den Schicksalen der letzteren zu trennen, nachdem selbige nicht unverdienter Weise sich eine strenge Kritik hat gefallen lassen müssen, dass sie den neuen Most unvorbereitet in die alten Schläuche füllte.

Rheinschiffs-Register. Vierte Ausgabe. Herausgegeben vom Rheinschiffs-Register-Verbande. Frankfurt a/M. 1884

Als wir im Jahre 1880 in unserer No. 30 vom 26. Septbr. unsern Lesern eine „Photographie der Rheinschiffahrt" vorführten und uns dabei auf die oben erschienene zweite Ausgabe des „Rheinschiffs-Registers" beriefen, durften wir der so geschickten als zeitgemässen Arbeit schon das Prognostikon stellen, dass binnen wenigen Jahren die Liste der hier aufgenommenen Rheinschiffe sich kompletiren werde. Diese Erwartung ist in Erfüllung gegangen, insofern als den

im Jahre 1880 registrirten	2820 Seglern und	294 Dampfern
und den „ „ 1887 „	3360 „ „	351 „
jetzt ein Register von..........	4969 „ „	467 „

gegenübersteht, und von der gesunden Entwickelung des Rheinschiffs-Register-Verbandes Zeugnis ablegt, dessen geschäftsführender Ausschuss in der Frankfurter Versicherungs-Gesellschaft „Providentia" eifrigst bemüht erscheint, den Inhalt des Registers nach allen Richtungen zu vervollständigen und dabei von Behörden wie Schiffahrts-Interessenten bereitwillig unterstützt wird.

Das ganze Register macht durch seinen saubern Druck, kräftiges Papier und übersichtliche Anordnung auch äusserlich den besten Eindruck; auf den Inhalt werden wir nächstens ausführlicher zurückkommen, um auch unser Teil beizutragen, der Rheinschiffahrt zu der ihr gebührenden Stellung zu verhelfen.

Verschiedenes.

Die Oberfläche der amerikanischen Gewässer. Als besonderer Anhang zu den Angaben über den Flächeninhalt der Ver. Staaten gibt der neue Census eine Zusammenstellung über die Oberfläche aller Ströme und Bäche im Land, die 14 500 Quadrat-Meilen umfassen. Ferner wird dann die Oberfläche aller Seen und Teiche auf 23 900 Quadrat-Meilen und die aller Küsten-Gewässer auf 17 200 Quadrat-Meilen angegeben.

Dafür kann durchaus keine volle Genauigkeit in Anspruch genommen werden. Die Angaben sind nach den Ausmessungen auf den vorhandenen Karten gemacht worden, welche mehr oder weniger zuverlässig sind. Die Karten der General-Land-Office sind in jeder Hinsicht genau, und auch die verschiedener einzelner Staaten. Aber im grossen Ganzen musste man bei dieser Sache mehr abschätzen als rechnen.

Wo man zu dieser Abschätzung schreiten musste, nahm man das Durchschnittsverhältniss von Wasser und Land, was sich auf den zuverlässigen Karten vorfand. Dieses wechselte von einer Quadrat-Meile Wasser auf 90 Quadrat-Meilen Land bis zu einer Quadrat-Meile Wasser auf 3163 Quadrat-Meilen Land. In den Mississippi-Staaten hat man danach durchschnittlich auf 200 Quadrat-Meilen Land eine Quadrat-Meile Wasser gerechnet.

Der Staat Florida hat am meisten Wasser; er hat eine Oberfläche von 309 Quadrat-Meilen an Strömen und Bächen; 2250 Quadrat-Meilen an Seen und Teichen und 1880 an Buchten, Golfen etc.; insgesammt 4400 Quadrat-Meilen Wasserfläche bei 34 240 Gesammt-Flächeninhalt.

Danach kommt Minnesota mit 360 Quadrat-Meilen an Flüssen und 3800 an Seen etc. Der dritte Staat ist Nord-Carolina mit 3200 Quadrat-Meilen an Küsten-Gewässern, 250 an Strömen und 160 an Seen. Texas ist der vierte Staat. Es hat 2510 Quadrat-Meilen an Küsten-Gewässern, 800 an Flüssen und 180 an Seen etc. Den fünften Platz nimmt Louisiana ein mit 1060 Quadrat-Meilen Küsten-Gewässern, 610 an Oberfläche von Strömen und 1700 an Seen etc. Es folgen nun Maine, New York etc. Pennsylvanien hat nur 230 Quadrat-Meilen Wasserfläche bei 44 985 Quadrat-Meilen Gesammtfläche.

Am geringsten ist die Wasserfläche in einigen westlichen Staaten zwischen dem Mississippi und Californien. Arizona hat nur 100 Quadrat-Meilen Wasserfläche bei 112 920 Quadrat-Meilen Gesammt-Oberfläche; New Mexiko nur 120 Quadrat-Meilen Wasser bei einer Area von 122 400; Colorado 280 Quadrat-Meilen Wasser bei 103 545 Land und Wyoming 315 Quadrat-Meilen Wasser bei 97 575 Land.

Nach der Grösse der Wasserfläche ohne Rücksicht auf die Grösse der Land-Oberfläche sind die folgenden Staaten und Territorien die wasserreichsten:

	Q.-M.		Q.-M.
Texas	800	Louisiana	540
Missouri	639	Arkansas	540
Nebraska	630	Virginia	500
Dakota	610	Illinois	525
Indianer-Territorium	600	Maryland	500
Washington-Territorium	560	Oregon	500

An Seen und Teichen sind folgende am reichsten:

	Q.-M.		Q.-M.
Minnesota	3 800	California	[illegible]
Utah	2 700	Michigan	[illegible]
Maine	2 300	Wisconsin	1 170
Florida	2 250	Nevada	925
Louisiana	1 700	New York	900

Sehr grosse Seen sind im äussersten Westen in Californien (Tulare-See von 650 Q.-M.), Minnesota (Woods-See 612 Q.-M.) etc., welche jetzt noch fast ganz unbekannt sind, deren Ufer aber bald angesiedelt sein werden.

Verlag von H. W. Silomon in Bremen. Druck von Aug. Meyer & Dieckmann, Hamburg, Alterwall 14.

HANSA

Redigirt und herausgegeben
von
W. von Freeden, BONN, Thomastrasse 9.
Telegramm-Adresse:
Freeden Bonn,
oder
Hansa Alterwall 28 Hamburg.

Verlag von M. W. Nieman in Bremen.
Die „Hansa“ erscheint jeden 2ten Sonntag. Bestellungen auf die „Hansa“ nehmen alle Buchhandlungen, sowie alle Postämter und Zeitungsexpeditionen entgegen, desgl. die Redaktion in Bonn, Thomastrasse 9, die Verlagshandlung in Bremen, Obernstrasse 15 und die Druckerei in Hamburg, Alterwall 28. Sendungen für die Redaktion oder Expedition werden an den letztgenannten drei Stellen angenommen. Abonnement jederzeit, frühere Nummern werden nachgeliefert.

Abonnementspreis:
vierteljährlich für Hamburg 2½ ℳ,
für auswärts 3 ℳ = 3 sh. Sterl.
Einzelne Nummern 60 ₰ = 6 d.

Wegen Inserate, welche mit 25 ₰ die Petitzeile oder deren Raum berechnet werden, beliebe man sich an die Verlagshandlung in Bremen oder die Expedition in Hamburg oder die Redaktion in Bonn zu wenden.

Frühere, komplete, gebundene Jahrgänge a. 1873, 1874, 1876, 1877, 1878, 1879, 1880, 1881, 1882, 1883 sind durch alle Buchhandlungen, sowie durch die Redaktion, die Druckerei und die Verlagshandlung zu beziehen.

Preis ℳ 6; für letzten und vorletzten Jahrgang ℳ 8.

Zeitschrift für Seewesen.

No. **25.** HAMBURG, Sonntag, den 14. December 1884. **21.** Jahrgang.

Inhalt:

Das amerikanische Dampfpfeifen-Signalsystem.

In den Berichten über die Kollision des »Hohenstaufen« und der »Sophie« ist vielfach von einem Signal der Dampfpfeife die Rede gewesen, welches das erstere Schiff gegeben habe und auf letzterm nicht verstanden sei. Wir geben daher der nachstehenden Schilderung des amerikanischen Dampfpfeifen-Signalsystems einen Platz in unserm Blatte, welche uns von einem in der amerikanischen Fahrt bewanderten Schiffsführer zugeht.

»Es ist Thatsache, dass deutsche Schiffer, Lotsen etc. sich schwer von althergebrachten Gewohnheiten trennen und ebenso schwer sich Neuerungen anpassen, welche durch Zeitverhältnisse zweckmässig, ja im höchsten Grade notwendig geworden sind. Dahin gehört, was letzteren Fall anbetrifft, das in deutschen Gewässern fast nur im Notfall angewandte, in Amerika und England aber schon seit langer Zeit ganz allgemein im Gebrauch befindliche Dampfpfeifen-Signalsystem, als eine **Regel** zu adoptiren, um bei Begegnungen von Dampfern unter einander, oder auch von solchen mit Segelschiffen, anzuzeigen, an welcher Seite man passiren will.

Wenngleich über das Ausweichen zur Verhütung von Kollisionen strassenrechtliche internationale Vorschriften bestehen, so tritt doch in engen Fahrwassern oder bei in See plötzlich eintretenden bedenklichen Positionen von Schiffen unter einander, die Notwendigkeit heran, schnell und sicher seinen Gegner zu unterrichten, was man zu thun beabsichtigt. Die Erfahrung hat gelehrt, dass jenes Dampfpfeifen-Signalsystem hierzu das beste Mittel ist und wer nur ein Mal den Hudson bei Newyork befahren hat, wird gesehen haben, mit welcher unvergleichlichen Bestimmtheit dort gefahren wird und Kollisionen zu den grössten Seltenheiten gehören, trotzdem jenes Gewässer, nach der Themse, wohl das belebteste der Erde sein dürfte. Die Amerikaner haben es als praktisch adoptirt und sie können nicht mehr ohne dasselbe fertig werden; sobald der amerikanische Lotse in Thätigkeit tritt, so ist es sein erstes, dass er die Dampfpfeife probirt, damit sie zum augenblicklichen Gebrauch bereit sei.

Die betreffenden Signale sind die einfachsten, welche man sich denken kann und sind folgende:

(ein) 1 Ton der Dampfpfeife bedeutet:
»ich weiche aus nach Steuerbord«;
(zwei) 2 Töne der Dampfpfeife bedeuten:
»ich weiche aus nach Backbord«;
(drei) 3 Töne der Dampfpfeife bedeuten:
»ich halte an und meine Maschine arbeitet volle Kraft rückwärts«.

Begegnen sich nun zwei Dampfer und zwar in Kiellinie oder annähernd so, dass die Gefahr eines Zusammenstosses vorliegt, so wird in erster Linie natürlich das internationale Strassenrecht seine Anwendung finden; beide Schiffe müssen nach Steuerbord ausweichen und sich an Backbord passiren. Tritt aber nun der Fall ein, dass durch Strand oder ein anderes in der Nähe befindliches Schiff, bei der Anwendung der internationalen Regel, eine andere bedenkliche Situation geschaffen, bei Umgehung derselben aber alles klar abgehen würde, so ist die Anwendung des Signals am Platze und dieselbe bringt sofort gegenseitiges Verständnis zu Wege: Dampfer *a* wird seinen Gegner *b* zwei Töne der Dampfpfeife hören lassen; dieser hat die Pflicht das Signal zu respektiren und giebt zum Zeichen, dass er die vorliegende Absicht von *a* verstanden habe, ebenfalls zwei Töne seiner Dampfpfeife ab, d. h. mit andern Worten, wir wollen uns an Steuerbord passiren.

Ganz besonders wichtig sind diese Signale bei Umsteuerung von scharfen Ecken im engen Fahrwasser; wenn auch hier allgemein das internationale Gesetz gilt, rechts zu passiren, so treten gerade hier häufig Positionen ein, die es wünschenswert machen, dass man sich mit Sicherheit verständigt, an welcher Seite man passiren will; es kommt hier besonders die bessere oder weniger gute Steuerfähigkeit des einen oder andern Dampfers in Betracht. *Ein* Ton der Dampfpfeife von *a* wird anzeigen, dass man nach Steuerbord ausweichen oder rechts halten will; *b* wird durch Beantwortung mit *einem* Ton erwidern, dass er verstanden habe und dass er seinerseits auch nach Steuerbord halten und nach rechts ausweichen werde; so ist die Anwendung dieser einfachen Signale vom besten Erfolge begleitet. Die Signale sind so einfach, dass es wohl nicht notwendig ist weitere Beispiele vorzuführen, es sei nur noch bemerkt, dass sie ein Mittel an die Hand geben, jede Absicht klar und bestimmt kund zu geben und dadurch bedenkliche Situationen aufzuklären, die ohne die Signale an gewisser Unbestimmtheit leiden würden.

Das dritte Signal ist nun

Drei Töne in mässig schneller Folge; es bedeutet:

»ich habe gestoppt und meine Maschine arbeitet volle Kraft zurück«.

Dieses Signal wird eben nur im Notfall gegeben, hat aber seine volle Bedeutung und, mit Verständnis angewandt, verhütet es manche Kollision. *Drei* Töne von *a* werden *b* anzeigen, dass *a* anhält und *b* wird ungehindert passiren können; *b* wird in diesem Falle durch *einen* oder *zwei* Töne anzeigen, ob er an Steuerbord oder Backbord von *a* passiren will, so dass die Situation vollständig geklärt ist.

Die Anwendung der betreffenden Signale wird von gleichem Nutzen sein, wenn Dampfer Segelschiffen, auch solchen im Schlepptau, begegnen; es ist natürlich notwendig, dass *ein allgemeines Verständnis der Signale* obwalte, was wohl noch nicht überall der Fall sein dürfte. Aus diesem Grunde empfiehlt es sich auch, dass alle Schiffsführer, auch die von Segelschiffen, sich mit diesen Regeln bekannt machen, sowie dass ihre Einführung in die Praxis von oben her allgemein angeordnet und geregelt werde. —

Das hier beschriebene Signalsystem ist keineswegs ein in Deutschland unbekanntes, sondern es ist sogar in den strassenrechtlichen Vorschriften »empfohlen, aber nicht obligatorisch gemacht«; ob letzteres wünschenswert ist, mag dahin gestellt bleiben, jedenfalls aber sollte es in deutschen Gewässern mehr geübt werden, (*auch die deutsche und fremde Marinen sollten sich diesem praktischen Mittel, sich gegenseitig und mit andern Schiffen auf See und in engen Fahrwassern zu verständigen, nicht verschliessen*) damit Vorfälle verhütet werden, die nicht passiren sollten. Freilich erinnert man sich da an das Vorkommnis in der englischen Marine, dass mehrere Jahre nach Einführung des Strassenrechts durch die Board of Trade Marine-Offiziere von dieser ganzen Neuerung nichts wussten, weil die Admiralität die Bekanntmachung der Board of Trade einfach ignorirt und der Flotte nicht bekannt gegeben hatte.

Zum Schluss erlaubt sich Schreiber dieses noch einen Gegenstand zu berühren, welcher auch in die Kategorie alter Gewohnheiten gehört; derselbe betrifft das Fahren auf Flüssen an der verkehrten Seite des Fahrwassers. Die Vorschrift sagt: »jeder Dampfer oder jedes Segelschiff soll an derjenigen Seite des Fahrwassers fahren, welche an seiner Steuerbordseite liegt«. Hiergegen wird durchgängig gesündigt und es sei hiermit jedem Schiffsführer in's Gedächtnis gerufen, dass, wenn sein Schiff ohne Not sich an der verkehrten Seite des Fahrwassers befindet und dort mit einem Schiffe, welches das Recht des Weges für sich hat, kollidirt, er sich von vorneherein seines Rechts begeben hat; besonders aber sei den Lotsen gesagt, dass sie es nur versuchen sollen, diese neue Regel einzuhalten, sie werden es schliesslich sicherer, bequemer und vorteilhafter finden.

Revision der Prüfungsvorschriften für Seeschiffer, mit besonderer Rücksicht auf die Hochseefischer.

II.

Die deutsche d. h. die Emder Hochseefischerei ist ein Kind der sog. Gründerzeit, oder eigentlich eine Frühgeburt derselben, da schon im Jahre 1871 die entscheidenden vorbereitenden Schritte gethan wurden, wenn auch erst am 2. April 1872 die eigentliche Konstituirung erfolgte. Sie hat sich mit wechselndem Erfolge bis heute durchgearbeitet, war zu gewisser Zeit hart am Niedergange, bis ein zinsfrei gewährtes Darlehen der Regierung die vor aller üblen Nachrede der Gründerzeit fein säuberlich bewahrt gehaltene Gesellschaft rettete und ein neuer praktisch schauender, überlegender und handelnder Director die Führung erhielt; so hat sie jetzt Aussicht sich auch aus dieser letzten Schuld herauszuarbeiten, wie sie der übrigen Lasten sich entledigt hat. Doch ist diese Vorbedingung zur Rückkehr von Dividendengewährung noch durchaus nicht in nahe Aussicht zu nehmen, da noch kürzlich ein Schmerzensschrei durch *die Blätter* ging, laut welchem die Verwaltung sich über die Schwierigkeiten beklagt, welche ihr durch allerhand Massnahmen der Gesetzgebung und Verwaltung bereitet werden. Unter ihnen spielen die gesetzmässig von den Führern der Häringsschiffe geforderten Bildungsnachweise nicht die geringste Rolle.

Das deutsche Prüfungsgesetz für Seeschiffer und Seesteuerleute vom Jahre 1869 kennt die damals gar nicht existirenden *Hochseefischer* einfach nicht; keine Zeile des Gesetzes verrät irgend welche Rücksicht auf das damals nicht vorhandene Gewerbe. Deutschland, das Deutsche Reich, war noch im Werden begriffen; erst seit drei Jahren kannte man eine Vereinigung der norddeutschen Staaten diesseits des Mains, welche unter vielem Gezänk sich eine gemeinsame Schiffsflagge als Zeichen der äussern Einheit suchen wollten; ein rückhaltiges Volksgefühl erstarkte allerdings unter den Gebildeteren der Nation, und suchte nach Gelegenheiten zur äussern Bethätigung, aber erst die Verbrüderung in der gemeinsamen Gefahr des französischen Krieges senkte die Wurzeln des gemeinsamen Nationalgefühls in die breiten Massen und liess aus ihnen wieder die treibenden Knospen zu nationalem Handeln und Schaffen emporwachsen. Eine der ersten Früchte war die Gründung der Emder Häringsfischerei.

Wir wollen dankbar anerkennen, dass zu den vielen Schwierigkeiten der ersten Einrichtung nicht noch die staatliche Anforderung hinzukam, dass nicht in dem Grade, wie das neue Prüfungsgesetz für Seeschiffer und Seesteuerleute es vorschrieb, die Führer der Häringslogger einer Prüfung auf ihre nautischen Kenntnisse unterzogen wurden. Sie wären einfach durchgefallen, und unsere Logger, ohne Kapitäne und Steuerleute, hätten einfach auflegen müssen. Die Behörde stand vor der Frage, entweder auf die

Hochseefischerei einfach zu verzichten oder das für dies Gewerbe nicht geschaffene Gesetz soweit erforderlich zu ignoriren. Denn zu dem Fischereibetrieb gehören eine Menge technischer nur durch die Praxis zu erwerbender Kenntnisse, und solche besassen unsere deutschen Seefahrer nicht. Wir mussten also zu holländischen oder englischen Fischern unsere Zuflucht nehmen, um unsere Fahrzeuge vom Kapitain herunter zu bemannen, und in allen unsern Nachbarstaaten kennt man keinen offiziellen Prüfungszwang für Hochseefischer.

In Holland, in England, in Frankreich, in Norwegen ist die Praxis des Fanges die einzige Schule des Fischers. In England und Norwegen zumal, wo die Fischerei die kolossalsten Resultate erzielt, geht der angehende Fischer als Junge an Bord, fährt einige Zeit umsonst oder gegen einen kleinsten Anteil am Fange, und arbeitet sich im Laufe der Jahre unter steigendem persönlichen Interesse am Erfolg zum Bestmann, zum Steuermann und zum Kapitän empor. Die Praxis, der fleissige Gebrauch des Lotes, des sichersten Wegweisers in der Nordsee, hat ihn mit allen Teilen der Nordsee so bekannt gemacht, dass er die beiden Hauptfragen jedes auch des schulgerechtesten Schiffsführers »wo bin ich?« und »wie muss ich weiter?« mit Sicherheit zu beantworten gelernt hat. Er braucht zuletzt nur, wie man zu sagen pflegt, ins Wasser zu — sehen, um nach tollstem Unwetter, trotzdem er unzählige Meilen vertrieben ist, alsbald zu erkennen, wo er ist und was er demzufolge zu steuern hat. Dazu die hervorragende seemännische Gewandtheit und der kundige sichere Blick des Fischermanns selber, und man hat sich keinen bessern »Primus inter pares« zu denken, der unterstützt von dem Wissen seiner ganzen Umgebung den Fisch zu fangen und nach Hause zu bringen versteht.

Es ist ein gründlicher Irrtum, wenn man annimmt, dem Fischerkapitän wohne etwas von der reservirten Stellung eines Kauffahrtei- oder gar Marinekapitäns bei. Nichts weniger als das! Er trägt unter gleichen Brüdern die erste Mütze, sein Bestmann, der ihm seine Künste absieht, wie er selber sie seinem Vorgänger abgesehen hat, kann auf der nächsten Reise selber an seiner Stelle stehen, wenn sein Rheder es erlaubt, und der Staat trägt sich nicht mit den Schrullen, wie er für das Leben und die persönliche Sicherheit der übrigen Mannschaft zu sorgen habe, da diese ebensogut oder fast ebensogut wie der jeweilige Führer selber für ihre Haut zu sorgen gelernt hat.

Freilich was für England und Norwegen passt und in Holland und Frankreich passirt, das passt darum nicht für Deutschland oder erst recht nicht für Deutschland! ***Deutschland*** ist das professionelle Land der ***höhern Bildung***; unsere Handels- und Marinekapitäne machen eine ganz andere Schule durch als die aller andern Seestaaten und deshalb müssen auch unsere Häringsfischer resp. Kapitäne mehr lernen als die andern! Gleiches Recht, gleiche Pflicht für Alle, rufen Lasker und die Manchestermänner — das klinget ja so herrlich, das klinget ja so schön!

Nun wir wissen ja längst, und unsere Gesetzgebung hat es bereits an einigen Stellen anerkannt, dass diese Phrase eben nichts weiter als — eine Phrase ist, die freilich von geschickten Leuten, wie unsere Leute einmal sind, recht geschickt zu ihrem Vorteil ausgebeutet ist und wird. Aber soll darum die Hochseefischerei auch ferner kränkeln, wie sie bisher gekränkelt hat, oder soll auch für sie der Bann gelöst und freie Mitbewerbung gestattet werden! Ich glaube, dass Schreiber dieses durch eine dreiundzwanzigjährige Dienstzeit als Schulmann sattsam den Beweis erbracht hat, dass ihm nichts ferner liegt und je gelegen hat, als einer mangelhaften Ausbildung zum speciellen Beruf und im Allgemeinen das Wort zu reden. Aber er glaubt auch während dieser langen Dienstzeit stets dem Bedürfnis der Praxis die rechte Stellung angewiesen und Unnötiges, Uebertriebenes von sich und seinen Schülern ferngehalten zu haben.

Wohlan, hier kommt noch ein weiteres Moment hinzu, warum die Hauptschwierigkeit der Hochseefischerei, die Heranziehung tüchtiger Mannschaft, in wachsendem Grade bestehen bleibt, wenn man nicht das Prüfungsgesetz für Schiffsführer und Seesteuerleute in einem für sie günstigen Sinne umändert. Die Kosten des Schulunterrichts während des schon oben bemängelten neunmonatlichen Unterrichts sind derartig gewachsen, dass die bestandenen Prüflinge in dem Erwerb als Seefischer kein Aequivalent für ihre Ansprüche, keinen Ersatz für ihre Auslagen entdecken können. Häufig sind sie sogar durch gemachte Schulden gezwungen, sich einen lohnendern Erwerb auf Kauffahrteischiffen zu suchen, so sehr auch der Wunsch nach Gründung einer Familie sie zu den kleinern Fahrten als Fischermann geneigt machen möchte, und so sehr die Entwickelung der Kauffahrteifahrt zu langdauernder grosser Fahrt sie ganz gegen Wunsch und Willen lange Jahre hindurch von der heimatlichen Scholle fernzuhalten pflegt. Es mangelt nicht an Zeichen, dass mancher nach dem jetzigen übertrieben langwierigen, zeitraubenden, kostspieligen Verfahren geprüfte Kapitän oder Steuermann für kleine Fahrt gern in den Dienst der Emder Häringsfischereigesellschaft treten würde, wenn er es nur mit seiner finanziellen Lage in Einklang bringen könnte. Der jetzige Bildungsgang ist zu teuer, und dass er unnötig ist für die Praxis des Berufs, haben wir oben an dem Beispiel der andern Nationen erwiesen.

Nun wollen wir nicht das Unmögliche fordern, dass wir unsere deutschen Seefischer mit einem Federstriche den fremdländischen Kollegen gleich stellen; sie müssen als Deutsche einmal »gebildeter« sein als die übrige misera plebs, und so möchten wir denn vorschlagen, dass Keiner das Patent zur Führung eines Hochseefischereifahrzeuges erhalten soll, bevor nicht in einem feierlichen »Colloquium« vor seinem »Chef« und »Beigeordneten der Musterungsbehörde«, also Bürgermeister und Rat etwa, sich darüber ausgewiesen hat, wie gründlich er in der Nordsee Bescheid weiss, wie er sich unter gewöhnlichen Umständen zu helfen und aus einer Notlage zu ziehen versteht, ob er beispielsweise die verschiedenen Gründe und ihre Tiefe und Bodenbeschaffenheit kennt, ob er ein gewöhnliches Etmal soweit nötig aufzumachen versteht, ob er mit dem Strassenrecht zur See und der Führung seines Schiffstagebuchs vertraut ist und wie weit er mit Lichtern, Kompass und Barometer umzugehen gelernt hat. Hat man sich so über den Zustand seiner »Bildung« vergewissert, so wird man ihm die Prüfung in der Seemannschaft wohl auf Grund seines Ansehens unter den Kameraden schenken; nach unsern Erfahrungen war diese Prüfung selten etwas anderes als die partie joyeuse des ganzen Examens. Einen guten Spliss machen verstehen Viele, ihn beschreiben, recht Wenige. Man prüfe überhaupt nie über Dinge, die sich *ohne* Prüfung besser erfahren lassen, und lasse dem Seemann als solchem und dem persönlichen Eindruck, den er macht, sein Recht. Dann verstimmt man nicht unnötig, wie es jetzt alle Tage geschieht.

Aus Briefen deutscher Kapitäne.

XXI.

Von der chinesischen Küste.

(Schluss.)

Ende letzten Jahres fielen in Swatow-Amoy ein paar Ereignisse vor, die Anfang dieses Jahres einige Zeitungen zu Hause veranlassten, etwas höhern Blödsinn zu bringen.

Allen voran stand in dieser Hinsicht das **Berliner Tageblatt** *). Die Aufsätze die mir zu Händen gekommen sind beweisen, dass die Verfasser dieser Aufsätze nie hinter Mutters Kochtopf weggewesen sind und der liebe Himmel mag wissen, wo diese Leute ihre Kenntnisse von China sich geholt haben. So lange nun wie diese Zeitungen harmlosen höhern Blödsinn schwatzen (Eisenzeitung), hat die Sache wohl wenig auf sich, wenn aber Leute dabei angegriffen werden, unter den denkbar verkehrtesten Voraussetzungen (Berliner Tageblatt), wie z. B. unsere Konsuln von Canton und Hongkong, die an der ganzen Küste unter den Deutschen den Ruf von sehr tüchtigen, liebenswürdigen Männern haben, so ist die Sache doch wohl kaum zu entschuldigen und man kann doch wohl die Forderung stellen, dass in Zukunft unsere Herren Redakteure sich etwas besser unterrichten. — Um die Fälle in Swatow-Amoy zu verstehen, muss ich etwas weiter ausholen, weil es sich in letzter Reihe um etwas ganz anderes handelt, als um ein kleines Stück Land in Swatow oder Fabrikation von Pfannen in Amoy, und will ich erst mit ein paar Worten einige Charakterzüge der Chinesen im allgemeinen, speziell die der herrschenden Klasse, der Mandarinen, so wie sie sich mir als Seemann darbieten, erwähnen. — Wie der Herr so der Knecht, trifft in keinem Falle besser zu, als wenn der Satz auf die Chinesen angewandt wird. Seit Jahrhunderten ist das chinesische Volk durch die Mandarinenwirtschaft so vollständig geistig entnervt worden, dass es jetzt gar keinen Willen mehr hat und sich ohne Murren unter die Zuchtrute und das Aussaugungssystem der paar Mandarinen beugt. Selbst der wohlhabende Stand wagt es nicht, sich offen gegen starke Anzapfungen zu widersetzen und zieht es lieber vor arm zu erscheinen, denn es ist noch immer gefährlich für einen chinesischen Unterthan besitzend zu sein; daher findet man auch die reichsten Chinesen wie ein Kulie bekleidet und in Häusern wohnend, wie man sie bei uns nur in den armseligsten Moordistrikten sieht. Hand in Hand mit dieser geistigen Erniedrigung ging eine Entsittlichung des Charakters. Der Chinese verkauft alles, Weib, Kind und Kegel, nur seine Eltern nicht, die er bis zu ihrem Tode ernährt, der beste Zug im chinesischen Charakter. Er hat keine Vaterlandsliebe, so wie wir dies verstehen: sein Vaterland ist das klingende Metall: darum lässt sich jeder, sowohl in Privat- wie in Beamtenkreisen, bis zur höchsten Stelle hinauf, bestechen; dies ist auch die Ursache, dass das Aus- und Einfuhrzollsystem durch Europäer verwaltet wird, denn im andern Falle würde die chinesische Regierung wenig vom ganzen Zoll besehen, anderseits verhindert dieses korrumpirte Beamtensystem aber auch die Verabschiedung der europäischen Zollbeamten, denn wenn es nur eben ginge, würden sämtliche Europäer in chinesischen Diensten ihre Entlassung bekommen. — Seit einigen Jahren wird nicht allein von Oben sondern auch aus dem Volke, mit mehr oder minderm Glück versucht die Europäer aus China zu verdrängen. Der Hass gegen die Europäer beseelt alle Schichten des chinesischen Volkes und wird ausschliesslich von den Mandarinen geschürt. Das Volk strotzt von Aberglauben, Dummheit und Schmutz, kein Stand in China steht mit dem korrespondirenden Stande in Deutschland, Frankreich oder England auf gleicher Höhe, sondern weit unter ihm; man sehe sich nur eine chinesische Schule, Theater oder den Aufzug eines Mandarins auf öffentlicher Strasse an und man wird gleich den richtigen Eindruck von dem Bildungsstand des chinesischen Volkes bekommen, nämlich den, dass es noch etwas mehr als wie hundert Jahre hinter den Russen ist. — Der Chinese ist feige; vor einem Mandarin und selbst vor einem Europäer, wenn er glaubt dass derselbe die Macht hat, kriecht er auf der Erde und wenn er in der Lage darnach ist, dann ist er schlimmer als ein blutdürstiger Tiger. Sollte ein Krieg entstehen zwischen China und einer europäischen Macht, so steht das Leben aller Europäer hier auf dem Spiele und wird man dann Scheusslichkeiten erleben, gegen welche die Blutthat von 1870, an den französischen Nonnen in Tientsin verübt, reines Kinderspiel ist. — Abgesehen von den Franzosen, haben sämtliche europäische Gerichtshöfe und allen voran die englischen in den letzten 10 Jahren die Chinesen ausserordentlich milde behandelt. Man stellte, und thut es noch heutigen Tages, den unwissendsten Kulie, der in sittlicher Beziehung und Rechtsanschauung weit unter dem gebildeten Europäer steht, mit letzterem auf gleiche Stufe, d. h. man richtete beide nach europäischen Gesetzen. Die Unkenntnis der europäischen Gesetze ist für den Chinesen obendrein häufig der Grund, dass er freigesprochen wird, man stellt also den Chinesen über den Europäer. Durch diese Gleichstellung ist ein grosser Fehler gemacht, der wahrscheinlich erst durch einen Krieg gutgemacht werden kann. Es wird eine lange, lange Zeit dauern, um den Unterschied und die Gegensätze zwischen europäischer und chinesischer Bildung und Anschauung auszugleichen. — Die herrschende Klasse, vom ersten Minister abwärts bis zum letzten Mandarin, sind die Leute, mit denen es in erster Reihe unser Gesandter und die Konsuln, in zweiter, die Europäer überhaupt zu thun haben. Fallen Thätlichkeiten gegen Europäer vor, so ist es ganz sicher, dass irgend ein Mandarin dahinter steckt, er stiftet sie an und leitet sie auch mit unsichtbarer Hand. Sie, die Mandarinen, schalten und walten noch heutigen Tag's ebenso unbeschränkt über Leben und Gut ihrer Unterthanen, als wie vor einigen hundert Jahren; noch im März d. J. wurde in Wu, wo einige kleine Kulieunruhen stattgefunden hatten, Jedem der nach 8 Uhr Abends auf der Strasse betroffen wurde, ohne weiteres auf der Stelle, wo er ergriffen war, der Kopf abgehauen; dies passirte auch einem chinesischen Advokaten, der an der ganzen Geschichte unschuldig war aber nur das Unglück hatte, bei den Mandarinen missliebig zu sein, man holte ihn, ohne weitere Umstände zu machen, aus seinem Hause und schlug ihm vor seiner eigenen Thür den Kopf ab. — Haupteigenschaft dieser Klasse ist gänzlicher Mangel einiger Tugenden: wie Ehrlichkeit, Zuverlässigkeit u. s. w. Sie sind ebenso feige und schlau wie ihre Unterthanen, setzt ihnen ein Konsul die Faust auf's Auge, dann kriechen sie vor ihm, versichern ewigen Frieden und was des Unsinns mehr ist und im nächsten Augenblicke drehen sie ihm das Genick um, wenn sie glauben, dass sie die Macht dazu haben. Ein weiteres Merkzeichen dieser Klasse ist, dass hier die Wurzel des Europäerhasses sitzt: für diese Leute gilt der Satz: dass Alles gegen einen Europäer erlaubt ist. Die bestehenden Staatsverträge werden nicht allein missachtet, sondern sie sind für die Mandarinen nur vorhanden um die Europäer zu drücken und müssen unsere Konsuln alle Augenblicke, dann im Süden und dann im Norden China's, diese Herren daran erinnern, dass gewisse Staatsverträge existiren. — Seit ein paar Jahren sind die englisch-französischen Kriege vergessen: die herrschende Klasse ist voller Selbstvertrauen und aufgeblähten Grössenwahn, daher denn auch das trotzige herausfordernde Gebahren der chinesischen Regierung; dies haben aber die europäischen Staaten selbst verschuldet, indem sie China wie eine civilisirte Nation behandelten. Es passte England vielleicht in seinen Kram dem Chinesen zu schmeicheln und wird es dem frühern Gesandten Englands, Sir Thomas Wade, wohl schwerlich gelingen, sich von dem schweren Vorwurf zu reinigen, der ihm hier an der ganzen Küste gemacht wird, nämlich: dass er Englands Interessen hinter die chinesischen stellte. Die unglückliche Chefoo-Konvention wird wohl nie bestätigt werden. Unbedingt war Sir Thomas Wade einer der nachgiebigsten europäischen Gesandten in Peking, es war überhaupt nur einer da der fest war, und dies war unser Gesandter Baron von Brandt. Alle Erleichterungen des Handels und der Schiffahrt, die in den letzten Jahren China abgerungen sind, sind unseres Gesandten Werk.

*) Gerade nichts Ungewöhnliches. D. Red.

Deutschland hat vermittelst der begünstigten Nation-Klausel für sämtliche Nationen mitgearbeitet. Dass England gegen China zu nachgiebig gewesen ist, scheint es anzuerkennen durch die Abberufung von Sir Thomas Wade und Ernennung von Sir Harry Parkes. — Sir Harry Parkes war 1856, beim Ausbruch des englisch-französischen Krieges gegen China, Konsul in Canton, wo bekanntlich der Krieg seinen Anfang nahm, und wurde 1857 nach der Einnahme von Canton von der englischen Regierung zum Mitglied der Kommission ernannt, welche die Stadt während der englischen Besatzung verwaltete. Wie bekannt, wurde der erste Friede 1858 durch Lord Elgin zwischen England und China abgeschlossen, aber die Bestätigung von China in 1859 verweigert, worauf der zweite Krieg anfing. Sir Harry Parkes wurde während dieses zweiten Krieges von Canton, wo er noch immer war, durch Lord Elgin nach dem Peiho berufen und von ihm 1860 ausersehen, während eines Waffenstillstandes mit den Chinesen über den Frieden zu unterhandeln. Sir Harry Parkes wurde während dieser Unterhandlungen, entgegen allem Völkerrecht, zum Gefangenen gemacht, im Gefängnisse auf chinesische Weise schwer gefoltert und soll auf dem Wege nach dem Richtplatze entkommen sein. — Man ist hier an der Küste der Ansicht, dass durch die Ernennung dieses Mannes England das Schmeicheln aufgeben und die Interessen seiner Unterthanen besser wahrnehmen will, und dies thut auch wahrhaftig not.

Seine Excellenz Baron von Brandt ist augenblicklich zu Hause und es wäre traurig, wenn jetzt von Berlin aus ihm in's Handwerk gepfuscht würde, weil er wohl der kompetenteste Mann ist der die hiesigen Verhältnisse beurteilen kann. Es ist schade, dass Deutschland nicht 20 Jahre früher einig war, denn dann hätten wir Deutschen hier eine ganz andere Rolle gespielt, als wir es jetzt thun. — Anfang der 70ger Jahre begannen die schlauen Chinesen sich die europäische Einrichtung zu Nutze zu machen, nämlich Gesandtschaften an fremden Höfen zu errichten, und sind dann auch im Laufe der Jahre, Gesandte bei den ersten Mächten in Europa und Amerika ernannt worden. Diese chinesischen Gesandten haben und können auch in absehbarer Zeit nur den Zweck haben, den europäischen Gesandten in Peking Schwierigkeiten zu bereiten, ihre Wege zu kreuzen und sie vollständig lahm zu legen.

Das Resultat der Lahmlegung der europäischen Gesandten, das Behandeln Chinas wie eine civilisirte Nation, sowie die Gleichstellung im europäischen Gerichtshofe sind der Grund gewesen, dass der herrschenden Klasse, den Mandarinen, sowie dem gemeinen Manne der Kamm so geschwollen ist, dass sie den Zeitpunkt gekommen glauben, die Europäer mit Erfolg aus China herauszuwerfen. Der gemeine Mann bildet sich ein, dass die Europäer nur aus Gnade von der chinesischen Regierung geduldet werden und dass es nur eines Machtspruchs der Mandarinen bedarf, um die Europäer aus China herauszufegen; der lumpigste Kulie an Bord eines Schiffs bildet sich ein besser zu sein, als der erste Europäer in China. — Aus dem oben Gesagten geht hervor, dass China augenblicklich in keiner Weise als ein civilisirter Staat nach europäischen Begriffen behandelt werden kann, sondern dass die herrschende Klasse nur durch Gewalt zur Vernunft zu bringen ist und dies war auch der Grund, warum einige deutsche Kauffahrteikapitäne in Amoy, nachdem unsere Schiffe, der „Stosch" und die „Elisabeth", bei der Pfannengeschichte eingegriffen hatten, durch Beflaggen ihrer Schiffe dem Kommandeur von Blank ihre Hochachtung bewiesen. — Ich komme jetzt zu den Swatow-Amoy Vorfällen. —

Swatow war vor dem Frieden von Tientsin kein offener Hafen. Die englischen Opiumschiffe lagen unter der Insel Namoa und wurde von hier aus der Handel betrieben. Während des Krieges 1857 bis 61 gingen die Opiumschiffe aber nach Masu- oder Double-Insel, in der Mündung des Han-Flusses, weil sie hier einerseits geschützter gegen Wind und Wetter lagen, andererseits der Handel von dort besser betrieben werden konnte. Im Frieden von Tientsin wurden Swatow, 8 Sm. von der Mündung des Han, und Chow-Chowfu 10 Sm. von Swatow aufwärts am Han-Flusse gelegen, für offene Häfen erklärt. Die Mandarinen wollten nur Swatow für offen erklären, aber die Engländer bestanden auf Chow-Chowfu, den Standpunkt festhaltend, dass Swatow nur als Rhede für Chow-Chowfu angesehen werden könnte, gleichsam wie Wampoa für Canton. Es entspann sich über diese Auffassung ein langer Schriftwechsel und als der erste englische Konsul, Herr Kane, ein Konsulat in Chow-Chowfu errichten wollte, wurde er, auf das Anstiften der Mandarinen, durch den Pöbel daran verhindert. Der diplomatische Schriftwechsel über diesen Streitpunkt nahm hiernach ruhig jahrelang seinen Gang, ohne dass die Engländer damit weiter gekommen wären, bis ein neuer englischer Konsul, Herr Alabaster, für Swatow ernannt wurde. Zu dieser Zeit war Sir Thomas Wade sehr geneigt beizugeben, aber Herr Alabaster löste den Knoten, indem er ohne Zeitverlust oder weitere Umstände dabei zu machen, einfach ein Konsulat in Chow-Chowfu errichtete; seit dieser Zeit behaupten sich die Engländer in dieser Stadt. — Nachdem Swatow eröffnet worden war errichteten ein Deutscher, Herr Dirks unter der Firma Dirks & Co., sowie drei englische Häuser von Amoy aus auf Masu-Insel Niederlassungen. Bald erwies sich die Insel als zu klein für den zunehmenden Handel; die Europäer siedelten daher nach Kakchio über, etwa 4 Sm. weiter aufwärts am rechten Ufer des Han, dagegen wurde das Zollhaus gleich in Swatow errichtet. Swatow liegt Kakchio gerade gegenüber am linken Ufer des Han und an einem kleinen Flusse, der hier in den Han mündet. Da der Han und sein Nebenfluss sehr viel Schlamm mit sich führen und wo Swatow liegt absetzen, so steht infolge dessen der Teil von Swatow, welcher unmittelbar am Han-Flusse liegt, auf angeschwemmtem Boden. — Wie auf Masu-Insel, erwies es sich auch bald, dass Kakchio ebenfalls kein geeigneter Platz für den Handel sei und es war die deutsche Firma Dirks & Co., welche zuerst ein Haus in Swatow eröffnete. Die Engländer folgten bald und jetzt wird nur noch von Swatow aus der Handel betrieben. Die Errichtung europäischer Häuser in Swatow ging nicht ohne Widersetzlichkeiten der Mandarinen und des Pöbels von statten, aber sie konnten schliesslich nichts daran ändern. Nach Vorstehendem kann von einer deutschen Konzession in Swatow in keiner Weise die Rede sein. (Siehe „Export" No. 10 d. J.)

Jede europäische Firma in China hält sich einen sog. Compradore. Man versteht gewöhnlich darunter einen Eingeborenen, der die Geschäfte zwischen Europäer und Chinesen vermittelt, also einen Mittelsmann; er ist in der Regel auch Kassirer, aber nur in beschränktem Masse. Es hat sich im Laufe der Zeit die Thatsache herausgestellt, dass je ärmer die europäischen Kaufleute, desto reicher ihre Compradores werden. Die Direktoren der chinesischen Dampfergesellschaft sind gewesene Compradores aus englischen Häusern. — Der Compradore von Dirks & Co. kaufte vor einigen Jahren, das Jahr ist mir nicht bekannt, ein Stück Vorland von dem Swatow-Mandarin, damals und auch jetzt noch zwischen Wind und Wasser liegend; beim Kauf wurden alle chinesischen gesetzlichen Formalitäten erfüllt. Es war eine reine Spekulation von dem Compradore, auf dem zunehmenden Handel Swatows und den Mudablagerungen des Han-Flusses beruhend. Das Stück Schlick, denn Land ist es augenblicklich noch nicht, liegt gerade in der Fronte des Zollhauses und ist 13 und 30 Chang lang oder breit, doch ist man sich über die Länge und Breite nicht einig; da ein Chang 11 Fuss 9 Zoll engl., so misst es etwa 150 und 300 Fuss. Kurze Zeit nachdem dieser erste Verkauf des Stückes Schlick stattgefunden hatte, verkaufte der Mandarin dasselbe Stück zum zweiten Male an den Zollhauscompradore. Dieser verliess später den Zolldienst und trat seine Rechte an dem Stücke Schlick an das Zollhaus ab. Einige Jahre verflossen, ohne das einer der beiden Käufer das Stück Schlick in Besitz nahm, bis im vorigen Jahr Dirks & Co. dasselbe von ihrem Compradore käuflich an sich brachten und dasselbe an eine englische Dampfergesellschaft, nachdem es aufgeschüttet worden wäre, wie man sagt zu 27 000 $ verkaufen wollten; sofort aber wie dies ruchbar wurde, schritt das Zollhaus (die Mandarinen) dagegen ein. An der Spitze des Zollhauses stand zu der Zeit ein Franzose und hinter ihm natürlich die Mandarinen. Es fand ein grosser Schriftwechsel zwischen Dirks & Co. und den Mandarinen statt, der aber wie gewöhnlich zu nichts führte. Die Mandarinen behaupteten, dass das Verkaufsdokument von Dirks Compradore gefälscht sei, obgleich es mit dem Mandarinstempel versehen war. Da Dirks & Co. mit den Mandarinen nicht zum Schlusse kommen konnten, riefen sie die Hülfe des Generalkonsuls Travers in Canton an, unter dessen Jurisdiktion der Bezirk von Swatow steht; dieser schickte Konsul v. Möllendorff aus Hongkong. Konsul v. Möllendorff beherrscht die chinesische Sprache und ist mit den Sitten und Gebräuchen der Chinesen so bekannt, wie nur irgend ein Europäer an der Küste; er fand das Verkaufsdokument in vorgeschriebener gesetzlicher Form ausgestellt, mit dem Mandarinsiegel versehen, also dass das Eigentumsrecht von Dirks & Co. nicht bestritten werden konnte, aber trotzdem behaupteten damals die Mandarine, dass es gefälscht sei. — Die Angriffe im „Berliner Tageblatt" (sic!) auf den Chef von Dirks & Co., nämlich dass derselbe seine Amtsgewalt, (er war damals deutscher Vicekonsul), zum Vorteil der Firma missbraucht hätte, entbehren jeder Begründung und wäre es nicht mehr wie billig, wenn die Redaktion des betreffenden Blattes demselben Genugthuung gäbe. — Während von Möllendorff offizielle Besuche bei den Mandarinen machte, wurden ihm nicht allein die üblichen Höflichkeiten versagt, die allgemein in China beim Empfang eines Beamten einer befreundeten Macht im Gebrauch sind, sondern es wurde ihm auch sogar Verachtung gezeigt. Man liess sich gar nicht auf seine Einreden weiter ein, sondern setzte Grenzpfähle, mit dem Worte: Zollhausland in chinesischen Buchstaben, rund um das Stück Land auf. Konsul v. Möllendorff forderte die Mandarinen auf, die Grenzpfähle bis zur Erledigung des Streites wegzunehmen, allein man wollte dies nicht nur nicht, sondern man behandelte Konsul v. Möllendorff sowie den Kommandanten der „Elisabeth" sogar auf richtig chinesische Weise, d. h. als weisse Teufel. Der Grössenwahn steigt den Chinesen in Gestalt von zuviel Blut zu Kopfe, und bevor nicht dieses überflüssige Blut abgezapft ist, wird es nicht besser werden. — Nachdem eine bestimmte Zeit verstrichen war und die chinesischen Grenzpfähle noch immer standen, blieb nichts anderes übrig als dieselben durch Leute unserer Marine zu entfernen, die deut. Flagge zu hissen und deutsche Grenzpfähle aufzurichten. Jetzt protestirten die Mandarine gegen Konsul v. Möllendorff, weil er Konsul in Hongkong und nicht in einem chinesischen Platze ansässig sei; er war ihnen höchstwahrscheinlich zu gewandt. Konsul Travers berief hierauf von Möllendorff ab und schickte den Dolmetscher v. Seckendorff; zu gleicher Zeit forderten die Mandarinen die Verhaftung des Kompradore von Dirks & Co., die aber von Seckendorff nicht zugab, denn einmal in Händen der Mandarinen wäre der Mann verloren gewesen, und ohne weiteres um einen Kopf kürzer gemacht. Da die Verhaftung des Mannes also nicht ging, versuchte man ihn einzuschüchtern, was insofern denn auch gelungen ist, als er später flüchtig wurde, um nur sein Leben zu retten. Von Seckendorff konnte anfangs mit den Mandarinen in Swatow ebenfalls nicht vorwärts kommen, es wurde deshalb von dem Vicekönig in Canton ein höherer Mandarin nach Swatow geschickt, dieser hat aber mehr Unsinn angerichtet denn Gutes gethan. Jetzt scheint v. Seckendorff so weit zu sein, dass das Verkaufsdokument von Dirks & Co. von den Mandarinen als gültig anerkannt ist, aber um doch die Sache nach ihrem Willen zu drehen, versucht man der Firma ein anderes Stück Land dafür aufzuschwatzen, was aber Dirks & Co. bis jetzt abgelehnt haben. Zuerst bot man ein Stück Land hinter dem Zollhause gelegen dafür an, aber bei näherem Zusehen erkannte man dass dieses Stück der betreffenden Firma schon seit langer Zeit gehört; jetzt sucht man nach einem anderen passenderen Stück herum, doch wäre zu wünschen, dass Dirks & Co. nicht darauf eingingen, sondern strenge auf ihrem Recht beständen. — Diese Landstreitigkeiten haben jedoch veranlasst, dass jetzt ein Fachkonsul für Swatow ernannt ist; nötiger wäre derselbe in Newchwang gewesen, aber bevor dort nicht mal Aehnliches passirt, wird wohl nichts daraus werden. — In Amoy verlief etwa zu gleicher Zeit eine andere Geschichte ganz ähnlich, nur dass es sich hier nicht um Land, sondern um Fabrikation und Ausfuhr chinesisch geformter eiserner Pfannen handelte. Ein Deutscher errichtete vor 2 Jahren auf seinem Grundstücke auf der Insel Amoy eine Schmiede und Eisengiesserei, die etwa 48 Fuss lang und 30 Fuss breit ist; in dieser Eisengiesserei wurden halbkugelige Pfannen verfertigt, welche oben 4 Fuss breit, 2 Fuss tief, sowie ¼ Zoll engl. dick sind. Die Pfannen waren nur zur Ausfuhr, vorwiegend nach Singapore, bestimmt. Seit Errichtung der Schmiede versuchten die Mandarinen aus dem Eigentümer der Schmiede den sog. Lekin-Zoll *) herauszuschlagen, wozu sie aber laut Vertrag mit Deutschland kein Recht haben, denn die Pfannen werden wohl ausgeführt, aber nicht nach dem Innern Chinas eingeführt. Unser Amoy-Konsul wurde denn auch noch immer mit dieser saubern Sippschaft fertig, bis der im letzten Jahre an der Spitze der Mandarinen stehende Taotai, die Sache mit einem Schlage, wie er meinte, zu seinen Gunsten entscheiden wollte und einen ganzen Leichter voll Pfannen, die längsseite eines Dampfers lagen, für Singapore bestimmt, und deren Ausfuhrzoll schon bezahlt war, mit Beschlag belegte. Da Konsul von Aichberger nach diesem Geniestreich ebenso wenig mit den guten Leuten, den Mandarinen, fertig werden konnte, als sein Kollege in Swatow, so musste hier unsere Marine ebenfalls eingreifen. Der „Stosch" und die „Elisabeth" landeten eines schönen Morgens 300 Mann und holten die Pfannen aus Taotais Wohnung weg. Schon Nachmittags erhielt Konsul von Aichberger einen Brief des Taotais, worin dieser ewigen Frieden und Freundschaft versicherte und erklärte, dass er in Zukunft gar nichts mehr mit den Pfannen zu thun haben wollte, — natürlich nachdem ihm die Faust aufs Auge gesetzt war; ich bin aber überzeugt, er hätte lieber Konsul von Aichberger das Genick umgedreht, anstatt ihm diesen Brief zu schreiben. — Die Fabrikation von Pfannen ging also vorläufig vorwärts, bis im April d. J. die chinesische Regierung von Peking aus allen Europäern ohne Unterschied die Fabrikation von Pfannen, bei Strafe der Konfiskation, untersagte. Ob die Chinesen laut Vertrag ein Recht dazu haben wird jetzt in Berlin ausgefochten, da unser Gesandter zu Hause ist. Ich glaube nicht, dass sie es haben, denn ganz abgesehen von Baron v. Brandt ist Konsul v. Aichberger nun gerade nicht der Mann, der eine solche Sache gegen die Mandarinen aufnehmen würde, ohne ganz sicher zu sein, dass er im Rechte ist, und wenn er es thut, dann führt er auch dieselbe energisch durch, wie schon verschiedene Vorfälle hier bewiesen haben. —

Und nun noch ein Wort über unsere Konsuln. Wo immer ich hier an der Küste mit Deutschen über obige Vorfälle gesprochen habe, ist nur eine Stimme und zwar des Lobes über das feste Auftreten unserer Konsuln, sowohl des Generalkonsuls Travers als der Konsuln v. Möllendorff, von Aichberger und später von Seckendorff. Jeder Deutsche weiss, dass wir hier Männer haben, die unsere Interessen gegen die chinesische Regierung oder die Mandarinenwirtschaft energisch vertreten, dass wir hier nicht mehr vogelfrei sind, darum sollten die Zeitungen in Deutschland diese Männer unterstützen, anstatt sie anzu-

*) Lekin-Zoll ist, was bei uns die Accise ist.

greifen. — Drei dieser Männer kennen mich gar nicht, ich habe auch keine Ursache zu schmeicheln und wenn etwas zu rügen wäre, so würde ich es gewiss thun, denn wenn ich mir eine Suppe einbrocke, so bin ich auch der Mann der sie ausisst. — Sollte man in Berlin das Auftreten unseres Gesandten Baron von Brandt sowie unserer Konsuln nicht billigen, so steht vieles auf dem Spiele. Die 13jährige Arbeit unserer Vertretung, denn erst seit 1870 datirt das zunehmende Ansehen Deutschlands bei den Chinesen, würde verloren gehen und wohl noch etwas mehr. Die Mandarinen wissen jetzt, dass mit einem deutschen Konsul nicht gut Kirschen essen ist, weicht aber Deutschland in der Swatow-Amoy Geschichte zurück, dann wird man unsere Vertretung nur mit Verachtung behandeln. — Möge es uns Deutschen in China vergönnt sein, seine Excellenz Baron von Brandt, in wiederhergestellter Gesundheit, im nächsten Jahre hier wieder zu begrüssen.

E. K.

Verunglückungen (Totalverluste) deutscher Seeschiffe im Jahre 1883.

Die Zahl der zur Anzeige gelangten im Jahre 1883 verunglückten deutschen Seeschiffe beträgt 158 mit einem Netto-Raumgehalt von 53 168 Reg.-Tons. Hierunter ist ein Schiff begriffen, welches von Baltrum-Rhede ohne Besatzung an Bord forttrieb, am Norddeich strandete und wrack wurde, sowie ein Schiff, bei welchem die Zahl der an Bord gewesenen sämtlich verunglückten Personen nicht ermittelt ist. An Bord der übrigen 156 Schiffe befanden sich zusammen 1483 Mann Besatzung und 491 Passagiere, von denen 383 Mann oder 25.8% der Besatzung und 380 oder 77.4% der Passagiere bei den Verunglückungen ihr Leben verloren.

Der Art der Verunglückungen nach gingen im Jahre 1883 verloren:

durch	Schiffe	R.-T.	% der verunglückten Schiffe überhaupt
Stranden	81	22 517	=51.3
Kentern	1	73	= 0.6
Sinken	23	6 664	=14.6
Verbrennen	5	3 110	= 3.2
schwere Beschädigungen	21	5 648	=13.3
Kollisionen	8	6 869	= 5.0
verschollen sind	19	8 287	=12.0

Beladen waren von diesen Schiffen 137 mit einem Raumgehalt von 47 958 Reg.-Tons, in Ballast oder leer 21 Schiffe mit einer Ladefähigkeit von 5 210 Reg.-Tons.

Die grösste Zahl der Verunglückungen fand in der Nordsee, einschl. des Skageracks statt; es gingen daselbst 65 Schiffe verloren, wobei 553 Menschen (darunter 436 auf dem Hamburgischen Dampfer „Cimbria") ihr Leben einbüssten. Der demnächst grösste Verlust entfällt auf den Atlantischen Ocean, einschl. des mexikanischen Golfs und des karaibischen Meeres mit 41 Schiffen und einem Menschenverlust von 91 Personen; dann folgt die Ostsee mit Einschluss von Sund, Belten und Kattegat, mit einem Verlust von 22 Schiffen, dagegen nur einem Menschenverlust von 2 Mann. Im stillen Ocean verunglückten 11 Schiffe, und kamen — ausser der, der Zahl nach unbekannten, verunglückten Besatzung eines Schiffes — 7 Personen ums Leben; im indischen Ocean gingen 4 Schiffe unter, wobei 6 Menschen umkamen, im Bristol-Kanal einschl. der Gewässer zwischen Grossbritannien und Irland verunglückten 3 Schiffe und beziffert sich der Menschenverlust auf 14 Personen. Im mittelländischen Meere traten 2, im englischen Kanal und weissen Meere je 1 Totalverlust ein, ohne dass ein Verlust an Menschenleben zu beklagen war.

Bei 3 verschollenen Schiffen mit 22 Personen blieb es ungewiss, ob der Untergang in der Ostsee oder in der Nordsee stattgefunden und von 3 Verunglückungen mit einem Menschenverlust von 68 Personen blieb die Art des Unfalls ganz unbekannt.

Den Heimatshäfen nach entfallen von den 158 verunglückten Seeschiffen auf:

		Schiffe		R.-T.
die Prov.	Ostpreussen	3 Schiffe	mit	2 006 R.-T.
„	Westpreussen	4 „	„	1 963 „
„	Pommern	30 „	„	7 783 „
„	Schleswig-Holstein	19 „	„	3 634 „
„	Hannover	42 „	„	5 270 „
zus.	Königreich Preussen	98 Schiffe	mit	20 656 R.-T.
das Grossh.	Mecklenburg-Schw.	9 „	„	2 146 „
„	Oldenburg	9 „	„	2 866 „
die freie Stadt	Lübeck	2 „	„	1 192 „
„	Bremen	8 „	„	9 641 „
„	Hamburg	32 „	„	16 661 „

Seeamtliche Untersuchungen bezw. Entscheidungen fanden bei 119 von diesen Schiffsverlusten statt, nach den Entscheidungen waren die Ursachen der Verunglückungen „menschliches Verschulden" in 16 Fällen, „Unverschuldet" waren 90 Fälle und in 13 Fällen konnte die Ursache nicht ermittelt werden.

Nach den seeamtlichen Entscheidungen wurde wegen Mangels derjenigen Eigenschaften, welche zur Ausübung des Schiffergewerbes unumgänglich erforderlich sind, 4 Schiffsführern und einem als Steuermann fungirenden Schiffer die Befugnis zur Ausübung des Schiffergewerbes entzogen. Bei drei Schiffsverlusten, welche durch fahrlässige Führung verursacht worden, büssten die schuldigen Personen (2 Schiffsführer und 1 Steuermann) ihr Leben ein. -s-

Aus Briefen deutscher Kapitäne.

XXII.

Ein Taifun in Amoy.

Selten wird Amoy von einem schweren Taifun heimgesucht; doch traf ein solcher Amoy im Juli 1873 und im diesjährigen August. 1873 wurden schwere Havarien unter den Schiffen im Hafen angerichtet, in diesem Jahre ebenfalls.

Am 20. August kam eine Depesche von Manilla, dass ein Taifun ostwärts von Manilla wehte; am 21. wurde von Hongkong telegraphirt, dass der Taifun durch den Basbee-Kanal in das chinesische Meer gegangen sei; man glaubte aber in Amoy, dass der Mittelpunkt des Taifuns wie gewöhnlich weit von Amoy abbleiben werde, welches auch in der Regel der Fall ist, es kam aber anders.

Am 20. August drehte bei drohender Luft der Wind von SW nach NW; da aber der Stand des Barometers noch ziemlich hoch war, so achtete man nicht weiter darauf, selbst am 21. nach der Depesche von Hongkong, schien nach dem Verhalten des Barometers keine Gefahr vorhanden zu sein, obgleich der Wind während des letzten Etmals sich im NW-Viertel gehalten und mit Regen aufgefrischt hatte; erst um Mitternacht, als es bereits sehr steif von Norden wehte, fing das Barometer an Warnung zu geben und fiel jetzt in 4 Stunden um mehr als einen halben Zoll. Der Wind nahm nach Mitternacht rasch zu, um 4 U. Vm. wehte bereits ein voller Taifun mit wolkenbruchartigem Regen und war der Wind von 5—7 U. Vm. am schwersten, nach 7 U. Vm. nahm der Sturm ziemlich rasch ab und um 10 U. Vm. hatten wir bereits verhältnismässig gutes Wetter.

Weil man in Amoy also den Taifun nicht erwartet hatte, so war auch die Ueberraschung desto grösser und wurden die Europäer auf Kulangseu-Insel sehr unsanft aus dem Schlafe geweckt, da alle europäisch gebauten Häuser mehr oder minder beschädigt wurden; einzelne Häuser, darunter die Wohnung unseres Konsuls, wurden abgedeckt und war in vielen Häusern kaum ein trockner Platz zu finden, um sich gegen den schweren Regen zu schützen. Jahre lang hatte man versucht Bäume auf Kulangseu anzupflanzen, der Taifun nahm sie in ein paar Stunden wieder weg.

Im Hafen sah es noch böser aus als am Lande.

Es lagen zu der Zeit 15 Schiffe im Hafen, die alle mehr oder minder trieben; das Verzeiten der Schiffe mit 30 Faden Kette in 10—20 Faden Wasser, sowie die grossen Junken, welche den europäischen Schiffen vor den Bug kamen, trugen wohl mehr dazu bei als der Taifun selbst.

Auf der Aussenrhede, beim sogenannten Stein, lagen der amerikanische Schoner „Spartan“ und der englische Schoner „Magenta“. Der erstere sank und wurde nur ein Mann von der Bemannung gerettet. Die „Magenta“ verlor beide Anker, ging im Westen von Kulangsen weg und kam unmittelbar unterhalb unseres Konsuls Wohnung, in einer kleinen Bucht von Kulangsen, hoch und trocken zwischen den Klippen zu sitzen. Menschenleben gingen dabei nicht verloren.

Im innern Hafen trieb die englische Bark „Kolga“ in der Mitte des Hafens auf die Klippen unter Kulangsen und wurde vollständig wrack; die Bemannung wurde gerettet.

Der deutsche Schoner „Ernst“ verlor beide Anker, ging am nördlichen Ende des Hafens zwischen den Klippen unter Kulangsen durch und steckte seinen Klüverbaum in's Krankenhaus, welches am Nordende von Kulangsen steht; wobei das Schiff seinen Fockmast über Bord verlor. Nachdem der Wind von N über O und S nach SW gegangen war, wehte der Schoner wieder vom Krankenhause frei in den innern Hafen hinein.

Die deutsche Bark „Marie“ und die englische Bark „Roderich Hay“ trieben nach dem Nordende des Hafens zu mit 4 und 5 Junken längsseite; nachdem es ihnen gelungen war mit Verlust von Schanzkleidung, Klüverbaum u. s. w. von den Junken frei zu kommen, hielten die Anker wieder. Bei der „Marie“ wurde das Ankerspill durch die ausserordentliche Kraft, welche auf den Ketten lastete, über Kopf gerissen.

Chinesische Junken gingen eine Unmasse verloren und war der Verlust an Menschenleben sehr gross.

Die Bahn dieses Taifuns lief am 20. August ostwärts von Manilla, am 21. durch den Bashee-Kanal; am 22. um 5 bis 7 U. Vm. war der Mittelpunkt eben westlich Amoy, am 23. Vm. westlich Shanghai und bog in der Nacht vom 23. zum 24. zwischen Shanghai und Shantung ostwärts aus, denn in dieser Nacht wehte es in Newchwang schwer, der Wind drehte sich dort von N nach NW. Ob es derselbe Taifun war, der Nagasaki am 25. Abends traf, wird wohl die nähere Untersuchung feststellen.

E. K.

Verlag von H. W. Silomon in Bremen. Druck von Aug. Meyer & Dieckmann, Hamburg, Alterwall 18.

Beilage zur HANSA No. 25. 1884.

Die Erwerbung unseres westafrikanischen Gebiets

in der Bai von Guinea, wie es dazu kam und wie es dabei zuging, wird in einem von der afrikanischen Westküste hierher gelangten und von der Köln. Zeitung den „deutschen Manchestermännern ins Stammbuch" geschriebenen Briefe aus Bai Beach d. d. Anfang October also geschildert:

„Die in letzter Zeit vielfach besprochenen und von der Presse teilweise unrichtig geschilderten Ereignisse an der Westküste Afrikas veranlassen mich, Ihnen folgenden genauen Bericht zu übermitteln.

Die englische Regierung, welche so gerne mit der Freihandelstheorie prunkt, beabsichtigt bekanntlich die durch den Aschanti-Krieg entstandenen Kosten durch ungemein hohe Einfuhrzölle auf Spirituosen, Taback und Pulver an der Goldküste zu decken. Die natürliche Folge war, dass auf dem Freigebiet Dahomey oder Bai Beach, wie die Engländer es nennen, ungefähr 2½ englische Seemeilen nordwestlich von dem unter dem dritten Grad nördlicher Breite gelegenen Quitta oder Keta, wie ältere Karten noch angeben, ein blühender und gewinnreicher Freihandel sich entwickelte. Die englischen Zölle stehen in keinem Verhältnis zum Werte der Waren. So zahlt Tabak 75 pCt., Spirituosen und Pulver 250 pCt. vom Einkaufspreise. Der zollfreie Vertrieb solcher Artikel musste also dem keine Zeit zurückscheuenden Schwarzen als ein höchst lohnendes Geschäft erscheinen. Dieser Freihandel war selbst durch die äusserste Anstrengung des englischen Gouverneurs, der sogar vor der Anwendung unerlaubter Mittel nicht zurückscheut, nicht zu zerstören, sondern hat vielmehr seine höchste Entwicklung erreicht.

Hierdurch erregte natürlich das mit Argusaugen bewachte Lome (Lohmey) einen stets steigenden Unwillen bei den Engländern, der nach mehreren gescheiterten Versuchen, das Togo-Land, zu welchem oben Lome gehört, durch Kauf oder vielmehr durch Versprechungen unter die englische Krone zu bringen, dahin ausartete, dass der Kommandant Firminger, ein Streber und äusserst eitler Mensch, schliesslich zu Mitteln griff, die einfach nichtswürdig sind.

Am 20. Juni kam genannter Herr Firminger mit ungefähr 40 Haussas (schwarze englische Söldner, die aus dem Innern Afrikas stammen und als Grenzwächter angestellt sind) nach Lome, Bageida und Porto Seguro — beide letztgenannte Plätze liegen ungefähr 6 bezw. 13 engl. Seemeilen von Lome entfernt — und stellte den Häuptlingen die Wahl, entweder ihr Land an die Engländer abzutreten oder die Kaufleute innerhalb einiger Tage zu vertreiben, und zwar in Güte oder durch Gewalt. Die Tragweite dieser Drohung vermag man nur dann zu beurteilen, wenn man den Hass der Eingebornen gegen die Engländer, aber auch ihre Furcht vor dem schwarzen Gesindel, das sich englisches Militär nennt, kennt. Diese Soldaten der frommen Briten dringen nämlich wohlbewaffnet in die Hütten der Eingebornen, entehren die Frauen und Jungfrauen und rauben, was ihnen gefällt. Von seinem Streifzuge nach Lome zurückgekehrt, stellte Firminger die ganze Sache als von den Eingebornen ausgehend hin und bot den zwei an diesem Platze stationirten Europäern seine militärische Hülfe an. Er machte sich nämlich die Rechnung, dieselben würden bei etwanigen Gewaltthätigkeiten der Wilden Gebrauch von seinem Anerbieten machen und er damit die schönste Veranlassung haben, das Land zu besetzen. Glücklicherweise durchschaute man den hinterlistigen Plan des Briten und traf Anstalten, um gegen Angriffe der auf sie gehetzten Schwarzen gesichert zu sein. Gewehre wurden verteilt, die Gebäulichkeiten verbarrikadirt, die stets grossen Pulvervorräte vergraben, Wachen ausgestellt u. s. w. So erwartete man Tag für Tag die Horden Buschleute.

Da erschien glücklicherweise noch zur rechten Zeit die „Möwe", uns vor dem Aeussersten zu schützen. Sofort fuhren die ansässigen Deutschen an Bord, um dem Generalkonsul Dr. G. Nachtigal die ganze Gefährlichkeit der Lage zu schildern und um Schutz gegen solche englische Bübereien zu bitten. Dr. Buchner, der Begleiter Dr. Nachtigals, hielt darauf ein sofortiges Eingreifen für unbedingt erforderlich und fuhr auf Geheiss des Generalkonsuls an Land, um Zeuge eines heutigen Palavers zu sein. Daselbst wurde ihm das an die Europäer erlassene Ultimatum, innerhalb sieben Tagen die Faktoreien abzubrechen und das Land zu verlassen, widrigenfalls Gewalt gebraucht würde, schriftlich bestätigt. Der Inhalt dieses in einem höchst fehlerhaften Englisch gehaltenen Schreibens, das Dr. Nachtigal als wichtiges Schriftstück an sich genommen, lautet ungefähr wie folgt:

„Der Kommandant von Quitta-Danoe, Herr Firminger, zwingt uns bei Verlust unseres freien Landes, unsere Freunde, die Kaufleute, aufzufordern, ihre Faktoreien auf unserm Gebiete Togo abzubrechen, ihre Flaggenstöcke niederzulegen, die vorhandenen Waren entweder in einigen Tagen zu verkaufen oder zu verschiffen und das Land zu verlassen, widrigenfalls wir Gewaltthätigkeiten nicht verhindern können. So sehr wir auch bedauern, die Kaufleute, zumal die deutschen, mit denen wir stets befreundet waren und die uns so viel Gutes gethan haben, vertreiben zu müssen, wollen wir nichtsdestoweniger eher alles aufgeben, als den Räubern — so nennt man hier die schwarzen Soldaten der Briten — das Recht einräumen, auch in unsere Dörfer einzudringen. Sollten unsere Freunde uns vor diesen Gewaltthätigkeiten der Engländer zu schützen vermögen, so würden wir ihnen alle das Recht einräumen, hier zu schalten und zu walten wie zuvor. (Unterschriften der verschiedenen Häuptlinge.)"

Nachdem hierauf die Sache noch gemeinschaftlich besprochen war und die Häuptlinge eine Bittschrift an den Vertreter der deutschen Regierung, Dr. Nachtigal, gerichtet, kam der Generalkonsul an Land und schloss mit den Häuptlingen des Togo-Gebietes Handelsverträge ab, die den Deutschen volle Sicherheit gewähren. Alsdann landete eine Abteilung von zwanzig Soldaten und einigen Offizieren und in Anwesenheit und mit vollem Einverständnis der Häuptlinge und anwesenden Kaufleute wurde sodann nach einer Ansprache des Herrn Dr. Nachtigal und einem dreimaligen Hoch auf unsern Kaiser unter Kanonendonner die deutsche Kriegsflagge gehisst, die erste deutsche Kriegsflagge auf deutschem Kolonialgebiet. Die Ernennung des Herrn H. Kandad, Hauptagenten der Hamburger Firma Wölber & Brohm, zum Konsul für das Togo-Gebiet und die Aufstellung und Ausfertigung einiger Schriftstücke an das Auswärtige Amt und den Fürsten Bismarck beschloss den für das ganze deutsche Volk höchst wichtigen Tag.

Am folgenden Morgen wurde alsdann der Grenzpfahl, schwarz-weiss-roth, mit der Inschrift „Kaiserlich Deutsches Protektorat" gegen das englische Gebiet aufgesetzt und Herr Kandad als Konsul beauftragt, auch im Innern das deutsche Schutzgebiet gegen die englische Kolonie durch Grenzpfähle zu bezeichnen.

Darauf dampfte die „Möwe" nach dem Süden weiter, um die drei von der Korvette „Sophie" nach Deutschland geschafften Geiseln abzuliefern und den inzwischen telegraphisch gemeldeten Vorfall in Lüderitzland zu erledigen, fand somit keine Zeit mehr, die Flagge in Porto Seguro zu hissen. Deshalb ging Herr Kandad einige Tage später dorthin, in der Absicht, die Flagge zu entfalten, stiess dabei aber auf Hindernisse. Der von einer kleinen fremden, nicht zum Lande gehörigen Partei erwählte Häuptling „King Mensah" giebt nämlich an, vor sechs Jahren schon ein Bittgesuch an die französische Regierung eingesandt zu haben, das aber bis auf den heutigen Tag noch unbeantwortet geblieben. Nebenbei bemerkt gehört Porto Seguro zum Togo-Gebiet, dessen Eigentümer sich bereits einverstanden erklärt hatten, und King Mensah hat keinerlei Anrechte an das Land. Herr Kandad hisste vorläufig in Bon Coffi, an der Grenzstadt des Togo-Landes, einige Meilen von Porto Seguro entfernt, die Flagge. Dieselbe wurde jedoch niedergerissen. Es wurde hierauf den wenigen Anhängern des King befohlen, innerhalb drei Tagen den Flaggenstock wieder einzusetzen, was auch sofort geschah.

Diesen kleinen Streit hat nun die vor einigen Wochen vorbeifahrende „Leipzig" durch Aufhissen der Flagge in Porto Seguro unter militärischen Ehrenzeichen zum gütlichen Austrag gebracht. So viel ich weiss, gründet sich auf diesen Zwischenfall die lügenhafte Aussage der englischen Zeitungen, in Bageida sei die englische Flagge niedergerissen und die deutsche gehisst. In Bageida hat nie eine englische Flagge geweht.

Sie werden meine Entrüstung über eine solche niederträchtige Lüge gerechtfertigt finden, wenn Sie hören, dass dieser obengenannte Firminger in seinem Zorn, mit ungefähr fünfundzwanzig Haussas als Leibwache, eigenhändig am 3. August den von Herrn Kandad im Innern gegen das englische Gebiet aufgestellten Grenzpfahl zertrümmert und ausgerissen hat. Hoffentlich bleibt diese Gewaltthat nicht ungestraft. Sowohl die deutschen Kaufleute als auch die Eingebornen erwarten, dass England Genugthuung geben wird.

Ich glaube es wird doch endlich einmal Zeit, dass die deutsche Regierung auch ihre Reichsangehörigen im Auslande schütze, besonders gegen das despotische England, das sich bei jeder Gelegenheit mit seiner Philantropie brüstet, und grade den Deutschen, wo es nur immer kann, den grössten Schaden zufügt. Nur so kann das noch junge Ansehen der deutschen Nation hier in Afrika nach Kräften aufrechterhalten werden.

Mit Freuden haben wir daher vernommen, dass die „Bismarck", anfangs October herauskommend, hier an der Küste stationirt werden soll; man wird diese Einrichtung um so freudiger begrüssen können, als man in derselben den ersten Schritt zu einer grossen Umwälzung der Verhältnisse erblickt. Afrika wurde in den letzten Jahren durch Anstrengung deutscher Kaufleute, die weder Mittel noch Mühe gespart, um den stolzen Engländern ebenbürtig zur Seite zu treten, den deutschen Erzeugnissen erschlossen, und die Pioniere des deutschen Handels dürfen mit vollem Rechte jetzt einen Wandel der Volksstimmung in Deutschland beanspruchen, um so mehr, da das Gesammtauftreten der Deutschen einen vorteilhaften Eindruck auf die Eingebornen ausgeübt hat. Auch dürfte bei der Bereitwilligkeit, mit der die Einwohner auf alle Vorschläge und Einrichtungen der Deutschen eingegangen — wie denn bis jetzt die ersten Versuche die schönsten Triumpfe über die Engländer einbrachten —, dem Landeserwerb keine Schwierigkeit erwachsen. Soweit mein Gesichtskreis sich erstreckt, wird beispielsweise das für deutsche Kaufleute höchst wichtige und das Togo-Gebiet an Wert bedeutend steigernde Povo-Land (Klein- und Gross-Povo, Povo-Pueblo-Volk-Ansiedelung) durch Einverleibung in das Schutzgebiet von unberechenbarem Vorteil sein.

Von England aus soll Befehl ergangen sein, alles noch freie Land an der Küste zu nehmen, ein Beweis, wie England über Kolonieen denkt und wie gründlich jene Deutsche auf dem Irrwege sind, welche die Kolonieen als eine Last betrachten. Man sollte doch endlich mit dieser albernen, von den Briten sorglich verbreiteten Theorie brechen. Ich und viele mit mir sind der Ansicht, dass das Innere Afrikas sowohl durch seine Fruchtbarkeit als auch seinen Reichtum an Mineralien berufen erscheint, dereinst noch eine grosse Rolle zu spielen. Ob das Innere Afrikas der Gesundheit der Europäer schädlicher ist als die meisten Bezirke Brasiliens, dürfte doch noch zweifelhaft sein.

Als Sturmwarnung

wird in Deutschland in der Regel der Ball aufgezogen; um dessen Bedeutung zu erkennen, hat der sich für Sturmwarnungen Interessirende den Ort aufzusuchen, an dem der Kasten für Sturmwarnungen ausgestellt ist, in grösseren Häfen also ¼ — ½ Stunde zu gehen, vielleicht sich über einen Fluss setzen zu lassen. Dies ist nicht der Zweck der als Sturmwarnung dienenden Signale; wäre er es, so brauchte man nur zwei: „Ball" für stürmische Winde, „Trommel" für Sturmwinde, im Uebrigen: siehe Depesche! Da man dies als ungenügend betrachtete, so führte man Signale für NO., SO., SW., NW.-Richtung ein, folglich musste man den Ball nur für die seltenen Fälle anwendbar betrachten, in denen die Richtung, aus der stürmischer Wind kommen wird, nicht vorher bestimmbar ist. Als unrichtig kann es durchaus nicht angesehen werden, die Benutzung des Balles auch auf die Fälle auszudehnen, in denen man nicht sicher ist, ob länger als einen viertel Tag anhaltender Sturm oder Sturm von dem man nicht glaubt, dass er Windstärke 9 überschreiten wird, eintritt; aber es ist doch traurig, dass die sog. Seewarte nicht den geringen Schritt vorwärts machen kann, bei vorwiegendem Gebrauch des Balles, ihm die Zeichen für NO., SO., SW., NW. beizugeben, da ohne sie sein häufiger Gebrauch Gleichgültigkeit gegen das Sturmwarnungswesen erzeugen muss.

Persönliche Abfertigung für Gegner, wie sie Overzier gegeben wurde, Recensionen, besonders solche: „benutzt die Aussprüche dieses grossen Gelehrten (Dove's) zur Polemik gegen die neuere Richtung der Meteorologie", (auf dem ersten deutschen Meteorologentage sprach ein in Stellung befindlicher Meteorologe gegen die neuere Richtung, aber Solchen gegenüber sind natürlich Recensenten geschmeidig, wenigstens mit solchen „Klecksen" zurückhaltend), solche Dinge erwartet die Seefahrt von Angestellten der Seewarte *nicht*, — auf reelle Leistungen — auf die mag sie wohl noch lange warten müssen!

A. Schück.

Anm. d. Red. Wenn nur erst den schlimmen *täglichen* Wetterprognosen von jener Stelle dauernd ein Ende gemacht würde! Telegraphirt da Dec. 2. der Vorstand des hiesigen Eisclubs an die Seewarte um ihre Ansicht vom Wetter. Antwort Mittags: dauernder Frost wahrscheinlich. Noch nicht 12 Stunden später hatten wir den schönsten solltiefen Matsch — Schnee mit Wasser — andern Tags + 7° R., heute sogar + 10° R. um 9 Uhr Morgens und nachher heftigen Sturm! da denkt man doch wirklich an das alte Sprichwort, Schweigen ist Gold, — aber Telegraphiren **Blech!**

Uebersicht

sämtlicher auf das Seerecht bezüglichen Entscheidungen der deutschen und fremden Gerichtshöfe, Reskripte etc. der betreffenden Behörden etc., einschliesslich der Literatur der dahin bezüglichen Schriften, Abhandlungen, Aufsätze etc.

Titel III. Schiffer.

Haftung des Rheders aus vom Schiffer angeordneten Reparaturen, welche dem Schiffe lediglich dessen bisherige Klassifikation erhalten sollen.

Aus den *Entscheidungsgründen:* „Die Annahme, dass die Anordnung einer umfassenden Reparatur des Schiffes, nicht etwa zur Wiederherstellung der *Seetüchtigkeit* desselben, sondern nur zu dem Zwecke, dem Schiffe seine bisherige *Klasse* in den Listen der Assekuranz-Gesellschaften zu erhalten, unter die dem Schiffer im Art. 496 H.-G.-B. gesetzlich erteilte Vollmacht falle, erscheint keineswegs so unbedenklich, dass ihre Richtigkeit in Ermangelung eines speziellen Revisionsangriffes einer Nachprüfung nicht bedürftig wäre. Denn nach dem Wortlaut des Art. 496, nach welchem, wenn das Schiff sich ausserhalb des Heimathafens befindet, der Schiffer kraft seiner Anstellung Dritten gegenüber befugt ist, „für den Rheder alle Geschäfte und Rechtshandlungen vorzunehmen, welche die Ausrüstung, Verproviantirung und Erhaltung des Schiffes, sowie überhaupt die *Ausführung der Reise mit sich bringen*," konnte es scheinen, dass die Vornahme einer Reparatur zu dem oben bezeichneten Zwecke über den Inhalt dieser Vollmacht hinausgehe, da die „*Erhaltung* des Schiffs und die *Ausführung der Reise* an sich auch ohne eine solche aus blossen Nützlichkeitsgründen vorgenommene *Reparatur* möglich sind und da der Betrieb der Rhederei mit dem Schiff sowie das Bedürfnis des Verkehrs, mit Bezug auf welche die Grenzen, innerhalb deren der Schiffer den Rheder vertritt, im allgemeinen bemessen sind, eine soweit gehende Vollmacht an sich nicht erforderlich machen. Auch nach den vor Einführung des H.-G.-B. in Deutschland geltenden Grundsätzen scheint es bedenklich, den Schiffer zur Vornahme kostspieliger Reparaturen, welche durch das augenblickliche Bedürfnis nicht geboten waren, als berechtigt anzusehen." — (Es wird sodann dargelegt, dass auch bei Beratung des jetzigen Art. 496 H.-G.-B. zu Grunde gelegten Entwurfs man anfangs von einer Beschränkung der Vollmacht des Schiffers auf notwendige oder doch gewöhnliche Aufwendungen ausgegangen sei; diese Auffassung habe jedoch Widerspruch gefunden. Dann wird fortgefahren:) „In zweiter Linie wurde einem den jetzigen Artikel 496 beschränkenden Antrage gegenüber geltend gemacht, diese Beschränkung widerspreche der Auffassung des Verkehrs, nach welcher der Schiffer ausserhalb des Heimatshafens regelmässig als Kurator des ihm anvertrauten Vermögens Herr der Geschäftsführung und der Dritte nicht verpflichtet sei, wenn er sich mit dem Schiffer in ein Geschäft einlassen wolle, sich erst zu erkundigen, ob das Geschäft *notwendig* vorgenommen werden müsse oder ob der Schiffer nur aus *Zweckmässigkeitsgründen* oder aus anderen Motiven sich dazu veranlasst fühle, wovon nur bei *Kreditgeschäften* eine Ausnahme zu machen sei. Der Ausdruck „*mit sich bringen*" soll keineswegs so viel heissen wie „*notwendig machen*", sondern nur, dass das Geschäft nach dem gewöhnlichen Lauf der Dinge mit der Ausrüstung, Erhaltung etc. des Schiffs *im Zusammenhang stehe* und nicht offenbar anderen Zwecken diene. Ohne dass hiergegen irgend ein Widerspruch erfolgt wäre, wurde darauf der gedachte Antrag abgelehnt und der dem jetzigen Artikel 496 des H.-G.-B. entsprechende Artikel 443 des Entwurfs erster Lesung von der Versammlung angenommen.

Dass die Verfasser des Gesetzes den Artikel 496 des H.-G.-B. so verstanden wissen wollten, wie ihn der Berufungsrichter in Uebereinstimmung mit Lewis, Seerecht S. 102 ff. auslegt, nämlich dahin, dass die Machtvollkommenheit des Schiffers nicht auf die gewöhnlichen und häufig wiederkehrenden Geschäfte, also insbesondere auf *geringe* Reparaturen, beschränkt sei, sondern alle bei einem regelmässigen Schiffahrtsbetrieb bald öfter bald weniger oft vorkommenden Geschäfte in sich schliesse, kann dieser Entstehungsgeschichte des Gesetzes gegenüber keinem Zweifel unterliegen und mit Recht zählt der Berufungsrichter zu den Geschäften der letzteren Art auch eine zu dem oben gedachten Zweck vorgenommene Reparatur des Schiffes.

Diese Auslegung ist aber auch durch den Wortlaut des Gesetzes gerechtfertigt. Denn der Ausdruck: „mit sich bringen" ist dahin zu verstehen, dass das betreffende Geschäft mit der Ausrüstung, Erhaltung etc. des Schiffs *im Zusammenhang steht*. Es spricht für diese Auslegung insbesondere die abweichende Fassung des sich unmittelbar anschliessenden Artikels 497, nach welchem der Schiffer zur Aufnahme von Darlehen etc. nur befugt ist, wenn dies zur Erhaltung des Schiffes oder zur Ausführung der Reise *notwendig* und insofern es zur Befriedigung des Bedürfnisses *erforderlich* ist. Ferner lässt es sich auch sehr wohl rechtfertigen, dass die „*Erhaltung*" des Schiffes auch die lediglich behufs der Klassifikation desselben vorgenommenen Reparaturen mit sich bringe, d. h. dass auch diese mit der Erhaltung des Schiffes im Zusammenhang stehen, da die Erhaltung des Schiffes auch die Erhaltung der für den Betrieb der Rhederei erheblichen *Beschaffenheit* des Schiffes in sich schliesst und die wieder durch die Beschaffenheit bedingte Klassifikation wegen der von dieser abhängigen Höhe der Versicherungsprämien, sowie Möglichkeit und Höhe eines Frachtverdienstes von so wesentlicher Bedeutung für den Betrieb der Rhederei mit dem Schiff ist, dass dasselbe infolge des Verlustes seiner bisherigen Klasse gewissermassen nicht mehr dasselbe bleibt. Ob und inwieweit die Reparatur geradezu notwendig für die gegenwärtige Reise oder nur mit Rücksicht auf die weitere Zukunft aus Zweckmässigkeitsgründen geboten war, wird sich auch mit Sicherheit im Einzelnen kaum ermitteln lassen." (Erk. des I. Senats d. Reichsgerichts v. 13. Feb. 1884 in einer Hamburger Sache; Seuffert, Archiv N. F. Bd. IX. S. 328 ff.)

Verschiedenes.

Unsere afrikanischen Besitzungen, welche auf Grund von Verträgen, welche teils von dem nach Westafrika entsandten Generalkonsul Dr. Nachtigal mit unabhängigen Häuptlingen abgeschlossen worden sind, teils auf Grund von Schutzanträgen Reichsangehöriger, über bestimmte Gebiete durch Verträge mit unabhängigen Häuptlingen erworben wurden, umfassen an der Sklavenküste das Togo-Gebiet mit den Hafenplätzen Lome und Bagida, in der Bai von Biafra die Gebiete von Bimbia mit der Insel Nikol, Kamerun, Malimba bis auf den nördlichsten Teil, Klein-Batanga, Plantation und Criby und in Südwestafrika das Küstengebiet zwischen Kap Frio und dem Oranjefluss mit Ausschluss der Walfischbai. Dass diese Gebiete unter den Schutz Sr. Majestät des Kaisers gestellt worden, ist äusserlich durch Hissen der kaiserlichen Kriegsflagge und Aufpflanzung von Grenzpfählen bekundet und hierbei die Zusage erteilt worden, dass alle bestehenden nachweislichen Rechte Dritter geachtet werden sollen.

Königliches vom Congo. Der auch in Johnston's Werk über den Congo (vergl. Anzeigen) so sehr gefeierte König Leopold II. der Belgier hat sich kürzlich in so königlicher Weise über den Grund seiner Teilnahme an den Bestrebungen der „Internationalen Afrikanischen Gesellschaft" ausgesprochen, dass wir nicht unterlassen können, diesen Worten hier einen Platz zu geben. Der König erklärte nämlich; „Europa habe für Belgien sehr viel gethan, indem es im Jahre 1839 das Königreich für neutral erklärte; Belgien habe dadurch Ruhe und Sicherheit erhalten, die es ihm möglich machten, Handel, Verkehr, Industrie, Ackerbau und alle nutzbringende Thätigkeit in hohem Masse zu entwickeln, so dass Belgien sich in einem Zustande der Zufriedenheit und Wohlhabenheit befinde. Mit Rücksicht darauf habe es der König für nothwendig gehalten, auch etwas für Europa zu thun; er habe deshalb mit den ihm zu Gebote stehenden Mitteln versucht, ein grosses Gebiet zu öffnen, dasselbe zu neutralisiren, indem er es allen Nationen zur Verfügung stellte, und so Europa für seine überschüssige Bevölkerung und für seinen Handel und seine Industrie neuen Boden zu bieten." Bei solchen Ansichten, deren Umsetzung in die Praxis dem Könige wie man sagt schon 20 bis 30 Mill. Fr. gekostet hat, ohne dass seine Freigebigkeit damit erschöpft sei, begreift es sich leichter, dass die ersten Europäischen Staaten im Verein mit der Nordamerikanischen Union die Flagge jener Gesellschaft als souveraine Flagge mit den ihrigen auf gleichen Fuss gestellt haben.

Niedrigste Wasserstände des Rheins. Den in No. 23 vorgeführten höchsten Wasserständen des Rheins bei Köln lassen wir in Veranlassung des kürzlich so sehr *niedrigen* Standes des Stromes einige „niedrigste" Stände folgen.

Der Kölner Rheinpegel zeigte:

1831 Dec. 30 .... 1 Fuss 7 Zoll
1845 Febr. 14 .... 1 „ 4 „
1858 Jan. 29 .... 0 „ 2 „
1864 Dec. 29 .... 0 „ 1 „ *unter* Null und
1853 Dec. 31 sogar 0 „ 4½ „ **unter** Null,

also volle 3¼ Fuss niedriger als am 28. Novbr., wo der Pegel 2 Fuss 10 Zoll zeigte.

Bei Mainz zeigte am 24. Novbr. der Brückenpegel nicht mehr wie 10 cm und der Fahrpegel nur noch 72 cm Wasser.

Am 22. Novbr., als vor 2 Jahren der Rhein seine höchste Höhe mit 9,20 m in Coblenz erreichte, stand er am dortigen Pegel am niedrigsten, nämlich auf 1,34 m.

Die **Handelsmarine der Vereinigten Staaten von Amerika** bestand am 30. Juni 1883 aus 24 217 Schiffen mit einem Gehalt von 4 235 487 Tons; hiervon waren 16 697 Segelschiffe, 5249 Dampfschiffe, 1186 Kanalboote und 1085 Leichterschiffe. Die Zahl der eisernen Schiffe betrug 396 von 349 129 Tons, und zwar 4 Segel- und 392 Dampfschiffe.

Im **Hafen von Newyork** sind während des Jahres 1883 von ausländischen Häfen angekommenen 6 376 Schiffe (gegen 6176 in 1882 und 6929 in 1881); darunter waren 1959 amerikanische, 2607 britische, 529 deutsche, 345 norwegische, 230 italienische, 127 österreichische, 112 belgische, 95 französische, 76 niederländische, 64 spanische, 57 dänische, 43 schwedische und 31 portugiesische Schiffe.

Die Zahl der die Küstenschiffahrt betreibenden amerikanischen Schiffe, welche im Jahre 1883 in Newyork ankamen, betrug 11 307 (gegen 12 651 im Jahre 1882), und zwar kamen 7 982 von östlichen und nordöstlichen Häfen, 3825 von südlichen Häfen der Union. —s—

Verkehr deutscher Schiffe in Havre im Jahre 1883. Deutsche Schiffe liefen im Jahre 1883 in Havre ein 237, gegen 251 im Jahre 1882. Unter den 237 Schiffen waren 184 Dampfschiffe und 53 Segelschiffe. Im Vergleich zum Vorjahr hat die Zahl der deutschen Dampfschiffe um 14 zu-, die der deutschen Segelschiffe um 31 abgenommen. Die deutschen Dampfschiffe brachten Passagiere und Stückgüter oder Zucker aus Deutschland, Wein aus Spanien, Kohle aus England, Palmöl und Palmkerne von der Westküste Afrikas, Hafer aus Schweden und Weizen oder Baumwolle aus Nordamerika. Von den 53 Segelschiffen kamen 52 mit Ladung an. Dieselbe bestand aus Landesprodukten aus West- und Ostindien, dem festländischen Amerika, Afrika und den Ostseehäfen. Ein Segelschiff wurde hier angekauft. Aus Deutschland kamen 10 Segelschiffe, wovon 6 mit Stückgütern von Hamburg, um hier ihre Ladung zu kompletiren, die übrigen aus Stettin, Memel und Danzig mit Holz; 10 deutsche Segelschiffe befanden sich am Anfange des Jahres schon im Hafen, so dass im Ganzen 247 deutsche Schiffe im Jahre 1883 in Havre verkehrt haben.

Von Havre abgegangen sind im Jahre 1883 242 deutsche Schiffe, wovon 183 Dampfschiffe und 59 Segelschiffe. Von den abgegangenen Segelschiffen verliessen Havre 37 in Ballast und 22 mit Ladung, bestehend aus Stückgütern, Oelkuchen, Genever und leeren Fässern. Einige Schiffe haben Fracht nach Guayaquil gefunden. Im Allgemeinen ist Ausfracht für nicht regelmässige Linien hier schwer zu finden. Die den regelmässigen Linien angehörigen Dampfschiffe haben hier zumeist genügende Fracht zur Kompletirung ihrer Ladung gefunden.

In den **Hafen von La Valette (Malta) liefen im Jahre 1883** 43 deutsche Handelsschiffe, nämlich 41 Dampfschiffe, 1 Schuner und 1 Barkschiff, von zusammen 47 843 Tons ein, und zwar 1 Dampfschiff zum Zweck der Löschung von Kohle, 2 Dampfschiffe mit Ballast und 38 Dampfschiffe mit Ladungen behufs Ergänzung des Feuerungsmaterials bezw. Empfangnahme von Order und die 2 Segelschiffe ebenfalls zur Entgegennahme von Orders bezw behufs Verproviantirung.

Die Anzahl der im Vorjahre angekommenen deutschen Schiffe betrug 52, nämlich 50 Dampfschiffe und 2 Segelschiffe von 47 669 Tonnen; folglich weist das Jahr 1883 eine Abnahme von 9 Schiffen, dagegen eine Zunahme von 74 Tonnen aus. —t—

Dem soeben im Reichstage eingebrachten revidirten Gesetzentwurf betr. **Post-Dampfschiffverbindungen mit überseeischen Ländern** sind zwei statistische Nachweisungen über den bestehenden Handelsverkehr und über den Postverkehr Deutschlands beigefügt. Der letzteren entnehmen wir, dass Deutschlands gesammter inländischer und ausländischer Verkehr sich im Jahre 1882 auf rund 1667 Millionen *Postsendungen* belaufen hat, während die Zahl der Sendungen in Grossbrittannien 1868 Millionen, in Frankreich 1350 Millionen betrug. Hiervon fallen auf den internationalen Verkehr Deutschlands 159½ Milionen, Grossbritanniens 162½ Millionen und Frankreichs 116½ Millionen. Es verhält sich hiernach der inländische zum ausländischen Verkehr in Deutschland wie 9 zu 1, in Grossbritannien wie 10½ zu 1 und in Frankreich wie 10 6/10 zu 1, so dass unser Vaterland den verhältnissmässig stärksten internationalen Postverkehr hat. In den Erläuterungen zu dem Gesetzentwurf wird auch der Frage gedacht, in wie weit die Staatsgewalt auf das wirtschaftliche Leben und den freien Wettbewerb in Handel und Gewerbe einzuwirken habe, und in dieser Hinsicht hervorgehoben, es sei kaum jemals grundsätzlich bestritten worden, dass der Staat berufen ist, positiv schaffend und fördernd in das Gebiet der Verkehrsmittel und des Transportwesens einzugreifen. „Dies entspricht nicht allein der historischen Entwickelung der Einwirkung der deutschen Staaten und der Kommunen in Betreff der Verkehrswege, der Eisenbahnen und Kanäle; es hat auch noch neuerdings das Reich durch die Subvention für Herstellung der Gotthardbahn ohne jede prinzipielle Bedenken selbst über seine Grenzen hinaus in das Gebiet des internationalen Verkehrswesens eingegriffen.

Wenn die Mitwirkung der Staaten bei der Herstellung und Unterhaltung der Landstrassen und Eisenbahnen berechtigt und in vielen Fällen unentbehrlich ist so trifft das Gleiche auch für die überseeischen Verbindungen zu; die letzteren sind als Verlängerungen der nationalen Verkehrslinien behufs Ausdehnung des heimischen Verkehrs des Handels und der Gewinnung neuer Absatzmärkte unentbehrlich. Alle europäischen Kulturvölker sind genötigt gewesen, diesen Weg zu beschreiten, insbesondere auch die eigentlichen Industrie- und Handelsvölker, wie England, Holland, Belgien und Frankreich, und verwenden auf die dauernde Unterhaltung überseeischer Dampferlinien noch gegenwärtig verhältnissmässig viel bedeutendere Mittel, als der Entwurf (5 400 000 ℳ. jährlich auf vorläufig 15 Jahre) sie fordert. England bezahlt an Subvention 11½ Millionen ℳ. abgesehen von den Summen, welche von den Kolonien selbst ausgegeben und welche diesen direct von England zu diesem Zwecke zugeführt werden; Frankreich bezahlt an Subvention jährlich über 20 Millionen ℳ. an Schiffsprämien, Oesterreich-Ungarn 4 Millionen ℳ., Italien gegen 7 Millionen ℳ.

Feuerschiff auf dem Adlergrund in der Ostsee. Nach einer Bekanntmachung der Admiralität ist das auf den zwischen Rügen und Bornholm befindlichen Adlergrund ausgelegte Feuerschiff rot angestrichen und führt den Namen Adlergrund in weisser Farbe auf beiden Seiten. Das Feuerschiff zeigt an dem Topp des Hauptmastes, der ziemlich in der Mitte steht, einen schwarzen Ball aus Rohrgeflecht; ausserdem hat das Schiff noch einen Treibermast. An dem Hauptmast brennt in 11,2 m Höhe über Wasser das Leuchtfeuer, welches bei klarem Wetter 11 Seemeilen weit sichtbar ist; bei schlechtem Wetter wird erforderlichenfalls der Apparat nur bis 9,0 m Höhe gehisst. Das Schiff liegt auf 54° 48,2' n. Br., 14° 20,8 ö. L. Es zeigt alle 30 Sekd. einen weissen Doppelblink, nämlich zwei mit 6 Sekd. Zwischenpause nacheinanderfolgende, jedesmal 2 Sekd. dauernde Blinke, worauf dann die Hauptpause von 20 Sekd. folgt. Bei dunkelm Wetter werden alle 3 Min. vom Feuerschiff zwei rasch nacheinanderfolgende 2 Sekd. dauernde Stösse einer Dampfsirene — ein hoher und ein tiefer Ton — abgegeben. Schiffe welche gefährlichen Kurs steuern werden auch durch Doppelschüsse, Anschlagen an die Glocke und Flaggensignale gewarnt. Notsignale anderer Schiffe werden von dem Feuerschiff, wenn erforderlich, wiederholt. In der Nähe des Feuerschiffes sind zwei rote stumpfe Tonnen verankert worden.

Das Project des Nord-Ostsee-Kanals, wie es nach Dahlström's Vorarbeiten und Entwürfen von dem Regierungsbaumeister Boden bearbeitet worden, hat einer weiteren Prüfung durch zwei sachverständige Brüder unterlegen, den Oberbaudirector Franzius zu Bremen (früher im preussischen Handelsministerium) und den Hafenbaudirector Franzius von der Kriegsmarine zu Kiel. Sie erhöhen den Kostenanschlag von 107 400 000 ℳ. auf 121½ Millionen bei fünfjähriger Bauzeit; Die Kosten eines blossen Handelskanals von Brunsbüttel a. d. E. nach Eckernförde berechnen sie auf 91½ Millionen, während Boden 89 Millionen ℳ. dafür anschlug. Der auch für die Kriegsmarine brauchbare Kanal, wie er jetzt in's Auge gefasst ist, mündet auf der Ostseeseite jedoch bei Holtenau im Kieler Meerbusen. Der Kanal soll Nachts erleuchtet sein und in zwölf Stunden passirt werden, wobei zehn Dampfer das Schleppgeschäft übernehmen.

Einer uns vorliegenden kaufmännischen Denkschrift über die zur Zeit **mit Afrika bestehenden regelmässigen Dampferverbindungen** entnehmen wir nachfolgende Angaben: „Die Dampferlinien nach Afrika sind folgende: Die Union Steamship Company mit zehn Dampfern von Liverpool; die Castle Packet Company mit zwanzig Dampfern von London und Plymouth, deren Dampfer mit wenigen Zwischenplätzen, Lissabon, Madeira, ziemlich direct nach Capstadt gehen und von da weiter nach der portugiesischen Ostküste Delagoa-Bai (Lourenço Marques) bis nach Zanzibar hinauf, wofür die letztere ein Zuschuss von der portugiesischen Regierung und von dem Sultan von Zanzibar erhält, sowie noch von Durban nach Port Louis auf Mauritius; ferner die African Steamship Company mit zwölf Dampfern von Liverpool bis nach Old Calabar an der Westküste Afrikas und zurück und die Clan Line, Glasgow, von London abgehend; erstere geht einmal monatlich von Hamburg über Rotterdam nach Old Calabar. Diese Dampfer laufen eine ganze Reihe von Plätzen an der Westküste von Afrika von Sierra Leone bis Old Calabar an und zurück, je nachdem sie Güter für dieselben auszuladen oder von denselben einzunehmen haben. Ausserdem kommen noch die Dampfer der British India Steamship Company, die von Suez herunter bis Zanzibar laufen und die Post der Castle Line aufnehmen. Endlich C. Woermanns Deutsche Dampfschifffahrt mit fünf Dampfern von Hamburg direct nach Madeira, von wo die Dampfer an der Küste von Gorse hinab bis nach Ambriz am Congofluss anlaufen, je nachdem sie Ladung auszuladen oder einzunehmen haben. Einen wirklich guten Hafenplatz bietet die afrikanische Küste kaum. Die Baien und Flussmündungen haben mehr oder weniger Barren, die dem Eingang von grössern Schiffen hindernd in den Weg treten, weshalb die Schiffe meist auf der Rhede löschen und laden müssen."

Eine in Berlin zusammentretende internationale Conferenz zur Regelung der **Rheinlachs-Frage** wird dieser Tage ihre Sitzungen beginnen. Die Bevollmächtigten Deutschlands, Hollands und der Schweiz werden von technischen Beiräten bei diesen Beratungen unterstützt, welche die Grundlagen zu einer rationellen Schonung des Rheinlachses liefern sollen.

Zum Kriege Frankreichs gegen China. Die Chinesen glauben augenblicklich noch trotz Fouchow, wo auf 5 todte Franzosen noch mehr als 3000 todte Chinesen kamen, dass ein Chinese es gegen 10 Franzosen aufnehmen kann; es muss also, um den Chinesen den Hochmutsteufel auszutreiben, noch eine Unmasse Chinesen mehr todtgeschlagen werden. Hoffentlich thun es die Franzosen, wenn wir Neutralen nur nicht zu viel darunter leiden und die Franzosen nur nicht Formosa nehmen. Wäre Deutschland in Frankreichs Stelle, so würden aus lauter Humanitätsduseleien nur halbe Massregeln ergriffen werden; die Land- und die Pfaunengeschichte (Swatow-Amoy) sind noch immer nicht zum Austrag gebracht.

Sie werden meine obige Ansicht vielleicht etwas barock finden (gar nicht! D. R.), nun ja, es leben hier eine ganze Anzahl Männer, die derselben Ansicht sind wie ich; von Europa aus sieht man die Verhältnisse anders an, wie an Ort und Stelle.

In wie weit die Chinesen imstande sind mit den Franzosen Krieg zu führen können Sie daraus entnehmen, dass in Newchwang, (ich war vor 6 Wochen dort) wo eine Unmasse sogenannter Soldaten (Kulis) liegen, etwa der 10. Mann beim Durchmarsche durch den Ort nur ein Gewehr hatte, und dieses war noch verrostet oder auf sonstige Weise ruinirt, die übrigen hatten Speere; von chinesischer Seite wurde mir gesagt, dass die Truppen alle so bewaffnet wären. Die Leute werden also, wenn es zum Klappen kommt, wie eine Heerde Schafe niedergeschossen.

E. K.

Verlag von H. W. Silomon in Bremen. Druck von Aug. Meyer & Dieckmann. Hamburg, Alterwall 16.

HANSA

Redigirt und herausgegeben
von
W. von Freeden, BONN, Thomastrasse 8.
Telegramm-Adresse:
Freeden Bonn,
oder
Neue Alterwall 28 Hamburg.

Verlag von M. W. Silomon in Bremen.
Die „Hansa" erscheint jeden [illegible] Sonntag.
Bestellungen auf die „Hansa" nehmen alle Buchhandlungen, sowie alle Postämter und Zeitungsexpeditionen entgegen, desgl. die Redaktion in Bonn, Thomastrasse 8, die Verlagshandlung in Bremen, Obernstrasse 44 und die Druckerei in Hamburg, Alterwall 28. Sendungen für die Redaktion oder Expedition werden an den letztgenannten drei Stellen angenommen. Abonnement jederzeit, frühere Nummern werden nachgeliefert.

Abonnementspreis:
vierteljährlich für Hamburg 2½ M.,
für auswärts 3 M = 3 sh. Sterl.
Einzelne Nummern 60 Pf = 6 d.

Wegen Inserate, welche mit 25 Pf die Petitzeile oder deren Raum berechnet werden, beliebe man sich an die Verlagshandlung in Bremen oder die Expedition in Hamburg oder die Redaktion in Bonn zu wenden.

Frühere, komplete, gebundene Jahrgänge v. 1873, 1874, 1876, 1877, 1878, 1879, 1880, 1881, 1882, 1883 sind durch alle Buchhandlungen, sowie durch die Redaktion, die Druckerei und die Verlagshandlung zu beziehen.

Preis M 8; für letzten und vorletzten Jahrgang M 6.

Zeitschrift für Seewesen.

No. 26. HAMBURG, Sonntag, den 28. December 1884. 21. Jahrgang.

Das Abonnement
auf unsere Zeitschrift bitten wir baldigst zu bestellen. Die Post verlangt vor Anfang jeden Quartals neue Bestellung und Vorausbezahlung.

Inhalt:

Der Spruch des Seeamts über die Kollision des „Hohenstaufen" mit der Korvette „Sophie."

Wie in der seeamtlichen Verhandlung am 24. und 25. Novb. d. J. vorgesehen war, sollte am 9. Decbr. der Spruch des Seeamts über den Kollisionsfall verkündet werden. Derselbe folgt im Wesentlichen unsern in No. 20 ausgesprochenen Bemängelungen der Manöver von Kapt. Winter, dass er erst vor der „Sophie" habe vorbeigehen wollen, und erst zu spät (nach Ansicht des Kommandanten der „Sophie") sich entschlossen habe hintenum zu gehen. Damit wird die von uns so oft und immer aufs neue betonte Forderung an jeden Schiffsführer, in Fällen, wo Kollisionen befürchtet werden dürfen, rechtzeitig und deutlich *sein Manöver dem Gegner kundzugeben*, wieder so ausdrücklich anerkannt, dass wir uns, die wir aus Unglücksfällen gute Lehren zum Bessermachen nur zu ziehen berufen sind, mit dem Einsender des zweiten Artikels in No. 21, der offenbar eigene Absichten verfolgte, nicht weiter auseinander zu setzen haben. Doch halten wir es für unsere angenehme Pflicht nochmals auf die in vor. No. beschriebenen amerikanischen Nebenregeln zum Ausweichgesetz hinzuweisen, als letzte Hülfe in der Not. Dass auch sonst noch nicht Alles ist wie es sein sollte, legt ein hier nachfolgender Artikel klar.

Der Spruch des Seeamts lautete also:

„Bei den dem Seeunfall des Dampfers „Hohenstaufen" am 3. September 1884 durch Zusammenstoss mit der Glattdeckskorvette „Sophie" vorangegangenen Manövern hat der Führer des Dampfers „Hohenstaufen", Kapt. Winter, *unvorsichtig* gehandelt, weil er nicht früher als geschehen das Ruder des „Hohenstaufen" hart Backbord hat legen lassen. Er hat hierdurch *insofern mittelbar* zu dem Zusammenstoss beigetragen, als in Folge seines Verhaltens der Kommandant S. M. S. „Sophie" sich veranlasst gesehen hat, eine Aenderung des bislang von der „Sophie" verfolgten Kurses eintreten zu lassen. An den weiteren Manövern des Dampfers „Hohenstaufen" und dem Verhalten nach dem Zusammenstoss findet das Seeamt nichts auszusetzen. Dem Schiffer Winter ist die Befugnis zur Ausübung seines Gewerbes nicht zu entziehen."

In der umfangreichen, 58 Seiten umfassenden Begründung dieses Spruches heisst es (laut Prov.-Z.) nach Feststellung des Thatbestandes:

„Die bei Beurteilung des in Frage stehenden Unfalls massgebenden Vorschriften sind die in den Artikeln 16, 18, 22 und 23 der bereits angeführten Verordnung vom 7. Januar 1880 enthaltenen.

Die Bestimmungen dieser Verordnung sind in gleicher Weise für Kauffahrteischiffe und für Kriegsschiffe bindend. Besondere Vorschriften, durch welche den Kriegsschiffen in dem Verkehr auf See eine bevorzugte Stellung eingeräumt würde, existiren nicht. Die Anwendung der bezeichneten Vorschriften kann auch keine Aenderung erleiden, wenn mehrere Kriegsschiffe zu einem Geschwader verbunden sind, da die Verordnung nur *einzelne* Schiffe kennt und über das Verhalten einzelner Schiffe zu einander Vorschriften trifft, während ein Geschwader als zu respektirende Einheit ihr völlig unbekannt ist. Es kann dieserhalb dem Schiffer Winter nicht schon deshalb ein Vorwurf gemacht oder gar sein Verhalten als ein gegen bestehende Vorschriften verstossendes bezeichnet werden, weil er es unternommen hat, die Geschwaderlinie zwischen den einzelnen Schiffen zu kreuzen. Die Seitens mehrerer Zeugen von der Marine angewandte Ausdrucksweise, dass der „Hohenstaufen" die Geschwaderlinie habe durchbrechen wollen, ist deshalb auch eine unzutreffende, insofern das Wort „durchbrechen" etwas Gewaltsames oder doch stark Gesetzwidriges andeutet. Eine andere Frage ist es selbstverständlich, ob aus Gründen der nautischen Technik, sei es, weil die Zwischenräume zwischen den einzelnen Kriegsschiffen zu klein waren, sei es in anderer Beziehung, ein Durchkreuzen der Geschwaderlinie überhaupt oder in geschehener Weise fehlerhaft war. Diese Frage wird durch die späteren Erörterungen ihre Beantwortung finden.

Nicht zweifelhaft kann es auf Grund Art. 16 der angeführten Verordnung sein, dass der Dampfer „Hohenstaufen" der „Korvette „Sophie" auszuweichen musste. Zu welcher Zeit dieser Pflicht zu genügen war, bestimmt die Verordnung nicht. Schiffer

Winter durfte deshalb, sowohl vor der „Sophie“ vorbei, als hinter derselben herumfahren. Die „Sophie“ ihrerseits war auf Grund Artikel 22 zur Beibehaltung ihres Kurses verpflichtet, falls nicht solche Umstände eintraten, welche für sie auf Grund Art. 23 ein Abweichen hiervon berechtigt erscheinen liessen.

Es ist augenscheinlich, dass Schiffer Winter seine Verpflichtung zum Ausweichen sofort erkannt hat. Diese Erkenntnis veranlasste ihn zu dem Kommando „Backbord.“ Er will sich damals noch nicht klar gemacht haben, in welcher Weise er den Kriegsschiffen aus dem Wege gehen wolle. Auch angenommen, das sei richtig — wenngleich seine eigene kurz nach dem Zusammenstoss an Bord des „Hohenstaufen“ gegenüber dem Justizrat Reichert und dem Lieutenant zur See Emsmann gemachte Aussage, sowie die bei gleicher Gelegenheit und ferner am Tage nach dem Zusammenstoss bei dem Amtsgericht Bremerhaven gemachte, bei der Verhandlung vor dem Seeamte wiederholte Aussage des ersten Offiziers Maurer, dass es Anfangs die Absicht gewesen sei, hinter den *beiden* ersten Schiffen herumzufahren, dem zu widersprechen scheine — so hat er sich doch jedenfalls bei dem bald darauf gegebenen Kommando „stützen“ von *der Absicht leiten lassen*, vor der „Sophie“ vorbei zu fahren.

Kapitän Winter hat zwar bei der Verhandlung vor dem Seeamte erklärt, dass er damals die Absicht, vor der „Sophie“ vorbei zu fahren, nicht mehr gehabt habe, und keinen Aufschluss darüber geben könne, weshalb er das Kommando „stützen“ gegeben habe. Diese Erklärung ist *aber nicht glaubhaft*, es müsste denn angenommen werden, dass der Kapitän in der seitdem verflossenen Zeit vergessen habe, welcher Zweck von ihm mit dem erwähnten Kommando verfolgt sei. Dagegen ist es *geradezu undenkbar*, dass ein Seemann, welcher wie Kapitän Winter eine lange Reihe von Jahren als Offizier auf Lloyddampfern angestellt gewesen und welchem seit einiger Zeit die selbstständige Führung eines grossen Lloyddampfers übertragen ist, in einem seine ganze Aufmerksamkeit erfordernden Augenblicke ein Kommando gegeben haben kann, *ohne einen Zweck damit zu verfolgen*.

Dass Kapitän Winter, indem er das Kommando „stützen“ gab, sich eines bestimmten Zweckes wohl bewusst gewesen ist, wird übrigens bewiesen durch die folgende, von dem I. Offizier Maurer bei seiner oben erwähnten Vernehmung vor dem Amtsgericht Bremerhaven am 4. Sept. gemachte, gelegentlich der seeamtlichen Verhandlung bestätigte eidliche Aussage: „*Nachdem wir soweit abgefallen waren, dass wir hinter den beiden ersten Schiffen herum kommen konnten, gab der Kapitän den Befehl „Steady“*. In demselben Augenblicke erklärte er auch schon, es sei doch wohl sicherer, hinter dem dritten Schiffe des Geschwaders herumzugehen, da der Abstand zwischen dem dritten und vierten Schiffe weiter war, als der zwischen dem zweiten und dritten Schiffe.

Hat Kapitän Winter folgeweise den Entschluss, *hinter* der „Sophie“ herum zu fahren, erst in dem Augenblick gefasst, als er das Ruder „*hart Backbord*“ legen liess, so kann auch das dem Stützen vorhergegangene Backbordruderlegen wie das nachher unternommene Manöver, hinter der „Sophie“ herumzugehen, als einleitender und deshalb als massgebender Umstand *nicht angesehen werden*, zumal sich schon sehr bald nach dem Kommando „Backbord“ *herausgestellt haben musste*, dass nur ein Legen des Ruders *hart* Backbord den „Hohenstaufen“ frei hinter der „Sophie“ herumbringen konnte.

Dass das Abfallen des „Hohenstaufen“ nach Steuerbord in Folge des einfach Backbord gelegten Ruders auf der „Sophie“ *nicht bemerkt worden ist*, unterliegt auf Grund der Aussagen einer grösseren Anzahl von Zeugen keinem Zweifel. Dies erklärt sich dadurch, dass ein nicht bedeutendes Abfallen des „Hohenstaufen“ auf der „Sophie“ als die *Wirkung des eigenen Fortganges* angesehen sein wird. Dies kann um so weniger auffallend erscheinen, als das in Frage stehende Abfallen des „Hohenstaufen“ auch seitens der Zeugen von den Schiffen „Baden“ und „Württemberg“ *nicht bemerkt* worden ist, obwohl auf diesen Schiffen eine Kursänderung des „Hohenstaufen“ eher als auf der „Sophie“ hätte bemerkt werden müssen.

Kann auf Grund des Gesagten das anfängliche Legen des Ruders nach Backbord auf dem „Hohenstaufen“ bei der Beurteilung der Manöver beider Schiffe nicht von entscheidender Bedeutung sein, so wird die Beantwortung der Fragen, wie lange vor der Kollision und in welcher Entfernung der Schiffe von einander das Kommando „Backbord“ auf dem „Hohenstaufen“ gegeben worden ist, welche Zeit zwischen dem Kommando „Backbord“ und dem Kommando „Stützen“ gelegen hat und welche Strecken die beiden Schiffe während dieser Zeit zurückgelegt haben, nur noch ein indirektes Interesse erregen, insofern nämlich, als etwa Anhaltspunkte für die Beantwortung der weiteren Fragen zu entnehmen wären, wie viel der „Hohenstaufen“ in Folge des Backbordlegens des Ruders nach Steuerbord abgefallen ist. Nach Ansicht des Seeamts ist ein Abfallen von etwa 2½ Strich anzunehmen, wie weiter unten noch näher erörtert werden wird.

Für die Beurteilung der Sache ist wesentlich erst der Moment und dieser fast ausschliesslich entscheidend, als Schiffer Winter sich entschloss, *hinter* der Sophie herumzugehen und deshalb das Kommando *Hart*backbord gab. (? D. R.) Das Bemühen des Seeamts musste daher in erster Linie darauf gerichtet sein, festzustellen, auf welchem Kurse der „Hohenstaufen“ zur Zeit jenes Kommandos angelegen hat und in welcher Richtung und Entfernung von ihm die Kriegsschiffe, insbesondere die „Sophie“ sich damals befunden haben.“

Es folgen nun eingehende Erörterungen, aus denen das Seeamt den Kurs und die Position ermittelt hat, und heisst es dann im Spruche weiter:

„Das Seeamt ist auf Grund der im Vorstehenden mitgeteilten Erwägungen zu der Ueberzeugung gelangt, *dass der „Hohenstaufen“ zu der Zeit, als auf demselben „Hartbackbord“ kommandirt worden ist, die „Sophie etwa 3 Strich an Steuerbord voraus in einer Entfernung von 600 — 650 Meter und die „Württemberg“ eben frei an Backbord in einer Entfernung von 350 — 400 Metern gehabt hat.*

Aus dieser Lage der Schiffe zu einander ergiebt sich nun zunächst mit *ziemlicher* Gewissheit, dass der „Hohenstaufen“ und die „Sophie“ frei von einander geblieben sein würden, wenn die letztere ihren Kurs beibehalten und auf dem „Hohenstaufen“ das Ruder hartbackbord geblieben wäre. Denn, wie vorhin bemerkt, würde der „Hohenstaufen“ in diesem Falle bei Beschreibung eines Drehkreises von 800 m Durchmesser die Geschwaderlinie der Kriegsschiffe voraussichtlich gar nicht berührt haben. Ueberdies hätte die „Sophie“ den Punkt, welchem der „Hohenstaufen“ auf dem zu beschreibenden Bogen der Geschwaderlinie am nächsten gekommen wäre, früher passirt als der „Hohenstaufen“.

Wenn demzufolge Kapitän Winter den zur Ausführung seines Entschlusses, hinter der „Sophie“ herum zu gehen, bestimmten Befehl „Hartbackbord“ auch noch so zeitig gegeben hat, dass der „Hohenstaufen“ ohne die eingetretenen Zwischenfälle noch frei von der „Sophie“ geblieben sein würde, so hat derselbe doch um deswillen *unvorsichtig* gehandelt, weil *er* das von ihm geführte Schiff ohne Notwendigkeit derartig lange auf einem die Geschwaderlinie der Kriegsschiffe in gefahrdrohender Weise kreuzenden Kurse hat liegen lassen, dass auf der „Sophie“ Zweifel über seine Absichten entstehen konnten. *Offenbar ist die anfängliche Absicht von Kapitän Winter, die Geschwaderlinie vor der „Sophie“ zu kreuzen, der Grund gewesen, weshalb derselbe mit dem Ausweichen nach Steuerbord zu lange gezögert hat.* In Folge dieser Zögerung konnte nun aber, da hinter der „Sophie“ freier Raum zum Passiren der Geschwaderlinie war und auch im Uebrigen für den „Hohenstaufen“ nichts entgegenstand, in das Manöver, mit Hartbackbord gelegtem Ruder hinter der „Sophie“ herumzugehen, schon früher einzutreten, auf der „Sophie“ *sehr leicht* die Ansicht entstehen, dass der „Hohenstaufen“ noch vor derselben vorbei fahren wolle. Dass *lediglich die letztere, durch das späte Handeln von Kapitän Winter hervorgerufene Ansicht* den Kommandanten der „Sophie“ veranlasste, seinerseits handelnd einzugreifen, kann auf Grund der ermittelten Umstände einem Zweifel nicht unterliegen.

Es muss hiernach angenommen werden, dass das bezeichnete unvorsichtige Verhalten von Kapt. Winter, insofern der Kommandant der „Sophie“ dadurch in Zweifel über die Absichten des „Hohenstaufen“ versetzt und zu einem Eingreifen seinerseits veranlasst worden ist, indirect zu dem Unfall beigetragen hat. Dem Verhalten von Kapt. Winter kann nur ein *indirecter* Einfluss auf den Unfall beigemessen werden, weil die Schiffe, falls die „Sophie“ ihren Kurs beibehalten hätte, und auch die übrigen Manöver beiderseits unterblieben wären, noch von einander frei gekommen sein würden, mithin erst durch das Hinzutreten anderer, zum Teil dem Willen von Kapt. Winter völlig entzogener Umstände der Zusammenstoss ermöglicht wurde. Soweit diese Umstände innerhalb der Machtsphäre von Kapt. Winter gelegen haben, soweit es sich also um die weiteren Manöver des Schiffes „Hohenstaufen“ handelt, mag gleich hier hervorgehoben werden, dass in Betreff derselben kein Vorwurf zu erheben ist. Dieselben waren nach Ansicht des Seeamts durchaus der Sachlage entsprechend bezw. durch dieselbe geboten.

Da nach § 4 des Gesetzes betr. die Untersuchung von Seeunfällen die seeamtliche Untersuchung den Zweck hat, die *Ursachen* des Seeunfalls festzustellen, so ist im vorliegenden Falle auch zu prüfen, ob und wie weit die Manöver der Sophie thatsächlich eine *Wirkung* auf die Entstehung des Unfalls ausgeübt haben. Eine Erörterung der weiteren Frage, ob die Manöver *richtig* bezw. *berechtigt* gewesen sind, muss dagegen ausgeschlossen bleiben, da die Sophie der Jurisdiction des Seeamts nicht unterstellt und letzteres daher zu einer Kritik der auf der Sophie vorgenommenen Manöver nicht befugt ist. Von diesen Manövern kommt hauptsächlich die anfängliche Kursänderung nach Backbord in Betracht. Bezüglich derselben ist bereits oben dargelegt, dass und weshalb der Hohenstaufen, wenn die Sophie ihren Kurs beibehalten hätte, noch frei von derselben gekommen sein würde. Es steht deshalb ausser Zweifel, dass jene Kursänderung der Sophie von Einfluss auf die Entstehung des Unfalls gewesen ist. Ob die Sophie auf Grund des vorhergegangenen Verhaltens des Hohenstaufen zu der Kursänderung und überhaupt schon zum Handeln befugt war, mit anderen Worten, ob damals die in Artikel 23 der Verordnung vom 7. Januar 1880 bezeichneten besonderen Umstände für die Sophie vorlagen, muss aus dem angeführten Grunde hier unerörtert bleiben.

In gleicher Weise muss das Seeamt davon absehen, die Frage zu beantworten, ob es — angenommen, dass die „Sophie“ überhaupt schon handeln durfte — für dieselbe nicht richtiger gewesen wäre, anstatt nach Backbord sofort nach Steuerbord auszuweichen.

In Betreff der späteren Kommandos auf der „Sophie“, „hartsteuerbord“ (M. K.) und „volle Kraft *rückwärts*“ ist ebenso wenig etwas zu bemerken, wie hinsichtlich der nach dem Kommando „hartbackbord“ auf dem „Hohenstaufen“ gegebenen Kommandos. Diese sämmtlichen Kommandos wurden veranlasst durch das beiderseitige Bestreben, die Manöver des anderen Teils zu unterstützen, mussten aber ihren Zweck verfehlen, da wechselseitig der eine Teil die Absichten des anderen Teils nicht rechtzeitig erkannte. Was insbesondere das Rückwärtsarbeiten beider Schiffe anbetrifft, so wurde dadurch allerdings das mittelst der gleichzeitigen Steuermanöver bezweckte Abfallen der Schiffe sehr beeinträchtigt, andererseits war aber das Rückwärtsarbeiten das einzige Mittel, um die Möglichkeit eines Zusammenpralles der Schiffe mit voller Kraft, welches einen weit unheilvolleren Ausgang gehabt haben würde, auszuschliessen.

Das Verhalten auf Seiten des „Hohenstaufen“ nach dem Zusammenstoss giebt gleichfalls zu Bemerkungen keinen Anlass.

Was schliesslich den vom Reichskommissar gestellten Antrag anbelangt, dem Schiffer Winter die Befugniss zur Ausübung des Schiffergewerbes zu entziehen, so konnte das Seeamt diesem Antrage schon deshalb nicht stattgeben, weil dasselbe dem Verhalten des Schiffers Winter nur eine *mittelbare* Einwirkung auf den Unfall beizumessen vermag. Aber auch davon abgesehen würde kein hinreichender Grund zur Patententziehung vorliegen, da die vom Seeamte gerügte Unvorsichtigkeit des Schiffers Winter nicht schon als Beweis dafür angesehen werden kann, dass es demselben an den zur Ausübung des Schiffergewerbes erforderlichen Eigenschaften mangelt.“

Zur Praxis der Seeamts-Verhandlungen.

Eingesandt.

Als einst ein Mann die Frage an Dr. Martin Luther richtete, was unser Herrgott wohl in der langen Ewigkeit vor Erschaffung der Welt gethan habe, soll der witzige Doktor geantwortet haben, der Herrgott habe damals in einem Birkenwald gesessen und Ruthen geschnitten für solche Leute, die unnütze Fragen stellen.

Diese Hebel'sche Anekdote ist uns manchmal eingefallen, wenn wir den Seeamts-Verhandlungen beiwohnten, oder die Berichte über solche lasen, und es mag dem einen oder dem andern zum Nutzen gereichen, wenn wir an einzelnen Angelegenheiten darlegen, wie wir darüber denken.

Beim Entwurf zum Bau eines Kriegsschiffs wird dessen Eigengewicht mit Maschinen, Kessel, Kohlen, Ballast etc. so genau als möglich festgestellt, und da man nachgerade eine recht ausgiebige Erfahrung hinter sich hat, so gelingt es fast stets, das Gewicht und damit den Tiefgang und viele andere Eigenschaften des Schiffes im voraus zu bestimmen. Auf den Probefahrten wird dann noch so manches andere festgestellt, wie die grösste zu erreichende Fahrt durchs Wasser, die Steuerfähigkeit, namentlich in welcher Zeit und Distanz nach dem Kommando „Stopp!“ „halbe, oder ganze Kraft rückwärts“ das Schiff zum Stehen kommt, wann es rückwärts zu gehen beginnt, in welcher Zeit nach dem Kommando: „Hart Backbord“ oder „Hart Steuerbord“ das Ruder aus der gewöhnlichen Lage hart an Bord gelegt ist, in welcher Zeit das Schiff einen, zwei, drei etc. Strich abfällt; in welcher Zeit es nach jeder Seite hin einen Kreis beschreibt und wie gross der Radius oder der Durchmesser dieses Kreises ist u. s. w. Durch Vergleichungen und Rückschlüsse sind diese Experimente zu einem grossen Segen für die Schiffbaukunst geworden und für die Führer des Schiffes sind diese Aufzeichnungen gewissermassen ein curriculum vitae, ein Sittenzeugnis seines Schiffes. Während seines ganzen Daseins wird das Schiff stets dieselben Eigenschaften besitzen, denn es wird mit wenigen Zollen Unterschied, wie sie die Füllung oder Leerung der Kohlenbunker mit sich bringen, stets gleich tief gehen.

Unsere gelehrten Nautiker hatten und haben nun nichts eiligeres zu thun, als diese aus allerlei wissenschaftlichen und zeitschriftlichen Werken gesammelten Kenntnisse bei den Seeamtsverhandlungen an den Mann zu bringen und einem Dampferführer unter dem Vorgeben, die Ursachen eines Seeunfalls möglichst klar stellen zu müssen, mit Fragen auf den Leib zu rücken, die nach obigem Ziele streben, ohne sich der grossen Verschiedenheit von Kriegsschiffen und Handelsschiffen auch nur entfernt bewusst zu sein. Das Resultat solcher Fragen ist bisher in den Seeamts-Verhandlungen, abgesehen von geringen Ausnahmen, ein so gut wie völlig negatives gewesen.

Nach übereinstimmender Erfahrung der Führer von Handelsdampfschiffen sind solche Experimente mehr oder weniger gefährlich, im allgemeinen aber überflüssig, ja unnütz, also eine vollständige Zeit- und Kraftverschwendung.

Verweilen wir z. B. bei dem Experiment: „In welcher Zeit und in welcher Distanz wird ein in voller Fahrt sich befindender Dampfer auf das Kommando: „Stopp!“ und „Volle Kraft rückwärts!“ zum Stehen zu bringen sein?“ Das Manöver ist erstens niemals ungefährlich. Es ist ein wahrer Segen, dass unsere Schiffer ohne Ausnahme die Ansichten der Maschinisten und Maschinenbauer kennen und teilen, welche Gefahren es für Maschine, Welle, Schraube etc. in sich birgt, so grosse Kräfte in unmittelbarer Folge in direkt entgegengesetztem Sinne wirken zu lassen; ein Manöver, das nur die höchste Not rechtfertigt, das in jedem anderen Falle als leichtfertig erscheint. Und nun fragen wir, welcher Schiffer wird die Verantwortung auf sich nehmen, seiner Wissbegierde wegen, oder um eine möglicherweise einmal an ihn gestellte dahinzielende Frage beantworten zu können, solche Experimente vorzunehmen?

Wir glauben: Niemand, denn zweitens ist das Experiment für einen Handelsdampfer unnütz.

Ein Handelsdampfer ist bald schwer, bald leicht beladen, bald in Ballast. Das Gesamtgewicht eines schwerbeladenen Handelsdampfers übersteigt oft um das doppelte das Gewicht desselben Handelsdampfers in Ballast; bei gleicher Fahrt ist sein Moment also im ersten Falle fast doppelt so gross, als im letzteren. Nehmen wir die Maschinenkraft beide Male als gleich gross an, so hat diese im ersten Falle einem doppelt so grossen Moment entgegen zu wirken, als im zweiten Falle; Zeit und Distanz bis zum Stillstand und Rückgang des Schiffs werden also in den beiden Fällen ganz erheblich von einander abweichen.

Indess so einfach wird sich das Verhältnis noch längst nicht gestalten, denn bei schwerer Ladung arbeitet die Schraube tief unter der Oberfläche, wo die Wassermassen beim seitlichen Ausweichen viel grösseren Widerstand finden, als wenn bei leichtem Ballastschiff die Schraube um ½ ihres Durchmessers aus dem Wasser schlägt. Ferner ist das Schiff bald mehr, bald weniger achterlastig, das Eintauchen der Schraube und damit auch der Widerstand, den sie im Wasser findet, ist bei demselben mittleren Tiefgang oder bei demselben Gewicht der Ladung sehr verschieden. Dazu kommt mitunter noch eine Schlagseite, die selbst der sorgsamste Schiffsführer nicht stets vermeiden und auch nur allmählig durch Entnahme der Kohlen aus den Bunkern auf der niedrigen Seite und gar selten zur vollen Zufriedenheit ausgleichen kann. Wind und Seegang üben ferner ihre Wirkung, nicht minder etwa gesetzte Segel; das alles fällt störend, mit- oder gegenwirkend, je nach dem, schwer ins Gewicht und wo bleibt dann der Verlass auf ein Experiment, das unter gewissen Verhältnissen, unter gewissen Umständen gemacht wurde? Wie oft müsste das Experiment wiederholt werden, und wie endlich würde es um den Gebrauch der erzielten Data stehen?

Wenn ein Kriegsschiff im Geschwader manövriert, dann steht beständig mindestens ein Mann bereit, um durch Winkelmessungen den Abstand des Vorseglers oder Nebenmannes zu bestimmen. Der Kommandant hat hiermit im Zusammenhange mit den festgestellten Grundversuchen stets einen zuverlässigen Massstab, nach welchem er zu urteilen vermag: „bis dahin kann ich mein Schiff zum Stehen bringen“, oder: „wenn ich einen Kreis beschreibe, bleibe ich weit genug von meinem Nebenmanne“ u. dgl. mehr. Wenn aber auf See ein Dampfer einem andern Dampfer begegnet, dem er vielleicht auszuweichen hat, so kennt er doch nicht unbedingt gleich die Höhe seiner Masten und dergl., die Grundlage einer Höhenwinkelmessung fehlt und damit auch die der Abstandsbestimmung, selbst wenn ein Mann dazu disponibel wäre. Zudem ändert sich bei der Dampferfahrt der Jetztzeit der Abstand von Sekunde zu Sekunde so rasch, dass damit der Zweck der Abstandsbestimmung völlig illusorisch würde. Der Schiffer ist somit auf Abstandsschätzungen nach Augenmaas angewiesen und erlangen unsere Seeleute allbekannter Massen darin eine staunenswerte Fertigkeit durch die Uebung. Dass nicht nach Metern geschätzt wird, brauchen wir wohl kaum zu sagen.

Nicht so der Kommandant eines Kriegsschiffs; seinen Abstandsbestimmungen liegen Messungen zugrunde; er hat keine Veranlassung, sich auf Schätzungen einzulassen und es fehlt ihm folgerecht darin Uebung und Fertigkeit und einem Handelsschiffe, namentlich Handelsdampfschiffe gegenüber, finden wir dann oft die vielfach besprochene Unsicherheit.

Kommt nun aber in einer Seeamts-Verhandlung ein Kauffahrteischiffer einem Kommandanten eines Kriegsschiffs gegenüber zu stehen und gerät dabei gar noch unter die Breitseite eines Reichskommissars, die ja vorzugsweise aus den Reihen der Marine-Offiziere oder sog. Nautiker genommen werden, die sich ihre Gelehrsamkeit aus wissenschaftlichen Werken zusammengeklaubt haben und das wenige, was sie vielleicht einmal auf See gelernt hatten, auf Grund späterer Studien missachten, dann Gnade Gott dem armen Schiffer: hier ist er schüchtern, zaghaft, wenn schon er Sturm und Wetter gegenüber mutig, vertrauensvoll und sicher sich seiner Kraft bewusst war.

Hier wird ihm vorgerechnet, bis auf Meter genau, in welcher Zeit sein Schiff zum Stillstand kommen musste, oder in welcher Zeit es so oder soviel abgefallen sein konnte, unbekümmert um die Versicherungen des Schiffers und seiner Mannschaft; der christliche Seefahrer staunt, ob der Gelahrtheit und sagt ganz bescheiden, ich meinte doch, es wäre anders gewesen. Nach Schluss der Verhandlungen denkt er unbefangener nach und findet dann zu seinem leidigen Troste, dass die Grundlagen der gelehrten Rechnung doch ganz vage Schätzungen, oder ganz falsche sind, dass also auch die Rechnung falsch ist. Allein die Verhandlung ist geschlossen, das Urteil ist gefällt und damit ist's vorbei. —

„Aber die Beisitzer des Seeamts sind doch sachkundige Männer, die werden sich nicht täuschen lassen"....

Fehlgeschossen, lieber Leser. Zunächst nicht die Beisitzer, sondern der Reichskommissar legt diensteifrigst Berufung ein, wenn ihm der Spruch des Seeamts nicht zusagt und damit wird der Schiffer, wie ein Delinquent, von einem Tribunal vor das andere geschleppt; dann aber sind die Beisitzer auch durchaus nicht alle sachkundige Leute. Nach dem Gesetze sollen im Seeamt von 5 Mitgliedern *mindestens* 2, im Oberseeamt von 7 Mitgliedern *mindestens* 3 Schiffer sein. Es wird nun selten vom Vorsitzenden auf diese Zahl heruntergegangen und auch dann nur aus mehr oder weniger triftigen Gründen, was wir ausdrücklich bemerken, um jeden Verdacht abzuweisen, als glaubten wir entfernt an eine einseitige Anwendung der gesetzlichen Bestimmungen; aber es liegt doch in der Hand des Vorsitzenden, die Sachkundigen von vornherein in die Minderheit zu versetzen und es soll hier besonders betont werden, dass aus den Verhandlungen der nautischen Vereine, insbesondere des deutschen nautischen Vereinstags zu Berlin im Februar d. J. auf das Unzweideutigste hervorgeht, dass die im Gesetz bestimmte Zahl seemännischer Beisitzer nicht genügt; dass die Seeleute mit den gefällten Urteilen und deren Begründung, also doch wohl mit dem Erfolg der seemännischen Beisitzer den anderen Elementen gegenüber äusserst unzufrieden sind. Es werden eben zur Erreichung eines vermutlich richtigen Zieles zu viele unnütze Fragen gestellt, die Verwirrung stiften.

Aus dem Deutschen Nautischen Verein.

Sechstes Rundschreiben.

Kiel, den 4. December 1884.

I. Auf die vom Nautischen Verein zu Hamburg veranlasste Rundfrage betreffend Klarstellung der Ausdrücke *„Bug" und „Hals" für die Lage beim Winde segelnder Schiffe* (siehe Rundschreiben vom 15. Mai) haben bis jetzt folgende Vereine geantwortet: Brake, Elsfleth, Danzig (Seeschifferverein), Hamburg (Nautischer Verein), Hamburg (Verein deutscher Seeschiffer), Kiel, Memel, Papenburg, Rostock, Vegesack. Die Antworten lassen sich kurz wie folgt zusammenstellen:

Die Schiffer- und Rheder-Gesellschaft „Concordia" zu *Elsfleth*, sowie die Nautischen Vereine zu *Papenburg* und *Rostock* sehen in der Beibehaltung der beiden Ausdrücke, über deren Bedeutung man in seemännischen Kreisen nicht zweifelhaft sein könne, keinerlei Bedenken.

Der Handelsverein zu *Brake* und der Seeschifferverein zu *Danzig* befürworten, den Ausdruck *„Bug"* als einheitliche Bezeichnung hinzustellen und den Ausdruck „Hals" zu beseitigen.

Der *Hamburger* Nautische Verein hat seinen Antrag nachträglich dahin präzisirt, dass es sich empfehle, für die Lage beim Winde segelnder Schiffe nur die Bezeichnung nach den *Halsen* beizubehalten, die Benennung nach dem Bug aber zu beseitigen, weshalb der Deutsche Nautische Verein an massgebender Stelle dahin wirken wolle, dass der Sprachgebrauch in diesem Sinne festgestellt werde. Auch der Verein deutscher Seeschiffer in *Hamburg* hält es für wünschenswert, dass der Ausdruck „Hals" für mit seitlichem Winde segelnde Schiffe als der allein bezeichnende zu empfehlen und der Ausdruck „über den Bug segeln" oder „auf dem Bug liegen" gänzlich zu vermeiden sei. Für die alleinige Anwendung des Wortes „Hals" in der vorhin gedachten Bedeutung sprechen sich überdem die Nautischen Vereine zu *Memel* und *Vegesack* aus.

Die Aeusserung des *Kieler* Nautischen Vereins ist bereits aus dem fünften Rundschreiben vom 31. October bekannt. Abgesehen davon, dass derselbe die in dem Handbuch der Seemannschaft von Ulffers, S. 248 gegebene Erklärung als zutreffend anerkennt, hat man sich auf die allgemein gehaltene Resolution beschränkt: *„Es* ist wünschenswert, dass von massgebender Stelle dahin gewirkt werde, in Bezug auf die Lage beim Winde eine einheitliche Bezeichnung einzuführen."

Endlich hat noch der Nautische Verein zu *Rostock* darauf hingewiesen, dass es sich darum handeln dürfte, festzustellen, ob die fraglichen Ausdrücke „Bug" und „Hals" auch noch für Schiffe zulässig sein sollen, *welche nicht beim Winde segeln, sondern den Wind dwarsein oder selbst achterlicher als dwars haben.*

Die vorherige Bekanntgebung von der Stellungnahme der einzelnen Vereine zu der vorliegenden Frage wird hoffentlich dazu beitragen, die Verständigung auf dem nächsten Vereinstage zu erleichtern.

II. Der durch das Rundschreiben vom 31. October d. J. bekanntgegebene Antrag Vegesack wegen *Befeuerung etc. der britischen Insel Fair-Island* ist, soweit die Vereine sich darüber erklärt haben (Brake, Danzig, Elsfleth, Kiel, Memel, Papenburg), allseitig warm unterstützt worden. Auch vom Seeschifferverein „Columbus" zu Bremen ist mir eine befürwortende Erklärung zugegangen.

III. *Die Schiffer- und Rheder-Gesellschaft „Concordia" in Elsfleth* ersucht, als ersten Gegenstand auf die Tagesordnung des XVI. Vereinstages folgenden Antrag zu stellen:

> „Der Deutsche Nautische Verein beschliesst, bei seinen Vereinstagen von der Benutzung von Stenographen abzusehen."

Zur Begründung dieses Antrages wird Nachstehendes bemerkt: Die „Concordia" ist der einstimmigen Ansicht, dass der Deutsche Nautische Verein, dessen hohe Bedeutung für die deutsche Schiffahrt von der „Concordia" gern und freudigst anerkannt wird, für seine Vereinstage sehr wohl auf die Heranziehung von Stenographen verzichten kann, ohne an seiner Würde und Bedeutung im Mindesten zu verlieren. Hochangesehene Korporationen, deren Wichtigkeit nicht minder bedeutend sein dürfte, wie die des

Deutschen Nautischen Vereins, verzichten auf eine stenographische Protokollirung ihrer Verhandlungen. Der Oldenburger Landtag z. B., der doch die einschneidendsten Interessen eines ganzen Grossherzogtums zu vertreten hat, beschäftigt keine Stenographen, ebensowenig die technische Kommission für Seesachen, das Seeamt, das Ober-Seeamt, das Schwurgericht etc. etc.

Zum Zwecke einer weiteren Begründung ihres Antrages erlaubt sich die „Concordia" noch folgende Motive anzuführen:

1. Gewandte Schriftführer, an denen es auf den Vereinstagen des Deutschen Nautischen Vereins ja nicht fehlt, dürften mit Leichtigkeit imstande sein, die nötigen Protokolle in befriedigendster Ausführlichkeit zu entwerfen. Eventuell könnte der Vereinstag die Heranziehung eines besonderen Schriftführers, für den im Voranschlage 150 ℳ ausgesetzt sind, beschliessen.
2. Die von diesen Schriftführern entworfenen und zum Druck gebrachten Protokolle werden durch ihre summarische Form den meisten Lesern viel willkommener sein, als die so äusserst breit angelegten stenographischen Berichte, die nach den Erfahrungen der „Concordia" nur in seltenen Fällen ganz durchgelesen werden. Es erklärt sich dieser Umstand um so leichter, als ein grosser Teil der Mitglieder schon gleich nach Statthaben des Vereinstages durch die Tagesblätter über die geschehenen Verhandlungen ausführlich unterrichtet worden ist, wodurch das Interesse für die meistens erst recht spät zur Verteilung gelangenden stenographischen Berichte in hohem Grade abgeschwächt wird.
3. Sollten im Vereinstage besonders interessante Vorschläge oder Referate, deren Veröffentlichung in extenso dringend erwünscht erscheint, vorkommen, so würde sich dafür die Form von Flugblättern oder Broschüren empfehlen.
4. Die Herstellung der stenographischen Protokolle ist für das geschätzte Gesamt-Präsidium sicher eine äusserst lästige Arbeit und für den Verein ausserdem recht kostspielig. Nach dem Voranschlage pro 1884/85 sind in Aussicht genommen:

das Honorar des Stenographen mit	450 ℳ
die Druckkosten der stenographischen Berichte mit	957 „
Zusammen	1407 ℳ

Zur Deckung dieses erheblichen Postens ist es nötig, den Jahresbeitrag auf 1,50 ℳ zu erhöhen. Der „Concordia" erscheint eine so hohe Beitragsquote recht bedenklich, einesteils, weil die Befürchtung nicht ausgeschlossen ist, dass einzelne Vereine einen solchen Beitrag, der fast die Hälfte ihrer ganzen Jahreseinnahme wegnimmt, nicht mit ihrem Budget in Einklang zu bringen vermögen, anderenteils und besonders, weil mit einer so grossen Belastung die Einzelvereine in der so wünschenswerten Entfaltung ihrer eigensten Angelegenheiten in hohem Grade gehemmt werden. Durch den Wegfall der Stenographen würde sich die obengenannte Summe in einer Weise ermässigen, dass statt einer Erhöhung des Jahresbeitrages eine Reduktion desselben eintreten könnte. Die auch von dem Herrn Vorsitzenden so sehr gewünschte Vergrösserung der Mitgliederzahl wird sich naturgemäss um so eher zur Ausführung bringen lassen, je geringer man die finanziellen Anforderungen an die Mitglieder stellt und je leistungsfähiger sich die Einzelvereine in ihrer Wirksamkeit zeigen.

In Erwägung aller dieser Gründe hält sich die „Concordia" zur Stellung des obigen Antrages verpflichtet.

Der Vorsitzende
des Deutschen Nautischen Vereins:
Sartori.

Der Ein- und Ausfuhrhandel China's unter fremder Flagge.

Die Handelsumsätze China's werden jährlich vom Hauptzollinspektor, Herrn Hart, veröffentlicht. Diese Bekanntmachungen beziehen sich aber nur auf Waren, welche unter fremder Flagge ein- oder ausgeführt werden, nicht aber auf den Warentransport der Junken.

Die gewichtigen hier folgenden Zahlen werden gewiss manchen Leser überraschen, und manches geringschätzige Vorurteil über unsere Interessen im fernen Osten beseitigen helfen. Welches ungeheure Feld für angespannte Thätigkeit liegt da noch vor uns!

Der Wert des Handelsumsatzes in Haikwan Taels zu 5 sh. 7½ d. oder 1 $ 35 Gold war in den folgenden Jahren wie nachstehend:

Jahr	Einfuhr netto	Ausfuhr netto	Brutto Zolleinnahme	Davon sind Tonnengeld.
1871	70 103 077	66 853 161	11 216 146	204 798
1874	64 360 864	80 850 512		
1881	91 910 877	77 883 587	14 685 162	349 818
1883	73 567 702	70 197 693	13 286 757	349 611

Die Einfuhr nahm ab bis 1874, erreichte ihre grösste Höhe in 1881 und ging nun wieder zurück; anders verhielt sich die Ausfuhr, sie erreichte ihre grösste Höhe in 1874, fiel in den beiden folgenden Jahren, stieg dann bis 1880, um nun wieder zu fallen. Die jährlichen Schwankungen beider betrugen von 1—12 Mill. H.-Taels, jedoch nahm der Handel in den 13 Jahren um rund 7 Millionen H.-Taels zu und stieg die Zolleinnahme während dieser Zeit um rund 2 Millionen H.-Taels; Zolleinnahme und Tonnengelder stiegen regelmässig bis zum Jahre 1881, um von dieser Zeit wieder etwas zu sinken.

An Opium wurde eingeführt:

Jahr	Pikul	Wert in Taels
1876	69 851	28 018 904
1879	83 051	36 536 617
1883	67 405	25 345 613

Die Einfuhr erreichte ihren höchsten Stand in 1879 und nahm dann jährlich ab; die Ursache ist, dass die Chinesen selbst sehr viel Opium bauen. Es werden jährlich etwa 13 000 Pikul Opium geschmuggelt.

Die Theeausfuhr, die Hauptausfuhrware Chinas, betrug:

Jahr	Pikul	Davon war Schwarzer	Grüner	Der Rest war
1874	1 735 379	1 444 249	213 834	Theestaub
1877	1 909 700	1 552 174	197 522	und
1881	2 137 472	1 636 724	238 064	Ziegelthee.
1883	1 987 324	1 671 092	191 116	

Etwa die Hälfte der ganzen Theeausfuhr kommt auf England und zwar aller 14 Sorten (8 schwarzer und 6 grüner), dann folgt Russland mit 0,15 und Amerika mit 0,13 Teilen; Deutschland wird überhaupt nicht aufgeführt.

Die Schiffahrt der letzten 10 Jahre betrug:

Jahr	Anzahl	Tonnen	Davon Dampfer		Segelschiff	
1874	7 811	4 662 900	5 384	4 012 358	2 426	610 042
1878	10 464	6 723 197	7 100	5 863 467	3 364	859 730
1883	11 934	8 794 967	9 720	8 209 521	2 202	586 435

Hiernach nahmen die Dampfer regelmässig in den 10 Jahren um die Hälfte an Zahl und Tragfähigkeit zu, die Segelschiffe dagegen nahmen um etwa 200 an Zahl und 25 000 Tonnen Raumgehalt ab.

Die Durchschnitts-Tragfähigkeit der Segler bis 1878 war 258 Tonnen, nach diesem Jahre aber 266 Tonnen; es werden jetzt grössere Schiffe in der Küstenfahrt verwendet.

Mehr als die Hälfte der ganzen Schiffahrt fällt unter englische Flagge, dann folgt Deutschland, wenn man von den Chinesen absieht.

Es beteiligten sich an der Küstenfahrt in den Jahren:

	1878 Zahl	Tonnen	1880 Zahl	Tonnen	1882 Zahl	Tonnen	1883 Zahl	Tonnen
Engl. . .	4 996	3 719 886	6 109	4 803 078	7 188	5 407 389	7 102	5 501 648
Deutsche	901	371 739	750	316 022	932	441 428	805	387 008
Amerik. .	509	170 471	636	143 684	381	83 901	296	75 351
Französ.	82	80 037	84	75 103	96	86 193	88	90 026

Die englische Küstenfahrt hob sich also in den 6 Jahren um 2116 Schiffe mit 1 781 962 Tonnen, wogegen die deutsche sich nur an Tragfähigkeit um 15 280 Tonnen hob.

Von den 18 Vertragshäfen hatten die 4 Häfen Ichang, Wuhu, Wuchow und Pakhoi, welche 1877 eröffnet wurden, im Jahre 1883 eine Zolleinnahme von zusammen 157 530 H.-Taels. Die Zolleinnahmen der übrigen 14 Häfen betrugen in den Jahren:

	Einwohner	1876	1879	1883
Newchwang	60 000	239 406	333 733	298 450
Tientsin	950 000	318 074	423 607	380 936
Chefoo	32 000	304 080	341 030	272 577
Hankow	100 000	1 605 486	1 774 257	1 832 616
Kinkiang	63 000	683 082	701 277	778 617
Chinkiang	135 000	153 086	161 000	169 564
Shanghai	360 000	3 370 216	4 018 128	3 651 120
Ningpo	260 000	732 403	667 215	645 214
Foochow	630 000	1 978 112	1 963 659	1 812 941
Amoy	95 000	890 584	659 075	719 737
Swatow	30 000	744 769	770 326	753 981
Canton	160 000	991 607	1 090 144	1 137 072
Tamsui	95 000	152 906	281 302	286 031
Takao (Taiwanfu)	235 000	124 021	203 015	194 895

Deutschland nimmt inbetreff der Zollabgaben und Tonnengelder überhaupt den 2. Rang unter allen Ländern ein, welche mit China Handel treiben.

Ende 1883 befanden sich in den Vertragshäfen an fremden kaufmännischen Firmen: 220 englische, 63 deutsche, 18 amerikanische, 12 französische, 1 dänische, 15 russische, 3 spanische, 1 österreichische, 2 italienische und 11 japanische Firmen. *E. K.*

Germanischer Lloyd.

Deutsche Handels-Marine: Seeunfälle vom Monat Octbr. 1884, soweit solche bis zum 15. Novbr. 1884 im Central-Bureau des Germanischen Lloyd gemeldet und bekannt geworden sind.

I. Segelschiffe.	Totalsumme	Ladung (Stückgüter, Güter, Zucker, Kartoffeln, Fische, Oelkuchen, Petroleum, Dungsalz, Phosphate, Kreide, Eisen, Holz, Pferde, Ballast, unbekannt)	Klasse [1] (I, II, O., unbekannt)	Alter (Jahre) (1—10, 11—15, 16—20, 21—)	Rhederei (Preussen, Elbe, Weser, Mecklb.)
a. m. gering. Schaden eingekom.	5	[illegible]	[illegible]	[illegible]	[illegible]
b. m. schwer. Schaden eingekom.	10	[illegible]	[illegible]	[illegible]	[illegible]
c. an Grund gerat. od. gestrd. u. abgebr.	13	[illegible]	[illegible]	[illegible]	[illegible]
d. gestrandet und nicht abgebr.	9	[illegible]	[illegible]	[illegible]	[illegible]
e. Collision.	5	[illegible]	[illegible]	[illegible]	[illegible]
f. Totalverlust [2]	19	[illegible]	[illegible]	[illegible]	[illegible]
Summa	61				
II. Dampfschiffe.					
a. m. Schad. eingekom.	4	[illegible]	[illegible]	[illegible]	[illegible]
b. an Grund geraten	5	[illegible]	[illegible]	[illegible]	[illegible]
c. Collision.	1	[illegible]	[illegible]	[illegible]	[illegible]
d. Totalverlust [3]	1	1	1	1	1
Summa	11				

(In der Spalte Ladung: Wein, 1 Kiste, 1 Torf, Kohlen, Kalk.)

[1] Soweit zu ermitteln, Klasse einer Schiffsklassifikations-Gesellschaft. O. = keine Klasse. Umgekommene Seeleute: 16.

[2] Tonnengehalt von 9 Schiffen 3881 Tons.

[3] Tonnengehalt von 1 Schiff 424 Tons.

BERLIN, d. 15. Novbr. 1884.

Die Entweichungen von Seeleuten der deutschen Handelsmarine im Jahre 1883.

Nach der Statistik über die Entweichungen von Seeleuten der deutschen Handelsmarine sind im Jahre 1883 im Ganzen 4 540 Entweichungen zur Anzeige gekommen, von denen 46 noch in das Vorjahr fallen. In diesem hat die Gesamtzahl der zur Anzeige gebrachten Entweichungen 4 400, im Jahre 1881 4082 und im Jahre 1880 3662 betragen, es hat also von 1882 auf 1883 eine Zunahme von 140 Desertionsfällen stattgefunden (=3,18 %), während für die Zeit von 1881 auf 1882 eine Zunahme von 7,79 % und von 1880 auf 1881 eine solche von 11,47 % sich ergab.

Der Zeit nach kommen von den für das Jahr 1883 verzeichneten Entweichungen auf die Monate April bis November durchschnittlich je 432, Dezember bis März dagegen durchschnittlich nur 256, und die geringste Zahl mit 211 auf den Monat Dezember.

Die angegebenen Gesamtzahlen der in den Jahren 1880—1883 von der deutschen Handelsflotte entwichenen Seeleute verteilen sich nach der dienstlichen Stellung der Betreffenden in nachstehender Weise:

	Zahl der Entwichenen 1880	1881	1882	1883
Steuerleute und Bootsleute	38	44	53[1]	83[2]
Schiffshandwerker	316	330	317	334
Matrosen und Leichtmatrosen	2185	2356	2642	2599
Schiffsjungen	431	479	459	381
Maschinisten und Assistenten etc.	7	12	14	11
Heizer und Kohlenzieher etc.	564	757	811	954
Lagermeister etc.	59	62	54	51
Personen unbekannter Stellung	64	42	60	174
Von den Entwichenen waren:				
unter 15 Jahre alt	5	14	8	5
von 15 bis unter 20 Jahr alt	662	703	833	792
„ 20 „ 25 „ „	984	1092	1063	1154
„ 25 „ 30 „ „	679	827	739	827
„ 30 „ 40 „ „	334	403	483	501
„ 40 „ 50 „ „	93	110	101	128
50 Jahr und darüber alt	10	7	26	12
unbekannten Alters	895	926	1147	1118
Unter d. Entwichenen befanden sich:				
Deutsche	2207	2863	2800[1]	2890[2]
Ausländer	1315	1330	1517	1566
Personen unbekannter Herkunft	140	129	83	74
und in Bezug auf die angegebene Zahl der deutschen Angehörigen war die engere Heimat:				
unbekannt bei	391	505	1624	1640
Preussen „	1269	1518	910	907
Hamburg „	161	191	48	94
Bremen „	91	120	45	46
Oldenburg „	61	61	36	34
Mecklenburg „	55	69	48	44
das übrige Deutschland „	153	156	89	115

[1] Darunter 2 Offiziere und 1 Arzt.
[2] „ 1 Kapitän, 1 Offizier und 1 Arzt.

Von den Entweichungen fanden in deutschen Häfen statt 275 oder 6,1 % der Gesamtzahl (gegen 143 oder 3,3 % im Vorjahr); davon 93 in Hamburg, 50 in Bremen, 32 in Danzig, 19 in Stettin, je 10 in Königsberg und Memel; die weit überwiegende Mehrzahl von den in deutschen Häfen Entwichenen (246 von den 275) bestand aus Deutschen.

Die grösste Zahl der Entweichungen, 2862 oder 63,5 % der Gesamtzahl, entfällt auf die Häfen der Vereinigten Staaten von Amerika, davon 2053 (45,2 % der Gesamtzahl) auf Newyork, 331 auf Baltimore, 174 auf San Francisko, 81 auf Philadelphia. Auf die britischen Häfen kommen 434 Entweichungen (9,6 % der Gesamtzahl), davon auf Cardiff 110, Shields 13, London 20, Liverpool 59, Newcastle 27, Hull 31. Von den übrigen Entweichungsfällen haben 212 in central- und südamerikanischen Häfen, 233 in den Häfen Australiens und der Südsee, 79 in ostindischen, 90 in französischen, 41 in russischen, 55 in chinesischen, 62 in niederländischen, 55 in belgischen und 26 in afrikanischen Häfen stattgefunden. —s—

Nautische Literatur.

Kriegsmarine und Volkswirthschaft in Oesterreich-Ungarn. — Von *Alexander Dorn*. — *Wien 1885.* — *Verlag der k. k. Hof- und Universitäts-Buchhandlung von Alfred Hölder.* — *VIII. und 140 Seiten in gr. 8°.*

Dr. Dorn, der Herausgeber der in Wien erscheinenden „Volkswirthschaftlichen Wochenschrift", hat es in dem vorliegenden Buche unternommen, dem Vorwurfe, dass die Marine Oesterreichs eine zwar *„prächtige aber unfruchtbare"* Einrichtung sei, seine Ungereimtheit nachzuweisen.

Er erbringt den Beweis, dass die österreichische Marine nicht „unfruchtbar" ist, dass sie vielmehr, trotz aller Ungunst der Verhältnisse, trotz aller widerwärtigen Strömungen, es verstanden hat, die an sie gestellte Aufgabe redlich zu erfüllen, und dass sie noch weitaus mehr gethan, als dies. Jenes ist als gelöst zu betrachten durch den Schutz der Küsten und Häfen, durch die Beschirmung der Handelsmarine; die österreichische Flotte hat aber ausserdem durch Forschungsreisen, Vermessungen, Entwerfen von Seekarten sich als getreue Gehülfin der Wissenschaft erwiesen, sie hat dauernde Handelsverbindungen mit fernen Ländern angeknüpft, sie war es, die den Seepostdienst vor Allem geregelt und, mit einem Worte, dem Lande reichliche Entschädigung für die an sie gewendeten Gelder schafft.

Der Titel des Dorn'schen Buches klingt zwar entsetzlich nüchtern und erweckt in dem Leser dunkle Vorstellungen von unübersehbaren Spalten statistischer Angaben, von ganzen Urwäldern von Ziffern und Zahlen; aber man wird angenehm enttäuscht, wenn man das Buch in die Hand nimmt; man wird darin nicht blättern, man wird es eines eingehenden Studiums für würdig erachten.

Besonders anziehend ist der *geschichtliche* Teil des Buches. Vor dem Verfasser, welcher — wie er im Vorworte versichert — die werkthätige Unterstützung des Marine-Kommandanten und Chefs der Marine-Sektion im Reichs-Kriegsministerium, Freiherrn von Sterneck, gefunden hat, öffneten sich so manche, bis nun verschlossene Archive; so manches in alten, vergilbten Akten Verborgene, vermochte der Verfasser ans Licht der Oeffentlichkeit zu fördern. —

Das vortrefflich geschriebene Buch wird, obwohl es nur die österreichischen Verhältnisse sich zum Vorwurfe genommen hat, gewiss auch bei uns in Deutschland viele Leser finden und Niemand wird dasselbe unbefriedigt aus der Hand legen.

F. K.

Hebung der amerikanischen Handels-Flotte.

In der „North American Review" findet sich ein interessanter Artikel über den Rückgang der amerikanischen Handels-Flotte und über deren mögliche Hebung.

Während sich die amerikanische Küsten-Flotte ausserordentlich vermehrt hat, — in 1883 waren es Segelschiffe von 5 415 970 Tons gegen 3 987 345 Tons in 1855 — hat die Flotte im auswärtigen Handel seit 1855 bedeutend abgenommen.

Die Küsten-Flotte ist dreimal so gross, wie die Englands, und fünfmal so gross, wie die irgend einer andern Nation — und ausserdem sind ihre Frachtsätze viel billiger. Die Flotte im auswärtigen Handel aber, die 1855 fast 72 Prozent aller vom Auslande in der Union ankommenden Handelsschiffe ausmachte, betrug in 1860 nur noch 66 Prozent und nach dem Bürgerkrieg in 1865 nur 42.

So lange die Schiffe noch aus Holz gebaut wurden, war bei Ueberfluss an billigem Holz in den Ver. Staaten der hiesige Schiffbau im grössten Flor. Anders aber wurde es, als um 1855 der Bau der eisernen Schiffe begann, welcher während des letzten Bürgerkriegs solche Fortschritte in England machte, dass nach dem Schluss des letztern die Führung im Schiffs-Bau von den Ver. Staaten an England verloren ging.

Das hatte jedoch nur Bezug auf die überseeische Schifffahrt, bei dem jedes Schiff jeder Nation dasselbe Fracht- und Handels-Recht geniesst wie jedes einheimische Schiff. Im Küsten-Handel, von dem jedes fremde Schiff ausgeschlossen ist, konnte dagegen der heimische Aufschwung im Schiffs-Bau nicht ausbleiben.

England hat seit 1855, also seit 30 Jahren, sehr viel für die Hebung seiner Handels-Flotte gethan. Seine Regierung begünstigte die Errichtung englischer Dampfer-Linien nach allen Richtungen, besonders durch hohe Summen für Brief-Post-Beförderung. Dafür that der amerikanische Kongress so gut wie gar nichts. (Hört! D. R.)

Die Behauptung Derer, welche dem Schutz-Zoll-Tarif die Schuld vom Niedergang der Handels-Flotte beimessen, ist vollständig irrig. Dieselbe wird von dem erwähnten Artikel auf folgende treffende Weise widerlegt — Derselbe besagt, nach einer Uebersetzung im Milwaukee Herold —

1. Unser auswärtiger Handel ist in den 15 Jahren nach dem Kriege unter dem Schutzzoll-Tarif um 1000 Millionen gestiegen, während er in den vorausgehenden 15 Jahren nur um 500 Millionen gewachsen war. Dennoch führen die amerikanischen Schiffe heute nur circa die Hälfte der Fracht, die sie 1855 hatten. Wenn unsere Seehandels-Flotte gleichen Schritt mit dem Wachsthum unseres Handels gehalten hätte, so müsste sie heute 4 Mal so gross sein.

2. Unser See-Frachtverkehr gedieh gleich gut unter dem Schutzzoll-Tarif von 1842 wie unter dem Revenue-Tarif von 1846, bis 1855—56, und da erst, unter dem Revenue-Tarif also, begann er zu sinken, und zwar war diese Abnahme in den nachfolgenden 5 Jahren vor dem Kriege (also unter der Herrschaft eines Revenue-Tarifs) eben so gross im Jahresdurchschnitt, wie nach dem Kriege unter der Herrschaft des Schutzzolls.

3. Die Zölle auf importirtes Material für den Bau von Seehandels-Schiffen sind gegenwärtig für Holzschiffe niedriger und für Eisenschiffe nicht höher als 1846, denn seit 1872 sind alle für den Bau von Seehandels-Schiffen importirten Materialien, als: Hölzer, Hanf, Manilla, Eisen, Stahl, Balken, Stangen, Nägel, Kupfer, Metallzusammensetzungen, und seit März 1883 alle zum Schiffbau nötigen Drahtseile zollfrei, während fast alle diese Artikel unter dem berühmten Tarif von 1846 zollpflichtig waren.

4. Man hat sich nun in Amerika daran gewöhnt, die Losung *„freie Schiffe"* auszugeben, d. h. den Widerruf der Schiffahrtsgesetze von 1789 zu verlangen, welche das Recht der amerikanischen Registrirung auf in Amerika gebaute Schiffe beschränken.

Dagegen lässt sich jedoch Folgendes einwenden:

1. „Frei-Schiff"-Gesetzgebung würde lediglich England und nicht Amerika zu Gute kommen. Das Beispiel Deutschlands, welches gleichfalls das „Frei-Schiff"-System befolgt, passt nicht auf unsere Verhältnisse, weil Deutschland ebenso billige Arbeitskraft wie England hat und daher mit demselben konkurriren kann. Wenn den englischen Schiffsbauern erlaubt würde, mit ihren Schiffen unseren Markt zu besetzen, so würde kein amerikanischer Kapitalist sich an diese Industrie heranwagen können, denn er stände der Konkurrenz gegenüber mit geringerer Erfahrung und höheren Arbeitslöhnen. Und hat man erst das „Frei-Schiff"-System für die Aussen-Handelsflotte angenommen, so kommt die Küstenflotte auch an die Reihe.

2. Die „Frei-Schiff-Politik" würde gar nicht den Aussenfracht-Handel zu heben imstande sein. Die Geschichte zeigt, dass Schiffseigentum und Schiffbau immer bei einander sein muss. Nur die Nation, die Schiffe bauen kann, ist im stande, eine starke Handels-Marine zu erhalten, Mitunter ist auch die Trennung des Schiffsbauers vom Schiffseigentümer für diesen sehr verhängnissvoll, z. B. bei wichtigen Reparaturen, die ohne das Duplikat des Masters, das sich in Händen des Erbauers befindet, nicht ausgeführt werden können; dies macht mitunter so viele Umstände und erzeugt so viele Verlegenheiten, dass viele der Dampfschiff-Gesellschaften lieber die 12 Prozent mehr bezahlen und ihre Schiffe lieber hier als in England bauen lassen.

3. Man nimmt immer an, dass England das Aufblühen seiner Handelsflotte dem „Frei-Schiff"-System verdankt. Das ist ein Irrtum. Hätte England nicht durch sein billiges Eisen die amerikanischen Holzschiffe aus dem Felde geschlagen, so wäre aus seiner Handelsflotte garnichts geworden. Eine der ersten Autoritäten, Lindsay, sagt in seiner „Geschichte der Handelsflotte": Unsere englischen Schiffseigner sahen natürlich mit grosser Beunruhigung den schnellen Aufwuchs der amerikanischen Flotte. Und ihre Befürchtungen wurden durch den Bericht des Handels-

amtes, wonach die englische Flotte im Jahre vor dem Erlass der „Frei-Schiff"-Akte um 393 955 Tonnen zugenommen, aber ein Jahr nachher um 181 576 Tonnen abgenommen, natürlich nichts weniger als zerstreut. Unsere Lage war kritisch. Und hätten wir nicht vor unseren amerikanischen Konkurrenten Eins voraus, Ueberfluss an Eisen, so hätten wir den gegenwärtigen Aufschwung nicht nehmen können.

4. Abgesehen vom Handelsinteresse gibt es noch ein viel wichtigeres, ja ein Lebensinteresse für uns, welches uns gebietet, uns nicht auf England's Schiff zu verlassen; es ist dies die Rücksicht auf die Sicherheit und Vertheidigung der Ver. Staaten, welche uns zwingt, innerhalb unseres Landes Schiffsbauhöfe zu erhalten, mit geschickten und geschulten Handwerkern, damit die Regierung, im Falle eines Krieges, Alles in Bereitschaft für sich habe. England hat trotz seiner grossen Regierungs-Bauhöfe doch nur 19 Prozent seiner Kriegsflotte in seinen eigenen Staats-Bauhöfen fertiggestellt. Wenn ein Krieg droht, verlässt sich England auf die grossen Privat-Bauhöfe seines Landes.

Fast alle die grossen Flotten, mit welchen wir die konföderirten Häfen blockirten, waren in unseren Privat-Schiffsbauhöfen erbaut. Der kleine „Monitor", welcher wahrscheinlich die grossen Städte des Nordens vor dem B[illegible]rdement und der Zerstörung durch den „Merrimac" schützte, wurde in der kurzen Zeit von 100 Tagen in einem [illegible]serer Schiffsbauhöfe hergestellt.

Das [illegible]ste Mittel, um das Problem zu lösen, ist, es dahin zu [illegible]ringen, dass Schiffe, die hier registrirt werden, ebenso [illegible]ilhaft sind, wie die in England registrirten. Holzschiffe [illegible]er besten Art bauen wir ebenso billig, wie irgend e[illegible]nderes Land; der Eisenschiffbau ist bei uns erst 20 J[illegible] alt. Und schon konkurriren unsere Schiffsbauer mit England bei der Lieferung von Eisen- und Stahldampfern für Brasilien. Wenn wir jetzt blos noch eine weitere Zollermä[illegible]igung auf das Schiffsbaumaterial erlangen, so können wir in 5—6 Jahren im Schiffsbau mit England konkurriren. Freilich müssten auch die vielerlei Abgaben, die nach unseren veralteten Gesetzen auf den Schiffen ruhen, endlich wegfallen.

Die Philadelphier Dampferlinie, die einzige amerikanische zwischen den Ver. Staaten und Europa, geht mit dem Plane um, ihre Schiffe an eine englische Kompagnie zu verkaufen, weil es billiger ist, unter englischer als unter amerikanischer Flagge zu segeln. Ausser dem Wegfall der vielen Geb[illegible], die hier das Schiff zu zahlen hat, geniesst das [illegible]che Schiff sodann noch den Vorzug der Post-Entschädig[illegible]

Im Ganzen zahlt [illegible]ie englische Regierung jährlich 3—4 Millionen an die [illegible]ampferlinien für Beförderung der transatlantischen Post, während die Ver. Staaten kaum den zehnten Teil dafür ausgeben. Wir bezahlten nämlich nur 313 545 Dollars [illegible] letzten Jahr für ausländischen Ocean-Postdienst, und [illegible]von kamen auf amerikanische Schiffe weniger als 5[illegible] Dollars. Amerikanische Auslands-Schiffe müssen für 2 Cents den Brief nach allen Gegenden hin besorgen, a[illegible] die ausländischen Schiffe haben das Privilegium, uns ihren Kontrakt vorzuschreiben. Wir bezahlen den amerika[illegible]n Dampfern, die zwischen San Francisco und China, Japan, Australien laufen, eine Unterstützung v. 14171 Dollars. England bezahlt seinen China- und Ost-Indien-Dampfern für den Postdienst 1790000 Dollars.

Wir bezahlen der amerikanischen Linie nach Brasilien für den Postdienst das grosse Unterstützungsgeld von 4619 Dollars; England zahlt seiner Brasilianischen Linie 56 960 Dollars. Wir bezahlen der amerikanischen Linie nach West-Indien 12 598 Dollars; England zahlt seinen westindischen Linien 406 611 Dollars. Der Cedar Keys und Key West Küsten-Dampferlinie, deren Route nur 300 Meilen deckt, zahlen wir für Postdienst 31 000 Dollars jährlich, aber wenn eine amerikanische Linie nach Australien, Süd-Amerika oder Europa einen verhältnissmässig gleich grossen Betrag haben wollte, so würde das nicht genehmigt werden.

Angesichts der Thatsache, dass, seitdem der Schraubendampfer das Fahrzeug für den Aussenhandel geworden, diejenige Nation welche Dampferlinien kontrollirt, auch den Welthandel und den Ocean in Kriegszeiten kontrollirt, ist es unbegreiflich, dass die amerikanische Volksvertretung, die so leicht bereit war, Millionen baar und Hunderte von Millionen an wertvollem Ackerland für Eisenbahnen zu bewilligen, sich nicht dazu verstehen sollte, jährlich 2—3 Millionen Dollars als Vergütung für Postdienst zu genehmigen, um die amerikanischen Linien nach dem Auslande zu ermutigen und zu fördern. (Hört! Hört! D. Red.)

Wenn wir das thun, verbessern wir nicht nur auch unsere Handelsbeziehungen, sondern wir halten auch unsere commercielle Unabhängigkeit aufrecht und schützen uns — vor Allem — für den Kriegsfall durch eine Flotte und inländische Schiffsbauhöfe. (Den Herren Bamberger, Stiller und Kons. in's Stammbuch!)

Verlag von H. W. Silomon in Bremen. Druck von Aug. Meyer & Dieckmann. Hamburg. Alterwall 60.

Small screw steamers for sale.

Would answer the requirements for ferry or short passenger service.

WHEN, WHERE BUILT .	1880-1881 at the Royal Engine Works at Amsterdam.
BUILDER'S NAME	ditto ditto
IRON OR STEEL	Iron.
CABINS, WHERE PLACED	Forward and aft.
RUN OF DECK	Flush all over.
DRAFT FORWARD	26¾"
DITTO AFT	3' 11½"
CLEAR PASSAGE FROM OFF WATERLINE (FUNNEL LOWERED) . .	6' 7"
COAL BUNKER CAPACITY	170 cub. ft.
CONSUMPTION PER HOUR	55 lbs. of coke.
AVERAGE SPEED IN KNOTS	About 7¼ knots.
LENGTH BETWEEN PERPENDICULARS	54' 0"
BREADTH INSIDE BULWARKS	12' 0"
DEPTH MOULDED	5' 4"
NUMBER OF PASSENGERS TO BE CARRIED	About one hundred and fifty.
DESCRIPTION OF ENGINES	Compound non condensing.
ARRANGEMENT OF DITTO	Cylinders side by side.
MAKER'S NAME	Same as for ship.
HORSES POWER NOMINAL	8
NUMBER AND DIAMETER OF CYLINDERS	2 — 6¾" and 11½"
STROKE OF PISTON	8"
REVOLUTIONS PER MINUTE	200
DIAMETER OF SCREW	3' 6"
PITCH OF DITTO	4' 2"
DESCRIPTION OF BOILER	Horiz. return multitubular.
AGE AND CONDITION OF BOILER	Same as for ship.
WORKING PRESSURE	100 lbs. pr. sq. inch.
WATERTEST PRESSURE	200 » »
BOILER FEED APPARATUS	Pump worked by eng. and a donkey.
WHEN, WHERE TO BE SEEN	Apply at the offices of

HAVEN STOOMBOOTDIENST,
127 O. Z. Voorburgwal,
AMSTERDAM.

AMSTERDAM, 1884.

Google

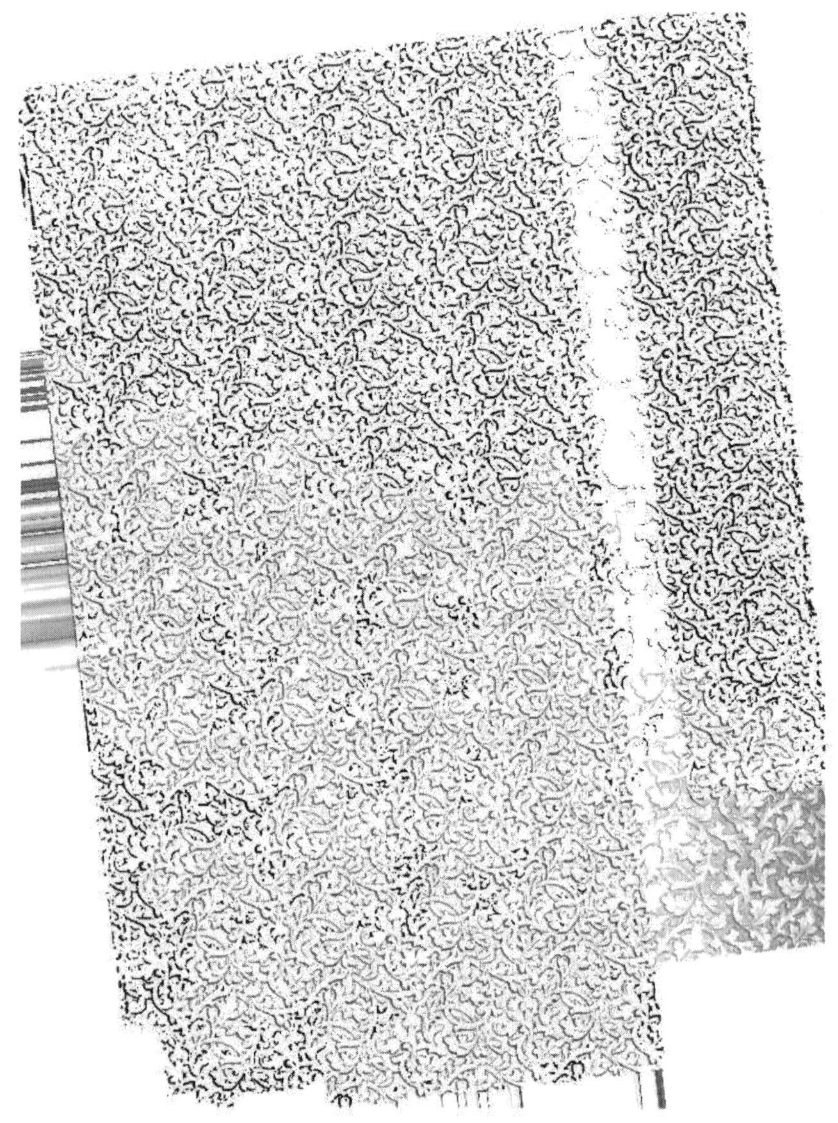

FSC
www.fsc.org

Druck:
Customized Business Services GmbH
im Auftrag der KNV-Gruppe
Ferdinand-Jühlke-Str. 7
99095 Erfurt